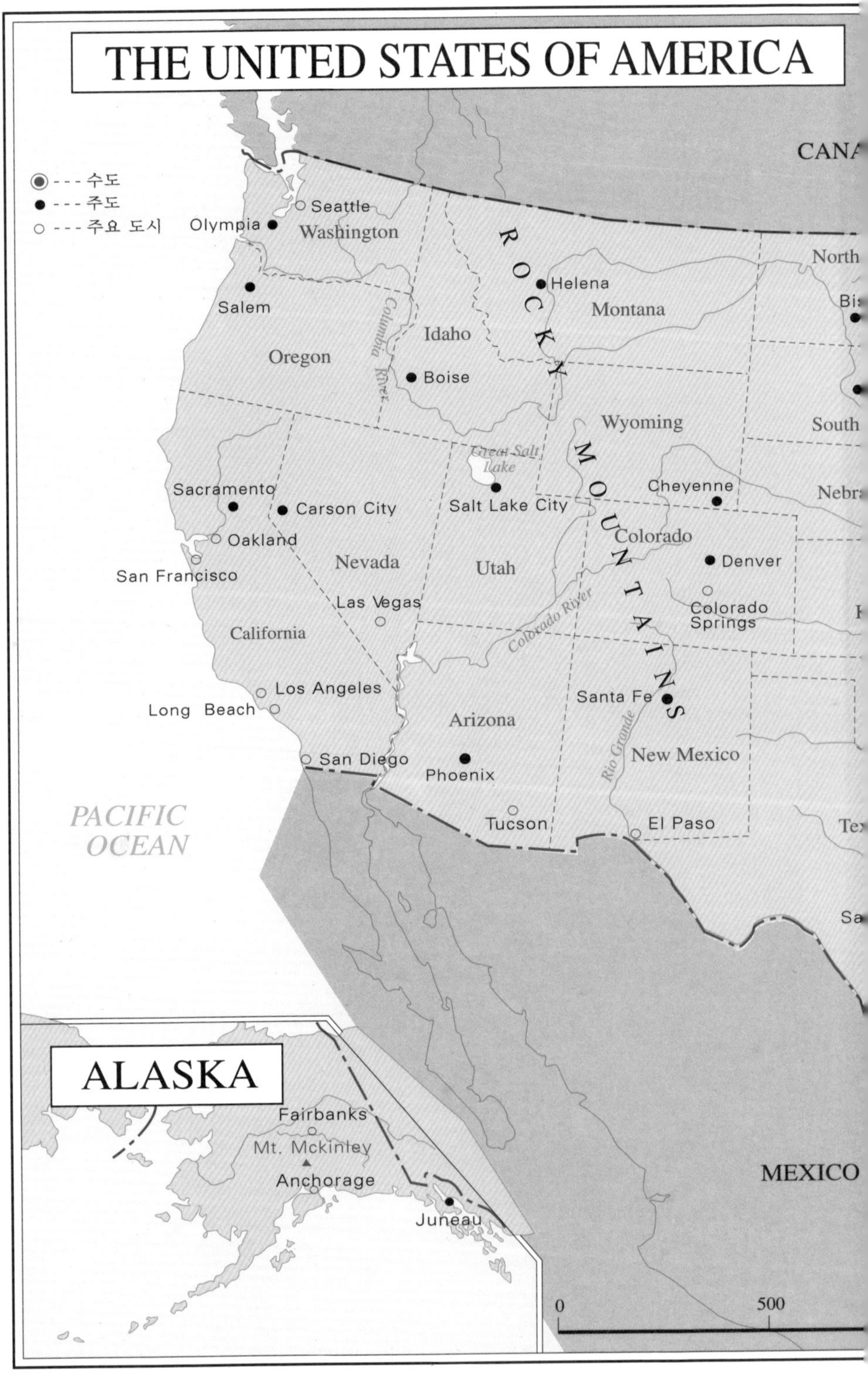

THE UNITED STATES OF AMERICA

◉ --- 수도
● --- 주도
○ --- 주요 도시

CANA
Seattle
Olympia
Washington
ROCKY MOUNTAINS
Helena
North
Salem
Montana
Bi
Columbia River
Idaho
Oregon
Boise
Wyoming
South
Great Salt Lake
Sacramento
Cheyenne
Nebr
Carson City
Salt Lake City
Oakland
Colorado
Denver
San Francisco
Nevada
Utah
Las Vegas
Colorado River
Colorado Springs
California
Los Angeles
Santa Fe
Long Beach
Arizona
Rio Grande
San Diego
New Mexico
Phoenix
PACIFIC OCEAN
Tucson
El Paso
Te
Sa

ALASKA

Fairbanks
Mt. Mckinley
Anchorage
Juneau
MEXICO
0
500

Minnesota
St. Paul
Minneapolis
Wisconsin
Michigan
Lake Superior
Lake Michigan
Lake Huron
Lake Ontario
Lake Erie
Milwaukee
Lansing
Madison
Detroit
Iowa
Des Moines
Chicago
Illinois
Indiana
Ohio
Cleveland
Pittsburgh
Buffalo
Pennsylvania
Harrisburg
New York
Albany
Maine
New Hampshire
Vermont
Augusta
Montpelier
Concord
Massachusetts
Boston
Providence
Hartford
Rhode Island
Connecticut
Newark
New York City
Trenton
Philadelphia
New Jersey
Dover
Delaware
Maryland
Baltimore
Annapolis
Washington D.C.
West Virginia
Virginia
Richmond
Charleston
Columbus
Indianapolis
Springfield
Missouri
Kansas City
Jefferson City
St. Louis
Cincinnati
Frankfort
Kentucky
North Carolina
Raleigh
APPALACHIAN Mts.
Nashville
Tennessee
Memphis
Little Rock
Arkansas
Alabama
Atlanta
Columbia
South Carolina
Georgia
Jackson
Montgomery
Louisiana
Mississippi
Baton Rouge
New Orleans
Tallahassee
Houston
Florida
Miami
Missouri River
Mississippi River
Ohio River
Hudson River
ATLANTIC OCEAN
Gulf of Mexico
1000 km
HAWAII
Kauai
Oahu
Molokai
Honolulu
Maui
Hilo
Hawaii
Kilauea

MINJUNG'S

E·S·S·E·N·C·E

Practical English Conversation Dictionary

녹음 CD 포함

실용 영어회화사전

[전면 개정판]

박 양 우 저

SUZANNA OH
ANNA V. BITTRICK 감수

民衆書林

전면 개정판을 내면서

지난 1997년 10월 이 책이 출간된 이래 많은 관심과 더불어 뜨거운 성원을 보내주신 4만여 독자 여러분께 진심으로 감사를 드립니다. 특히 해외에서 생활하는 동안 본서가 많은 도움이 되었다는 격려의 편지와 함께 사전 구성 및 내용에 대한 다양한 의견 제시, 일부 학교 및 학원 그리고 단체 · 기관에서 본 사전을 교육자료로 활용하는 등 국내외 독자들의 뜨거운 관심과 성원에 보답하기 위해 이번에 전면 개정판을 출간하게 되었습니다.

전면 개정판의 주요 보완 내용은 다음과 같습니다.

1. 새로운 원색 표지를 포함하여 주요 상황 및 제목을 2색도로 처리하고, 보다 세련된 디자인 및 양식으로 재구성함으로써 사전의 품격을 더욱 높였습니다.
2. 활자의 크기를 조정하고 선명한 서체를 사용함으로써 사전을 볼 때 독자들의 피로를 최대한 줄이고 이해 속도를 빠르게 하였습니다.
3. 1,000여개의 새로운 영어표현을 추가하였으며(152쪽 증면), 일부 사용빈도가 적은 표현을 대중적이고도 사용빈도가 높은 표현문으로 대체하였습니다.
4. 문화관광부에서 고시(2000. 7. 7)한 『한글의 로마자 표기법』을 수록하여 한글 고유명사를 영어로 표기하는 방법을 제시하였습니다.
5. 부록에 『군사영어』 분야를 추가적으로 포함시킴으로써 명실공히 전 분야를 망라한 영어회화 사전의 역할을 할 수 있도록 하였습니다.
6. 국내외 수많은 독자들의 요청에 따라 이번에 CD를 제작하여 학습효과를 크게 높일 수 있도록 첨부하였습니다.

이번 전정판을 내면서 저자의 능력이 닿는 한 최선의 노력을 다했지만 오식이나 부족한 부분이 있을 것으로 사료되며, 그에 대해서는 앞으로도 지속적인 보완을 통하여 더욱 더 알차고 실용적인 영어회화사전이 될 수 있도록 고쳐 나갈 것을 약속드립니다. 성원해 주신 독자 여러분께 다시 한번 감사를 드립니다.

2002년 1월

저자 **박 양 우**

머 리 말

세계화 시대를 살아가는 우리들에게 영어 회화는 국제사회 진출의 기본 수단이자 필수 조건이 되어 가고 있다. 하지만 영어 회화란 하루 아침에 완성되는 것이 아니기 때문에 우리는 늘 고민을 하게 되고 이러한 고민을 해결하기 위해 많은 시간 · 노력 · 돈을 쓰게 된다. "학문에 왕도란 없다."란 말처럼 영어 회화 능력을 키우려면 필요한 회화 표현을 자꾸 반복 사용해서 숙달시키는 꾸준한 노력이 필요하며, 이를 뒷받침해 줄 수 있는 알맞은 교재도 더불어 요구된다. 필자는 오랜 동안 영어 공부를 해오면서 다음과 같은 세 가지 요건을 충족시킬 수 있는 회화책은 없을까 하는 생각을 항상 하곤 했었다.

첫째, 수많은 영어회화 책을 대신할 수 있는 "단 한 권의 책"은 없을까? 요즘 서점에는 영어 회화와 관련된 책들이 헤아릴 수 없을 만큼 진열되어 있다. 그래서 독자들은 어떤 책을 선택해야 할지 망설이면서도, 결국 이 책 저 책 자꾸 사게 된다. 그렇게 구입한 많은 책들을 한번씩 보는 데도 큰 부담이 되지만, 여러번 반복해서 본다는 건 더더욱 쉬운 일이 아니다. 또 해외 출장이나 여행을 갈 때, 영어 회화 능력을 보충하려고 그 많은 책들을 다 싸가지고 다닐 수도 없는 노릇이다. 이런 점에 착안하여 "그 많은 책들을 대체할 수 있는 단 한 권의 책"을 생각하게 되었다.

둘째, 원하는 영어 표현을 쉽고 빠르게 찾을 수 있는 "사전식 영어회화 책"은 없을까? 어학 공부에서 사전은 가장 기본적인 필수 교재다. 수십 종류의 어학 관련 사전들이 출간되어 있지만, '사전 형식의 영어 회화 서적'은 아직 우리 곁에 없다. 이런 현실을 감안하여 어떤 영어 표현이든 쉽게 찾아볼 수 있는 "영어 회화책을 사전식으로 만들 수는 없을까?" 하는 생각을 하게 되었다.

셋째, "다양한 영어 표현을 익히고, 새로 익힌 표현을 그때 그때 메모해 두었다가 필요할 때 다시 찾아볼 수 있도록 보존할 수 있는 책"은 없을까? 상황별 기본 회화와 이와 관련된 다양한 영어 회화 표현을 여러 각도에서 상정하여 실용에 알맞도록 많이 수록하고 각 면에 충분한 여백을 둔다면, 평소에 다양한 영어 표현을 익히고 새로 익힌 표현들은 책의 여백에 메모를 해둠으로써 영구적으로 보존할 수 있도록 해주는 "메모식 영어회화 책"이 될 수 있지 않을까 생각했다.

위 세 가지 생각을 구체화하는 데는 장장 5년이란 짧지 않은 세월이 흘렀다. 뼈를 깎는 듯한 내 나름의 연구와 노력 끝에 마침내 "실용 영어회화사전"이라는 책이 세상에 나오게 되었다. 그러나 국내 최초로 시도된 "영어회화사전"이라는 점에서 부족한 점이 많으리라 생각된다. 앞으로 계속적인 수정 · 보완을 통해 보다 완벽한 "영어회화사전"을 내놓을 것을 약속드리면서 필자의 이 미진한 노력이 영어 회화 능력을 키우고자 하는 많은 분들에게 조금이나마 보탬이 되었으면 하는 바람이다.

끝으로 이 책이 나오기까지 다양한 아이디어와 자료를 제공해 준 미 8군 501 정보여단 카투사와 미군 장병 여러분, 1차 감수를 해주신 Mr. Krebill, Robert Lim, Derrick Lee, Tom Son, Victor Won, 2차 감수를 해주신 Mrs. Anna V. Bittrick, 바쁘신 일과 속에서도 3차 감수를 흔쾌히 응낙해 주신 중앙일보사 Newsweek-Korea의 편집 위원 Mrs. Suzanna Oh, 집필 과정에서 많은 격려를 해 주신 한미연합사 부사령관 金東信 대장님과 주한 미 8군 한국군지원단장 李明完님, 세상에 이 책이 나오도록 각별히 배려해 주신 民衆書林 裵孝善 사장님과 탈고의 그날까지 세심한 배려와 조언을 주신 민중서림 편집국 편집위원님들과 이 일을 주관해 주신 任聖宰 과장님과 李英淑 대리에게도 깊은 감사를 드린다. 또한 지루하고 긴 시간 동안 변함없이 따스한 미소로 나를 격려해 준 사랑하는 아내 서경순, 그리고 혜린, 인성이와 함께 출간의 기쁨을 함께 하고 싶다.

1997년 10월
美 8軍 Yongsan Camp에서
저자 **박 양 우**

일 러 두 기

이 사전의 구성과 특징

① 사전 개념을 최대한 적용한 국내 최초의 '영어회화사전'이다.

- 주요 상황을 20개 장(章)으로 분류하여 가나다순으로 배열하고, 각 페이지 상단에 표제어를 제시하여 사전 형태로 구성하였다.
- 각 장을 다시 상황의 전개 순서대로 최대한 세부 항목으로 분류하여 자연스럽게 대화의 흐름을 익힐 수 있도록 하였다.
- 주요 상황에는 포함시키기 곤란하지만 사용 빈도가 높은 어휘와 관련된 중요한 표현들은 '어휘별 가나다순 표현(부록)'에 수록하였다.
- '차례'와는 별도로 '찾아보기(index)'를 두어 사전 기능을 최대한 살렸다.
- 각 장의 본문에 '※(안내 표시)'를 제시하여 '차례'와 '찾아보기'를 거치지 않고 곧바로 해당 상황과 관련된 표현이나 추가적인 표현에 접근할 수 있도록 네트워크(network) 개념을 적용하였다.
- 시사〔생활〕용어를 주제별〔어휘별〕가나다순으로 배열하였다.
- 속담과 격언을 가나다순으로 배열하였으며, 암기와 숙지의 용이성을 위해서 모든 영어 속담에 직역을 해 두었다.

* '차례', '찾아보기(index)', '※(안내 표시)'를 적절히 활용하면 원하는 영어 표현을 가장 빠르고 쉽게 찾을 수 있도록 체계적으로 구성하였다.

② 이 책에 수록된 내용은 다음과 같다.

- 21개의 주요 상황, 210개의 세부 상황, 2,000여 개의 세세부 상황으로 분류
- 25,000여 개의 생활영어 표현
- 205 개의 상황별 기본 대화 유형
- 1,000여 개의 미니 토크〔Mini talk〕(짧은 문답식 대화)
- 2,500여 개의 각주 해설(중요 어휘, 관용 표현, 문법 등)
- 300여 개의 재미있고 유익한 미국 생활정보 및 문화 소개
- 300여 개의 속담 및 격언
- 1,500여 개의 활용 어휘
- 5,000여 개의 시사〔생활〕용어

* 영어 회화에 필요한 모든 영어 표현과 관련 내용을 수록하였다.

③ 실용적이고 신뢰성 있는 영어 표현들을 수록하였다.

- 이 사전에 수록된 영어 표현들은 미국 영화나 드라마에서 자주 사용되고, 미국인들이 실제로 사용하는 것들만을 수록했으며, 각주 해설 내용은 권위 있는 다수의 외국 영어사전들을 비교 · 참조하여 100% 정확성을 기했다.
- 50여 명의 카투사와 10여 명의 미군 장교들이 다양한 자료와 아이디어를 제

공해 주었다.

• 한국계 미국인 5명(미국 거주 15년 이상)이 1차 감수를 하였고, 미국인 영어 교사인 Mrs. Anna Bittrick이 2차 감수를 하였으며, 한국에 15년 거주하여 한국어에도 능통한 중앙일보 Newsweek〔한국판〕편집위원인 Mrs. Suzanna Oh가 3차 감수를 하는 등 영문 표현의 정확성을 기하기 위해 단계적이고도 체계적인 노력을 최대한 기울였다.

* 이 사전은 집필 구상 및 자료 수집 기간 2년, 집필 기간 2년, 교열 및 감수기간 1년을 포함하여 장장 5년에 걸쳐 갈고 다듬어서 완성된 책이다.

④ 사용 및 휴대가 편리하도록 단행본 사전판으로 엮었다.

아무리 좋은 영어 회화 책이라 할지라도, 여러 권으로 되어 있다면 보관은 물론 휴대하기가 불편할 수밖에 없다. 이 점에 착안하여 이 책은 독자들이 언제 어디서나 부담 없이 휴대하여 활용할 수 있도록 가장 편리한 크기의 사전판 단행본으로 엮었다.

⑤ 메모와 노트 기능을 병행하여 독자의 활용도를 높였다.

여타의 어학 관련 사전들은 독자의 메모 공간을 두지 않고 있다. 이 점에 착안하여 독자의 생각이나 새로운 표현들을 메모할 수 있도록 각 페이지에 충분한 여백을 두었다. 따라서 이 책은 영어회화 사전의 기능뿐만 아니라 영어회화 노트의 기능도 함께 갖춤으로써 독자의 입장을 최대한 배려하였다.

⑥ 결론적으로 이 사전은 영어회화 능력을 향상시키고자 하는 모든 사람들의 공통적인 고민과 요구사항을 해결하는 데 역점을 두고 만들어진 책이다.

기호의 용법

① (   )의 용법

(a) 한글 표현 내의 괄호 : 영문 표현에는 직접적으로 관련된 어휘나 어구가 없지만 실제로는 괄호 안의 의미까지 내포하고 있음을 나타낸다.

(보기)

• 상황을 봐서 (하거나 말거나 할게요). Let me see what happens.

* "Let me see what happens."라는 영문에는 "하거나 말거나 할게요"에 해당되는 어구가 없지만 실제로는 이 의미를 내포하고 있다.

(b) 영어 표현 내의 괄호 : 괄호 안의 표현을 생략할 수 있음을 나타낸다.

(보기)

• 가족이 몇 명입니까?

How many (<u>people</u>) are there in your family?

* "How many are there in your family?"와 같은 의미의 표현이다.

(c) 영문과 한글이 혼합된 괄호 : 앞 표현에 상응하는 한글 또는 영어 표현을 나타낸다.

(보기)
- Where are you headed?(어디 가세요?)
  passport(여권) / go in for ~ : ~을 즐기다(enjoy)

② 〔 〕의 용법 : 앞의 단어 · 어구 · 문장과 같은 표현 또는 앞의 표현을 대체할 수 있음을 나타낸다.

(보기)
- 당신의 장점이 뭡니까?
  What are your merits〔strong points〕?
  * What's your merit? = What's your strength?
- 야, 신난다!〔기분이 참 좋다!〕
  What a great feeling!
  * 야, 신난다! = 기분이 참 좋다!
- 여자〔남자〕친구 있어요?
  Do you have a boyfriend〔girlfriend〕?

③ [ ]의 용법 : [ ] 안의 내용은 한글로 표현된 '영어 발음'을 나타낸다.

(보기)
- international[인터내셔널] : 국제간의
- What do you think?[워 루 유 띵크]

④ /의 용법

(a) '활용 어휘', '시사용어' 및 영어 표현에서는 동의어를 나타낸다.

(보기)
- 재고 조사 : stocktaking / inventory (* stocktaking = inventory)
- 다음에 봐요!
  See you later! / Catch you later!
  * See you later! = Catch you later!

(b) 한글과 영어 표현이 혼합된 문장에서는 구분 표시를 나타낸다.

(보기)
- 기운이 없어 보이군요. / 감기 좀 어떠세요?
  You look depressed. / How is your cold?
  * 기운이 없어 보이군요. = You look depressed.
  * 감기 좀 어떠세요? = How is your cold?

⑤ →의 용법 : 앞의 내용을 추가적으로 설명한다.

(보기)

• I beg your pardon?(용서해 주세요.) → pardon을 올려서 말하면 "다시 한 번 말씀해 주시겠어요?"라는 의미가 된다.

⑥ ;의 용법 : 어휘나 관용어를 설명함에 있어서 그 뜻이 전혀 다르거나 품사가 다를 경우, 이를 구분하기 위한 것이다.

(보기)

• green : 녹색의; ((속어)) 미숙한; ((속어)) 미국 지폐
• scratch : 할퀴다, 긁다; (글 등을) 갈겨쓰다; 할큄; 긁음; 갈겨씀

⑦ ~의 용법 : 임의의 어휘 · 어구를 대체하여 사용할 수 있음을 나타낸다.

(보기)

• have a knack for ~ : ~에 소질이 있다
  * She has a knack for playing the piano.
    (그녀는 피아노 연주에 소질이 있다.)
  * He has a knack for soccer.(그는 축구에 소질이 있다.)

⑧ one〔one's〕의 용법 : one〔one's〕는 주어에 상응되는 임의의 주격〔소유격〕 인칭대명사(사람 이름 포함)를 대체하여 사용할 수 있음을 나타낸다.

(보기)

• breathe one's last breath : 죽다, 숨을 거두다.
  * 그가 어제 숨을 거두었다. He breathed his last breath.
  * 그녀가 어제 숨을 거두었다. She breathed her last breath.

⑨ sb의 용법 : sb〔sb's〕는 'somebody'의 약어로서, 임의의 목적격〔소유격〕 인칭대명사(사람 이름 및 복수 대명사 포함)를 대체하여 사용할 수 있음을 나타낸다.

(보기)

• apologize to sb : 아무에게 사과하다
  * 당신은 그에게 사과해야 한다. You have to apologize to him.
  * 당신은 그들에게 사과해야 한다. You have to apologize to them.

⑩ ❖의 용법 : 관련 · 추가 표현이 수록된 페이지를 안내하는 기호이다.

(보기) : ❖ 헤어질 때 인사 관련 추가 표현 : 작별 인사(p. 825, 838)

⑪ 대문자로 표시된 영어 문장은 ((표지)), ((게시)) 등을 나타낸다.

(보기)

• 금연! NO SMOKING!
• 직원 전용 주차장 EMPLOYEE PARKING LOT ONLY

⑫ 기타, 독자들의 이해를 돕기 위해서 ((속어)), ((구어)), ((비교)), ((주의)), ((참고)), ((스포츠)), ((法)), ((英)), ((美)), 예 등의 안내어를 제시하였다.

이 사전의 효과적인 활용 방법

첫째, 우선적으로 필요한 부분이나 관심있는 부분부터 학습을 시작한다.
이 책을 처음부터 외운다는 생각을 해서는 안되며, 평상시에는 자기에게 필요한 부분을 펴서 내용을 음미하면서 반복해서 읽고 혼자 말해 본다.

둘째, 특정 상황에서 요구되는 표현들을 사전에 준비하거나 즉석에서 적절히 활용한다.
어떤 상황이 예정되어 있는 경우에는 관련된 표현들을 미리 익혀 두고, 예고없는 특정 상황에 처했을 때는 본 사전을 즉석에서 활용한다. 한 번 사용한 표현은 자기의 것으로 소화하기 위해 최소한 30회 반복하여 소리내어 말해 본다.

셋째, 노트(note)의 기능을 최대한 활용한다.
외국인과의 접촉이나 서적을 통해서 새로운 영어표현이나 관련 정보를 습득했을 때는 우선 본 사전의 해당 상황에 같은 표현이 있는지 여부를 확인하고, 없을 경우에는 페이지의 여백을 이용하여 즉시 메모를 해둠으로써 자신의 것으로 만든다.

넷째, 우리말의 같은 의미를 다양한 영어표현으로 익혀 둔다.
우리말로는 같은 의미를 갖고 있지만 이에 상응하는 영어표현은 다양하기 때문에 외국인이 어떠한 표현을 쓰더라도 빨리 이해할 수 있도록 하기 위해서는 다양한 영어표현을 익히고 자주 구사해 보아야 한다.

다섯째, 제시된 활용어휘를 이용하여 스스로 다양한 표현을 만들어서 활용한다.
각 상황의 마지막 부분에 제시된 활용 어휘〔어구〕를 본문의 임의의 영어 문장에 대입시켜 다양한 영어표현을 스스로 만들어서 익힌다.

여섯째, 언제 어디서나 이 사전을 휴대하여 활용한다.
기억하고 있지 못한 전화번호를 수첩에 기록하여 항상 소지하듯이 영어 표현을 한 개라도 더 익히고자 한다면 이 사전을 항상 휴대하기 바란다. 이 사전을 휴대하는 시간이 많으면 많을수록 여러분의 영어회화 능력은 그만큼 향상될 것이다.

일곱째, 원하는 영어표현을 찾을 때는 '찾아보기'와 '차례'를 최대한 활용한다.
원하는 영어표현을 찾고자 할 때는 우선 '차례'에서 찾아 보고 그곳에서 찾을 수 없을 때는 '찾아보기'에서 찾아 본다. 어느 곳에서 찾는 것이 빠른가 하는 것은 독자들께서 몇 번 정도 활용해 보면 쉽게 터득할 수 있을 것이다.

CONTENTS

차　　례

CONTENTS

제 5 장 병 원 271 ~ 316

제 6 장 쇼 핑 327 ~ 374

제 7 장 숙 박 375 ~ 410

제 8 장 식 당 411 ~ 468

제 9 장 약 속 469 ~ 490

제 12 장 일상 생활 571 ~ 638

제 13 장 전 화 639 ~ 696

제 14 장 직장(Ⅰ) : 일상업무 697 ~ 774

회화 필수 기본 문형

▶ **제 1 형식 : 주어+동사 (S+V)**
…는 …하다

Birds sing.(새들이 노래한다.) / *He smiled.*(그는 미소를 지었다.)
John lives near the park.(존은 공원 부근에 산다.)
I went to the city last month.(나는 지난 달 그 도시에 갔었다.)
The *sun rises* in the east.(태양은 동쪽에서 뜬다.)
She got up at seven.(그녀는 7시에 일어났다.)

[주의] 예문으로 제시된 문장에서 이탤릭체 이외의 부분은 수식어(modifiers)로서 문법상으로는 문장의 주 요소(principal element)가 아니다. 의미상으로는 설사 중요하다 하더라도 이러한 modifiers는 문장의 종 요소(subordinate element)라고 부른다.

▶ **제 2 형식 : 주어+불완전자동사+보어(S+V+C)**
…는 …이다

She is pretty.(그녀는 아름답다.) / *He has grown old.*(그는 나이를 먹었다.)
Her *father looks young* for his age.(그녀의 부친은 나이에 비해 젊어 보인다.)
He kept silent.(그는 침묵을 지켰다.)

▶ **제 3형식 : 주어+완전타동사+목적어(S+V+O)**
…는 …하다 …을

I know him.(나는 그를 알고 있다.)
Have you had your *breakfast*?(아침 식사 드셨어요?)
You must read the *book* by the end of this month.
(이 달 말까지는 그 책을 다 읽으셔야 합니다.)

▶ **제 4형식 : 주어+동사(여격 동사)+간접목적어+직접목적어(S+V+IO+DO)**
…는 …하다 …에게 …을

Mr. Smith gave me a book.(스미스씨는 나에게 책을 한 권 주었다.)

[주의] 직접목적어를 간접목적어 앞에 위치시키면, 제 3형식이 된다. Mr. Smith gave a book to me.(이 경우 'to me' 는 부사구가 된다.)

The *maid brought me* a cup of *tea*.(하녀는 차를 한 잔 가지고 왔다.)
Give me it again.(그것을 나에게 다시 주세요.)
He asked me my opinion.(그는 나의 의견을 물었다.)

▶ **제 5형식 : 주어+불완전타동사+목적어+보어(S+V+O+C)**
…는 …하다 …을 …하게

The *sun keeps us warm.*(태양은 우리를 따뜻하게 해준다.)
We heard her sing.(우리는 그녀가 노래하는 것을 들었다.)
Don't leave the *door open.*(문을 열어 놓지 마라.)
They made him king.(그들은 그를 왕으로 만들었다.)

[주의] 위 문장을 "He was made king by them." 처럼 수동형으로 하면 제 2형식이 된다.

E N G L I S H C O N V E R S A T I O N D I C T I O N A R Y

CHAPTER

기본표현

- 인사(1) : 일상적인 인사
- 인사(2) : 초면〔소개〕인사
- 인사(3) : 오랜만에 만났을 때
- 인사(4) : 우연히 만났을 때
- 인사(5) : 작별할 때
- 감사의 말을 할 때
- 선물을 주고 받을 때
- 사과와 용서
- 축하와 기원
- 칭찬할 때
- 환영할 때
- 부탁할 때
- 도움을 청할 때
- 양해를 구할 때
- 질문과 답변
- 이름과 호칭
- 시간 · 날짜 · 요일
- 재촉할 때
- 길을 묻거나 안내할 때
- 사람이나 물건을 찾을 때
- 화장실을 이용할 때

I 인사(1) : 일상적인 인사

회화의 기본은 인사를 나누는 것이다. 시간과 장소에 구애받지 않고 할 수 있는 인사는 "Hi! [1](안녕하세요!)"라는 표현이다. 시간에 따라 "안녕하세요."라는 표현에는 "Good morning.(오전), Good afternoon.(오후), Good evening.(저녁)" 등이 있으며, formal한 경우에는 "Good morning, Mr. Miller.(밀러씨, 안녕하세요!)"처럼 Mr. / Mrs. / Miss 등의 존칭과 이름을 붙여서 인사를 한다.

기본대화

A : Good morning, Mr. Johnson.
B : Good morning, Mr. Park.
A : How are you doing?
B : I'm fine, thank you. And you?
A : I'm great, too.

A : 안녕하세요. 존슨씨.
B : 안녕하세요. 박 선생.
A : 어떻게 지내세요?
B : 덕분에 잘 지냅니다. 당신은요?
A : 저도 잘 지내요.

기본적인 인사

- 안녕하세요!(오전 / 오후 / 저녁)
  Good morning! / Good afternoon! / Good evening!
- 안녕히 주무세요!
  Good night! / Have a good night!
- 자기, 안녕!
  Hi, sweetheart![2] / Hi, darling! / Hi, there!
- 휴일 잘 보내셨습니까?
  Did you have a nice holiday?
- 수고하세요.
  Don't work too hard.[3]

---

1) 모르는 사람일지라도 외국사람 누구하고나 눈이 마주칠 때 "Hi!"라고 인사를 해도 무방할 만큼 보편적인 인사 표현이다. 이에 응하는 인사도 "Hi!"라고 한다.
2) (남녀가) 자기 애인에게
3) 우리말의 "수고하세요."라는 표현에 직역되는 인사 표현은 없다. 따라서 이런 인사를 할 때는 "Don't work too hard.(무리하지 마세요.)"라는 식으로 말한다.

- 좋은 꿈꾸세요.
  Have a good dream! / (I wish you) Sweet dreams!
- 즐거운 연휴 되십시오!
  Happy holidays!

근황을 물을 때

A: How are you? [4] (어떻게 지내세요?)
B : Fine, thank you. And you? [5] (덕분에 잘 지내요. 당신은요?)

- 어떻게 지내세요?
  How goes it? / How's it with you?
  How is it going? / What's going on?
  How are things with you? / What's up? [6]

A: Anything new? (별일 없으세요?)
B : Not much. (별일 없어요.)

- 사업은 잘 돼 갑니까?
  How is your business going?

A: How's your new job? (새로 하시는 일은 어때요?)
B : I can't complain too much. (그런 대로 할만 해요.)

- 군대 생활이 어떠세요?
  How do you like being a soldier? / How's army life?

A: How's everything with you? (어떻게 지내세요?)
B : Everything's fine, thanks. (덕분에 만사가 좋습니다.)

- 만사가 좋아요.
  Everything is O.K. / Rolling along. 〈속어〉

A: How are things going? (어떻게 지내세요?)
B : Things couldn't be better.[7] (만사가 아주 좋습니다.)

- 무슨 좋은 일 없어요?
  What's happening? / What's new (with you)? [8]

---

4) 근황을 묻는 인사에 대한 응대 : "How are you?" 또는 "How are you doing?" 유형의 근황을 묻는 인사에 대한 응대를 할 때, 자신의 기분 상태나 컨디션에 따라 매우 좋거나 잘 지낼 때는 "Great. / Fantastic. / Very good. / Very well. / Pretty good.", 좋을 때는 "Fine. / All right. / O.K. / Quite well.", 그저 그럴 때는 "So so. / Fair. / Not (too) bad. / Not so well.", 별로 안 좋을 때는 "Pretty bad.", 아주 안 좋을 때는 "Awful. / Terrible. / Very bad. / Miserable."라고 대답할 수 있다.
5) 근황을 묻는 인사에 답할 때는 ① (I'm) Fine, thank you. ② And you〔yourself〕. ①처럼 자신의 근황을 말하고 반드시 ②처럼 상대의 근황도 물어 본다.
6) 가까운 친구 사이에 쓰는 인사
7) 직역 : 더 이상 좋을 수가 없다.
8) 친한 사이의 인사말

- 안녕, 오늘 재미나는 일이라도 있니?
  Hi! Are you having fun today?
- 무슨 재미나는 일이라도 있어요?〈속어〉
  What's cooking?
- 오늘 재미가 어떠세요?
  How is your day going?
- 별일 없어요.
  Nothing much. / Oh, not much.
- 늘 그렇지요 뭐 〔항상 똑같죠 뭐〕.
  About the same. / Same old thing. / In the same state.
- 항상 바빠요.
  Keeping busy. / Busy as ever.

안색이 안 좋을 때

A: You don't look well. What's wrong with you?
B : I don't feel very well this morning.

A : 안색이 안 좋아 보이는데, 무슨 일이세요?
B : 오늘 아침에 몸이 아주 안 좋아요.

- 기운이 없어 보이는군요. / 감기 좀 어떠세요?
  You look depressed. / How's your cold?
- 오늘 기분이 언짢아 보이는데요.
  You look under the weather today. [9)]
- 무슨 일이세요 〔어디 아프세요〕?
  What's the matter with you? / What's the problem?
  What's wrong with you?
- 오늘은 매우 조용하시군요〔말이 없으시군요〕.
  You're very quiet today.
- 무슨 일 있었어요? / 오늘 왜 그렇게 시무룩하세요?
  What happened? / Why are you so down today?

안색이 좋아 보일 때

- 신수가 훤하시군요.
  You look like a million dollars.
- 얼굴이 정말 좋아 보이시는군요.
  You sure look well.

9) under the weather : ((구어)) 몸이 편치 않은

2 인사(2) : 초면 〔소개〕 인사

미국 사람을 처음 만난다는 것은 설레기도 하고 두려움도 있지만, 그들의 사고방식과 문화를 이해하고 더불어 영어회화 능력을 키우는 데 좋은 발판이 될 수 있다. 따라서 이후 계속적인 교제를 위해서는 초면에 자신의 좋은 인상을 줄 수 있도록 노력하고 소개받은 사람의 이름은 꼭 기억해 두어야 한다. 외국인을 처음 만나 인사를 나눌 때는 "How do you do?(처음 뵙겠습니다.)"라고 말하고, 이에 대한 대답도 "How do you do?"라고 한다. 그리고 이어서 "Nice to meet you.(만나서 반갑습니다.)"라고 말하면 간단한 초면인사는 일단 끝난 셈이 된다.

기 본 대 화

A : Mr. Miller, may I introduce my friend, Mr. Kim?
B : How do you do, Mr. Kim?
C : How do you do, Mr. Miller?
Nice to meet you.
B : Nice to meet you, too, Mr. Kim.

A : 밀러씨, 제 친구 김 선생을 소개합니다.
B : 처음 뵙겠습니다. 김 선생님.
C : 처음 뵙겠습니다. 밀러씨.
만나서 반갑습니다.
B : 저도 만나서 반갑습니다.

초면 인사

A: How do you do, Mr. Miller? (처음 뵙겠습니다. 밀러씨.)
B: How do you do, Mr. Park? (처음 뵙겠습니다. 박 선생.)
A: Nice to meet you. (만나 뵙게 돼서 반갑습니다.)
B: I'm pleased to meet you, too. (저도 만나서 반갑습니다.)

- 만나서 반갑습니다.
  Nice to meet you. / Glad to meet you. [1]
  It's a pleasure to meet you.
- 알게 되어 기쁩니다. / 저 역시 만나서 반갑습니다.
  I'm glad to know you. / Glad to meet you, too.

1) 처음 만나는 사람과 "만나서 반갑습니다."라고 할 때는 "Nice to see you."라고 하지 않고 "Nice to meet you."라고 한다. see는 초면이 아닌 경우 만났을 때 쓴다.

- 만나 뵙게 되어 대단히 반갑습니다.
  I'm very glad to meet you.
- 만나 뵙게 되어 영광입니다.
  I'm honored to meet you.
- 여기에 새로 오신 분이죠?
  You're new here, right? [2)]

> A: I'm glad to meet you. (만나서 반갑습니다.)
> B : The pleasure is mine. (제가 오히려 반갑습니다.)

소개할 때

자기 소개

- 미스터 박입니다. 잘 부탁합니다.
  I'm Mr. Park at your service.
- 제 소개를 하겠습니다.
  Let me introduce myself.
  Allow me to introduce myself.
- 제 소개를 할까요?
  May I introduce myself?
- 먼저, 제 소개를 하겠습니다.
  First of all, let me introduce myself.
- 새로 온 영업부장입니다.
  I'm a new sales manager.
- 시티뱅크의 신입사원입니다.
  I'm a new employee of the City Bank.
- 이 회사의 영업부에 입사했습니다.
  I'm employed at the Sales Department of this company.
- 영업부에서 일하고 있습니다.
  I work in the Sales Department.
- 대한항공 인사부장 미스터 박입니다.
  I'm Mr. Park, head of the personnel at Korean Air.
- 방금 소개받은 미스터 박입니다.
  My name is Mr. Park as mentioned in my introduction.
- 시티뱅크에 근무하는 미스터 조입니다.
  My name is Mr. Cho from City Bank.
  My name is Mr. Cho. I work at City Bank.

2) 자기 회사 · 부서에 새로 부임해 온 것이 확실한 사람에게

통성명

• 성함이 어떻게 됩니까?
May I have your name, please?
• 성이 어떻게 되죠?
What's your last name 〔family name〕?
• 성함을 좀 적어 주시겠습니까?
Would you write down your name for me? [3)]

A: How should I address you? (당신을 어떻게 불러야 되죠?)
B : You can call me president Lee. (그냥 이 사장이라고 부르세요.)

• 성이 뭐라고 하셨죠?
What's your last name again?
How did you say your last name again?
• 미안합니다. 이름이 뭐라고 하셨죠?
Sorry. What's your first name again?
Excuse me. How do you say your name again?
• "린취(Lynch)"의 철자가 어떻게 되죠?
How do you spell Lynch?
• 우린 아직 통성명도 하지 않았죠?
We haven't met yet, have we?
• 미국사람들 이름을 기억하는 건 어려워요.
I have difficulty remembering American names.
• 이름을 불러도 되겠어요?
Shall I call you by your first name?

A: Do you want to be call Ronald or Ron?
B : Either one. Whatever you feel comfortable with.

A : Ronald라고 부를까요, Ron이라고 부를까요?
B : 아무렇게나, 당신 편한 대로 부르세요.

• 당신 이름을 말씀하지 않으셨어요.
I don't believe I got your names.

❖ 이름 관련 세부 표현 : 이름과 호칭(p. 85)

일행 소개

• 밀러씨, 제 친구 미스터 김을 소개하겠습니다.
Mr. Miller, let me introduce you to my friend, Mr. Kim.

3) 처음 알게된 사람에게 수첩을 내밀면서

Mr. Miller, I want you to meet my friend, Mr. Kim.
Mr. Miller, I'd like you to meet my friend, Mr. Kim.

- 우린 친한 친구입니다.
  We're bosom buddies. [4] / We're close friends.
- 우린 오랜 친구입니다.
  We're old buddies.
- 그는 내 친구의 친구입니다.
  He's a friend of a friend.
- 미스터 김은 가장 친한 친구 중에 하나입니다.
  Mr. Kim is one of my best friends.
- 우리는 대학교 동기입니다.
  We went to the same college.
- 두 분이 서로 인사를 나누셨습니까?
  Have you two met each other yet? [5]
- 밀러씨, 김 선생하고 인사 나누셨어요?
  Mr. Miller, have you met Mr. Kim?
- 밀러씨, 미스터 김하고 인사 나누세요.
  Mr. Miller, meet Mr. Kim. [6]
- 이 분은 저의 과장님이신 미스터 김입니다.
  This is my manager, Mr. Kim.
- 이쪽은 제 동료, 토마스씨입니다.
  This is a colleague of mine, Mr. Thomas.
- 저는 미스터 임이고, 이쪽은 제 아내 미시즈 서입니다.
  I'm Mr. Yim and this is my wife, Mrs. Seo.

소개의 기본 매너

- 지위가 낮은 사람을 지위가 높은 사람에게 소개한다.(남성 · 여성에 관계 없음)
- 동성인 경우 연하의 사람을 연장자에게 소개한다.
- 이성간에 소개를 할 때는 남성을 여성에게 먼저 소개한다.
- 악수는 원칙적으로 소개를 받은 사람이 손을 먼저 내민다.
- 악수는 짧게하되 진심어린 마음으로 한다.

소문으로 알고 있을 때

A: I've heard a lot about you. (선생님 말씀 많이 들었습니다.)
B : All good, I hope! (모두 좋은 얘기이길 바랍니다.)

---

4) buddies : ((구어)) 동료, 형제, 친구, 동지
5) 소개자가 서로 모르는 사이에 있는 두 사람을 동시에 보면서
6) meet : 만나다, (처음으로) 상면하다, (소개받아) 아는 사이가 되다

- 말씀은 많이 들었습니다.
  I've heard so much about you.
- 당신에 대한 얘기를 자주 들었습니다.
  I've often heard about 〔of〕 you.
- 밀러씨가 당신 얘기를 자주 하더군요.
  Mr. Miller often speaks of you.
- 밀러씨가 그러는데, 좋으신 분이라고 하더군요.
  Mr. Miller says nice things about you.
- 밀러씨가 당신에 대한 얘기를 저한테 다 했어요.
  Mr. Miller has told me all about you.
- 밀러씨한테서 당신 말씀 많이 들었습니다.
  I've heard a great deal about you from Mr. Miller.

A: Hi! You must be Mr. Miller.
B : Yes, I am.
A: Mr. Johnson told me about you.
You phoned me yesterday.
B : That's right. You are Mr. Ryu?
A: The one and only.[7] My name is Ryu, Kil-su.

A : 안녕하세요. 밀러씨군요.
B : 네, 그렇습니다.
A : 존슨씨가 당신에 대해서 얘기했어요.
어제 저한테 전화하셨지요.
B : 맞습니다. 당신이 유 선생이신가요?
A : 그렇습니다. 제 이름은 유길수입니다.

뵙고 싶었을 때

- 만나 뵙고 싶었습니다.
  I wanted to see you.
  I've been looking forward to meeting you.
- 오래 전부터 만나 뵙고 싶었습니다.
  I've been wanting to meet you for a long time.
- 무척 만나 뵙고 싶었습니다.
  I've been dying to meet you.

7) 물론이죠.

명함 교환

• 이건 제 명함입니다.
This is my business〔visiting〕card.
• 제 명함입니다.
Here's my name card.
• 명함 한 장 주시겠어요?
May I have your name card?
• 여기에 당신의 주소를 적어 주시겠어요?
Write your address here, will you?

헤어질 때

• 만나서 매우 반가웠습니다.
I was very glad to meet〔see〕you.
It's been very nice meeting you.
It was so nice seeing you.
• 얘기 즐거웠습니다.
I enjoyed talking with you.
• 다시 만나 뵙길 바랍니다.
Hope we'll get the chance to see you again.
• 가까운 시일 내에 다시 만나 뵈었으면 합니다.
I hope we'll get together again in a few days.
• 좋은 하루 되세요. / 안녕히 가세요.
Have a nice day. / Good bye.

❖ 관련 추가 표현 : 작별 인사(p. 825, 838)

다시 만났을 때

• 다시 만나 뵈서 반갑습니다.
Nice to see you again. / I'm happy to see you again.
• 다시 만나 뵙게 되어 정말 반갑습니다.
How nice to see you again!

기 타

• 악수하자.
Give me your hand.
• 그런 의미에서 악수합시다.
Let's shake on that.

- 그 사람 이름이 당장은 생각이 안 나요.
  I can't think of his name off hand. [8]
- 그 사람과 안면은 있지만 인사는 나누지 못했어요.
  I've seen him but we haven't met.
- 당신 자신에 대해서 얘기 좀 해 주시겠습니까?
  Would you like to tell me something about yourself?
- 좋은 친구가 되었으면 합니다.
  I hope we'll become good friends.
- 저 분이 내게 말한 바로 그 사람이에요?
  Is that the man you told me about?
- 프라이스씨가 어느 분입니까?
  Which one is Mr. Price?

❖ 개인 신상 관련 추가 표현 : 개인 신상(p. 889, 988)

명언 한 마디

Love the moment and the energy of that moment will spread beyond all boundaries.

순간을 사랑하라.
그러면 그 순간의 힘이 모든 한계를 넘어 퍼져가리라.

- Corita Kent -

8) off hand : 즉석에서, 지금 당장은

3 인사(3) : 오랜만에 만났을 때

오랜만에 만났을 때 "오랜만입니다."라는 표현으로는 "I haven't seen you for a while."이 가장 일반적이며, 격식 없는 사이일 경우에는 "Long time no see."가 가장 많이 쓰인다. 안부를 물을 때는 "How are you?"가 아니라, "How have you been?(어떻게 지내셨습니까?)"과 같이 현재완료형 표현을 쓴다는 것에 유의한다.

기본대화

A : It's nice to see you again, Mr. Miller.
B : It's been a long time, hasn't it?
A : I should say so. How have you been (doing) lately?
B : I've been quite well, thank you. How about yourself?
A : Great, too. Well, where have you been?
B : I've been out of Korea on business for the summer.

A : 다시 만나서 반갑습니다. 밀러씨.
B : 퍽 오래만이죠?
A : 그런 것 같아요. 요즘 어떻게 지내셨습니까?
B : 덕분에 아주 잘 지냈어요. 당신은요?
A : 저 역시 잘 지내고 있습니다. 그런데 그동안 어디 계셨습니까?
B : 여름 내내 출장 때문에 한국에 없었어요.

인사할 때

- 오랜만입니다.
  Long time no see.
  I haven't seen you for a while〔long time〕.
  I haven't seen you for〔in〕 ages.
- 오랜만이군요, 그렇죠?
  It's been a long time, hasn't it?
  It's been quite a while, hasn't it?
- 그 이후로 뭘 하고 계십니까?
  What have you been doing since then?
- 참 오랜만이군요.
  You've been quite a stranger.
- 몇 년〔달〕 만에 뵙는군요.

I haven't seen you in years〔months〕.

• 무엇 때문에 그렇게 바쁘셨어요?

What has kept you so busy?

• 요즘 당신 본 지가 꽤 오래됐군요.〔요즘 얼굴 보기가 힘들군요.〕

I haven't seen much of you lately.
You're not around these days.
It's hard to catch you around these days.
It's currently difficult to reach you.

• 오래도록 소식 전하지 못해서 미안합니다.

I beg your pardon for my long silence.
Excuse me for my long silence.

A: How long has it been?
B : It's been ten years since we met.

A : 이게 얼마 만이죠?
B : 우리가 만난 지 10년 만이군요.

• 우리가 만난 지 참 오랜만이군요.

It's been ages since we met.

• 세월 참 빠르군요.

Time flies.

• 전혀 안 변하셨군요.

You haven't changed a bit.

• 당신은 항상 그 모습 그대로군요.

You look the same as always.

• 당신 몰라보게 변했군요.

You've changed beyond all recognition.

보고 싶었을 때

• 보고 싶었어요.

I've missed you. / I wanted to see you.

• 뵙지 못해서 섭섭했어요.

I was sorry to have missed you.

상대방의 안부를 물을 때

A: Where in the world have you been?
B : I've been abroad on vacation.

A : 대체 어디서 지내셨어요?
B : 휴가차 해외에 나가 있었어요.

- 어떻게 지내셨습니까?
  How have you been (doing)?
  What have you been up to?
- 지방에 갔었나요?
  Have you been out of town?
- 요즘 어떻게 지내고 계세요?
  How have you been getting along lately?

A: Where on earth have you been?
B : I've been in America studying engineering.

A : 대체 어디서 지내셨어요?
B : 미국에서 공학을 공부하면서 지냈어요.

- 대체 어디서 지내셨어요?
  Where on earth〔in the world〕have you been hiding〔keeping〕yourself?
- 일에 파묻혀 살아 왔어요.
  I have been pretty much occupied with work.
- 어쩐지 요즘 전화 한 통 없더라구요.
  No wonder you hardly ever call me these days.

타인의 안부를 물을 때

A: How's your family? (가족들은 안녕하신지요?)
B : They are all very well. (모두 잘 있어요.)

- 가족들은 모두 잘 있습니까?
  How's everybody at your house?
- 부모님께서는 평안하신지요?
  How are your parents?
- 가족들은 다 안녕하시겠죠.
  I hope your family is okay.
- 그가 어떻게 살아가는지 궁금하군요.
  I wonder how he is making his living.

• 그는 그의 부친이 생활비를 대주시는 것같더군요.
Looks like his father providing him with money.

• 모두들 잘 지내시는지요?
How's everyone getting along?

> A: How is John getting along? (존은 어떻게 지내고 있지?)
> B : I've lost track of him. (그와는 소식이 끊겼어.)

• 빌란씨가 그 회사에서 어떻게 지내고 있죠?
How is Mr. Villan doing in the company?

> A: How often do you hear from John?
> B : I haven't heard from him for a long time.
>
> A : 존 소식을 얼마나 자주 들으세요?
> B : 오랫동안 그에게서 소식을 못 들었어요.

• 요즘 그 사람을 못 봤었어요.
I haven't seen him lately.
I haven't seen him these days.

• 작년 이후로는 그 사람 소식을 못 들었어요.
I haven't heard from him since last year.

• 밀러씨가 당신에게 안부를 전하더군요.
Mr. Miller sends his regards to you.

> A: Have you heard about John?
> B : No, how's he doing these days?
> A: He is so-so. He had an accident in his new car.
> B : Oh, no! That's too bad.
>
> ---
>
> A : 존 소식 들었니?
> B : 아니. 요즘 어떻게 지내는데?
> A : 그저 그래. 새로 산 차를 타다가 사고를 당했어.
> B : 오, 저런! 안됐구나.

4 인사(4) : 우연히 만났을 때

아는 사람을 뜻밖에 만났을 때 정말 반갑다는 말을 하고 싶어도 막상 입 밖으로 영어가 튀어나오지 않는 경우를 많이 경험한다. 이런 상황에서는 "Look who's here!(아니, 이게 누구야!)", "Oh! Fancy meeting you over here!(아니, 여기서 당신을 만나다니!)", "What brought you here?(여기에 어쩐 일이세요?)" 등의 표현을 쓴다.

기 본 대 화

A : Look who's here!
B : Oh, Mr. Kim! I haven't seen you for ages.
A : Mr. Miller! You haven't changed a bit.
B : Neither have you.
A : It seems like the older you get, the better you look.
B : I can say the same thing about you.

A : 아니 이게 누구예요!
B : 오, 김 선생님, 정말 오랜만이군요.
A : 밀러씨, 당신은 하나도 안 변하셨군요.
B : 당신도 마찬가지인데요.
A : 나이가 드실수록 얼굴은 더 좋아지는 것 같아요.
B : 당신도 그런데요 뭘.

뜻밖에 만났을 때

- 이게 누구야 (정말 뜻밖이군요)!
  What a pleasant surprise!
- 세상 정말 좁군요!
  What a small world! / It's a small world!
  It's really a small world.
- 다시 만나다니 놀랍군요.
  I'm surprised to see you again.
- 여기서 당신을 만나다니 뜻밖이군요.
  It's a pleasant surprise to see you here.
- 정말 우연이군요!
  What a coincidence!
- 밀러씨, 당신을 여기서 만날 줄은 상상도 못했어요.

Mr. Miller! You are the last person I would have expected to see here.
Mr. Miller! I never thought I'd run into you here.
Mr. Miller! I never expected to see you here.

• 무슨 일로 그렇게 바쁘세요?
What's keeping you so busy?
• 여기에 어쩐 일로 오셨어요?
What brings you here?
• 근일간에 당신을 한번 뵙고 싶었어요.
I wanted to see you one of these days.
• 요즘 우연히 자주 만나는 것 같군요.
We seem to run into each other often, lately.

길에서 만났을 때

A: Where are you headed? (어디 가는 길이세요?)
B : I'm on my way to the library. (도서관에 가는 중입니다.)

• 어디 가세요?
Where are you going [heading]?
• 출근[일] 하러 가시는 길입니까?
Are you on your way to work?
• 퇴근하는 길입니까?
Are you on your way home?

낯익은 얼굴일 때

A: Excuse me. You look really familiar.
Don't I know you from somewhere?
B : I'm not sure.
A: I think we were in the same course ten years ago.
B : Oh, I remember you now!
Sorry I didn't recognize you at first.
A: That's all right. My name is Johnson, Robert Johnson.
B : I'm David Miner. Nice to see you again.

A : 실례합니다. 낯이 많이 익은 얼굴인데요.
어디서 뵌 적이 없는가요?
B : 잘 모르겠는데요.
A : 10년 전에 같은 반에 있었던 것 같은데요.

B : 아, 이제 생각나는군요. 첫눈에 못 알아봐서 미안합니다.
A : 괜찮습니다. 제 이름은 존슨, 로버트 존슨입니다.
B : 저는 데이비드 마이너입니다. 다시 만나서 반갑습니다.

- 당신 빌란씨 맞죠?
  You're Mr. Villan, I suppose.
  You're Mr. Villan, aren't you?
- 여보세요! 혹시 ... 밀러씨 아니세요?
  Hello! Aren't you... Mr. Miller?
- 사람을 잘못 보신 것 같군요.
  I think you have the wrong person.
- 우리 예전에 만난 적이 있지 않은가요?
  We've met before, right?
  Haven't we met before?
  Have we ever met?
  I think we've met before, haven't we?
- 당신 낯이 익은데요.
  You look very familiar.
- 당신은 많이 뵌 분 같군요.
  You look so familiar to me.
- 예전에 틀림없이 당신을 어디선가 뵈었어요.
  I must have seen you somewhere before.
- 제가 아는 분 같은데요?
  Don't I know you? 1)
- 저를 아세요?
  Do I know you? 2)/ Do I look familiar to you?
- 저는 한번 본 사람은 꼭 기억해요〔결코 사람 얼굴을 잊어버리지 않아요〕.
  I never forget a face. 3)
- 틀림없이 저를 다른 사람과 혼동하셨군요.
  You must have me mixed up with someone else.
- 실례했습니다. 제가 사람을 잘못 봤습니다.
  Excuse me. I got the wrong person.
- 그 여자를 몰라보는 것도 당연하죠.
  No wonder you didn't recognize her. 4)

1) 직역 : 내가 당신을 모릅니까?
2) 직역 : 제가 당신을 아는 가요? → 누가 자기에게 와서 아는 체할 때
3) face : 얼굴, 얼굴 생김새(look)
4) No wonder + ~〔절〕: ~하는 것도 당연하다; 어쩐지 ~하다

- 당신을 지나칠 뻔했어요.
  I almost passed you.
- 얼마전에 그 여자를 우연히 만났는데 못 알아볼 뻔했어요.
  I bumped into her on the street and I could hardly recognize her.
- 가끔은 어디서 봤는지를 기억 못해요.
  Sometimes I forget where I saw the face.
- 그러면 당신을 어디서 봤죠?
  Then where would I have seen you?
- 그런데 정확히 생각이 나지는 않아요.
  I can't put my finger on it. [5)]

명언 한 마디

Man, being reasonable, must get drunk;
The best of life is but intoxication.

인간은 이성적이기에 취해야만 한다.
인생의 최고는 만취밖에 없다.

- Lord Byron -

5) put one's finger on it : ~을 정확히 잡아내다

5 인사(5) : 작별할 때

일상생활을 하면서 작별하는 상황은 매우 다양하다. 즉 이성간의 교제 중에 헤어질 때, 가정에 초대받은 후 헤어질 때, 해외여행이나 출장을 가면서 헤어질 때 등 여러 가지 상황이 있을 수 있다. 그러나 여기서는 일상적인 만남에서 헤어질 때 쓰는 표현으로 국한시켰다. 헤어질 때 가장 일반적인 인사 표현으로는 "Good bye.(안녕히 가세요.)", "Bye.(안녕)", "See you later.(나중에 봐요.)", "Take care of yourself.(살펴 가세요.)" 등을 쓸 수 있다.

기 본 대 화

A : I have to leave now.
B : OK. Please say hello to your family for me.
A : I will. I really had a wonderful time.
Thank you for inviting me.
B : Oh, not at all.
A : I hope we can get together again soon.
B : All right.
A : Well, see you later. Good bye.
B : Take care.

A : 이제 가봐야겠어요.
B : 가족들에게 제 안부 전해 주세요.
A : 그럴게요. 오늘 정말 즐거운 시간 보냈습니다.
초대해 주셔서 감사합니다.
B : 천만에요.
A : 조만간 또 만나 뵙기를 바랍니다.
B : 그래요.
A : 그럼, 다음에 또 뵐게요. 안녕히 계세요.
B : 안녕히 가세요.

가봐야겠다고 할 때

- 가봐야겠어요.
  I guess I'll leave. / I guess I'd better go.
  Well, I better be going.
- 여기서 작별인사를 해야겠어요.
  I'll say goodbye here, then.
- 지금 가야 해요.

I'm afraid I have to go now. / I have to run.
I've got to be on my way now.

- 지금 가봐야 할 것 같아요.
  I think I must be off now.
  I must be going now. / I think I should get going now.
- 얘기 즐거웠어요.
  I enjoyed talking with you.
  It was very nice talking with you.
- 이만 작별인사를 해야겠어요.
  We'd better say goodbye.
- 헤어지고 싶지 않지만, 가야할 시간이에요.
  I hate to say goodbye, but it's time to go.
- 떠나려고 하니 아쉽습니다.
  I'm sorry that I have to go.
- 당신과 함께 일했던 것이 무척 좋았습니다.
  It was very good working with you.

연락유지를 바랄 때

- 가끔 놀러 오세요.
  Please come and see me once in a while.
- 전화로 언제든지 연락하세요.
  You can always get me on the phone.
- 언제라도 전화하세요. / 나중에 전화 주세요.
  Please call me any time. / Give me a call later.
- 가끔 전화 주세요.
  Please phone me occasionally.
- 가끔 편지로〔팩스로〕 소식 주세요.
  Drop〔Fax〕 me a line once in a while.
- 서로 연락합시다. / 연락 드릴게요.
  Let's keep in touch. / I'll be in touch.
- 거기에 도착하는 대로 저한테 전화를 하세요.
  Phone me as soon as you get there.
- 혹시 가능하시다면 저에게 편지 주세요.
  Perhaps you could write to me.

약속하고 헤어질 때

- 그럼 거기서 봅시다. / 좋아요, 그럼 그때 봐요.
  See you there, then. / OK. I'll see you then.

- 토요일 저녁에 봅시다. / 화요일에 봅시다.
  See you this Saturday night. / See you on Tuesday.
- 7시에 봅시다.
  See you at seven.
- 내일 봐요.
  See you tomorrow.

안녕히 가세요

- 안녕히 가세요(계세요)!
  Good Bye! / Bye! / So long.
- 살펴 가세요.
  Take care of yourself. / Take it easy!
- 운전 조심해서 가세요!
  Drive carefully!
- 우리 모두는 당신이 그리워질 거예요.
  We all miss you.

나중에 봐요

- 다음에 봐요.
  See you later. / See you next time. / Catch you later.
  I'll be seeing you. / I'll see you around. / See you.
- 다음에 또 만나요. / 모두들 다음에 보자.
  Let's meet again. / See you guys later.
- 조만간에 봐요. / 어딘가에서 봐요.
  See you shortly (soon). / See you around.
- 안녕. 내일 봐요.
  Good bye.[1] See you tomorrow.
- 좀 더 자주 만납시다.
  Let's meet more often.
- 나중에 얘기할게요.
  I'll talk to you later.

다시 만나기를 바랄 때

- 조만간에 또 만납시다.
  Let's get together again soon.
- 언제 또 놀러 오세요.

1) "Bye!"의 여러 가지 표현 : By! / Bye! / Goodbye! / Good-bye! / Good-by! / Goodby! 등은 모두 맞는 표기법이다. 친구 사이나 허물없는 사이일 경우에는 Bye! / Bye bye!라고 해도 되지만 연장자에게 작별 인사를 할 때는 "Good bye!"라고 하는 것이 좋다.

Please come and see us sometime.

- 한국을 떠나시기 전에 다시 만났으면 해요.
  I hope to see you again before you leave Korea.
- 조만간 다시 만났으면 해요.
  I hope I'll see you again soon.
- 다시 만날 수 있을까요?
  Could I see you again?
- 또 뵙고 싶어요.
  I'd be interested in seeing you again.

즐거운 시간 보내세요

- 재미있게 보내세요!
  Enjoy yourself! / Have fun!
- 즐거운 하루 보내세요.
  Have a nice day!

기 타

- 그녀가 나에게 차갑게 인사를 했어요.
  She gave me a frosty 〔unfriendly〕 greeting. [2)]

활용 어휘

- 좋은 주말 : a nice weekend
- 즐거운 시간 : a good time
- 즐거운 연휴 : a nice (long) holiday
- 즐거운 여행 : a good trip

제3자에게 안부를 전할 때

A: Please give my regards to your wife.
B : Sure. I will.

A : 당신 아내에게 안부 전해 주세요.
B : 물론 그럴게요.

- 당신 아내에게 제 안부 전해 주세요.
  Please give your wife my regards.
  Please give your wife my best wishes.
  Please give my love to your wife.
  Please say hello〔hi〕 to your wife (for me).

2) frosty : 서리가 내리는; 싸늘한, 냉담한 → a frosty smile : 싸늘한 미소

- 당신 가족에게 제 안부 전해 주세요.
  Don't forget me to your family.
- 그녀를 늘 생각하고 있다고 전해 주세요.
  Tell her I'm thinking of her.
- 내 대신 너의 여동생에게 안부 전해 줘. 〈속어〉
  Kiss your sister for me.
- 그들에게 우리가 몹시 보고 싶어한다고 그러세요.
  Tell'em we miss'em very much. [3]
- 제 남편께서 당신을 만나고 싶어해요.
  My husband wants to meet you.

명언 한 마디

Without haste, but without rest.

서둘지도 말고 쉬지도 말고.

- Johann Wolfgang Von Goethe -

3) tell'em[텔름] = tell them / miss'em[미씀] = miss them

6 감사의 말을 할 때

서구인들은 남에게 조그마한 도움을 받아도 "Thank you.(감사합니다.)"라고 말한다. 이것은 어렸을 때부터 상대방을 존중하고 상대에게 감사하는 마음을 갖도록 교육을 받으면서 자라왔기 때문에 몸에 배어 있다. 우리도 상대방의 사소한 도움이나 친절에도 "Thank you."라고 말하는 습관을 갖도록 한다. "Thank you."에 응답은 "천만에요."라는 뜻으로 "You are welcome. / Don't mention it. / Not at all." 등의 표현을 쓴다.

기본대화

A : Thank you for your kind help.
B : You're welcome.
A : It was very kind of you to go to that trouble for me.
B : It was no trouble at all. It was my pleasure.
A : I can help you any time if you need me.
B : It's very kind of you to say so.

A : 친절히 도와 주셔서 감사합니다.
B : 천만에요.
A : 저를 위해서 그런 수고를 해 주시다니 정말 고맙습니다.
B : 뭐 수고랄 것이 있나요. 제가 좋아서 한 것인데요.
A : 필요하시면 언제든지 도와 드리겠습니다.
B : 그렇게 말씀해 주시니 정말 고맙습니다.

감사의 기본 표현

- 감사합니다.
  Thank you. / Thanks.
- 대단히 감사합니다.
  Thanks a lot. / Thank you very much.
  Thank you so much. / Thanks a million.
- 그렇게 해 주시면 감사하겠습니다.
  I'd appreciate it.
- 그 점 정말 감사합니다.
  I appreciate it very much.
- 충심으로 감사를 드립니다.
  I heartily thank you.
- 저에게 큰 은혜를 베풀어 주시는군요.

You're doing me a big favor.

- 저희 회사원들을 대표해서 당신에게 감사 드리고 싶습니다.
  On behalf of our employees I'd like to thank you.

오히려 감사하다고 할 때

A: Thank you. (감사합니다.)
B : Thank you. (오히려 제가 감사합니다.) [1]

- 감사를 받아야 할 사람은 당신이에요.
  You're the one who should be getting the thanks.

도움이나 행위에 대한 감사[2]

A: Thank you for your help. (도와 주셔서 감사합니다.)
B : You're welcome. (천만에요.)

기 타

- 가르쳐 줘서〔조언을 해 주셔서〕 감사합니다.
  Thank you for the tip.
- 지지를 보내 주셔서 감사합니다.
  Thanks for your support.
- 당신의 도움에 감사 드리고 싶었습니다.
  I wanted to thank you for your help.
- 여러 가지로 감사 드립니다〔그저 감사할 따름입니다〕.
  Thank you for everything.
- 여기 있는 동안 베풀어주신 환대에 정말 감사드립니다.
  Thank you very much for your hospitality during my stay here.
- 어떻게 감사를 드려야 할지 모르겠습니다.
  How can I ever thank you?
  I don't know how to thank you (enough).
  I don't know how to express my thanks.
- 어떻게 다 감사를 드려야할지 모르겠군요.
  I can't thank you enough.

---

1) you를 약간 올리면서 강조하여 말한다.
2) 상대방의 구체적인 도움이나 행위에 대해 "~해 주셔서 감사합니다."라는 말을 하고자 할 때는 "Thank you for (your) ~〔명사 또는 ~ing〕." / "I appreciate your ~〔명사 또는 ~ing〕."라는 형태로 표현한다. 예를 들어 "도와 주셔서 감사합니다."는 "Thank you for your help."라고 말하고, "여기까지 와 주셔서 감사합니다."는 "Thank you for coming here."라고 말한다.

- 은혜는 평생 잊지 않겠습니다.
  I shall never forget your kindness as long as I live.
- 당신이 무척 도움이 됐습니다.
  You've been a great help.
- 저한테 너무 잘 해 주시는군요.
  You are too good to me.
- 이 상을 받아서 정말 감사합니다.
  I'm very grateful to receive this award.
- 저는 부모님의 지원에 감사드리고싶습니다.
  I want to thank my parents for their support.
- 저를 도와준 모든 사람〔친구〕들에게 감사를 표하고싶습니다.
  I want to express my appreciation to all of my assistants 〔friends〕.
- 당신 덕분에 신나는 날이 됐군요.
  You made my day.

감사에 대한 화답

- 제가 좋아서 한 건데요.
  It's my pleasure. / The pleasure was 〔is〕 all mine.
- 아무것도 아닌데요 뭐〔별 말씀을요〕.
  It was really nothing.
- 아무것도 아닌데 크게 생각하지 마세요.
  Think nothing of it. / Don't make anything of it.
- 도움이 될 수 있어서 기쁩니다.
  I'm glad 〔happy〕 to help you.
- 고마워하실 필요 없어요. 제가 할 일을 했을 뿐입니다.
  You don't have to thank me. It's the least I can do.
- 아니에요. 아무것도 아닌데 너무 그러지 마세요.
  No, no, don't make it something it's not.
- 너무 대단한 일로 생각지 마세요.
  Don't make too much of it.
- 제가 당신을 위해서 한 일이 뭐가 있습니까?
  I haven't done anything for you, have I?
- 도와 주셔서 매우 고맙게 생각하고 있습니다.
  I'm very grateful (to you) for your help. [3)]
- 당신을 도와서 제가 기쁩니다.

3) 'help' 대신에 kindness(친절), consideration(배려), benefaction(은혜), time(시간을 내준 것), encouragement(격려), support(지원), concern(관심), hospitality(환대) 등을 대체하여 활용할 수 있다.

It was a pleasure to help you.

- 나중에 보답해 드릴게요.
  I'll make it up to you later on.
  I'll repay you. / I'll pay you back.
- 당신에게 신세를 무척 많이 졌습니다.
  I owe you so much.

> A: Thank you for your trouble. (수고해 주셔서 감사합니다.)
> B : It was no trouble at all. (수고랄 게 있나요 뭐.)

- 저와 함께 시간을 보내 주셔서 감사합니다.
  I appreciate your taking time with me.
- 그처럼 융통성 있게 처리해 주시니 감사합니다.
  I appreciate your being so flexible. [4)]
- 나한테 고맙다고 해야 되는 거 아니에요?
  It sounds like I did you a big favor. [5)]
- 여기까지 와 주셔서 감사합니다.
  Thank you for coming here.

친절에 대한 감사

> A: It's very kind of you to go to all that trouble for me.
> B : It was no trouble at all.
>
> A : 저를 위해서 그렇게 수고해 주시다니 정말 친절하시군요.
> B : 뭐, 수고랄 게 있나요.

- 그렇게 말씀해 주시니 고맙습니다.
  How kind of you to say so! [6)]
  It's very kind of you to say so〔that〕.
- 친절에 감사드립니다.
  It's very nice〔good〕 of you.
- 당신의 친절에 깊은 감명을 받았습니다.
  I'm deeply impressed with your kindness.
- 매우 사려가 깊으시군요.
  You've been very thoughtful.

---

4) flexible : 융통성 있는, 탄력적인
5) 직역 : 내가 당신을 위해서 큰 부탁을 들어준 것 같군요.
6) 상대방이 자신을 정말 친절하게 도와주고 배려해 주었을 때, "~해 주시니 정말 감사〔친절〕하십니다."라고 말할 때는 "How kind of you to + 동사 원형!" 또는 "It's very kind of you to + 동사 원형." 형식으로 표현한다.

- 참 친절하시군요.
  You are an angel. [7)]
- 당신은 제 생명의 은인입니다.
  I owe you my life.

활용 어휘

- 감사패 : appreciation plaque
- 감사장 : certificate of appreciation

명언 한 마디

Little deeds of kindness, little words of love, help to make earth happy, like the heaven above.

작은 행위의 친절, 조그마한 사랑의 말은 지상을 천국처럼 행복하게 만든다.

- Julia A. Fletcher Carney -

7) angel : 천사, 아주 친절한 사람, 천사 같은 사람

7 선물을 주고받을 때

미국인들은 선물 자체가 갖고 있는 가격적인 면보다는 그것이 내포하고 있는 의미에 대해 더 큰 가치를 둔다. 일반적으로 비싼 선물을 주는 것이 호의적인 것으로 생각하기 쉬우나, 이것은 상대방을 당혹하게 하는 수가 있다. 따라서, 선물은 한국을 기념할 만한 것으로 가격은 20-30달러(약 2만원) 정도면 적당하다. 상대에게 선물을 줄 때는 "Here is something for you.(이건 당신에게 드리는 겁니다.)"라고 말한다.

❖ 선물을 살 때 : 기념품 가게에서(p. 353)

기본대화

A : This is not much, but it's a token of my appreciation for your assistance. 1)
B : That's all right. It's the thought that counts. May I open it?
A : Sure. I hope you like it.
B : Wow, it's a Korean doll. Really cute!
A : I'm glad you like it.
B : Thanks a lot.

A : 이것 약소하지만, 선생님께서 도와주신 데에 대한 저의 감사의 표시입니다.
B : 괜찮아요. 중요한 건 마음이죠. 열어봐도 되겠어요?
A : 물론이죠. 마음에 드셨으면 합니다.
B : 어머, 한국 인형이군요. 정말 예쁘군요.
A : 좋아하시니 기쁩니다.
B : 정말 고마워요.

선물을 줄 때

- 자, 선물 받으세요.
  Here's something for you.
- 이거 약소하지만 당신의 승진 축하선물입니다.
  This is a little something for your promotion.

1) This is not much. = It's not much. = It's not big that. = It's a little something. / a token of my appreciation = a sign of my thanks : 감사의 표시

- 당신에게 드리려고 뭘 사왔어요.
  I bought something for you.
- 별 것 아닙니다만, 제 마음의 표시입니다.
  It's not much, but it comes from my heart.
- 당신에게 줄 조그만 선물입니다.
  I have a small gift for you.
- 대단치 않지만 마음에 들었으면 합니다.
  It isn't much but I hope you like it.
- 이거 약소하지만, 필요할 것 같아서 드리는 겁니다.
  This is not very much, but we thought you might need this.
- 조촐한 선물 하나 드리겠습니다.
  Let me give you a small present.
- 보잘 것 없는 것이지만 받아 주십시오.
  Kindly accept this little trifle.
- 열어 보세요. 깜짝 놀랄만한 선물이에요.
  Open it up. It's a surprise gift.
- 이 선물은 제가 직접 만든 거예요.
  This gift is something I made myself.
- 이건 저희 회장님께서 밀러 박사님께 드리라고 주신 선물입니다.
  This is a present from the president of my company to Dr. Miller.
- 조그마한 축하 선물을 가지고 왔어요.
  I brought you a little congratulatory gift.
- 당신이 떠나기 전에 이 선물을 당신에게 주고 싶습니다.
  I want to give you this gift before you leave.
- 조촐한 선물이니, 저의 조그마한 성의로 받아 주세요.
  Please accept it as a small token of my appreciation.
- 나의 조그마한 성의입니다.
  It's something to show my gratitude.
  It's just a way of saying thanks.
- 존슨씨 선물을 사는데 당신도 돈 낼 거예요?
  Will you chip in on the present for Mr. Johnson? [2)]

---

2) chip in : (선물 등을 사기 위해) 돈을 추렴하다 예 Is that what we chipped in for? (그거 우리가 낸 돈으로 산 거예요?)

선물을 받을 때

- 아, 이러시면 안 되는데요. 받기 곤란합니다.
  Oh, you shouldn't do this. I can't accept it.
- 당신은 정말 사려가 깊으시군요.
  How thoughtful of you! [3)]
  It's very (so) thoughtful of you!
- 이거 정말 저한테 주는 겁니까?
  Is this really for me?
- 무엇 때문이죠?
  What for?
- 정말 고맙지만, 받을 수 없습니다.
  Thank you very much, but I can't accept it.
- 당신의 선물에 무엇으로 보답하죠?
  What shall I give you in return for your present?
- 이건 바로 제가 갖고 싶었던 건데요.
  This is just what I wanted.
- 저희들이 꼭 필요한 세탁기를 주셔서 정말 감사합니다.
  It's very thoughtful of you to give us a washer. We really needed that.
- 훌륭한 선물을 주셔서 대단히 고맙습니다.
  Thank you very much for your nice present.

축하 케이크를 살 때

A: Would you like anything special written on the cake?
B : Yes. Make it "Happy 29th birthday to my wife".

A : 케이크 위에 특별히 뭐라고 써 드릴까요?
B : 네. "내 아내의 29회 생일을 축하함"이라고 써주세요.

- 카드에 뭐라고 써 드릴까요?
  What would you like written on the greeting card? [4)]

기 타

- 그것 누구한테 줄 것이죠?
  Who is it for?
- 그건 여자친구한테서 선물로 받은 것이기 때문에 각별해요.

3) 꼭 필요한 선물을 받았을 때, "정말 고맙습니다,"라는 의미의 표현이다.
4) 꽃가게서 꽃을 선물로 배달시킬 때 카드를 동봉하는 경우, 주인이 주문자에게 묻는 표현

It's so special to me because I got it as a gift from my girl friend. [5)]

- 밀러씨, 윌슨 박사의 생일선물을 위해 모금을 하고 있어요.
  Mr. Miller, I'm taking up a collection for Dr. Wilson's birthday gift. [6)]
- 그는 항상 뭔가를 위해 돈을 거둔다.
  He always passing around the hat for something. [7)]
- 이건 제 아내한테서 받은 선물이에요.
  This is a present (to me) from my wife.
- 친구한테 받았어요.
  I got it from a friend. / It's from my friend.
- 선물의 흠을 잡지 마세요.
  Don't look at gift horse in the mouth. [8)]
- 저자 증정
  WITH COMPLIMENTS OF THE AUTHOR. [9)]

---

5) It's so special to me. = It's so significant to me. = It's so meaningful〔personal〕 to me.(그건 제게 각별해요.)
6) take up : (기부금을) 모으다; collection : 모금, 성금
7) pass〔send〕(around) the hat : 기부〔희사〕를 청하다
8) 직역 : 선물로 받은 말의 입을 들여다보지 마라. → 옛날에 말을 사고 팔 때, 말의 이빨 개수를 세어보면 그 말의 나이계산이 가능했다고 한다. 따라서 속지 않고 사기 위해서는 말의 입속을 들여다보아 그 말의 이빨의 개수를 세어보았다는 데서 유래한 표현이다.
9) 책 등을 선물할 때 책의 표지의 다음 페이지에 적는 문구로서 "By courtesy of the author(저자 증정)"라고 표현할 수 있다.

8 사과와 용서

자신의 잘못에 대해서 "미안합니다."라고 사과할 때는 보통 "I'm sorry.(미안합니다.)", "Excuse me.(미안합니다. / 실례했습니다. / 실례하겠습니다.)"라는 표현을 쓴다. 사과의 말에 응대할 때는 "That's all right.(괜찮습니다.)" 그리고 용서해 달라고 할 때는 "Please forgive me.(저를 용서해 주세요)"라고 한다.

기본대화

A : I made a big mistake. I'm terribly sorry about it.
B : That's OK. It wasn't just your fault.
But, next time, please be more careful, will you?
A : All right. I'm sorry to worry you again.
I'll be more careful from now on. Honest, I will.
B : Never mind. I'll take care of it in person.
A : Thank you.

A : 제가 큰 실수를 했습니다. 그 점 정말 죄송합니다.
B : 괜찮아요. 그건 당신 잘못만은 아니었어요.
하지만, 이제부터는 좀 더 주의하세요.
A : 알겠습니다. 걱정을 끼쳐드린 점 다시 한번 사과드립니다.
이제부터는 더욱더 주의하겠습니다. 정말로 주의하겠습니다.
B : 신경쓰지 마세요. 제가 직접 처리할테니까요.
A : 감사합니다.

사과할 때

- 대단히 죄송합니다.
  I'm very sorry. / I'm awfully sorry. / I'm terribly sorry.
- (당신에게) 사과드립니다.
  I apologize (to you).
- 여러 가지로 죄송합니다.
  I'm sorry for everything.
- 정말 죄송합니다.
  Please accept my sincere apology. [1)]
- 그 일에 대해서 미안하게 생각하고 있습니다.

1) 직역 : 저의 진실한 사과를 받아주십시오.

I feel sorry about it.

- 제 사과의 표시로 이걸 받아 주세요.
  I want you to accept this as a token of my apology.
- 진심으로 사과드립니다.
  I apologize (to you) from the bottom of my heart.
- 어떻게 사과의 말씀을 드려야 할지 모르겠습니다.
  I can't tell you how sorry I am.
- 다시는 이런 일이 일어나지 않을 겁니다.
  It won't happen again.
- 사과드릴 게 있습니다.
  I owe you an apology.

사과에 대한 대답

- 괜찮습니다.
  That's all right. / No problem.
  That's okay. / Not at all.
- 괜찮습니다. 별건 아닌데요.
  No big deal.
- 상관없어요.
  It doesn't matter. / No trouble at all.
- 걱정하지 마세요.
  Don't worry about it.
- 그런 일은 누구에게나 일어날 수 있어요.
  It can happen to anyone.
- 당신이 사과할 필요는 없어요.
  There is no need for you to apologize.

약속에 늦었을 때

A: I'm sorry. I'm late. (늦어서 미안합니다.)
B : That's all right. (괜찮습니다.)

- (너무) 오래 기다리게 해서 미안합니다.
  I'm sorry to have you waiting (so) long.
  Excuse me for keeping you waiting.
- 늦어서 미안합니다.
  Excuse me for being late.

- 기다리게 해서 미안합니다.
  I'm sorry for making you wait. [2)]

※ 추가 표현 : 약속 시간에 늦었을 때(p. 35, 484)

깜박 잊었을 때

- 미안합니다. 제가 깜박 잊었습니다.
  I'm sorry. It slipped my mind. [3)]
- 미안합니다. 제가 날짜를 혼동했습니다.
  I'm sorry. I'm mixed up on the dates.
- 깜박 잊고 책을 안 가져와서 미안해요.
  I owe you an apology for forgetting the books.

마음을 상하게 했을 때

- 기분을 상하게 했다면, 사과드리겠습니다.
  If I have offended you, I apologize.
  I'm sorry if I offend you.
- 기분이 상하지 않았으면 합니다.
  I hope I didn't offend you.
- 이런 일로 걱정을 끼쳐서 미안합니다.
  I'm sorry this has caused such anxiety to you.
- 감정을 상하게 하진 않았는지 모르겠군요.
  I hope I didn't hurt your feelings.
- 마음을 상하게 했다면 용서하세요.
  Please excuse me for offending you.

잘못했을 때

- 다시 한번 기회를 주세요.
  Please give me a second chance.
- 제가 바보짓을 했어요.
  I made a fool of myself.

---

2) "I'm sorry."와 "Excuse me."의 차이
  ① "I'm sorry."의 용법
    · 자신의 언행에 대해서 사과할 때 : I'm sorry for being late.
    · 상대의 제의, 부탁 등을 거절할 때 : I'm sorry, but I'm very busy now.
    · 유감을 표시할 때 : I'm sorry to hear that.(그것 참 안됐군요.)
  ② "Excuse me."의 용법
    · 가벼운 실례를 했을 때 : (조용한 분위기에서 큰기침을 한 후) Excuse me.(미안합니다.)
    · 부탁이나 요구를 할 때 : Excuse me. Could you tell me the way to city hall? (실례합니다. 시청으로 가는 길 좀 가르쳐 주시겠습니까?)

3) slip one's mind〔memory〕 : 망각하다, 잊어버리다

- 그건 제 잘못〔실수〕이었습니다.
  That was my fault〔mistake〕.
- 모두 제 잘못입니다.
  It's all my fault.
- 제 탓입니다〔제가 비난받아야 합니다〕.
  I'm to blame.
- 제가 잘못했습니다.
  I was wrong. / I was bad.
- 그건 제가 생각이 부족했기 때문입니다.
  That was thoughtless of me.
- 당신까지 이 일에 말려들게 해서 죄송합니다.
  I'm sorry I got you involved in this.
- 걱정을 끼쳐드려서 죄송합니다.
  Sorry to worry you.
- 미안해요. 제가 망쳤어요.〈속어〉
  I'm sorry. I screwed up. [4]
- 제가 한 행동에 대해서 사과드립니다.
  I apologize for what I've done.
- 지난 번 일에 대해 사과드립니다.
  I'm sorry for what happened.
- 그깃에 대해 비난받을 사람은 접니다.
  I'm to blame for that.
- 그런 사고가 난 것은 제 잘못입니다.
  It's my fault that the accident happened.
- 다 제 잘못입니다〔자업자득이지요〕.
  I have only myself to thank for it.
  I have (only) myself to thank for that.
  I may thank myself for that.

> A: We were too noisy last night.
> I want to apologize for it.
> B : That's all right.
>
> A : 어젯밤에 너무 소란스럽게 했던 걸
> 사과드리고 싶습니다.
> B : 괜찮아요.

---

4) screw up : ((속어)) 망치다; 결딴내다

실수했을 때

- 제가 실수를 했습니다.
  I made a mistake.
- 우연히 그렇게 했어요.
  I did it by accident. [5)]
- 고의로 그런 건 아니었어요.
  I didn't do it on purpose.
- 미안합니다. 약간의 착오가 있었습니다.
  I'm sorry. There's been a little mix-up.
- 그건 우연히 그런 거예요.
  It just happened.
- 제가 그런 일을 한 것은 경솔했습니다〔경솔하게 그런 짓을 했습니다〕.
  It was hasty of me to do such a thing.
- 미안합니다, 괜찮으세요?
  Sorry, are you all right?
- 제가 발을 밟았나요? 죄송합니다.
  Did I step on your toes? Sorry!
- 제가 좀 더 주의를 했어야 하는 건데.
  I'm sorry I should have been more careful.
- 제 실수에 대해 사과드리고 싶습니다.
  I want to apologize for my mistake.
- 그런 실수를 하다니, 제가 바보예요.
  It's silly of me to make such a mistake.
- 그런 일은 일어나기 마련이에요.
  Those things (are bound to) happen. [6)]
- 누구나 실수하는 수가 있어요.
  All men are liable to err.

활용 어휘
- 실수로 : by mistake
- 실수하다 : make a mistake〔slip〕
- 선의의 실수 : honest mistake
- 큰 실수 : screw-up

폐를 끼쳤을 때

- 시간을 많이 빼앗아서 죄송합니다.
  I'm afraid I have taken up much of your time.

---

5) by accident : 우연히, 뜻밖에 예 Columbus discovered America by accident.(콜럼버스는 우연히 아메리카를 발견하였다.) / ((반의어)) on purpose : 고의로
6) 직역 : 그런 일은 흔히 일어난다.

- 폐를 끼쳐 미안합니다.
  (I'm) Sorry to trouble you.
  (I'm) Sorry for the trouble (I have caused you).
  (I'm) Sorry for the inconvenience.
  (I'm) Sorry to give you a hard time.
  (I'm) Sorry to have caused you so much trouble. 7)
  I'm afraid I have put you to too much trouble.
- 폐를 끼치고 싶지는 않았습니다만, ...
  I didn't mean to bother you, but ....

실언했을 때

- 제가 말을 잘못했습니다.〈속어〉
  It was a slip of the tongue. 8)
  I put my foot in my mouth. 9)
  It slipped out of my mouth. / I said the wrong thing.
  I didn't mean what I said.
- 실언에 대해 사과드립니다.
  I apologize for the slip of the tongue.
- 제가 앞서 한 말을 취소합니다.
  I ate my words. 10)
- 무심코 입 밖으로 내고 말았어요.
  I let the words fall out my mouth.

기 타

- 그 사람한테 나중에 사과하세요.
  You should apologize to him later. 11)
- 그것 유감이군요.
  I'm sorry about it.
- 고의가 아니었다고 그에게 어떻게 설명해야 할지 모르겠어요.
  I don't know how to explain to him that it wasn't intentional.
- 저는 제 잘못을 인정하고 싶지 않아요.
  I don't want to admit my mistake. 12)

---

7) 많은 신세를 졌거나 일하는 데 다소 방해를 했다고 생각될 때
8) slip of the tongue : 잘못 말함(slip : 실수) / slip of the pen : 잘못 씀 / slip of the press : 오식(誤植)
9) put one's foot in it : 말을 잘못하다, 행동을 잘못하다
10) eat one's word : (어쩔 수 없이) 앞서 한 말을 취소하다
11) apologize to sb : 아무에게 사과하다 → 이 경우처럼 반드시 'to' 를 붙인다.
12) admit : 허락하다(allow / permit), (변명 · 증거 등을) 인정하다; 입장 · 입학 · 입회 등을 허락하다 예 He admits the charge to be groundless.(그는 그 고소가 사실무근임을 인정하고 있다.) / She admitted (to her employer) that she had made a mistake.(그녀는 (고용주에게) 자기가 실수한 것을 인정했다.)

- 그는 미안하다는 말도 없이 가버렸어요.
  He left without so much as saying that he was sorry.
- 최소한 사과는 할 수 있잖아요?
  You might at least apologize.

A: I'm sorry, Mr. President. (죄송합니다. 각하.) 13)
B : I'm sorry, too. (안됐군요.) 14)

활용어휘

- 사과를 받아들이다 : accept an apology
- 잘못해서〔실수로〕 : by mistake
- 사과문 : apology statement
- 사과의 편지 : apology letter
- 사과하다 : apologize / make an apology
- 솔직한 사과 : sincere apology
- 잘못을 고치다 : mend one's way
- 잘못을 깨닫다 : realize one's fault
- 결석에 대한 변명 : an apology for absence
- 아무에게 공개 사과하다 : openly apologize to sb
- 아무에게 자신의 무례함을 사과하다 : apologize to sb about one's rudeness
- 자신의 행위를 반성하다 : reflect on one's conduct〔oneself〕
- 아무의 잘못을 봐주다 : overlook sb's fault
- 충심으로 사과하다 : offer one's sincere apology

용서를 구할 때

A: I'm sick and tired of your drinking.
I'm divorcing you.
B : Don't do that to me. Give me a chance, please.

A : 당신 술마시는 것에 이제 진절머리가 나요.
당신과 이혼하겠어요.
B : 제발 그러지마. 한번만 봐줘, 제발.

- 용서해 주십시오.
  Please forgive me. / I beg your pardon. 15)
- 한번 봐주세요.
  Have a (big) heart, please. 16)
- 기회를 한번 주세요.
  Give me a break, please. 17)

13) 실수를 해서 미안하다는 말
14) 어떤 각료가 정책의 대실패로 큰 파문을 일으킨 후 대통령에게 사직서를 내면서 죄송하다고 하자 대통령이 사표를 수리할 수밖에 없어서 유감이라는 뜻
15) 'beg' 에 강세를 두고 문장의 끝을 내려서 말한다. ((비교)) 'pardon' 을 올려서 말하면 "다시 말씀해 주시겠어요?"라는 뜻이 된다.
16) have a heart : 애정〔너그러운 마음〕을 갖다
17) give sb a break : 아무에게 (출세 · 활약)의 기회를 주다.

- 제 사과를 받아 주세요.
  Please accept my apology.
- 저의 무례함〔거친 언사〕를 용서해 주세요.
  Forgive my rude〔rude remarks〕.
- 제가 한 일을 용서해 주십시오.
  Please forgive me for what I've done.
- 잘 처리해 주시리라 생각합니다.
  I think you will manage it all right.
- 저는 잘못한 게 없습니다〔저는 옳은 일을 했습니다〕.
  I did the right thing.
- 잘못이 있더라도 그를 용서해 주세요.
  Even if there is a mistake, please forgive him.
- 저를 봐서(라도) 그를 용서해 주세요.
  Forgive him for my sake.
- 용서해 주세요. 당신에게 해를 끼치려고 한 것이 아닙니다.
  Pardon me. I mean no harm (to you).
- 약속을 지키지 못한 걸 용서해 주세요.
  Please forgive me for breaking my promise.

다시는 안 그런다고 할 때

- 다시는 그러지 않겠습니다.
  I won't do it again. / I'll never do it again.
- 잘 하겠습니다.
  I'll be good. [18)]
- 다시는 그런 일이 없을 겁니다.
  It won't be again.
- 다시는 그런 짓을 하지 않겠습니다.
  I'll never do such a thing again.
- 앞으로는 더욱 조심하겠습니다.
  I will be more cautious in the future.

용서할 때

- 당신을 용서하겠소〔당신은 이미 용서를 받았소〕.
  You're forgiven.
- 정말 너그러우시군요.
  You have a big heart.

---

18) 잘못을 한 아이가 부모에게 용서를 비는 표현

- 이번에는 자네 행동을 눈감아 주겠네.
  I will overlook your behavior this time.

용서할 수 없을 때

- 당신의 실수를 묵과할 수 없어요.
  I can't pass over your mistake. [19)]
- 그를 봐주지 마세요.
  Don't go easy on him.

변명할 때

- 미안합니다, 거짓말을 할 의도는 없었습니다.
  I'm sorry. I didn't mean to tell a lie.
- 고의로 그런 게 아니었습니다.
  My intentions were good.
  I didn't do it on purpose.
  It wasn't intentional.
- 정말 그럴 의도는 아니었습니다.
  I really didn't mean it.
- 미안합니다. 어쩔 수 없었습니다.
  I'm sorry. I couldn't help〔avoid〕 it. [20)]
- 거기에 대해서 나도 할 말이 있어요.
  I have something to tell you about it, too.
- 처녀가 애를 낳아도 할 말이 있어요.
  Every evildoer has his reason. [21)]
- 변명의 여지가 없습니다.
  I don't have a leg to stand on. [22)]

---

19) pass over : 눈감아 주다, 너그러이 봐주다; 못 본 체하다, 간과하다
20) "I couldn't help it.(어쩔 수가 없었어요.)"의 두 가지 의미 : ① I couldn't stop myself.(감정을 통제할 수 없었을 때) / ② It〔This〕was beyond my control.(주변 상황이나 여건으로 인하여 어쩔 수 없었을 때) / beyond oneself : 정신없이, 제 정신을 잃은; 도를 지나쳐서 예 This is beyond me.(이건 나로서는 할 수 없다〔알 수 없다〕.)
21) evildoer : 악인, 악행자
22) 직역 : (잘못 등을 해서) 서 있을 다리가 없다. → 쥐구멍이라도 들어가고 싶다. / have no leg〔not have a leg〕 to stand on : (의론이) 성립되지 않는다; (법적으로) 입증할 수 없다. 예 Any claim against him wouldn't have a leg stand on.(그에게 어떤 청구를 해봤자 그것에는 법적 근거가 없다.) / If you didn't sign a contract, you won't have a leg stand on.(당신이 계약서에 서명을 하지 않았다면, 법적으로 입증할 수 없을 것이다.)

변명하지 말라고 할 때

- 변명하지 마세요!
  No excuse!
- 변명하려고 하지 마세요.
  Don't try and explain it away. [23)]
- 그런 변명은 안되죠.
  You can't use that excuse.
- 어떤 변명도 하지 마세요.
  Don't give me any excuses.
  Don't make any excuses.
- 그 여자가 아프다는 건 핑계이지요.
  It's an excuse that she's sick.
- 그건 핑계에 지나지 않아요.
  That's a mere excuse.
- 그런 변명은 안 통해요.
  Such excuses will not do.
- 변명은 필요 없어요.
  I don't need your reasons.
- 그런데 이번에는 무슨 핑계예요?
  Well, what's your excuse now?
- 이번에는 또 무슨 변명을 하려는 거야?
  What excuse are you going to make this time?

---

23) explain away : 변명〔해명〕하다

9 축하와 기원

상대방에게 축하할 만한 일이 생겼을 때는 서슴지 말고 축하를 해준다. 구체적인 내용의 언급 없이 그냥 "축하합니다."라고 말할 때는 "Congratulations!"라고 말하고, 구체적인 내용에 대해서 축하를 해줄 때는 "Congratulations on (your) ~(당신의 ~을 축하합니다.)"라는 식으로 표현한다. 축하를 받았을 때는 "Thank you.(감사합니다.)", "Thanks to you.(당신 덕분입니다.)", "Thank you for your help.(도와 주셔서 감사합니다.)"라고 응답하면 된다.

기 본 대 화

A : Mr. Levine! I heard you got the promotion.
Congratulations!
B : Oh, thanks. I think I was lucky.
A : That's great. You sure deserved it.
You've worked very hard.
B : It's kind of you to say that.

A : 레빈씨! 승진하셨다면서요.
축하합니다!
B : 고맙습니다. 운이 좋았던 것 같아요.
A : 훌륭합니다. 당신은 승진할 만한 자격이 있어요.
매우 열심히 일을 하셨잖아요.
B : 그렇게 말씀해 주시니 감사합니다.

축하할 때

- 축하할 일이 생겼다면서요.
I hear congratulations are in order.
- 축하해요! 결혼하신다면서요.
Congratulations! I heard you're going to get married.

승 진

- 승진을 축하합니다.
Congratulations on your promotion!
- 축하해요! 부장으로 승진하셨다면서요.
Congratulations, I understand you were promoted to manager!

생 일

- 생일을 축하합니다.
  Happy birthday to you!
- 여보, 스물아홉 번째 생일을 축하해.
  Happy 29th birthday, honey!
- 생일 축하해주는 것도 매일 있는 게 아니에요.
  It's not everyday you celebrate your birthday.

미국인들의 생일 축하

미국에서 생일은 어린이나 어른들에게 중요한 축제다. 가족, 친지나 친구들로부터 생일축하 카드나 선물을 받는다. 어른의 경우 특별한 생일은 18, 21, 25번째이며, 그 다음으로 매 10년 단위 생일에 큰 의미를 둔다.

결 혼

- 결혼〔약혼〕을 축하합니다.
  Congratulations on your wedding〔engagement〕!
  My best wishes on your wedding〔engagement〕!
- 그 행운의 여성은 누구예요?
  Who is the lucky lady?
- 두 분이 행복하시길 빕니다.
  May you both be happy!
- 두 분에게 행운이 있기를 빕니다.
  Best of luck to both of you.

출 산

- 득남〔출산〕을 축하합니다.
  Congratulations on your new son〔baby〕!
- 사내〔여자〕 아이가 태어났다면서요.
  I heard you had a baby boy〔girl〕!
- 아주 기쁘시겠군요〔행복하시겠군요〕.
  You must be very pleased〔happy〕.
- 부모님들께서 무척 기뻐하시겠군요.
  I bet your parents are very happy〔pleased〕.
- 아이의 몸무게는 어느 정도였습니까?
  How much did he〔she〕 weigh?
- 아이의 키는 얼마나 크던가요?

How tall was he〔she〕?

- 축하해요. 곧 아이가 태어날 거라면서요.
  Congratulations, I hear you're going to have a baby!

시험 합격

- 시험 합격을 축하합니다.
  Congratulations on your passing the exam!
- 학교의 수석 졸업을 축하합니다.
  Congratulations on graduating first in your class! [1)]
- 아드님이 워싱턴 대학교에 합격했다면서요.
  I heard your son passed the entrance examination for Washington University.
- 아드님이 하버드에 합격했다면서요. 축하합니다!
  I hear that your son has been admitted to Harvard. Congratulations!

승 리

- 승리를 축하합니다!
  Congratulations on your victory!
- 축하해요! 우승했다면서요.
  Congratulations, I heard you won the tournament! [2)]
- 축하해요! 2〔3〕등을 하셨다면서요.
  Congratulations, I heard you came in second〔third〕!
- 상품은 무엇이었습니까?
  What were the prizes?
- 우리의 승리를 자축합시다!
  Let's celebrate our victory!

기 타

- 성공〔성과〕을 축하드립니다.
  Congratulations on your success〔accomplishment〕!
- 축하해요! 술과 담배를 끊으셨다면서요.
  Congratulations, I heard you stopped drinking and smoking.
- 어떻게 해 내셨습니까?
  How did you manage it?

---

1) class : (집합적) 클래스의 학생들; ((美)) 동기 졸업생〔학급〕; (군대의) 동기병
2) tournament : 토너먼트, 승자 진출전, 선수권 쟁탈전

- 축하해요! A회사에 취직하셨다면서요.
  Congratulations, I heard you got a job with A Company!
- 이렇게 기쁜 날이 되풀이되길 바랍니다.
  Many happy returns (of the day)!

활용 어휘

- 축하 선물 : congratulatory gift
- 축하장 : congratulatory note
- 축하객 : congratulator / well-wisher [3]
- 축하주 : celebratory drink

기원할 때

A: Happy new year! (새해 복 많이 받으세요!)
B : Same to you. (당신도요.)

- 성공을 빕니다.
  May you succeed!
  I wish you all the success!
- 더 나은 해가 되길 바랍니다.
  I hope you'll have a better year.
- 당신에게 신의 축복이 있기를!
  (May) God bless you!
- 모든 일이 잘 되기를 바래요.
  I hope everything will come out all right.
- 잘 되길 바랍니다.
  I wish you the best of luck.
- 좋은 성과 있기를 기원합니다.
  I wish you continued your success.
- 행복하길 빌겠습니다.
  I hope you'll be happy.
  May you be happy!
  I wish you every happiness.
  I wish you all the best.
- 행운을 빌게요.
  Good luck to you. / Knock on wood!〈속어〉
  I'll keep my fingers crossed for you. [4]
  Here's wishing you luck.
  I wish you the best of luck.

3) 남(의 일)이 잘 되기를 바라는 사람, 호의를 보이는 사람
4) 셋째 손가락을 둘째손가락 위에 올려놓는 것 → 행운을 비는 제스처

All the best! [5] / Break a leg. [6]〈속어〉

- 올해도 건강하시기 바랍니다.
  May you be blessed with good health this year!
- 새해에는 모든 행운이 깃들기를!
  All the best for the New Year!
- 즐거운 크리스마스 보내세요. / 즐거운 부활절 보내세요.
  Merry Christmas! / Happy Easter!
- 즐거운 추수감사절 보내세요.
  Happy Thanksgiving Day!
- 틀림없이 하느님이 우리를 보호하실 거예요.
  I can feel it in my bones that God will protect us.

5) 건배할 때 쓸 수 있는 표현
6) 중세 유럽에서는 반대로 하면 소원이 성취된다는 믿음이 있었다. 그래서 스키를 타러 가는 사람에게 "다리나 부러뜨려라."라고 말하면 "행운을 빈다."는 뜻이 됐으며, 여기에서 유래되어 일상회화에서 쓰여지는 표현이다.

10 칭찬할 때

사람은 누구나 주위로부터 인정받고 싶어한다. 따라서 조그마한 칭찬에도 기뻐서 어쩔 줄 몰라한다. 상대방의 좋은 점에 대해서 칭찬을 아끼지 않는다면 부드러운 대화를 유도해 갈 수 있을 뿐만 아니라 좋은 대인관계를 유지할 수 있을 것이다. 상대방을 칭찬하는 표현에는 여러 가지 표현이 있지만, 우선 상대방이 훌륭한 일을 해 냈을 경우에는 "Good for you!(잘 됐군요.)", "You did a good job!(잘 하셨습니다)", "Wonderful!(훌륭해요!)" 라고 칭찬을 해 주고, 칭찬을 받았을 때는 "Thank you.(감사합니다)", "Thank you for saying so.(그렇게 말씀해 주셔서 감사합니다.)", "You flatter me.(과찬의 말씀입니다.)" 등의 표현으로 화답한다.

기 본 대 화

A : This is a really good project.
Good job, Mr. Wilson!
B : Thank you, I'm flattered.[1)]
A : Keep up the good work.
B : Yes, sir.

A : 이 프로젝트 정말 훌륭하군요.
잘 했어요, 윌슨씨!
B : 칭찬해 주시니 고맙습니다.
A : 지금처럼 계속 잘하세요.
B : 알겠습니다.

칭찬할 때

- 대단하군요〔훌륭하군요〕!
  Great! / Wonderful! / Splendid! / Fantastic!
  Oh, nice! / Super! / Good gracious! [2)]
- 잘 하시는군요.
  You're doing well! / You are coming along well.
- 잘한다!〔됐어!〕
  Good man! / Well〔Good〕! / Well done!
  Good job〔work〕! / That's my boy! 〈아이에게〉
- 정말 훌륭하군요!

---

1) flatter : 아첨하다, 알랑거리다; 우쭐하게 하다
2) 예쁜 옷 등을 보았을 때 칭찬하는 표현

How marvelous! [3)]

- 당신이 최고예요!
  You're the best! / You're out of this world! [4)]
  You're something else!
  You're the best of the bunch. [5)]
  You're the bomb!〈속어〉
- 당신은 정말 신사군요.
  You're all gentleman.
- 당신 평판이 대단하던데요.
  Your reputation preceded you.
- 당신이 부러워요. / 당신이 정말 자랑스러워요.
  I envy you. / I'm really proud of you.

칭찬에 대한 대답

- 과찬의 말씀입니다.
  I'm so flattered. / You flatter me.
  This is very flattering.
  You're flattering me. / You praise me too much.
- 그 말씀 들으니 얼굴이 붉어집니다.
  You make me blush. [6)]
- 너무 치켜세우지 마세요.
  Spare my blushes.
- 너무 칭찬하지 마세요. 그건 일상적인 일인 걸요.
  Don't flatter me so much. It's all in a day's work. [7)]
- 비행기 태우지 마세요.
  Don't make me blush.
- 저는 칭찬 들을 자격이 없어요.
  I don't deserve your praise.
- 분에 넘치는 영광입니다.
  The honor is more than I deserve.
- 칭찬해 주시니 도리어 부끄럽습니다.
  Your praises put me to shame.
- 별로 내세울 게 못돼요.〈속어〉
  Nothing to write home about.

---

3) marvelous : 놀라운, 신기한, 믿기 어려운, 기묘한
4) out of this〔the〕 world : 더할 나위 없는, 매우 훌륭한
5) the best of the bunch : 가장 뛰어난 것〔사람〕, 가장 정선된 것
6) blush : 얼굴을 붉히다, 부끄러워하다
7) all in a〔the〕 day's work : 아주 일상적인 일인, 당연한 일인, 보통인

• 쓸데없는 칭찬을 하지 마세요.〈속어〉
No soft soap for me.
• 아첨하지 마세요. 속이 훤히 들여다 보여요. 〈속어〉
Don't butter me up. [8)]
I can see right through you.

능력을 칭찬할 때

• 당신은 그럴 만한 자격이 있어요.
You deserve it.
• 손재주가 꽤 좋으시군요.
You're quite good with your hands.
• 당신 한국어 실력이 제 영어실력보다 훨씬 낫군요.
Your Korean is much better than my English.

A: How can you speak English so fluently?
B : I'd been in the United States for five years.
Since then I've been self-taught.[9)]
A: That explains why your English is so good.
I envy you. I wish I could speak English like you.
B : In my opinion, you have good linguistic talent, too.

A : 어떻게 그렇게 영어를 유창하게 하십니까?
B : 과거 5년 동안 미국에서 살았던 적이 있어요.
그리고 그 이후에는 혼자서 배우고 있습니다.
A : 그래서 그렇게 영어를 잘 하시는군요. 부럽군요.
저도 당신처럼 영어를 잘 할 수 있었으면 좋겠는데.
B : 제가 보기에는 당신도 어학에 훌륭한 소질이 있어요.

• 당신 (실력)은 알아 줘야겠어요.
I've got to hand it to you. [10)]
• 당신은 저보다 한 수 위군요.
You are a cut〔step〕 above me.
• 당신은 항상 나보다 한발 앞서가는군요.
You're always one step ahead of me.

8) butter up : 버터를 바르다; ((구어)) 아첨하다, 아부하다
9) "혼자 배웠어요."라는 표현에는 "I learned by myself." / "I learned on my own."; "I taught myself." / "I've kept up on my own." 등이 있다.
10) ((비교)) (극성맞은 여자에게) "I've got to hand it to her."라고 말하면 "저 여자 (하여튼) 알아 줘야 해!" 뜻으로 빈정거릴 때의 표현으로도 사용함

- 그런 점에서는 당신이 나보다 우위인 것 같습니다.
  You have a slight edge on me in that respects. [11)]
- 당신은 모르는 게 없군요.
  You must be a human encyclopedia. [12)]
  You must be a walking encyclopedia. [13)]
  You seem to know everything.
- 못하시는 게 없군요.
  There is nothing you can't do.
- 너 참 똑똑하구나!〈속어〉
  Whiz kid! [14)]
- 당신은 변호사라서 역시 다르군요.
  You are not a lawyer for nothing.
- 정원을 가꾸는 데는 솜씨가 있겠네요.
  You must have a green thumb.[15)]
- 당신은 숨은 인재입니다.
  You are a diamond in the rough. [16)]
- 당신은 빈틈이 없군요.〈속어〉
  You are on the ball. [17)]
- 당신은 점점 나아지고 있군요.
  You are progressing well.
- 선생님이 그녀의 노래 실력에 대해 칭찬을 아끼지 않으셨어요.
  The teacher was profuse in his praise of her singing abilities. [18)]

공적을 칭찬할 때

- 당신은 상을 받을 만한 자격이 있어요.
  You deserve the prize.
- 그건 당신의 공적입니다.
  You deserve a lot of credit for that.
- 칭찬을 받을 분은 바로 당신입니다.그건 당신의 공적입니다.
  You are the one who deserves the credit.

---

11) have〔get〕 an〔the〕 edge on sb : 아무보다 우세하다; 아무에게 원한을 품다
12) 직역 : 당신은 인간 백과사전이군요.
13) 직역 : 당신은 걸어다니는 백과사전이군요.
14) whiz kid : 신동, 귀재, 똑똑하고 출세한 젊은 간부
15) have a green thumb : ((美)) 화초 등을 재배하는 솜씨가 뛰어나다; ((英)) have green fingers / thumb : 엄지손가락 / the green stuff : ((美)) 돈(money)
16) a diamond in the rough : 가공하지 않은 다이아몬드 → 세련되지는 못했으나 훌륭한 소질이 있는 인물
17) on the ball : 주의깊은, 빈틈없이 경계하는, 바쁜
18) profuse in ~ : ~에 아낌이 없는

• 정말 잘 하셨습니다〔기쁜 소식이군요〕.
I'm so glad to hear that. [19)]
• 정말 큰 일을 해내셨군요!
You've come a long way! [20)]
• 당신이 그렇게 훌륭한 일을 해내리라고는 예상을 못했어요.
I didn't expect you to do such a good job.
• 어떻게 그 문제를 해결하셨어요?
How did you manage that problem?

잘하는 것을 보고 칭찬할 때

• 초보자치고는 상당히 잘 하시는군요.
For a beginner, you're pretty good.
• 글씨를 잘 쓰시는군요.
You have beautiful handwriting.
• 노래를 잘 하시는군요.
You are a good singer. [21)]
• 영어를 참 잘 하시는군요.
You speak English very well.
Your English is very good.
You're very good at English.
• 영어 발음이 아주 좋으시군요.
You speak English without an accent. [22)]
• 요리를 참 잘 하시는군요.
You did a fine job cooking.
You're an excellent cook.
You're a fantastic cook!
• 다재다능하시군요. 〈속어〉
You're a jack of all trades. [23)]

19) 직역 : 그 소식을 들으니 정말 기쁘군요. → 상대방의 일에 대해서 적극 호응하면서 칭찬의 의미까지 포함됨
20) come a long way : 〈완료형에서〉 계속 출세하다, 훌륭한 일을 해내다
21) "~을 잘 하시는군요."라고 말할 때 "You sing very well."처럼 〈주어 + 동사 + 부사〉 형태의 표현보다는 "You are a good + 명사〔~하는 사람, 즉 singer, dancer, runner 등〕" 형태의 표현을 쓰면 훨씬 매끄러운 표현이 될 수 있다.
22) speak with an accent : 사투리를 써서 말하다
23) jack〔Jack〕 of all trades : 만물박사, 팔방미인

기 타

- 이것 당신이 직접 짜셨어요?
  Did you knit this (for) yourself?
- 계획을 끝까지 밀고 나가는 당신이 존경스럽습니다.〈속어〉
  I admire you for sticking to your plans. [24)]
- 어떻게 그런 용기를 냈어요?
  How did you finally get up the nerve? [25)]
- 당신은 미식가군요.
  You have good taste in food.
- 그런 상황을 잘 극복하시는군요.
  You cope with the situation well.
- 당신 같은 강한 의지력이 있으면 좋을 텐데.
  I wish I had your strong will power.
- 제발 당신 상사에게 아첨 좀 하지 마세요.
  Please don't make up to your boss. [26)]
- 저는 아부하는 방법을 몰라요.〈속어〉
  I don't know how to lay it on thick. [27)]
- 내가 칭찬하더라고 그에게 전해 주세요.
  Please send him my compliments.

24) stick to ～ : ～에 달라붙다, 집착하다
25) get up the nerve = get the courage : 용기를 내다
26) make up to sb : 아무에게 아첨하다
27) lay it on thick : 아부〔아첨〕하다

11 환영할 때

새로운 사람이 입사했을 때 또는 항공기 등에 탑승했을 때 "입사(탑승)를 환영합니다"라는 표현으로 "Welcome aboard."라는 표현을 많이 쓰고 "~(장소)에 오신 것을 환영합니다."라고 말할 때는 "Welcome to ~(장소)."라는 식으로 표현한다.

기본대화

A : I'm Miss Han, the new secretary, here.
B : Hi, Miss Han. Welcome aboard.
I'm Mr. Miller, manager of the personnel department.
A : Thank you, Mr. Miller.
I'm looking forward to working with you.
B : So am I. Meet Mr. Johnson, here.
A : How do you do, Mr. Johnson?
C : Hi, Miss Han. Nice to have you with us.
I hope you'll like it here.
A : Thanks. I'm liking it here already.

A : 저는 새로 온 비서 미스 한입니다.
B : 안녕하세요. 미스 한. 입사를 축하합니다.
저는 인사부장 밀러입니다.
A : 고맙습니다. 밀러씨.
함께 일하게 된 것에 기대가 큽니다.
B : 저도 그렇습니다. 여기 존슨씨와 인사 나누시죠.
A : 처음 뵙겠습니다. 존슨씨.
C : 안녕하세요, 미스 한. 같이 일하게 돼서 반갑습니다.
이곳이 마음에 들기를 바랍니다.
A : 고맙습니다. 저는 벌써 이곳이 마음에 듭니다.

기타 표현

- 전입(입사)을 환영합니다, 브라운 양.
  Welcome aboard, Miss Brown.
- 그에게 큰 박수를 부탁드립니다.
  Please give him a big hand.

- 같이 일하게 되어 반갑습니다.
  Glad to have you with us.
- 한 마디 하세요.
  You have the floor. [1)]
- 제 일에 익숙해질 때까지는 여러분의 도움이 필요합니다.
  I think I need your help until I get better acquainted with my job.
- 제 일이 자리가 잡힐 때까지는 여러분의 원조가 필요합니다.
  I think I need your assistance until I get well settled with my job.
- 저의 집에 오신 것을 환영합니다.
  Welcome to my home.
- 한국에 오신 것을 환영합니다.
  Welcome to Korea.
- 대한 항공 708기 탑승을 환영합니다.
  Welcome aboard Korean Air flight 708!
- 그는 기립박수를 받았어요.
  He received a standing ovation. [2)]
- 그들은 우리를 열렬하게 환영을 해주었어요.
  They gave us an enthusiastic welcome.

---

1) 'the floor' 는 '발언권'이란 뜻이며, 'have〔get〕 the floor' 는 '발언권을 얻다'라는 뜻이다. 따라서 직장 상사가 새로 입사한 사람을 다른 사람에게 소개한 후 신입사원에게 "한 마디 하게나." "당신이 발언할 차례입니다."라는 뜻으로 사용된다. 같은 표현으로 "It's your floor." 또는 "The floor is yours."라고도 한다.
2) standing ovation : 기립 박수〔갈채〕

12 부탁할 때

상대방에게 뭔가를 부탁하기 위해서 서두에 "부탁 하나 들어 주시겠어요?"라고 할 때는 "Could you do me a favor?"라고 말하고, "부탁 하나 드려도 될까요?"라고 할 때는 "Can I ask you a favor?"라고 말한다. 부탁을 들어줄 때는 "Sure.(물론이죠.)", 거절할 때는 "I'm sorry, but I can't right now.(미안하지만, 지금은 안 되겠는데요.)" 또는 "I'm sorry I'd rather not.(미안하지만 안 되겠는데요.)"라고 정중하게 거절한다.

기 본 대 화

A : Excuse me. Would you do me a favor?
B : Sure, if I can. What is it?
A : I'd like you to review this English composition.
B : How many pages are there?
A : (There are) Twenty-two pages.
B : All right. I'd be glad to review it.
A : Thanks a lot.

A : 실례합니다. 부탁 하나 들어 주시겠어요?
B : 물론이죠. 가능하다면요. 뭔데요?
A : 이 영작문을 검토해 주셨으면 합니다.
B : 몇 페이지나 되죠?
A : 22페이지입니다.
B : 알겠습니다. 검도해 느리죠.
A : 고맙습니다.

부탁을 하고자 할 때 1)

- 부탁 하나 들어 주시겠습니까?
  Could〔Would〕 you do me a favor?
- 부탁을 드려도 될까요?
  Can〔May〕 I ask you a favor?
  Can I ask a favor of you?
- 개인적인 부탁을 드려도 될까요?

1) ((참고)) 부탁을 할 때 격식의 정도에 따른 표현 : ① Can you please lend me $1,000? / ② Could you let me use your car? / ③ Would you be able to mail this letter? / ④ Would you mind letting me use your car? / ⑤ Would it be OK if I borrowed your car? / ⑥ I wonder if you'd mind lending me your car? → ①의 표현이 가장 격식을 덜 갖춘 표현이고 ⑥의 표현이 가장 격식을 갖춘 표현이다.

Can〔May〕I ask you a personal favor?

- 꼭 부탁 드릴 게 하나 있습니다.
  I have a big favor to ask (of) you.
  I need a favor from you.
- 제 말을 들어 주세요〔승낙해 주세요〕.
  Please say yes.
- 거절하지 마세요〔안 된다고 말하지 마세요〕.
  Don't say no.

승낙할 때

- 물론이죠.
  Sure. / Of course. / Why not? [2)]
- 좋아요.
  OK. / All right.
- 그러세요.
  Go ahead.
- 그렇게 해 주세요.
  Yes, please.
- 기꺼이 그러죠.
  I'd be glad to. / With pleasure. / Be happy to.
- 어떻게 당신 부탁을 거절할 수 있겠어요?
  How could I possibly refuse your request?
- 그거야 별 것 아니죠.
  It's no big deal.
- 당신을 위해서 노력할게요.
  I will make an effort for you.
- 당신을 위해서라면 어떤 일이라도 할게요.
  I'm quite willing to do anything for you.
- 원하는 건 무엇이든지 가지세요.
  You can have anything you like.

거절할 때

- 안 되겠는데요.
  I'd rather not.
- 미안하지만 지금은 안 되겠는데요.
  I'm sorry, but I can't now.

---

2) Why not? : "왜 안 되겠어요?" → "물론이죠"라는 의미를 반어적으로 표현한 것이다. 그러나 이 표현은 상황에 따라 "왜 아니죠? / 왜 안 되죠?"라는 의미로도 쓰인다.

- 그건 저한테 무리입니다.
  It's too hard 〔much〕 on me.
  It's beyond my abilities. / It's too difficult for me.
- (유감스럽지만) 그건 받아들일 수 없습니다.
  (I'm afraid) I can't accept that.
  That's not acceptable.
- 미안하지만, 그렇게는 안 되겠는데요.
  I'm sorry, but I can't do it.
- 그건 필요 없습니다.
  It's not necessary.
- 글쎄요, 물론 그게 무엇이냐에 달렸죠.
  Well, it depends on what it is, of course.
- 그건 (저한테는) 무리입니다.
  That is too much to ask (of me).
- 그건 무리한 요구입니다.
  It's a difficult task. / It's a hard job. / It's a pain.
  It's an arduous chore. [3] / It's a tall order. [4]
- 그건 많은 노력이 필요합니다.
  It requires much effort.
- 그건 무리한 요구예요.
  That's asking too much.
- 시간이 필요해요.
  It takes time.
- 당신은 항상 내가 어려울 때 부탁하는군요.
  You always ask me at a bad time.
- 기꺼이 하고 싶습니다만, 너무 바빠서 안 되겠습니다.
  I'd do it with pleasure, only I'm too busy.
- 다른 사람에게 부탁해 보세요.
  Why don't you ask somebody else?
- 그는 입도 뻥긋 안 했어요.
  He didn't say a word.
- 그 여자는 딱 잘라서 거절했어요.
  She refused it point-blank. [5]

---

3) arduous : 어려운, 힘드는 / chore : 하기 싫은〔따분한 / 힘드는〕 일, 허드렛일
4) tall order : 무리한 주문〔요구〕
5) point-blank : 정면으로, 딱 잘라, 솔직하게

구체적인 부탁을 할 때 6)

A: I'm wondering if you could lend me $1,000.
B : I'm sorry. I don't have that kind of money.

A : 돈 1,000달러를 빌려주실 수 있는지요?
B : 미안하지만, 그만한 돈은 없습니다.

돈을 빌릴 때

A: Do you have money on [with] you?
B : Not on 〔with〕 me.

A : 수중에 돈 가진 것 있으세요?
B : 가지고 있는 돈이 없어요.

- 돈 좀 빌려주시겠어요?
  Would you lend 〔loan〕 me some money?
- 당신 오늘 월급 받았다는 거 알아요.
  I know you got paid today.
- 돈 좀 있어요?〈속어〉
  Do you have any green? 7)
- 저는 돈이 매우 필요해요.
  I need money badly.
- 뭐라고? 그런 큰돈은 나한테 없어요.
  What? I don't have that kind of money with me. 8)
- 내가 뭐 은행처럼 보이니?
  Do I look like a bank? 9)
- 7월 10일 이전까지는 지불해 주셔야 합니다.
  The payment must be made before July 10th.
- 돈 좀 빌릴 수 있을까요?
  Could I borrow a little money from you?

---

6) 상대방에게 뭔가를 부탁할 때는 일반적으로 "Would〔Could〕 you (please) ~?(~ 좀 해 주시겠습니까?)"라는 표현을 쓰지만, 다소 어려운 부탁을 할 때나 정중하게 부탁을 할 때는 "Would you mind ~ing?(~을 해 주시겠습니까?)" 또는 "I'm wondering if you could ~ .(~을 해 주실 수 있는지요.)"라는 표현을 쓴다.
7) green : ((속어)) 돈, 지폐 → 미국 달러 지폐가 녹색으로 된 것에서 유래된 단어
8) 다른 사람이 $500 등의 큰돈을 빌려 달라고 할 때
9) "내가 뭐 돈을 쌓아놓고 사는 사람인 줄 아니?"라는 의미

A: Can I borrow a couple of singles?[10)]
B : I have no singles. Only fives and tens.

A : 1달러짜리 2개만 빌릴 수 있을까요?
B : 1달러짜리는 없고, 5달러짜리와 10달러짜리만 있어요.

- 5달러 있으면 좀 주시겠어요?
  Do you have five dollars I could have?
- 얼마나 필요하세요?
  How much do you need?
- 다음주에 갚아드릴게요.
  I'll pay you back next week.
- 큰돈밖에 없어요.
  I only have big bills.

※ 돈에 관한 추가 표현 : 돈과 재산(p. 1162, 1307)

짐이나 자리를 부탁할 때

A: Would you (please) hold my bag for a moment?
B : Of course.[11)]

A : 제 가방을 잠깐 들고 계시겠습니까?
B : 물론이죠.

- 제 가방 좀 봐주시겠습니까?
  Would you keep an eye on my bag?
  Would you watch my bag?
- 제가 쇼핑가는 동안 와서 집 좀 봐주시겠어요?
  Could you come over and mind my house while I go shopping?[12)]
- 이것 좀 들고 계시겠어요?
  Would you hold this for me?
- 집에 아무도 없으면, 그것을 아파트 관리인에게 맡겨 놓으세요.
  If nobody's home, leave it with the apartment manager.
- 제 자리 좀 봐주시겠어요?
  Would you save my place (seat) ?
- 30분 정도만 밖에 나갔다 올게요.

---

10) singles : ((구어)) (보통 복수형으로) 미국의 1 달러 지폐
11) "Of course." 대신에 "Sure." 또는 "I'd be glad to."라는 표현을 쓸 수도 있다. 그리고 거절할 경우에는 "I'm sorry. I can't right now.(미안하지만 지금은 안 되겠는데요.)"라고 한다.
12) mind the house (store) : 집 · 가게 등을 봐주다

I need to pop out for about 30 minutes. [13)]

- 너무 오래 걸리지는 마세요.
  Don't take too long.

가는 길에 부탁할 때

A: Could you drop this book on your way to the library?[14)]
B : Sure.

A : 도서관 가는 길에 이 책 좀 갖다 주시겠어요?
B : 물론이죠.

- 밖에 나가는 김에, 신문 좀 집어다 주세요.
  While you are out, please pick up the newspaper.
- 은행 가시는 길에 제 일 좀 처리해 주시겠어요?
  Could you take care of something for me on your way to the bank?
- 일어선 김에, 물 한 잔 갖다 주세요.
  While you are up, get me a glass of water, please.
- 전화를 건 김에, 부탁하나 할게요.
  While I have you on the phone, let me ask you for a favor.

가벼운 요구를 할 때

- 이쪽으로 와 주시겠어요?
  Would you like to come over here?
- 앞으로 가 주십시오!
  Pass along there, please! [15)]
- 그것을 여기에 내려놓으세요.
  Put it down here.
- 그 책 좀 집어 주세요.
  Please hand me the book.
  Please reach me that book.
- 나온〔들어온〕 다음에 문을 닫으세요.
  Shut the door after〔behind〕 you.
- 신분증 좀 보여 주실까요?
  Can I see your ID (card)? [16)]

---

13) pop out : 휙 나가다 예 The children are freely popping in and out.(아이들이 자유롭게 들락거리고 있다.)
14) drop : (여객이나 짐을) 도중에서 내려 놓다
15) 혼잡한 거리, 버스 따위에서 사람들을 앞으로 가도록 부탁할 때
16) ID = identification(신분 증명)

심부름을 부탁할 때

- 차가운 것 좀 먹고 싶어요. 좀 사다 주시겠어요?
  I'd like something cold to eat. Could you go and get it?
- 청량음료가 다 떨어졌어요. 가서 좀 사올래요?
  We're out of soft drinks. Will you go and get some, please?
- 스낵바에서 커피 한 잔 사다 주겠어요?
  Could you get me a cup of coffee from the snack bar?
- 커피 한 잔 끓여 주시겠어요?
  Could you make a cup of coffee for me?

기 타

- 저희 사장님이 부탁을 해서, 거절할 수가 없었어요.
  My boss asked me, I couldn't say no.
- 그렇게 해 주시겠어요?
  Would you, please?
- 그분에게 제 말씀 좀 잘 해 주십시오.
  Please put in a good word for me with him. [17)]
- 이 서류 좀 타이프해 주시겠어요?
  Would you please type these documents?

활용어휘

- 아무에게 이것을 건네주다 : hand this to sb
- 가게를 봐주다 : keep an eye on the store
- 가방에서 그것을 꺼내다 : get it out from the bag
- 거기에 있는 그 상자를 집어 주다 : get me that box over there
- 아무의 일 · 업무를 대신하다 : take sb's place
- 아무에게 담배를 사다 주다 : buy some cigarettes for sb
- 라디오 소리를 낮추다 : turn the radio down
- 문을 당겨서 열다 : pull the door
- 문을 밀어서 열다 : push the door
- 발음을 교정하다 : correct sb's pronunciation
- 비디오 테이프를 반납하다 : take back the videotape
- 서류를 검토하다 : look over〔review〕 the documents
- 쓰레기를 버리다 : take out the trash
- 이 편지를 타이핑하다 : have this letter typed
- 이 한국문을 영어로 번역하다 : put this Korean into English
- 이 서류를 30부 복사하다 : make thirty copies of this documents
- 이것을 고쳐 주다 : fix this

17) put in〔say〕 a good word for sb : 아무를 추천〔변호〕하다

- 아무에게 차 한 잔 갖다 주다 : bring sb a cup of tea
- 커튼을 걷어올리다 : take up the curtain
- 테이블을 닦다 : wipe off the table
- 편지를 부치다 : have the letter posted
- 편지를 잘 간수하다 : hang on to the letter
- 형광등을 갈아 끼우다 : change a fluorescent light [18)]

- 내가 없는 동안 아기 좀 돌보아 주세요.
  Please look after the baby while I'm away.[19)]
- 당신이 일하시면서 제게 참고될 만한 것을 알려 주세요.
  Give me some references on your work.
- 당신이 해 줬으면 하는 것이 이겁니다.
  What I'd like you to do is this.
- 무리하게 요구하지는 않겠어요.
  I'm not forcing you.
  I'm not twisting your arm.[20)]
- 수고스럽겠지만 함께 가 주실 수 있을까요?
  May I trouble you to come with me?
- 시원한 물 좀 갖다 주겠어요?
  Can I get some iced water?
- 제 발음을 듣고서 틀린 곳이 있으면 고쳐 주셨으면 합니다.
  I'd like you to correct my wrong pronunciation when you hear it.
- 이것이 처음이자 마지막입니다.
  This is the first and the last.

18) fluorescent : 형광성의
19) look after sb : 아무를 돌보다〔보살피다〕, 아무의 뒤를 지켜보다
20) twisting sb's arm : 아무의 팔을 비틀다; 아무에게 강요〔강제〕하다

13 도움을 청할 때

상대방에게 "좀 도와 주시겠어요"라고 할 때는 "Could(Would) you help me?" 또는 "Would you mind helping me?" 라고 말하고, "~을 좀 도와 주시겠어요?"라고 할 때는 "Could you help me with~?" 또는 "Could you help me (to) ~(동사원형)?"라고 말한다. 또한 "~을 도와 주실 수 있는지요?"라고 할 때는 "I wonder if you can help me."라고 말한다.

기본대화

A : Excuse me, would you give me a hand?
B : Sure. What can I do for you?
A : Could you please help me to move this desk?
B : Certainly. Anything else I can help you with?
A : Thanks, but I can manage the rest myself.
B : Ask me whenever you need help, I'm willing to help you.
A : OK, sure I will. Thank you.

A : 저 좀 도와 주시겠어요?
B : 네. 뭘 도와 드릴까요?
A : 이 책상 옮기는 것 좀 도와 주세요.
B : 그러죠. 그밖에 또 도와 드릴 것이라도 있습니까?
A : 고맙지만, 나머지는 저 혼자 할 수 있어요.
B : 도움이 필요하시면 언제든지 부탁하세요. 기꺼이 도와 드릴게요.
A : 네, 물론 그럴게요. 감사합니다.

도움을 청할 때

- 좀 도와 주시겠어요?
  Could you lend me a hand?
- 도와 주실 수 있는지요?
  I wonder if you can help me.
- 조언이 좀 필요해요.
  I need some pointer. [1)]

1) pointer : 가리키는 물건(사람); 지시, 조언, 조그마한 광고(예고)

- 당신의 도움이 필요해요.
  I need your help.
- 이 이어폰 사용하는 법 좀 도와〔가르쳐〕 주시겠어요?
  Could you help me with this earphone? 2)

활용 어휘		
	• 이 짐 꾸리는 것 : these parcels	• 나의 일 : my work
	• 요리하는 것 : dishes	• 숙제하는 것 : my homework

도와줄 때

A: Do you need any help?
B : I think I can manage, thanks anyway.

A : 도움이 필요하세요?
B : 혼자 할 수 있을 것 같아요. 아무튼 고맙습니다.

- 도와 드릴까요?
  May〔Can〕 I help you? / Can I help you with?
- 도움이 필요하십니까?
  Would you like any help? / Do you want a help?
- 그 외에 또 무엇이 필요하죠?
  And what more do you want? 3)
- 제 도움 없이도 할 수 있겠어요?
  Do you think you can do it without my help?

뭘 원하는지를 물을 때

- 뭘 해 드릴까요?
  What would you like me to do?
  What do you want me to do?
- 자, 뭘 하면 되죠?
  Here I am. What's to be done? 4)
- 저한테 무엇을 원하죠?
  What do you want from me?

2) 여기서 this earphone는 명사지만 실제로는 '이어폰을 사용하는 방법' 을 의미함. 'this earphone' 대신에 여러 가지 표현들을 대체하여 사용할 수 있다.
3) "그것으로 충분하지 않니?"의 의미
4) 파티 준비로 바쁜 친구 또는 대청소를 하는 어머니를 도와 주려고 할 때

- 그가 뭘 원하는지 알아보세요.
  Go see what he wants.
- 제가 뭐 도움이 될 것이 있을까요?
  Can I be of any help?
- 제가 도울 수 있는 일이라도 있습니까?
  Is there anything I can do for you?

기꺼이 돕겠다고 할 때

- 네, 기꺼이 (도와 드리겠습니다).
  Yes, with pleasure〔delight〕.
  I'd be glad lend a hand. / I'd be glad to help out.
- 언제라도 도와 드리겠습니다.
  I'm ready to help.
- 도움이 필요하시면 저를 불러 주세요.
  In case you need help, call me.
- 당신에 관한 것이라면, 아무 것도 주저 안 해요.
  I'll hold nothing back when it comes to you. [5)]
- 당신을 위해서라면 무엇이든 하겠습니다.
  For you, I'll go the whole nine yards. [6)]
- 말씀만 하세요. 당장 해 드릴게요.
  Just say the word and I'll take care of it.
- 그 일은 공짜로 해 드리겠습니다.
  There will be no charge for the work.
- 필요하면 저를 불러 주세요.
  Call me when you need help.
- 내가 도와줄 게 있으면, 알려 주세요.
  If there's anything I can do for you, please let me know.
- 필요하면 찾아 오세요.
  Please come in case of need.
- 그것 빼고는 무엇이든 하겠어요.
  I will do anything but that.
- 제가 해 드리겠습니다.
  Let me do it for you.
- 당신이 원하는 건 무엇이든지 할게요.
  I'll do whatever you want.

---

5) hold back : 주저하다, 취소하다
6) nine(9)은 가장 높은 숫자이므로 'the whole nine yards'는 '9야드 전체'를 의미한다. 따라서 'go the whole nine yards'는 "어디까지라도 가겠다"라는 뜻이 된다.

- 당신을 위해서라면 무엇이든 하겠습니다.〈속어〉
  I'll〔I'd〕 do anything for you.

일을 도와줄 때

A: Do you want me to help you with your work?
B : No, thank you. I'm almost done.

A : 일을 도와 드릴까요?
B : 고맙지만 됐습니다. 다 끝나갑니다.

- 바쁘시군요. 그 상자 옮기는 것 도와 드릴까요?
  You have your hands full. Would you like some help with those boxes?
- 도움이 필요하신 것 같군요.
  You look like you need some help.
- 필요하다면 도와드릴 사람을 구해 줄게요.
  If you need help, I'll get someone to help you.
- 제가 쓰레기 치워 드릴까요?
  Can I help you take out the garbage?
- 저도 한몫 거들 수 있었으면 하는데요.
  I could pitch in and help out a little. [7)]
- 백짓장도 맞들면 낫잖아요.
  You know, every little bit helps.

짐을 들어 줄 때

A: Let me take your bags. (제가 가방을 들어 드릴게요.)
B : Thanks. (고맙습니다.)

- 그 가방 제게 주세요.
  Hand me that bag.
- 제가 짐을 맡아 드리겠습니다.
  I'll take care of your luggage.
- 제가 그걸 들어 드릴까요?
  May〔Can〕 I hold that for you?
- 제가 그걸 운반해 드릴까요?
  Would you like me to carry that?

7) pitch in : ((구어)) 열심히 하기 시작하다; 열심히 먹기 시작하다; 힘차게 시작하다

- 제가 그걸 내려 드릴게요.
  Let me help you get it down.

도움을 사양할 때

- 고맙지만, 괜찮습니다. 제가 할 수 있어요.
  No, thank you. I can handle it.
- 감사합니다만, 저 혼자서 할 수 있어요.
  Thanks, but I can manage it myself.
- 아니오, 괜찮습니다. 제가 쓰레기를 치울 겁니다.
  No, thank you. I can take the garbage out myself.

A: You'll need some help.
B : No, thanks. I'll figure it out for myself.
A: Will you manage?
B : I should be fine. I'm used to this.

A : 도움이 필요하시겠군요.
B : 고맙지만, 됐어요. 제가 알아서 해결하겠어요.
A : 할 수 있겠어요?
B : 할 수 있어요. 이 일에 익숙하거든요.

- 귀찮으니까, 혼자 알아서 해.
  I can't be bother. Do it yourself.

기 타

- 당신이 큰 도움이 됐습니다.
  You've been so helpful.
- 괜찮으시다면, 이 우산을 쓰세요.
  You can take this umbrella, if you like.
- 그는 내가 곤경에 처했을 때 끝까지 나를 도와주었어요.
  He saw me through all my troubles. [8)]
- 이게 당신이 필요로 하는 것들을 해결해 줄 겁니다.
  This one would serve your needs.
- 이것이 당신에게 도움이 되었으면 합니다.
  I hope this will be of help to you.
- 제가 당신에게 도움이 됐는지 모르겠군요.
  I'm not sure I've helped you.

8) see through : 끝까지 도와주다, 뒤를 돌봐주다

- 제가 함께 있어 드리겠습니다.
  I'll keep you company. / I'll accompany you.
  I'll be with you. / I'll stay with you.
- 제가 갖다 드리겠습니다.
  I'll (go and) get it for you.
- 그들은 방관만 하고 있었어요.
  They were sitting on their hands. 9)
- 그의 도움을 청했지만, 아무런 반응도 얻지 못했어요.〈속어〉
  I asked for his help, but I just drew a blank. 10)
- 이 이상은 해 줄 수 없습니다.
  I can't continue spoon-feeding you. 11)
- 서로 상부상조합시다.
  You scratch my back and I'll scratch yours. 12)
- 우리는 서로 협력해야 합니다.
  We must cooperate with each other. 13)
- 저는 물심양면으로 그분의 도움을 받았어요
  I received both material and moral support from him.
- 제가 가르쳐 드리죠.
  I'll show you.
- (일하는) 요령 좀 가르쳐 주세요.〈속어〉
  Show me the ropes. 14)
- 그 사람에게 우리 좀 도와 달라고 할까요?
  Shall we get him to help us?
- 댁의 도움에 의지할 수 있을까요?
  Can I count on your help?

활용 어휘

- 기금 모금 운동 : fund-raising campaign
- 기부금을 모집하다 : raise donations
- 자선 냄비〔기금〕: charity pot〔fund〕
- 후원회 : backer's〔supporter's〕 organization
- 기부금 : contribution / donation
- 기부하다 : donate
- 자선 판매장 : charity bazaar
- 후원자 : sponsor

9) sit on one's hands : 손을 깔고 앉다 → 방관하다
10) draw a blank : 반응을 얻지 못하다
11) spoon-feed : (아이에게) 숟가락으로 떠먹이다; ((구어)) 과보호하다; 응석부리게 하다; (학생에게) 하나하나 차근차근 가르치다
12) 직역 : 당신이 내 등을 긁어주면 나는 당신 등을 긁어 주겠소.
13) ((비교)) We must cooperate each other.(×) → cooperate는 자동사이므로 그 뒤에 목적어(each other)를 취할 수 없다. 따라서 'each other'라는 목적어를 취하려면 with와 함께 사용해야 한다.
14) the ropes : ((구어)) (어떤 일의) 요령, 비결

14 양해를 구할 때

상대방에게 다소 실례가 되는 어떤 행동을 하거나 상대방의 물건을 사용하기 위해 양해를 구할 때는 먼저 "Excuse me.(실례합니다.)"라고 말한 다음 "Could I ~ ? / "Do you think I could ~ ?"(~을 좀 해도 될까요? / ~ 좀 할 수 있을까요?)" 또는 "(Would you) Mind if I ~?(~을 해도 괜찮을까요?)"라고 말한다. 승낙할 경우에는 "Sure. / Of course.(물론이죠)"라고 말하고, 거절할 경우에는 "I'm sorry, but you can't.(미안하지만, 안 되겠는데요.)", "You'd rather not.(안 되겠는데요.)"라고 말한다.

기 본 대 화

A : Would you mind if I smoke here?
B : Yes.[1] This is the nonsmoking section.
There is a smoking section in the back.
A : Oh, I see.

A : 여기서 담배를 피워도 됩니까?
B : 안 됩니다. 이곳은 금연구역입니다.
흡연구역은 뒤쪽에 있습니다.
A : 아, 알겠습니다.

양해를 구하고자 할 때

- 실례합니다. / 잠깐 실례하겠습니다.
  Excuse me. / Excuse me for a moment.
- 잠깐 실례해도 되겠습니까?
  Would you excuse me for a moment?
- 말씀 도중에 죄송합니다만, ...
  Forgive me for interrupting you, but ....

행위전 양해를 구할 때

- 담배를 피워도 괜찮겠습니까?
  (Do you) Mind if I smoke?

---

1) ((주의)) 여기서 'mind'는 '꺼려하다'라는 뜻이다. 따라서 "Would you mind if I smoke here?"는 "여기서 담배를 피우는 것을 꺼려하십니까?"라는 뜻이 되므로, "Yes."라고 말하면 "꺼립니다." 즉, "피워서는 안 됩니다."라는 거절의 뜻이 된다. 반대로 "No. (I don't mind.)"는 "아니오, 꺼리지 않습니다." 즉, "피워도 괜찮습니다."라는 의미가 되는 것이다.

- 여기 앉아도 되겠습니까?
  (Do you) Mind if I sit here?
- 여기다 짐을 놔둬도 될까요?
  Can I leave my stuff here? [2)]

물건을 사용할 때

> A: Do you think I could use your car?
> B : Sure. Go ahead.
>
> A : 당신 차 좀 사용할 수 있을까요?
> B : 물론이죠. 어서 쓰세요.

- 한 시간만 당신 컴퓨터를 쓸게요.
  Let me use your computer for just one hour.
- 종이 한 장 얻을 수 있을까요?
  Could I get a piece of paper?
- 좋은 것이 아니라도 괜찮아요.
  It doesn't have to be good.
- 그럼요, 어서 쓰세요.
  By all means.
- 원하는 만큼 가지세요.
  Take as much as you want.
- 다 쓴 다음에 제자리에 놓으세요.
  Put it back where it was when you are through.
- 마음대로 쓰세요.〈속어〉
  You can have the run of the place. [3)]
- 이 칼 마음대로 쓰세요.
  You're welcome to use this knife.

물건을 빌릴 때

> A: Excuse me. Could I borrow your dictionary?
> B : Sure. Here you are〔go〕.
>
> A : 실례합니다. 사전 좀 빌릴 수 있을까요?
> B : 물론이죠. 여기 있습니다.

---

2) stuff : things의 구어체
3) have the run of the place : (어떤 장소 · 시설물 등을) 마음대로 사용하다

• 얼마든지 그러세요. 제 책상 위에 있으니까요.
Be my guest. [4] It is on my desk.
Help yourself, please.

• 당신 차 좀 몇 시간 빌려 주시겠습니까?
Would you mind lending me your car for a few hours?

• 곧바로 돌려드릴게요.
I'll bring it right back.

• 다 가지세요. 난 하나도 필요 없어요.
Take it all. I don't want any.

• 물론이죠, 돌려주겠다고 약속만 하면요.
Sure, as long as you promise to return it.

• 언제 돌려받을 수 있죠?
When am I going get it back?

• 언제 돌려주실 거죠?
When will you bring it back? [5]

• 곧 돌려받을 겁니다. 약속할게요.
You'll get it back soon. I promise.

> A: Do you think this will do? (이거면 충분한가요?)
> B : Sure. it will do. (물론, 그거면 충분할 거예요.)

• 그것이면 충분할 겁니다.
That will probably be enough.
That'll do me very well.

• 제가 필요한 건 그것뿐이에요.
That's all I need.

> A: Do you have an extra pencil?
> B : I'm sorry, but I don't have one〔any〕.
>
> A : 연필 하나 남은 것 있습니까?
> B : 미안하지만 없는데요.

4) 직역 : 나의 손님이 되세요. → 상대가 물건 등을 빌려 달라고 할 때 "사양 말고 어서 갖다 쓰세요."라는 의미로 쓰인다.
5) 빌려 준 물건에 대해서 언제 돌려줄 것인가를 묻는 표현

기 타

A: Excuse me. May I get by, please? [6)]
B : Oh, sure. I'm sorry I was in your way.

A : 실례합니다. 좀 지나가도 될까요?
B : 오, 그러세요. 길을 막고 있어서 죄송합니다.

- 길 좀 비켜주세요.
  Clear the way, please! / Make way, please!
- 좀 지나갑시다.
  Let me through. [7)]

명언 한 마디

There is no greater grief than to recall a time of happiness when in misery.

불행할 때 행복했던 때를 회상하는 것보다 더 큰 슬픔은 없다.

- Alighieri Dante -

6) get by = pass : (길을) 지나가다
7) 북적대는 곳에서 앞서 지나가고자 할 때 쓰는 표현

15 질문과 답변

일반적으로 질문을 하려고 할 때는 "I have a question for you.(물어볼 게 하나 있습니다.)" 또는 "May I ask a question?(질문 하나 해도 될까요?)"라고 한다. 그러나 정중하고 공손한 질문을 할 때는 "Could you tell me ~, please?" 또는 "May I ask ~ ?"라는 표현을 쓴다. 예를 들어 나이를 물을 때 "How old are you?"라고 하는 것보다는 "May I ask how old you are?(연세를 여쭤봐도 되겠습니까?)" 또는 "Could you tell me how old you are, please?(연세가 어떻게 되는지 말씀해 주시겠습니까?)" 등이 공손한 표현이다.

기 본 대 화

A : I have a question (for you).
B : Go ahead. What is it?
A : What do you mean by "state-of-the art"?
B : Oh, it's industry lingo which means the latest technology?[1)]
A : Could you please be more specific?
B : You'll have to look the details up in the dictionary. (Do you have) Any other questions?
A : No. I think you've answered everything.

A : 질문 하나 있습니다.
B : 말씀하세요. 뭔데요?
A : "state-of-the art"가 무슨 뜻이죠?
B : 아, 그건 "최신 기술"을 의미하는 산업용어입니다.
A : 좀 더 구체적으로 말씀해 주시겠어요?
B : 자세한 건 사전을 찾아 보세요.
또 다른 질문 있습니까?
A : 아니오. 다 대답해 주신 것 같습니다.

질문할 때

질문을 하고자 할 때

• 질문 하나 해도 될까요?
May I ask you a question?

1) lingo : 외국어; 술어; 알 수 없는(알아들을 수 없는)말

Mind if I ask you a question?

- 사적인 질문을 하나 해도 되겠습니까?
  May I ask you a personal question?
- (물어볼 게) 한 가지 더 있습니다.
  There's one more thing. / I have one more question.
- 구체적인 질문 몇 가지 드리겠습니다.
  Let me ask you some specific questions.
- 누구한테 물어봐야 되죠?
  Whom should I ask?
- 단도직입적으로 질문을 해도 되겠습니까?
  Do you mind if I ask you some point-blank questions? 2)
  May I ask you a question point-blank?
- 당신에게 질문할 게 많습니다.
  I have a lot of questions for you.

A: I'd really like to ask you something. (정말 묻고싶은 게 있어요.)
B : Go right ahead. (말씀해 보세요.)

- 이 보고서에 관해 질문이 두세 개 있습니다.
  I have a couple of questions about this report.
- 회비에 대해서 질문을 하려고 합니다.
  I'd like to raise a question about the fee. 3)

의 미

- RSVP는 무슨 뜻입니까?
  What does RSVP stand for? 4)
  What's the meaning of RSVP?
- 이 머리글자들은 무엇을 의미합니까?
  What do these initials stand for?
- "explain"과 "describe"가 어떻게 다르죠?
  How does "explain" differ from "describe"?
- "explain"과 "describe"의 차이점이 뭐죠?
  What's the difference between "explain" and "describe"?
- 이것을 영어로 뭐라고 하죠?
  What's this called in English?
  What do you call〔say〕this in English?

2) point-blank : 정면의, 딱 드러내놓고
3) raise a question : 문제를 제기하다, 질문하다
4) stand for ~ : ~을 나타내다; 대표〔대리〕하다

- 그 단어의 철자가 어떻게 되죠?
  How do you spell the word?
  What is the spelling of the word?
- 이 단어를 어떻게 발음하죠?
  How do you pronounce this word?
- 이게 무슨 부호죠?
  What does this symbol stand for?
- 저 앞의 표지판에 뭐라고 써 있죠?
  What does that sign ahead say?
- ROK는 "대한민국"의 약자입니다.
  ROK is the acronym for Republic of Korea. [5]

재 질

- 그건 뭘로 만드셨어요?
  What did you make it of?

A: What's it made of? (그건 무엇으로 만들어졌죠?)
B : It's made of wood. (나무로 만들어졌어요.)

용 도

A: What's it used for? (그건 무엇에 쓰는 거죠?)
B : It's used for cutting. (자르는 데 쓰여요.)

- 이 벽돌을 어디에 쓰려고 그러세요?
  What are you going to do with these bricks?

기 타

- 왜죠? / 무엇 때문이죠?
  How come? [6] / What for?
- 대충 몇이죠? / 대충 얼마죠?
  Approximately how many? / Approximately how much?
- 맞혀 보세요. / 머리를 써 보세요.
  Try to guess. / Use your brain.
- 무슨 생각을 하고 있어요? / 당신 생각을 말해 주세요.

5) acronym : 두문자어(頭文字語) 예 E.T.(Extra-Terrestrial) : 외계인
6) 'why' 보다 부드러운 표현이다.

What are you thinking? / A penny for your thoughts. 7)

• 그건 어떻게 하는 거죠?
How do you do that? 8)

• 그렇게 행동한 동기가 뭐죠?〈속어〉
What makes you tick? 9)

• 그게 어쨌단 말이에요?
What's the matter? / What about it?

• 그럼 무슨 일이 있었어요?
What happened, then?

• 도대체 그것들이 뭐죠?
What on earth are they? 10)

• 도대체 무슨 일로 이리 소란이야?
What's all this fuss about?

• 무슨 말이에요? / 무슨 근거로 그런 얘기를 하는 거죠?
How do you mean? 11) / How can you tell?

• 무슨 일이냐〔무슨 일이 있는 거니〕?
What's happening? / What's the matter?

• 뭘 알고 싶으세요?
What do you want to know? / What would you like to know?

• 손에 들고 있는 게 뭐예요?
What have you got in your hand?

• 왜 그런 말을 하셨어요?
What did you say that for?

• 무슨 일을 꾸미려고 하세요?
What are you up to? 12)

• 왜 그런 일을 하려고 하는 거죠?
Why would you do such a thing?

• 제가 경찰이라는 걸 어떻게 아셨죠?
How did you guess〔know〕 that I'm a policeman?

• 혹시 밀러씨의 주소를 아시는지요?
Do you happen to know Mr. Miller's address? 13)

• 제가 알아야 할 게 있나요?

---

7) 직역 : 네 생각을 말해 주면 1페니 주겠다.
8) 일을 처리하는 방법, 컴퓨터를 조작하는 방법 등을 묻는 표현
9) 직역 : 무엇이 당신을 움직이고 있죠? / tick : 진행되다; 행동하다
10) 신경질적으로
11) 상대가 하는 말이 무엇을 의미하는지 모를 때; "무슨 소리야?"라는 뜻으로도 쓰인다.
12) be up to ~ : ((구어)) ~〔나쁜 짓에〕 손을 대다, ~을 꾀하다; (보통 부정문 의문문에서) ((구어)) (일 등을) 감당하여 ~할 수 있다〔할 수 있을 정도로 뛰어나다〕
13) happen to + 동사원형 : 우연히 ~하다〈긍정 · 부정문에서〉; 혹시 ~하다〈의문문〉

Is there anything I should know about?

- 그냥 물어보는 거야. 그게 전부야.
  I'm just asking. That's all.
- 설문지를 드릴테니, 작성해서 우편으로 보내 주시겠어요?
  I'll give you the questionnaire. Could you complete it and mail it to me?
- 물어서 남 주나요?〔물어서 해가 될 것 없어요.〕
  There's no harm in asking.

질문이 있는지 물을 때

- 질문 없으세요? (어떤 것이라도 좋습니다.)
  Any questions about anything?
- 질문 있습니까?
  Do you have any questions?
- 또 다른 질문을 받겠습니다. / 다음 질문 주세요.
  I'll take another question. / Give me the next question.
- 질문 있으면 손을 드세요.
  Raise your hand if you have any questions.

설명할 때

설명을 요구할 때

- 그것에 대해 모두 말씀해 주세요. / 좀 더 구체적으로 말씀해 주십시오.
  Tell me all about it. / Be more specific, please.
- 간단하게 대답해 주세요. / 간단하게 설명해 주세요.
  I want a simple answer. / Make it simple.
- "예", 또는 "아니오"로 대답해 주세요.
  I want you to answer with either yes or no.
- 어떻게 되고 있는지 알고 싶어요.
  I need to know the truth of what's going on.
- 어떻게 된 사연이죠?
  What's it all about? / What's the story?
- 어찌된 일이에요? 말해 주세요.
  What's the matter? Tell me.
- 여기서 무슨 일이 일어나고 있는지 알려 주시겠어요?
  Will you let me know what's going on here?
- 실제 일어난 대로 말씀해 주세요.
  Tell me exactly as it happened.

- 한번 더 설명해 주시겠습니까?
  Could you please explain one more time?
- 그 절차에 대해서 자세히 설명해 주시겠어요?
  Could you try to describe, in detail, the procedure? 14)
- 무슨 일인지 자세히 설명해 보세요.
  Try to describe exactly what happened.
- 시험점수가 몇 점인지 말해봐. 궁금해 죽겠어.
  Tell me what you got on the test. I'm trying to know. 15)
- 무슨 일인지 말씀해 주세요. / 어쩌다 그런 일이 생겼어요?
  Let me have the news. / How could that happen?

설명을 해줄 때

- 말로는 다 설명할 수 없어요. / 어떻게 설명해야 할지 모르겠군요.
  It is beyond description. / I don't know how to put it. 16)
- 그밖에 달리 설명할 방법이 없어요.
  I can't explain it in any other way.
- 말로는 표현하기 힘들어요.
  It's hard for me to put into words. 17)
- 말을 하자면 길어요.
  That's a long story.
- 그래서 그런 겁니다.
  That's the why.
- 그건 상식이죠.
  It's common sense.
- 그게 바로 제가 드러누웠던 이유예요.
  That's the very reason I got back into bed.
- 그건 이렇게 하는 거예요, 알겠어요?
  This is the way it goes, you see?
- 요령을 가르쳐 줄게요.〈속어〉
  Let me show you a trick. 18) / Show me what to do.
- 음, 그러니까 이런 거예요.
  Well, let me put it this way.
- 이상이 그 사건의 개요입니다.

---

14) describe는 타동사이므로 목적어를 취할 때 전치사 about나 on을 붙이지 않는다. ((참고)) explain도 타동사다, 즉 "~에 대해서 설명하다"라는 의미를 가지고 있다.
15) 유사표현에 I'm really curious. Don't keep me in suspense. 등이 있다.
16) put : 표현하다, 진술하다, 나타내다, 말하다 예 Let me put it in another way.(다른 방법으로 표현할게요.) / ((참고)) put in black and white : ((구어)) 문서로 기록하다
17) put into words : 말로 표현하다
18) trick : 계교, 책략, 비결, 요령, 카드의 한 차례 돌리는 패(보통 4장)

Such are the facts of the case in general.

- 개요를 말씀드리겠습니다.〈속어〉

I'll give you a rundown. [19]

답 변 [20]

- 좋은 질문입니다.

Good question.

- 누가 내 질문에 답변할 수 있어요? / 누구 아는 사람 있습니까?

Can anyone answer my question? / Does anybody know?

- 제 질문에 아직 답변을 하시지 않았습니다.

You haven't answered my question yet.

- 계속 생각해 보세요, 점점 정답에 가까워지고 있으니까요.

Keep guessing, you're getting warm. [21]

- 당신의 답변은 거의 정확하군요. 〈속어〉

Your answer is right on the button. [22]

답변하고 싶지 않을 때

- 더 이상 묻지 마세요. / 그 이상은 저도 모릅니다.

No more questions. / I don't know much more than that.

- 답변하고 싶지 않습니다.

I don't owe you an explanation. [23]

- 월리스 여사에게 물어 보시죠?

Why don't you ask Mrs. Wallace?

- 말하지 않겠소.

(I have) No comment.

- 저는 그 질문에 대해 답변할 입장이 아니에요.

I'm not in a position to answer that question.

- 정말이에요. 내가 말한 그대로예요.

I mean exactly what I mean.

- 뭐라고 대답해야 좋을지 모르겠군요.

I don't know how to answer.

- 더 이상 구체적으로 말씀드릴 수 없어요.

---

19) give a person a rundown : 아무에게 개요를 말하다 / rundown : 개요 (보고)
20) 외국인이 뭔가를 질문했을 때 단도직입적으로 "I don't know.(저는 몰라요.)"라는 표현을 쓰지 않도록 한다. 자신이 대답할 수 없는 내용이라면 "Just a moment, please.(잠깐 기다리세요.)", "I'll check that for you.(알아보겠습니다.)"라고 적극적인 태도를 보여 준다.
21) warm : ((구어)) (찾는 물건, 맞힐 답)에 다가간, 가까워진, 조금만 더 하면 되는
22) on the button : 정확히, 정각에, 딱 맞게
23) 직역 : 나는 당신에게 답변할 의무가 없다.

I can't be more specific.

- 내 사생활에 대해 너무 꼬치꼬치 캐물어 참을 수가 없어요.
  You're so inquisitive about my personal life that I can't stand it. [24)]
- 그것에 대해 말할 수 없는 사정이 있습니다.
  There is a certain reason why I cannot speak〔talk〕 about it.
- 그걸 일일이 설명해야 하나요? / 곧 알게 될 거예요.
  Do I have to spell it out? / You'll find out soon.
- 현재는 전혀 아는 바가 없습니다.
  I don't know any information at this time.
- 이유를 말씀드릴 수 없습니다.
  I cannot tell you why.

자신이 모를 때

> A: Do you give up? [25)] (모르시겠어요?)
> B : How should I know that? (제가 어떻게 알겠어요?)

- 저는 모르겠어요〔저는 모릅니다〕.
  I don't know. / No idea. / I have no idea〔clue〕.
  Beats me. [26)] / I haven't any idea.
  You got me. [27)] / Search me! [28)]
- 모르기는 저도 마찬가지입니다.
  Your guess is as good as mine. [29)]
- 전혀 모릅니다〔모르겠어요〕.
  (I have) Not the slightest (idea). [30)]
- 정말 모르겠습니다. / 누가 알겠어요?
  I'm clueless. [31)] / Who know? [32)]
- 이 단어의 뜻을 정확히 모르겠어요.
  I don't know exactly what this word means.

---

24) inquisitive : 호기심이 강한, 알고〔듣고〕싶어하는 ; 꼬치꼬치 캐묻기 좋아하는 / prying : 캐기 좋아하는
25) 직역 : 포기하시겠어요? → 퀴즈 프로그램 등에서 정답을 말하지 못하고 주저하고 있는 사람에게 할 수 있는 표현이다.
26) Beats me!(나는 모른다!) → 어떤 것을 이해할 수 없거나 설명할 수 없을 때; "너에게 손든다."라는 의미도 있다. 예 You beat me in English.(영어로는 너를 당해 내지 못하겠다.)
27) "너는 나를 난처하게〔괴롭게 / 두 손 들게〕했다."라는 의미도 있다.
28) Search me! : ((구어)) 난 모른다! → 어떤 질문에 대해서 알지 못할 때
29) 직역 : 당신 추측은 내 추측이나 마찬가지다.
30) slightest = vaguest = foggiest
31) clueless : 단서〔실마리〕가 없는, 오리무중인
32) "아무도 모른다."라는 의미의 반문을 하는 표현

- 그 건에 대해서는 저도 어떻게 된 건지 몰라요.
  I don't know what's the story on the matter. 33)
- 그것은 내 전문 분야가 아니에요.
  That is out of〔not in〕 my line.
- 저는 컴퓨터에 대해서는 문외한입니다〔ABC도 모릅니다〕.
  I don't know the ABC's of computers.

의문스러울 때

- 거기엔 다소 의심스러운 점이 있어요.
  There is something doubtful about it.
- 나한테 뭔가를 감추고 있군요.
  You are hiding something from me.
- 과연 그가 오늘 올까요?
  I doubt if he'll come today.
- 설마 가려고 하는 것은 아니겠죠?
  Surely, you don't mean to go.
- 설마 그 사람이 거짓말을 했을려구요.
  Don't tell me that he told a lie.
- 직접 가서 한번 봅시다.〈속어〉
  Let's go and have a look-see. 34)
- 그것에 대해선 의심할 여지가 없어요.
  There's no doubt about it.

기 타

- 묻지 말고 대답만 해. / 구체적인 대안을 제시하세요.
  Don't ask me. Just answer. / Give specifics.
- 그의 설명은 언제나 장황해요.
  His explanations are always too lengthy.
- 그는 그것에 대해 전연 모르는 체했어요.
  He pretended that he knew nothing about it.
- 전혀 아닙니다. 35)
  You're not even close. / Your answer is totally wrong.
  You're way off. / You're totally off the mark.
  You're wrong by a mile.

33) what's the story on ~ : ~이 어떻게 된 것인지를, ~이 무슨 일인지를
34) have a look-see : 직접 (육안으로) 보다 / look-see : ((속어)) 조사, 검사, 죽 훑어봄
35) 어떤 질문〔문제〕에 대해 상대방이 엉뚱한 답변을 했을 때 // "정답에 가까워지고 있군요."라는 표현은 "You're getting closer."라고 한다.

- 무슨 이유가 있을 거예요.
  There must be some reasons for it.

활용어휘

- 보충 질문 : supplementary question
- 설문하다 : make up a questionnaire
- 의문 부호 : question mark
- 장황한 설명 : long-winded explanation
- 질문자 : questioner
- 태도 보류자 : don't-know [36)]
- 설문지〔설문서〕 : questionnaire
- 자세히 : in detail
- 의문점 : a point of doubt
- 즉답 : quick answer
- 질의응답 : question and answer
- 함정이 있는 질문 : tricky question

명언 한 마디

Time is the great physician.

시간은 위대한 의사이다.(괴로움도 아픔도 세월따라 잊혀지므로)

- Benjamin Disraeli -

36) 설문 조사에서 '모른다' 고 답하는 사람

16 이름과 호칭

미국 사람들은 동료는 물론 부모님, 직장 상급자를 부를 때도 이름을 부르는 것이 습관화되어 있다. 따라서 미국인과 인사를 나눌 때나, 일상적인 대화를 할 때 상대방의 이름을 자주 불러주는 것이 좋다. 우선 "성함이 어떻게 되십니까?"라고 물을 때는 **"What's your name?"**, 보다 공손한 표현으로는 **"May I have your name, please?"**라고 하며, 대답을 할 때는 **"I'm ∼ ."** 또는 **"My name is ∼ ."** 라고 한다. 그리고 호칭을 할 때는 이름 앞에 **Mr.**(기혼 남성), **Mrs.**(기혼 여성), **Miss**(미혼 여성), **Ms.**(기혼인지 미혼인지 확실치 않는 여성) 등을 붙여서 **"Mr. Miller!(밀러씨!)"**라는 식으로 부른다.

기 본 대 화

A : What's your name?
B : My name is John Robert Powell. 1)
I don't use the full name very often, though.
And just call me John.
A : How is your last name spelled?
B : P-O-W-E-L-L.
A : It is easy to remember your name.
B : Could be.
I was named John for my grandfather.

A : 이름이 어떻게 되죠?
B : 제 이름은 존 로버트 파웰입니다.
이름 전체를 자주 사용하지는 않습니다.
그래서 그냥 '존'이라고 불러 주세요.
A : 성의 철자는 어떻게 되죠?
B : 'P–O–W–E–L–L' 입니다.
A : 이름을 기억하기가 쉽군요.
B : 그럴 거예요. 할아버지 이름을 따서 존이라고 지었거든요.

이름을 물을 때

- 성함이 어떻게 되시죠?
  May 〔Could〕 I have your name?
- 이름이 뭡니까?

1) "I'm John Robert Powell."라고 대답할 수도 있다.

Your name, please. / What's your name?

- 성함을 여쭤봐도 될까요? / 이름이 뭐죠?

Can I ask your name? / You got a name? [2)]

> A: Sorry, what's your last name again?
> I didn't catch〔get〕your last name.
> B : It's McCloy.
>
> A : 미안합니다. 성이 뭐라고 그러셨죠? 성을 잘못 들었습니다.
> B : 맥클로이입니다.

- 성함의 철자를 말씀해 주시겠어요?

Will you spell out your name for me?

- 성의 철자가 어떻게 됩니까?

How do you spell your last name?

❈ 관련 추가 표현 : 통성명(p. 7) / 이름과 호칭(p. 85, 641)

사람을 부를 때

상대방을 부를 때

- 밀러씨! 〈남성〉 / 제인 여사님! 〈기혼 여성〉

Mr. Miller! / Mrs. Jane!

- 제인 아가씨!〈미혼 여성〉 / 제인씨!〈기혼 미혼인지 확실치 않는 여성〉

Miss Jane! / Ms. Jane!

- 이봐, 자네!

Hey, you! / Hi! you there! / You there!

- 아빠! / 엄마!

Dad!〔Daddy!〕 / Mom!〔Mommy!〕

- 어이, 이봐!〈먼 곳에 있는 사람을 부를 때〉

Ahoy there!

- 여보게!

My dear old fellow! [3)] / Old buck!

- 여보게, 자네!

My dear〔good〕 fellow!

- 자네, 이리 오게나!

You, come here!

---

2) 직역 : 이름 가지고 있으세요? → 이름이 뭐죠?
3) old : (친밀한 정을 나타내거나 호칭으로 사용될 때) 친한; 그리운

모르는 사람 호칭

- 저, 여보세요?〈남성에게〉
  Sir? / Excuse me, sir?
- 저, 여보세요?〈여성에게〉
  Ma'am? / Excuse me, ma'am?
- 저, 여보세요!
  Say there! / You there!

주요 직위자 호칭

- 각하!
  Your Excellency! / Mr. President! / Sir! 4)
- 부통령 각하!
  Mr. Vice-President! / Sir!
- 장관님!〈남성 / 여성〉
  Mr. Secretary! / Madam Secretary!
- 대법원장님!
  Mr. Justice! 5) / Sir!

활용어휘

- 대사 : ambassador
- 판사 : judge
- 상원 의원 : senator
- 교수 : professor
- 신부 : father
- 주교 : bishop
- 주지사 : governor
- 대학 총장 : president
- 하원 의원 : congressman
- 목사 : pastor
- 박사〔의사〕 : doctor
- 시장 : mayor

단체 호칭

- 신사 숙녀 여러분!
  Ladies and gentlemen! 6)
- 여보게들!
  My hearties! 7)

---

4) sir와 madam〔ma'am〕의 용법 : sir는 원래 영국의 준남작 내지는 기사(knight) 작위를 가진 상류계층의 사람들에게 붙여주는 경칭이다. 따라서, 아무때나 누구에게나 sir를 사용하게 되면 부자연스런 경우를 맞게 된다. 따라서 동등한 업무협력의 관계에 있는 사람들 간에는 sir보다는 Mr., Mrs.를 사용하는 것이 무난하다. 그러나 길을 물을 때처럼 전혀 모르는 연장자에게는 sir나 madam을 사용하면 상대에게 좋은 인상을 줄 수 있다. 그리고, 관료조직이나 군 조직과 같이 엄격한 계급 구조하에서는 상급자에게 반드시 sir를 사용한다. madam〔ma'am〕은 우리말의 '아주머니'에만 해당되는 호칭이 아니라, 남성의 sir에 대응되는 개념으로 나이든 여성, 여성 상급자를 호칭할 때 쓴다.

5) 사람이름을 붙여 호칭할 때는 뒤에다 이름을 붙인다. 예 "(Mr.) Justice Miller!(밀러 대법원장님!)" → 다른 직위에 있는 사람을 호칭할 때도 방법은 동일하다.

6) 상대가 어린이들일 경우 : Boys and girls!

7) 선원들을 부를 때

- 여러분 모두〔너희들〕.
  You guys〔You all〕. 8)

기 타

- "sir"를 붙이는 것을 잊지 마세요.
  Don't forget to put in the "sir."
- "씨"자를 붙여서 부르지 마세요.
  Don't mister me. 9)
- 그는 '홍길동'이란 이름으로 행세하고 있어요.
  He goes by the pseudonym of Kil-dong Hong. 10)
- 그에게는 '뚱뚱이'이라는 별명이 붙여졌어요.
  They nicknamed him Fatty. 11)
- 나를 "honey"라고 부르지 마세요.
  Don't honey me. 12)
- 나를 '미시즈'라고 부르지 마세요.
  Please don't address me as Mrs. 13)
- 내 성(性)은 박(朴)입니다.
  My family name〔last name〕 is Park.
- 당신을 어떻게 부를까요?
  How do I address you? / What should I call you?
- 미국에서 가장 흔한 두 성은 스미스와 브라운이에요.
  The two common surnames in America are Smith and Brown.
- 시장을 어떠한 경칭으로 불러야 하죠?
  How should we address the Mayor?
- 제 이름은 윌입니다, 윌리엄의 줄임말이죠.
  My name is Will, short for William.
- 톰이라고 불러도 될까요?
  Can I call Tom? 14)

---

8) guy(단수형)는 남자, guys(복수형)는 남녀 모두를 지칭한다. guy는 '녀석', '놈'과 같은 상스런 표현이 아니라 person, people 등과 같은 뜻이다, 그러나 아주 격식을 갖춘 공식 석상에서는 쓰지 않는 것이 좋다.
9) mister : '씨〔님〕'자를 붙이다
10) pseudonym : 필명, 아호, 익명(匿名)
11) nickname : 별명, 애칭; 별명을 붙이다, 애칭〔약칭〕으로 부르다 / fatties : 뚱뚱보
12) honey나 darling은 이성간, 부부간, 부모 자식간 등 아주 가까운 사람들 사이에 부르는 호칭이다.
13) address A as B : A를 B로 호칭하다
14) (아주 친한 사이일 경우) "말을 놔도 될까요?"라는 의미를 갖는다.

활용 어휘

- 가명 : nickname
- 본명〔실명〕 : real name
- 아호〔필명〕 : pen name
- 이름표 : identification tag
- 별칭으로 : also known as(경찰의 범죄기록 등에서)

명언 한 마디

Excellent wine generates enthusiasm. And whatever you do with enthusiasm is generally successful.

멋진 포도주는 정열을 소생시킨다. 그리고 무엇이거나 성열을 가지고 하면 대개는 성공한다.

- Philippe De Rothschild -

17 시간 · 날짜 · 요일

시간을 물을 때는 "What time is it now?(지금 몇 시입니까?)", 날짜를 물을 때는 "What's date today?(오늘이 며칠이죠?)", 요일을 물을 때는 "What day is today?(오늘이 무슨 요일이죠?)"라고 말한다.

기본대화

A : What time is it now?
B : Let's see. It's 10:30.
A : Really? It's 10:15 by my watch.
B : Your watch is slow.

A : 지금 몇 시죠?
B : 어디 보자. 10시 30분입니다.
A : 그래요? 제 시계로는 10시 15분인데요.
B : 당신 시계가 늦군요.

시 간

시간을 물을 때

- 지금 몇 시죠?
  What's the time now? / What time is it now?
- 몇 시죠?
  Do you have the time? [1)]
  What time do you have?
  What time do you make it?
- 실례합니다. 몇 시입니까?
  Excuse me. Can you tell me the time?
- 당신 시계로 몇 시입니까?
  What does your watch say?
- 미안하지만, 저는 시계가 없습니다.
  Sorry, I don't have a watch.

1) ((비교)) 정관사(the) 없이 "Do you have time?"는 "시간 있으세요?"라는 뜻이다.

시간 읽는 방법

① 12시간제

07:00 : seven o'clock [2)]

08:15 : eight fifteen / a quarter past eight / fifteen after eight

09:45 : a quarter to ten / nine forty-five

04:30 : half past four / half four / four thirty

05:10 : ten past five / five ten / ten after five

06:25 : twenty-five (minutes) past six / six twenty-five

09:57 : three minutes to ten / nine fifty-seven

02:03 : three minutes past two / two oh three

07:45 : a quarter to eight / a quarter of eight(8시 15분전)

* 영국의 past, to 대신 미국에서는 after, of(before)를 사용하는 것이 일반적이다.

② 24시간제

14:00 : fourteen-hundred

18:20 : eighteen twenty

22:00 : twenty-two hundred

07:30 - 18:00 : seven thirty to eighteen-hundred

시 계

- 당신 시계가 맞는가요? / 약간 빠를 거예요.
  Is your watch right? / It may be a little fast.
- 시계 맞추셨어요?
  Did you set your watch?
- 제 시계는 빨리 가요.
  My watch is fast. [3)]
- 시계 배터리가 다 됐어요.
  My watch battery is dead.
- 시계를 한 시간 앞당겨 놓았어요?
  Did you set your watch one hour ahead?
- 시계바늘을 한 시간 뒤로 돌려놓는 걸 깜박 잊어버렸어요.
  I forgot to set my watch one hour backward.
- 왜 자꾸 시계를 보고 계세요?
  Why do you keep looking at the clock?
- 제 시계는 정확해요.

2) o'clock의 용법 : ① o'clock은 정시(定時)를 언급할 때만 쓴다. 예 at two o'clock(○) / at ten o'clock(○) / at 8:15 o'clock(×) / at fifteen to eight o'clock(×) ② a.m. 또는 p.m.과는 함께 쓰지 않는다. 예 8 a.m.(○) / 8 a.m. o'clock(×)

3) fast : 빠른, 급속한; (시계가) 빠른, 빨리 가는 예 My watch is five minutes fast.(내 시계는 5분 빠르다.)

My watch keeps the proper time.
My watch keeps good time.

- 제 시계로는 5시 10분인데요.
  My watch says five ten.
- 제 시계는 하루에 5분씩 빨라져요.
  My watch gains five minutes a day.

활용어휘

- 3시 몇 분에 : at three something [4)]
- 디지털 시계 : digital clock
- 분침(分針) : minute hand
- 뻐꾹 시계 : cuckoo clock
- 시계 방향으로 : clockwise
- 시계줄 : fob chain / watchband
- 추(대형 벽시계 등) : pendulum
- 초침〔시침〕 : the second〔hour〕 hand
- 대형 벽시계 : grandfather clock
- 모래시계 : hourglass / sandglass
- 소형 탁상시계 : bracket clock
- 손목 시계 : wrist watch
- 시계반대 방향으로 : counterclockwise
- 여행용 시계 : traveling clock
- 탁상시계 : (table) clock

날짜를 물을 때

A: What's the date today? (오늘이 며칠이죠?)
B : It's May 2nd. (5월 2일이에요.)

- 내일 다음날이 무슨 날〔요일〕이죠?
  What day comes after tomorrow?
- 오늘이 15일이죠?
  Today is the 15th, right?
- 날짜가 언제입니까?
  What's the date? [5)]
- 식목일은 법정공휴일이에요.
  Arbor Day is a legal holiday.
- 오늘이 당신 생일이잖아요, 그렇죠?
  Today is your birthday, isn't it?
- 오늘이 무슨 공휴일이죠?
  What holiday is it today?
- 오늘이 무슨 날이죠?
  What's the occasion? [6)] / What are we celebrating?
- 오늘이 무슨 특별한 날입니까?

4) 3시 몇 분인지 정확하게 모를 때
5) 결혼식이나 생일 등 어떤 구체적인 날짜를 물을 때 쓰는 표현이다.
6) 어느 날 갑자기 밤하늘에 불꽃놀이(firework)하는 것을 보고 의아해서 물어볼 때

What special day is today? [7)]

• 이 달에 어떤 공휴일이 있죠?
What holidays do we have this month?

활용어휘

• 오늘부터 : from today on
• 다음 주 내일 : a week from tomorrow
• 날이면 날마다 : day in and day out
• 모레 : the day after tomorrow
• 날짜 변경선 : date line
• 다음 주 오늘 : a week from today〔now〕
• 그날부터 : from that day on
• 그 다음 날 : the next day
• 이틀에 한번씩 : every other day / every second day / every two days
• 연 사흘 동안 : for the third consecutive day
• 지난 2년 동안 계속해서 : in the last two consecutive years

요일을 물을 때

A: What day is it today? (오늘이 무슨 요일이죠?)
B : It's Saturday. (토요일이에요.)

• 오늘이 무슨 요일이죠?
What's today? / What day of the week is it today?

• 올해에는 제 생일이 토요일이에요.
My birthday falls on a Saturday this year. [8)]

• 몇 월이죠? / 다음 일요일이 며칠이죠?
What month is it? / What date is next Sunday?

• 내년에는 정월 초하루가 무슨 요일이죠?
What day (of the week) does New Year's Day fall on next year?

• 내 생일은 금년에 일요일이에요.
My birthday falls on a Sunday this year.

기 타

• 1초라도 아껴야 해요. / 5년이라는 시간은 길어요.
Every second counts. [9)] / Five years is a long time. [10)]

• 그들이 학생들의 요구를 받아들인 것은 때늦은 감은 있지만 잘된 일이에요.

7) 부인이 저녁 식사를 진수성찬으로 차렸을 때
8) fall on : (축제 · 기념일 등이) ~〔토 · 일요일〕에 해당하다
9) 직역 : 모든 초〔순간〕이 중요하다.
10) five years : '5년이라는 시간' 을 의미하기 때문에 단수로 취급한다.

It's about time they accepted the student's requests. 11)

- 새해가 다가오고 있어요.
The New Year is just around the corner. 12)
- 새해가 시작됐군요.
The New Year begins.
- 시간이 참 안 가는군요!
How time drags!
- 오늘은 지독히도 시간이 안 가는군요.
Time is really dragging today.
- 시간 가는 줄 모르겠어요.
I don't know the time of the day.
- 시간 좀 버셨군요.
You bought some time. 13)
- 세월이 참 유수 같군요!
How time flies! / Time flies. / Time flies like an arrow.

활용어휘

- 과도기 : a period of transition
- 그때까지는 : up to that time
- 다음 주 토요일 : a week from Saturday
- 머지 않아 : before long
- 세대 차이 : generation gap
- 시간 낭비 : waste of time
- 이제부터 : from now on
- 지난주에 : last week 15)
- 한 밤중에 : during the small hours
- 현재까지(의) : to date
- 그 전날 밤 : the night before 14)
- 근일 중에 : one of these days
- 당분간은 : for now
- 바로 그때 : just then
- 순식간에 : in a flash
- 시차 : time difference
- 전〔후〕반기 : first〔second〕half
- 처음부터 : from〔at〕 the outset
- 향후 수년간 : for years to come
- 1989년부터 : from 1989 on
- 작년 동기(同期) : the corresponding of last year
- 이번 토요일로부터 꼭 2년 전 : two years ago this Saturday

---

11) "It's about time ~."의 용법 : ① 이미 일어난 일에 대해서 이 표현을 쓰면 "이미 ~ 했어야 했는데, 때늦은 감은 있지만 잘된 일이다."라는 의미가 된다. ② 아직 일어나지 않은 일에 대해서 이 표현을 사용하면 "이제는 ~할 때가 됐다."는 의미가 된다. ((주의)) ~부분의 문장은 반드시 과거형 동사를 쓴다. 예 It's about time you got married.(너도 이제는 결혼할 때가 됐구나.)
12) (a)round the corner : 모퉁이를 도는 곳에; 임박한 예 The chance is just round the corner.(기회는 바로 가까이에 있다.)
13) '시간을 벌다'를 'earn time'라고 하지 않는다.
14) ((주의)) 'the night before'는 과거의 어느 시점을 기준으로 한 '그 전날 밤'을 가리킨다. '그 전날 밤'을 'the previous night' 또는 'the night previous'라고 하지 않는다.
15) ((비교)) I've had flu for the last week.(나는 오늘까지 일주일 동안 독감을 앓고 있다.) → last는 "지난" 기간을 의미하여 과거형에 쓰이고, 'the last'는 "지금까지의" 기간을 의미하여 현재완료형에 쓰인다.

- 금년도 : current year(전년도 : preceding year / 내년도 : following year) 16)
- 곧〔즉시/금방〕 : in a minute / in a jiffy / in a shake / in a second /right away / in no time / very soon / shortly / momentarily / immediately

명언 한 마디

Nothing great was ever achieved without enthusiasm.

위대한 것 치고 정열이 없이 이루어진 것은 없다.

- Ralph Waldo Emerson -

16) ((참고)) 연대 관련 어휘 : next year : 내년에 / (in) the next year : 지금부터 1년 경과 후〔다음해〕 / within the next year : 앞으로 1년 안에 / a year (from) today : 오늘부터 1년 후〔내년의 오늘〕 / a year and a day : 만 1년 / from year to year = year by year = year after year : 해마다 / in a year's time : 1년 경과 후 / in the 1992 : 1992년에 / in the 1960s : 1960년대에 / in the early〔late〕 (19)80s : (19)80년대 초〔후〕반에 / in the mid (19)80s : (19)80년 중반에 / the early 21st century : 21 세기 초

※ 연도 표기법(시간-요일-월-일-연도순으로 표기한다.) 예 1996년 8월 31일 : August 31st, 1996 ☞ 미국의 독립기념일〔7월 4일〕은 July Fourth가 아니라 The Fourth of July라고 한다. / 1996년 10월 5일 월요일 10시에 : at 10:00, Monday / Oct. 5(th)[October fifth] = 5 Oct.[five October] → '5' 의 위치(서수 · 기수)에 따라 발음의 차이에 유의

18 재촉할 때

상대에게 뭔가를 재촉할 때는 "Hurry up!(서둘러!)" 또는 "Please hurry up.(서둘러 주세요.)"라 하고 여유를 가지고 하라고 할 때는 "Take your time, please.(천천히 하세요.)"라고 말한다.

기본대화

A : Come on, John. Hurry up and finish your coffee.
We have to catch a taxi to the airport.
We'll be late.
B : I can't hurry. This coffee's too hot for me to drink.
A : Why don't you put some cold milk in it?
B : Milk? I don't take milk in my coffee. Oh, OK, OK.
A : Is it cool enough for you to drink now?
B : Yes, but it tastes awful!

A : 이봐, 존. 커피 빨리 마셔.
공항으로 갈 택시를 잡아야 하잖아. 늦겠어.
B : 빨리 마실 수가 없어. 이 커피가 너무 뜨거워서 말이야.
A : 커피에 차가운 우유를 좀 넣어 봐.
B : 우유를? 난 커피에 우유를 넣지 않아. 아, 알았어, 알았어.
A : 이제 마실 만큼 충분히 식었니?
B : 응, 그런데 커피맛이 형편없어!

재촉할 때

- 서두르세요!
  Hurry up! / Shake a leg!〈속어〉
- 저 몹시 급해요.
  I'm in a (big) hurry.
- 빨리 하세요! [(자동차를 타고 가면서) 빨리 갑시다]!
  Step on it, please!
- 지체할 시간이 없어요. / 떠날 준비 됐어요?
  There's no time to lose. / Are you ready to leave?
- 그 일을 빨리 처리해 주세요.

Please speed it up. [1)]

- 빨리 좀 해 주세요. / 왜 꾸물거리세요?
  Rush it, please. [2)] / Why are you taking it easy?
- 즉시 그것을 하겠습니다.
  I'll do it in no time. [3)]
- 짐꾸릴 시간이 5분밖에 안 남았어요.
  We have only five more minutes to pack.
- 빨리 해〔서둘러〕!
  Make it a quickie! / Make it snappy! [4)]
- 그것을 빨리 해라!
  Do it quickly!
- 가능한 한 빨리 하세요.
  Do it as quickly as you can. / Be as quick as you can.
- 뭘 꾸물거리고 있는 거니?
  What are you all loitering about over there for?
  You seem to have lead in your pants! [5)] 〈속어〉
  What's taking〔keeping〕you so long?
  What's holding you up? / What's the hold-up? [6)]
- 빨리 움직여!
  Move on! / Get a move on!
- 빨리 해! 우리는 시간에 쫓기고 있어.
  Make it snappy! We are pressed for time.
- 빨리 나오세요! / 시간이 별로 없어요.
  Come on out! / I don't have much time.
- 재촉해서 미안하지만, 다른 약속에 늦을 것 같아서요.
  I'm sorry to rush you, but I'm going to be late for another appointment.
- 밖에서 기다릴게요.
  I'll be right outside. / I'll wait for you outside.
- 시간이 촉박합니다.
  I'm pressed for time. / I'm short of time.

---

1) speed up : 속도를 더하다; 능률을 올리다
2) 물건 · 식사 등을 주문한 후 재촉할 때, 또는 기타 상황에서 빨리 해달라고 할 때
3) in no time : 즉시, 즉각
4) make it〔look〕snappy : ((구어)) (말 등을) 척척 하다, 서두르다(hurry)
5) have lead in one's pants : 바지 안에 납덩어리가 있다 → 동작이 뜨다
6) hold-up : (수송 등의) 정체, 정지; 불법억류; 강탈, 노상강도; 터무니없는 값의 요구

여유를 가질 때

A: I'll be through in a minute.
B : Take your time. [7] We have plenty of time.

A : 잠시후면 끝날 거예요.
B : 천천히 하세요. 시간은 충분하니까요.

- 천천히 하세요.
  You can't keep up with this pace. [8]
- 천천히 하세요. 서두를 필요 없어요.
  Take it easy. We don't have to rush.
- 나중에 해도 되요〔기다려도 되요〕.
  It can wait. / It'll wait.
- 기다릴 수 없을까요?(뭐가 그렇게 급하세요?)
  Can't it wait? / Can't you wait?
- 서두를 필요 없어요.
  There is no hurry〔rush〕. / No need to rush yourself.
- 뭐가 그렇게 급하세요?
  Where's the fire? [9] / What's the rush〔hurry〕?
  Why the rush? / Why are you in such a hurry?
  Why so eager? [10]
- 너무 재촉하지〔나서지〕마세요.
  Don't be so pushy! [11]
- 잠시면 됩니다.
  I'll be ready in a few minutes.
- 재촉하지 마세요. 오래 안 걸리니까.
  Don't rush me. It won't be a long〔I won't be long〕.
- 그렇게 조급하게 굴지 마세요.
  Don't be so impatient. [12]
- 뭐 급한 일이라도 있으세요?
  Are you in a hurry or something?
- 서두르지 마세요!〈속어〉
  Don't jump the gun! [13]

---

7) 직역 : 당신의 시간을 가지세요.
8) 직역 : 당신은 이 속도를 따라가지 마세요.
9) 직역 : 어디에 불이 났어요?
10) eager : 열망〔갈망〕하는, 간절히 ~하고 싶어하는
11) pushy : ((구어)) 억지가 센, 뻔뻔한, 나서기 잘 하는
12) impatient : 성급한, 참을성 없는(restless); 몹시 ~하고 싶어하는, 갈망하는(eager) / be impatient for ~ : ~이 탐나서 못 견디다 / be impatient of ~ : ~을 참을 수 없다, 못 견디다; ~을 아주 싫어하다
13) jump〔beat〕 the gun : 서두르다, 급하게 행동하다

- 무슨 일이든지 성급하게 굴지 마세요.
  Don't rush into anything.
- 서두른다고 일이 빨리 되진 않아요.
  A watched pot never boils. 14)
- 저는 급하지 않아요.
  I'm not in a hurry.

명언 한 마디

Be wiser than other people if you can,
but do not tell them so.

할 수만 있나변 다른 사람들보다 더 현명하게 되라.
그러나 다른 사람들에게 그것을 말하지는 말라.

- Earl of Chesterfield -

14) 직역 : 지켜보고 있는 단지는 결코 끓지 않는다.

19 길을 묻거나 안내할 때

길을 물을 때는 먼저 "Excuse me.(실례합니다.)"라고 양해를 구한 다음, 가는 길을 물을 때는 "Could you show〔tell〕 me the way to Central Park?(센트럴 공원 가는 길을 가르쳐 주시겠습니까?)"라고 하고, 위치를 물을 때는 "Do you know where the library is?(도서관이 어디에 있는지 아십니까?)"라고 한다. 길을 안내할 때는 "Would you follow me, please?(저를 따라 오시겠어요?)" 또는 잘 모를 경우에는 "I'm sorry. I'm a stranger here, too.(저도 초행길입니다.)"라고 말한다.

기본대화

A : Excuse me.
Would you tell me the way to the post office?
B : Sure. Go straight down the road three blocks.
Turn to the right on Oak Street.
It's on your left. You can't miss it.
A : Thank you very much.

A : 실례합니다.
우체국으로 가는 길을 가르쳐 주시겠습니까?
B : 네. 이 길을 따라 곧장 세 블록을 가세요.
오크 가(街)에서 오른쪽으로 돌아가십시오.
그러면 왼쪽에 있습니다. 꼭 찾으실 수 있을 겁니다.
A : 감사합니다.

길을 물을 때

가는 방법

• 여기서 시청을 어떻게 가야합니까?
How can I get to City Hall from here?

• 시청으로 가는 길 좀 가르쳐 주시겠습니까?
Could you tell〔show〕 me the way to City Hall?

• 그곳으로 가는 길 좀 가르쳐 주시겠습니까?
Would you show me how to get there?

• 길 좀 가르쳐 주시겠습니까?
Can you give me some directions?
Can I get some directions?

- 이 길로 가면 서울역으로 갈 수 있습니다.
  This street will lead you to the Seoul Station.
- 시청으로 가는 방향을 좀 가르쳐 주시겠습니까?
  Could you direct me to City Hall?
- 시청으로 가는 지름길을 알고 계세요?
  Do you know of a shortcut to City Hall?
- 거기에 어떻게 가면 되는지 말씀해 주세요.
  Tell me how I can get there.
- 헐리우드 극장에 가야 하는데요.
  I have to get to the Hollywood Theater.
- 더 가까운 길이 있나요? / 지름길로 갑시다.
  Is there a shorter way? / Let's take a shortcut.
- 좀더 자세하게 길을 안내해 주시겠습니까?
  Do you have any clearer directions?

위치를 찾을 때

A: I'm looking for the flower shop.
B : Turn right at the corner. It's the second store.

A : 꽃가게를 찾고 있습니다.
B : 모퉁이에서 오른쪽으로 도세요. 두 번째 가게입니다.

- 안내계가 어디에 위치해 있죠?
  Where's the information desk located?

A: Are there any gas stations around here?
B : Not that I know of.

A : 이 근처에 주유소가 있습니까?
B : 제가 아는 바로는 없습니다.

- 약도를 그려 주시겠어요?
  Could you draw a map for me?
  Would you draw me a map?
- 표시가 될 만한 것이 있습니까?
  Is there anything we can follow as a sign?
- 틀림없이 찾을 수 있을 겁니다.
  You can't miss it. [1)]
- 별 어려움 없이 찾을 수 있을 겁니다.
  You shouldn't have any trouble finding it.

1) 직역 : 못보고 지나칠〔놓칠〕 염려는 없습니다.

• 두 블록을 가서 오른쪽으로 도세요.
Go down two blocks, and make a right.

• 곧장 가시면 있습니다. / 길을 따라 바로 내려가면 있어요.
It's straight ahead. / It's just down the street.

• 계속 똑바로 가세요.
Keep going straight. / Keep on going. / Go straight.

• 곧장 두 블록을 가세요.
Go straight ahead two blocks.

> A: Oh, is that on the right? (아, 오른편에 있는 저것 말인가요?)
> B : No, that's the high school. (아니오, 그건 고등학교입니다.)

• 저기 큰 건물이 보이죠?
Do you see the tall building over there?

> A: I was told there is a bakery near here.
> B : Yes, there's one around this corner.
>
> A : 이 근처에 제과점이 있다고 들었는데요.
> B : 네, 모퉁이 근처에 있습니다.

• 여기서 두 블록 떨어져 있습니다.
It's two blocks from here.

• 그건 당신 바로 뒤에 있어요. 뒤돌아서 위를 쳐다보세요.
It's right behind you. Just turn around and look up.

• 사거리가 나올 때까지 이 길을 계속 걸어가세요.
Keep walking down the street until you get to a major intersection.

• 그 길 옆에 조그마한 커피숍이 있을 겁니다.
You'll find a small coffee shop by that road.

• 길을 따라 두 빌딩을 지나면 있어요.
It's a couple of buildings down the street.

• 우리가 지금 서 있는 바로 건너편에 있습니다.
Right across from where we are standing.

• 지도에서 찾아 보시지 그래요?
Why don't you look it up on the map?

> A: Excuse me. Do you know where the library is?
> B : Yes, It's on 10th Avenue, across from the post office.
>
> A : 실례합니다. 도서관이 어디에 있는지 아십니까?
> B : 네. 10번가에 있는 우체국 맞은편에 있습니다.

• 우체국을 지나서 있습니다. / 길 건너편에 있습니다.
It's past the post office. / It's across the street.

활용어휘

- 가게 뒤에 : at the back of the store
- 모퉁이에 : on the corner
- 도서관 근처에 : near the library
- 눈에 띄는 건물 : a prominent building
- (바로) 지나서 : (just) past
- 오른쪽 구석 부근에 : around the corner on the right
- 블록의 가운데 : in the middle of the block
- (다음) 블록의 끝에 : at the end of the (next) block
- 힐튼 호텔 바로 옆에 : right next to the Hilton Hotel

방향을 물을 때

A: Which way is the post office?
B : Go up two blocks, and turn right.

A : 우체국이 어느 방향이죠?
B : 두 블록 가셔서 오른쪽으로 돌아가세요.

• 남쪽이 어디죠?
Which way is south?

길을 잃었을 때

A: These alleyways are confusing. (이 골목은 복잡하군요.)
B : I think we're lost. (우리가 길을 잃은 것 같네요.)
A: Just follow me. (따라오기만 하세요.)

• 죄송합니다만, 길을 잃었습니다. / 도중에 길을 잃었습니다.
Excuse me, I've lost my way. / I got lost on the way.

현재 위치를 물을 때

A: Where am I (right) now? (여기가 어디입니까?)
B : You're on the Broadway. (브로드웨이입니다.)

• 여기가 무슨 거리(街)이죠?
Which street am I on now? [2] / What street is this?

2) 직역 : 내가 어느 거리(가)에 있죠?

소요 시간과 거리

A: How far is it from here?
B : It's just a little further down this street.

A : 여기서 얼마나 멀죠?
B : 이 거리를 따라 조금만 더 가면 됩니다.

• 여기서 얼마나 걸립니까?
How long do you think it'll take?
• 여기서 멀지 않아요.
It's not far from here.
• 여기서 직선방향으로 2마일밖에 안 되요. 〈속어〉
It's only two miles from here as the crow flies. [3)]

A: How much farther do I have to walk?
B : Walk for five hundred meters.

A : 얼마나 더 걸어야 하죠?
B : 500m를 걸어가세요.

• 5마일은 더 가야 해요. / 좀 더 가셔야 합니다.
There are five more miles to go.
It's just a little further.
• 꽤 걷는 거리입니다. / 걷기에는 너무 먼 거리입니다.
It's a long walk. / It's too far to walk.

실내에서 길을 물을 때

A: Is there a restaurant in this building?
B : It's on the second basement.

A : 이 건물 내에 음식점이 있습니까?
B : 지하 2층에 있습니다.

• 건물 안내도를 봅시다.
Let's take a look at the building signboard.

A: Where do 〔can〕 I find the coin lockers?
B : They're through the lounge and on your right.

A : 물품 보관함이 어디 있죠?
B : 휴게실을 지나서 오른쪽에 있습니다.

3) as the crow flies = in a crow line : 직선거리로, 직경으로 / crow : 까마귀

- 4층에 있습니다.

  It's on the fourth floor.

> A: Where is Mr. Miller's office?
> B : It's the third office on your right.
>
> A : 밀러씨 사무실이 어디죠?
> B : 오른쪽 세 번째 사무실입니다.

- 복도 끝까지 가서 왼쪽으로 돌아가세요.

  Go to the end of the hall and turn left.
- 복도를 따라가면 오른편에 있어요.

  Go down the hall and it's on your right.
- 계단으로 2층까지 걸어 올라가세요.

  Walk up the stairs to the second floor.

길을 안내할 때

안내할 때

- 제가 도와 드릴까요?

  Do you want me to help you?
- 지나가는 사람인데, 혹시 도움이 될까 해서요.

  I was just passing by, and I thought I might help. [4)]
- 제가 모시고 가겠습니다. / 제가 안내해 드릴까요?

  Let me take you. / May I show you?
- 저와 함께 가시죠. / 저를 따라 오세요.

  Let me walk with you. / Please follow me.
- 잠깐만 기다리세요. 누구한테 물어봐서 가르쳐 드리겠습니다.

  Wait a minute. I'll ask someone else and I'll let you know.
- 저는 이 도시의 구석구석을 다 알아요.

  I know every inch of this city.
- 어릴 적부터 줄곧 여기서 살았거든요.

  I've lived here ever since I was a kid.
- 저도 거기에 가는 길입니다.

  That's where I'm going, too. / I'm going there myself.
- 제가 이 근처의 길을 잘 압니다.

  I know the ropes around here. [5)]

  I know how to get around here. / I know this area well.

---

4) 길을 잃어버린 사람에게 다가가서 자발적으로 도와 주고 싶을 때
5) know the ropes : 내부 사정을 잘 알다, 요령을 잘 알다

- 어느 쪽으로 가십니까?
  Which way are you going?
- 어디를 가시려고 합니까?
  Where do you want to go?
- 제가 안내해 드리겠습니다. 저도 같은 방향이거든요.
  I'll show you the way. I'm going in the same direction.

잘 모를 때

A: Excuse me. Is there any restaurant nearby?
B : Sorry. I'm a stranger here myself.

A : 실례합니다. 이 근처에 식당이 있습니까?
B : 미안합니다. 저도 이곳이 처음입니다.

- 전 이곳이 낯섭니다〔저는 이 지역을 잘 모릅니다〕.
  I'm not familiar with this area.
- 저는 이 근처에 살지 않습니다.
  I'm not from around here.
- 미안합니다만, 저도 이곳에 방금 도착했습니다.
  I'm sorry, but I just got here myself.
- 미안합니다만, 저도 이곳이 초행입니다.
  I'm sorry, but I'm a stranger here, too.
  I'm sorry, but I'm new around here, too.
- 다른 분한테 물어 보세요.
  You'd better ask someone else.
- 여기저기에 물어 보세요.
  Why don't you ask around? 6)
- 안내계에 물어 보세요.
  Why don't you check at the information desk?

A: I gave you good directions! (정확히 알려드렸는데요!)
B : I must've passed right by it. (그곳을 틀림없이 지나쳤군요.)

운전자에게 길 안내

- 우리가 방향을 잘못 잡은 것 같아요.
  I think we are heading in the wrong direction now.
- 저 도로가 1~2시간 더 빠릅니다.
  That road is quicker by one or two hours.

6) ask around : 여기 저기에〔이 사람 저 사람에게〕 물어 보다

- 이 길은 막다른 길입니다.
  This is a dead end (street).
- 신호등을 지나면 바로 있습니다.
  It's right after the traffic light.
- 두 번째 신호등을 지나 우회전하십시오.
  Turn right after the second light.

활용 어휘

- 두 번째 신호등에서 : at the second light
- 교차로에서 : at the intersection
- 우〔좌〕회전하다 : make a right〔left〕
- 두갈래길에서 : at the fork
- 신호등에서 : at the (traffic) light

- 어느 길을 따라가야 하는지 이 지도를 보고 가르쳐 주세요.
  Please show me on this map which road I should follow.
- 지나쳐 오셨습니다.
  You've come too far. / You've passed it.
- 최소한 두 시간은 더 가셔야 합니다.
  At least two more hours to go.
- 길을 잘못 든 것 같습니다.
  You must have taken the wrong turn.
- 이 길은 돌아가는 길입니다.
  This is a longer way around.
- 이 길이나 저 길이나 마찬가지입니다.
  Both ways are about the same.
- 이 화살표 방향을 따라 가세요.
  Please follow that arrow.

활용 어휘

- 간판 : signboard
- 동,서,남,북 : east, west, south, north
- 육교 : overpass
- 횡단 보도 : pedestrian crossing
- 건물 안내 게시판 : building directory
- 보도(步道) : sidewalk
- 지하도 : underpass
- 철도 건널목 : railroad crossing

20 사람이나 물건을 찾을 때

공공장소에서 안면이 없는 사람을 처음 만나거나 사람의 행선지를 물을 경우가 있다. 공항이나 식당에서 방송으로 사람을 찾고자 할 때는 방송실이나 카운터에 가서 "Could you please have a person paged for me?(방송으로 사람을 찾아 주시겠어요?)"라고 말한다. 여기서 page란 '마이크로 사람을 찾다'는 뜻이다. 그리고 물건의 소재지를 물을 때는 "Where is〔are〕 ~?"형식으로 표현한다. 아래 대화는 잃어버린 물건을 찾는 상황이다.

기 본 대 화

A : Have you seen my briefcase by any chance?
B : Have you looked in the conference room?
A : Yes, I have, but it wasn't there.
B : When did you see it last?
A : I can't remember.
B : Mr. Peterson, isn't this yours?
A : Yes, it is. It's mine. Where did you find it?
B : In the rest room.
A : No wonder I couldn't find it.

A : 혹시 제 서류가방 못 보셨어요?
B : 회의실 안에 들여다보셨어요?
A : 네, 찾아 봤는데, 거기에는 없었어요.
B : 그걸 마지막으로 본 게 언제였죠?
A : 기억이 안 나요.
B : 피터슨씨 이것 당신 것 아닌가요?
A : 맞아요. 제 거예요. 어디서 찾으셨어요?
B : 화장실에서요.
A : 그러니까 제가 못 찾았군요.

물건을 찾을 때

A: Do you know where my jacket is?
B : It's hanging over the back of the chair.

A : 제 재킷이 어디 있는지 아세요?
B : 의자 뒤에 걸려 있어요.

잃어버렸을 때

- 가방을 잃어버렸어요. / 아, 지갑이 없어졌어요!
  I've lost my bag. / My god, my purse is gone! 1)
- 어디에 가방을 놔 두셨어요?
  Where did you leave your bag?
- 당신 책상 위에 확인해 보셨어요?
  Have you checked on your desk?

찾을 수 없을 때

- 그걸 어디에 두었는지 기억이 안나요.
  I can't remember where I put it.
- 아무리 찾아도 없어요〔어디에서도 그것을 찾을 수가 없어요〕.
  I can't find it anywhere.
- 제가 찾을 때는 안 보였어요.
  I could never find it when I was looking for it.
- 그걸 어디다 두었는지 잊어버렸어요.
  I've forgotten where I put it.

기 타

- 안경 찾는 것 좀 도와 주시겠습니까?
  Do you mind helping me find my glasses?
- 이 책 누구거죠?
  Who does this book belong to? 2)
- 이 보고서의 디스켓을 어디에 두셨습니까?
  Where did you put the diskette for this report?
- 이것이 당신이 말씀하시던 책인가요?
  Is this the book you were talking about?
- 이게 당신이 찾고 있었던 겁니까?
  Is this the thing that you were looking for?

❖ 여행 중 귀중품을 분실했을 때 : 귀중품을 분실(p. 928)

활용어휘

- 안에 : in
- 앞에 : in front of
- 사이에 : between
- 왼쪽〔오른쪽〕에 : to the left〔right〕 of
- 구석에(실내) : in the corner (of)
- 걸려 있는(빨래줄 등에) : hanging over
- 아래에 : under
- 뒤에 : behind
- 오른쪽에 : to the right of
- 구석에(외부) : on the corner (of)
- 걸려 있는(벽 등에) : hanging on
- 위에〔옆에〕 : on〔next to〕

1) 지갑을 잃어 버렸을 때
2) belong to ～ : ～의 소유다, ～의 것이다, ～에 속하다

사람을 찾을 때

A: (hearing someone knock the door) Come in!
B: Yes, Mr. Harris?
A: No, no. Dick! I don't want you.
B: Who do you want, Mr. Harris?
A: I want Brian and I want him right away.
B: OK, sir. I'll go and find him.
A: (after ten minutes) Ah, Brian!
C: Did you want to see me, sir?
A: Yes. I wanted to see you ten minutes ago.
C: I'm sorry. I was in the warehouse.

A : (문을 노크하는 소리를 듣고) 들어 오세요!
B : 네. 해리스씨?
A : 아니야. 아니야, 딕! 자네를 찾은 게 아닐세.
B : 누구를 찾으십니까?
A : 브라이언을 찾고 있네, 지금 당장 그가 필요하네.
B : 알겠습니다. 제가 가서 찾아 보겠습니다.
A : (10분 후) 오, 브라이언!
C : 저를 찾으셨습니까?
A : 그래, 10분 전에 자네를 만나고 싶었는데.
C : 죄송합니다. 창고에 있었습니다.

아이를 잃었을 때

- 제 아이를 잃어버렸습니다.
  I've lost my little boy!
- 친구를 찾을 수가 없는데요. 방송으로 좀 찾아 주시겠습니까?
  I can't find my friend here. Could you page him for me?
- 그를 마지막으로 본 곳이 어디죠?
  Where did you last see him?
- 당신 아들이 어떻게 생겼는지 말씀해 주시겠어요?
  Can you describe your son? [3)]

식당에서 사람을 찾을 때

- 그 커피숍에 저를 기다리고 있는 사람이 있습니다.〈전화상으로〉
  I have a person waiting for me in your coffee shop.
- 뉴욕에서 온 밀러씨를 방송으로 불러 주시겠습니까?

3) 미아신고소에 신고를 할 때 담당직원이 잃어버린 아들의 생김새를 묻는 표현

Will you page Mr. Miller from New York?

• 밀러씨를 찾습니다. 안내계로 와 주시기 바랍니다.〈안내방송 멘트〉

Paging Mr. Miller. Please report to the information desk.

사람의 행선지

• 밀러씨 어디 갔는지 아세요?

Do you know where Mr. Miller's gone?

• 존을 본 적이 있는 사람 있어요?

Has anybody seen John?

• (대체) 그가 어디에 있을까?

Where could he be?

• 지금껏 어디에 계셨어요?

Where have you been all this while 〔time〕?

• 지금껏 내내 뭘 하고 계셨어요?

What have you been doing all this time?

• 오늘 하루종일 당신을 찾고 있었어요.

I've been looking for you all day long today.

• 거긴 아무도 없었어요.

Nobody was there.

• 그 사람 조금 전에 여기 있었어요. / 그는 아직 근처에 있을 거예요.

He was here a while ago. / I think he's still around.

• 봐요! 그 사람 저기 있어요! / 여기 계셨군요!

Look! There he is! / There you are!

• 그 사람 조금 전에 제가 심부름을 보냈어요.

I sent him on an errand a while ago.

• 그 사람 조금전에 저쪽으로 갔어요.

He was going that way little while ago.

기 타

• 사장님이 당신을 찾고 계십니다.

The president wants you.

You are wanted at the president's office.

• 스텔라씨가 당신과 얘기를 하고 싶어하더군요.

Mr. Stella wants to speak with you.

• 한두 시간 정도 나가 있을게요.

I'll be gone for an hour or two.

• 제가 가서 그를 데리고 올게요.

I'll go (to) get him.

- 바로 이 자리서 잠시 후에 다시 만납시다.
  Let's meet right here in a few minutes.
- 잠시 후에 돌아오겠습니다.
  I'll be back in a couple of minutes.
- 뭘 하는데 그렇게 바빴어요?
  What were you busy doing?

활용 어휘

- 미아 : missing〔lost〕 child
- 미아 보호소 : missing child center

21 화장실을 이용할 때

언제 어디서나 화장실을 이용해야 할 경우가 있다. 화장실의 위치를 물을 때는 "Excuse me. Where is the rest room?(실례합니다. 화장실이 어디에 있습니까?)", "Would you tell me where the rest room is?(화장실이 어디에 있는지 말씀해 주시겠어요?)", 점잖고 간접적인 표현의 방법으로는 "Where can I wash my hands?(어디서 손을 씻을 수 있습니까?)"라고 말한다.

기본대화

A : I need 〔got to〕 go to the rest room.
Where is the rest room?
B : Number one or number two?
A : Number one.
B : It's right around the corner.

A : 화장실에 좀 가야겠어. 화장실이 어디에 있지?
B : 쉬〔소변〕할 거니, 응가〔대변〕할 거니?
A : 쉬야.
B : 모퉁이를 돌면 바로 있어.

용무를 볼 때

- 화장실에 가도 되겠습니까〔실례 좀 해도 되겠어요〕?
  May I be excused? / Will you excuse me for a moment? 1)
- 대변이 마려워요.
  I have a bowel movement. 2)
- 대변 좀 봐야겠어요. 〈속어〉
  I need to go take a dump. / I've got to go number two.
  I gotta crap. 3) / I gotta take a shit. 4)
- 화장실에 가고 싶어요. / 대〔소변〕이 마려워요. 〈속어〉
  Nature is calling me. 5) / I have to go potty. 6)
- 소변 좀 봐야겠어요. 〈속어〉

---

1) 화장실을 다녀오려고 할 때
2) bowel : 창자, 내장
3) crap : 배변하다
4) take a shit : 똥누다, 대변을 보다
5) 직역 : 자연이 나를 부른다.
6) 어린애들의 표현 / potty : 어린이용 변기 · 변소

I have to go and pee〔piss〕. / I need to take a leak.
Let me go for a pee. / Let me take a pee.
I've got to do number one.

화장실의 명칭

화장실을 칭하는 표현에는 bathroom(주로 가정내), rest room(가장 일반적인 표현), lavatory(비행기 내), latrine(군용 변소), washroom, toilet, 남자 화장실(men's room), 여자 화장실(ladie's room / powder room) 등이 있으며, 속어로는 head(변소), can(변소, 궁둥이), shithouse(똥간) / the John 등이 있다.

목욕탕 이용

- 간단히 목욕 좀 해야겠어요.
  I'll take a quick bath.
- 눈에 샴푸가 들어갔어요.
  I got shampoo in my eyes.
- 당신 등을 밀어 줄게요.
  Let me scrub your back.
- 목욕하고 나면 시원해질 거예요.
  You will feel refreshed after a bath.
- 온수로 씻으세요.
  Wash yourself in warm water.
- 이 수건으로 물을 닦으세요.
  Please dry yourself with this towel. 7)

활용 어휘

- 공중 목욕탕 : public bath
- 냉 · 온수 혼합 꼭지 : mixing faucet
- 냉온 교대 목욕 : succession bath
- 두루마리 화장지 : toilet roll
- 목욕 수건 : bath towel
- 세면기 : washbowl
- 욕실 : bathroom / bath
- 한증실 : sweating〔steam〕 room
- 화장실 휴지꽂이 : toilet paper holder
- (화장실) 사용 중 : occupied
- 수도 꼭지 : faucet
- 칫솔 : toothbrush
- 남녀 혼욕 : promiscuous bathing 8)
- 냉수 마찰 : cold-water rubbing
- 두루마리 타월 : roller towel
- 면도 기구 : shaving gear
- 샤워 커튼 : shower curtain
- 약식 욕실 : half bathroom 9)
- 완비된 욕실 : full bathroom 10)
- 한증탕 : sweating bath / steam bath
- 화장지 : ass – wipe / toilet paper
- (화장실) 비어 있음 : vacant
- 치약 : toothpaste
- 변기 : chamber pot(침실용)

7) 몸에 있는 물기 등을 닦을 때 wipe를 쓰는 것이 아니라, dry를 씀에 유의하자.
8) promiscuous : 난잡한, 혼잡한, 뒤범벅의
9) 욕조나 샤워시설은 없고 변기와 세면대만 있는 욕실
10) 변기 · 세면대 · 욕조를 갖춘 욕실

ENGLISH CONVERSATION DICTIONARY

CHAPTER 2

감정표현

1 기쁨과 즐거움

미국인들은 감정표현이 풍부하다. 언제 어디서나 자신의 감정을 솔직하고 과감하게 표현한다. 기쁨을 나타내는 표현에도 여러 가지가 있지만 대표적인 표현으로 자신이 기쁘다고 말할 때는 "I'm so happy.(무척 기뻐요.)", 상대로부터 기쁜 소식을 들었을 때는 "I'm very glad to hear that.(그 소식을 들으니 정말 기쁩니다.)" 등을 쓸 수 있다.

기본대화

A : Mr. Miller, I'm walking on air now. [1)]
B : What makes you so happy, Mr. Kim?
A : I've passed the job interview.
B : Congratulations, Mr. Kim! You deserve it.
A : Thank you, Mr. Miller!

A : 밀러씨, 전 지금 하늘을 나는 기분이에요
B : 뭐가 그렇게 기쁘세요, 미스터 김?
A : 취직 면접에 합격했어요.
B : 축하합니다. 미스터 김! 당신은 그럴 만한 자격이 있어요.
A : 감사합니다, 밀러씨!

기쁠 때

- 무척 기뻐요!
  I'm very happy! / I'm so happy!
- 해 냈어요!
  I made it! / I did it!
- 기분 끝내주는군!
  What a great feeling!
- 오늘 제 정신이 아니에요.
  I'm not myself today. [2)]
- 뭐라고 말해야 할지 모르겠어요. 너무 기뻐서 말이 안 나와요.
  I'm speechless.[3)] I'm so happy, I don't know what to say.

1) 직역 : 나는 공중에서 걷고 있다.(I'm on a cloud.) / on a cloud = on cloud nine = on cloud seven → 'cloud nine' 이나 'cloud seven' 은 행복으로 가득한 '행복의 나라' 를 가리킨다.
2) 바빠서 정신없을 때, 좋은 일이 생겼을 때 혹은 몸의 컨디션이 좋지 않을 때 쓰는 표현
3) 너무 기쁘거나, 너무 기가 막힐 때

- 정말 기분이 좋군!
  Oh! How glad I am! / What a delight!
- 기뻐서 날아갈 것 같았어요.
  I jumped for joy.
- 제 생애에 더 기쁜 적이 없었어요.
  I've never been happier in my life.
- 즐거워요. / 좋아서 미치겠어요!
  I'm having fun. / I'm tickled pink! 4)
- 콧노래라도 부르고 싶은 기분입니다.
  I feel like humming. 5)
- 제 아들이 성공해서 무척 기뻐요.
  I'm very pleased with my son's success.
- 정말 즐거워요!
  What a lark! 6) / I'm (as) happy as a lark!

기쁜 소식을 들었을 때

- 그 소식을 들으니 정말 기쁩니다.
  I'm glad 〔pleased / delighted〕 to hear that.
- 저도 기쁩니다.
  I'm so happy for you. 7)
- 듣던 중 반가운데요.
  That's nice to hear.
- 그거 반가운 소식이군요.
  That's a good news.
- 그녀가 들으면 틀림없이 기뻐할 거예요.
  She must be happy to hear that.
- 정말 기쁘시겠습니다.〈속어〉
  How glad you must be! / You must be very pleased.
- 당신은 매우 즐거운 것 같군요.〈속어〉
  You look happy as a lark. 8)
- 그 소식을 들으면 그가 얼마나 기뻐할까!
  How glad he will be to hear that!

---

4) tickle : 기쁘게 하다, 간지럽히다 / be tickled pink : 몹시 기뻐하다; 포복절도하다
5) hum : 콧노래를 부르다; (벌 · 기계 · 팽이 등이) 윙윙거리다; 우물우물 말하다
6) lark : 종달새, ((구어)) 즐거움, 유쾌 ; 농담, 장난
7) 남의 좋은 일에 함께 기뻐할 때 / "Good for you!(좋은 일이야!)"도 많이 쓴다.
8) (as) good as gold : 즐거운, 만족스러운

기쁨의 감탄사

- 만세!
  Hurrah [후라-]! / Hurray [후뤠이]! / Bravo! / Yippee [이피]!
- 힙, 힙, 후라〔만세〕!
  Hip, hip, hurray〔hooray〕! [9)]

웃 다

- 그는 희색이 만면했어요.
  He was all smiles.
- 어쩐지 그가 희색이 만면하더라구요.
  No wonder he's smiling.
- 미스 김은 곧잘 웃어요.
  Miss Kim is ready to laugh. [10)]
- 지금은 웃을 때가 아니에요.
  This is not an occasion for laughing.
- 억지웃음 짓지 마세요.
  Don't crack a smile. [11)]

기 타

- 그는 1등상을 받고 기쁜 나머지 눈물을 흘렸어요.
  He cried for joy when he got first prize.
- 그는 기뻐서 어쩔 줄을 몰랐어요.
  He was beside himself with joy.
- 기쁨과 슬픔이 엇갈리는군요.
  I alternate between joy and grief.
- 기쁨과 슬픔이 제 가슴 속에 엇갈렸어요.
  Joy and grief alternated in my breast.
- 시원섭섭하군요.
  It's bittersweet. [12)]
- 퇴직을 하니 시원섭섭하군요.
  I have a mixed feelings about retirement.

---

9) hip : 응원 등에서 선창하는 소리〔환호 소리〕 / hooray : 만세(를 부르다)
10) '웃다(laugh)' 의 여러 가지 표현 : laugh 총괄적으로 '웃다' 의 뜻 / cackle : 조용히 웃다 / grin : 이가 드러나게 입을 벌리고 조용히 웃다 / giggle : 깔깔대고 웃다 / snicker : 남들이 볼까봐 조심해서 웃다 / smile : 소리 없이 미소 짓다
11) crack a smile : 살며시 미소를 짓다; ((속어)) 억지웃음을 짓다
12) bittersweet : 씁쓸하면서도 달콤한; 괴로우면서도 즐거운

2 근심과 걱정

외국인과 보다 깊은 교제를 위해서는 상대방의 근심과 걱정을 이해하고 격려해 줄 수 있어야 한다. 상대방이 뭔가를 걱정하고 있을 때 **"Do you have something on your mind?**(걱정되는 일이라도 있으세요?)"라고 한 마디 던지면 자신에게 관심을 가져준 것에 대해서 고맙게 생각할 것이다. 또한 걱정하는 상대방을 위해서 **"Don't worry.**(걱정하지 마세요.)", **"Cheer up!**(힘내세요!)"라고 격려를 해 준다면 보다 좋은 친분관계를 유지할 수 있을 것이다.

기 본 대 화

A : Thompson, you don't seem to be enjoying yourself these days. Tell me, is something wrong?
B : Well, not really, but ....
A : What's bothering you?
B : My driving lessons! I mean, they are over now. Albert was teaching me to drive his car.
A : Aha! And he's gone. He's off on a business trip overseas.
B : And now there's no one to teach me.
A : I understand, but don't worry. We'll think something. Maybe I can teach you.
B : I'd appreciate it.
A : Come on, Thompson! What are friends for?

A : 톰슨, 요즘 별로 기분이 안 좋은 것 같구나. 말해봐, 무슨 일 있니?
B : 음, 그렇지 않아. 하지만 ....
A : 뭣 때문에 괴로워하고 있는거야?
B : 내 운전 연습 때문이야! 이제 더 교습을 받을 수 없거든. 앨버트가 자기 차로 나한테 운전교육을 시켜 줬거든.
A : 그래! 그는 해외로 출장을 가서 지금 없잖아.
B : 그래서 이제 운전을 가르쳐 줄 사람이 아무도 없어.
A : 이해해. 하지만 걱정하지마. 뭔가를 궁리해 보자구. 아마 내가 가르쳐 줄 수 있을거야.
B : 그렇다면 정말 고맙겠어.
A : 이봐, 톰슨! 친구 좋다는 게 뭐니?

걱정할 때

상대가 걱정스러워 보일 때

- 우울해 보이네요.
  You look down.
- 무슨 일이세요?
  What's wrong (with you)? / What's the problem?
  What's the matter (with you)?
- 무슨 걱정거리라도 있는 것 같아 보이군요.
  You look worried about something.
- 걱정되는 일이라도 있으세요?
  Do you have something on your mind?
- 무슨 일로 걱정하세요?
  What's your worry 〔trouble〕?
- 무슨 일로 고민하고 계세요?〈속어〉
  What's biting you? / What's eating you? [1)]
- 무슨 일로 그렇게 기분이 언짢으세요?
  What has made you so unhappy?
- 뭔가 문제가 있군요! 뭐죠?
  Something's the matter! What is it?
- 집에 무슨 일이 있으세요?
  Do you have any trouble at home?
- 기분이 안 좋아 보이군요.
  You're in a loosy mood.
- 무슨 일이 생긴 것 아닙니까?
  Are you up to something?
- 가슴아픈 일이 있으세요?
  Is something breaking your heart?
- 왜 그렇게 침울한 얼굴을 하고 계세요?
  Why (do you have) such a long face? [2)]
  How come do you pull such a long face? [3)]
  Why so down? / Why so blue?
  What's with the long face? / Why are you sulking?
  Why are you so down in the mouth 〔dumps〕? [4)]

---

1) 직역 : 무엇이 너를 물어뜯고 있느냐? → 모기나 벼룩 등이 물어뜯으면 괴롭기 때문에 이를 비유한 표현
2) long face : 길다란 얼굴 → 슬플 때 얼굴이 죽 늘어지는 모습을 연상해서 생긴 표현
3) how come = why
4) down in 〔at〕 the mouth : 낙심하여, 풀이 죽어서 / down in the dumps : 풀이 죽어

- 왜 찡그리고 있죠?〈속어〉
  Why (do you have) a knitted brow? 5)

걱정스러울 때

- 그녀가 안 오면 어떡하죠?
  What if she doesn't come? 6)
- 난 이제 망했어요.
  I'm washed up. / I'm done for. / I'm sunk. 7)
- 이제는 어쩔 수 없어요.
  My bolt is shot. 8)
- 아, 그게 문제예요!
  Ah! That's the trouble!

> A: I got something on my chest. (말 못할 사정이 있어요.)
> B : What's it? Out with it. Get it off your chest.
> (뭔데요? 말해 보세요. 속 시원히 털어놓아 보세요.)

- 앞으로 무슨 일이 있을지 모르겠어요.
  I don't know what's happening in the future.
- 어떻게 된 건지 궁금하군요.
  I wonder what happened to it.
- 어젯밤에 당신 걱정이 돼서 잠을 못 잤어요.
  I lost sleep because of your troubles last night.
- 오늘은 어쩐지 기분이 이상해요.
  I'm feeling out of it today.
- 그것을 해낼 것 같지 않아요.
  I don't feel up to that. 9)
- 잊어버리려고 애쓰는데, 쉽지가 않아요.
  I'm trying to get it out of my mind, but it's not easy.
- 저는 이제 어떻게 하죠?
  What do I do now?

---

5) knit : 뜨개질을 하다, 짜다; 눈살을 찌푸리다
6) what if ~ : 만약 ~하면 어쩌지? → 걱정스런 마음을 나타내는 표현
7) 절망 등에 빠져서 하는 말
8) 직역 : 화살은 이미 쏘아졌다. / bolt : 큰 화살 / shot : shoot의 과거 및 과거분사형
9) feel up to ~ : ~을 해낼 수 있을 것 같다

격려할 때

걱정하지 마세요.

- 걱정하지 마세요.
  Don't worry. / Not to worry.
- 걱정할 것 없어요.
  You have nothing to worry about.
- 너무 걱정하지 마세요. 다 잘 될 거예요.
  Don't worry so. Everything will be all right.
- 모든 일이 정상화됐으니 걱정할 필요 없어요.
  Everything's back to normal. We don't need to worry.
- 좋아질 거예요. 그것에 대해 걱정하지 마세요.
  There are sunny days ahead. Don't worry about it.
- 결과에 대해서 걱정하지 마세요.
  Don't worry about the results.
- 그건 그 때 가서 걱정하세요.
  Cross that bridge when you get there. [10)]
- 그것에 대해서 너무 신경 쓰지 마세요.
  Don't concern yourself too much about it. [11)]
- 그런 사소한 일로 걱정하지 마세요.
  Don't worry over such a trifle.
- 그런 걱정은 잊어버리세요.
  Put such worries out of your head. [12)]
- 그런 사소한 일로 상심하지 마세요.
  Please don't brood over such a trivial matter. [13)]
- 너무 심각하게 받아들이지 마세요.
  Don't take it seriously.
- 마음놓으세요. 별일 아니니까요.
  Relax. It isn't anything serious.
- 걱정을 빨리 잊어버립시다. / 다 잊어버리세요.
  Let's drink off our worries. [14)] / Leave it all behind.
- 저의 경우와 비교하면 그건 아무 것도 아니에요.
  It's nothing compared with my case.

---

10) 직역 : 다리에 도착하면 건너라.
11) concern oneself about~ : ~에 대해서 걱정〔신경〕쓰다
12) 직역 : 그런 걱정들을 당신의 머리 밖으로 꺼내세요.
13) brood over : 수심에 잠기다, 걱정하다
14) drink off ~ : ~을 단숨에 마셔버리다

- 그것 때문에 그렇게 골머리 짜지 마세요. 〈속어〉
  Don't beat your brains on it. [15]
- 그런 일로 너무 애태우지 마세요.〈속어〉
  Don't fuss about it.
- 그것 때문에 골치 아파하지 마세요.
  Don't get a headache over it.

긍정적으로 생각하세요.

- 긍정적으로 생각하세요.
  Be positive. / Think positive.
- 나쁜 건 잊어버리고 좋은 것만 생각하세요.
  Forget about bad things and think about good things.
- 낙관적으로 보세요.
  Look on the bright side (of things).
- 보다 밝은 미래를 생각하세요.
  Think of a brighter future.
- 결국 그게 당신에게 이득이 될 겁니다.
  In the long run, it's going to benefit you.
- 모두가 당신을 위한 것이에요.
  It's all for your good.
- 비 온 다음에 땅이 굳어지는 법이에요.
  After rain comes fair weather.
- 아무리 궂은 일이라도 밝은 면이 있게 마련이에요.
  Every cloud has a silver lining. [16]
- 좋은 일과 나쁜 일은 함께 있는 법이에요.
  Take the good with the bad. [17]

기운을 내세요.

- 긍정적으로 생각하세요.
  Cheer up! / Chin up!〈속어〉
  Pull yourself together. [18] / Perk up! [19]〈속어〉

15) beat〔rack〕 one's brain : 머리〔지혜〕를 짜다, 생각해 내려고〔이해하려고〕 노력하다
16) 직역 : 모든 구름은 은빛을 가지고 있다. → 먹구름도 뒤에는 은빛이 있다.
17) 선〔좋은 것〕은 악〔나쁜 것〕과 함께 있다.
18) 직역 : "산산조각이 난 마음을 다시 한데 뭉쳐라." → 너무 걱정하지 말고 재기를 위해 정신 좀 차리라는 말
19) perk : 기운을 차리게 하다; 멋 부리다, 뽐내다

비관하지 마세요.

- 그런 일에 낙심하지 마세요.
  Don't be disappointed about such a thing.
- 쥐구멍에도 볕들 날이 있어요.
  Every dog has his day.
- 낙심하지 말고 용기를 내세요.
  Don't be dejected, take courage!
- 너무 고민〔의기소침〕할 필요는 없어요.
  You don't have to be so distressed〔depressed〕.
- 기죽지 마세요.
  Don't put yourself down. / Don't look small.
- 너무 소심하게 생각하지 마세요.
  Don't think small.
- 비관하지 마세요〔죽는 소리 마세요〕!
  Never say die!
- 당신은 오늘로 세상이 끝난 것처럼 행동하는군요.
  You act like there's no tomorrow.
- 이봐, 세상이 끝난 것 아니잖아!
  Look, it's not the end of the world.
- 인생이 다 그런 것 아니에요?
  That's life, isn't it?
- 자신을 책망하지 마세요. / 회의론자가 되지 마세요.
  Don't blame yourself. / Don't be skeptical.
- 자포자기하지 마세요.
  Don't abandon yourself to despair.
  Don't go to pieces. [20] / Don't fall into pieces.
- 사람 사는 게 다 그런 거예요.〈속어〉
  That's the way it goes〔is〕.
  That's the way the cookie crumbles. [21]
  That's the way the ball bounces. [22]
- 세상은 돌고 도는 법이에요.
  What goes around comes around.
- 그건 있을 수 있는 일이에요.
  That's one of those things. [23]

---

20) go to pieces : 자포자기하다
21) crumble : 부스러지다
22) 직역 : 그게 바로 공이 튀는 방법이에요.
23) one of those things : 어쩔 수 없는 일, 불가피한 일, 흔히 있을 수 있는 일

용기를 가지세요.

- 용기를 가지세요! / 잘 생각했어요.
  Keep your courage up! / Good thinking!
- 포기하지 마세요! / 낙담하지 마세요.
  Don't give up! / Keep your heart up!

잊어버리세요.

- 잊어버리세요. / 그 일은 다 잊으세요.
  Forget it. / Forget all about it.
- 그 일은 더 이상 생각하지 마세요.
  Don't think about it any more.
- 이미 지나간 일이에요. / 과거에 연연해하지 마세요.
  What is done is done.[24] / Don't dwell on the past.
- 과거에 연연한들 무슨 소용이 있어요?
  What's the use of feeling sorry about the past?
- 지나간 일에 너무 연연해 하지 마세요.
  Don't think too much of what's already happened.
- 소중한 경험으로 받아들이세요.
  Just take it as a valuable experience.

참고 견디세요.

- 참고 견뎌 보세요.
  Stick〔Tough〕 it out. / Hang in there.[25] / Hang on〔tough〕.
- 인내심을 가지세요, 그러면 알게 될 겁니다.
  Be patient and you'll get it.
- 시간이 걸리겠지만, 당신은 극복할 수 있을 거예요.
  It'll take time, but you'll overcome it.
- 걱정마세요. 당신은 끝까지 해낼 거예요.
  Don't be worried. You'll get through it.
- 남자답게 참으세요.
  Take your medicine like a man.[26]

최선을 다하세요.

- 최선을 다하세요. / 당신은 틀림없이 해낼 수 있을 거예요.
  Do your best. / I'm sure you can make it.

---

24) 직역 : 끝난 일은 끝난 일이다.
25) 어려움 등을 참고 견뎌보라는 격려의 표현
26) 직역 : 남자답게 (쓴) 약을 먹어라.

- 결코 늦지 않았어요. / 아직도 늦지 않아요.
  It's never too late. [27] / It is not too late still.
- 다시 한번 해보세요. / 다음엔 더 열심히 해보세요.
  Try it again. / Try harder next time.
- 그걸 해낼 시간이 충분해요.
  You have lots of time to do it.
- 당신은 최선만 다하면 돼요.
  All you have to do is try your best.
- 필요한 건 강한 의지력만 있으면 돼요.
  All it takes is strong will power.

기 타

- 당신 능력을 과소평가하지 마세요.
  Don't sell yourself short.
  You shouldn't underestimate your abilities.
- 그 사람 말이 저에게 큰 기운을 주었어요.
  His words gave me quite a lift. [28]
- 대단치 않은 거예요!
  No bones broken! [29] / I'm still one piece.
- 저를 믿으세요. / 당신 자신을 믿으세요.
  You can count on me. / Trust yourself.
- 솔직히 털어놓고 나면 속이 후련해질 거예요.
  You'd feel better when you had that off your chest.
- 자, 더 이상 악화될 것도 없잖아요.
  Come on, things couldn't get worse.
- 정신을 바짝 차리고 다시 시작하면, 이 경기를 이길 수 있어요.
  If you pull up your socks, you can win this game. [30]
- 그가 무사하다니 다행이군요.
  Thank God. He's all right.

27) 어떤 일을 결심하거나 재고(再考)하는 데 시기적으로 결코 늦지 않았다는 의미
28) lift : 원기를 돋움
29) 직역 : 어떠한 뼈도 부러지지 않았다.
30) pull up one's socks : 새로운 각오로 다시 시작하다; 어떤 일을 새로운 마음가짐으로 다시 시작하려고 할 때 '팔을 걷어붙인다', '신발 끈을 조여 맨다' 라는 것은 확고한 의지를 나타내는 것이다. 따라서 양말을 당겨 신는다는 것 역시 새로운 각오로 시작한다는 뜻이 된다.

3 슬픔과 위로

상대방이 큰 슬픔을 당했을 때 어떻게 위로해야 할까? 외국인과 아주 깊은 친분관계를 유지하는 사람일 경우에는, 그의 가족 친지의 장례식에 조문을 가야할 상황이 있을 수 있다. 큰 슬픔의 소식을 접하고서 상대방에게 해 줄 수 있는 표현은 **"I'm very sorry to hear that your father passed away.**(부친께서 돌아가셨다니 정말 안됐군요.)" 또한 장례식에 조문을 가서 상주에게 위로의 말을 할 때는 **"Please accept my deepest condolences.**(깊은 애도를 드립니다.)"라고 말한다.

기 본 대 화

A : Hi, Bliss. You're here!
Obviously you don't know yet.
B : Annie, you look pretty serious. What's the deal?
A : Susan was in a bad car accident last night?
B : How bad? She got hurt?
A : Yes, she did. She broke her left leg.
B : Oh, no! Oh, my God! I'm sorry to hear that.
A : Can we go see her in the hospital?
B : Sure.

A : 안녕, 블리스. 너 여기 있었구나.
분명히 아직 모르고 있겠구나.
B : 애니, 너 꽤 심각해 보이는데. 무슨 일이지?
A : 수잔이 어젯밤 심한 자동차 사고를 당했어.
B : 얼마나 심한데? 다쳤어?
A : 응. 왼쪽 다리가 부러졌어.
B : 오, 저런! 오, 맙소사! 그거 정말 안됐구나.
A : 병원에 그녀를 문안하러 갈까?
B : 그래.

슬플 때

- 저는 비참해요. / 저는 희망이 없어요.
  I feel miserable. / I'm hopeless.
- 저는 우울해요.
  I'm depressed. / I feel blue. / I have the blues.

- 그저 조금 슬픈 기분이에요.
  I'm just feeling a little sad.
- 아무것도 하고 싶은 생각이 없어요.
  I don't feel like doing anything.
- 그녀는 부친의 죽음으로 상심해 있어요.
  She's heartsick over the death of her father. [1]
- 그는 아내를 잃은 후로 비탄에 잠겨 있어요.
  He has eaten his heart out since he lost his wife. [2]
- 그는 그 슬픈 소식을 듣고도 태연했어요.
  He kept his countenance at the sad news. [3]
- 그 생각을 하면 아직도 가슴이 아파요.
  I'm still smarting from the memory. [4]
- 저는 지금 절망적인 상태예요.
  I'm in no-win situation now. [5]
- 저를 우울하게 만들지 마세요.
  Don't let it make my brown eyes blue. [6]
- 모든 것이 끝났다고 생각했어요.
  I thought I was at the end of my rope. [7]
- 그건 침통한〔가슴이 찢어지는 듯한〕 소식이었어요.
  It was heart-breaking news.

슬픔의 탄식

- 아아, 슬퍼요!
  Alas!
- 맙소사!
  Oh, my God! / Oh, God! / God!
- 정말 슬픈 일이군요!
  What a sad thing it is!
- 어머 가엾어라!
  What a pity!
- 어머, 가엾게도!
  Oh, poor thing!

---

1) heartsick : 상심한, 풀이 죽은
2) eat one's heart out : 비탄에 잠기다, 깊이 사모하여 애태우다
3) countenance : 표정, 안색
4) smart : 아리다, 따끔따끔 쓰리다
5) no-win : 승산이 없는; 승패를 겨루지 않는
6) 직역 : 내 갈색 눈이 파랗게 되도록 하지 마세요.
7) be at〔come to / run to〕 the end of one's rope : 백계무책이다, 속수무책〔진퇴양난〕이 되다

울 다

- 슬퍼서 울고 싶은 심정이에요.
  I'm so sad I could cry.
- 괜히 울고 싶은 기분이에요.
  Somehow I feel like crying.
- 그녀는 가슴이 메이도록 흐느껴 울었어요.
  She sobbed her heart〔soul〕 out.[8)]
- 입학시험에 떨어진 걸 알고 목놓아 울었어요.
  When I found out that I failed the entrance exam, I cried my eyes out.
- 그녀의 눈에는 눈물이 고였어요〔가득했어요〕.
  Her eyes were filled with tears.
- 그녀의 눈에는 눈물이 넘쳐흘렀어요.
  Her eyes were suffused with tears.[9)]
- 눈물을 닦으세요.
  Wipe your eyes. / Dry your tears〔eyes〕.
  Wipe away your eyes.
- 얘야, 왜 우니?
  Why are you crying, little boy?
- 눈물이 비오듯 쏟아졌어요.
  Tears poured down like rain.
- 왜 그런지 눈물이 자꾸 나요.
  I don't know why, but the tears come to my eyes.
- 우세요, 실컷 우세요.
  Cry, just cry to your heart's content.
- 영화를 보고 울어본 적이 있으세요?
  Have you ever cried from watching a movie?
- 몹시 울었어요.
  I cried my eyes out.[10)]
- 그 영화가 너무 슬퍼서 울었어요.
  The movie was very sad and I cried.

> A: You are crying, Bliss. (블리스, 너 울고 있구나.)
> B : The movie is so sad. (영화가 너무 슬퍼요.)
> A: Here's a handkerchief. (자, 여기 손수건 있어.)
> B : Dry your tears. (눈물 닦아.)

---

8) sob one's heart〔soul〕 out : 가슴이 터지도록 흐느껴 울다
9) be suffused with tears : 눈물이 넘쳐흐르다〔가득하다〕
10) cry one's eyes〔heart〕 out : 몹시 울다, 눈이 붓도록 〔가슴이 터지도록〕 울다

위로할 때

- 내가 당신 옆에서 돌봐 줄게요.
  I'll stick by you.
- 당신에겐 내가 있으니 안심하세요.
  Don't be anxious because I will always be behind you.
- 슬픔에 굴복해서는 안 되요.
  Don't give way to grief.
- 잊어버리세요! / 잠을 자고 슬픔을 잊어버리세요.
  Forget it! / Sleep off your sorrow. [10]
- 절망〔실망〕하지 마세요. 세상이 끝난 것은 아니에요.
  Don't go to pieces. This is not the end of the world.
  (이 어려운 시기에) 힘이 드시겠군요.
  This is hard on you.
- 어떻게 견디고 계세요?
  How are you holding up? [11]
- 더 이상 슬프지 않을 거예요.
  You will get passed beyond the sadness.
  You will no longer be sad.
- 저한테 기대세요〔의지하세요〕.
  You can lean on me.
- 슬픔도 같이 나누면 덜하는 법이에요.
  Company in distress makes distress less.

장례식 조문

사망 소식

- 어제 제 할아버지께서 돌아가셨습니다.
  My grandfather passed away yesterday.
- 참, 안됐습니다.
  I'm sorry. / Oh, that's too bad.
- 부친께서 돌아가셨다니, 참 안됐습니다.
  I'm very sorry your father passed away. [12]
  I'm very sorry to hear that your father passed away.
  I've heard your father passed away. I'm very sorry.

---

10) sleep off ~ : 잠으로써 ~을 잊어〔떨쳐〕 버리다
11) hold up : 지탱하다
12) 이런 경우, 'die(죽다)'를 쓰면 큰 실례가 되므로, 반드시 'pass away(돌아가시다)'라는 존칭어를 써야 한다.

- 당신을 도울 수 있는 일이 있거든, 알려 주세요.
  If there's anything I can help you with, please let me know.

위로의 말

- 깊은 조의〔애도〕를 드립니다.
  Please accept my deepest sympathy〔condolences〕.[13)]
  I offer my deepest condolences.
  You have all my sympathy.
- 진심으로 애도를 드립니다.
  Please accept my sincere condolences.
  I express my sincere sympathy to you.
- 큰 상을 당하셨군요.
  What a terrible loss!
- 너무 낙담하지 마세요.
  Don't be so discouraged.
- 당신 심정을 이해해요.
  I know how you feel.
- 당신의 슬픔을 함께 나누고 싶습니다.
  We wish we could be with you in your sorrow.
- 우리 모두는 무척 슬퍼하고 있습니다.
  We are all deeply grieved.
- 믿음이 당신을 지탱해 주기를 바랍니다.
  May your faith sustain you.
- 뭐라고 위로의 말씀을 드려야 할지 모르겠군요.
  I don't have adequate words to express my sympathy.
- 아직 한창 나이인데 세상을 떠나시다니 참 애석한 일입니다.
  It's such a pity to lose him so young.
- 그분은 정말 훌륭한 분이셨어요.
  He was such a wonderful man.
- 어떤 위로의 말도 소용이 없겠지만, 충심으로 위로를 드립니다.
  I know there is no real consolation, but please believe that you have all our sympathy.
- 항상 명복을 빌겠습니다.
  We will always remember him in our prayers.

---

13) 상(喪)을 당한 사람〔유가족〕에게 할 수 있는 위로의 말

위로에 대한 감사

- 위로해 주셔서 감사합니다.
  Thank you for your sympathy.
- 와 주셔서 감사합니다.
  Thank you for coming.
- 위로 전문을 보내 주셔서 감사합니다.
  Thank you for your message of sympathy.

기 타

- 장례식은 근친자(近親者)만으로 올림
  PRIVATE FUNERAL
- 조화는 사양합니다.〈부고의 문구〉
  NO FLOWERS (BY REQUEST)

명언 한 마디

Bitterness imprisons life : love releases it.
Bitterness paralyzes life : love empowers it.
Bitterness sours life : love sweetens it.
Bitterness sickens life : love heals it.
Bitterness blinds life : love anoints it.

고통은 인생을 가두어 버리고, 사랑은 그것을 열어 준다.
고통은 인생을 마비시키고, 사랑은 힘을 준다.
고통은 인생을 시큼하게 하고, 사랑은 그것을 달콤하게 해 준다.
고통은 인생을 병들게 하고, 사랑은 그것을 치유해 준다.
고통은 인생을 눈멀게 하고, 사랑은 안약을 발라 준다.

- Harry E. Fosdick(1878~1969) : U.S. preacher and author -

4 노여움과 실망

외국인과 접촉하다 보면 화를 내야하는 경우가 종종 생긴다. 특히 외국인과 직접 업무를 같이 하거나 협조하는 위치에 있는 사람의 경우는 더욱 그렇다. 상대방의 거친 언사에 화를 내고 싶어도 낼 수 없다면 이것 또한 답답한 노릇이 아닐 수 없다. 화를 내는 표현에는 단순히 화가 난다는 표현에서부터 심지어는 욕설을 퍼붓는 경우에 이르기까지 다양하다. 화가 났을 때 쓸 수 있는 대표적인 표현에는 "I've had it up to here. I can't stand it any more.(이제껏 참았지만, 더 이상은 못 참겠어요.)" / "You're going too far.[1] (말씀이 지나치군요.)" / 강한 어조로 "Stop it!(그만 하세요!)" / "Shut up!(입 닥쳐!)" 그리고 상대방이 화가 났을 때는 "Calm down!(진정하세요)"라고 한마디 해준다.

기 본 대 화

A : Annie! Don't walk away. Talk to me.
I want to know what's got you so upset? [2]
B : No, I can't explain anything.
A : Please tell me!
B : It's none of your business.
A : Hey, what the hell makes you so mad at me? [3]
B : Oh, Carl, please.
Don't stick your nose into my life. [4]
A : Calm down, Annie. What I really mean is we could have a relationship again.

A : 애니! 가지마. 나한테 얘기를 해줘.
당신이 무엇 때문에 화가 나 있는지 알고 싶어.
B : 싫어요. 아무것도 말해 줄 수 없어요.
A : 제발 나한테 얘기를 해봐!
B : 그건 당신이 상관할 바가 아니에요.
A : 이봐, 도대체 무엇 때문에 나한테 화를 내는 거야?
B : 오, 칼, 제발. 내 생활에 간섭하지 마세요.
A : 진정해, 애니. 내가 정말 원하는 건 우리 관계를 다시 유지할 수 있다는 거야.

---

1) 직역 : 당신은 너무 하시는군요.
2) upset : 근심되는, 화난(angry)
3) the hell = in the hell : 도대체
4) stick 〔poke, thrust, put〕 one's nose into ~ : ~에 부질없는 간섭을 하다

화가 났을 때

- 당신 때문에 미치겠어요.
  You drive〔make〕 me crazy.
- 당신이 하는 방식은 참을 수 없어요.
  I can't put up with your way of doing things.
- 이제껏 참아 왔어요. 더 이상 참을 수가 없어요.
  I've had it up to here. I can't stand it any longer.
- 더 이상은 못 참겠어요!
  Enough is enough! / I've had it! / That does it! [5]
- 미치겠어요.
  I'm going crazy. / I'm going bananas. [6] 〈속어〉
- 곧 미칠 것만 같아요.〈속어〉
  I'm ready to start climbing the walls. [7]
- 어떻게 그런 일이 있을 수 있죠?
  How can such things be?
- 참는 것도 한도가 있어요.
  My patience is worn out. / There is a limit to my patience.
- 나를 화나게 하지 마세요!〈속어〉
  Don't burn me up! [8] / Don't fire me up! [9]
  Don't rub me (up) the wrong way. [10]
- 정말 열받는군!〈속어〉
  What a pisser! [11]
- 제가 그 사람한테 화내는 데는 그럴 만한 이유가 있어요.
  I have good reason to be angry with him.
- 그 사람을 볼 때마다 열 받아요.
  I get fired up everytime I see him.
- 제 자신에게 화가 났어요.
  I'm mad at myself. [12]
- 꺼져! 그리고 문 닫아!
  Get out! And shut the door behind you.

---

5) You're late again. That does it! This is our last date.(또 늦었구나. 더 이상은 못 참겠어! 우리 만남은 이제 끝이야.
6) 이유에 관계없이 '미칠 것 같아'의 표현; 머리가 돌다
7) climb the walls : (답답해서) 벽을 기어오르다 → (답답해서, 화가 나서) 미칠 지경이다
8) burn up : 화나게 하다
9) fire up : 격분케하다
10) rub sb (up) the wrong way : 아무를 화나게 하다(rough sb up the wrong way); 아무를 안달하게 하다
11) pisser : 화나게 하는 사람〔것〕 / piss : 오줌싸다; 조롱하다
12) be mad at ~ : ~에게 화나다

• 입 닥쳐! 안 그러면 주둥이를 쳐버릴 테니까.
Shut up! Or I'm going to hit you in the mouth.

언행이 지나칠 때

그만 해!

• 그만 둬!
Stop it! / Cut it out! / Cut it off!
Quit it! / Knock it off! / Cool it!

A: Cut it out! I don't want to hear any more about it.
(그만해! 그것에 대해서는 더 듣고 싶지 않아.)
B : All right, I will. (알았어, 알겠다고.)

• 그거 그만 좀 할 수 없어요?
Can't you stop doing it? / Stop that, will you?
• 제발 목소리를 낮추세요.
Please keep your voice down.
• 그만 하세요! 더 이상 참을 수가 없어요.〈속어〉
Stop it! I can't take it anymore. [13]
• 알았어!〔그만해!〕 / 이제 됐어〔이제 그만〕!
Get stuffed! [14] / No farther!

입닥쳐!

• 입〔주둥이〕 닥쳐!〈속어〉
Shut up! / Shut the mouth! / Shut your big mouth!
Zip your lips! [15] / Bottle it! / Pipe down!
Put a zipper on your mouth! / Calm up!
Hold your tongue! / Button your lips! [16]
• 입 닥치고 잠자코 있어!
Keep your mouth shut!

말도 안되는 소리를 할 때

• 무슨 소리 하는 거야?〈강한 어조로〉
What are you talking about?

13) take it : 참다, 견디다
14) 경멸 · 혐오감을 나타냄
15) 직역 : 너의 입술에 지퍼를 달아라.
16) 직역 : 너의 입술에 단추를 달아라.

- 쓸데없는 소리 하지 마세요.
  Stop your nonsense. / Save your breath! [17]
  Stop the peanut gallery talking. [18]
  Don't talk rubbish〔rot〕.
- 그건 말짱 허튼소리예요. 〈속어〉
  That's a lot of b.s.! [19]
  Do you wish to teach foul language? [20]
- 그런 헛소리하지 마세요!
  Don't give me that! / Away with your lies!
  Don't give me that cock and bull story. [21]
  Don't beat your gums. [22]
- 바보 같은 소리 집어치워! 〈속어〉
  Cut off the silly story!
- 그런 말도 안되는 소리 하지 마세요!
  Don't give me any of that nonsense!
- 바보 같은 소리 하지 마세요! / 당치도 않아요!
  Don't say anything dumb! / That's outrageous!
- 그건 말도 안되는 소리예요. 〈속어〉
  (That's) Balcony! / (That's) Nonsense!
  That's horseshit. [23] / That's bull. [24]
- 당신은 항상 허튼소리만 하는군요!
  You're always talking through your hat! [25]

말대꾸를 할 때

- 말대꾸하지마!
  Don't sass me back! [26] / Don't answer back to me. [27]

언사가 지나칠 때

- 그건 너무 지나치군요. / 당신은 함부로 말하는군요!
  That's too much. / You are too outspoken! [28]

---

17) save one's breath : 숨을 아끼다 → 입다물고 있다, 잠자코 있다
18) peanut gallery : 이러쿵저러쿵 쓸데없는 소리를 하는; 극장의 맨 윗 좌석
19) b.s. = bull shit : 허튼소리, 넌센스
20) foul : ((구어)) 대단히 불쾌한; 진저리나는; 형편없는; 시시한
21) cock and bull story : 터무니없는 소리, 거짓말
22) beat one's gums : 마구 지껄여 대다, 객쩍은 소리를 하다
23) horseshit : ((속어)) 허튼소리, 넌센스
24) bull : ((속어)) 허풍, 허튼소리
25) talk through one's hat : 허튼소리를 하다
26) sass sb back : 아무에게 건방진 말대꾸를 하다
27) answer back to sb : 아무에게 말대꾸하다
28) outspoken : 까놓고〔거리낌없이〕 말하는, (말 등이) 솔직한, 노골적인

- 어떻게 그런 말을 할 수 있죠? / 네가 감히 그럴 수가!
  How can you say such a thing? / How can you?
- 주제 파악 좀 하세요.
  Know your place.
- 사돈 남 말하고 있군요.
  Look who's talking![29] / You can talk.[30]
  You're a fine one to talk![31]

저리 꺼지라고 할 때

- 여기서 나가! 당장! / 나가!
  Get out of here! Right now! / Get out!
- 보기도 싫으니까 나가〔내 앞에서 꺼져〕!
  Get out of my sight!
- 저리 가〔꺼져〕!〈속어〉
  Beat it! / Buzz off! / Get lost! / Go away! / Split!

기 타

- 소리 지르지 마세요!
  Don't yell!
- 장황하게 얘기하지 마세요. / 한 소리를 자꾸 되풀이하지 마세요.〈속어〉
  Don't chew the fat.[32] / Don't rub it in.[33]
- 증거도 없으면서 허풍 좀 그만 떠세요.
  Stop your big talk until you show us some proof.
- 척 좀 그만 하세요!
  Stop faking it![34]
- 그를 너무 심하게 대하지 마세요.
  Don't be so hard on him.
  Don't be so severe〔tough / rough / harsh〕with him.
- 나를 세뇌하려 하지 마세요!
  Don't try to brainwash me![35]

---

29) 직역 : 누가 말하고 있는지 봐!
30) 직역 : 당신도 (입이 있으니) 말할 수 있군요.
31) 직역 : 당신이 그 말하기에는 적격이군요.
32) chew the fat : 장황하게 얘기하다
33) rub it in : (듣기 싫은 소리를) 자꾸 되풀이하다
34) fake : 위조하다; (되는대로) 꾸며내다, 날조하다(fabricate)
35) brainwash : 세뇌하다

간섭을 당할 때

일을 간섭당할 때

- 그건 내가 할 일이에요.
  That's my affair.
- 그건 내가 알아서 하겠어요. / 그건 당신이 알 바가 아니에요.
  I'll take care of it. / That's none of your business.
- 그건 당신하고 전혀 상관도 없는 일이에요.
  It has nothing to do with you. [36)]
- 남의 일에 간섭하지 마세요.
  Don't cross the line. / Stay in your own yard〔backyard〕.
- 당신 일이나 신경 쓰세요. / 당신 일이나 하세요.
  Mind your own business. / Do your stuff.
- 이 일에 간섭하지 마세요.
  Stay out of this matter.
- 이것은 사적인 일이에요.
  This is a private matter. / This is something personal.
- 상관하지 마세요.〈속어〉
  Keep your nose clean. / Butt out! [37)]
- 내 맘대로 하게 놔두세요. / 내 생활을 통제하려고 하지 마세요.
  Let me have my way. / Don't try and run my life.
- 제 일에 간섭하지 마세요.
  Don't poke your nose into my business. [38)]
  Hands off my business. / No meddling in my affairs.
- 누가 참견하라고 했나요?〈속어〉
  Who asked you to butt in? [39)]
- 쓸데없이 훈수 두지 마세요.
  Don't kibitz me! [40)]
- 참견하고 싶지 않지만, 당신이 지금 몇 살인지 아세요?〈속어〉
  I don't mean to be nosy, but do you know how old you are? [41)]
- 당신 일에 참견하려고 한 건 아니었어요.
  I didn't mean to barge in on your affairs. [42)]

---

36) have nothing〔something〕 to do with ～: ～과 전혀 관계가 없다〔있다〕
37) 직역 : 엉덩이 치우세요.
38) poke : (코 등을) 내밀다 / ((구어)) poke one's nose into ～ : ～에 간섭하다 ; 아무의 일에 쓸데없이 참견하다
39) 직역 : 누가 당신에게 참견하라고 요청했나요? / butt in ((구어)) 말 참견하다
40) kibitz : (노름판에서) 훈수하다 ; 주제넘게 참견하다
41) nosy ((구어)) 참견 잘하는, 코치코치 캐묻는, 중뿔난
42) barge in (on) = barge into ～ : ((속어)) ～에 쓸데없이 간섭〔참견〕하다

상관없는 일이다

- 난 상관없어요. / 누가 알게 뭐야?
  I don't care. / Who cares?
- 그게 나하고 무슨 상관이 있죠?
  What's it got to do with me?
- 저는 그 일과는 상관없어요.
  I have no connection with that. / I'm not concerned with it. / That's got nothing to do with me.
- 그 일에 관여하고 싶지 않아요.
  I don't want to get involved in it.
- 뒤야 어찌되든 내가 알 바 아니에요.
  I don't care what may come of it.

말참견할 때

- 말참견하지 마세요〔끼어들지 마세요〕.
  Don't cut in.
- 쓸데없는 참견하지 마세요!〈속어〉
  None of your lip!
  Keep〔Save〕 your breath to cool your porridge. [43)]

방해하거나 괴롭힐 때

- 나 좀 그만 괴롭히세요.
  Stop bothering me. / Please don't give me a hard time! [44)]
- 그만 좀 할래?
  Would you stop that?
- 저를 방해하지 마세요.
  Get out of my way. / Don't enter the picture. [45)]
- 나를 귀찮게 하지 마세요.
  Get out of my hair. / Don't get in my hair. [46)]
  Don't bug me!
- 나를 귀찮게 하는군요.
  You bother me!

---

43) 객쩍은 말 참견을 삼가다 / porridge : 포리지(먹는 죽의 일종)
44) give sb such a hard time : 아무에게 어려운 시기를 주다 → 아무를 괴롭히다
45) enter the picture : 사진 속으로 들어가다 → 사진 속에 엉뚱한 사람이 찍혀 있다 → 끼어들다, 방해하다
46) get in sb's hair : 아무의 머리카락 속으로 들어가다 → 귀찮게 하다

- 당신은 늘 저에게 잔소리를 하는군요.
  You're always on to me. [47)]
- 나를 괴롭히지 마세요!〈속어〉
  Don't bother me! [48)] / Don't mess with me! [49)]
  Please get off my back. [50)] / Don't pick on me. [51)]
- 제발 나 좀 내버려 두세요.
  Please leave me alone. / Please let me be alone. [52)]
- 나 좀 쉴게요.
  Let me take a break.
- 내 신경을 건드리지 마세요.
  Don't get on my nerves. [53)]
- 저 바깥의 소음이 정말 신경을 건드리는군요.
  The noise outside is really getting on my nerves.
- 음악 소리가 방해가 되나요?〈속어〉
  Does music bug you? [54)]

상대방이 화나 있을 때

화가 나 있다

- 화가 나셨어요?
  Are you upset? / Are you angry?
- 그 사람 당신한테 화나 있어요.
  He got angry at you.
- 그는 나한테 악감정을 가지고 있어요.
  He has a grudge against me. [55)]〈속어〉
- 그는 몹시 화가 나 있어요.〈속어〉
  He's on the warpath. [56)] / He flies off the handle. [57)]
  He's as mad as a hatter. [58)] / He's as mad as hell. [59)]
  He's as mad as wet hen. [60)]

---

47) be on to sb : 아무에게 잔소리하다
48) 단단히 화가 난 상태로, 우리말에 "아이 씨, 나 좀 괴롭히지 마!"
49) mess with sb : 아무를 괴롭히다, 들볶다
50) get off sb's back : 아무를 귀찮게 굴다
51) pick on sb : 아무를 괴롭히다, 못 살게 굴다, 흠을 들추다, 비난하다
52) 직역 : 제발 혼자 있게 해 주세요.
53) get on sb's nerves : 아무의 신경을 건드리다
54) bug : ((속어)) 괴롭히다, 골탕먹이다(bother, annoy)
55) have [bear] a grudge against sb : 아무에게 원한을 품다, 악감정을 갖다
56) on the warpath : 싸우고자 하는, 싸울 기세인, 성난 / warpath : 북미 인디언들이 싸움터로 나가는 길
57) fly off the handle : ((구어)) 몹시 화를 내다
58) as mad as a hatter : 몹시 화난, 아주 미친
59) as mad as hell : 몹시 화난
60) as mad as wet hen : 몹시 화난

• 그는 화를 잘 내요.
He's got a short fuse.〈속어〉/ He gets upset very easily.
He loses his temper very easily.

• 그 사람 열 받았어요.〈속어〉/ 그 사람 완전히 열 받아 있어요.
He lost his head. / He's getting all overheated.[61)]

• 그 소식을 듣고 그는 노발대발했어요.〈속어〉
He hit the ceiling at the news.[62)]

• 그녀는 화가 나면 그런 식으로 행동을 해요.
That's the way she behaves when she's angry.

• 그는 몹시 화를 냈어요.
He foamed at the mouth.[63)]

• 그는 너무 흥분해서 뭐라고 말을 해야 할지 몰랐어요.
He was so excited that he didn't know what to say.

• 그는 지나치게 신경과민이에요. / 그는 침착성을 잃고 화를 냈어요.
He is all nerves. / He blew his cool.[64)]

• 그의 말이 정말 나를 화나게 했어요.
His words really get my goat.[65)]

화가 난 이유

A: Mr. Miller has a long face this morning. I wonder why. (밀러씨가 오늘 아침 우울한데, 왜 그럴까?)
B : I don't know why. (왜 그런지 모르겠어요.)

• 저한테 화나셨나요? / 아직도 화나 있어요?
Are you mad at me? / Are you still angry?

• 뭐가 잘못됐는가요?
Is anything wrong? / What's wrong?

• 왜 나한테 화내는 거예요?
Why are you mad at me? / Why are you angry with me?

• 왜 그러니?
What was all that?

• 그래서 나한테 화가 났어요?
Are you angry with me on that score?[66)]

• 야단맞았다고 해서 나한테 그렇게 화풀이해선 안 되죠.

61) overheated : 뜨거워진; 격분한, 흥분한, 성난
62) hit the ceiling : ((속어)) 몹시 성나다
63) foam at the mouth : 게거품을 내다; 몹시 화내다, 격노하다
64) get angry, get mad : 화를 내다 / keep one's cool : 화를 꾹 참고 있다
65) get sb's goat : 아무를 화나게 하다, 불쾌하게 하다
66) score : 점(point), 이유(reason)

Just because you got scold, it doesn't mean you can take it out on me. [67]

화내지 마세요

A: He is the most irresponsible man I've ever met!
I'm so mad I could just scream.
B : Hey, keep your shirt on! [68] What happened?
You have to be patient.

A : 그 사람처럼 무책임한 사람은 처음 봐요.
어찌나 화가 나는지 소리를 지를 정도였어요.
B : 이봐, 진정해! 무슨 일이야? 당신이 참아야지.

- 화내지 마세요.
  Please don't get angry. / Please don't lose your temper.
  Don't be upset.
- 너무 신경질 부리지 마세요. / 그렇게 화낼 이유가 없어요.
  Don't be so uptight. [69] / There's no reason to get so angry.
- 신경질 부리지 마세요.〈속어〉 / 그걸로 저한테 화풀이하지 마세요.
  Don't throw a fit. [70] / Don't take it out on me. [71]
- 당신을 노엽게 할 생각은 없었어요.
  I did not mean to offend you.

진정시킬 때

- 진정하세요!
  Calm down! / Simmer down! / Slow down! / Take it easy!
  Chill off (out), man! / Cool down (it)! / Square up! [72]
  Please bottle up! [73]
- 자, 자, 진정하세요! / 침착하세요!
  Come on! Come on! / Be cool!
- 이제 그만 해 두게나! (충분하지 않은가?)
  That's enough!

---

67) take it out on sb : 아무에게 짜증을 내다
68) keep one's shirt on : ((속어)) (성내지 않고) 침착성을 유지하다
69) uptight : ((구어)) 초조해 하는, 긴장한, 불안한, 성난
70) throw a fit : 노발대발하다
71) take it out on sb : 아무에게 화풀이하다, 앙갚음하다
72) square up : 진정하다, 화를 가라앉히다
73) bottle up : (노여움 등을) 억누르다, 감추다

- 자, 진정하세요. 큰일도 아니잖아요.
  Hey, chill out! It's no big deal!
- 흥분하지 마세요!
  Don't be〔get〕 excited. / Don't get mad.
- 흥분을 가라앉히세요.
  Cool down your hot temper. / Appease your anger.
- 나는 단지 당신의 기분을 풀어주려고 한 것 뿐이에요.
  I was just trying to give you a boost. [74]
- 그녀에 대한 태도를 누그러뜨리세요.
  Ease up on her.
- 그 사람 말에 너무 노여워하지 마세요.
  Please don't be offended by his words.
- 너무 성급하게 굴지 마세요.
  Easy does it!

> A: You can't do this to me! [75] (네가 나한테 이럴 수 있니!)
> B : Calm down! Cool it. I can explain.
> (진정해! 참으라고. 설명해 줄게요.)

꾸중할 때

상대방 꾸중

- 감히 네가!
  How dare you!
- 다시 또 그러면 벌받을 거야.
  If it happens again, you will be punished.

> A: You'll never do that again. (다시는 절대 그러지 말게나.)
> B : No, I won't. (절대로 않겠습니다.)

- 도대체 그걸 일이라고 하고 있니?
  Why are you on that so called "job"?

> A: How many times should I tell you?
> B : I don't give a damn how many times you've told me.
> A : 한번 말하면 알아들어야지, 몇 번이나 말해야 되니?
> B : 당신이 몇 번을 말했건, 난 그런 건 상관하지 않아요.

74) give sb a boost : 아무의 기분을 고무하다 ; ~에 활력을 불어넣다 (cheer sb up / put sb in good mood)
75) 직역 : 당신은 나한테 이럴 수가 없다!

- 그거 네가 그랬지? / 다시는 그러지 말게나.
  You did it, didn't you? / Don't ever do that again.
- 그만 좀 빈둥거려라.
  Quit fooling around. [76)]
- 토라지지 마라.
  Stop pouting! [77)]
- 너 철 좀 들어야 겠구나.
  You should know better than to do that.
- 행동에 옮기든지, 입 다물고 있든지 해!
  Put up or shut up!
- 그런 법이 어디 있어요? / 그래서는 안돼요.
  How do you get that way? / You shouldn't do that.
- 자네 여기 일하러 온 거야, 놀러 온 거야?
  Are you on business or for pleasure?
- 너 도대체 여기서 뭘하고 있는 거니?
  What the hell are you doing here? [78)]
- 너는 자존심도 없니〔너의 자존심은 어디 갔니〕?
  Where's your pride?
- 너희들 나머지도 다 마찬가지야.
  The same goes for the rest of you.
- 다시 한번 그런 일을 하면 단호한 조치를 취하겠습니다.
  I'll put my foot down if you do such a thing. [79)]
- 당신 정신 나갔어요?
  Are you out of your mind? [80)]
- 당신은 엉뚱한 짓을 하고 있군요〔헛다리짚고 있네〕.
  You're barking up the wrong tree. [81)]
- 그런 말도 안되는 소리는 그만 둬!〈속어〉
  Why don't you cut the crap? [82)]

제 3자를 혼낼 때

- 그 놈을 따귀 한 대 갈겨버리겠습니다.
  I'll slap him in the face.

---

76) fool : 어리석은 짓〔바보짓〕을 하다
77) pout : 입을 삐쭉 내밀다, 토라지다, 뿌루퉁하다
78) 이 표현은 화를 내면서 말하면 '꾸중'이 되지만, 한동안 찾고 있는 사람을 보았을 때도 쓸 수 있는 표현이다.
79) put one's foot down : 자신의 발을 꽝하고 땅바닥에 치다 → 단호한 조치를 취하다 : 이런 행동은 결단을 내릴 때, 단호한 결심을 했을 때 취하는 제스처다.
80) be out of one's mind : 제 정신이 아니다, 미쳤다
81) bark up the wrong tree : ((구어)) 헛다리짚다, 엉뚱한 사람을 공격〔추적〕하다
82) crap : 허튼소리(nonsense); 거짓말, 허풍; 배설물, 똥

- 그 사람을 혼내주겠습니다.
  I'll put him in his place. [83)]
- 제가 그를 꾸짖겠습니다.
  I'll give it to him. [84)] / I'll tell him off. [85)]
- 제가 그를 엄중히 혼내겠습니다.
  Let me lower the boom on him. [86)]
- 그 사람의 잘못에 대해서 호통을 쳤어요.
  I bawled him out for his mistakes. [87)]
- 당신은 그의 과실을 눈감아줘서는 안 됩니다.
  You shouldn't close your eyes to his faults. [88)]

꾸중에 대한 응대

- 저한테 소리지를 필요 없어요〔소리 지르지 마세요〕!
  You don't have to scream at me!
- 그런 식으로 말하지 마세요.
  Don't talk to me like that.
- 다시는 그런 일을 하지 않겠다고 약속할게요.
  I promise I'll never let it happen again.
- 고의로 그런 일을 한 건 아니에요.
  I didn't do that kind of thing by choice. [89)]
  I didn't mean to do that.
- 그게 뭐가 중요하죠? / 너무 그렇게 구박하지 마세요.
  What does it signify〔matter〕? [90)] / Don't be so hard on me.
- 말해서 무슨 소용이 있겠어요?
  What is the use of talking?
- 잘못된 점을 말하세요, 고치도록 할게요.
  Tell me what's wrong and I'll try to change.
- 전체적인 상황은 모르면서 빽빽거리지 마세요.〈속어〉
  Don't keep yapping back at me when you don't really know the entire picture. [91)]
- 제가 무슨 큰 잘못이라도 했나요? / 저를 희생양으로 만들지 마세요.
  What did I do? / Don't make me the scapegoat.

---

83) put sb in sb's place : 아무에게 분수를 알게 하다
84) give it to sb : 아무를 꾸짖다(여기서 it는 아무런 의미가 없는 관용적 표현)
85) tell sb off : 아무를 야단치다
86) lower the boom on sb : 아무를 엄중하게〔호되게〕 야단치다〔꾸짖다〕
87) bawl out : 소리치다; ((속어)) 꾸짖다(scold)
88) close one's eyes to ～ : ～을 눈감아 주다, 묵인하다
89) by〔for〕 choice : 고의로, 골라서, 즐겨
90) "대수로운 일이 아니지 않는가?"라는 의미다.
91) yap : 시끄럽게〔심하게〕 짖어대다, 캥캥하고 짖다

- 제가 한 일에 대해서 깊이 반성하겠습니다.
  I'll reflect deeply on what I've done.
- 저만 잘못한다고 탓하지 마세요.
  Don't lay the blame on me alone.
- 너무 이랬다저랬다하지 마세요. / 심술궂게 굴지 마세요!
  Don't be so fickle. [92] / Don't be nasty!
- 당신 잔소리는 필요 없어요.
  I don't need any of your lip.
- 저는 벌을 받아 마땅해요.
  I deserve to be punished. [93]
- 그가 잘못했으니, 맞아도 싸요.
  He did wrong, he deserves to be beaten.
- 이봐요, 당신한테까지 이런 잔소리 듣고싶지 않아요. 알았어요?
  Hey, I don't need this crap from you too, okay?

※ 사과를 하거나 용서를 구할 때 : 사과와 용서(p. 34)

기 타

- 그는 자기 상관에게 (불려가서) 꾸중을 들었어요.〈속어〉
  He was on the carpet. [94]
  He got chewed out by his boss. [95]
- 제 상사한테 크게 혼날 것 같아요.
  I think I'm going to catch it from my boss. [96]
- 상사가 저에게 호통을 쳤어요.
  The boss yelled〔shouted〕 at me.
- 저는 그로부터 가벼운 벌을 받았어요.
  I got a slap on the wrist from him. [97]
- 이제 집에 들어가면 호되게 야단맞을 거예요.〈속어〉
  Now when I get in I'm gonna get killed. [98]

실망했을 때

- 이거 정말 실망스러운 일이군요.
  This is tremendous disappointment. [99]

92) fickle : 마음이 잘 변하는, 변덕스러운
93) deserve : ~하는 게 당연하다(나쁜 의미), ~을 받을 자격이 있다(좋은 의미)
94) on the carpet : (아랫사람이) 꾸중을 들은
95) chew out ((속어)) 야단치다, 책망하다, 호되게 꾸짖다
96) catch it : 꾸지람 듣다, 벌받다
97) a slap on the wrist : 손목을 찰싹 때림 → 가벼운 벌〔경고〕 / slap : 찰싹 때림
98) get in : 집에 들어가다(get home)
99) disappointment : 실망, 기대에 어긋남

- 실망했어요. / 당신한테 실망했어요.
  Disappointed! / I'm disappointed with you.
- 저를 실망시키지 마세요. / 당신을 실망시키고 싶은 의도는 없어요.
  Don't let me down. / I don't mean to burst your bubble.

5 싸움과 다툼

외국인과 직접 싸우는 경우는 거의 없겠지만, 상대방이 언성을 높일 때는 "Please don't raise your voice.(언성을 높이지 마세요.)" 라고 한마디 해주고, 상대가 흥분하여 코를 씩씩거리고 있을 때는 "Don't steam. Hear me out.(흥분하지 말고 내 말을 끝까지 들어보세요.)" 라고 진정시킨다. 누군가와 말다툼을 했다는 것을 상대에게 말하고 싶을 때는 "I quarreled with John over a trifle.(하찮은 일로 존과 말다툼을 했어요.)" 라고 말한다. 아래 대화는 영화의 한 장면으로서, 총을 가지고 정신병원을 탈출한 Carl(B)과 그의 성격을 잘 아는 Wilson(A)이 그를 다시 병원으로 데려가려고 설득하고 있는 상황이다. 그런데 Carl이 정신병원에 입원하게 된 것은 살인 사건의 내막을 알고 있는 그의 입을 막기 위해 주모자들이 그를 정신병자로 취급하여 정신병원으로 강제 입원시킨 것이다.

기본대화

A : Listen, give me the gun, or I'm calling the police.
B : Not if I shoot you first.
A : Go ahead.
B : All right. Look, here's the deal.
You don't tell anyone you saw me and I don't tell anyone about the murder case.
A : No deal, Carl.
B : Then you die a fool! [1)]
A : Not at your hands. [2)]
(Approaching him) Now give me the gun.
B : Don't move or I'll kill you! I swear I will!
A : You're lying, Carl.
That's second nature to you, isn't it?
B : You've lived your entire life filled with lies.
Don't you want it to stop?
A : I want you to shut up!
B : You're afraid of me because you know really what I'm like.

1) die a fool : 바보로 죽다 / die a begger : 거지로 죽다
2) (I'm) Not at your hands. : 나는 당신의 손 안에 있지 않다.

A : 이봐, 그 총 이리 주게. 그렇지 않으면 경찰을 부르겠네.
B : 내가 당신을 먼저 쏘면 그렇게 안될텐데.
A : 어서 쏘게나.
B : 좋아. 자, 거래를 하지.
당신은 나를 본 것을 누구에게도 말하지 않고, 나는
그 살인사건에 대해서 누구에게도 말하지 않도록 말이야.
A : 그렇게 할 수는 없어, 칼.
B : 그럼 당신은 바보처럼 죽는 거야!
A : 자네 마음대로 안 될 걸세.
(그에게 다가가면서) 자, 그 총 이리 주게나.
B : 움직이면 죽여버리겠어! 정말 죽여버리겠어!
A : 자네는 거짓말을 하고 있어, 칼.
그건 자네의 또 하나의 본성이야, 안 그래?
B : 자네는 거짓말만 하는 인생을 살아 왔잖아.
그만두지 않겠나?
A : 주둥이를 닥치게 해 주지.
B : 자네는 내가 어떤 사람인지 알고 있기 때문에
나를 무서워하고 있는 걸세.

말다툼할 때

상대가 언성을 높일 때

- 그만 해둬. 좀 조용히 해!
  Stop bothering me. Just be quiet.
- 제발 소리지르지 마세요. / 이봐요! 목소리 좀 낮추세요.
  Don't yell, please. [3] / Hey! Keep your voice down!
- 언성을 높일 필요 없어요.
  You don't have to raise your voice.
- 그만하면 됐소. 이 얘기는 그만 합시다.
  That's enough. This conversation is over.
- 소리지른다고 먹혀 들어가는 게 아니에요.
  You won't convince anyone by shouting. [4]
- 그것에 대해서 너무 야단법석 떨지 마세요.
  Don't make such a big deal out of it. [5]

3) yell : 큰소리를 치다
4) convince : 확신시키다, 납득시키다, 수긍하게 하다
5) make such a big deal out of ~ : ~에 관해서 (필요 이상으로) 법석을 떨다

- 진지하게 얘기해 봅시다. / 앉아서 얘기해 봅시다.
  Let's talk it over. / Let's sit down and talk about it.
- 당신과 더 이상 논쟁하고 싶지 않아요.〈속어〉
  I don't want to cross swords with you any more. [6)]

상대가 얘기를 돌릴 때

- 화제를 바꾸지 마세요.
  Don't change the subject.
- 빙빙 돌려서 말하지 마세요〔변죽만 울리지 마세요〕.
  Stop beating around the bush.

상대가 자기 주장만 할 때

- 당신은 당신 생각만 하는군요.
  You only think about yourself.
- 당신은 그런 말을 할 입장이 아니에요.
  It's not your place to say that.
- 당신 주제를 생각해 보세요.
  Who do you think you are? [7)]
- 당신은 늘 당신 얘기만 하는군요.
  You're always talking about yourself.
- 당신은 항상 그 소리군요! / 생트집 잡지 마세요!
  You always say that. / Stop riding me!
- 이기적으로 굴지 마세요.
  Don't be so self-centered〔selfish / egotistical〕.
- 바보 같은 소리 하지 마세요.
  Don't be silly.

말이 지나칠 때

- 당신이 어떻게 그런 말을 할 수 있죠?
  How can you say such a thing?
- 당신이 어떻게 나한테 그렇게 심하게 할 수 있죠?
  How can you be so mean to me? [8)]
- 이봐, 그거 좀 듣기 좋지 않은걸!
  Hey! I find that offensive!

---

6) cross swords with sb : 아무와 결투〔논쟁〕하다 / sword : 칼
7) 직역 : 당신이 누구라고 생각하느냐? → 당신은 그런 말을 할 입장이 못돼.
8) be mean to sb : 아무에게 심하게 굴다

다툰 이유

A: What was the trouble between you two a while ago?
B : It was something trivial. [9)]

A : 조금 전에 너희들 무엇 때문에 옥신각신했니?
B : 대수롭지 않은 일이었어요.

- 두 사람 사이에 무슨 일이 있었어요?
  What's going on between you two?
- 둘이 싸우기라도 했어요?
  Did you have a fight or something?
- 우리는 서로 말을 하지 않아요.
  We're not on speaking terms with each other.
- 무엇 때문에 다투셨어요?
  What did you quarrel about?
- 우리는 술김에 싸웠어요.
  We quarreled under the influence of liquor.
- 어젯밤에 사소한 일로 아내와 말다툼을 했어요.
  I quarreled with my wife over a trivial matter last night.
- 별것 아니에요. 그저 사소한 일로 인한 다툼이었어요. 〈속어〉
  Nothing important. It was just a tempest in a teapot. [10)]
- 나, 인사과 그 자식하고 싸웠어.
  I had a fight with that so-and-so in the personnel department. [11)]
- 듣자니, 그들이 다퉜더군요.
  They've had words, I hear. [12)]

기 타

- 당신한테 따질 게 있어요.
  I've got a score to settle with you. [13)]
- 하지도 않은 말을 했다고 하는군요. 난 그런 말 한 적이 없어요.
  You're putting words in my mouth. I never said that.

9) "It was just something stupid.(별것 아니었어요.)"라고 할 수도 있다.
10) a tempest in a teapot : 찻잔 속의 폭풍 → 사소한 일로 인한 큰 소동 / tempest : 대소동, 야단법석, 격동
11) so-and-so : 아무개, 모씨(某氏), 나쁜 놈, 싫은 놈
12) have words : 다투다, 싸우다
13) get a score to settle with sb : 아무에게 따질 게 있다

- 그는 당신이 거짓말쟁이라고 빗대어 말하더군요.
  He insinuates that you are a liar. [14)]
- 할 말이 있거든 똑바로 말하세요.
  Tell me what you mean straight out.
- 그는 내게 얘기조차 하지 않으려고 해요.
  He wouldn't even talk to me.
- 당신이 무슨 말을 하고 있어도, 나는 관심 없어요.
  Whatever you are saying, I'm not interested.
- 너와 나는 더 이상 친구가 아니야.
  You and I are no longer friends.
- 다시는 당신을 보고 싶지 않아요.
  I don't want to lay my eyes on you ever again. [15)]

몸싸움

- 자, 덤벼! 덤벼!
  Come on! Come on! / Now come on!
- 우리 붙어〔싸워〕 볼까?
  Why don't we go head-to-head? [16)]
- 자 일대일로 대결하자! / 자, 내가 너를 상대해 주지.
  Me and you! / Just let me come at you. [17)]
- 내게 싸움을 걸지 마세요.
  Don't fight against me. / Don't take me on. [18)]
- 너 죽고 싶은 모양이구나. / 당신 입은 여전히 거칠군요.
  You have a death wish. / You still have a mouth on you.
- 어서 항복해! / 알았어. 내가 졌어.
  Say〔Cry〕 Uncle! [19)] / All right. I give up.
- 격렬한 싸움이었어요.
  They fought to a finish. [20)]
- 그는 자기 아내를 심하게 구타했어요.〈속어〉
  He beat his wife's brains out. [21)]
- 그들은 결국 주먹질까지 하게 됐어요.
  They finally came to blows.

---

14) insinuate : 넌지시 비치다, 둘러서 말하다, 빗대어 말하다
15) lay〔clap / set〕eyes on sb〔~〕 : 아무를〔~을〕 (쳐다) 보다
16) go head-to-head : 접근전을 벌이다
17) come at : 공격하다
18) take on : 말다툼하다, 대결하다
19) 직역 : 아저씨〔형님〕라고 불러! → 졌다고 말해〔항복해〕!
20) fight to a finish : 최후까지〔결판이 날 때까지〕 싸우다(fight it out)
21) beat sb's brains out : 아무를 심하게 구타하다
22) come〔fall〕 to blows : 싸우기 시작하다, 치고받기 시작하다

- 요즘 그이가 말을 별로 하지 않아요.
  He's not talking to me very much these days.

A: You heard me! [23] (너 내 말대로 해!)
B : No, you heard me! (아니야, 네가 내 말대로 해!)

복 수

- 당신에게 복수하겠소.
  I'll pay you back. / I'll get back at you.
- 안 되겠군.
  That does it.
- 그냥 두지 않을 거예요.
  I'm not going to let you get away with this.
- 너 두고 보자!
  You won't get away with this. [24]

화 해

말릴 때

- 형제간에 다툼은 흔히 있기 마련이에요.
  Quarrels between brothers are not rare anywhere.
- 흥분하지 마세요.
  Don't get excited. / Don't be mad. / Don't steam.〈속어〉
  Don't lose your temper. / Don't get all steamed up.〈속어〉
- 이젠 됐어요〔그만해 두세요〕!
  Enough of it! / Enough is enough. [25] / That's enough.
- 싸움을 말리지 그랬어요?
  Why didn't you break up the fight?
- 너희들 이제 그만 좀 해라. 더 이상 쓸데없는 말다툼 집어 치워.
  You guys, cut it out. No more of this silly arguing.
- 너희 둘 중 어느 한 편을 들고 싶지 않아.
  I don't want to take sides with either one of you.
- 진정하세요〔성급하게 굴지 마세요〕.〈속어〉 / 여기는 뭐가 문제예요?
  Keep your shirt on. [26] / What's the problem here?

---

23) 직역 : 너 내가 한 말 들었잖아. / "Just do as I tell you. (그러니까 내 말대로 해!)" 라는 표현과 같은 의미다.
24) 직역 : 너는 이것을 가지고 도망가지 못할 것이다. → 대가를 치를 것이다
25) 계속 꾸중을 하고 있는 사람을 말릴 때 "그 정도로 해 두시죠."라는 의미로 말할 때
26) keep one's shirt on : ((속어)) 냉정을 지키다(stay calm), 화를 억누르다

- 너희 둘 다 어린애들 같구나.
  Both of you are acting like children.

화해할 때

- 두 사람 화해하세요.
  Why don't you guys just make up? [27)]
- 언쟁은 하지 맙시다. / 그 일은 잊어버리세요.
  Let's not argue. / Forget about it.
- 그와 시비를 해도 소용없어요.
  There is nothing to be gained by arguing with him.
- 남자 대 남자로 이야기합시다.
  Let's have a man-to-man talk. [28)]
- 네가 (동생에게) 양보해라.
  Be nice〔kind〕 to your brother〔sister〕. [29)]
  You should know better. [30)]
- 우리가 다툰 것은 유감이야, 그러나 싸움을 건 것은 자네야.
  I'm sorry we had a quarrel. But, you started it.
- 그는 우리같은 사람이 아니잖아요.
  He's not quite our type.

---

27) make up : 화해하다
28) man-to-man talk : 솔직한 대화 / man-to-man : 남자대 남자;일대 일의
29) 두 자녀들이 싸울 때, 형〔누나〕한테 양보하라는 표현
30) 직역 : (나이가 많은 만큼 더 많은 것을 알기 때문에) 네가 더 많이 알아야지.

6 비난과 욕설

상대가 바보 같은 행동을 했을 때는 "That's not like you.(그건 당신답지 않군요.)", "It's very foolish of you to do such a thing.(그런 짓을 하다니 정말 바보스럽군요.)", "Why on earth did you do that?(도대체 왜 그랬어요?)", "It serves you right.(당해도 싸지.)"라고 말한다. 욕설의 표현에는 "God damn!(제기랄!)", "Son of a bitch!(개새끼!)" 등이 있다. 아래 대화는 Susan(A)이 돈내기 게임을 습관적으로 하는 남자 친구 Anderson(B)에게 직장을 구하는 데 쓰라고 돈을 줬는데, B는 그 돈을 친구인 John과 내기 경기를 하기로 약속했다고 하자 수잔이 앤더슨을 비난하는 상황이다.

기본대화

A : Are you serious talking about gambling with my money?
B : Your money? Honey, you gave it to me!
A : To get a job! You promised me you wouldn't gamble again.
B : Right. I promised you and I promised John. And I owe you and I owe him. I'll give you the winnings.[1] I don't care about the money.
A : Anderson, I don't need the money! I don't need the money! See?
B : What do you want, then?
A : I want you, you stupid, son of a bitch!
B : Susan, don't call me names.

A : 내 돈 가지고 내기 경기를 한다는 게 사실이야?
B : 네 돈이라고? 네가 나한테 준 거잖아!
A : 직장 구하라고 줬지!
다시는 돈내기 경기를 안 한다고 나한테 약속했잖아.
B : 그래. 약속했어. 그리고 존과도 약속을 했고.
그래서 너한테도 신세지고 있고, 존한테도 신세를 지고 있어.
딴 돈은 너한테 줄게. 난 돈에는 관심이 없거든.
A : 앤더슨, 난 돈을 원하는 게 아니야! 돈을 원하는 게 아니라고!
B : 그럼 뭘 원하는데?
A : 너를 원하고 있는 거야, 이 바보, 망할 자식아!

1) winnings : 상금, 소득, 벌이

B : 수잔, 욕하지마.

주의 !

비난과 욕설 표현은 기본적으로 비어 속어(slang)에 해당되며, 함부로 사용하다가는 큰 봉변을 당할 수 있으므로 불가피한 경우를 제외하고는 절대 사용해서는 안 된다. 그러나 때로는 이런 표현들도 알아듣고 말할 수 있어야 한다.

비난할 때

약한 비난

- 창피한 일이군요[창피한 줄 아세요]. / 당신은 수치심이 없군요.
  Shame on you. / You have no shame.
- 그는 항상 그런 식이에요.
  It's so typical of him.
- 당신 미쳤군요.
  You're insane. / You're crazy. / You're over the edge. [2)]
- 왜 이런 식으로 행동하죠?
  Why are you acting this way? / What has gotten into you?
- 당신은 스스로 일을 어렵게만 만드는군요.
  You're only making things worse for yourself.
- 거봐! 내가 뭐라고 했어?
  There, now! What did I tell you?
- 그것봐, 내가 그런다고 했잖아!
  There you are! I told you so.
- 그것봐! 내 말대로 했으면, 이런 잘못은 범하지 않았을 거야.
  I told you so! You would not have made this mistake if you had done as I told you.
- 그 사람 말을 믿다니 당신도 바보군요.
  It's silly of you to trust him.
  How foolish of you to trust him!
- 그건 당신답지 않은 행동이군요.
  That's not (just) like you.
- 그건 너를 가리켜 한 말이야.
  It means you.

2) over the edge : 미친, 머리가 돈

- 그건 비겁한 짓이었어요. / 그건 치사한 행동이에요.
  It was a dirty trick. / That's a cheap shot. [3)]
- 그게 대단한 거라도 되는가요? / 그게 뭐가 중요하죠?
  Is it a big deal? / What does it matter?
- 그게 어쨌단 말이니?
  What's wrong with that? [4)]
- 당신이라면 그럴 줄 알았어요.
  That's par for the course for you. [5)]
- 그런 생각을 하고 있다니 너무하군!〔질렸어!〕
  The idea of it! The very idea!
- 그런 어리석은 생각들은 버리세요.
  Put away such foolish ideas!
- 그런 짓을 하고도 남부끄럽지 않니?
  Aren't you ashamed of what you have done?
- 보기 좋게 당하셨군요. / 당신은 너무 순진하군요.
  You have been had. / You're too easy!
- 누가 그런 바보 같은 소리를 하던가요?
  Who told you such a silly story as that?
- 당신은 너무 태평하군요〔낙관적이군요〕. / 당신 마음대로 하세요!
  You are too optimistic. / Have it your way!
- 당신이 뭐라도 되는 줄 아세요?
  Who do you think you are?
- 도대체 왜 그렇게 말하지 않았어요?
  Why ever did you not say so?
- 또 낡은 수작이군!
  The same old games!
- 얘기를 꾸며내지 마세요. 그 사람 말은 다르던데요.
  Don't make up stories. He told me another story.
- 어린애도 그것쯤은 할 수 있어요.
  Even a child could do it.
- 이제 그것에서 벗어날 때도 됐잖아.
  It's about time you outgrow that. [6)]
- 그런 행동은 우리 나라의 수치예요.
  That kind of behaviour is a disgrace to our country.

---

3) cheap shot : ((속어)) 비열한〔부당한〕 행위〔말〕, 룰 위반
4) 수사적 의문 표현으로서 "아무런 잘못도 없지 않은가?"라는 의미다.
5) par for the course for sb : 아무에게 충분히 일어날 만한 일, 당연한 일 → 보통 부정적인 뜻으로 쓰인다.
6) outgrow : (성장하여 취미, 습관 등을) 벗어나다〔버리다〕 / outgrow a boyish habit : 나이가 들어 어린 티를 벗다

- 당신 정말 웃기는 사람이군요.〈속어〉
  You must be a real schmuck. [7)]
- 그런 일은 여러분의 체면에 어긋나는 일이에요.
  That kind of behaviour is beneath your dignity. [8)]
- 당신은 그저 체면 차리기에만 급급하군요.
  You're just trying to save your face.
- 당신의 못된 행실은 우리 가문의 수치예요.
  Your bad behaviour gives our family a bad name. [9)]
- 당신의 행동에 낯이 뜨거워요.
  I'm ashamed of your behaviour.
- 포기하다니, 부끄럽지 않으세요?
  Shame on you for giving up!
- 당신이 완전히 틀렸습니다〔잘못했어요〕.〈속어〉
  You're all wet. [10)]
- 당신은 하나만 알고 둘은 모르는군요.
  You look only on one side of shield.
- 그는 그 집안의 말썽꾸러기예요.〈속어〉
  He's the black sheep of the family.
- 당신이 뇌물을 받았다니 수치스런 일이군요.
  It's a disgrace that you took a bribe.

강한 비난

- 당신 정신 나갔소?
  Have you lost your mind? [11)]
  Are you out of your mind?
- 이 얼간아, 이렇게 쉬운 것도 못하니?
  Can't you do this simple thing, you stupid jerk?
- 바보짓 하지마!
  Don't make a fool of yourself!
- 이 바보 같으니!
  You idiot! / You're stupid!
- 바보짓 좀 작작해라.
  Cut out the foolishness. / Don't be quite so stupid.
- 바보 같은 생각 하지 마세요. / 당신 미치기라도 한 것 아니야?
  Don't get any funny idea. / Are you crazy or something?

---

7) schmuck : ((속어)) 얼간이, 뻔뻔스러운 놈, 멍청이, 괴짜
8) be beneath one's dignity : 체면이 깎이는 일이다
9) 직역 : 너의 나쁜 행위가 우리 가문을 욕먹이고 있다.
10) all wet : 전혀 틀린, 아주 잘못인, 완전히 빗나간
11) lose one's mind : 미치다, 제정신을 잃다, 발광하다

- 정말 뻔뻔하군!
  What an impudence!
- 너 정말 머리가 둔하구나!〈속어〉
  You're such a dense head. 12)
- 당신은 귀가 먹었나요?〈속어〉
  You got wax in your ears?
- 그가 바보라면, 당신도 마찬가지예요.
  If he is a fool, you are another.
- 너무 까불지 마라.
  Don't be so frivolous. 13)
- 너도 마찬가지야.
  The same applies to you.
- 어떻게 그렇게 분별이 없니?
  How could you be so thoughtless?
- 미친 사람이 아니고선 그런 짓을 하지 않을 거예요.
  No one but a madman would do such a thing.
- 뻔뻔스럽기 짝이 없군! / 뻔뻔하기도 하지!
  All cheek! / What a nerve! 14)
- 어리석은 짓 작작하세요.
  Don't make yourself ridiculous.
- 정말 비겁한 녀석이군! / 형편없는 사람이군!〈속어〉
  What a wimp! 15) / What a turkey you are! 16)
- 그들은 (그것에 대해서) 말로만 떠들고 있어요.
  They only pay lip service to it. 17)
- 너는 쓸모없는 놈이야.
  You're a good-for-nothing person. 18)
- 당신이 그런 말을 하다니 경솔했군요.
  It was imprudent of you to say so.
- 도대체 무슨 생각으로 그러세요?
  What's the big idea?
- 뭐라고! 그래 그것을 몰라?
  What! you don't know that?

---

12) dense : 우둔한, 둔한
13) frivolous : 천박한, 경박한; 어리석은; 사소한
14) "참, 배짱도 좋군!" 또는 "참, 강심장이군!"라는 뜻도 된다.
15) wimp : ((속어)) 무기력한 사람, 적극성이 없는 사람
16) turkey : ((속어)) 일반적으로 쓸모 없는 사람〔물건〕; (연극 · 영화 등의) 실패작
17) lip service : 말뿐인 호의, 빈 인사; 말뿐인 신앙
18) good-for-nothing : 쓸모없는 (사람); 건달(의); 밥벌레(의)

- 어떻게 네가 감히 그런 말을 할 수 있지?
  How dare you say such a thing?
- 왜 그런 짓을 했어요?
  What did you do that for?
- 어떻게 그렇게 뻔뻔스러울 수 있죠?
  How could you be so impudent?
- 당신이 일부러 그랬죠?
  You did it on purpose, didn't you?
- 철 좀 들어라! / 나잇값 좀 해라! / 애 같이 굴지 마라!
  Grow up! / Act your age! / Don't be a child!
- 너도 이제는 옳고 그른 것을 구별할 나이가 됐잖아!
  You are old enough to distinguish between right and wrong.
- 너는 왜 항상 그 모양 그 꼴이니!〈속어〉
  You really fucked〔messed / screwed〕up!
- 농땡이 좀 그만 피우세요.〈속어〉
  Stop jacking around. [19)]
- 행동을 조심해. 네가 한국 사람들을 망신시키고 있잖아.
  Clean up your act. You are giving Koreans a bad reputation.

비난에 대한 대응

- 나를 얕보지 마세요. / 난 바보가 아니에요!
  Don't underestimate me. / I'm not a fool!
- 그래서 어쨌다〔어쩌자〕는 거야?
  So what?
- 날 두고 하는 소리지!
  I take it personally! [20)]
- 내가 그렇게 어리석은 줄 아세요?
  Do you think I was born yesterday? [21)]
- 내가 어디 어린애인 줄 아세요?
  Is there any green in my eyes? [22)]
- 내가 세상 물정을 전혀 모르는 줄 아세요?
  Do you think I don't even know the time of day?

---

19) jack around : 시간을 헛되이 쓰다
20) 직역 : 나는 그것을 사적으로 받아들인다. → 이 표현은 서너 명의 친구가 함께 얘기를 나누는 도중에 어떤 친구가 이름은 거론하지 않으면서 누군가의 흉을 보는데, 그 흉의 내용이 자신을 두고 한 말임을 분명히 알 수 있을 때 이 표현을 쓸 수 있다.
21) 직역 : 내가 어제 태어난 줄 아세요?
22) green : ((구어)) 무경험, 순진함, 속아넘어가기 쉬움

- 나를 바보로 취급하지 마세요. / 저를 어린애 취급하지 마세요.
  Don't take me a fool. / Don't treat me as a child.
- 가난하다고 저를 무시하지 마세요.
  Don't put me down just because I'm poor.
- 같은 말 되풀이하는 것도 질렸어요.
  I'm sick and tired of saying the same thing.
- 그거 아주 신경에 거슬리는군요.
  It makes me very disgusted. / It's very annoying.
- 그게 어때서요〔뭐가 잘못됐죠〕?
  What's wrong with it?
- 그렇게 경멸적인 시선을 보내지 마세요.
  Don't give me such a dirty look. [23)]
- 나를 무시하지 마세요! / 사람을 그렇게 무시하지 마세요.〈속어〉
  Don't treat me like shit. [24)] / Don't look down on me so.
- 나를 놀리는 것도 한계가 있죠.
  There is a limit in befooling〔teasing〕me. [25)]
- 나를 뭘로 보는 겁니까?
  What do you take me for?
- 약 올리지 마세요. / 조롱하지 마세요.
  Don't tease me! / Don't play a joke on me.
- 그의 외모를 놀리지 마세요.
  Don't poke fun at his appearance. [26)]
- 나 너 때문에 끓는다, 끓어!
  I'm boiling mad at you!
- 남이 없는 곳에서 흉을 보지 마세요.〈속어〉
  Don't bad-mouth others behind their backs. [27)]
- 다른 사람들을 헐뜯어서는 안 되요.
  You shouldn't run down others. [28)]
- 뒤에서 욕하는 것은 비열한 짓이에요.
  Backbiting is a mean thing.
- 별 소리 다 하는군요. / 어처구니없군요!
  The things you say! / Ridiculous!

---

23) dirty look : 화난 표정 / give sb a dirty look : 아무에게 경멸적인 시선을 주다
24) 직역 : 나를 똥처럼 대하지마.
25) befool : 우롱하다; 속이다 / tease sb : 아무를 괴롭히다; 곯리다, 희롱하다, 놀리다 예 Kids tease each other.(애들은 서로 놀린다.) / tease sb about ~ : 남의 ~을 놀리다 예 She teased John about his curly hair.(그녀는 존의 곱슬머리를 놀렸다.)
26) poke fun at ~ : ~을 놀림감으로 삼다, ~을 놀리다(make fun of ~)
27) bad-mouth : ((속어)) 욕, 중상, 모략; 헐뜯다, 혹평하다
28) run down sb : 아무를 헐뜯다, 비방하다

- 하지도 않은 말을 했다고 생떼 쓰지 마세요!
  Don't put words in my mouth!
- 그 문제로 저를 비난하지 마세요!〈속어〉
  Quit jumping on me about it! [29)]
- 당신은 항상 한 말을 되풀이하는군요.〈속어〉
  You always sound like a broken record. [30)]
- 저를 나쁘게만 생각하지 말아 주세요.
  Don't take ill of me.
- 내가 동양인이라고 깔보지 마세요.
  Don't put me down because I'm an Oriental.
- 남들이 뭐라고 말한들 상관 안 해요.
  I don't care what people say anything.
- 잘 알지도 못 하면서 참견하지 마세요.
  Don't poke your nose without the least knowledge of it. [31)]

기 타

- 제 귀가 간질간질해요.
  My ears are burning. [32)]
- 당신 자신을 그만 비난하세요.
  Stop beating yourself up.
- 그 얘기는 귀에 못이 박히도록 들었어요.
  I have heard enough of it.
- 그녀가 한 일은 비난을 받았어요.
  Her work came in for criticism. [33)]
- 그는 곧잘 남의 흠을 잡아요.
  He often cavil at other's faults. [34)]
- 그는 마땅히 받아야 할 벌을 받았어요.
  He got his comeuppance. [35)] / He got his just deserts. [36)]
- 정말 꼴불견이었어요.〈속어〉
  I never saw such a sketch. [37)]

---

29) jump on sb : 아무를 비난〔공격〕하다
30) 직역 : 당신은 마치 고장난 녹음기 같군요.
31) poke one's nose : 참견하다
32) 누가 자기에 관한 얘기를 하는 것 같아서 귀가 간지럽다는 뜻
33) come in for : (자기 몫 · 비난 등을) 받다
34) cavil : 쓸데없이 흠잡다, (하찮은 일에) 이의를 제기하다
35) comeuppance : ((구어)) 당연히 받아야 할 벌(deserts), 당연한 보복, 인과응보
36) desert : 상〔벌〕을 받을 만한 가치〔자격〕; 사막, 황무지 / deserts : 당연한 벌〔응보〕, 상응한 상〔벌〕 / get〔meet with / receive〕 one's (just) deserts : 상응한 상〔벌〕을 받다
37) sketch : ((구어)) 괴짜, 이상한 사람, 웃음거리〔꼴불견〕의 사람

- 누구라고 꼬집어서 얘기하고 싶지 않아요.
  I didn't want to name names.
- 당신을 흉본 게 아니었어요.
  I wasn't criticizing you.
- 사람들은 제 똥 구린 줄을 몰라요.
  People are blind to their own defects.
- 그가 내게 창피를 주었어요.
  He puts me to shame.
  He caught me with my pants down. [38)]
- 정말 꼴불견이군요.
  It's real eyesore. / My eyes are pointed by it.

활용어휘

- 아무를 매도하다 : curse at sb
- 가볍게 꾸짖다 : scold mildly
- 아무에게 창피 주다 : put sb to shame
- 욕설을 퍼붓다 : curse and swear
- 욕설 : swear words / four-letters〈속어〉
- 비난조로 말하다 : speak in reproachful tone
- 비난하다 : censure / criticize
- 자존심을 유지하다 : keep one's pride
- 인신 공격 : personal attack [39)]
- 자존심을 상하게 하다 : hurt sb's pride

욕설

욕을 할 때

- 개새끼!〔병신 같은 놈! / 망할 자식!〕
  S.o.b.!〔Son of a bitch〕!
- 제기랄!
  Damn it! / Blame it! / Blow it! / Holy shit! / Shit!
  Shoot! / Drat it! [40)] / Son of a gun!
- 엿 먹어라!
  Bull shit! / I'll give you my long finger! [41)]
- 빌어먹을!
  Devil take it! / Go to blazes! [42)] / Get stuffed!
- 야, 이 18놈〔년〕아!
  Fuck you! / What a (butt) fucker!

---

38) catch sb with sb's pants down : 아무의 바지를 아래로 잡아당기다 → 아무를 당황스럽게 만들다, 아무에게 창피를 주다
39) make a personal attack : 인신 공격을 하다 / smear campaign : 비방 운동, 인신 공격
40) drat : 저주하다
41) give sb the long finger : 아무의 면전에서 긴 손가락〔가운뎃손가락〕을 치켜 올리면서 매우 공격적인 방법으로 화를 낼 때 쓰는 표현
42) blaze : ((속어)) 지옥

- 죽어 버려라〔지옥에나 가라〕!
  Go to hell! / Go to the devil!
- 저런 바보 같으니!
  Butterfingers! [43] / That fool! / That stupid guy! / Ass hole!
- 벼락 맞을 놈! / 이 벼락 맞을 놈아!
  Drop dead! / You damned!

욕설 제지

- 제발 욕 좀 그만 하지 그래요?
  Won't you stop cursing all the time? [44]
  Please stop saying nasty words. [45]
  Why don't you stop saying bad words?
- 욕하지 마세요. / 그건 나쁜 짓이에요.
  Don't call me names. [46] / That's not nice. [47]
- 다시는 욕하지 않겠다고 맹세할게요.
  I swear I'll never swear again.

기타

- 그는 공개석상에서 나를 욕했어요.
  He railed at me in public.
- 그는 욕을 잘 해요〔그는 욕쟁이예요〕.
  He has a filthy〔dry〕 mouth. [48] / He is foul-mouthed.
- 나를 미치게 하는군.
  It drives〔makes〕 me crazy.
  It drives me bananas〔nuts〕.〈속어〉
- 내가 알게 뭐야!
  I don't give a shit〔fuck〕! [49]
- 당신 때문에 나까지 창피했어요.
  You made me feel ashamed of myself.
- 저는 모욕을 느꼈어요. / 저는 모욕을 당했어요. / 저는 창피를 (당)했어요.
  I felt the disgrace. / I was humiliated. / I hurt my dignity.
- 첫마디부터 그는 나에게 욕을 했어요.
  He abused me as soon as he opened his mouth.

---

43) 원래 미식 축구 등에서 공을 잘 떨어뜨리는 사람을 비난할 때 쓰는 표현이다. / butterfingers : 물건을 잘 떨어뜨리는 사람, 공을 잘 놓치는 사람
44) curse : 욕지거리하다; 저주하다
45) nasty : 더러운, 추잡한, 음란한
46) call sb names : 아무에게 욕하다(swear at sb) / ((비교)) call sb's name : 아무의 이름을 부르다
47) 상대방이 욕을 하거나 거칠게 말할 때
48) filthy : 불결한, 더러운
49) not give a shit〔fuck〕 : ((비어)) 전혀 개의치 않다

7 불평과 불만

외국인과 함께 직장 생활을 하다 보면, 일에 대한 짜증, 상관에 대한 불평 등을 토로하고 싶을 때가 있다. 이런 경우 "I'm really sick and tired of my job.(일이 정말 지겨워요.)" "My boss's talk is as long as ever.(사장님은 언제나 말이 길어요.)"라고 말할 수 있다. 그리고 상대방이 항상 불평만 한다면 "There you go, complaining again.(당신 또 불평이군요.)"라고 말해 줄 수 있다.

기 본 대 화

A : How can you speak to me like that?
B : Stop whining, Wallace. [1)]
A : Oh, is that what I'm doing?
B : I'm so tired of you feeling sorry for yourself.
A : I'm not sorry for myself.
B : Tired of you being a dead weight, a continual disappointment, Wallace. [2)]
I'm tired of carrying you.
A : I never asked you carry me.
B : For heaven's sake, would you please just leave me alone?

A : 어떻게 나한테 그런 말을 할 수 있죠?
B : 투정 그만 부려, 월리스.
A : 오, 내가 지금 투정부리고 있는가요?
B : 혼자서 슬퍼하는 것 너무 지겨워.
A : 저 슬퍼하지 않아요.
B : 네가 쓸데없이 부담스러워하고 실망하는 거 지겨워.
너를 데리고 와서 피곤해.
A : 난 당신한테 데려가 달라고 하지 않았어요.
B : 제발, 나 좀 내버려 두겠니?

1) whine : 흐느끼다, 푸념하다, 칭얼거리다, 불평하다
2) dead weight : 중량; 중량 화물; 무거운 짐〔부담〕; 부담스러운〔귀찮은〕 사물〔사람〕

짜증날 때

- 이런 생활에는 이제 넌더리가 나요.
  I'm disgusted with this way of life.
- 더 이상 그 사람을 위해서 하기 싫은 일은 안 할 거예요.
  I'll never do his own dirty work any more. [3]
- 이젠 일에 싫증이 나요.
  I'm tired 〔sick〕 of my work.
- 정말 스트레스 쌓이는군!
  It's really stressful!
- 스트레스만 쌓여요.
  The stress just keeps building up.
- 지겨운 일이군.
  It's a boring job.
- 따분하죠, 그렇죠?
  It's boring, isn't it?
- 지루해 죽겠어요.
  Time hangs heavy on my hands.
- 하루종일 단순작업만 하니까 미쳐버리겠어요.
  Doing this mindless work all day is going to drive me crazy.
- 날마다 시시콜콜한 일만 하기엔 이제 진절머리가 나요.
  I'm tired of carrying out garbage day after day. [4]
- 답답해서 미치겠어요.〈속어〉
  I'm going to go stir-crazy. [5]
- 오늘은 기분을 잡쳤어요.〈속어〉
  I'm sure on the rag today. [6]
- 맥이 빠지는군!
  What a drag! [7]
- 정말 짜증스러워요.
  I'm really pissed off. [8] 〈속어〉

---

3) do sb's dirty work : 아무를 위해서 마음에 없는 일을 하다 / dirty work : 싫은 일
4) garbage : 보잘것없는 것; 음식찌꺼기; 쓰레기
5) stir-crazy : ((미 · 속어)) (오랜 감옥살이로) 머리가 살짝 돈
6) rag : ((비어)) 여성의 위생대; (남성들이) 기분이 아주 우울한 경우에는 "I'm on the rag."라고 한다.
7) 하고 있는 일 등이 잘못됐을 때 쓰는 표현으로 "It's a drag."와 같은 뜻이다 / drag : 방해물, 거치적거리는 것 (burden)
8) pissed off : 지겹게 하다; 화나게 하다; ~을 피로하게 하다

- 이런 비좁은 사무실에 하루 종일 갇혀 있으니 지겨워요.
  I'm sick and tired of being cooped in this office.[9)]
- 하루종일 책상에만 앉아 있어요.
  I sit at a desk all day.
- 오늘은 바쁜 하루였어요. 완전히 녹초가 된것 같아요.〈속어〉
  I had a busy day. I feel like a wet noddle.
- 지독한 날이군! 아침부터 앉아 있을 틈이 없었어요.
  What a day! I haven't even had a chance to sit since this morning.
- 그건 생각만 해도 지긋지긋해요.
  It makes me sick even to think of it.
- 이 일은 해도해도 한이 없군.
  This job never ends.

> A: Aren't you tired of your job? (하는 일에 싫증나지 않으세요?)
> B : Yes, I'm sick of it. (네. 이젠 진절머리가 나요.)

귀찮을 때

- 아, 귀찮아〔아, 지긋지긋해〕!
  Oh, bother it!
- 정말 귀찮군!
  What a nuisance![10)] / How troublesome!
  What a bother!
- 날 좀 귀찮게 하지마, 이 진드기야!
  Get off my back, gadfly![11)]
- 누굴 죽일 생각이세요?
  Are you trying to kill me?
- 누구 죽는 꼴 보려고 그러세요?
  Do you want to see me dead?
- 당신은 참 짜증나게 하는군요.
  You're very trying〔annoying〕.
- 나한테 이래라 저래라 하지 마세요.
  Don't boss me around.

---

9) coop up〔in〕: ~(비좁은 곳에) 가두다
10) nuisance : 성가신〔해로운〕 물건〔사람〕
11) get off one's back : ((구어)) 아무의 등에서 떨어지다; 아무를 귀찮게 굴다가 그만두다; ~에 대한 비난〔훼방〕을 중지하다 / gadfly : 등에; 귀찮은 사람

A: I'm busy right now. Please buzz off.
(나 지금 바빠. 제발 저리 좀 비켜라.)
B : Really? Okay. (정말? 알았어.)

불평할 때

- 또 시작이군.
  Here we go again. [12]
- 우리 사장은 언제나 말이 길어요.
  My boss's talk is as long as ever.
  My boss's as longwinded as ever. [13]
- 그 사람한테 불만이 있어요.
  I've got a complaint against him.
- 저로서는 불만입니다.
  As for myself, I'm not satisfied.
- 우리는 부당하게 취급을 당해 왔어요.〈속어〉
  We have gotten the short end of the stick. [14]
- 다들 농땡이 치고 있군요.
  Everybody is goofing off on the job. [15]
- 왜 그게 제 탓이죠?
  Why do I get blamed?

불만을 물을 때

- 불만스런 게 있어요?
  Have you anything to complain about?
- 사장님께 불만을 말해 보세요.
  Why don't you complain to our boss?
- 나한테 불만〔악감정〕 있어요?
  Do you have something against me? [16]
  Do you hold 〔have〕 a grudge against me? [17]
- 무엇 때문에 불평하세요?
  What are you complaining about now?

12) 못마땅한 일이 자주 일어날 때
13) longwinded : 숨이 긴; ((비유)) 장광설의, 이야기가 긴
14) get the short end of the stick : 부당한 취급을 받다〔당하다〕
15) goof off on the job : (일을) 농땡이 치다
16) have something against sb : 아무에게 악감정〔불만〕을 갖다
17) grudge : 원한, 악감, 유감

- 무엇 때문에 투덜거리세요?〈속어〉
  What are you bitching about? [18]
- 뭐가 그렇게 못마땅하세요?
  What makes you so displeased?

불평하지 말라고 할 때

- 너무 투덜거리지 마!
  Never grumble so!
- 당신은 항상 불평이군요.
  You're always complaining.
- 당신 또 불평이군요.
  There you go, complaining again.
- 그만 투덜거리세요!〈속어〉
  Stop bellyaching! [19]
- 그에게 따져 보시지 그러세요?
  Why don't you give him a piece of your mind?
- 당신 불평에 정말 넌더리가 나요.
  I'm really fed up with your grumbling.
- 내내 불평만 하지 말고 대책을 세우세요.
  Instead of complaining all the time, do something about it.
- 지나간 일을 가지고 이러니저러니 하지 마세요.〈속어〉
  Stop Monday morning quarterbacking! [20]

기 타

- 그가 불평하는 걸 들은 적이 없어요.
  I've never heard him complain about anything.
- 그는 늘 불평만 하는 사람이에요.
  He is a constant〔confirmed〕 grumbler.
- 이제는 매니저에게 정식으로 불만을 제기할 때가 됐어요.
  It's about time we filed a complaint to the manager.
- 그는 마음이 약해서 불평 한 마디 못하는 사람이에요.〈속어〉
  He can't say bo to a goose. [21]

---

18) bitch : ((속어)) 불평하다, 투덜거리다
19) bellyache : 복통; ((속어)) 불평; 투덜거리다, 불평하다
20) quarterback : 미식 축구의 포지션 중의 하나(forward와 halfbacks 사이에 위치) / Monday morning quarterback : 주말에 풋볼 경기를 보고 월요일 아침에 그 경기에 대해 이러니 저러니 비판하는 사람 / ((참고)) second-guess (sb) : 지나간 일을 두고 (아무에게) 시비를 걸다〔하다〕
21) can〔will〕 not say bo to a goose : ((구어)) 마음이 약해서 불평 한 마디 못하다, 아주 소심하다, 마음이 약해서 부끄러움을 타다; 남을 놀라게 할 때 지르는 소리 예 He can't say bo to a goose.(그는 거위에게 '왁!' 소리도 못한다.) → 그만큼 마음이 약하고 부끄럼을 탄다.

8 놀라움과 두려움

외국 영화를 보면 "Oh, my God!" 이라는 말을 많이 접하게 된다. 놀라운 소식을 듣거나, 어떤 일이 크게 잘못된 것을 알았을 때 쓰는 대표적인 감탄사가 "Oh, my God!(어머, 저런!)" 이다. 그리고 커피 등을 엎질렀을 때 "Oops![웁스]" 또는 "Whoops!\[웁스](어머나!)" 라고 하면 놀라움과 사과의 의미를 동시에 나타낸다. 또한 화장실에 들어가려고 문을 열었을 때 엄청나게 더러운 모습을 봤을 때는 "Yec(c)h!\[역](윽!)" 라고 하고, 무서움을 느낄 때는 "I'm scared.(무서워요.)" 라고 한다. 아래 대화는 주말 별장을 방문한 Edgar(B)가 여자 친구인 Sarah(A)에게 유령을 보았다는 얘기를 들려주고 있는 상황이다.

기본대화

A : Oh, Edgar, this house is fantastic!
B : There's a ghost here, you know.
A : Edgar, No kidding! Are you trying to scare me?
B : No. I've been coming here for years.
My family used to stay here when I was a kid.
I saw the ghost myself once.
A : This is not funny, Edgar.
And I don't believe in ghosts.
B : You don't? Well, I do.
A : Where did you see the ghost?
B : The very place we're standing on!
A : I'm very scared. Stop, please, Edgar!

A : 오, 에드거, 이 집 정말 환상적이구나!
B : 알겠지만, 여기에 유령이 있어.
A : 에드거, 농담하지마! 나를 무섭게 하려고 하는거지?
B : 아니야. 난 수년 동안 이곳에 오고 있어.
내가 어렸을 때, 우리 가족은 이곳에 오곤 했었지.
한번은 내가 직접 유령을 봤어.
A : 이 집은 괴상하지 않잖아, 에드거.
그리고 난 유령의 존재를 안 믿어.
B : 그래? 음, 나는 믿어.
A : 어디서 유령을 봤는데?
B : 우리가 지금 서있는 바로 이 자리야.
A : 너무 무서워. 그만 해, 에드거!

놀라움

놀라움의 감탄사

- 저런, 세상에!〔이거 야단났군! / 이런! / 아차!〕
  Oh, my God! / Oh, boy! / Oh, my gosh!
  Oh, my! / Oh, dear!
- 저런, 저런!
  Dear, dear!
- 아, 그럴 수가!(그런 일이 일어나선 안 되는 건데!)
  Oh, no!
- 하느님 맙소사!
  My goodness! / God bless me! / Heavens!
- 이상하군요!
  Strange!
- 아이고, 야단났군!〔설마 진심은 아니겠지?〕
  Good〔Great〕 grief! 1)
- 아이 깜짝이야! / 아이쿠 깜짝이야!
  Gee! / Eek![익] 2)
- 어머〔깜짝이야〕! / 어머나!〔이것 큰일 났군!〕
  Save us! / Good gracious!
- 놀랍군요!
  How surprising! / What a wonder! / That's surprising! / Amazing! / That surprises me!

놀랐을 때

- 아이, 깜짝 놀랐잖아.
  Oh, I'm surprised. / Oh, you made me jump.
  Oh, you surprised me. / Wow! That's awesome!
- 당신은 정말 저를 놀라게 하는군요.
  You're full of surprises.
- 굉장한 사건이군! / 그거 굉장하군요.
  What an adventure! / That's something. 3)
- 그건 푸른〔마른〕 하늘에 날벼락이군요.
  That's a blot out of the blue. 4)

---

1) 놀라움이나 믿어지지 않을 때
2) 누가 등뒤에서 갑자기 자기를 붙잡으면서 놀라게 했을 때의 반응
3) something : ((구어)) 상당한 사람〔것〕)
4) 부하 직원의 갑작스런 사직면담을 하고 난 상사의 말

- 그 일이 일어났을 때 저는 기가 막혔어요.
  I was stunned 〔floored〕 when it happened. 5)
- 아이쿠! 큰일 날 뻔했네. 〈속어〉
  Whoops! That was a close call. 6)
- 믿어지지 않는데요.
  (That's) Incredible! / (That's) Unbelievable!
  I couldn't believe my eyes!
- 도대체 뭐죠? / 그게 제 눈을 번쩍 뜨게 했어요.
  What on earth? / It was an eye-opener. 7)
- 어머나, 당신이 그런 일을 하다니!
  Fancy your doing that!
- 그 소식을 듣고 깜짝 놀랐어요. 〈속어〉
  The news bowled me over. 8)
- 그가 성공한 것은 천만뜻밖이군요.
  His success is really surprising.
- 그건 정말 놀라운 일이었어요. 〈속어〉
  That was really one for the book(s). 9)
- 그건 정말 뜻밖의 낭패였어요.
  It was a real kick in the teeth. 10)
- 조금 놀랐을 뿐이에요.
  It just surprised me a little, that's all.
- 어떻게 그런 일이 일어날 수 있죠?
  How can a thing like that happen?
- 이거 큰일 났군!
  We really are in trouble!
- 저런, 나라면 생각도 못했을 거예요.
  Well, well! I should never have guessed it!
- 그 소식을 듣고 놀랐어요.
  I'm surprised at the news.
- 내가 헛것을 보고 있는 건 아니겠지?
  Am I seeing things?

5) stun : 머리를 때려 (사람을) 기절시키다, (놀람, 기쁨으로) 아연하게 하다, 어리벙벙하게 하다, 대경실색케 하다 / floor : (상대방을) 마루에 쓰러뜨리다, ((구어)) 궁지에 빠뜨리다
6) close call : 위기일발, 아슬아슬한 일 / have a close call〔shave〕 : 구사일생하다, 아슬아슬하게 살아나다
7) 이전에는 몰랐는데 새로운 사실을 깨달았다는 놀라움의 표현, 예를 들면 연극을 하는 자기 친구가 멋진 공연을 펼친 것을 보고 난 후 느낌을 말할 때 / eye-opener : 눈이 휘둥그레질 만한 것〔짓〕, 진상을 밝히는 새 사실
8) bowl sb over : (좋은 · 나쁜 소식 등이) 아무를 깜짝 놀라게 하다, 당황하게 하다
9) one for the book(s) : ((구어)) 주목할 만한 이상한 일, 놀라운〔굉장한〕 일, 기막힌 일
10) a kick in the teeth : (예상 밖의) 심한 처사, 모진 비난; 거부 / kick sb in the teeth : 아무에게 심한 짓을 하다

- 그 사람이 그런 짓을 하다니!
  Fancy his doing a thing like that! 11)
- 왜 그가 그렇게 엄청나게 변했죠?
  What made him change so drastically? 12)
- 그의 말에 충격을 받았어요. / (놀라서) 졸도할 뻔했어요.
  His words shocked me. / I almost keeled over. 13)
- 정말 당황스러웠겠군요! 그래서 어떻게 했어요?
  How embarrassing! So what did you do?

진정시킬 때

- 왜 그렇게 놀라세요?
  What makes you so surprise? / Why are you so surprised?
- 놀라지 마세요.
  Don't alarm yourself. / Don't feel alarmed.
- 놀랄 것까지는 없어요.
  This is hardly a matter for surprise.
- 전혀 놀랄 것 없어요.
  There's no cause for alarm.
- 잠깐 쉬세요.
  You'd better take a rest for a while.
- 잠깐 쉬셔야겠어요.
  You should relax for a while.
- 왜 그렇게 놀란 표정이에요?
  Why do you look so surprised?

두려움

무서울 때

- 무서워요. / 무서워서 죽겠어요.
  I'm scared. / I'm scared to death.
- 그 생각만 하면 무서워요.
  I dread to think of that. / My mind rebels at the thought. 14)
- 그녀는 피를 보고 몸서리쳤어요.
  She shivered at the sight of blood. 15)

---

11) fancy : (현실적으로 있을 수 없는 것을) 상상해 보다(image) → 놀라움을 나타내거나 주의를 촉구하는 감탄사로 쓰인다.
12) 직역 : 무엇이 그를 그렇게 철저하게 바뀌게 했죠?
13) keel over : ((구어)) 졸도하다, 졸도시키다; 넘어뜨리다
14) rebel : 소름끼치다, 몸서리치다; 반역〔모반〕하다
15) shiver : 떨다, 전율하다

- 그건 생각만 해도 소름이 끼쳐요. [16]
  The mere thought of it makes me shudder.
  My hair bristles at the mere thought of it.
  My blood run cold at the mere thought of it.
- 그게 우리가 두려워하고 있는 것입니다.
  That's what we are afraid of.
- 그 소식을 듣고 당황했어요.〈속어〉
  I was balled up to hear that. [17]
  I was at my wits' end at the news. [18]
- 그렇게 하면 내가 무서워할 줄 아세요?
  Do you think I will be afraid if you do that?
- 대단한 담력이군요! / 담력이 좋군요.
  What nerve! / I like your nerve!
- 등골에 땀이 나요.
  I have perspiration on my back.

A: Look at these goose bumps on my arms.
(내 팔에 소름끼치는 것 좀 보세요.)
B: I have goose bumps all over, too. [19]
(저도 온몸에 소름끼쳐요.)

- 그것 때문에 소름이 끼쳤어요.
  That gave me the (cold) creeps. [20]
- 그 유령이 나를 노려봤어요. / 생각만 해도 등골이 오싹해져요.
  The ghost stared at me. / I shudder at the thought of it.
- 너무 놀라서 움직일 수가 없었어요.
  I was too shocked to move.

진정시킬 때

- 무서워하지 마세요.
  Don't be scared. / Never fear!
- 당신 무서워하는 것 같은데, 왜 그러죠?
  You look scared, what's happened?

16) shudder : 떨림, 전율 / bristle : (머리칼 등이) 곤두서다
17) ball up ~ : ~을 혼란케〔당황케〕 하다
18) at one's wit's〔wits'〕 end : 당황한, 난처해하는, 어찌할 바를 몰라
19) give sb goose bumps : 아무에게 소름이 끼치게 하다 / have goose bumps = be goose bumpy : 소름이 끼치다 / goose bumps : 거위나 닭살 같이 피부에 좁쌀 같은 것이 돋아나는 것
20) gave sb the creeps : (공포심이나 혐오감으로) 아무에게 섬뜩한 기분이 들게 하다 / creeps : ((구어)) 섬뜩해지는 느낌, 전율

- 뭐가 무서우세요?
  What are you afraid of?
- 무서워할 것 없어요. 제가 함께 있잖아요.
  There's nothing to be afraid of. I'm with you now.

긴장과 초조

긴장이 될 때

- 긴장이 돼서 다리가 후들후들 떨려요.
  I'm getting nervous. My knees are shaking.
- 다음 주 취업 면접 때문에 긴장이 돼요.
  I'm keyed up about the job interview next week. [21)]
- 굉장히 떨려요〔어쩔 줄 모르겠어요〕.
  I've got butterflies in my stomach. [22)]
- 나는 연설을 할 때면 몹시 긴장이 돼요.
  I'm always nervous whenever I make a speech.
- 어제 밤새 초조하고 불안했어요.〈속어〉
  I spent all last night biting my nails. [23)]
- 그는 시험에 떨어진 이후 매우 초조해 하고 있어요.
  He has been at loose ends ever since he missed the exam. [24)]
- 조금 초조해요.
  I'm a little on edge. [25)]
- 그녀는 안절부절못하고 있어요.〈속어〉
  She's got ants in her pants. [26)]
- 요즘 마음이 뒤숭숭해요.
  My mind wanders these days.
  I have a spring fever these days.

진정시킬 때

- 왜 그렇게 안절부절못하세요?
  Why are you so uptight〔nervous〕?

---

21) key up : 긴장시키다, ~을 북돋우다
22) have butterflies in the stomach : ((속어)) 안달하다, 안절부절못하다
23) bite one's nails : 손톱을 물어뜯다 → 초조하고 불안하다(초조하고 불안할 때 흔히 손톱을 물어뜯는 데서 생긴 표현)
24) at loose ends : ((미)) 어찌할 바를 몰라서; 미결인 채로
25) on edge : 초조한, 불안한
26) have ants in one's pants : ((구어)) 바지 속에 개미가 들어가다 → (무엇을 해야 할지) 안절부절못하다, 좀이 쑤시다

9 기 타

감정 표현 중에 "Now I've heard of everything!(세상 살다 보니 별 소리 다 듣는군요. → 직역 : 나는 이제 모든 것을 다 들었다!)"라는 표현과 "Now I've seen everything!(세상 살다 보니 별일을 다 보는군요. → 직역 : 나는 이제 모든 것을 다 보았다!)" 등의 재미나는 표현도 기억해 두자.

아쉬움

- 그 사람이 실패하다니 정말 안됐군요.
  It is a great pity that he had failed.
- 당신에게 그걸 보여주고 싶었는데요. (그렇지 못해서 아쉽군요.)
  You should have been there to see it. [1)]
- 그건 피할 수도 있었는데.
  That could be avoided.
- 영어공부를 좀 열심히 했더라면 좋았을 텐데.
  I wish I had studied English harder.

후 회

- 영어공부를 더 열심히 하지 않았던 걸 후회하고 있어요. 〈속어〉
  I'm kicking myself for not studying English harder. [2)]
- 그렇게 젊었을 때 결혼을 하지 말았어야 하는 건데.
  I guess I shouldn't have gotten married so young. [3)]
- 그에게 사과를 했어야 하는 건데.
  I would have apologized to him. [4)]
- 일을 저질러 놓고 보니 후회가 막심해요.
  I feel awfully sorry for what I have done.
- 언젠가는 후회할 겁니다.
  Someday you'll be sorry.

기 타

- 세상에 별일을 다 보는군요.
  Never in my life have I seen anything like that! Of all things!

---

1) 직역 : 당신은 그걸 보기 위해서 거기에 있었어야 했는데.
2) kick oneself : 자신을 발길로 차다 → 후회하다
3) 실제로는 "I got married too young.(나는 너무 젊었을 때 결혼을 했다.)"라는 의미
4) 실제로는 "I didn't apologize to him.(나는 그에게 사과를 하지 않았다.)"라는 의미

- 그는 나한테 항상 그런 태도를 취해 왔어요.
  He has always had this attitude towards me.
- 그것 참 통쾌하군요.
  How delightful and gratifying!
- 쉬-이!〈새 등을 쫓을 때〉
  Shoo![슈우]
- 쉬-잇!〈아기가 깨지 않도록 주의를 시킬 때〉
  Shh![쉬-]
- 시시해! / 우우--!〈야유〉
  Blah![블라] / Boo![부-]
- 아차!
  Uh-oh![어-오우] [5)]
- 어험[에헴]!
  Ahem![음 / 어험] [6)]
- 요즘에는 생각할〔신경 쓰이는〕 게 많습니다.
  I have a lot of things on my mind.
- 이건 아무것도 아니에요〔이건 약과예요〕.
  You haven't seen anything yet.
- 이것 참 재미있군요!
  What a game!
- 이게 바로 야구라는 거야. 끝내 주는군!
  This is what I call baseball, period! [7)]
- 착잡합니다.
  I have a lot of mixed emotions.
- 휴- !〈안도의 한숨〉
  Whew![휴우] [8)]
- 흥!〈가소로울 때〉
  Bah![빠-] [9)]
- 흥!〔무슨 소리야?〕
  Pooh![푸-] [10)]

---

5) 뭔가를 깜박 잊고 안 가져 왔을 경우
6) A라는 사람이 B에게 C의 흉을 보고 있는데, 때마침 C가 들어오자, B가 A에게 주의를 환기시키고자 할 때
7) period! : ((美 구어)) (끝내 주는군!, 더 이상 말이 필요 없어!(이미 결심을 했거나, 어떤 화제에 대해서 더 이상 말하고 싶지 않을 때) 예 I'm not going, period!(나는 안 갈거야, 더 이상 얘기하고 싶지 않아!)
8) whew : ((의성어)) 아휴!(놀람 · 실망 · 당황 · 안도 · 기쁨 등)
9) 가소로움이나 경멸의 표시
10) 부하가 오늘까지 끝내기로 되어 있는 일을 끝내기가 어렵다고 말할 때, 상사가 "Pooh!" 라고 할 수 있다. / pooh : ((의성어)) 체!, 제기랄!(초조 · 조롱 · 경멸을 나타내는 소리)

명언 한 마디

An expert is one who knows more and more about less and less.

전문가란 더욱 작은 것에 관해서 더욱 많이 아는 사람이다.

- Nicholas Murray Butler(1862-1947) : 컬럼비아 대학 총장 -

E N G L I S H C O N V E R S A T I O N D I C T I O N A R Y

CHAPTER 3

관 광

- 관광정보 문의
- 관광 안내소에서
- 관광버스를 이용할 때
- 유람선을 이용할 때
- 렌트카를 이용할 때
- 관광지를 구경하면서
- 사진을 촬영할 때
- 영화 · 연극을 관람할 때
- 스포츠를 관전할 때

Ⅰ 관광정보 문의

관광 정보를 얻기 위해서는 기본적으로 호텔에서 문의를 하거나 관광 안내소에 가서 물어보면 되겠지만, 여기서는 외국인 친구에게 가볼 만한 곳, 관광할 만한 곳을 물어볼 경우, 또한 우리나라에 여행을 온 외국인 친구에게 관광 장소를 추천해 줄 경우의 표현들을 제시하였다.

기 본 대 화

A : What do you want to see here in Los Angeles?
B : I don't know. I need some information.
A : You should go to the Getty Museum.
You can see a collection of L.A.'s finest art. [1)]
B : What else is there to do?

A : 여기 로스앤젤레스에서 뭘 구경하고 싶으세요?
B : 모르겠어요. 정보가 좀 필요한데요.
A : 게티 박물관을 가보세요. 로스앤젤레스의 가장 멋진 미술작품 전시회를 구경할 수 있어요.
B : 그밖에 구경할 곳은 없는가요?

관광할 만한 장소

- 당신이 알고 있는 재미있는 곳을 추천해 주시겠어요?
  Would you please recommend some interesting places you know?
- 뉴욕에 3일간 머무를 예정입니다. 어떤 관광이 좋습니까?
  I have three days in New York. What do you suggest I do?
- 여기에서 가장 값싸게 여행할 수 있는 방법이 무엇입니까?
  What's the cheapest way of traveling here?
- 거기에는 볼 데가 아주 많아요.
  There are so many places to see there.
- 거기에는 높은 곳에 전망대가 있어요.
  They have a lookout up there. [2)]
- 그곳은 뭐가 그렇게 좋은가요?

1) collection : 수집; 수집물; 신작품(전시회)
2) lookout : 망대, 망루

What's so good about it?

- 시애틀에는 관광할 만한 게 뭐가 있습니까?
  What's there to do in Seattle?
- 그곳을 빨리 구경하고 싶군요.
  I can hardly wait to see it.
- 그곳은 한번쯤 가볼 만한 곳이에요.
  The place is worth a visit.
- 뉴욕 말고, 또 어느 곳이 가볼 만합니까?
  Besides New York, what else would you like me to see?
- 그곳은 아주 현대식 휴양지예요.
  It's a very modern resort.
- 당신 나라에서 가장 흥미 있는 도시가 어디입니까?
  Where's the most interesting city in your country?
- 언젠가 그곳에 가고 싶어요.
  I'd love to go there sometime.
- 어떻게 하면 그 지역을 가장 잘 구경할 수 있죠?
  What is the best way to see that district?

놀 만한 장소

A: What is there to do at night?
B : If you like drinking and dancing, there are some good clubs.

A : 밤에 놀 장소로 뭐가 있습니까?
B : 술마시고 춤추고 싶으시면, 좋은 클럽들이 몇 개 있어요.

안내하다

- 안내를 해 주시겠습니까〔안내자 역할을 해 주시겠어요〕?
  Would you please act as my guide?
- 제가 안내해 드리겠습니다.
  I'll show you around.

관광 소감

A: Have you seen much of Seoul?
B : Yes, I have.
A: Did you go to the Namdaemun Market, too?

B : Yes, I did. There were lots of interesting things to see.

A : 서울 구경 많이 하셨습니까?
B : 네.
A : 남대문 시장에도 가셨습니까?
B : 물론이죠. 흥미로운 볼거리가 많더군요.

- 벌써 서울탑을 구경하셨습니까?
  Have you done the Seoul Tower yet? [3)]
- 그밖에 뭘 구경하셨습니까?
  What else did you see?
- 지금까지 구경 많이 하셨나요?
  Have you seen a lot so far?
- 한국에서 가장 인상적인 게 뭐였죠?
  What impressed you the most about Korea?
- 어디를 구경하셨습니까?
  What sort of places have you seen?
- 경주 지역은 꼭 가보세요〔경주 지역은 놓치지 마세요〕.
  Don't miss the Kyongju area.

3) do : ((구어)) ~을 구경하다, 참관하다

2 관광 안내소에서

해외 여행을 할 때 단체관광을 하는 경우에는 관광안내소에 갈 필요가 없겠지만, 개인적으로 관광을 할 때는 현지 여행사의 관광 프로그램에 참여하는 것이 좋다. 이럴 경우에는 관광안내소에 가서 문의를 해야 한다. 관광안내소의 위치를 물을 때는 "Where is the tourist information?(관광안내소가 어디에 있습니까?)"라고 말하고, 안내소에서 안내책자를 달라고 할 때는 "Can I have a sightseer's pamphlet?(관광 안내책자를 하나 주시겠습니까?)"라고 말한다.

기 본 대 화

A : Good morning. May I help you?
B : Yes, I'd like to see some city sights.
What does the city tour include?
A : It's a guided bus tour of the city. They'll
take you by all the major points of interest.
You can get a good idea of where everything is.
B : How much is it?
A : It's $20 per person for a two hour-long tour.

A : 안녕하세요. 뭘 도와 드릴까요?
B : 네. 시내 관광을 하고 싶은데.
이 도시 관광에는 어떤 것들이 있습니까?
A : 시내 관광 안내버스가 있어요.
관광사에서 흥미가 있는 거의 모든 장소 옆으로 태워다
줄 겁니다. 뭐가 어디에 있는지를 다 알 수 있을 거예요.
B : 비용이 얼마나 됩니까?
A : 2시간 관광에 1인당 20달러입니다.

관광 안내 책자를 얻을 때

- 관광 안내책자 한 권 주시겠어요?
Can I have a sightseer's pamphlet?
- 관광 안내책자 한 권 주세요.
Please give me a sightseer's pamphlet.

관광 명소를 물을 때

• 이 도시의 주요 관광 명소가 어디입니까?
What are the major tourist attractions in this city?

• 이 도시의 구경거리를 추천해 주시겠어요?
Would you suggest some interesting places to visit in this city?

• 뉴욕에서는 무엇이 볼만합니까?
What would you recommend me to see in New York?

• 시내를 한눈에 볼 수 있는 곳이 있습니까?
Is there any place where I can enjoy a view of the whole city?

개점 및 폐점 시간

A: What time is the Getty Museum open?
B : I think it's open at nine o'clock.

A : 게티 박물관은 몇 시에 문을 엽니까?
B : 9시에 열 겁니다.

• 그곳은 몇 시에 문을 닫습니까?
What time is it closed?

A: What day of the week is it closed?(무슨 요일에 닫습니까 ?)
B : I think it's closed on Monday. (월요일에 닫을 겁니다.)

• 그곳은 요즘 개관을 하고 있습니까?
Is it open this season?

기 타

• 나이아가라 폭포도 포함된 관광입니까?
Is that the tour that includes the Niagara Falls?

활용어휘

- 경치가 좋은 곳 : scenic spots
- 기념관 : memorial
- 동물원 : zoo
- 미술관 : art museum
- 사적지 : historic places
- 시 지도 : city map
- 유원지 : recreation ground
- 전시장 : exhibition
- 특별 행사 : special event
- 축제 : festival
- 배낭 여행 : backpacking
- 인기거리 : attractions
- 궁전 : palace
- 관광 지도 : sightseeing map
- 명소 : famous〔attraction〕 spots
- 박람회 : fair / exposition
- 성 : castle
- 온천 : hot spring
- 유적지 : ruins
- 화랑(畵廊) : art gallery
- 공원 : park
- 여행자용 지도 : tourist's map
- 전망대 : observation tower
- 관광을 주선하다 : arrange tour
- 여행사 : travel agency
- ~에서 출발하여 ~로 돌아오다 : depart from and return to ~
- 기본적인 배경지식 : basic background
- 구경할 만한 곳 : interesting places〔spots〕
- 교외의 구경거리 : some interesting places in the suburbs

Tranquility Island in downtown Kerrville

3 관광버스를 이용할 때

버스를 이용하여 관광을 할 때는 먼저 호텔 등에서 예약을 하면 관광버스가 호텔까지 오는 경우도 있고, 호텔에서 자체적으로 관광 프로그램을 운용하는 경우도 있다. 호텔에서 관광예약을 할 때는 "I'd like to join a tour to see Disneyland. Do you have any sightseeing buses?(디즈니랜드 관광에 참여하고 싶은데. 관광 버스가 있습니까?)" 또는 "Can I make a reservation here?(여기서 예약할 수 있습니까?)"라고 말한다.

A : Do you have a sightseeing bus of the city?
B : Yes, we have. We show most of the famous spots of this city.
A : What time and where does it leave?
B : We'll pick you up at the hotel at 9:00 in the morning.
A : How long does it take?
B : It'll take about seven hours.
A : What's the rate per person?
B : It's eighty dollars including lunch.

A : 시내 관광버스가 있습니까?
B : 네. 있습니다. 이 도시의 대부분의 명소를 안내합니다.
A : 몇 시에 어디서 출발합니까?
B : 아침 9시에 호텔에서 태워 드릴 겁니다.
A : 시간은 얼마나 걸립니까?
B : 7시간 정도 걸립니다.
A : 개인당 비용은 얼마입니까?
B : 점심 식사비를 포함해서 80달러입니다.

정보 문의

- 여기서 관광예약을 할 수 있습니까? / 오늘 관광하실 겁니까?
  Can I book a tour here? [1] / Are you taking a tour today?
- 디즈니랜드를 돌아보는 관광이 있습니까?
  Do you have any tours to Disneyland?

1) book : (호텔 · 식당 · 극장 등을) 예약하다; (차표 · 비행기표 등을) 사다 I've booked a table for two at Hartel House tonight.(오늘밤 하르텔 하우스에 2인용 식탁을 예약해 두었다.)

- 다음 관광은 몇 시에 출발합니까?
  What time does the next tour leave?
- 언제 돌아옵니까?
  What time are we coming back? / What time does it get back? [2)]
- 관광은 매일 있습니까?
  Do you have the tour everyday?

A: Do you have a guide?
B : Yes, we have an English speaking guide.

A : 가이드가 있습니까?
B : 네, 영어를 쓰는 안내원이 있습니다.

- 야간 관광이 있습니까? / 요금이 얼마입니까?
  Do you have a night tour? / What does it cost?

활용 어휘

- 오전 관광 : morning tour
- 반나절〔하루〕관광 : half〔full〕day tour
- 당일 여행 : day trip
- 오후 관광 : afternoon tour
- 단체 관광 : package tour
- 1박 여행 : overnight trip

RV(recreational vehicle) : 레저카〔휴양용 승용차〕

가족 단위의 여행이나 캠핑을 할 때 이용하는 레저카로, 차내에 식사 설비가 되어 있고 잠을 잘 수 있도록 되어 있다. 트레일러나 자동차가 있는 차(camper) 또는 모래언덕이나 백사장을 달릴 수 있도록 설계된 소형 자동차(dune buggy), 트레일러(trailer) 등이 있다.

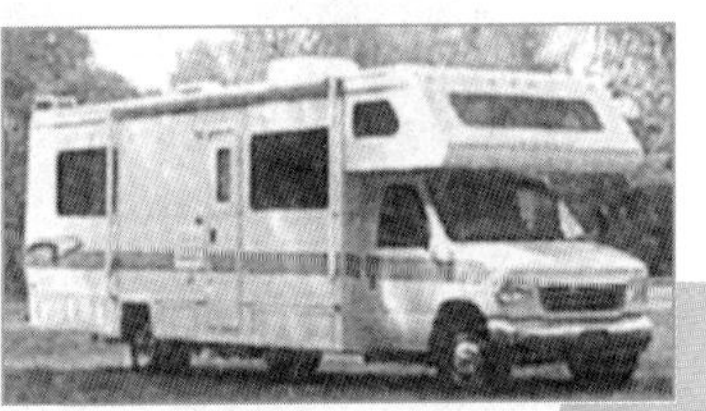

기 타

- 지금부터 1시간 동안 자유시간을 가지십시오.
  Now you can have an hour of free time.
- 3시 10분까지는 돌아 오셔야 합니다.
  You have to come back by ten after three.
- 덕분에 관광이 즐거웠습니다.〈여행 후 운전기사에게〉
  I enjoyed the tour. Thank you.
- 한국에 계시는 동안 즐거우셨기를 바랍니다.

2) 여기서 it는 관광 버스 등 교통수단을 가리킨다.

I hope you enjoyed your stay in Korea.

- 한국에 또 오시게 되면 저한테 연락 주세요.
  Please contact me when you come to Korea again.
- 한국에 오신 지는 얼마나 됩니까?
  How long have you been in Korea?

4 유람선을 이용할 때

미국에서 유람선 여행(cruise tour)으로 빼놓을 수 없는 곳이 미시건 호(Michigan Lake)와 맨해튼 섬(Manhattan Island)을 일주하는 여행일 것이다. 미시건 호에서 바라보는 시카고시의 스카이라인(skyline)과 허드슨강 어귀에서 출발하여 맨해튼 섬을 일주하는 여행은 새로운 맛을 느낄 수 있을 것이다. 유람선(sightseeing boat)을 탈 때는 안전을 위해서 반드시 구명 조끼(life jacket)를 착용하여야 한다.

기본대화

A : I'd like to have a deck chair.
How much is the fare to Copenhagen?
B : Forty dollars and twenty cents.
A : What time do we board?
B : At 10:30.

A : 갑판 좌석 하나 사려고 하는데, 코펜하겐까지 얼마입니까?
B : 40달러 20센트입니다.
A : 언제 승선을 합니까?
B : 10시 30분입니다.

표를 살 때

- 그 섬으로 가는 배편이 있습니까?
  Is there steamer service to the island?
- 어디에서 유람선을 탈 수 있습니까?
  Where can I get on the sightseeing boat?
- 몇 시에 출항합니까?
  What time does it sail?
- 코펜하겐행 배를 어디서 타죠?
  Where can I board the ship to Copenhagen?
- 시드니는 어떻습니까(어떤 도시입니까)?
  What's Sydney like?
- 그곳에는 멋진 항구와 아름다운 해변들이 있어요.
  It has a great harbor and beautiful beaches.

기 타

- 저는 배를 탈 때마다 기분이 안 좋아요.
  I get sick riding on a ship.
- 저는 배를 타면 토해요.
  I throw up riding on a ship. [1]
- 배멀미가 날까 봐 걱정이에요.
  I'm afraid of getting seasick. [2]
- 저는 배멀미를 안해요. / 저는 배멀미를 해요.
  I'm a good sailor. / I'm a bad〔poor〕sailor.
- 저는 배를 탈 때마다, 기분이 안 좋아요〔멀미를 해요〕.
  Every time I get on a boat, I get sick.

활용어휘

- 1등 선실 : saloon cabin
- 구명대 : life buoy
- 흘수선(吃水線) : draft marks [3]
- 닻 : anchor
- 이물〔뱃머리〕 : bow / prow / stem
- 부두 : quay
- 선원 : steward / sailor
- 승무원 : crew
- 여객선 : passenger boat
- 정기 여객선 : ocean liner
- 조타실 : pilothouse
- 항구 : seaport / harbor
- 구내(배) : yard
- 구명 보트 : life boat
- 노 : oar(노걸이 : oarlock)
- 돛대 : mast / stick
- 고물〔배의 꼬리부분〕 : stern
- 사무장 : purser
- 선장 : captain
- 승선권 : passage ticket
- 의무실 : infirmary
- 조타수 : quartermaster
- 페리〔연락선〕 : ferry
- 해안〔해변〕 : seacoast / beach

1) throw up : 토하다(vomit)
2) get seasick : 배멀미를 하다 / ((참고)) get carsick〔airsick〕 : 차〔비행기〕멀미를 하다
3) (잔잔한 물에 떠 있는 배의) 선체가 잠기는 한계선

5 렌터카를 이용할 때

미국은 렌터카(rent-a-car) 제도가 아주 잘 되어 있기 때문에 어느 곳에서나 쉽게 자동차를 빌릴 수 있다. 자동차를 임대할 때는 여권, 국제 운전면허증, 크레디트 카드 및 현금이 필요하다. 보험(insurance) 관계를 확인한 후 사고 발생에 대비하여 가능한 한 보험에 드는 것이 좋다. 차를 빌릴 때는 "I'd like to rent a car.(차를 한 대 빌리고 싶습니다.)"라고 말하고, 임대에 관한 자세한 사항은 임대계약서(rental agreement)에 기입한다. 임대 계약을 완료한 후에는 계약서 사본과 열쇠(key)를 받고, 승차 전에 차의 이상 유무를 담당자 입회하에 치밀하게 점검한다. 차를 반납할 때는 계약서에 명시된 반환 장소의 사무실내 "Car Return" 표지가 있는 곳에서 필요한 절차를 밟으면 된다.

기 본 대 화

A : Good morning. I'd like to rent a car, please.
B : Yes, sir. For how long?
A : For five days.
B : All right. Where do you want to leave the car?
A : Could I leave it at the office downtown?
B : Sure. You can leave it at any of our offices.
What kind of car do you want?
A : May I have your brochure? 1)
B : Here you are.
A : (Pause) I'll take this one.
B : OK. May I see your driver's license?
A : Here is my international driver's license.
B : Fine. Now, do you want C.D.W. and〔or〕 P.A.I.? 2)
A : Yes, I'll take both of them.
B : OK. How do you want to pay?
A : Master Card, please.

A : 안녕하세요, 차를 한 대 빌리고 싶은데요.
B : 네. 기간은요?
A : 5일간입니다.

1) brochure : 소책자, (업무 안내 등의) 팸플릿

2) C.D.W.〔Collision Damage Waiver〕 : 차량 충돌 손해보상(충돌 사고나 도난으로 인한 차량의 손해에 대해서는 원칙적으로 차량 임대자가 부담을 하는데, 추가 비용을 지불하여 이 보험에 들게 되면 렌터카 회사에서 이를 부담해 주는 보험제도, 만일 사고로 인하여 사람을 다치게 했을 때는 운전자가 모든 책임을 짐) / P.A.I〔Personal Accident Insurance〕 : 탑승자 상해 보험(운전자를 포함한 탑승자 전원의 인적 피해에 대해 보상을 해주는 보험)

B : 좋습니다. 차를 어디에 놔두시겠습니까?
A : 시내 사무실에 놔도 될까요?
B : 물론이죠. 저희들 사무실이 있는 곳이면 어디에다 놓으셔도 됩니다. 어떤 차종을 원하십니까?
A : 팸플릿 좀 보여 주시겠어요?
B : 여기 있습니다.
A : (잠시 후) 이걸로 하겠습니다.
B : 면허증을 보여 주시겠습니까?
A : 제 국제 운전면허증입니다.
B : 좋습니다. 그럼 C.D.W.와 P.A.I.를 원하십니까?
A : 네, 둘 다 들겠습니다.
B : 좋습니다. 비용은 어떻게 지불하시겠습니까?
A : 마스터 카드로 하겠습니다.

원하는 차종

A: What kind of car do you want? (어떤 차종을 원하십니까?)
B : I want a compact 〔economy〕 (car). (소형차를 원합니다.)

- 어떤 크기를 원하십니까?
  Which size car would you like?
- 트렁크는 얼마나 큽니까?
  How big is the trunk?

활용어휘

- 대형차 : a full size〔large〕 car
- 오토매틱 : an automatic
- 가장 큰 차 : the biggest vehicle
- 연료가 적게 드는 차 : a gas saving car
- 비용이 적게 드는 차 : an economy car
- 에어컨이 장착된 차 : a car with an air conditioner
- 투 도어 카 : a two-door car
- 수동 : a stick
- 고급 승용차(6인승) : a luxury car
- 4륜 구동(5인승) : 4 wheel drive
- 중형차 : midsize〔intermediate〕 car

사용 기간

A: How long would you like to use it?
B : I'd like to rent it for three days.
A : 얼마 동안이나 사용하시겠습니까?
B : 3일간 빌리고 싶습니다.

보험 선택

A: How about the insurance? (보험은 어떻게 하시겠습니까?)
B : Full insurance, please. (종합보험으로 하겠습니다.)

- 보험을 들고 싶습니다.
  I'd like to buy a insurance. / I want to get insurance.
- 차의 보험금은 얼마나 됩니까?
  How much is the car insured for?
- 보험금으로 1달러의 보증금을 미리 내 주셔야겠습니다.
  We'd appreciate your initial deposit of one dollar for the insurance. 3)

임대 요금

A: What's the charge per day?
B : 25 dollars a day plus the mileage.

A : 하루에 얼마입니까?
B : 25달러에 주행거리 요금이 가산됩니다.

- 마일당 요금이 얼마입니까? / 연료비용이 포함된 것인가요?
  What's the cost per mile? / Is the gas included?
- 요금은 차를 반환하신 후 내시면 됩니다.
  You can pay when you check in. 4)

반납 장소

A: Where can I leave the car?(차는 어디에서 반납할 수 있죠?)
B : You can leave it at the airport.(공항에서 반납하시면 됩니다.)

- 목적지에서 차를 반납할 수 있습니까?
  May I drop the car off at my destination?
- 차를 아무 데서나 반납할 수 있습니까?
  Can I return the car anywhere?

기 타

- 제 차가 시동이 안 걸립니다. / 제 차의 상태가 안 좋습니다.

3) deposit : (복수형으로) 적립금, (호텔 · 차량 · 집 등의) 보증금; 기탁물; 예금(액)
4) check in : (책 · 화물 등을) 반환하다; (호텔에) 투숙하다, (공항에서) 탑승수속을 하다

The car won't start. / My car is in bad condition.
문제가 발생하면 전화를 드릴 수 있는 곳을 알려 주시겠습니까?
Would you tell me a place to call in case of trouble?

6 관광지를 구경하면서

단체 관광을 하는 경우에는 크게 신경 쓸 필요가 없겠지만, 개인 관광을 할 경우에는 관광지내의 위락시설 이용에 관한 영어표현이 요구된다. 또한 외국인 친구와 함께 관광을 할 때 관광 시설에 대해 물어보거나, 멋진 경치를 보고 감탄하는 표현들이 긴요하다. 그러나 이런 상황에서 막상 적절한 표현이 생각나지 않는 경우가 있다. 이 절에서는 관광지에서 사용할 수 있는 기본적인 표현들을 제시하고 있다.

기 본 대 화

A : How much is the admission fee?
B : It's $3 for an adult and two dollars for a child.
A : Two adults and three children, please.
B : Here you are. Have a nice day.

A : 입장료가 얼마입니까?
B : 어른은 3달러, 어린이는 2달러입니다.
A : 어른 표 2장과, 어린이표 3장 주세요.
B : 여기 있습니다. 즐겁게 보내세요.

시설 이용권을 살 때

- 박물관 입장료가 얼마입니까?
  What's the admission fee to the museum? [1)]
- 열차 승차권을 어디서 살 수 있습니까?
  Where can I buy a ticket to ride the train?
- 다음 열차 승차권을 4장 주세요.
  I'd like to buy four tickets for the next train.

※ 표 구입 관련 추가 표현 : 매표소에서(p. 209, 216, 222, 233)

궁금한 것을 물을 때

- 저기에 있는 빌딩이 무슨 건물이죠?
  What's that building over there?
- 이게〔저게〕 뭐죠?

1) ((참고)) 요금에 관한 어휘 ☞ fee : 입장료, 수업료 admission fee : 입장료, tuition fee : 수업료 / charge : 부과금 penalty charge〔fine〕: 벌금, late charge : 연체료) / fare : 주로 '요금' bus fare : 버스 요금 / rate : 일정한 비율로 매겨지는 요금 exchange rate : 환율, airmail rate : 항공우편 요금

What is this〔that〕?

• 저게 뭔지 아세요?

Do you know what that is?

※ 질문에 관한 추가 표현 : 질문과 답변(p. 75) / 질문(p. 745)

멋진 경관을 봤을 때

• 정말 아름다운 경치이군요!

What a beautiful sight! / What a great view!

• 전망이 기가 막히군요!

What a fantastic view!

• 경치가 말로 표현할 수 없을 만큼 아름답군요.

The scenery is beautiful beyond expression.

• 그것은 한국의 특색을 잘 나타내고 있어요.

It is so characteristic of Korea. [2]

• 한국에서 가을 단풍은 10월초에 절정을 이룹니다.

The fall foliage peaks in early October in Korea.

• 별천지에 온 것 같은 기분이에요.

I feel as if I were in a different world.

• 온 산이 단풍으로 타는 듯하군요.

The whole mountain is ablaze with autumn colors.

활용 어휘

• 식물원 : botanical garden
• 탑 : tower
• 동상 : statue
• 휴지통 : trash can
• 마차 : buggy
• 폭포 : waterfall
• 화산 : volcano
• 빙하 : glacier
• 평원 : plateau
• 전쟁 기념관 : war memorial museum
• 산 : mountain
• 강 : river
• 유원지〔휴양지〕 : resort
• 급류 타기 : rafting
• 계곡 : valley
• 언덕 : hill
• 수족관 : aquarium
• 풍차 : windmill
• 잔디 : lawn
• 동굴 : cave
• 등대 : lighthouse
• 호수 : lake
• 숲 : forest
• 고원 : highland
• 전망대 : observation tower
• 박물관 : museum
• 역사적 건물 : historic building
• 해안선 : coastline
• 광장 : square
• 사막 : desert
• 멋진 경관 : great views

2) be characteristic of ~ : ~의 특성을 나타내고 있는

7 사진을 촬영할 때

외국인에게 사진(photo)을 찍어 달라고 할 때는 "Excuse me. Would you please take my〔our〕 picture?(제〔우리〕 사진 좀 찍어 주시겠습니까?)"라고 말하고, 외국인과 같이 사진을 찍고 싶을 때는 "Would you pose with me?(저와 함께 사진을 찍으실까요?)"라고 말한다.

기 본 대 화

A : Excuse me. Would you please take a picture for us?
B : Sure. Where would you like to stand?
A : We' ll stand in front of the statue over there.
You can just push this button.
B : All right. (pause) Smile. [1] Good. (click!)
A : Thank you very much.

A : 실례합니다. 저희들 사진 좀 찍어 주시겠어요?
B : 그러죠. 어디에 서시겠습니까?
A : 저기 동상 앞에 서 있겠습니다.
이 셔터만 누르시면 됩니다.
B : 알겠습니다. (잠시 후) 웃으세요. 좋습니다. (찰칵!)
A : 감사합니다.

사진을 찍을 때

- 비디오 좀 찍어 주시겠습니까?
Could you videotape me〔us〕, please?
- 빨간 불이 보이면, 준비가 된 겁니다.
When you see the red light, it's ready.
- 사진을 찍는 동안 가만히 계세요.
Please keep still while I take the photograph.
- 이건 자동 카메라이기 때문에 셔터만 누르시면 됩니다.
This is an autofocus programmed camera. You just press the shutter.
- 저는 비디오카메라를 다룰 줄 모릅니다.

1) 우리말에 "김치 하세요!"라는 영어 표현은 "Say cheese.(치즈 하세요.)"라고 한다.

I don't know how to handle a video camera.

- 저는 카메라를 잘 다루지 못해요.
  I'm not familiar with cameras.
- 정면을 바라보고 움직이지 마세요.
  Look forward and stand still.
- 조준을 해서 이 빨간 색 버튼만 누르면 되요.
  All you have to do is point and push this red button.
- 초점만 맞추고 셔터를 누르기만 하면 되요.
  You just focus and shoot.
- 카메라를 보세요.
  Look at the camera, please.
- 카메라를 조준하고 이 단추를 누르면 됩니다.
  You just aim and press this button.
- 그거〔카메라〕는 자동으로 감깁니다.
  It winds automatically.
- 제가 잘못 찍은 것은 아닌지 모르겠네요.
  I hope I didn't botch it. [2)]

카메라 조작

A: That lens won't fit on your camera.
B : Do you have any other lens?
A: This one here will do.
B : Could you put it on for me?

A : 그 렌즈는 당신 카메라에는 안 맞을 거예요.
B : 다른 렌즈 없으세요?
A : 이게 맞을 거예요.
B : 좀 끼워 주시겠어요?

사진을 찍어줄 때

- 사진 한 장 찍어 드릴까요?
  May I take a picture〔photograph〕 for you?
- 포즈 좀 취해 주시겠습니까?
  Would you please pose for me?
- 당신 사진을 찍어도 되겠습니까?

2) botch : ~을 실패하다; 서투른 솜씨〔일〕

May I take a picture of you?

- 저와 함께 서서 사진 한 장 찍으시겠어요?
  Would you stand with me to have a picture taken?

함께 찍을 때

- 사진 한 장 찍으시죠.
  How about taking a picture? / Let's take a picture.
- 저와 사진 한 장 찍으시겠어요?
  Would you like to have a picture taken with me?
- 저와 함께 찍어요〔포즈를 취하세요〕.
  Please pose with me.
- 당신 아이들과 함께 사진을 찍어도 될까요?
  May I take a picture with your children?
- 괜찮으시다면, 우리와 함께 사진을 찍었으면 하는데요.
  I want you to join us, if you don't mind.
- 단체로 사진을 찍읍시다!
  Let's have a photo taken all in a group! [3)]
  Let's take a group photo!

사진을 현상할 때

A: I want this picture enlarged.
B : O.K. What size would you like?
A: Eight by eleven, please.
B : All right. How many copies do you need?

A : 이 사진을 확대하고 싶은데요.
B : 알겠습니다. 어떤 크기로 해 드릴까요?
A : 가로 8인치, 세로 11인치로 해주세요.
B : 알겠습니다. 몇 장이나 필요하세요?

- 언제 사진을 찾을 수 있습니까?
  When can I pick them up?
- 이 사진을 확대하고 싶어요.
  I want an enlargement of this picture.
- 사진을 확대하려면 얼마나 걸립니까?
  How long does it take to enlarge the picture?

3) in a group : 단체로

- 24판짜리 필름 한 통 현상하는 데 얼마죠?
  How much is it to develop a roll of 24?
- 몇 장씩 현상해 드릴까요?
  How many copies per shot?
- 이 필름을 현상하고 싶습니다.
  I'd like to have 〔get〕 this film developed.
- 원판은 반드시 보관해 두세요.
  Be sure to keep the negative. [4)]
- 이 사진을 두 장 더 인화합시다.
  Let's have two more copies of this picture made.
- 인화해 주세요. / 기본 사이즈로 한 장씩 뽑아 주세요.
  Print, please. / Regular size one of each.

필름을 살 때

A: I need a roll of 35mm film, please.
B : What brand would you like?
A: Kodak 100, 24-exposure, please.

A : 35밀리 필름 한 통 주세요.
B : 어떤 제품을 드릴까요?
A : 코닥 100, 24판짜리 노출형으로 주세요.

- 필름 좀 사야겠어요.
  I need to buy some film.
- 필름이 몇 장 남았습니까?
  How many exposures are left?
  How many exposures do we have remaining?
  How many shots do we have left?
- 이제 필름이 3장밖에 안 남았어요.
  There are only three more exposures left on the roll.
- 필름을 몇 통 찍었습니까?
  How many rolls of film did we take?
- 필름이 몇 장짜리입니까?
  How many exposures does the roll of film have?

사진 평가

- 이것들이 제 결혼 사진입니다.

4) negative : 부정의, 부정적인; (사진의) 원판, 음화(陰畵)

These are my wedding photos.

- 모두 다 잘 나왔으면 좋겠어요. / 이 사진 언제 찍었어요?
  I hope they all come out. / When was this picture taken?
- 제 사진들을 보시겠어요?
  Do you want to see my photos?
- 데이비드 존슨이 어느 분이죠?
  Which one is David Johnson?
- 그는 오른쪽 앞줄에 서 있어요.
  He's standing in front of row on the right.

A: What are you looking at?
B : This is my ID picture〔passport photo〕, I don't like it.
I don't photograph very well.
A: Let me see. Yeah, this picture doesn't do you justice.
You look much better in real life.

A : 뭘 보고 계세요?
B : 제 신분증 사진〔여권 사진〕인데, 마음에 안 들어요.
저는 사진이 잘 안나오거든요.
A : 어디 좀 봐요. 그렇군요. 이 사진은 실물보다 못하군요.
당신은 실물이 훨씬 더 나아요.

사진이 잘 나왔을 때

- 당신은 사진 발을 잘 받는군요.
  You have a very photogenic face.
  You're very photogenic.
  You photograph very well.
- 이 사진에는 당신이 잘 나왔군요.
  You came out beautiful in this picture.
- 당신은 사진보다는 실물이 더 나아요.
  You look better than your picture.
- 사진이 아주 잘 나왔어요.
  The pictures came out very well.
- 이 사진은 당신 실물보다 더 잘나왔군요.
  This photo〔picture〕 flatters you. [5)]

5) flatter : (사진, 초상화 등이 사람을) 실물 이상으로 좋게 나타내다; 아첨하다

사진이 잘 안 나왔을 때

- 사진 몇 장이 잘 안 나왔는데요.
  Some of them didn't turn out very well.
- 이 사진들은 좀 흐리고 어두워요.
  These photos are a bit fuzzy and dark.
- 사진보다는 실물이 낫군요.
  Your picture doesn't do you justice. [6)]
- 저는 사진이 잘 안 나와요.
  I don't photograph very well.
- 그 사진은 당신 같지 않군요.
  The picture doesn't look like you.
- 사진들 중에서 2장이 안 나왔어요.
  Two of the shots didn't come out.

A: Shoot! I bombed again.
B : What's wrong with your pictures?
A: These two important pictures are blurred.
B : Yeah. Your camera was out of focus.
A: I think this one is under exposed.

A : 이런! 또 실패로군.
B : 사진이 뭐가 잘못됐어요?
A : 이 중요한 사진 두 장이 흐리게 나왔어요.
B : 그래요. 카메라의 초점이 맞지 않았군요.
A : 이 사진은 노출이 부족한 것 같아요.

- 셔터를 누를 때 흔들렸군요.
  You shook it when pressing the shutter.
- 이 필름은 빛이 들어갔어요.
  This film is affected by light. [7)]
- 플래시 사용하는 걸 잊어버렸어요.
  I forgot to use a flash. / I guess we should've used a flash.

기 타

A: Can I shoot this with my camcorder?
B : No, sir. Photographs are not allowed here.

6) 직역 : 당신 사진은 당신에게 정의를 베풀지 못한다.
7) affect : ~에 영향을 미치다; (병이 신체의 부분을) 침범하다; 감동시키다

A : 이것을 비디오로 촬영할 수 있습니까?
B : 안 됩니다. 여기에서는 사진촬영이 허용되지 않습니다.

- 이 지역에서는 사진을 촬영하실 수 없습니다.
  You can't take pictures in this area.
- 이 사진을 어디에서 찍으셨습니까?
  Where did you have this picture taken?
- 사진 속에 당신과 함께 있는 이 여자는 누구죠?
  Who's this girl in the picture with you?

기 타

- 당신 작품 좀 볼 수 있어요?
  May I see some of your works? 8)
- 방금 새 카메라를 샀어요.
  I've just bought a new camera.
- 사진 경연대회에 참가하신 적이 있습니까?
  Have you ever entered a photo contest?
- 어떤 카메라를 가지고 계십니까?
  What kind of camera do you have?
- 이 사진은 클로즈업한 사진이에요.
  This is a close-up shot.
- 저는 모든 카메라 기자재를 갖추고 있어요.
  I've got all the attachments for my camera.
- 저는 사진작가용 계간잡지를 구독해요.
  I get a quarterly magazine for photographers.
- 저는 야생동물에 관한 사진 촬영을 좋아해요.
  I love to take pictures of wild animals.
- 저는 항상 카메라를 가지고 다녀요.
  I always carry a camera with me.
- 저는 사진에 관한 서적을 많이 읽으려고 해요.
  I try to read lots of books about photography.
- 제 취미는 오직 사진 찍는 것뿐입니다.
  My hobby is just taking pictures.
- 측면 사진 가지고 있어요?
  Do you have any profile shots? 9)

8) work : (예술 등의) 작품
9) profile : 옆 얼굴; (조각 등의) 측면; 윤곽; (TV, 신문 등에서) 인물 소개

- 카메라를 꼭 가지고 오세요.
  Be sure to bring a camera with you, please.
- 카메라를 가지고 왔더라면 좋았을 텐데!
  If only I had brought my camera with me! [10]
- 사진 촬영 금지
  NO PHOTOGRAPHS / CAMERAS ARE FORBIDDEN

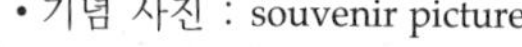

활용어휘

- 거리 조절링 : focusing ring
- 렌즈 뚜껑 : lens cap
- 전신 사진 : full-length photograph
- 사진관 : photo shop / studio
- 자동 사진관 : photo booth
- 셔터 단추 : shutter release button
- 속성 사진 : QPS〔Quick Photo Shot〕
- 스냅 사진 : snapshot
- 연속 사진 : picture sequence
- 초점 거리 수치 : f number [11]
- 필름통 : cartridge
- 고감도〔저감도〕필름 : fast〔slow〕high〔low〕-sensitivity film
- 기념 사진 : souvenir picture
- 반신 사진 : half-length photograph
- 비디오 촬영기 : camcorder
- 사진사 : photographer
- 사진첩 : photo album〔collection〕
- 소형 카메라 : miniature camera
- 순간 촬영 : snapshotting
- 야외 사진 촬영 : outdoor photo session
- 조리개 : aperture ring
- 필름 감는 레버 : film advance lever

10) "가정법 과거 완료"형의 문장으로, 실제는 안 가져 왔음을 의미한다.
11) f = focal : 초점의

8 영화 · 연극을 관람할 때

영화 · 연극 · 음악회 관람 티켓은 호텔 프런트에서 예매를 할 수 있다. 그곳에서 예매하지 못했을 때는 해당 극장에 전화를 걸어 예약을 하거나 극장이나 연주회의 매표소(ticket office)에 직접 가서 구입한다. 전화로 예약을 할 때는 "Can I order tickets by phone?(전화로 표를 주문할 수 있습니까?)" / "I'd like to reserve three seats for the musical for next Saturday.(다음주 토요일 뮤지컬 티켓 3장을 예약하고 싶습니다.)"라고 말한다.

※ 영화 관련 추가 표현 : 영화(p. 1079) / 영화 · 연극(p. 1338)

기 본 대 화

A : I'd like to buy tickets for the second show, please.
B : I'm sorry. That one is sold out.
A : What time is the next show?
B : It starts at 5:30.
A : I'll take two tickets.
B : For the 5:30 show?

A : 2회 상영 표를 사고 싶은데요.
B : 죄송합니다. 2회 표는 매진되었습니다.
A : 다음 회는 언제죠?
B : 5시 30분에 시작합니다.
A : 2장 주세요.
B : 5시 30분 표로 말입니까?

정보 문의

예 약

• 연주회 예약 티켓을 사고 싶습니다.
I'd like to buy an advance ticket for the concert.

• 다음주 금요일 뮤지컬 티켓을 3장 예약하고 싶습니다.
I'd like to reserve three seats in the musical for next Friday.

• 당일권〔오늘 표〕 있습니까?
Are today's tickets still available?

영화 제목

A: What movies are currently playing?
B : Our feature film this week is "Independence Day" [1)]

A : 요즘 어떤 영화가 상영되고 있습니까?
B : 이번 주 장편특작 영화는 "인디펜던스 데이"입니다.

- 지금 어떤 영화가 상영되고 있습니까?
  What's showing? / What film is on now?
- 오늘밤 무엇을 공연합니까?
  What's on tonight?
- 요즘 어떤 영화들이 나와 있죠?
  What movies are out now?
- 이 영화는 두 달 동안 계속 상영되고 있어요.
  This film has had a run of two months.
- 단성사에서 무슨 영화가 상영되는지 아세요?
  Do you know what's showing at the Danseongsa?
- 그 영화는 4개월째 상영되고 있어요.
  The movie has been showing for four months.
- 그의 신작극은 국립극장에서 공연되었어요.
  His new play is being staged at the National Theater.

상영 장소

- 어디서 오페라를 관람할 수 있죠?
  Where can I see an opera?
- 그게 어디서 공연〔상영〕되고 있죠?
  Where is it playing〔showing〕?
- 시네마에서 동시상영이 있어요.
  There is a double feature playing at the Cinema.
- 주말에 영화를 좋아하는 친구가 오기로 되어 있는데, 그를 어디로 데리고 가면 좋죠?
  I've got a friend coming for the weekend who loves movies, where's a good place to take him?

상영 시간

A: What time does the movie start 〔end〕? [2)]
B : It starts 〔end〕 at 10:00 sharp.

1) feature film : 장편특작영화
2) start : 시작하다(begin) / end : 끝나다(get over)

A : 영화가 언제 시작하죠〔끝나죠〕?
B : 10시 정각에 시작해요〔끝나요〕.

- 다음 상영 시간은 언제죠?
  When is the next show?
- 상영 시작 시간이 어떻게 되죠?
  What are the show times?
- 극장에 전화를 걸어 상영 시간표를 알아보세요.
  Call the theater and get the movie schedule. 3)
- 낮 상영 시간은 오후 3시입니다.
  The matinee show is at 3:00 o'clock p.m. 4)
- 마지막회 상영 시간이 언제죠?
  When is the last show?
- 연극이 몇 시에 막이 오릅니까?
  What time does the curtain go up?
- "닥터 지바고"의 상영 시작 시간이 언제죠?
  What is the show time for "Doctor Zivago" 5)?

상영 길이

A: How long is the movie? (그 영화 시간이 얼마나 되죠?)
B : It's two hours long. (2시간짜리입니다.)

- 영화 상영 시간은 얼마나 됩니까?
  How long does the movie last?
- 120분 동안 상영됩니다.
  It has a running time of 120 minutes. 6)

출연 배우

- 누가 출연하죠?
  Who are the stars?

기 타

- "페이스 오프"를 누가 감독했죠?
  Who directed the "Face Off"?
- 그 영화에는 자막이 나옵니까?

3) movie schedule : 영화 상영 시간표
4) matinee[매터네이] : ((불어)) 낮 공연〔상영〕
5) show time : 영화 등이 시작되는 시각
6) running time : 상영 시간 길이

Does the movie have subtitles? 7)

• 그건 한국말로 더빙이 되었어요.
It is dubbed in Korean.

• 개봉박두(開封迫頭)
COMING SOON TO A THEATER NEAR YOU 8)

• 그 영화는 어떻게 분류되어 있죠?
What's the movie rated?

미국의 영화 등급 분류

G〔General audience〕 : 모든 사람 관람 가능 / PG〔Parental Guidance〕 : 부모의 지도〔동반〕하에 관람 권유 / PG-13〔Parental Guidance〕 : 13세 이하 관람시 반드시 부모 동반 / R〔Restricted〕 : 부모 · 성인 동반 없이는 17세 이하(미성년자) 관람 불가 / X : 성인 영화(포르노 등) 이런 등급 표시는 영화 프로그램 안내 팸플릿이나 극장 간판에 표시되어 있다.

관람 제안

A: Would you like to take in movie tonight? 9)
B : I'd love to, but I have to work late.

A : 오늘밤 영화구경 가시겠어요?
B : 그러고 싶지만 늦게까지 일을 해야 해요.

• 오늘 저녁 영화 보러 가려고 하는데요. 같이 가시겠어요?
I'm going to see a movie tonight. Would you like to join me?

• "페이스 오프"를 보러 가는 게 어때요?
What about going to see "Face Off"?

• 영화 보러 가는 게 어때요?〔영화 보러 가시죠.〕
How about a movie?
Why don't we go to a movie tonight?
What do you think of going to the movies?
What would you say about going to the movies?

• 그 영화가 정말 보고 싶었어요.
I've been looking forward to seeing the movie.

• 시내에 가서 좋은 영화나 봅시다.
Let's take in a good movie downtown.

• 심야극장에 가시겠어요?

7) subtitle : 자막
8) 직역 : 곧 여러분 근처의 극장으로 찾아갈 겁니다.
9) take in : 구경하다(see); 방문하다(visit)

Would you like to go and catch the late movie?

- 어느 극장에 가실 겁니까?
  Which theater are you going to?
- 생각해 둔 것이라도 있으세요?
  Which one do you have in mind?
- 그 영화 히트 쳤어요.
  The movie was a hit.

매표소에서

표 구입

- 어른 표 1장과 어린이 표 2장 주세요.
  One adult and two children, please.
- 어른 표 4장과 어린이 표 2장 주세요.
  Please give me 4 adults and 2 children's tickets.
- 6시 공연 좌석 있습니까?
  Are there any tickets for the 6:00 o'clock performance available?
- 4시 상영표는 몇 시부터 팔기 시작하죠?
  What time do you start selling tickets for the 4:00 o'clock show?
- 6시 공연 표를 사고 싶습니다.
  I'd like to buy tickets for the 6:00 o'clock show.
- 같이 붙어 있는 좌석으로 두 장 주세요.
  I'd like two seats next to each other.
- 뒷좌석은 얼마입니까?
  How much is it in the back?
- 입장권이 얼마입니까?
  How much is admission?
- 매표소 밖에 늘어선 줄이 적어도 300m는 되요.
  The line outside the box office is at least 300 meters.
- 미안합니다만, 매진입니다.
  I'm sorry, but there are no tickets left.
- 발코니 좌석을 구할 수 있나요?
  Can I get a seat in the balcony? [10)]
- 암표장사한테서 표를 살 수 있을 거예요.

10) balcony : (극장 등의) 2층 특별석

We can get the tickets from a ticket scalper. [11)]

- 표를 사기 위해 3시간이나 기다려야 했어요.
  I had to wait for three hours to get the tickets.
- 표를 살 수 있을 것 같으세요?
  Do you think we stand a chance? [12)]

매 진

- 좌석이 매진됐습니다.
  The seats are sold out.
- 표가 매진됐습니다.
  The tickets are all sold out.
- 남아 있는 표는 뒷좌석 몇 개뿐입니다.
  All we have is a few seats in the rear.
- 죄송합니다, 남은 표가 없습니다.
  Sorry, there are no more tickets available.
- 죄송합니다만, 오늘밤은 대만원입니다.
  Sorry, but we have a full house tonight. [13)]

좌석 위치

- 좌석 배치도를 보여 주시겠습니까?
  Could you show me the seat chart, please?
- 좌석이 지정 좌석입니까?
  Is the seat reserved?
  Do we have reserved seats?
  Do we have assigned seats?
- 지정된 좌석에만 앉으십시오.
  Please sit in your assigned seat only.
- 지정된 좌석이 없으니, 원하시는 곳에 앉으십시오.
  You can sit wherever you want. There are no assigned seats.
- 앞줄에 있는 좌석을 잡았어요.
  I got a front row seat.
- 무대에 가까운 좌석으로 잡았어요.
  I got a seat on the ground level.

---

11) ticket scalper : ((속어)) 암표상
12) stand a chance : 가망이 있다
13) a full house : 대만원의 관객 / house : (집합적) 구경꾼, 청중(audience)

- 안내인이 좌석 위치를 안내해 줄 겁니다.
  The usher will show you where your seats are.
  The usher will show you to your seats.
- 앞쪽에 앉고 싶습니다.
  I'd like to sit somewhere up front.
- 어디에 앉고 싶으세요?
  Where do you like to sit?
- 우리 좌석은 앞쪽 중앙입니다.
  Our seats are front and center.
- 저는 뒤쪽에 앉는 걸 더 좋아해요.
  I prefer sitting in the back.
- 저는 앞쪽에 앉는 걸 좋아해요.
  I like to sit up front.
- 제 손을 잡고 저를 따라 오세요.
  Give me your hand and follow me.
- 극장은 지금 초만원이에요.〈속어〉
  The theater is bursting at the seams now. [14)]
- 다들 일어서 있으니까 앞이 안 보여요.
  I can't see anything because everyone is standing.
- 좌석 만원〔입석만 가능〕.
  STANDING ROOM ONLY

간 식

- 간식을 좀 먹고 싶어요.
  I want some snacks. / I'd like to have some snacks.
- 영화 보면서 먹을 것을 좀 삽시다.
  Let's get something to eat during the movie.

활용어휘

- 매표소 : box office
- 1층 앞쪽 좌석 : parquet
- 2층 정면 좌석 : dress circle
- 매표소〔매점〕 직원 : booth attendant
- 무료 입장권 : free ticket
- 무료 입장자 명단 : free list
- 예매권 : advance ticket
- 정기 입장권 : season ticket
- 좌석 배치도 : seating plan
- 구내 매점 : concession stand
- 특별 관람석 : stage box(무대 바로 옆에 위치한 특별 관람석)
- 극장의 가장 싼 좌석 : ((美속어)) peanut gallery(최상층 맨 뒷좌석)

14) burst at the seams : 꿰맨 자리가 터지다 → (장소 등이) 만원이다, 터져나갈 듯이 가득 차다 / seam : 꿰맨 자리, 이은 곳 / burst : 터지다

영화에 대한 평가

소 감

A: What did you think about the movie?
B : I really enjoyed it.
A : 그 영화 어땠어요?
B : 아주 재미있게 봤어요.

- 재미있게 보셨어요?
  Did you enjoy it?

A: How was it? (영화 어땠어요?)
B : It was great. (아주 좋았어요.)

- 그 영화 어땠어요?
  How did you like the movie?
- 괜찮았어요? / 좋았었나요?
  Was it good? / Was it any good?
- 완전히 환상적이었어요.
  It's nothing short of fantastic! [15]
- 대단히 재미있었어요.〈속어〉
  I got a bang out of it. [16]
- 대체로 아주 근사했어요.
  All in all, it's quite good. [17]
- 그 영화 정말 지루해서 죽을 뻔했어요.
  That movie bored me to death.
- 그 영화는 원작과 비교가 안돼요.
  That movie doesn't compare with the original.

활용어휘

- 유치한 : childish
- 단조로운 : simple
- 흥미진진한 : exciting
- 지겨운 영화 : downer
- 눈물을 짜게 하는 영화 : tearjerker
- 지루한 : boring
- 형편없는 : terrible
- 긴장이 연속되는 영화 : cliff-hanger
- 졸리는〔하품 나는〕 영화 : yawner

15) nothing short of ~: 아주 ~한
16) get a bang out of ~ : ~에 아주 즐거움〔흥분〕을 느끼다
17) all in all : 대체로, 전부해서, 통틀어

내 용

A: What did you think of the movie?
B : I thought it was great.
A: You did? What did you like about it?
B : The story was exciting. How about you?
A: I thought it was terrible.
B : Why didn't you like it?
A: It was too violent, you know.

A : 그 영화 어땠어요?
B : 매우 재미있었던 것 같아요.
A : 그래요? 뭐가 그렇게 재미있었어요?
B : 줄거리가 흥미진진했잖아요. 당신은요?
A : 형편없었던 것 같아요.
B : 왜 그렇게 싫었어요?
A : 너무 폭력적인 영화였잖아요.

- 그 영화는 무슨 내용이었습니까?
  What was the movie about?
- 그 영화 줄거리가 생생하게 남아 있어요.
  The movie's story remains fresh in my memory.
- 그 영화 상영 동안 저는 꼼짝못할 만큼 무서웠어요.
  I was scared stiff during most of the movie. [18]

활용어휘

- 우울한 : depressing
- 무서운 : scary
- 만화 영화 : animated movie
- 남성용 영화 : stag movie [20]
- 추리 영화〔소설〕 : whodunit [21]
- 괴기 영화 : thriller
- 반체제 영화 : underground film
- 장편 영화 : full-length film
- 주요 사건 : main events
- 장편 특작 영화 : feature film〔picture〕
- 주요 등장 인물 : main characters
- 유혈의 : gory
- 슬픈 : sad
- 공포 영화 : horror〔slasher〕 film [19]
- 뉴스 영화 : newsreel
- 성인용 서부극 : adult western
- 어린이용 명화 : kidflick
- 광고 영화 : CF〔commercial film〕
- 재상영 영화 : rerun film / revival
- 우주 영화 : space opera
- 눈물이 헤픈 : mushy

18) be scared stiff : 꼼짝못할 만큼 무섭다
19) 잔인한 장면이 많은 영화
20) stag : 수사슴; 〈파티 등〉 여자 동반 없이 가는; 〈영화 잡지 등〉 남성용 포르노의
21) "Who's done it?(누가 그것을 했는가?)"를 발음대로 표기한 표현

활용어휘

- 공상과학 영화 : SF〔Science Fiction〕movie
- 성인용 영화 : X-rated film / adults-only movie
- 소설 영화 : film version of a novel(소설을 영화로 만든 것)
- (상황의 전개) 속도가 빠른〔느린〕: fast-moving〔slow-moving〕

기 타

- 연기가 좋았어요.
  The action was good.
- 그 영화는 스필버그가 감독했어요.
  The movie was directed by Spielberg.
- 그 영화는 누가 주연했죠?
  Who starred in the movie? [22)]
- 상영중에 내 앞의 두 여자가 계속 잡담하는 바람에 영화를 제대로 못 봤어요.
  It was hard to enjoy the movie with the two girls in front of me constantly chatting during the show.
- 그 공연은 관객이 대단히 많았어요〔적었어요〕.
  The play drew a full〔poor〕house. [23)]

영화 촬영 용어

- Place! : 촬영 위치로!
- Quiet on the set! : 무대 정숙!
- Take two!(원 위치!/ 재촬영 위치로!)
- Roll! : (카메라 · 비디오) 작동 개시!
- Action!(행동 개시!)
- Cut!(중지!)

활용어휘

- 역할 : part
- 3류 보드빌 극장 : small time [24)]
- 개봉 영화 : release / release print
- 개봉박두 : coming (soon)
- 매점 : concession stand
- 대역 : stand-in [26)]
- 동시 상영 : double bill〔feature〕
- 감독〔연출자〕: director
- 개봉 영화관 : first run theater
- 게시판〈극장〉 : call-board
- 영화관 차양 : movie marquee [25)]
- 등급 미분류 (영화) : NR〔No Rating〕

---

22) star : 스타가 되다, 주연하다; 별; 스타 연기자
23) a full〔poor〕house : 대만원〔한산한〕 관객 / house : 집; (집합적으로) 구경꾼, 청중(audience)
24) ((구어)) 시시한, 하찮은, 삼류의; vaudeville[보드빌] : ((불어)) (춤 · 노래 · 연극 · 곡예 등을 곁들인) 경묘하고 풍자적인 버라이어티 쇼
25) 현재 상영되는 영화의 제목과 출연 스타들의 이름을 걸어 그려 놓은 간판
26) 위험한 장면에서 대역하는 사람은 'stunt man(스턴트맨)' 이라고 한다.

활용어휘

- 매표소 : box office
- 근접 촬영 : close-up
- 배역 : cast
- 서부극 : Western / horse opera
- 연기 심사 : audition
- 포르노 극장 : skin house
- 야외 극장 : drive-in theater
- 영화 : flick〈속어〉 / flickers
- 영화 배우 : screen actor
- 영화 촬영 : moving shot
- 영화 촬영진 : movie crew
- 영화관 : movie〔picture〕 house〔hall〕
- 예고편 : trailer / preview
- 이동 촬영 장면 : follow scene
- 화면 심사 : film test
- 흥행 실패작 : box office flop [30]
- 영화 배급 회사 : film distribution agency
- 영화배우 지망자 : aspirant to a screen career
- 멀리 찍기 : long shot [27]
- 일류 극장 : first-class theater
- 삽입 화면 : cut-in
- 영화 등급 : film rating
- 스크린 테스트 : screen test
- 암표상 : scalper
- 야외 촬영 : location
- 영화 대본 : screenplay
- 영화 스타 : movie star
- 영화 촬영 현장 : studio lot
- 영화계 : filmland / movieland
- 영화광 : movie buff [28]
- 저속〔왁자지껄한〕 희극 : slapstick [29]
- 지금 상영 중 : NOW SHOWING
- 흥행 수익 : box-office profits

27) long shot : ((TV 영화))원사(遠寫); ((美)) 대담한〔가능성이 희박한〕시도; (경마에서) 승산이 없는 말; (도박 내기 등에서의) 기대와 결과의 큰 차이(long odds) / ((비교)) medium shot : 7분신(分身) 촬영(무릎 윗 부분을 찍는 인물 촬영법) / close shot : 접사(接寫); 클로즈업
28) buff : 광(狂) / fan : 'buff' 까지는 안되지만 무엇〔아무〕를 아주 좋아하는 사람
29) slapstick : (과장된 동작이 많은) 엎치락뒤치락하는 수선스러운; 끝이 갈라진 막대기
30) flop : ((구어)) 실패(자), (영화, 연극 등의) 실패작

9 스포츠를 관전할 때

미국에서 가장 볼 만한 스포츠는 NBA〔National Basketball Association〕 농구, Major League 야구와 American Football(미식 축구) 등이다. NFL〔National Football League : 미식축구 리그〕에는 현재 28개 팀이 가입해 있으며, 9~12월 사이에 게임이 펼쳐지고, 결승전이 치러지는 날은 'Super Bowl Monday(매년 1월 마지막 주 월요일)'라고 하여 많은 미국인들이 경기를 직접 관람하거나 TV를 시청한다.

※ 스포츠 관련 추가 표현 : 스포츠(p. 1091, 1258, 1323)

A : I want to see an American football game.
B : There is a game on this Sunday.
A : Which teams are playing?
B : Seattle Seahawks and Detroit Lions.
A : Can we buy tickets now?
B : No. I think they are sold out.
But don't worry. I've got two tickets.
A : Really? Thank you.
B : Don't mention it. What are friends for?

A : 미식 축구 경기를 보고 싶어요.
B : 이번 주 일요일에 경기가 있어요.
A : 어느 팀이 경기를 하죠?
B : 시애틀 시호크스와 디트로이트 라이언스예요.
A : 지금 표를 살 수 있을까요?
B : 안될 거예요. 매진됐을 겁니다.
하지만, 걱정 마세요. 제가 표를 두 장 갖고 있으니까요.
A : 정말이에요? 고맙습니다.
B : 천만에요. 친구 좋다는 게 뭡니까?

매표소에서

- 아직 표를 살 수 있습니까?
  Can I still buy tickets?
- 경기가 몇 시에 시작됩니까?
  What time does the game begin?

A: Which seats would you like? (어떤 좌석을 원하십니까?)
B : Two of the best seats, please. (가장 좋은 좌석으로 2장 주세요.)

응원할 때

A: Here comes ball. Watch out! (공 날아온다. 조심해!)
B : Ohhhh! (아야!)
A: John, are you all right? (존, 괜찮아?)
B : Yeah, I'm all right. (응, 괜찮아.)

- 나가 무찔러라!
  Go get them!
- 당신은 양쪽 팀 모두를 응원하고 있는 것 같군요.
  You seem to be egging both teams on. [1)]
- 당신이 응원하는 특별한 야구팀이 있습니까?
  Is there a particular baseball team that you support?
- 어느 편을 응원하고 있는 겁니까?
  Who are you rooting for?
- 이 게임에서 당신은 누구를 응원할 거죠?
  Who will you root for in this game?
- 잘한다〔바로 그거야〕!
  Way to go! / Attaboy! [2)]
- 저 사람 참 빠르군요. / 잘 뛰었다!
  He is jet-propelled! [3)] / Well run!
- 마이 볼!
  I got it. / Got it! [4)]
- 잘했어!
  Good job! / Nice shot! [5)]/ Nice try! [6)]

활용 어휘

- 굉장한 게임 : a game and a half [7)]
- 열렬한 팬 : keen fan
- 응원가 : rooter's song
- 응원단 : cheerleading team
- 끝내주는 경기 : awesome game
- 응원단원 : cheerleader
- 신나는 경기 : barnburner〈속어〉
- 팜팜 걸 : pom pom girl [8)]

1) egg on : 선동하다, 충동하다, 격려하다
2) Attaboy! : ((美 구어)) 좋아! / 잘한다! / 굉장한데!
3) jet-propelled : 분사추진식의; 매우 빠른; 힘이 넘친
4) 배구, 야구 등을 하면서 자기가 공을 잡겠다고 소리칠 때
5) 실패하지 않고 슛을 하여 골인에 성공했을 때
6) 운동 선수가 득점과 연결되는 어떤 멋있는 동작을 시도했으나, 성공을 거두지 못했을 때
7) and a half : 굉장한, 특별한
8) 수술 등을 들고 춤추면서 응원하는 아가씨들

명언 한 마디

A man is not finished when he is defeated.
He is finished when he quits.

인간이 패배하였을 때 끝나는 것이 아니다.
포기했을 때 끝나는 것이다.

- Richard M. Nixon : 미국 37대 대통령 -

ENGLISH CONVERSATION DICTIONARY

CHAPTER 

- 교통 수단을 찾을 때
- 버스를 이용할 때
- 지하철을 이용할 때
- 철도를 이용할 때
- 택시를 이용할 때
- 자동차를 이용할 때
- 도보로 이동할 때
- 교통 표지

I 교통 수단을 찾을 때

사람이 활동하는 데 있어서 교통 수단(**transportation methods**)은 필수 불가결한 것이다. 따라서 한 장소에서 다른 장소로 이동하기 위해서는 버스(**bus**), 열차(**train**), 지하철(**subway**), 택시(**taxi**), 승용차(**car**), 선박(**ship**), 항공기(**airplane**) 등의 교통 수단을 이용하거나 직접 걸어서 가기도 한다. 여기서는 "항공기〈제18장 해외 여행 참조〉와 선박〈제3장 관광 참조〉"을 제외한 기타 교통수단을 이용할 때 필요한 표현들을 다루고 있다.

기 본 대 화

A : Excuse me.
B : Can I help you?
A : Yes. What's the best way to get to the Central Park?
B : Taking the subway's the fastest way.
A : Thank you.

A : 실례합니다.
B : 도와 드릴까요?
A : 네. 센트럴 공원으로 빠르게 가려면 어떻게 해야 합니까?
B : 지하철을 타는 것이 가장 빠릅니다.
A : 감사합니다.

교통편을 문의할 때

- 가장 가까운 지하철역이 어디에 있습니까?
  Where is the nearest subway station?
- 공항 버스는 얼마나 자주 출발합니까?
  How often does the airport bus leave?
- 그곳을 버스로 갈 수 있습니까?
  Can I get there by bus?
- 버스를 타실 건가요?
  Are you taking the bus?
- 지하철을 타시는 것이 훨씬 편리해요.
  It's a lot more convenient to take the subway.

A: How can I get to Central Park?
B : You can take a bus.

A : 센트럴 공원으로 가려면 어떻게 해야 합니까?
B : 버스를 타시면 됩니다.

- 이 근처에서 지하철을 탈 수 있습니까?
  Can I get a subway around here?
- 강남역에서 내려서 8번 출구로 나오세요.
  When you get off at the Gangnam subway station, take exit #8 out of the station.
- 버스 노선도 하나 주세요.
  May I have a bus route guide?
- 지하철을 타고 강남역까지 가세요.
  You should take the subway to Gangnam Station.

활용 어휘

- 택시를 타다 : take a taxi
- 택시로 : by taxi
- 자전거로 : by bicycle
- 대중 교통수단 : public (means of) transportation
- 열차를 타다 : take a train
- 열차로 : by train
- 걸어서 : on foot

승차장 위치를 물을 때

- 가장 가까운 버스 정류장이 어디입니까?
  Where's the nearest [closest] bus stop?
- 지하철역으로 가는 길을 가르쳐 주시겠어요?
  Could you tell me the way to the subway station?
- 어디서 지하철을 탈 수 있습니까?
  Where can I get on the subway?

매표소 위치를 물을 때

- 어디서 표를 살 수 있습니까?
  Where can I get a ticket? / Where can I buy a ticket?

미국의 도로명 구분

- Avenue : 대로(大路)(대도시 특히 뉴욕 맨해튼 경우 남북을 연결하는 도로), 약칭으로 Ave.라고 쓴다. ((英)) (시골 저택의 나무를 심은) 현관에 이르는 도로(drive)
- Street : 대로를 가로지르는 도로(대도시의 경우 동서를 연결하는 도로), 보통 약칭으로 St.라고 표기한다. 예 Oxford St.(옥스포드 가)
- Boulevard : 대로를 가로지르는 도로, 약칭으로 Blvd.라고 쓴다.
- Road : 위의 도로보다 더 작은 뒷길이나 샛길, 약칭으로 Rd.라고 쓴다.
  예 65 Rd. Maple(메이플 도로 65번지)
- alley : 오솔길, 골목길

2 버스를 이용할 때

미국 도시 내에서 이동할 때는 지하철이 운행되는 일부 대도시 지역을 제외하면 대부분 시내버스(city bus)를 이용한다. 미국의 시내버스도 우리 나라처럼 안내원 없이 운전사 혼자서 운행한다. 시내버스의 요금은 보통 50센트에서 1.5달러 정도 된다. 요금은 타면서 지불하고, 거스름돈은 주지 않기 때문에 미리 잔돈을 준비해야 한다. 버스를 이용할 때 "Does this bus go to 32nd Street?(이 버스가 32번가로 갑니까?)" / "Let me get off here.(여기서 내리겠습니다.)" 정도의 표현은 반드시 알아 둘 필요가 있다. 물론 시외지역으로 이동할 때는 시외버스를 이용한다.

기 본 대 화

A : Which bus goes to Grand Park?
B : Take number 42. It'll take you there.
A : How often does it run?
B : Every twenty minutes.
A : But I've been waiting for 30 minutes.
B : Sometimes the bus takes longer in heavy traffic.

A : 대공원 가는 버스가 몇 번입니까?
B : 42번을 타세요. 그 버스가 그곳에 갈 겁니다.
A : 얼마나 자주 운행되죠?
B : 20분 간격으로 있어요.
A : 하지만 30분 동안이나 기다렸는데요.
B : 교통이 복잡한 경우에는 버스가 시간이 더 걸릴 때도 있어요.

매표소에서(시외 버스)

운행 시간

A: How often do the buses run on this route?
B : (There's a bus) Every hour on the hour. [1)]

A : 이 노선의 버스들은 얼마 간격으로 운행됩니까?
B : 매시 정각에 한 대씩 있습니다.

• 30분마다 있습니다.
Every thirty minutes.

1) (every hour) on the hour : (매) 정시에 / (every hour) on the half hour : (매) 정시 30분에

- 시각표를 볼 수 있을까요?
  Could I see a timetable, please?
- 뉴욕행 버스가 몇 시에 출발합니까?
  What time does the bus for New York leave?
- 거기까지 가는 데 얼마나 걸립니까?
  How long will it take to get there?
- 시카고에서 오는 급행버스는 몇 시에 도착합니까?
  What time does the express bus from Chicago get in?

승차 요금을 물을 때

A: How much is a ticket to Washington, D.C.?
B : Fifty dollars.

A : 워싱턴 D.C.행 요금이 얼마입니까?
B : 50달러입니다.

- 워싱턴 D.C.행 왕복 요금이 얼마입니까?
  What's the round-trip fare to Washington, D.C.?
- 맨해튼행 요금이 얼마입니까?
  How much is the fare to Manhattan?

활용 어휘

- 왕복 요금 : the round-trip fare
- 어린이 요금 : the children's fare
- 지정 좌석권 : reserved seat ticket
- 급행 요금 : the express charge
- 성인 요금 : full fare / adult fare
- 통로에 면한 좌석 : an aisle seat

표를 살 때

A: A round ticket to Washington, D.C., please.
B : Here you are.

A : 워싱턴 D.C.행 왕복표 한 장 주세요.
B : 여기 있습니다.

- 뉴욕행 성인 두 장, 어린이용 세 장 주세요.
  I'd like to have tickets for two adults and three children to New York, please.

표의 유효 기간

A: How long is this ticket good for?
B : It's good for two days after the issue date.

A : 이 표의 유효 기간이 얼마나 됩니까?
B : 발행일로부터 2일간입니다.

승차장 위치를 물을 때

A: Where does the bus for New York leave?
B : Your bus is at Gate 4.

A : 뉴욕행 버스가 어디서 출발합니까?
B : 손님이 타실 버스는 4번 출구에 있습니다.

버스 정류장에서

노선을 물을 때

A: Can I get a bus for Manhattan from here?
B : Yes, but you will have to transfer.

A : 맨해튼으로 가는 버스를 여기서 타도 되나요?
B : 네, 그러나 중간에서 갈아 타셔야 할 겁니다.

- 어느 버스를 타야 합니까?
  Which bus should I take?
- 막 놓치셨습니다, 하지만 30분이면 또 있습니다.
  You just missed it, but there's another one in half an hour.
- 거기에 가는 다른 버스도 있습니까?
  Are there any other buses going there?
- 그 버스는 그 거리를 따라 운행됩니다.
  The bus runs along that street.
- 중간에 뉴욕행으로 갈아타야 합니까?
  Do I have to change for New York on the way?
- 저 버스들이 그 방향으로 가는가요?
  Are those buses going in that direction?
- 여기서 시청행 버스가 있습니까?
  Can I take a City Hall-bound bus here?
  Can I take a bus to City Hall from here?
- 시청으로 가려면 몇 번 버스를 타야합니까?
  What bus number should I catch to City Hall?
- 어느 방향 버스를 타셔도 시청 옆을 지나갑니다.
  No matter which bus you take, it'll pass by City Hall.

- 여기서 시내로 연결되는 버스가 있습니까?
  Is there a bus to the city here?
- 3번 버스가 어디로 갑니까?
  Where does bus #3 go?
- 도중에 내릴 수 있습니까?
  Can I stop over en route? 2)

A: How many stops before New York?
B : There are seven stops altogether.

A : 뉴욕까지는 몇 정거장이나 되나요?
B : 모두 합쳐서 일곱 정거장입니다.

운행 간격을 물을 때

A: How often does bus #3 run?
B : Every twenty minutes.
A: But I've been waiting for 40 minutes.
B : Sometimes the bus takes longer in heavy traffic.

A : 3번 버스는 얼마나 자주 운행됩니까?
B : 20분 간격으로 운행됩니다.
A : 하지만 40분 동안이나 기다렸는데요.
B : 교통이 복잡할 때는 더 걸리기도 해요.

- 다음 버스가 오려면 얼마나 걸릴 것 같습니까?
  How long will the next bus be?

버스가 오지 않을 때

A: We'd rather walk. (걸어가는 게 낫겠어요.)
B : Look! Here comes the bus. (보세요! 버스가 와요.)

- 버스가 시간을 전혀 안 지켜요.
  The bus is never on time.
- 이제 9시 버스가 올 때가 됐어요.
  It's about time the 9:00 o'clock bus came.

2) stop over : 도중하차를 하다(stop off), 여행 목적지에서 잠깐 묵다 / en route : 도중에(on the way)

버스를 타면서

A: Does this bus stop at Central Park?
B : Yes, get on, please.

A : 이 버스가 센트럴 공원 앞에서 섭니까?
B : 네. 타십시오.

- 이건 다른 버스입니다. 건너편에서 3번 버스를 타십시오.
  This is the wrong bus. Please take bus No. 3 on the opposite side.
- 이 버스가 시청으로 가는 버스 맞습니까?
  Am I on the right bus to City Hall?
- 이 버스가 시내를 지나갑니까?
  Does this pass downtown?
- 이 버스를 타면 그곳까지 가는 겁니까?
  Does this bus take me there?
- 이 버스가 시청을 지나갑니까?
  Does this bus go through to City Hall?
- 이 버스가 32번가로 갑니까?
  Does this bus go to 32nd Street?
- 이 차는 월 스트리트까지 갑니다.
  It's going as far as Wall Street.

A: After you.
B : Thanks. The bus is almost empty.
Do you want to sit here?

A : 먼저 타세요.
B : 고맙습니다. 버스가 거의 텅 비었군요. 여기 앉으시겠어요?

버스 안에서

자리를 잡다

A: Excuse me. Is this seat taken? [3]
B : I'm afraid it is. My wife will be back soon.

A : 실례지만, 이 자리에 주인이 있습니까?
B : 있습니다. 제 아내가 곧 올 겁니다.

3) "Is anybody sitting there (here)?" 도 같은 뜻이다.

• 이 자리에 누가 있습니까?
Is this seat occupied? / Is anybody sitting here?

A: Excuse me. May I join you? (실례지만, 같이 앉아도 될까요?)
B : Be my guest. (그러세요.)

• 자리를 잡다니 정말 재수가 좋군!
How lucky it is to get a seat!

• 자리를 옆으로 좀 옮겨〔좁혀〕 주시겠습니까?
Could you move over a little, please? [4)]

지정 좌석을 찾다

• 손님 좌석은 뒤편 왼쪽입니다.
Your seat is on the left in the back.

• 실례지만, 여긴 제 좌석인데요. 옮겨 주시겠어요?
Excuse me, you're sitting in my seat. Would you mind moving?

• 제 좌석과 바꿔주실 수 있습니까?
Would you mind trading seats with me?

잘못 탔을 때

• 실례합니다. 제가 버스를 잘못 탄 것 같은데 내려 주시겠어요?
Excuse me. Im afraid I've taken the wrong bus. Could you stop, please?

• 버스를 잘못 탔습니다.
I took the wrong bus.

• 잘못 타셨습니다. 다음 정거장에서 내려서 6번 버스를 타십시오.
You're on the wrong bus. Get off at the next stop and take bus number six.

내릴 때

어디서 내리세요?

A: Where do you get off? (어디에서 내리십니까?)
B : (I'm getting off at) Wall Street. (월 스트리트에서요.)

4) move over : 자리를 좁히다, (사람 · 물건 등을) 움직여서 빈자리를 만들다

내릴 곳을 가르쳐 달라고 할 때

A: Where do I get off for New York Station?
B : Two more stops.

A : 뉴욕 역에 가려면 어디서 내려야 됩니까?
B : 두 정거장 더 가세요.

- 네 번째 정거장입니다.
  It's the fourth stop.
- 2번가에 도착하면 알려 주시겠어요?
  Would you tell me when we get to 2nd Street?
- 그 정류장에 도착하면 알려 주세요.
  Please let me know when we reach that stop.

A: How many stops are on the way to 2nd Street?
B : Get off at the next stop, please.

A : 2번가까지는 몇 정거장을 가야 합니까?
B : 다음 정거장에서 내리세요.

- 여기서 내리셔야 합니다.
  This is where you should get off.

차에서 내릴 때

- 여기서 내립니다.
  This is my stop. / Let me get off here.

내릴 곳을 지나쳤을 때

- 내릴 곳을 놓쳤어요.
  I missed my stop.
- 2번가에서 내렸어야 했는데, 잊었습니다.
  I should have gotten off at 2nd Street, but I forgot.

기 타

- 버스 안이 너무 혼잡해서 죽을 뻔했어요.
  I almost passed away in a crowded bus. [5)]
- 우리는 돌아오는 중에 버스에서 줄곧 서 있어야 했어요.
  We had to stand all the way back in a bus.

5) pass away : 죽다, 쇠퇴하다

활용어휘

- 만원 버스 : jampacked bus
- 버스 정류장 : bus stop
- 야간 운행 버스 : owl bus〈속어〉
- 노인 장애자용 버스 : kneeling bus
- 직행 버스 : nonstop bus
- 환승표 : transfer ticket [6)]
- 버스 스위치 : buzzer 〈내릴 때 누르는 벨〉
- 버스 요금 : bus fare
- 시내 버스 : city bus
- 장거리 버스 : long distance bus
- 종점 : the end of the line
- 환승 토큰 : transmit token
- 이층 버스 : double-decker (bus)

6) 도중에서 버스를 갈아 탈 때에는 환승표를 주는데, 도시에 따라 공짜로 주는 곳도 있고 돈을 지불하고 주는 곳도 있다. 받은 후 2시간 이내에 사용해야 함, 자기가 타고 온 노선으로 되돌아갈 때는 사용할 수 없다.

3 지하철을 이용할 때

미국 대도시에서 가장 대중적인 교통수단은 지하철이다. 지하철은 도시 내에서 운행되는 지하철과 도시 외부로 연장 운행되는 교외 전철(**suburban train**)이 있으며 뉴욕은 지하철이 가장 잘 발달된 도시로 유명하다. 지하철을 이용할 때는 노선번호(**route number**)를 보고 어떤 노선을 탈 것인가를 결정하고, 역내의 매표소(**ticket booth**)에서 토큰을 사서 자동개찰구에 넣고 회전식 개찰구(**turnstile**)를 통해서 들어가면 된다. 지하철 티켓의 경우 어떤 도시에서는 토큰을 사용하지 않고 정액카드(**fare card**)를 사용하기도 한다.

기  대 

A : A one-way ticket to Central Park, please.
B : Sure. Here you are.

A : 센트럴 공원행 편도표 한 장 주세요.
B : 그러죠. 여기 있습니다.

역의 위치를 물을 때

A: Where is the subway station? (지하철역이 어디 있습니까?)
B : It's at the end of this block. (이 블록 끝에 있습니다.)

- 센트럴 공원으로 나가는 출구가 어디입니까?
  Where is the exit for Central Park?

노선을 물을 때

A: Which line goes to Central Park?
B : Take line number 3.

A : 어느 선이 센트럴 공원으로 갑니까?
B : 3호선을 타십시오.

표를 살 때

- 토큰 3개 주세요.
  Three tokens, please.
- 자동판매기를 사용하세요.
  Please use the vending machine.

갈아타는 역을 물을 때

A: Where do I have to transfer for Central Park?
B : Please transfer at 32nd Street.

A : 센트럴 공원을 가려면 어디서 갈아타야 합니까?
B : 32번가에서 갈아타십시오.

- 어느 역에서 갈아탑니까?
  What station do I transfer?
- 어디서 지하철을 갈아타야 하는지 알려 주세요.
  Please tell me where I have to change subways.

승차장 위치를 물을 때

A: Where is the entrance?
B : Go straight and you'll come right to it

A : 입구가 어디죠?
B : 곧장 가시면 바로 나올 겁니다.

- 7번선으로 가십시오.
  Go to the number 7 line.

지하철 안에서

- 발 디딜 틈도 없군요.
  There's no place to put my feet.
- 악! 누가 내 발을 밟았어요.
  Ouch! Someone stepped on my foot. [1)]
- 와! 오늘 되게 붐비는군.
  Wow! It's really crowded today.
- 신문 좀 접어 주시겠습니까?
  Would you please fold your paper?
- 지금 막 지나온 역의 이름이 뭐죠?
  What's the name of the station we just passed?
- 핸드백이 문틈에 끼였어요.
  My handbag is caught in the door.

---

1) step on sb's foot : 아무의 발을 밟다

기 타

- 늘 타던 전철을 놓쳤어요.
  I missed my usual train.
- 두 거인의 사이에 끼여 꼼짝도 못했어요.
  I was sandwiched between two giants.
- 마지막 전철은 이미 놓쳐버렸어요.
  I've already missed the last train.
- 막차 시간이 다 됐어요.
  It's almost time for the last train.
- 막차를 탈 수 있겠어요?
  Will you be able to catch the last train?
  Will you make the last train?
- 사고로 전철이 늦게 왔어요.
  The train was behind schedule because of an accident.
- 신촌 역까지는 딱 한 정거장 남았어요.
  Just one more stop before *Shinchon* Station.
- 안전선 뒤로 물러나 주시기 바랍니다.
  Please stay behind the safety line.
  Please step back from the safety line.
- 전철을 타려고 기다리는 사람들 좀 보세요.
  Look at all the people waiting to get on the train.

※ 관련 추가 표현 : 버스를 이용할 때(p. 222)

활용 어휘

- 개찰 역무원 : gateman
- 개찰구 : (platform) wicket
- 노선 번호 : route number
- 수도권 전철 노선 : metropolitan subway line
- 워싱턴의 지하철 : Metro-rail
- 출구 : exit〔way out〕
- 칸막이 한 객실(열차) : compartment
- 자동 개표기 : ticket punching machine
- 자동 티켓 판매기 : automatic ticketing machine
- 출찰(出札) 역무원 : ticket man
- 구간 초과 요금 : excess fare
- 매표소 : ticket office〔window〕
- 시내 전철 : trolley
- 입구 : entrance〔way in〕
- 지하철 : metro / subway
- 회전식 십자문 : turnstile

4 철도를 이용할 때

미국에서 열차(train)를 이용하려면 출발 전에 여권을 가지고 한국내 여행사에 가서 USA Rail Pass(미국 철도 승차권)를 미리 구입하는 것이 좋다. 이 통행권은 크게 전국적으로 통용되는 것과 특정 지역에 국한되는 것 두 가지가 있다. 자신의 여행지와 여행 목적에 따라 가장 적절한 것을 선택하면 될 것이다. 승차시에 이 통행권(pass)을 이용하는 요령은 역에서 여권과 이 패스를 제시하고 승차권(ticket)을 발급 받으면 된다.

기 본 대 화

A : I'd like to buy a second class, round-trip ticket to New York.
B : We have a train leaving at 10 o'clock and one at 3:00 p.m.
A : I'll take a seat on the ten o'clock train.
B : That'll be 130 dollars.

A : 뉴욕행 열차 보통석으로 왕복권을 사고 싶습니다.
B : 오전 10시와 오후 3시에 한 대씩 있습니다.
A : 10시차로 하겠습니다.
B : 130달러가 되겠습니다.

매표소에서

열차편 문의

- 이것은 급행〔직행〕 열차인가요?
  Is this an express train〔a nonstop train〕?
- 열차에 침대차〔식당차〕가 있습니까?
  Is there a sleeping〔dining〕 car?

활용어휘

- 식당차 : dining car
- 상단〔하단〕 침대 : upper〔lower〕 berth
- 금연 객차 : non-smoking car
- 우대석 : priority seating
- 철도 무료승차권 : railroad pass
- 보통 열차 : accommodation〔local〕 train / stopping train
- 클럽 카 : club car
- 전망대 열차 : dome car 1)
- 기본 요금 : minimum fare
- 정액 카드 : fare card
- 왕복 티켓 : round-trip ticket 2)

1) 천장에 돔(dome)이 있는 열차
2) 영국에서는 'return ticket' 라고 한다.

운행 방침 문의

- 열차를 몇 번 갈아타야 합니까?
  How many times do I have to change trains?
- 시카고에는 몇 시에 도착합니까?
  What time does the train arrive in Chicago? [3)]
- 당일에 돌아올 수 있습니까?
  Can I go and return in a day?
- 그 열차는 뉴욕을 거쳐서 갑니다.
  The train runs via New York.

예매할 때

- 예약을 해야 합니까?
  Do I need a reservation?
- 예매소가 어디에 있습니까?
  Where is the booking office?
- 침대 칸을 예약하고 싶습니다. 위층으로 주세요.
  I'd like to reserve a berth. [4)] Up, please.

표를 살 때

- 가장 이른 시간으로 뉴욕행 표를 주세요.
  I want a ticket on the earliest train to New York.
- 좀 더 이른〔늦은〕 것 있습니까?
  Is there an earlier〔a later〕 one?

> A: When is the next train? (다음 열차는 몇 시입니까?)
> B : It leaves at 10:30. (오전 10시 30분에 출발합니다.)

- 2시간 간격으로 있습니다.
  It leaves every two hours.
- 마지막 열차는 몇 시에 있습니까?
  What time is the last train to Chicago?
- 나폴리까지의 전 구간표를 주시겠어요?
  Can I book through to Naples? [5)]
- 다음 열차를 기다리셔야겠습니다.

---

3) 도착 장소가 어떤 하나의 지점이나 비교적 좁은 장소에 도착할 때는 at, 대도시 등 넓은 장소에 도착할 때는 in, 섬 대륙 현장 등에 도착할 때는 on을 쓴다. arrive in Detroit(디트로이트에 도착하다) / arrive at school(학교에 도착하다) / arrive on the scene(현장에 도착하다) / ((비교)) arrive from a trip(여행으로부터 돌아오다)
4) 열차 티켓 예약 침대차(sleeper)와 클럽카(club car)인 경우에 필요하다.
5) book : 표를 사다

You'll have to wait for the next train.

- 다음 하행 열차는 몇 시에 있습니까?
  What is the next train down?
- 다음 열차는 몇 시에 있습니까?
  What time does the next train leave?

기 타

- 이 표를 취소할 수 있을까요?
  May I cancel this ticket?

승차장 위치를 물을 때

A: Which platform does the train for New York leave from?
B : Take the train on track number 4.

A : 뉴욕행 열차가 어디서 떠납니까?
B : 4번 플랫폼에서 열차를 타세요.

- 뉴욕행은 몇 번 선입니까?
  What track is for New York?
- 당신 열차는 3번 선에서 출발합니다.
  Your train leaves on Track No. 3.

타면서 맞는 열차인지를 확인할 때

A: Is this the right train to New York?
B : Yes, it is.

A : 이 열차가 뉴욕행 맞습니까?
B : 네. 그렇습니다.

- 이게 애든버러행 (열차)입니까?
  Is this the Edinburgh train? / Is this to Edinburgh?

기 타

- 그 열차가 어느 홈에 도착할 거죠?
  What platform will it arrive at?
- 열차가 사고로 2시간 연착했어요.
  The train was delayed (for) two hours by an accident.
- 열차가 왜 이렇게 늦는 거죠?
  Why is the train so late?

- 열차표를 예매하셨어요?
  Have you reserved a seat on the train?
- 차표를 보여 주세요.
  Ticket, please.

활용어휘

- (철도의) 지선 : feeder line
- 객차 : coach / passenger car
- 건널목 차단기 : crossing bar
- 단선 철도 : single-track railroad
- 무개 화물 열차 : gondola car
- 역 입장권 : platform ticket
- 임시 열차 : special train
- 철도 건널목 : rail way〔road〕 crossing
- 철도역 : (railroad) station
- 타는 곳 : tracks
- 하행 열차 : downtrain
- 간이 침대차 : slumber coach
- 건널목 안전담당자 : crossing guard
- 대합실 : waiting room
- 복선 철도 : double-track railroad
- 물건 임시 보관소 : coin locker
- 열차 시간표 : train schedule
- 차장 : conductor
- 철도 침목 : sleeper / rail tie
- 칸막이 객실 : compartment
- 특등 객차 : parlor car
- 호화 특별 열차 : palace car
- 혼성 열차 : mixed train(객차와 화물차가 동시에 달린 열차)
- 자기 부상 열차 : magnetic levitation train

앰트랙(Amtrak)이란?

'American Travel on Track'의 약칭으로서, 1970년 미국의 철도 여객용 노선을 정비하고 철도 수송의 서비스를 개선하기 위해 미 연방의회에서 승인한 철도여객 수송에 관한 법안을 근거로 민관합작 투자로 설립된 '미국의 철도여객 운송공사'를 지칭한다. 이 공사가 담당하는 철도의 총 연장 길이는 약 30만km이고 역의 수는 무려 500개에 달하며, 거점은 시카고다. 이 철도 공사에서 운행하는 차량의 종류에는 다음과 같은 것들이 있다.

① 슈퍼라이너(Superliner)
- 시카고에서 서부지역 쪽으로 운행되는 2층 구조의 초대형 쾌속 호화 열차
- 식당차(**dining car**), 라운지카(**lounge car**), 침대차(**sleeping car**),
- 코치카(**coach car**), 클럽카(**club car** : 1등 차량, 좌석은 예약제) 등이 연결되어 있다.
- 침대의 종류에는 이코노미 침대(**economy bedroom** : 좌석을 조정하여 2층 침대로 변경 가능), 디럭스 침대(**deluxe bedroom** : 2층에 위치해 있는 독방), 가족 침대(**family bedroom** : 1층의 차량 끝에 위치), 특별 침대(**special bedroom**) 등이 있다.

② 터보라이너(Turboliner) : 보스턴 ~ 뉴욕 ~ 워싱턴간을 운행하는 비즈니스 특급열차

③ 헤리티지 플리트(Heritage Fleet) : 시카고에서 동부지역 쪽으로 운행되는 철도

④ 2층 전망차(Viewliner) : 열차의 천장에 돔(dome) 모양의 유리로 되어 있어 창밖의 경치를 볼 수 있다.

5 택시를 이용할 때

미국에 처음 여행을 하는 사람일 경우 가장 편리한 교통수단은 요금 부담이 되기는 하지만, 역시 택시(taxi / cab)일 것이다. 미국에는 노란색 택시가 많아서 택시를 'yellow cab'이라고 부른다. 택시 요금 산정 방법은 '구역제(zone system)' 또는 '거리제(mileage system)'가 있는데, 이는 주마다 다르다. 택시 운행은 일종의 서비스 직종이므로 요금 외 요금액의 10~15%의 팁을 줘야 한다. 택시를 이용하는 시기는 호텔에서 택시를 부르는 경우가 가장 많을 것이다. 택시를 이용하면서 가장 많이 쓰이는 표현은 "Where to, sir?(어디로 모실까요, 손님)", "Let me get off here.(여기서 내리겠습니다.)", "How much is it?(요금이 얼마입니까?)" 등의 표현이다.

기본대화

A : Where to, sir?
B : Downtown, please.
A : What part of downtown are you going to?
B : 4th Avenue. (After arriving) How much is the fare?
A : Twelve dollars.
B : Here you are. Keep the change, please.
A : Thank you, sir.

A : 어디로 모실까요?
B : 시내로 가시죠.
A : 시내 어느 지역으로 가십니까?
B : 4번가입니다. (목적지에 도착 후) 요금이 얼마입니까?
A : 12달러입니다.
B : 여기 있습니다. 잔돈은 가지세요.
A : 고맙습니다, 손님.

택시를 부를 때

호텔에서 부탁할 때

A: Could you call a taxi for me, please?
B: Sure. May I have your room number and name, please?
A: Yes. (Room number) 777, Mr. Clinton.
B : All right. It'll take about five minutes.

A : 택시를 불러 주시겠습니까?

B : 그러죠. 방 번호와 성함을 말씀해 주시겠습니까?
A : 네. 777호실, 미스터 클린턴입니다.
B : 알겠습니다. 5분 정도 걸릴 겁니다.

임의 장소에서 직접 부를 때

A: Could you send a cab to the Korean Embassy?
B : Sure. Can I have your name and phone number, please?
A: My name is Mr. Kim. My phone number is 723-5023.
B : All right. We'll send one over right away.

A : 한국 대사관으로 택시 한 대 보내 주시겠습니까?
B : 그러죠. 성함과 전화번호를 말씀해 주시겠습니까?
A : 제 이름은 미스터 김이고, 전화번호는 723-5023입니다.
B : 알겠습니다. 즉시 그곳으로 보내 드리겠습니다.

택시가 안 올 때

- 2시 30분에 택시를 부탁했는데, 아직 안 왔습니다.
  I asked for a taxi at 2:30, but it isn't here yet.
- 10분을 기다렸는데 아직 택시가 안 왔습니다.
  I've been waiting more than 10 minutes for a taxi and it hasn't arrived.
- 택시를 부른 지 30분이 지났는데, 아직 도착을 안 했습니다.
  I called a cab 30 minutes ago, but it hasn't arrived.

택시를 직접 잡을 때

승강장 위치를 물을 때

- 실례지만, 택시 승강장이 어디죠?
  Excuse me. Where is the taxi stand?

택시를 잡을 때

- 이 시간에 택시를 잡을 수 있을지 모르겠어.
  I doubt if I'll be able to get a taxi at this hour.
- 큰길까지 가서 택시를 잡읍시다.
  Let's go to the main street and find a cab.

택시를 탄 후

행선지를 밝힐 때

A: Where to, sir?
B : (I'd like to go to the) Korean Embassy, please.

A : 어디로 모실까요?
B : 한국 대사관에 가려고 합니다.

- 어디로 가십니까?
  Where are you going?
- 이 주소로 데려다 주시겠어요?
  (Can you take me) To this address, please?
- 캘리포니아 관광국으로 갑시다.
  To California Office of Tourism, please.

소요 시간과 요금을 물을 때

- 한국 대사관까지 가는 데 얼마나 걸립니까?
  How long does it take to go to the Korean Embassy?
- 공항까지는 요금이 얼마나 나올까요?
  How much will it cost to the airport?

세부적인 길을 안내할 때

- 똑바로 가신 후 다음 모퉁이에서 우회전하세요.
  Go straight and then turn right at the next corner.
- 다음 교차로까지 가 주세요.
  Please go down to the next intersection.

시간이 촉박할 때

A: Are you in a hurry?
B : Yes, I must be there by three o'clock.
I have an appointment with my boss.

A : 급하십니까, 손님?
B : 네. 3시까지는 거기에 도착해야 해요.
제 상사와 약속이 되어 있거든요.

- 빨리 가 주세요.
  Step on it, please.

• 서둘러 주세요.
Hurry up, please. / Please hurry.
• 지름길로 가 주세요.
Please take a short cut.

잠시 세워달라고 할 때

• 저 앞 슈퍼마켓에 섰으면 합니다.
I want to stop at the supermarket over there.

내려 달라고 할 때

• 앞에 있는 교차로에서 내려 주시겠어요?
Can you drop me at the intersection ahead?
• 여기서 내려 주세요.
Let me get off here, please. / Stop here, please.
• 이 근처 아무데나 내려 주세요.
Let me get off anywhere near here, please.

목적지에 도착했을 때

• 다 왔습니다, 손님. / 제 가방을 내려 주시겠습니까?
Here we are, sir. / Could you take out my bags?
• 잘 됐네요. 꼭 알맞게 도착해서 고마워요.
Oh good, I'm just in time. Thanks.
• 저쪽에 있는 저 빌딩이 한국 대사관입니다.
That building is the Korean Embassy over there.

요금을 낼 때

• 요금이 얼마입니까?
How much is it? / How much do I owe you?
How much will it be?
• 요금을 너무 많이 청구하시는군요.
You're overcharging me.
• 이번 요금은 평상시보다 너무 많습니다.
This fare's much higher than usual.
• 거리에 비해서 요금이 너무 많군요.
The fare is too high for this distance.
• 짐 삯을 추가로 지불해야 합니까?
Do I have to pay extra charge for baggage?

다시 타려고 할 때

- 여기서 잠깐 기다려 주시겠어요?
  Could you please wait here for a while?
- 잠깐만 기다려 주세요.
  Please wait here for a minute.
- 2~3분 후에 돌아오겠습니다.
  I'll be back in a couple of minutes.
- 10시 30분에 저를 태우러 와 주시겠습니까?
  Could you pick me up at 10:30?

활용 어휘

- 개인택시 : owner taxi
- 기본 요금 : minimum fare
- 할증 요금 : extra fare
- 화물 요금 : baggage fare
- 택시 승강장 : taxi stand((美)) / taxi rank((英))

6 자동차를 이용할 때

미국에 장기간 체류할 경우에는 자동차를 구입해야 할 것이다. 자동차를 구입하기 위해서는 미국에서 매년 발간되는 'Car Buyer's Guide(자동차 구입 안내서)', 'Consumer Car Guide(소비자 자동차 안내서)' 등과 같은 자동차 관련 잡지나 미국 생활에 밝은 친구나 친지들로부터 자동차 구입에 대한 정보를 얻을 수 있다. 아래 상황은 운전을 하는 도중에 교통 경찰에게 걸렸을 때의 상황이다.

※ 자동차를 빌릴 때 : 렌터카를 이용할 때(p. 191)

기 본 대 화

A : Why did you stop me?
B : You exceeded the speed limit.
May I see your driver's license and vehicle registration card, please?
A : Here they are, officer. [1)]

A : 왜 저를 세우셨습니까?
B : 선생님께서는 제한속도를 위반하셨습니다.
면허증과 자동차 등록증을 보여 주시겠어요?
A : 여기 있습니다. 경찰관 아저씨.

자동차를 살 때

A: I'd like to buy a car.
B : What kind of car do you want?
A: I need a compact (car) with an automatic transmission.
B : Here's our brochure.

A : 자동차를 한 대 사고 싶습니다.
B : 어떤 종류의 차를 원하십니까?
A : 오토매틱으로 된 중소형차를 원합니다.
B : 팸플릿이 여기 있습니다.

원하는 차종

• 중고차를 찾고 있습니다.
I'm looking for a used car.

1) "한번 봐주세요!"라고 할 때는 "Have a (big) heart, please!"라고 한다.

활용어휘

- 대형차 : full size(중형 : middle size / 중소형 : compact / 소형 : subcompact)
- 4인승 자동차 : four-seater car
- 5년된 차 : five-year-old car
- 국산차 : domestic car
- 수입차 : imported car
- 승용차 : passenger car
- 전륜 구동 : front-wheel drive
- 저가격(대) 중형 세단 : low-end medium-size sedan
- 에어컨이 달린 차 : a car with an air conditioner
- 4륜 구동 : 4 WD / four-wheel drive

가격 흥정

A: It's beyond my budget.
B : How much were you planning to spend?
A: My budget is less than 10,000 dollars.

A : 제 예산을 초과하는군요.
B : 얼마를 쓰시려고 계획하셨습니까?
A : 제 예산은 1만달러 이하입니다.

- 너무 비싸군요. 할인을 해 주실 수 있습니까?
  It's too expensive. Can you give me a discount?
- 차는 마음에 드는데, 가격이 너무 비싸군요.
  I think I like this car, but the price is a little too steep.
- 얼마나 깎아줄 수 있습니까?
  How much can you come down?
- 100달러만 더 깎아 주시겠어요?
  Can't you down another 100 dollars?
- 제 헌 차 가격을 쳐주고 새 차를 살 수 있을까요?
  Do you take trade-in? 2)

※ 가격 흥정 관련 세부 표현 : 가격 흥정(p. 243, 338) / 가격 협상(p. 791)

사기로 결정할 때

A: Have we got a deal? (사시겠습니까?〔거래를 하시겠습니까?〕)
B : Okay. I'll take it. (좋습니다. 사겠습니다.)

기 타

- 한번 타 봐도 될까요?
  Can I take it for a trial run? / Can I test-drive it? 3)

2) trade-in : 신품을 구입시 자신의 중고품을 내 놓으면서 그 가격을 신품 구입 대금에 포함시키는 거래
3) test-drive : ((구어)) 시운전(하다)

- 차 스테레오를 달고 싶습니다.
  I'd like to have a car stereo.
- 오늘 은행에서 핑크 슬립을 받았어요.
  I got the pink slip from my bank today. 4)

활용 어휘

- 미등 : tale light(브레이크 등 아래)
- 사이드 미러 : side mirror(창밖 거울)
- 사이드 브레이크 : emergency brake
- 소음 장치 : sound-muffling equipment
- 수동 변속 레버 : stick shift
- 앞 유리 (닦개) : windshield (wiper)
- 연료통 : gas tank
- 운전대〔핸들〕 : steering wheel
- 자동차 계기판 : instrument panel〔board〕
- 자동차 실내등 : room lamp〔light〕
- 정지등 : stoplight / stop lamp
- 차광판 : sun visor
- 호화 승용차 : deluxe sedan
- 후진등 : backup〔reversing〕 light
- 문손잡이(내 외부) : door handle
- 에어컨 통풍구 : air vent
- 속도계 : speedometer
- 기어 변속기 : gear shift
- 브레이크 등 : brake light
- 후진 표시등 : back-up light
- 휠 덮개 : hubcap
- 백미러(차안) : rearview mirror
- 점화장치 : ignition(열쇠로 시동거는 곳)
- 선택〔옵션〕 장비 : optional equipment
- 소음기 : muffler / silencer
- 스키 걸이 : ski rack
- 액셀레이터 : gas pedal / accelerator((英))
- 연료 주입구 뚜껑 : gas〔filler〕cap
- 유개 자동차 : closed car
- 주행 기록계 : odometer
- 머리 받침(좌석의) : headrest
- 차광막 : blackout curtain
- 천정 창문 : sunroof
- 후진 기어 : reverse gear
- 흙받이(자동차 바퀴의) : mudflap
- 연료계 : fuel gauge
- 깜박이 등 : blinker
- 차내 서랍 : glove compartment
- 배기가스 출구 : exhaust pipe
- 뒤 유리창 : rear window
- 보닛 : hood / bonnet((英))
- 해치백 : hatchback(자동차 뒷쪽에 입구가 부착되어 있는 자동차)
- 실내등 : courtesy light(자동차 문을 열면 자동으로 켜지는 등)
- 기본 설비 : standard equipment(선택 사항 : option)

보험에 가입할 때

A: I've just purchased a car and I'd like to have insurance.
B : What kind of insurance would you like?
A: I'd like to be fully covered.
B : When would you like your insurance to go in effect?

4) pink slip(핑크색 종이쪽지) : pink slip은 두 가지의 뜻이 있다. ① 해고 통지(옛날에는 피고용인을 해고시킬 때 핑크색 종이에 해고 사실을 적어준 데서 유래된 표현) / give sb the pink slip : 아무를 해고시키다 / ② 자동차 소유권 증명서(은행에서 대출을 받아 자동차를 살 경우 pink slip를 받게 되는데, 이를 보관하고 있다가 자동차 주인이 대부금을 다 갚고 나면, 은행 책임자가 pink slip에 서명을 한 후 자동차 주인에게 돌려주게 되는데, 이 pink slip을 받아야만 비로소 그 자동차에 대한 완전한 소유자가 된다.

A: January 1, 1998.
B : How much insurance would you like to have?
A: I'd like to have $30,000 insurance.

A : 방금 자동차를 한 대 샀는데, 보험에 가입하고 싶습니다.
B : 어떤 종류의 보험을 원하십니까?
A : 전부 보장되는 걸로 원합니다.
B : 보험은 언제부터 유효하도록 할까요?
A : 1998년 1월 1일이요.
B : 보험료를 어느 정도로 가입하시겠습니까?
A : 3만 달러의 보험에 가입하고 싶습니다.

- 보험은 언제부터 유효합니까?
  When will my coverage begin?
- 최고 보상액은 얼마나 됩니까?
  How much is the maximum coverage?
- 사고 보험에 15만 달러를 가입하겠습니다.
  I'll take a 150,000 dollar collision.

활용어휘

- 대물 (보험) : property damage
- 대인 (보험) : bodily injury
- 무보험 운전자 : uninsured motorist
- 보험 증권 : insurance policy
- 운전면허증 번호 : License No.
- 책임 보험 : liability coverage
- 대물 보상 : property damage liability
- 대인 보상책임 : bodily injury liability
- 보험 가입 번호 : Policy No.〔number〕
- 사고 보험 : accident coverage
- 차량 번호판 번호 : License Plate No.
- 최대 보상 범위 : maximum coverage
- 평균 보상 범위 : usual coverage
- 전 부품 보상 : bumper-to-bumper coverage(앞 범퍼에서 뒷 범퍼까지 보상, 즉 모든 부품을 무료로 갈아 끼워 주는 보험 제도)

자동차에 관한 화제

제 원

A: What year and make is your car?
B : A 1997 Daewoo Leganza.

A : 당신 차는 몇 년형 어느 회사 차입니까?
B : 97년형 대우 레간자입니다.

- 당신 차는 몇 인승입니까?
  How many people does your car hold?
- 어느 회사 차예요? / 당신 차는 어느 회사의 무슨 차입니까?

What make is it? / What make and model is your car? [5)]

- 저는 최신형 소나타를 몰고 다녀요.
  I'm driving a late model Sonata.
- 자동차 한 대의 유지비가 얼마나 들죠?
  How much does it cost you to own a car?
- 제 차는 오토입니다.
  My car is an automatic.
- 어떤 차를 가지고 계십니까?
  What kind of car do you have?

성 능

A: How's your car running? (당신 차의 성능이 어때요?)
B : So far so good. (지금까지는 좋아요.)

- 제 차는 연비가 좋아요.
  My car has good gas mileage.
- 아직은 쓸 만한 차입니다.
  It's still dependable transportation. [6)]
- 찌그러진 데가 좀 있긴 하지만, 아직은 잘 굴러갑니다.
  It has some dents but still runs good.
- 별로 볼품은 없지만 아직은 잘 굴러가요.
  It's nothing much to look at but still runs good.
- 이 차는 최고 시속 200km까지 달릴 수 있어요.
  This car can do a maximum of around 200k.p.h. [7)]
- 이 차는 길이 잘 들여져 있어요.
  This car is well broken in. [8)]
- 저는 자동차를 항상 최상의 상태로 유지해요.
  I always get a tune-up. [9)]
- 차체에 대한 손질이 좀 필요하지만, 그 이외에는 문제가 없어요.
  It needs some bodywork, but no problems otherwise. [10)]
- 이 차가 한국에서 최고예요.〈속어〉
  This car is second to none in Korea. [11)]

---

5) make : 자동차 제조회사 / model : 자동차의 이름
6) dependable : 신뢰〔의존〕할 수 있는, 믿을 수 있는
7) do : 달리다
8) break in : (자동차, 구두 등을) 길들이다; (말 등을) 길들이다
9) tune-up : 엔진 등을 철저히〔가장 양호한 상태로〕 조정하는 것
10) bodywork : 차체의 수리〔제작〕
11) second to none : 어느 것에〔누구에게〕도 뒤지지 않는, 최고인

활용 어휘

- 고물차 : a lemon〈속어〉
- 새 차 : a new car
- 털털이 : a clunker〈속어〉
- 낡은 차 : an old car
- 완전히 정비된 차 : an overhauled car
- 쓸 만한 차 : a decent car

연 비

A: What's your gas mileage?
B : About 25 miles per gallon on the freeways and 20 miles on the city streets.

A : 당신 차는 연비가 얼마나 됩니까?
B : 고속도로에서는 갤런당 25마일 정도 달리고, 시내에서는 20마일 정도 달립니다.

- 당신 차는 연비가 얼마나 됩니까?
  What's your gas mileage? 12)
  What kind of gas mileage does it get?
  What kind of gas mileage do you get?
  How many miles do you get to the gallon?
- 제 차는 연료를 많이 먹어요.
  My car is a gas guzzler.

주행 거리

- 당신 자동차는 몇 마일이나 달렸습니까?
  How many miles does your car have on its odometer? 13)

기 타

- 새 차가 마음에 드십니까?
  Are you pleased with your new car?
- 아주 새 차를 가지셨군요. / 이 차는 아주 호화스럽군요.
  You have a brand-new car. / This car is very plush. 14)
- 정말 멋진 차를 가지고 계시군요!
  What an awesome looking car you have! 15)
- 당신 새 차가 아주 멋지군요.
  Your new car is a dreamboat. 16)

12) gas mileage : 연비〔갤런당 주행 가능 거리〕
13) odometer : (자동차의) 주행 기록계
14) plush : 호화로운, 멋진
15) awesome : 두려움을 일으키게 하는; 장엄한
16) dreamboat : ((구어)) 차지하고 싶은 이성; 욕심 나는 것, 아주 좋은 것

- 제가 당신 차를 길들여 줄게요.
  I'll break your car in for you. [17]

카센터에서

차에 이상이 있을 때

- 차가 펑크 났어요.〈바퀴 한 개 / 2개 이상 펑크났을 때〉
  I have a flat tire. / I have flat tires.
- 시동이 안 걸립니다. / 시동이 잘 안 걸립니다.
  My car won't start. / It doesn't start very well.
- 엔진에서 이상한 소리가 나요.
  There is a strange noise coming from the engine.
- 오일이 샙니다.
  The oil is leaking.
- 차 배터리가 나갔어요.
  The battery is dead.
- 가끔씩 갑자기 엔진이 꺼집니다.
  Sometimes the engine fails suddenly〔on the spot〕. [18]
- 누가 주차된 내 차를 들이받고 도망갔어요.
  Somebody hit my parked car and drove away. [19]
- 전구 하나가 나갔어요.
  One of the bulbs is burned out.
- 왼쪽 뒷바퀴가 다 닳았어요.
  The left rear tire is all worn out.
- 휠 밸런스를 해야겠어요.
  I think I need a wheel balancing.
- 차가 완전히 망가진 것 같아요.
  I'm afraid the car is totaled. [20]
- 차가 요동이 심합니다.
  My car shakes badly.
- 차에서 이상한 소리가 납니다.
  My car's making strange noises.

---

17) break in : (새로 산 물건 등을) 길들이다
18) on the spot : 즉석에서; 즉시로(immediately)
19) drive away : 차를 몰고 (도망) 가버리다 / leave the scene : 현장을 떠나다
20) total : ((속어)) 완전히 파괴하다

견적을 부탁할 때

A: I was rear ended. Can you give me a estimate?
B : Sure. Offhand, it will cost around $700. [21)]

A : 제 차 뒤가 받쳤습니다. 견적 좀 내 주시겠습니까?
B : 그러죠. 언뜻 보기에 700달러 정도 들 것 같습니다.

점검 · 수리를 부탁할 때

A: What's wrong with my car?
B : There's a problem in the generator.
A : Don't worry. It's under warranty.

A : 제 차가 어디에 이상이 있습니까?
B : 발전기에 문제가 있습니다.
A : 걱정 마세요. 그건 보증수리 항목에 해당되니까요.

- 제 차를 점검해 주시겠어요?
  Could you give my car a checkup, please?
- 지금 좀 고쳐 줄 수 있습니까?
  Can you fix it right now?

A: How soon can you fix it? (고치는 데 얼마나 걸리겠습니까?)
B : In a couple of days. (이틀이면 되겠습니다.)

- 배터리 충전 좀 해 주세요. / 엔진오일 좀 봐 주세요.
  Charge the battery, please. / Check the oil, please.
- 브레이크를 고치고 싶습니다.
  I want to have the brakes repaired.
- 타이어 공기압 좀 점검해 주시겠어요?
  Could you check my tire pressure?
- 타이어 위치를 서로 바꿔 끼워 주십시오.
  I want tires rotated. / I need a tire rotation.
- 타이어에 공기를 가득 넣어 주시겠어요?
  Would you fill'em up my tires? [22)]
- 타이어에 공기 좀 넣어 주시겠어요?
  Would you put air in the tires?

---

21) offhand : 즉석에서, 사전 준비 없이; 아무렇게나, 되는대로, 무심코
22) fill'em[필름] = fill them : (자동차에 기름 등을) 가득 채우다(fill up)

A: Can you do it while I wait here?
B : I'm afraid, you'll have to leave your car.
We have a quite backlog. [23)]

A : 여기서 제가 기다리는 동안 해 주실 수 있습니까?
B : 죄송합니다만, 차를 맡겨놓고 가셔야겠습니다.
일이 많이 밀려 있거든요.

점검 결과

- 오일을 교환하셔야겠습니다.
  You should change the oil.
- 핸들이 빡빡합니다.
  This steering feels heavy.
- 배선에서 누전이 되고 있습니다.
  You have a short in your wiring.
- 라디에이터를 한번 청소해야겠습니다.
  You need to flush the radiator.
- 발전기가 고장났습니다. / 새 걸로 바꾸셔야겠습니다.
  Your generator is not working. / You need a new one.
- 브레이크 상태가 아주 나쁩니다.
  Your brakes are in bad shape. [24)]
- 언제 오일을 교환했습니까?
  When was the last time you had an oil change?
- 엔진 오일이 많이 샙니다.
  Your car is leaking oil badly.
- 엔진에는 아무런 이상이 없습니다.
  There's nothing wrong with the engine.
- 엔진이 과열되었습니다. / 오일이 꽤 부족합니다.
  Your engine is overheated. / Oil is pretty low.
- 라디에이터를 점검받으셔야겠습니다.
  You should have your radiator checked.
- 그것을 수리하는 데 시간이 얼마나 필요하십니까?
  How long do you need to repair it?

23) backlog : 밀린 일, 잔무(殘務)
24) ((참고)) brake pads : 브레이크 라이닝 / brake shoes : 브레이크 슈즈 / slam〔jam〕 the brakes on : ((구어)) 급브레이크를 밟다

수리를 완료한 후

A: Your car is ready to go, sir. Now try starting your car.
B : All right. Wow, you did it! How much do I owe you?

A : 차를 다 고쳤습니다, 손님. 자 시동을 걸어 보세요.
B : 알겠습니다. 야, 해 내셨군요. 얼마입니까?

• 시동을 거세요. / 제 차를 다 고쳤습니까?
Start your car, please. / Is my car ready to go?

기 타

• 엔진을 끄세요.
Cut the engine.

• 부스터 코드 가지고 있어요?
Do you have a jumper-cable? 25)

• 그 자동차 부품은 매우 희귀해요.<속어>
That auto-component is as scarce as hen's teeth. 26)

• 제 차 시동 거는 것 좀 도와 주시겠어요?
Could you please help me jump-start my car? 27)

• 제 차는 고장이 잘 나요.
My car's always breaking down.

활용어휘

- 냉각수 : coolant
- 브레이크 라이닝 : brake pad
- 예비 부품 : spare part
- 차유리 세척액 : windshield cleaning fluid
- 재생 타이어 : recapped tire
- 정비공 : mechanic
- 자동차 부품 : auto-component / automobile parts
- 보닛 : hood
- (자동차) 번호판 : number〔license〕 plate
- 부동액 : anti-freeze
- 수리 장비 : repair kit
- 예비 타이어 : spare tire
- 윤활유 : lubricating oil
- 정기 검사 : periodical inspection
- 차량 검사 : vehicle inspection

25) cables = booster cables(부스터 코드) : 배터리가 나간 차의 충전을 위해서 다른 차의 배터리와 연결하는 데 사용되는 전선
26) as scarce as hen's teeth : ((속어)) 암탉의 이빨만큼 드문 → 매우 드문〔희귀한〕 → 암탉은 이빨이 없다. 따라서 그만큼 '희귀하다'는 뜻이다.
27) jump-start : 배터리가 방전된 차를 다른 차와 점퍼 케이블로 연결하여 시동을 걸다

차를 타고 내릴 때

태워다 줄 때

A: Can I give you a ride?
B: No, thanks. I've got a ride.

A: 태워다 드릴까요?
B: 고맙지만 됐어요. 누가 태워다 주기로 했거든요.

- 고맙지만, 혼자 가겠어요.
  No, thanks. I've got a way.
- 제가 태워 드릴까요? / 제가 태워다 드리겠습니다.
  Do you need a lift〔ride〕? / I'll give you a ride.
- 그곳으로 모셔다 드리겠습니다. / 댁까지 모셔다 드리겠습니다.
  I'll take〔get〕 you there. / I'll take you home.
- 저하고 같은 방향으로 가십니까?
  (Are you) Going my way?
- 우체국까지 저를 좀 태워다 주시겠어요?
  Could you give me a lift to post office?
- 차 좀 같이 탈 수 있을까요?
  Would you like to share a ride?

A: Do you have a ride home?
B: Yes, my wife's coming to get me.

A: 집으로 타고 갈 것 있어요?
B: 제 아내가 데리러 올 겁니다.

탈 공간이 있는지를 물을 때

A: Do you have enough room for me?
B: Yes. We'll move over and make room for you.

A: 제가 탈 자리가 충분히 있는가요?
B: 네. 우리가 옮겨앉아서 자리를 마련해 줄게요.

- 내가 탈 자리가 있어요?
  Is there any room for me?
- 우리 모두 탈 수 있어요?
  Can we all fit in?

차를 탈 때

- 빨리 타. / 타세요.
  Get in quickly. / Get in, please. [28)]
- 타!
  Hop in! [29)] / Climb in!
- 모두 탔습니까? / 자, 출발합니다!
  Is everybody in? / Here we go!

안전벨트 착용

- 안전 벨트를 착용하세요.
  Buckle up, please! / Please fasten〔wear〕 your seat belt.
- 안전 벨트 착용하는 습관을 들이세요.
  Get into the habit of fastening a seat belt.
- 안전 벨트 착용하셨어요?
  Did you wear your seat belt?
- 안전 벨트 착용은 의무화되어 있어요.
  It's the law that the driver and the passengers have to wear their seat belts.
- 사고가 났을 때 안전 벨트는 생명을 구해주는 거예요.
  Seat belts really do save lives in accidents.

활용 어휘

- 자동차의 조수석 : suicide seat [30)]
- 앞〔뒷〕좌석 : front〔back〕 seat
- 1인용 접의자 : bucket seat [31)] (한 개로 길게 되어 있는 좌석 : bench seat)
- 객석 : passenger seat(자동차의 객석, 특히 조수석)

잠깐 세울 때

- 우체국 앞에 세워 주세요.
  Please pull up in front of the post office.
- 제 사무실에 잠깐 들를 수 있을까요?
  Would you stop by my office for a few minutes? [32)]
- 길 한쪽에 잠깐 세워 주시겠어요?

28) ((참고)) "Get on!"과 "Get in!"의 차이 : "Gen in!"은 승용차를 타면서, 차 밖에 서 있는 사람에게 차 안으로 타라고 할 때 쓰는 표현이며, "Get on!"은 버스 등에 올라 타라고 할 때 쓰는 표현이다.
29) 친한 친구 사이나 어린이들이 사용하는 표현 : 껑충 뛰어 올라 타다 / hop : 깡충 뛰다
30) suicide seat : (자동차의) 운전석 옆자리를 가리키는데, 사고 발생시 사상하는 확률이 가장 높은 경우에서 연유한 표현 / suicide : 자살
31) (자동차) 운전석 및 조수석처럼 등받이가 앞뒤로 접히는 1인용으로 된 좌석; (비행기) 1인용 접의자
32) stop by〔in〕 = drop by〔in〕 : 들르다, 방문하다

Do you mind pulling over a minute? [33]

차에서 내릴 때

A: Would you stop here, please?
B : I think I'll walk the rest of the way.

A : 여기서 내려 주시겠어요?
B : 남은 거리는 걸어가야겠어요.

- 어디서 내려 드릴까요? / 여기서 내리겠습니다.
  Where shall I drop you off? / Let me hop out here.
- 은행에서 내려 주실래요?
  Could you drop me off at the bank?
- 모두 나오세요. / 모두 갈아 타세요.
  All out! / All change!
- 태워 주셔서 감사합니다.
  Thank you for the ride.

기 타

- 그는 차 얻어 타기를 좋아해요.〈속어〉
  He likes to thumb a ride. [34]
- 꽉 잡으세요.
  Hold on tight, please.
- 저는 매일 밀러씨와 함께 차를 타고 출근해요.
  I ride to work with Mr. Miller every day.
- 저는 스미스씨의 차를 같이 탈 겁니다.
  I'm going to catch a ride with Mr. Smith. [35]

차를 운전하면서

빨리 가자고 재촉할 때

A: I think we're going to miss the plane.
Must we go this slowly?
B : Yes, we must.
As they say, "It's better to be safe than sorry."

33) pull over : (길 옆에) 붙여 세우다
34) thumb a ride〔lift〕 = hitchhike : 지나가는 자동차 (등)에 편승하며 도보여행을 하다, (달리는 차에) 엄지손가락으로 신호를 하여 차에 태워 달라고 부탁하다
35) catch a ride with sb : 아무와 (차를) 함께 타고 가다

A: What does that mean?
B : It means we don't want to have an accident.

A : 비행기를 놓칠 것 같아요.
이렇게 천천히 가야만 하겠어요?
B : 물론이죠. 천천히 가야 해요.
옛말에 슬픔을 당하는 것보다는 안전한 게 낫다는 말이 있잖아요.
A : 무슨 뜻이죠?
B : 사고를 당하고 싶지 않다는 뜻이에요.

- 좀 빨리 갑시다.
  Step on it, please. / Faster, please! / Speed it up!
  Pick it up! / Pick up speed!
- 좀 더 빨리 갈 수 없나요? / 전 속력으로 달립시다!
  Can't you go any faster? / Let's go at top speed!
- 과속을 하고 싶지 않습니다.
  I don't want to speed.
- 좀 더 빨리 가 주시겠어요, 기사님?
  Could you go a little faster, driver?

피곤할 때

- 우리 교대로 운전하는 게 좋겠어요.
  We'd better take turns driving.
- 운전 좀 대신 해주실래요?
  Can you take over〔drive〕 for a while?
- 졸음이 쏟아져요.
  I'm nearly falling asleep.
- 유리창 좀 내려 주세요.
  Roll down the window, please.

운전자가 과속할 때

- 너무 빨리 달리는군요. / 안전하게 운전하세요.
  You drive too fast. / Please drive safely. [36)]
- 속도 위반을 하다가는 잡힐 거예요.
  You'll get arrested for speeding. [37)]
- 속도를 줄이세요.
  Slow down, please. / Kill your speed. 〈속어〉

36) 안전 운행 : safe〔careful〕 driving
37) speeding : 고속으로 움직이는; 속도 위반

- 제한 속도를 초과하지 마세요. / 과속하지 마세요.
  Don't go over the speed limit. / Don't drive too fast.
- 빨간 신호를 무시하고 달리지 마세요.
  Don't run the red light.
- 파란 불이 켜질 때까지 기다리세요.
  Wait until the light turns green.

운전 경력

- 운전할 줄 아세요? / 운전 잘 하세요?
  Do you know how to drive? / Are you a good driver?
- 저는 일요일에나 운전하는 초보자예요.
  I'm a Sunday driver. [38)]
- 저는 초보 (운전자)입니다.
  I'm a beginner. [39)]
- 이제 막 운전면허를 땄어요.
  I've just got my license.
- 저는 스틱운전은 못해요.
  I can't drive a stick shift. [40)]
- 세 번이나 운전 시험을 봤는데, 아직도 합격하지 못했어요.
  I've taken the driving test three times, but I haven't been able to pass the test yet.

조심 · 주의하라고 할 때

- 조심해요! 앞에 큰 트럭이 있어요.
  Watch out! A big truck is in front of your car.
- 조심해요. 신호등이 바뀌었어요.
  Be careful! The light changed.
- 길로 뛰어드는 아이들을 주의하세요.
  Watch out for children running into the street.
- 조심해서 운전하세요.
  Drive carefully. / Drive with care.
- 저는 항상 안전운행을 해요.
  I always drive safely. / I'm a safe driver.

---

38) Sunday driver : 운전이 워낙 서툴러서 차들이 별로 없는 일요일에나 차를 몰고 나와 기어다니는 초보자

39) '초보 운전자'를 'beginner driver'라고 하지 않고 그냥 'beginner(초심자)'라고 한다.

40) stick shift : 기어가 automatic(자동)이 아닌 수동 기어

길을 묻거나 안내할 때

- 아차, 차선을 잘못 들었어요.
  Oh! we're in the wrong lane.
- 제가 지도를 봐 드릴까요?
  May I be your navigator? [41]
- 어디서 좌회전이나 우회전을 할지를 충분히 미리 알려 주세요.
  Let me know where to turn right or left well in advance.
- 우리가 제대로 가고 있는지 지도 좀 봐 주세요.
  Can you check the map to see if we're going the right way?
- 이 지도상에서 우리 위치가 어디죠?
  Where are we now on this map?
- 이 길을 따라 가면 중심가와 만나게 됩니까?
  If I go down this street, do I run into Main Street?
- 다음 교차로에서 우회전을 해야 하니까, 오른쪽 차선을 타세요.
  At the next intersection we're going make right turn.
  Get over to〔in〕 the right lane.

음주 운전

A: Do you feel up to driving the car?
B : Don't worry. I'm not drunk.

A : 운전할 수 있겠어요?
B : 걱정하지 마세요. 나 취하지 않았어요.

- 음주운전을 하다가 걸리면, 운전면허가 취소될 거예요.
  If you get caught driving drunk, you'll lose your license.
- 음주운전을 하지 마세요.
  Don't drink and drive.
- 술 취한 상태에서는 절대 운전을 하지 마세요.
  Never put yourself behind the wheel while you are drunk.[42]

활용 어휘

- 음주 운전 : drunk-driving
- 음주 운전자 : drunken driver
- 음주 측정 : breathalyzer〔balloon〕 test
- 음주 측정기 : breathalyzer
- 음주 반대 모임 : MADD〔Mothers Against Drunk Driver〕 [43]
- 음주 운전 검문소 : sobriety checkpoint

41) navigator : 항해자, 항법사
42) put oneself behind the wheel : 자신을 운전대 뒤에 놓다 → 운전하다
43) '음주 운전을 반대하는 어머니들' 이라는 압력 단체

교통이 혼잡할 때

- 정말 교통체증이 심하군요.
  It is bumper-to-bumper traffic. [44)]
- 왜 이렇게 교통이 혼잡하죠?
  What is holding up the traffic like this? [45)]
- 샛길〔다른 길〕을 찾아야겠어요.
  We should find a back road〔an alternate route〕. [46)]
- 돌아가는 다른 길을 찾아야겠어요.
  We'll have to find another way around it.
- 지름길이 있는지 지도 좀 봐 주실래요?
  Will you check the map to see if there's a shortcut?
- 누가 교통을 막고 있는 거죠?
  Who's holding up the traffic?
- 오늘은 교통이 대단히 혼잡하군요.
  The traffic is really bad today.
- 앞으로 2km 정도 더 가면 우회로가 있어요.
  There's a detour about two kilometers up ahead.
- 교통체증이 심한 도로에서 운전하는 건 싫어요.
  I hate driving on a busy street.
- 서울은 운전하기에 가장 어려운 도시 중에 하나예요.
  Seoul is one of the most difficult cities to drive in.
- 서울은 운전하기가 불편해요.
  Driving is inconvenient in Seoul.
- 뭣 때문에 길이 막히는지 모르겠군.
  I wonder what's causing this traffic jam.
- 공사 때문에 도로가 막혔어요.
  The road is closed for construction.
- 교통사고로 차들이 완전히 멈춘 상태예요.
  All the cars are stopped dead because of a traffic accident.[47)]
- 이 길로 오지 말았어야 하는 건데. 완전히 막히는군.
  I shouldn't have taken this route. It's completely backed up.[48)]
- 앞에서 교통사고라도 났나 봐요.
  I wonder if there's an accident or something up ahead.
- 이 거리는 교통량이 많아요.

---

44) bumper-to-bumper traffic : 앞 차와 뒷 차의 범퍼가 맞닿을 정도로 심한 교통 체증
45) hold up : 길을 막다, 방해하다
46) back road : 샛길, 이면 도로
47) dead stop : 차가 완전히 정지한 상태
48) back up : (교통을) 정체시키다, 막히게 하다

The traffic on this street is heavy.

• 혼잡한 길에서 운전하면 짜증이 나요.
It's so frustrating to drive in heavy traffic.

기 타

• 교외로 드라이브 가는 것 어때요?
How about driving out to the suburb?

• 빌어먹을! 추월당했군!
Damn! That guy just shot right past me!

• 서울 교외에는 드라이브할 만한 곳이 많아요.
There are quite a lot of places to go for a drive in a suburb of Seoul.

• 시동을 걸기 전에 브레이크를 점검하세요.
Make sure your brake is on before you start the car.

• 앞에 톨게이트가 있군. 잔돈 있어요?
There's a tollbooth up ahead. Do you have the change? [49)]

• 엔진을 끄지 말고 놔두세요.
Keep the engine going.

• 좌회전 신호를 켜세요.
Put on your left turn signal.

• 도로 표지가 꽤 혼란스러워요.
The road signs are pretty confusing.

교통 법규 위반

• 지금 신분증을 안 가지고 있습니다. 사무실에 놔두고 왔거든요.
I don't have any IDs on me. I left them in my office.

• 그렇다면 경찰서로 함께 가셔야 하겠습니다.
In that case, you'll have to come with me to the station.

• 선생님, 저 뒤 빨간 신호등에서 정지하지 않으셨습니다.
Sir, you didn't stop for a red light back there.
Sir, you failed to stop at that red light back there.

• 선생님께서는 일단정지를 무시하셨습니다.
Sir, you ignored a stop sign.

• 한번 봐주세요!
Please have a heart! [50)]

• 제가 못 보고 지나쳤나 봅니다.

49) tollbooth : (유료 도로, 다리 등의) 통행료 징수소 / toll road : 유료 도로(tollway)
50) have a heart : 너그러운 마음을 갖다

I must have missed it.

- 거기 백색 소나타, 길옆에 대시오.
  The white Sonata, please pull over. [51)]
- 제가 잘못한 게 있습니까?
  Did I do anything wrong?

※ 추가 표현 : 자동차를 이용할 때 – 기본 대화(p. 242)

견인됐을 때

- 내 차가 견인되어 갔어요. 차를 되찾으려면 어디로 전화하죠?
  I had my car towed away. What number do I call to recover my car?
- 내 차가 견인되어 갔어요.
  My car has been towed away.
- 견인되어간 제 차를 찾으려고 합니다.
  I'd like to recover my car that was towed away.

기 타

- 어쩌다가 딱지를 떼었어요?
  How come you got a ticket?
- 속도위반으로 30일간 면허정지를 당했어요.
  I had my license suspended for 30 days for speeding.
- 어제 과속 운전을 하다가 경찰에 붙잡혔어요.
  I got pulled over yesterday for driving too fast. [52)]
- 여기 오는 도중에 교통경찰에게 잡혔어요.
  I got pulled over by a traffic cop on the way here.
- 이 차를 견인했으면 해요.
  I want this car towed away.
- 저는 또 주차 위반 딱지를 받고 싶지 않아요.
  I don't want to get another parking ticket. [53)]

활용 어휘

- 난폭 운전 : reckless driving
- 무사고 운전 : accident-free driving
- 속도위반 딱지 : speeding ticket
- 속도 측정기 : speed gun
- 속도 단속 경찰 : speedcop〈속어〉
- 무면허 운전 : unlicensed driving
- 배기가스 규제 : exhaust control
- 속도위반자 : speeder
- 속도계 : speed indicator
- 제한 속도 : speed limit

51) 경찰차가 교통 위반 차를 잡을 때 쫓아가면서 마이크로 방송하는 말
52) pull over : 길가에 차를 붙여 세우다
53) 주차 위반 딱지〔소환장〕

노상에서 문제 발생시

A: Emergency Road service. May I help you?
B : Yes, My car's engine has broken down.
A: Where's your car now?
B : It's near 540 Madison Ave.
A: What make and model is your car?
B : A blue Chevy 〔Chevrolet〕 station wagon.
A: All right. We'll send a tow truck there.

A : 긴급 노상서비스입니다. 뭘 도와 드릴까요?
B : 제 차의 엔진이 고장났습니다.
A : 지금 차가 어디에 있습니까?
B : 매디슨 가 540번지 근처에 있습니다.
A : 차종이 어떻게 됩니까?
B : 시보레 청색 스테이션 왜건입니다.
A : 알겠습니다. 견인트럭을 그곳으로 보내겠습니다.

• 어느 방향으로 가고 계셨습니까?
Which direction were you going in?
• 좀 밀어 주시겠어요?
Would you give me a push?

주 유

A: We're running low on gas.
B : Already? I filled it up this morning.
A: This car is a gas guzzler.
We'd better stop by a gas station.

A : 연료가 떨어져 가는데요.
B : 벌써? 오늘 아침에 가득 채웠는데요.
A : 이 차는 휘발유를 많이 먹어요. 주유소에 들르는 게 좋겠어요.

• 기름은 충분한가요?
Do you have enough gas?

연료가 부족할 때

• 연료가 다 떨어져 가요. / 연료가 거의 다 됐어요.
We're running out of gas. / We're low on gas.
• 연료 탱크에 휘발유가 거의 떨어져 가요.

The tank is low.

- 그게〔연료 탱크〕가 거의 비어 있어요.
  It's almost empty.
- 다음 주유소에서 차를 세워서 연료를 넣어야겠어요.
  We'd better stop for gas at the next gas station.
- 이 근처에 주유소가 있는가요?
  Is there a gas station near here?
- 자동차에 연료가 얼마나 있죠?
  How much gas do we have?
- 휘발유가 다 떨어지기 전에 주유소에 들르는 게 좋겠어요.
  We'd better stop at a gas station before we run out of gas.
- 잠깐 차를 세워야겠어요. 연료가 거의 떨어졌어요.
  We have to make a stop. We're low on gas.

주유소에서

A: Fill her up with unleaded (gas), please.
B : All right, sir.

A : 무연 휘발유로 가득 채워 주세요.
B : 알겠습니다, 손님.

- 20달러 어치 넣어 주세요.
  Fill her up to 20 dollars. / 20 dollars worth, please.
- 가득 채워 주세요. / 20리터만 넣어주세요.
  Top it up. [54] / Just put in 20 liters, please.
- 2번 주유기에 차를 세우세요.
  Pull up to pump number 2. [55]
- 화장실 가는 동안 휘발유 좀 넣어 주시겠어요?
  Would you pump the gas while I go to the rest room?

활용 어휘

- 고급 무연 휘발유 : super unleaded gas
- 주유소 : filling〔gas / service〕 station
- 주유기 : gas pump
- 주유소 직원 : attendant [56]

54) top up : (잔 · 연료통 등을) 가득 채우다,
55) pull up : (말, 차를) 세우다, 멈추다
56) attendant : 수행하는 사람; (호텔, 주차장 등의) 안내원, 접객 담당자, (미술관 등의) 안내원; 참석자

주 차

주차장에서

A: Can I park here?
B : No, you can't.
This parking lot is for customer parking only.

A : 여기에 주차할 수 있습니까?
B : 안 됩니다. 이 곳은 고객 전용 주차장입니다.

- 잠깐이면 됩니다.
It'll just be a minute.

A: Can I park the car on this street?
B : I think it's illegal.

A : 이 거리에 주차시킬 수 있어요?
B : 불법일텐데요.

- 시간당 주차료가 얼마입니까?
How much is it per hour?
- 누가 내 주차자리에 주차를 해 두었어요.
Somebody is parked in my parking space.
- 여기는 무료 주차장이에요.
This is a free parking lot.
- 이 주차장은 고객 전용 주차장입니다.
This lot is for customer parking only.
- 이곳은 오전 9시에서 오후 6시 사이에는 주차할 수가 없습니다.
You can't park here between 9:00 a.m. and 6:00 p.m.
- 주차장이 꽉 찼어요.
The parking lot is full. / All the parking spaces are taken.
- 저 앞쪽에 비어있는 주차공간이 하나 있어요.
There's a vacant parking space up ahead.
- 주차권 좀 확인해 주시겠어요?
Could you validate my parking ticket? [57)]
- 주차 미터기에 넣을 동전 있으세요?
Do you have some coins for the meter?
- 주차 미터기에 동전을 좀 넣어야겠어요.

57) 호텔이나 대형 레스토랑을 사용한 매니저로부터 주차권에 스탬프를 찍어달라고 할 때

I need to put some more coins in my parking meter. [58)]

- 주차장이 많이 비어 있어요.
  There's plenty of spaces in the parking lot.
- 주차할 곳을 못 찾겠어요.
  I can't find a place to park.
- 주차장에 공간이 없어요.
  There are no spaces in the parking lot.
- 차를 안으로 넣어 주세요.
  Pull your car in, please.

A: Where is your parking lot? (주차장이 어디 있습니까?.)
B : Valet parking, sir. (저희가 주차를 해 줍니다, 손님.)
A: All right. (알겠습니다.)
B : Here's your claim check. (주차 번호표 여기 있습니다.)

A: Could you move up a little (for me), please?
I'm sandwiched between two cars and can't get out.
B : Oh, I see.

A : 차를 앞으로 좀 빼 주시겠습니까?
두 차 사이에 끼여서 빠져 나올 수가 없어요.
B : 네. 알겠습니다.

- 차를 뒤로 빼 주시겠어요?
  Would you mind backing up, please?

A: Check to see if it's clear on the left.
I'm gonna back up.
B : O.K. You're clear in the back.

A : 왼쪽에 이상 없는지 봐 줘. 후진할 테니까.
B : 알았어. 뒤에는 괜찮아〔후진해도 돼〕.

- 좋아요, 좋아, 계속 가세요. 됐어요.
  You're fine, keep going. It's okay.

기 타

A: Where did you park your car?

---

58) meter parking lot(미터기 주차장) : 미터기에 동전을 넣은 시간만큼 주차가 가능하도록 되어 있는 주차장, 최초 넣은 동전이 주차 가능한 시간을 초과했을 때는 미터기에 주차 시간 만료(expired)라는 표시가 나타난다. 이때 동전을 더 넣어야만 주차가 가능하며, 주차 만료 표시가 된 상태로 계속 주차해 두면 단속 경찰(meter police)에 의해서 적발된다.

B : I parked three blocks away.

A : 어디에 주차를 하셨어요?

B : 세 블록 떨어진 데다 주차를 했어요.

- 바로 앞에다 주차해 두었어요.
  I parked out front.
- 이곳은 견인지역입니다.
  This is a towaway zone. [59)]
- 보도 가장자리에 바짝 붙여서 주차를 하세요.
  Why don't you park next to the curb? [60)]
- 보통 어디에 주차를 하십니까?
  Where do you usually park your car?
- 오늘 아침 주차할 곳을 찾느라고 10분이나 헤매야 했어요.
  I had to spend ten minutes looking for a place to park.
- 정차 금지
  NO WAITING / NO STANDING
- 거주자〔지역 주민〕 전용 주차
  RESIDENT PARKING ONLY
- 주차 금지 / 직원 전용 주차
  NO PARKING / EMPLOYEE PARKING (ONLY)

활용어휘

- 대리 주차 서비스 : valet parking [61)]
- 유료 주차장 : toll〔paid〕 parking lot
- 지하 주차장 : underground (car) park
- 주차 차고 : parking garage
- 주차료 : parking charge
- 주차장 : parking lot〔field〕
- 주차장 직원 : parking lot attendant
- 무료 주차 : free parking
- 일렬〔평행〕 주차 : parallel parking
- 전진〔후진〕 주차 : head-in〔rear-end〕parking
- 주차 단속 여경관 : meter maid
- 주차 시간 초과 요금 : excess charge
- 주차장 입구〔출구〕 : inlet〔outlet〕
- 노상 주차 : street parking

세 차

- 세차 좀 해 주세요.
  Wash it down, please. / Please wash my car.
- 세차를 해 주시겠습니까?
  Would you give the car a wash?
- 도중에 세차를 합시다.
  Let's have the car washed on the way.

59) towaway : (주차 위반 차량의) 견인 철거(의)
60) curb : (인도와 차도 사이의) 연석
61) 주차장 관리인이 손님 차를 대신 주차시켜 주는 것, 관리인이 있는 주차장 / valet[벨레이] : ((불어)) / 미국식 발음은 [벨릿]이라고 한다.

활용 어휘

- 솔 : scrub brush
- 천 조각 : a piece of cloth
- 식초 : vinegar [62)]
- 단체 세차 : group car wash [63)]
- 비누 : soap
- 수건 : towel
- 호스 : hose

운전면허

- 운전면허 필기시험을 보려고 합니다. [64)]
  I'd like to take a driving permit exam.
  I want to apply for a written test.
- 주행 시험 날짜를 예약하려고 합니다.
  I'd like to make an appointment for road test.
- 운전자 안내서를 얻을 수 있습니까?
  May I have a driver's manual?
- 제 아내가 운전면허시험에 합격했어요.
  My wife passed her driver's test.
- 이번 달 안에 운전면허증을 갱신해야 해요.
  I should renew my driver's license by the end of this month.

기 타

- 누가 내 차를 부수고 들어갔어요.
  My car got broken into. / Someone broke into my car. [65)]
  My car was〔got〕 broken into by someone.
- 저는 자동차 없이도 지낼 수 있어요.
  I can do without a car. [66)]
- (차가) 이렇게 지저분해서 죄송합니다.
  Excuse all this mess.
- 차 먼지 좀 닦으세요.
  Why don't you dust off the car?
- 차안에 열쇠를 놔두고 문을 잠궈버렸어요.
  I was locked out of my car.

---

62) 세차할 때 물에 타서 쓰는 액체 세제
63) 봄철이 되면 청소년, 학생들이 특별한 행사에 필요한 돈을 모으기 위해서 단체 세차 그룹을 만들어서 동네 주변에 광고를 낸다. 이러한 단체 세차를 group car wash라고 한다.
64) 미국의 운전면허 시험(driver's test)에는 필기시험(written test)과 주행 시험(road test)으로 구분된다. 필기시험에 합격한 사람에게는 '운전 연습용 면허증(driver's permit / instruction permit)'이 발급되는데, 정식 운전면허증을 소지한 사람이 함께 탔을 경우에는 이 면허증으로 운전을 할 수 있다.
65) break into : 침입하다 / break-in : 침입
66) do without ~ : ~ 없이 지내다

활용 어휘

- 비상 라이트 : hazard light [67]
- 자동차 (전용) 도로 : driveway
- 자동차 운전 학원 : driving school
- 자동차 세 : motor tax

AAA란?

AAA란 'American Automobile Association'의 약칭으로 '미국 자동차 협회'를 뜻한다. 현재 이 협회에는 약 3,500만 정도의 운전자가 가입해 있으며, 연 회비는 40달러이다. 이 협회가 다른 여행자 서비스 기관들(travel clubs)과 비교하여 가장 돋보이는 서비스는 'free emergency road service(무료 긴급 노상 서비스)'라고 할 수 있으며, 이 협회에 가입하여 여행 중 문제가 발생했을 때 미국 전국 어디에서나 무료 서비스를 받을 수 있다. 서비스 내용에는 다음과 같은 사항들이 포함되어 있다. change of flat tire(펑크난 타이어 교체), delivery of emergency gas(긴급 휘발유 배달), towing(견인), battery boost(배터리 충전), locked car service(잠긴 자동차의 문 열어 주기), mechanical first aid(기계 고장 응급 조치) 등이다.

67) 자동차의 주 · 정차시 점멸시키는 라이트

7 도보로 이동할 때

사람이 한 장소에서 다른 장소로 이동하기 위해서는 앞에서 언급한 여러 가지 교통수단을 이용하기도 하지만 가까운 곳으로 갈 경우에는 대부분 걸어서 간다. 이 절에서는 걸어서 갈 때 사용할 수 있는 기본적인 표현을 다루었다.

기 본 대 화

A : Shall we walk or drive?
B : Let's walk. It's not far from here.

A : 걸어서 갈까요, 차를 타고 갈까요?
B : 걸어서 갑시다. 여기서 멀지 않아요.

- 걸어서 갈 겁니다.
  I'm coming on foot.
- 정말 걸어서 가고 싶으세요?
  Do you really want to walk?
- 1마일이나 떨어져 있잖아요!
  It's a mile away!
- 걸어서 가기에는 너무 멀어요. 택시를 탑시다.
  That's too far for us to walk. Let's take a taxi.
- 걷기에 참 좋은 날씨군요.
  It's a nice day for a walk.
- 그 도시에는 자전거 차선이 있나요?
  Does the city have bike lanes?
- 어디 가십니까?
  Where are you going? / Where are you headed (for)?
  Where are you heading (for)?
- 어디로 가실 겁니까〔어디로 가시는데요〕?
  Where would you like to go?
- 여기까지 어떻게 오셨습니까?
  How did you get〔come〕 here?
- 우리 출발 시간이 어떻게 되죠?
  What is our departure time?

8 교통 표지

우리 나라에는 없는 미국의 교통 표지 하나를 소개한다. 미국에는 "4(3) WAY STOP(4(3)개 방향 일단 정지)", "ALL WAY STOP(모든 방향 일단 정지)"란 도로표지가 있는데, 이 표지가 있는 교차점에서는 모든 차량은 정지선에서 일단 정지해야 하며, 통과 순서는 교차점에 도착한 순서대로 우선권이 주어진다. 이때 다른 방향에서 진입하는 차가 없다고 해서 일단 정지를 하지 않고, 그대로 통과하거나 바로 앞 차를 따라가면 교통 법규 위반이다.

주요 교통 표지

- 견인 지역
  TOW AWAY ZONE
- 경사로 시속 30 마일로 운행 바람
  RAMP 30 M.P.H.
- 경적 금지 (구역)
  NO HORN(ING) ZONE
- 교량 통행 금지
  BRIDGE CLOSED
- 급경사 커브길 감속
  SLOW! SHARP CURVE STEEP HILL
- 길 좁아짐
  ROAD NARROW
- 도로 전방에 요철 있음 / 도로에 움푹 파인 곳 있음
  BUMP / DIP
- 레이더에 의해 속도 체크됨
  SPEED CHECKED BY RADAR
- 막다른 길임
  NO OUTLET / DEAD END
- 배달 차량 전용 주차장
  PARKING FOR DELIVER VEHICLES ONLY
- 비보호 좌회전
  LEFT TURN AT YOUR OWN RISK
- 서행 / 천천히 / 저속 운행
  GO SLOW / SLOW / DRIVE SLOW
- 철도 선로 안에 들어가지 말 것
  KEEP OFF THE TRACK
- 속도 제한 : 시속 30 마일
  SPEED LIMIT : 30 MPH

- 승객 전용 승하차장
  PASSENGER PICK UP AND DROP OFF ONLY
- 안전거리 유지
  KEEP SAFE DISTANCE
- 오전 10시부터 오후 2시까지 주차 금지
  NO PARKING 10:00 AM - 2:00 P.M.
- 우측 통행
  KEEP TO THE RIGHT / WALK ON THE RIGHT
- 우회전 금지
  NO RIGHT TURN
- 1/4 마일 전방에 대피소 있음
  TURNOUT 1 / 4 MILES
- 합류 지점 / 어느 도로도 이용 가능함
  JUNCTION / ALTERNATES
- 위험한 곳 : 사고 많은 곳
  DANGER AREA : FREQUENT ACCIDENTS
- 이 앞은 통행 못함
  BLOCKED AHEAD
- 장애자 전용 주차
  HANDICAPPED PARKING (ONLY)
- 저속 차량 우측 통행
  SLOWER TRAFFIC KEEP RIGHT
- 적재 중량 제한 10톤
  LOAD LIMIT 10 TONS
- 주의 : 전방 신호등
  CAUTION : TRAFFIC LIGHT AHEAD
- 통행 금지
  NO THOROUGHFARE
- 진행하면서 좌측으로 합류됨
  THRU TRAFFIC MERGE LEFT
- 추월 금지
  NO PASSING / DO NOT PASS
- 통과할 수 없는 길
  NOT A THROUGH STREET
- 포장도로 끝남
  PAVEMENT ENDS

ENGLISH CONVERSATION DICTIONARY

CHAPTER 5

병원

- 진료 예약을 할 때
- 병원 접수창구에서
- 진료실에서
- 내과에서
- 비뇨기과에서
- 산부인과에서
- 소아과에서
- 신경외과에서
- 안과에서
- 외과에서
- 이비인후과에서
- 임상병리과에서
- 정신과에서
- 주사실에서
- 치과에서
- 피부과에서
- 문병을 갈 때

1 진료 예약을 할 때

종합병원(general hospital)이나 개인병원(clinic)에서 진찰을 받으려면 반드시 예약을 해야 한다. 진료시간이 한정되어 있기 때문에 당일 예약 접수는 곤란하며, 때로는 왕진(house call [1])을 요청할 수 있다. 병원 표지 중에 'Walk-in Emergency Care' 라고 쓰여진 것은 '예약 없이 응급 치료 가능' 이란 뜻이다.

기 본 대 화

A : Seoul Surgery Hospital. May I help you?
B : I'd like an appointment to see Dr. Miller at 2 o'clock next Wednesday.
A : One moment, please. Let me check his calendar. I'm sorry, but the doctor's very busy at that time. But there's an opening at 4 o'clock for 30 minutes. Would that be okay?
B : All right. Could I come at 4 o'clock, then?
A : Sure. I'll put you down for that time. Well, may I have your name, please?
B : Kil-ho Lee.
A : All right. Thank you.

A : 서울 외과 병원입니다. 뭘 도와 드릴까요?
B : 다음 주 수요일 2시에 밀러 박사님께 진료 예약을 하고 싶습니다.
A : 잠깐 기다려주십시오. 그분의 시간계획을 확인해 보겠습니다. 죄송하지만, 2시에는 그분이 시간이 없습니다. 4시에 30분간 빈 시간이 있는데, 괜찮으시겠어요?
B : 알겠습니다. 그럼 4시에 가면 되겠습니까?
A : 그러세요. 그 시간으로 적어 두겠습니다. 그런데, 성함이 어떻게 되시죠?
B : 이길호입니다.
A : 알겠습니다. 감사합니다.

• 좋은 의사를 추천해 주시겠습니까?
Could you recommend a good doctor?

1) 의사가 직접 환자(patient)의 집을 방문하여 진료를 하는 것

• 종합검진을 받고 싶습니다.
I'd like a general checkup.[2)]

Mission Health Network

IMPORTANT PHONE NUMBERS

Administration	580-9101	Home Healthcare	581-0020	Physical Therapy	580-9117
Admitting	580-9120	Information	580-9000	Physician Referral	580-9185
Business Office	580-9124	Laboratory	580-9171	Radiology	580-9160
Emergency	580-9111	Medical Records	580-9242	Respiratory	580-9184
Gold Card	581-4114	Outpatient Services	580-9112	Seniority	581-4114

Mission Hospital

900 South Bryan Road • Mission, TX 78572
Ph. (210) 580-9000

2) checkup : 건강 진단; 검사; 대조; 총 점검

2 병원 접수창구에서

병원에 들어서면 우선 접수를 해야 하는데, 접수를 받는 곳을 'Reception Desk' 라고 한다. 접수 창구의 위치를 물을 때는 "Where is the reception desk?(접수하는 곳이 어디입니까?)" 라고 말하고, 진료 시간을 물을 때는 "What are your office hours?(진료 시간이 어떻게 됩니까?)" 또는 "When does the office close?(진료는 언제 마감됩니까?)" 라고 한다.

기 본 대 화

A : Hi, I have an appointment with Dr. Miller at 2 o'clock.
B : Oh, I see. You're Mr. Lee?
A : Yes.
B : May I have your insurance card?
A : Yes, here it is.
B : Please have a seat here and wait until I call your name.
A : How long will I have to wait?
B : A couple of minutes.
A : All right.

A : 안녕하세요. 2시에 밀러 박사님과 약속을 했습니다.
B : 아, 이 선생님이시죠?
A : 네.
B : 보험증 좀 주시겠어요?
A : 네. 여기 있습니다.
B : 선생님 성함을 부를 때까지 여기서 기다리세요.
A : 얼마나 기다려야 하죠?
B : 2, 3분이면 됩니다.
A : 알겠습니다.

• 미스터 박입니다. 전화로 이미 예약을 했습니다.
My name is Mr. Park. I called earlier for an appointment.

A: Have you been here before? (전에 여기 오신 적이 있습니까?)
B : No. This is my first visit. (아니오. 이번이 처음입니다.)

- 이것〔진료 접수용지〕을 적어서 내십시오.
  Fill this in, please. [1)]
- 정밀 건강진단을 받고 싶습니다.
  I want to have a complete medical checkup. [2)]

응급 건강진단 용지(Emergency Medical Form) 작성 항목

- **기본 사항**
  Name(이름), Sex〔성별 : Male(남), Female(여)〕,
  Date of Birth(생년월일), Tel.(전화번호),
  Address(주소), Blood Type(혈액형),
  Allergies(알레르기), Previous Illness(과거 병력),
  Medicine Now Taking(현재 복용중인 약),
  Other Comments(기타)

- **증상(symptoms)**
  Temperature(체온), Appetite(식욕),
  Pain(통증), Stool(변비), Coughing(기침),
  Phlegm(담), Anemia(빈혈), Nausea(구토증),
  Heartburn(가슴앓이), Chill(오한), Sneezing(재채기),
  Runny nose(콧물), Short of Breath(숨이 참),
  Dizziness(현기증)

- **증상의 정도**
  Yes(있음), No(없음), Ordinary(보통),
  Soft(약함), Hard(심함), Very Hard(매우 심함)

진료 대기

- 의사 선생님께서는 지금 환자를 보고 계십니다.
  The doctor's seeing〔with〕 a patient right now.
- 의사 선생님이 곧 회진하러 오실 거예요.
  The doctor will soon come round to see you.
- 잠깐 기다려 주시겠어요? 의사 선생님이 당신을 부를 겁니다.
  Could you wait for a second? A doctor will call you.

---

1) fill in : (서류 양식 등에 필요한 항목을) 써넣다; 삽입하다 예 fill in an application : 지원서에 필요한 사항을 써넣다; ((구어)) ~의 대리〔대역〕을 하다(fill for)
2) complete : 완성하다; 완료하다; ((야구)) (시합을) 완투하다; 전부의(entire); 완벽한; 완전한(perfect) / a complete failure〔victory〕: 완패〔완승〕

- 이제 밀러 박사님이 당신을 진찰하실 겁니다.
  Dr. Miller will do your check-up now.
- 부를 때까지 기다리세요.
  Please wait till I call you.

3 진료실에서

진료실(exam room)에서 의사가 환자에게 증상을 묻는 표현에는 여러 가지가 있지만, 가장 일반적으로 쓰이는 표현으로 "What's the matter (with you?)", "What's the problem (with you)?(어디가 아프세요?)", "What symptoms do you have?(증상이 어떠십니까?)" 등을 쓴다.

기본대화

A : What's the matter with you?
B : I have a stomachache.
A : When did your pain start?
B : After dinner yesterday.
A : What did you eat last night?
B : Beefsteak, vegetables and softdrinks.
A : Do you have diarrhea?
B : Yes.
A : (after checkup) Don't worry. You just have indigestion. Take this prescription to the pharmacy.
B : Thank you very much.

A : 어디가 아프십니까?
B : 배가 아픕니다.
A : 언세부터 이프셨습니까?
B : 어젯밤 저녁 식사 후부터입니다.
A : 어젯밤에 뭘 드셨습니까?
B : 비프스테이크와 야채, 음료수를 먹었습니다.
A : 설사를 하십니까?
B : 네.
A : (진찰 후) 걱정 마세요. 단순한 소화불량입니다.
이 처방전을 약국으로 가지고 가십시오.
B : 감사합니다.

의사의 질문

증상을 물을 때

- 어디가 아프십니까〔무슨 문제가 있는 것 같습니까〕?
  What seems to be the problem?
  What's the problem with you? / What's the trouble?
- 뭘 도와 드릴까요〔어디가 아프십니까〕?
  What can I do for you?
- 어디가 아프세요? / 어떤 통증이라도 있습니까?
  Where does it hurt? / Do you have any pain?
- 정확히 어느 곳이 편찮으십니까?
  What exactly is wrong?
- 증상이〔증세가〕 어떻습니까?
  What symptoms do you have? / What are your symptoms?
- 어디가 편찮으십니까?
  What do you feel is wrong?
- 그밖에 또 아픈 곳이 있습니까?
  Do you have a pain anywhere else?
- 특별히 이상한 점이 있습니까?
  Is there anything particularly unusual?

개인 병력

- 어떤 지병(持病)이라도 있습니까?
  Do you have any recurrent illnesses? [1)]
- 과거에 심한 질병을 앓은 적이 있습니까?
  Have you ever suffered from any serious diseases?
- 과거에 입원한 적이 있습니까?
  Have you been admitted to a hospital before?
- 전에도 그렇게 머리가 아픈 적이 있습니까?
  Have you had such a headache before?
- 무슨 알레르기라도 있습니까?
  Do you have any allergies?
- 약에 대한 알레르기가 있습니까?
  Are you allergic to any medicine?
- 정기적으로 복용하는 약이 있습니까?
  Are you taking any medicine regularly?

1) recurrent : 재발〔재현〕하는, 정기적으로 일어나는; 순환하는

- 술을 자주 드시나요?
  Do you often drink alcohol?

발병 시기

- 언제 발병하였습니까? / 언제부터 그랬습니까?
  When did this trouble start? / Since when?
- 언제부터 아프셨습니까?
  When did it happen? / When did it start?
  When do you have pain?
- 언제부터 아프기 시작했습니까?
  When did it begin to hurt?
- 발병한 지 얼마나 오래됐습니까?
  How long has it been bothering you?
- 통증이 있었던 게 얼마나 되셨습니까?
  How long have you had this pain?

기 타

- 식욕은 어떠세요?
  How's your appetite?
- 전에 다른 의사한테 가본 적이 있습니까?
  Have you visited any other doctors before?

증세를 말할 때

일반적인 증상

- 독감에 걸린 것 같습니다.
  I'm afraid I have a bad cold. [2)]
- 식은땀을 흘립니다.
  I get night sweats.
- 간혹 밤중에 땀을 무척 흘립니다.
  Sometimes I sweat heavily at night.
- 몸에서 열이 납니다. / 오한이 납니다.
  I'm running a temperature. / I'm having chills.
- 피곤함을 느낍니다. / 쉽게 피로해집니다.
  I feel tired. / I get easily tired.

---

2) 증상을 말할 때의 기본 표현 : 어디가 아프다고 표현할 때는 "I have ~〔병명〕." 형식의 표현을 쓴다. 예 I have a headache.(머리가 아픕니다. / 두통이 있습니다.) / I have a stomachache.(배가 아픕니다.) / I have a toothache.(이가 아픕니다.) / I have an earache.(귀가 아픕니다.) / I have a backache.(허리가 아픕니다.) / I have a fever.(열이 있습니다.)

- 건강이 좀 쇠약해진 것 같습니다.
  I feel a bit run-down. [3]
- 열이 좀 있습니다. / 피로를 느낍니다.
  I have a slight fever. [4] / I feel tired.
- 팔다리에 힘이 없습니다. / 쓰러질 것 같아요.
  I think I'm going to faint. / My hands and feet feel weak.
- 아무리 잠을 많이 자도 졸음이 옵니다.
  I feel sleepy, no matter how much I sleep.

통증이 있을 때

- 몹시 아픕니다. / 미치게 아픕니다.
  It hurts very much. / It hurts like mad. [5]
- 발이 아파 죽겠습니다.
  My feet are killing me.
- 누르면 그 부위가 아픕니다.
  That part hurts when you press it.
- 부어 올라서 아픕니다.
  It is swollen and is very painful.
- 이 부분이 아픕니다.
  I have a pain on this part. [6]

활용어휘

- 격렬한 통증 : a burning pain
- 지속적인 통증 : a continuous pain
- 심상치 않은 통증 : an ominous pain
- 이상한 통증 : a weird pain
- 깨지는 듯한 통증 : a racking pain
- 쪼개지는 듯한 통증 : a splitting pain
- (머리 상처가) 욱신욱신 쑤시다 : throb
- 쑤시는 듯한 통증〔아픔〕: a throbbing〔stinging〕pain
- 쥐어짜는 듯한 통증〔아픔〕: a gripping〔squeezing〕pain
- 찌르는 듯한 통증 : a smarting pain
- 약한 통증 : a slight pain
- 지속적인 둔통 : a dull pressing pain
- 격통 : a sharp pain
- 따끔따끔한 통증 : a pricking pain
- 따끔따끔 아프다 : tingle

- 만지면 아픕니다.
  It's tender to the touch. [7]

---

3) run-down : 피곤한, 건강이 좋지 않은 → 명사를 수식하는 용법으로는 사용되지 않는다.
4) slight fever : 미열(微熱)
5) like mad : 미치광이처럼, 맹렬히
6) 통증을 나타내는 표현 : "~가 아프다.〔~에 통증이 있다.〕"라는 표현은 "I have a pain ~."라고 말한다. 예 I have a pain around here.(여기 부근이 아파요.) / pain 앞에 통증의 유형이나 정도를 나타내는 형용사를 덧붙여 표현할 수도 있다. 예 I have a sharp〔terrible〕 pain around here.(여기 부분에 심한 통증이 있어요.)
7) tender : 만지면 아픈; 부드러운

- 밤중에 통증으로 간혹 깨곤 합니다.
  During the night, the pain sometimes wakes me up.
- 불규칙하게 통증이 몰려옵니다.
  The pain attacks me on and off. [8)]
- 아야! 아파요!
  Ouch! It hurts! [9)]
- 움직이려고 하면 몹시 아픕니다.
  If I try to move it, it hurts terribly. [10)]
- 이 주변이 아픕니다.
  I have a pain around here.
- 통증을 멎게 해 주세요.
  Please stop the pain.
- 통증을 없애 주세요.
  Kill the pain, please.
- 통증을 완화해 주세요.
  Alleviate the pain, please. [11)] / Ease the pain, please.
- 통증이 사라졌습니다.
  The pain has gone away. / The pain has disappeared.
- 저녁에는 통증이 더 악화되는 경향이 있습니다.
  The pain tends to get worse in the evening.
- 아픈 곳을 딱 꼬집어서 말하기는 곤란하군요.
  I can't pinpoint the pain. [12)]
- 너무 심해서 참을 수가 없습니다.
  It's so severe that I can't put up with it.

기 타

- 어제보다는 훨씬 낫습니다.
  I feel much better than yesterday.
- 아침과 저녁에 가장 상태가 안 좋습니다.
  It's worst in the mornings and evenings.
- 아침에 일어날 때가 제일 아픕니다.
  It hurts the most when I get up in the morning.
- 손바닥에 못이 박였어요.
  I have calluses on my palm. [13)]

---

8) on and off = off and on : 때때로, 불규칙하게
9) ouch[아우취] : 〈의성어〉 아얏!
10) hurt : 아프게 하다, 다치게 하다; 아프다
11) alleviate : (심신의 고통을) 덜게 하다, 완화하다
12) pinpoint : 정확하게 지적하다
13) calluses : (피부의) 못, 피부 경결

- 손이 텄어요.
  The skin on my hand is chapped. [14]

※ 증상에 관한 세부 표현 : 각 진료과 참조

진료를 할 때

X레이 촬영

- 엑스레이를 찍겠습니다. / 흉부 엑스레이 촬영을 하겠습니다.
  I'll X-ray it. / We'll have your chest X-ray taken.
- 숨을 깊이 들이마시세요. / 숨을 들이마시세요.
  Take a deep breath, please. / Breathe in.
- 숨을 내쉬세요.
  Breathe out, please. / Exhale, please.
- 숨을 멈추세요.
  Hold your breath. / Hold it.

혈압을 잴 때

- 저, 혈압 측정을 해야 하는데. 상의를 좀 벗어주세요.
  Well, I would like to check your blood pressure.
  Please take your jacket off.
- 주먹을 꽉 쥐세요.
  Make a tight fist.
- 주먹을 펴세요.
  Open your hand.

누워서 진료할 때

- 드러누우세요.
  Lie〔Lay〕 on your back, please.
- 머리를 우측으로 돌리세요.
  Turn your head to the right.
- 배를 깔고 누우세요.
  Lie〔Lay〕 on your stomach, please.
- 오른쪽〔왼쪽〕으로 돌아누우세요.
  Lie〔Lay〕 on your right〔left〕 side, please.

14) chap : (추위, 서리가 살갗을) 트게 하다; 〈보통 복수형〉 (살갗, 입술 등의) 튼 자리, 튼 데; (갈라진) 금, 균열

신체 검사

- 이 기둥에 등을 대고 서십시오.〈키를 잴 때〉
  Stand against this post, please.
- 저울 위에 올라 서십시오.〈체중을 잴 때〉
  Step on the scale, please.
- 팔을 위로 올려 주세요.〈흉위를 잴 때〉
  Hold your arm up, please.
- 무릎을 구부리세요.
  Bend your knees, please.

통증을 확인할 때

- 아프세요? / 만지면 아픈가요?
  Am I hurting you?[15] / Does it hurt when I touch it?
- 통증을 견딜 수 있습니까? / 통증이 심한가요?
  Can you stand the pain? / Is the pain severe?

기 타

- 가슴을 진찰할 테니까 옷을 걷어 올려 주세요.
  Please pull up your shirt so I can listen to your chest.[16]
- 체온을 재 봅시다. / 알레르기 검사를 해 봅시다.
  Let's take your temperature. / Let's do some allergy tests.

진료 결과

결과를 물을 때

- 뭐가 잘못됐는지 알고 싶습니다.
  I want to know what's wrong with me.
- 어디가 이상 있는 겁니까?
  What seems to be the problem (with me)?
  What's wrong with me?
- 원인이 뭔가요? / 엑스레이 결과가 어떻게 나왔습니까?
  What's the cause of that? / How did my X-ray turn out?

걱정스러울 때

- 악화되지는 않겠습니까? / 수술로 치료가 될까요?
  Won't it get worse? / Will surgery cure it?

---

15) 의사가 진찰을 할 때, 아픈 부위를 누르면서 환자에게 하는 말
16) pull up : 끌어올리다

- 수술을 받아야 할 것 같은가요?
  Do you think I need an operation?
- 곧 회복이 될 수 있을까요? / 치료될 수 있을까요?
  Will I be able to get well soon? / Can it be cured?
- 저절로 없어질까요? / 입원을 해야 하나요?
  Will it go away naturally? / Should I be hospitalized?
- 재검사를 받아야 합니까?
  Need I have a retest? / Do I need to repeat the test?
- 오랫동안 입원해야 될 것 같습니까?
  Do you think I'll have to stay in the hospital for long?
- 회복하려면 얼마나 걸리겠습니까?
  How long will it take for me to recover?

주의 및 권고 사항

- 얼마 동안이나 움직이지 말아야 합니까?
  How long do I have to keep from moving? [17)]
- 목욕을 해도 됩니까? / 술을 마셔도 됩니까?
  Can I take a bath? / Is it all right to drink?
- 무슨 음식을 삼가야 됩니까? / 식이 요법은 어떻습니까?
  What foods should I avoid? / What about my diet? [18)]
- 어떤 치료법이 도움이 될까요?
  What sort of treatment will help?
- 푹 쉬면 나을 겁니다. / 얼음찜질을 하면 좋을 겁니다.
  A good rest can cure it. / An ice pack would help.
- 단 음식 섭취량을 줄이세요.
  Please cut down on sweets. [19)]
- 가능한 한 많은 수분을 지속적으로 섭취하세요.
  Keep drinking as much water as you can.

심각한 상태가 아닐 때

A: Is it a serious case? (제 증세가 심한가요?)
B : Don't worry. It's still in the early stages.
(걱정 마세요. 아직은 초기 단계입니다.)

- 곧 좋아질 겁니다. / 걱정하지 마세요.
  You'll soon be feeling better. / Don't worry.

17) keep from ~ing : ~하는 것을 금하다, 억제하다, 삼가다
18) diet : 일상의 음식물, 식이 요법, / diet sheet : 규정식 일람표
19) cut down on ~ : ~(담배 피우는 양 · 먹는 식사량 등을) 줄이다

기 타

- 정밀 검사를 받으셔야겠습니다.
  You should get a thorough medical checkup.
- 다른 의사한테도 한번 알아보시죠?
  Why don't you get a second opinion from another doctor? [20]
- 매일 병원에 와야 합니까?
  Do I have to come to the hospital every day?

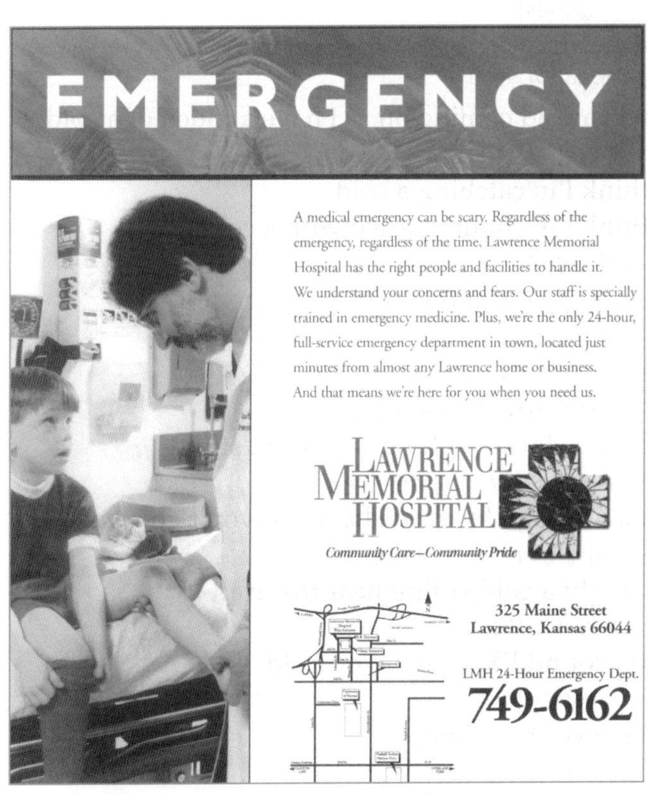

20) get a second opinion : (첫 번째 견해를 확인하기 위해서) 다른 견해를 들어 보다

4 내과에서

내과와 관련된 증상을 말하는 기본적인 표현에는 "I have a cold.(감기에 걸렸습니다.), "I have a touch of a cold.(감기 기운이 있습니다.)", "I have a stomachache.(배가 아픕니다.)", "I feel nauseated.(속이 메스껍습니다.)" 등이 있다.

감기

- 감기에 걸렸습니다. / 오한이 납니다.
  I have a cold. / I have the chills.
- 몸살이 났습니다.
  I ache all over.
- 감기 기운이 있습니다.
  I feel a cold coming on. / I have a touch of a cold.
- 감기에 걸릴 것 같습니다.
  I think I'm catching a cold.
  I think I'm coming down with a cold.
- 이 감기가 떨어지지 않습니다.
  I can't get rid of this cold.
- 감기 때문에 재채기를 많이 합니다.
  I sneeze a lot due to the cold.
- 기침을 하기 시작하면 멈추질 않습니다.
  When I start coughing, it doesn't stop.
- 고열이 있습니다. / 열이 없어지질 않습니다.
  I have a high fever. / The fever won't go away.
- 바람받이에 앉아 있다가 감기에 걸렸습니다.
  I caught a cold sitting near the draft. [1)]
- 감기에 걸리신 목소리군요.
  You sound like you have a cold.
- 열이 없어졌습니다.
  The fever has gone.
- 재채기가 계속 나옵니다.
  I sneeze repeatedly. / I sneeze non-stop.

1) draft : 문틈같은 좁은 통로를 통하여 들어오는 바람

머리에 이상이 있을 때

- 머리가 아픕니다. / 머리가 몹시〔약간〕 아픕니다.
  I have a headache. / I have a terrible〔slight〕 headache.
- 머리에 비듬이 심합니다.
  I have severe dandruff. [2)]
- 머리가 좀 띵합니다.
  I have a minor headache.
- 머리가 무겁습니다.
  My head feels heavy.

배에 이상이 있을 때

- 공복시에 위가 아프기 시작합니다.
  Whenever my stomach is empty, it begins to hurt.
- 아랫배가 아픕니다.
  I have a pain in the lower abdomen. [3)]
- 아랫배가 요동을 치는 것 같습니다.
  I feel pumped up in the lower abdomen.
- 배가 좀 불쾌〔불편〕합니다.
  My stomach feels rather unpleasant. [4)]
- 위 전체가 다 아픕니다.
  It hurts all around my stomach.
- 위가 거북합니다.
  My stomach still feels heavy.
- 위에 압박감이 있습니다.
  I have gas pangs in my stomach. [5)]
- 트림이 많이 납니다.
  I belch a lot. [6)]

소화불량

- 배탈이 났습니다〔위장이 불편합니다〕.
  My stomach is upset.
- 뭘 잘못 먹었나 봅니다.
  I'm afraid (that) I ate something bad.

---

2) dandruff : (머리의) 비듬
3) abdomen : (사람의) 배(belly), 복부
4) distended : 팽창된 / distend : 팽창시키다, 넓히다
5) pang : 격통, 에는 듯한 아픔
6) belch : 트림을 하다; (화산 · 대포 등이) 불꽃 · 연기 등을 내뿜다

- 먹는 것마다 토합니다.
  I throw up everything I eat. [7]
- 배가 부르고 매스껍습니다.
  My stomach feels bloated and I have nausea. [8]
- 배에 가스가 찼습니다. 〈속어〉
  I have gas in my stomach. [9]
- 배속에서 소리가 납니다.
  My bowels rumble. [10]
- 속이 좀 매스껍습니다. / 식사 후에 곧바로 토했어요.
  I get sick to my stomach. / I vomited right after eating.
- 식욕이 별로 없습니다.
  I don't have much appetite.
- 속이 항상 거북합니다〔거북한 것 같습니다〕.
  My stomach (seems to) always feels heavy.
- 양식을 먹으면 항상 배탈이 납니다.
  American foods always upset my stomach.
- 위에서 음식을 받지 않습니다.
  I can't keep anything in my stomach.

가슴 · 호흡기

- 가슴앓이를 앓고 있습니다.
  I have heartburn. [11]
- 가슴에 혹이 생겼습니다.
  I have a lump in my chest. [12]
- 가슴이 답답합니다.
  I have a heaviness in my chest.
- 가슴이 막힌 듯한 느낌입니다.
  My chest is blocked up. [13]
- 결핵에 걸렸던 경험이 있습니다.
  I have a past history of tuberculosis.
- 딸꾹질이 멈추질 않습니다.
  My hiccups won't stop.

---

7) throw up : 토하다
8) bloat : 부풀게 하다, 팽창시키다
9) gas : 뱃속에 든 가스(flatulence)
10) bowels : (대개 복수형태로) 내장, 장 전체
11) heartburn : 가슴앓이; 질투
12) lump : 혹; 부어오른 멍; 덩어리, 한 덩이, 한 무더기; 각설탕
13) block up : 막다, 봉쇄하다; 방해하다

• 숨이 찹니다. / 걸을 때 숨이 찹니다.
I'm short of breath. / I get short of breath when I walk.

❖ 추가 표현 : 이비인후과에서(p. 309)

활용어휘

• 간 기능 검사 : liver function exam(ination)
• 간염 : hepatitis
• 감기 바이러스 : cold viruses
• 결장(結腸) : colon
• 고혈압 : high blood pressure
• 기관지 : bronchia [14)]
• 기침(하다) : cough
• 담낭 : gall bladder
• 대장 : large intestine
• 딸꾹질 : hiccup
• 맥박 : sphygmus
• 맹장 수술 : appendectomy
• 백혈구 : white blood cell
• 변비 : constipation
• 비장 : spleen
• 산소 결핍 : hypoxemia / anoxemia
• 산소흡입기 : oxygen breathing apparatus
• 세포 : cell
• 소화불량 : acid indigestion
• 식도 : esophagus
• 식욕 부진 : anorexia
• 신장병 : kidney failure
• 심부전(心不全) : heart failure
• 심장 경련 : a convulsion in my heart
• 심장(心腸) : heart
• 심장병 : heart disease〔attack / troubles〕
• 위 내시경 : gastroscope
• 위경련 : stomach cramps [15)]
• 위산 과다증 : hyperacidity
• 위염 : gastritis
• 인공호흡 : artificial respiration
• 적혈구 : red blood cell〔corpuscle〕
• 천식 : asthma / asthma attacks
• 치질 : hemorrhoid / piles
• 콧물 : snivel
• 편도선 : tonsils
• 폐 : lung
• 폐암(肺癌) : lung cancer
• 간(장) : liver
• 감기 : (head) cold
• 거식증 : bulimia
• 결핵 : tuberculosis〔T.B.〕
• 급성 폐렴 : acute pneumonia
• 기관지염 : bronchitis
• 담〔가래〕 : phlegm / sputum
• 담석 : gall stone
• 동맥 경화증 : arteriosclerosis
• 만성 위염 : chronic stomachache
• 맹장 : blind gut
• 맹장염 : appendicitis
• 백혈병 : leukemia
• 복막염 : peritonitis
• 빈혈 : anemia
• 산소 마스크 : oxygen mask
• 설사 : diarrhea
• 소장 : small intestine
• 수혈 : (blood) transfusion
• 식욕(食慾) : appetite
• 식중독 : food poisoning
• 심근경색증 : cardiac arrest
• 심실(心室) : ventricle
• 심장 박동수 : heart rate
• 심장마비 : heart attack
• 십이지상 궤양 : duodenal ulcer
• 위 세척기 : stomach pump
• 위궤양 : ulcers
• 위암 : stomach cancer
• 유행성 감기 : influenza
• 인공 호흡기 : pulmotor
• 전염성 간염 : infectious viral
• 출혈 : hemorrhage
• 코감기 : head cold
• 트림 : burp / belch
• 편두통 : migraine
• 폐결핵 : (pulmonary) tuberculosis
• 폐활량계 : spirometer

14) bronchium의 복수형
15) 단수 취급

- 폐암(肺癌) : lung cancer
- 항문 : anus
- 혈압계(血壓計) : sphygmomanometer
- 혈액형 : blood type
- 폐활량계 : spirometer
- 헌혈자 : blood donator
- 혈액 순환 : blood circulation
- 혈우병(血友病) : hemophilia

Edinburg Regional Medical Center

UHS A Universal Health Services, Inc. Facility.

1102 W. Trenton Rd.
A Universal Health Services, Inc. Facility

388-6000

GENERAL INFORMATION

24 Hour Emergency Center
388-6500

Patient Room Numbers
388-6 + Room #

For more information contact our web site:
www.uhsermc.com

5 비뇨기과에서

비뇨기과에 관련된 증상을 표현하는 기본적인 표현에는 "I often have to urinate.(소변을 자주 봐야 합니다.)", "I'm having troubles urinating.[1] (소변보기가 힘듭니다.)", "I have terrible diarrhea.(설사를 심하게 합니다.)", "I've got the runs.[2] (설사를 합니다.)" 등이 있다.

소 변

- 배뇨 후에 시원하지가 않습니다.
  After urinating, I don't feel relieved.
- 소변을 자주 보는 것 같습니다.
  I seem to urinate often.
- 소변 색깔이 진합니다.
  My urine is dark.
- 소변을 보려고 할 때 아픕니다.
  It hurts when I begin to urinate.
- 소변을 보통 때보다 자주 보는 것 같습니다.
  I seem to urinate more often than usual.
- 성병에 걸렸을까봐 걱정입니다.
  I'm afraid I might have contracted a venereal disease. [3]

배 변

- 아직도 설사가 멈추질 않습니다.
  I still have the runs.
- 수용성 변이 나옵니다.
  I have watery stools.
- 우유를 마시면 설사를 합니다.
  When I drink milk I get diarrh(o)ea.
- 된〔묽은〕 변을 봅니다.
  I have hard〔soft〕 stools. [4]
- 혈변이 나옵니다.
  I have blood in my stool.

1) pass urine : 소변을 보다
2) the runs : 설사
3) contract : 계약하다; (감기 · 병에) 걸리다 / venereal : 성병의, 성교에 의한
4) stool : 대변; (등받이가 없는) 걸상, 발판

- 변비가 심합니다.
  My constipation is bad. 5)
- 변비에 걸렸습니다.
  I've been constipated.
- 배변시에 너무 아픕니다.
  I have terrible pains, when I have bowel movement.
- 변비와 설사가 번갈아서 계속됩니다.
  I have constipation and diarrhea alternately. 6)
- 완화제를 복용해도 대변이 잘 안 나옵니다.
  My bowels aren't moving when I take laxatives. 7)
- 앉으면 엉덩이가 아픕니다.
  My bottom hurts when I sit down. 8)
- 이틀 동안 변을 보지 못했습니다.
  I've had no bowel movement for two days.
- 치질에 걸린 것 같습니다.
  I seem to have hemorrhoids. 9)

활용어휘

- 고환염 : orchitis
- 만성 변비 : chronic constipation
- 방광 : bladder
- 방광 결석 : bladder-stone
- 요도 절개술 : urethrotomy
- 비뇨기 전문의 : urologist
- 성병 : African toothache〈속어〉
- 신장 : kidney
- 야뇨증 : bed wetting
- 전립선염 : prostatitis
- 항문 : the anus
- 항문 괄약근 : anal sphincter
- 당뇨병 : (sugar) diabetes
- 매독 : syphilis
- 방광염 : cystitis
- 요도관 : the urethra canal
- 요도염 : urinary tract infection
- 임질 : gonorrhea / the clap〈비어〉
- 성병 검진 : VD check 10)
- 주간유뇨증 : daytime wetting
- 정관 : seminal duct
- 정관 절제(술) : vasectomy
- 항문 전문의 : proctologist
- 에이즈 : AIDS 11)

5) constipation : 변비 / constipate : 변비에 걸리게 하다; 〈보통 수동형〉 변비에 걸리다(be constipated)
6) diarrh(o)ea : 설사
7) laxative : 완화제
8) bottom : ((구어)) 엉덩이, 궁둥이, 둔부
9) hemorrhoids : 〈복수형〉 치질(piles) / hemorrhoidectomy : 치질 절제술
10) VD = venereal disease
11) AIDS : acquired immune deficiency syndrome : 후천성 면역 결핍증

6 산부인과에서

산부인과와 관련된 증상을 말하는 기본적인 표현에는 "I don't menstruate.(생리가 없습니다.)", "My periods are irregular.(생리가 불규칙적입니다.)", "I want you to see if I'm pregnant.(임신했는지를 알고 싶습니다.)", "I think I'm pregnant.(임신한 것 같습니다.)" 등이 있다.

기본대화

A : Hello. You're Mr. Daniel, aren't you?
Have you been waiting long?
B : Not really. Is there any news?
A : Not yet. We'll tell you as soon as there is.
Have you thought of any names for the baby?
B : Oh, yes. If it's a boy, we'll call him John, and if it's a girl we'll call her Mary.
I hope it would be a boy.
A : Good luck to you!

A : 안녕하세요. 다니엘씨죠? 오래 기다리셨습니까?
B : 아니에요. 무슨 소식이 있습니까?
A : 아직 없어요. 소식이 있는 대로 알려 드릴게요.
애 이름에 대해서는 생각해 보셨어요?
B : 물론이죠. 아들이면 존이라고 부르고, 딸이면 메리라고 부를 거예요. 아들이었으면 좋겠어요.
A : 행운을 빕니다.

생 리

- 생리가 한번 없었습니다.
  I've missed a period.
- 생리가 1주 늦습니다.
  My period is a week late.
- 생리 기간이 아닌데도 출혈이 있습니다.
  Although it isn't time for my period, I'm bleeding.
- 분비물이 많습니다.
  I have a lot of discharge.

- 이 달에 아직도 생리가 시작되질 않습니다.
  My period hasn't started yet this month.
- 28일 주기로 규칙적으로 생리를 하고 있습니다.
  I've always had my periods at regular 28-day intervals.

성 감

- 저는 불감증입니다. / 저는 성불능이 되었어요.
  I'm frigid. [1] / I've become impotent. [2]
- 성욕이 없습니다.
  I have no sexual desire.
- 섹스를 할 때 성감을 느낄 수가 없습니다.
  I can't get sexual satisfaction during intercourse. [3]

음 부

- 음부에 가려움증이 있습니다.
  I have an itchy sensation in my pubic region.
- 음부에 염증이 생겼습니다.
  My pubic region has become inflamed. [4]
- 음부에 종기가 났습니다.
  I have a lump in the pubic region. [5]
- 성교를 할 때 아픕니다.
  I have pains during sexual intercourse.

임신 · 출산

- 입덧이 심합니다.
  I have terrible morning sickness. [6]
- 분만 후에 출혈이 심했습니다.
  I bled a lot after delivery〔giving birth〕.
- 꿰맨 자리가 매우 아픕니다.
  My stitches hurt a lot.
- 아이를 갖고 싶은데, 임신이 안 됩니다.
  I want to have a child, but I can't get pregnant. [7]

---

1) frigid : (여성이) 불감증인, 몹시 추운
2) impotent : (남성이) 성교 불능의
3) intercourse : 교제, 왕래; 성교, 육체 관계(sexual intercourse)
4) inflame : 불태우다, (사람을) 흥분시키다, 분노케 하다; ((의학)) 염증을 일으키다
5) lump : 혹, 종기, 덩어리, 한 덩이
6) morning sickness : 아침의 구토증(임신 초기의 특징), 입덧
7) pregnant : 임신한

- 양수가 터졌습니다.
  My water broke.
- 인공수정을 하고 싶습니다.
  I want to have artificial insemination. [8)]
- 임신기간은 완전히 채워졌습니까?
  Was the pregnancy full term?
- 피임약을 복용하고 싶습니다.
  I'd like to have some contraceptives. [9)]

활용어휘

- 골반 : pelvis
- 난소 : ovary
- 분만 : deliver
- 불감증인 : frigid [10)]
- 사산(死産) : stillbirth
- 생리 : menorrh(o)ea / menses
- 생리 기간 : menstrual〔monthly period〕
- 생리 주기 : menstrual cycle
- 생리통 : cramps
- 신생아실 : newborn nursery
- 예정일 : due (date)
- 유두 검사 : pap test
- 유산 : miscarriage
- 음모 : pubic hair
- 음핵(陰核) : clitoris
- 임신선 : stretch marks
- 자궁 : uterus / womb
- 자궁내 피임기구 : intrauterine device〔IUD〕
- 정관 절제 수술 : vasectomy
- 정자 : sperm
- 진통 : labor / contraction
- 출산 예정일 : expecting〔expectant〕 date
- 태동 : fetal movement / quickening
- 태위(胎位) : presentation [13)]
- 포경 수술 : operation for phimosis
- 피임(법) : contraception
- 국부(局部) : genital region
- 난자 : egg / ovum
- 분만실 : delivery room
- 불임 수술 : sterilization
- 산부인과 의사 : obstetrician
- 생리 과다 : menorrhagia
- 생리 불순 : menstrual irregularity
- 생리대 : hygienic band
- 성교 : intercourse
- 쌍둥이 : twins [11)]
- 외음부 : external genitalia
- 유두(乳頭) : nipple
- 육아실 : nursery
- 음순 : labia
- 임신 검사 : pregnancy test
- 입덧 : morning sickness
- 자궁암 : uterine cancer
- 자연 분만 : natural childbirth
- 정액 : semen
- 제왕절개 수술 : Caesarean operation
- 처녀막 : hymen
- 출산 준비실 : preparation room
- 태아 : embryo [12)]
- 탯줄 : umbilical cord
- 피임 도구 : contraceptives

※ 관련 표현 : 임신(p. 294, 629)

8) insemination : 수정, 씨 뿌림
9) contraceptive : 피임 약〔용구〕; 피임의
10) ((비교)) impotent : (남성의) 성교 불능인
11) 일란성 쌍둥이 : identical twins / 이란성 쌍둥이 : fraternal twins / 세 쌍둥이 : triplets
12) 보통 8주까지의 태아를 지칭함 / fetus : 임신 3개월 이상 된 태아
13) breech presentation : 역위(逆位) / breech birth〔delivery〕 : 역위 출산(태아 출산시 발 부분이 먼저 나오는 것) / transverse presentation : 횡위(橫位)(태아가 옆으로 놓임)

7 소아과에서

소아과에서 자주 쓰이는 표현에는 "How many months is he now?(지금 아기가 몇 개월째입니까?)"[1], "How old is the baby?(아기가 몇 살이죠?)", "He doesn't drink as much milk as he should.(아이가 우유를 먹어야할 양 만큼 먹지 않습니다.)", "He has a runny nose.(아이가 콧물을 흘립니다.)", "His eyes are bloodshot and filled with mucus.(아이의 눈이 충혈되고 눈곱으로 꽉 차 있습니다.)" 등이다.

감 기

- 아이가 감기에 걸린 것 같습니다.
  He seems to have a cold.
- 그 애가 너무 힘들어서 입을 벌립니다.
  He opens his mouth with great discomfort.
- 아이가 숨쉬기가 곤란한 것 같습니다.
  He seems to have much difficulty in breathing.
- 아이의 코가 막혔습니다.
  He has a stuffed-up nose.
- 아이가 숨을 쉴 때 씨근덕거립니다.
  He wheezes when he breathes. [2]
- 아이의 편도선이 부었습니다.
  His tonsils are swollen.

경기 · 간질

- 아기가 발작을 일으킨 적이 있습니까?
  Has he ever had a fit? [3]
- 아이가 가끔 경련을 일으킵니다.
  He often goes into convulsions.
- 제 아이가 갑자기 의식을 잃었습니다.
  My child suddenly became unconscious.
- 아이가 온 몸을 떱니다.
  He is trembling all over.
- 아이의 눈이 뒤집히고 나서 의식을 잃었습니다.
  His eyes were rolled back and he's been unconscious.

1) 소아과 편에서는 편의상 '아이'를 'he(남자)'로 표현했지만, he 대신 the baby(아기), she(여자 아이) 등으로 대체하여 표현할 수 있다.
2) wheeze : 〈사람이〉 (천식 등으로) 씨근거리다; 씨근거리며 말하다
3) fit : ((의학)) 발작, 경련

눈 · 코 · 귀

- 아이가 눈이 따끔거린다고 합니다.
  My child says his eyes feel irritated.
- 아이의 귀에 염증이 생겼습니다.
  He has an ear infection.
- 아이의 귀에서 고름이 나옵니다.
  There is some discharge coming from his ear.
- 아이의 눈에서 눈물이 나옵니다. / 아이가 코피를 자주 흘립니다.
  My child's eyes water. / He often has a nosebleed.

❖ 대 소변에 관한 표현 : 내과에서(p. 286)

수유 · 식사

- 아기가 우유를 마실 때, 목에서 휘파람 같은 소리가 납니다.
  When he drinks his milk, he makes a whistling sound in his throat.
- 아이가 뭘 먹자마자 토합니다.
  As soon as he eats something, he vomits.
- 아이가 모유 외에는 삼키질 못합니다.
  He can't swallow anything but breast milk.
- 아이가 식욕이 별로 없습니다.
  He doesn't have much appetite.
- 아이에게 젖을 먹입니까, 유동식을 먹입니까?
  Do you breast-feed him or give him formula? [4)]

정서 불안

- 아이가 뚜렷한 이유 없이 웁니다.
  He cries for no apparent reason.
- 아이가 아직도 혼수상태입니다. / 아이가 횡설수설합니다.
  He's still in coma. / He speaks incoherently. [5)]
- 아이가 자주 당황스러워합니다.
  He's very often befuddled. [6)]
- 아이가 정신착란을 일으킵니다. / 아이가 항상 멍하게 보입니다.
  He's delirious. / He always looks dazed.

---

4) formula : (영향을 강화한) 어린이 유아용 우유〔유동식〕, 조합유(組合乳)
5) incoherent : 조리가 서지〔닿지〕 않는, 논리가 일관되지 않는; 지리멸렬한
6) befuddled : 혼란스러운, 당황한, 어리둥절한

피부병

- 아이가 몹시 가려운 것 같습니다. / 아이에게 땀띠가 났습니다.
  He seems terrible itchy. / He has bad prickly heat.
- 아이의 목과 가슴에 발진 투성이입니다.
  His neck and chest are covered with a rash.
- 아이가 목이 가려운 것 같다고 합니다.
  He said his throat itches or something like that.

※ 추가 표현 : 피부과에서(p. 321)

기 타

- 그 애는 생후 2개월입니다. / 아이가 괜찮을까요?
  He's two months old. / Will he be all right?
- 아기 머리를 위로 하고 침대머리 쪽으로 눕히세요.
  Please have the baby lie on the bed with his head towards the headboard.
- 아기를 잡아 주시겠어요?
  Would you please hold the baby?
- 아이가 벌써 12개월이나 됐는데, 아직도 서지를 못합니다.
  He is already twelve months old, but he can't stand yet.
- 아이가 해열제를 복용해도 될까요?
  Would it be all right if he takes some medicine to reduce a fever?
- 아이의 몸무게가 늘고는 있지만, 충분하지 않아요.
  He's gaining weight, but not enough.
- 아이의 몸무게가 정상보다 훨씬 미달입니다.
  His weight is far below normal.
- 열이 많이 나면 타이레놀을 먹이세요.
  When the baby has high fever, please give him a Tylenol.
- 젖니가 빠지지도 않았는데 영구치가 나고 있어요.
  My son is cutting his permanent teeth against his baby teeth.

- 경구 소아마비 : oral polio
- 관장제 : enema
- 땀띠 : heat rash
- 성홍열 : scarlet fever
- 소아학 : pediatrics
- 유동식 : liquids
- 천연두 : smallpox
- 경기(驚氣) : convulsions
- 기저귀 발진 : diaper rash
- 말더듬 : stuttering
- 소아과 의사 : pediatrician
- 예방접종 : vaccination
- 정신 지체 : mental retardation
- 황달 : jaundice

8 신경외과에서

신경외과에서 자주 쓰이는 표현에는 "My joints are starting to ache.(관절들이 쑤십니다.)", "I have a rheumatism in my left knee.(왼쪽 무릎에 신경통이 있습니다.)", "He's unconscious from shock.(그는 충격으로 의식을 잃었습니다.)" 등이 있다.

관절에 이상이 있을 때

- 무릎이 아립니다. / 관절이 아픕니다.
  My knees are smarting.[1] / My joints ache.
- 손이 마비되어 따끔따끔 아픕니다.
  My hands are tingling-numb.[2]
- 빰에 경련이 계속 일어납니다.
  My cheek keeps twitching.

마비 현상

- 팔다리가 마비된 것 같습니다.
  My limbs feel numb and paralyzed.[3]
- 팔다리가 자주 마비됩니다.
  My limbs often get numb.

의식 불명

- 그가 사고 후에 기절했습니다.〈속어〉
  He passed out just after that accident.[4]
- 그 사람이 쇼크에서 회복됐어요.
  He got over the shock.

활용어휘

- 뇌막염 : brain fever
- 뇌졸중〔중풍〕 : apoplexy / stroke
- 뇌출혈 : cerebral hemorrhage
- 수전증 : palsy in the hand
- 신경 안정제 : nervous sedative / nervine
- 신경 세포 : nerve cell
- 안면 마비 : facial paralysis
- 뇌성 마비 : cerebral palsy
- 뇌종양 : brain tumor
- 마비〔중풍〕 : paralysis
- 신경 쇠약 : nervous breakdown
- 신경과 전문의 : neurologist
- 신경 쇠약 : nervous breakdown
- 안면 신경마비 : facial nerve palsy
- 뇌 : brain(cerebrum : 대뇌 / cerebellum : 소뇌)

1) smart : 아리다, 따끔따끔 쓰리다
2) tingling-numb : 마비되어 따끔따끔 아픈
3) paralyze : 마비시키다
4) pass out = black out : 기절하다

9 안과에서

안과에서 자주 쓰이는 표현에는 "I have a sore eye.(눈병이 났습니다.)", "My eyes are bloodshot.(눈이 충혈됐습니다.)", "My eyes feel sandy.[1] (눈에 모래가 들어 있는 느낌입니다.)", My vision is blurry.[2] (눈이 침침합니다.), "I have my poor eyesight.(시력이 안 좋습니다.)", "Lenses do not agree with my eyes.(안경 도수가 맞지 않습니다.)" 등이 있다.

눈이 아프다

- 눈물이 납니다. / 눈에 눈곱이 낍니다.
  My eyes are watery. / I have a discharge in my eyes. [3]
- 눈을 감을 때 아픕니다.
  When I close my eyes, they hurt.
- 눈이 가렵습니다. / 눈이 따끔거립니다.
  My eyes feel itchy. / My eyes feel irritate. [4]
- 눈을 누르면 통증이 심합니다.
  When I press my eyes, the pain is excruciating. [5]

시 력

- 시력이 얼마나 됩니까? / 시력이 얼마나 안 좋습니까?
  What's your vision? / How bad are your eyes?

시력이 좋다

- 당신 시력은 좌우 모두 정상입니다.
  You have perfect 20/20 vision. [6]

시력이 떨어지다

- 제 시력검사를 해봐야 할 것 같습니다.
  I guess I have to have my eyes〔sight〕 checked〔tested〕.
- 눈이 침침합니다. / 사물이 이중으로 보입니다.
  I'm seeing things. [7] / I'm seeing double.

1) sandy : 모래의, 깔깔한
2) blur : 흐리게 하다 / blurry : 흐릿한, 더러워진
3) discharge : 배출물 / discharge from the nose : 콧물 / discharge from the eyes : 눈곱
4) irritate : 짜증나게〔초조하게〕 하다; 자극하다, 염증을 일으키다
5) excruciating : 몹시 괴로운, 고문 받는 듯한
6) 미국에서의 시력 20/15는 아주 좋고, 20/60은 아주 나쁜 것임
7) see things : 환각을 일으키다

- 사물이 일그러져 보입니다.
  Things look distorted.
- 시력이 나빠지고 있는 것 같습니다.
  I'm afraid my eyes are failing.
- 작은 활자를 알아보기가 힘듭니다.
  I have difficulty in discerning small print.
- 조금만 책을 읽어도 눈이 피로합니다.
  A few minutes' reading tires my eyes.
- 가까운 사물을 볼 때 눈이 피로합니다.
  When I look at things closely, my eyes get tired.
- 가까이 있는 것들이 안 보입니다.
  I can't see things up close very well.

안 경

- 안경 도수가 더 높은 것을 쓰세요.
  Use stronger lenses.
- 안경을 쓰면 머리가 아픕니다.
  I get a headache when I wear my glasses.

색 맹

- 색을 구별할 수가 없습니다.
  I can't tell one color from another.
- 색이 다르게 보입니다.
  The colors of things seem to be different.

기 타

- 눈이 피로합니다.
  My eyes feel tired.
- 왼쪽 눈에 뭐가 들어갔습니다.
  I've got something in my left eye.

활용어휘

- 각막 : cornea
- 눈 다래끼 : sty / stye
- 망막 : retina
- 사시 : squint
- 시력 검사 : eye exam / eye test
- 안경점 : optician
- 안구 : eyeball
- 각막염 : keratitis
- 동공(눈동자) : pupil
- 망막염 : retinitis
- 색맹 : color blindness
- 쌍꺼풀 : double eyelids
- 안과 의사 : ophthalmologist
- 안대 : eyepatch

- 안약 : eye drops / eye lotion
- 콘택트 렌즈 : contact lens
- 렌즈 : lens(오목 렌즈 : concave lens / 볼록 렌즈 : convex lens)
- 콘택트 렌즈 보관액 : wetting solution(렌즈를 착용하기 전에 눈을 편하게 하기 위해 눈에 넣거나 혹은 렌즈를 착용하지 않을 때 보관해 두는 액체)

IMPROVE THE WAY YOU SEE WITH LASER SURGERY

Using cool waves of ultraviolet light, it's now possible to reduce or eliminate your dependence on glasses or contacts with our Excimer laser. Call us for your free laser evaluation.

Call for a free screening or seminar dates and get the facts about laser surgery and other refractive surgery options.

INTERNATIONAL EYECARE

301 Lindberg
Suite B
McAllen, Texas
78501
(210)687-9296

9055 Katy Frwy.
Suite 100
Houston, Texas
77024
(713)984-9777

10 외과에서

정형외과에서 자주 쓰이는 표현에는 "I sprained my ankle.(발목을 삐었습니다.)", "I broke my left leg.(왼쪽 다리가 부러졌습니다.)", "I have cramps in my foot.(다리에 쥐가 났습니다.)", "I have a dislocated joint.(관절이 탈구되었습니다.)", "I cut my finger on a knife.(칼로 손가락을 베었습니다.)" 등이 있다. 아래 대화는 심각한 사고를 당한 남편이 수술을 하지 않으면 죽는다는 얘기를 의사인 Dr. Johnson(A)으로부터 듣고 부인인 Mrs. Smith가 걱정하는 상황이다.

기 본 대 화

A : Oh, Mrs. Smith? I'm Dr. Johnson.
B : Oh, doctor, how is he?
A : Well... I'm afraid we'll have to operate.
B : Oh, no! He's always been afraid of operations.
A : Don't worry, Mrs. Smith.
If we operate now, he'll be all right.
B : Oh, doctor, do you really have to?
A : I'm afraid so. He's lost a lot of blood.
If we don't operate, he'll die!

A : 오, 스미스 부인이세요? 저는 존슨 박사입니다.
B : 오, 박사님, 그이는 어때요?
A : 저... 수술을 해야할 것 같습니다.
B : 오, 안 되요. 그이는 항상 수술을 두려워했어요.
A : 걱정 마세요. 스미스 부인.
지금 수술을 하면, 그분은 괜찮을 겁니다.
B : 오, 박사님, 꼭 수술을 해야만 하나요?
A : 그렇게 해야 하겠습니다. 그분은 피를 많이 흘렸거든요.
지금 수술을 하지 않으면, 그분은 죽을 겁니다.

골 절

- 계단에서 굴러 다리가 부러진 것 같습니다.
I fell down the steps and may have broken my leg.
- 스키를 타다가 왼쪽 다리가 부러졌습니다.
I fractured my left leg while skiing.

- 3주간 깁스를 하셔야 합니다.
  You have to wear a cast for three weeks. [1)]

삐었을 때

- 미끄러 넘어져서 발목을 삐었습니다.
  I slipped and fell and sprained my ankle.
- 허리를 삐었습니다.
  My back went out.
- 발을 헛디디어 넘어져서 발목을 삐었습니다.
  When I missed my step, I fell and sprained my ankle.

근육통

- 다리가 저립니다.
  My leg is asleep.
- 근육통이 심합니다.
  I have a severe muscle pain.
- 다리가 부었습니다.
  I have a swollen foot.
- 어깨가 뻐근합니다.
  My shoulders feel heavy〔stiff〕.
- 목 근육이 당깁니다.
  My neck muscles are tensed up.
- 목이 너무 아파서 고개를 돌릴 수가 없습니다.
  My neck is so painful that I can't turn it.
- 팔을 들 수가 없습니다. / 팔을 펼 수가 없습니다.
  I can't lift my arm. / I can't stretch my arms.
- 견갑골 주위가 뻣뻣합니다.
  I have a pain in and around the shoulder blade.

외 상

베인 상처

- 맥주 캔을 따다가 손을 베었습니다.
  I cut my finger while I was opening a can of beer.
- 베었어요. / 심하게 베지는 않았군요.
  I've cut myself. / You haven't cut yourself badly.

---
1) cast : 깁스, 주형, 주조물, 석고 / wear a cast = put in cast : 깁스하다

- 할퀴기만 했는데, 피가 나요.
  It's just a scratch, but it's bleeding. [2]
- 유리 조각에 손을 베었습니다.
  I cut my finger on a piece of glass.
- 어쩌다가 이렇게 됐어요?
  How did this happen?

화 상

- 끓는 물에 손을 데었습니다.
  I burned my hand with boiling water.
- 뜨거운 난로에 데어 화상을 입었습니다.
  I touched the hot stove and burned myself.
- 요리를 하다가 손에 화상을 입었습니다.
  I burned my hand while cooking.
- 난로에 데어서 물집이 생겼습니다.
  I burned myself on the stove and got a blister. [3]
- 뜨거운 다리미로 살을 데었습니다.
  A hot iron burned my flesh.
- 햇볕에 화상을 입었습니다.
  I got sunburned.

찰과상 · 타박상

- 콘크리트 바닥에 머리를 심하게 다쳤습니다.
  I hit my head strongly against a concrete floor.
- 계단에서 떨어지면서 타박상을 입었습니다.
  I bruised my leg falling from the stairs. [4]
- 온몸에 멍이 들었습니다.
  I'm black and blue all over. [5]
- 상처가 곪아갑니다.
  The wound has become festered. [6]
- 상처가 부었습니다.
  The wound is swollen.
- 상처를 만지지 마세요, 감염이 되니까요.
  Don't touch the wound, or it will get infected.

---

2) scratch : 할퀴다, 할퀸 상처, 찰상
3) blister : 물집
4) bruise : 타박상(을 입히다)
5) black and blue : 검푸를 정도의 멍이 든
6) fester : (상처 등이) 곪게 하다, 곪다

• 상처에 고름이 생겼습니다.
Pus formed in the wound.
• 상처에 염증이 생겼습니다.
The wound is inflamed.
• 할퀸 상처가 아직도 쓰립니다.
The scratch still smarts.
• 흉터가 안 생겼으면 합니다.
I hope it won't form a scar.

기 타

• 손바닥에 물집이 생겼습니다.
I have blisters on my palm.
• 간단한 수술을 받으셔야겠습니다.
You need to have a minor operation. [7)]
• 손에 심한 동상이 걸렸습니다.
I have severe frostbite on my hands.
• 모기에 물렸습니다.
I got bit by mosquitoes.
• 벌레에 쏘였습니다.
I got stung by an insect.
• 손톱이 빠졌습니다.
I've torn off a fingernail.
• 어디에 걸려 넘어지셨어요?
What did you trip over? [8)]
• 어쩌다가 그렇게 멍이 들었어요?
How come you are black and blue?
How did you bang yourself? [9)] 〈속어〉

요 통

• 우측 옆구리에 통증이 있습니다.
I've got pain on the right side of my abdomen.
• 높은 선반에 있는 물건을 내릴 때 갑자기 등이 딱 부러진 것 같았습니다.
When I tried to get something off a high shelf, I felt my back snap.

7) minor : (수술 등이) 위험이 따르지 않는
8) trip over : 걸려 넘어지다
9) bang : 세게 치다, 두드리다

- 등을 펴려고 할 때 아픕니다.
  When I try to straighten my back, the pain hits me.
- 등이〔허리가〕 당겨지는 통증이 있습니다.
  I have a pulling pain in my back.
- 무거운 상자들을 들 때 허리가 당깁니다.
  I pulled my back while lifting some heavy boxes.
- 허리를 삐었습니다.
  My back gave away.

탈 구

- 왼쪽 팔꿈치 관절이 탈구되었습니다.
  I dislocated my left elbow joint.

기 타

- 그녀는 얼굴 성형수술을 했어요.
  She had plastic surgery on her face.
- 그녀는 얼굴 주름살을 없애는 수술을 했어요.
  She had a face-lift. [10] / She had her face-lifted.
- 등이 굽은 것 같습니다.
  I think my back is crooked. [11]
- 목을 삐어서 고개를 돌릴 수가 없습니다.
  I strained my neck and can't move my head.
- 무거운 물건을 들지 마세요.
  Don't lift heavy things.

활용어휘

- 3도 화상 : third-degree burns
- 골절 : fracture
- 관절염 : arthritis
- 군살제거 수술 : liposuction
- 깁스 : cast
- 동상(凍傷) : frostbite
- 모발 이식 : hair transplant
- 부목 : splint / brace
- 붕대 : dressing / bandage
- 사지(四肢) : limbs
- 성형 수술 : cosmetic〔plastic〕 operation
- 고름 : pus
- 관절 : joint
- 국부 마취 : local anesthesis
- 근육 경련 : cramp
- 늑골〔갈비뼈〕 : rib
- 마취과 의사 : anesthesiologist
- 목발 : crutches
- 부은 자리 : welt
- 붕대 감기 : bandaging
- 상처 : scratch [12]
- 정형 외과 : orthopaedic surgery

10) face-lift(ing) : 얼굴 성형술; (건물의) 외부 개장; (자동차 등의) 모델〔디자인〕 변경
11) crook : 구부리다, 굽히다
12) cut〔nick〕 : 베인 상처 / gash : 깊은 상처 / scrape : 찰과상

- 성형외과 의사 : plastic surgeon
- 인대(靭帶) : ligament
- 절상(折傷) : cut
- 타박상 : contusion
- 얼굴의 흉터 : squealer's mark[13)]
- 전신 마취 : general anesthesis
- 정형외과 의사 : orthopedic surgeon
- 탈구 : dislocation / friction

McAllen Medical Center

UHS A Universal Health Services, Inc. Facility.

301 W. Expressway 83
A Universal Health Services, Inc. Facility

632-4000

GENERAL INFORMATION

24 Hour Emergency Center
632-4100

Patient Room Numbers
632-4 + Room #

For more information contact our web site:
www.uhsmmc.com

13) (밀고의 보복으로 생긴) 얼굴의 흉터 / squealer : 밀고자

11 이비인후과에서

이비인후과에서 자주 쓰이는 표현에는 "I have an ear infection.(귀에 염증이 생겼습니다.)", "When I cough, my throat hurts.(기침을 하면 목이 아픕니다.)", "I have difficulty in swallowing solid food.(딱딱한 음식을 삼키기가 힘듭니다.)", "My nose often bleeds.(코피가 자주 납니다.)", "My nose is stuffy.(코가 막힙니다.)" 등이 있다.

귀(ear)

- 귀가 멍멍합니다.
  My ears are ringing.
- 잘 안 들립니다, 그래서 종종 다른 사람이 하는 말을 다시 해달라고 합니다.
  I don't hear very well, and I often ask people to repeat themselves.
- 귀에 뭐가 들어갔습니다.
  My ears are plugged up. [1)]
- 귀에 물이 들어갔습니다.
  Some water got into my ears.
- 갑자기 귀에서 윙윙 소리가 납니다.
  My ears have suddenly started to hum.
- 귀에 조그마한 벌레가 들어갔습니다.
  A small insect flew into my ear.
- 귀에서 고름이 나옵니다. / 귀에 귀지가 가득차 있습니다.
  My ear is running. / My ears are full of wax. [2)]
- 귓불에 동상이 걸렸습니다.
  My ear lobcs got frostbitten.
- 코를 풀면 귀가 울립니다.
  When I blow my nose, my ears squeak. [3)]
- 귀에서 뭔가 울리는 소리가 납니다.
  It sounds as though something is rolling around in my ears.

활용 어휘

- 고막 : eardrum
- 귀를 청소하다 : clean ears
- 귀울음〔이명〕 : tinnitus
- 귓바퀴 : ringing in the ear
- 보청기 : hearing aid
- 귀앓이 : otalgia / earache
- 귀지 : wax (in the ear) / earwax
- 귓불 : ear lobe

1) plug up : 마개로 틀어막다; 막히다
2) wax : 밀랍; (밀)초; (마루 등의) 윤을 내는 약; 귀지
3) squeak : 찍찍 울다, (어린아이 등이) 앙앙 울다

- 이도(耳道) : ear canal
- 환청(幻聽) : hearing imaginary sounds
- 고막 터짐 : perforation of the eardrum
- 청각 장애 : deafness

목(throat)

목이 아프다

- 기침이 나고 목이 아픕니다.
  I have a cough and a sore throat.
- 목이 따끔거립니다〔아픕니다〕.
  My throat hurts.
- 목 안쪽이 간질간질합니다.
  The back of my throat is itchy and tickles.
- 목이 화끈거립니다.
  I have a burning pain in my throat.
- 물을 마시기도 힘듭니다.
  It's difficult even to drink water.
- 음식을 삼킬 때 목이 아픕니다. / 목이 부었습니다.
  My throat hurts when I swallow. / My throat is swollen.

가 래

- 가래가 나옵니다. / 가래가 목에 잠깁니다.
  I bring up phlegm. / The sputum bothers my throat.
- 피가 섞인 가래가 나옵니다.
  I have bloody phlegm.
- 묽은〔진한〕 가래가 나옵니다.
  I cough up thin〔thick〕 sputum. [4)]

목에 뭔가 생겼을 때

- 목에 딱딱한 혹이 생겼습니다.
  I have a hard lump in my neck.
- 목에 불편한 감이 있습니다.
  There is an uncomfortable feeling in my throat.

목에 뭔가 걸리다

- 목에 걸린 생선뼈를 빼낼 수가 없습니다.
  I can't remove the fishbone stuck in the throat.

4) sputum : 침, 타액, 가래, 담

- 목에 뭔가 걸린 것 같습니다.
  I feel as if something were in my throat.

목이 쉬다

- 목이 쉬었습니다.
  I have lost my voice. / I've got a frog in my throat. [5)]
- 말을 많이 하거나 큰소리로 말하면 목이 쉽니다.
  If I talk too much or speak in a loud voice, I get hoarse.
- 목이 까칠까칠합니다. / 마른 기침이 납니다.
  I have a rough throat. / I have dry coughs.
- 목이 너무 건조합니다.
  My throat feels completely dried out.

활용어휘

- 기관 : trachea / windpipe
- 성대 : vocal cord
- 연쇄상구균 : strep / streptococcus
- 편도선 : tonsils
- 편도염 : throat culture
- 후두염 : angina / laryngitis
- 목젖 : uvula
- 식도 : esophagus
- 인두(咽頭) : pharynx
- 편도선염 : tonsillitis
- 후두 : larynx

코(nose)

- 코가 간지럽고 콧물이 납니다. / 코가 간질거리고 재채기가 납니다.
  My nose is itchy and runny. / My nose tickles and I sneeze.
- 코가 막혀서 숨쉬기가 곤란합니다.
  My nose is stuffed up and I have difficulty breathing. [6)]
- 코가 자꾸 막혀서 잠을 잘 수가 없군.
  I can't sleep because my nose is so stuffed up.
- 콧물에 코피가 섞여 나옵니다.
  There is blood in my nasal discharge. [7)]
- 콧물이 나옵니다. / 코를 가볍게 풀어 보세요.
  I have a runny nose. / Blow your nose very gently.
- 냄새 맡기가 곤란합니다.
  I have difficulty in smelling
- 코를 너무 많이 풀어서 코가 쓰라립니다.
  My nose is raw from blowing it so much. [8)]

5) a frog in the throat : (목이 아파서) 쉰 목소리 / frog : 개구리; ((구어)) 쉰 목소리
6) stuff up : (코를) 막히게 하다(보통 수동형으로 사용됨)
7) nasal : 코의, 코에 관한
8) raw : (상처 등이) 쓰라린 / blow one's nose : 코를 풀다

12 임상병리과에서

임상병리과에서 자주 쓰이는 표현에는 "Your skin test is positive.(결핵 반응검사가 양성입니다.)", "Your blood test is positive to hepatitis B.(당신의 혈액 검사는 B형 간염 양성입니다.)" 등이 있으며, 소변 검사용 용지를 달라고 할 때는 "Can I have your slips?(검사용지 좀 주시겠어요?)" 라고 말하고, 어떤 검사에 대한 결과가 나오는 날을 물을 때는 "When can I get the results?(언제쯤 결과를 알 수 있을까요?)" 라고 말한다.

소변 검사

- 병에 소변을 누어서 가지고 오세요.
  Urinate in the bottle and bring it back.
- 소변을 얼마나 받아야 합니까?
  How much do I need?
- 조금이면 됩니다. 반 컵 정도.
  Just a little bit. Half the cup.
- 컵 옆에다 이 라벨〔이름〕을 붙여 주세요.
  Put the label on the side.

기 타

- 겉옷을 벗고 소매를 걷어 주십시오.
  Take your overcoat off and pull your sleeves up, please.
- 목요일쯤 결과를 알 수 있을 겁니다.
  You can get the results on Thursday.
- 여기가 혈액검사를 하는 곳 맞습니까?
  Is this the right place to draw blood? [1)]

활용어휘

- 혈액형 : blood type
- 혈액 은행 : blood bank
- 혈구 수 (측정) : blood count
- 혈압 : blood pressure
- 혈류 : bloodstream
- 고혈압 : high blood pressure / hypertension
- 저혈압 : low blood pressure / hypotension
- 혈압을 재다 : have one's blood pressure taken
- 혈온〔체온〕 : blood heat
- 헌혈하다 : give〔donate〕 blood
- 헌혈자 : blood donor
- 수혈〔혈액 공급〕 : blood transfusion
- 혈관 : blood vessel

1) draw blood : 피를 뽑다

13 정신과에서

정신과에서 자주 쓰이는 기본적인 표현에는 "I think I'm often getting absent-minded.(종종 멍해지는 것 같습니다.), I think I'm losing my mind.(건망증이 심해지는 것 같습니다.)", "I always have an uneasy feeling.(항상 불안감을 느낍니다.)", "I've been suffering from insomnia.[1] (불면증에 시달리고 있습니다.)", "I'm sick and tired of everything.(만사가 다 귀찮습니다.)" 등이 있다.

기 본 대 화

A : Hello, Mr. Levin. What's the problem?
B : I'm very tense and nervous.
And I haven't been able to sleep for days.
A : Hmm. Have you been working hard these days?
B : Yes, I've been working fourteen hours a day.
A : Well, you should take a few days off.
Go some places quiet and peaceful.
B : If I do, will I be able to get well soon?
A : Yes, you will.
B : Thank you, doctor.

A : 안녕하세요, 레빈씨. 어디가 편찮으세요?
B : 매우 긴장이 되고 신경질적입니다.
그리고 며칠 동안 잠을 이룰 수 없습니다.
A : 음. 요즘 과로를 하고 계십니까?
B : 네, 하루에 14시간씩 일을 하고 있습니다.
A : 그러면, 며칠을 쉬셔야겠습니다.
조용하고 평온한 곳으로 가십시오.
B : 그렇게 하면 곧 회복될 수 있을까요?
A : 네, 그럴 겁니다.
B : 고맙습니다, 박사님.

불면증

- 밤에 잠을 이룰 수가 없습니다. / 잠을 깊이 못 잡니다.
I can't sleep at night. / I'm a light sleeper.

---

1) insomnia : 불면증

- 밤중에 자주 깨곤 합니다.
  I frequently wake up in the middle of the night.
- 신경이 예민해서 잠을 이룰 수가 없습니다.
  My nerves get so tensed that I can't sleep well at night.
- 매일 밤 악몽을 꿉니다.
  I have nightmares every night.

비 관

- 살아가기가 힘듭니다.
  It's a hard for me to go on.
- 자살하고 싶습니다.
  I want to kill myself.
- 활기를 되찾을 수가 없습니다.
  I can't regain vitality.
- 어느 것도 열중할 기분이 아닙니다.
  I can't get enthusiastic about anything.
- 어떤 것도 할 기분이 아닙니다.
  I'm in no mood to do anything.
- 잔인한 세상입니다.
  I find it a cruel world.
- 저는 제 자신을 신뢰하지 못합니다(저는 자신이 없습니다).
  I have no confidence in myself.
- 모든 게 무의미하고 쓸모 없는 것 같습니다.
  Everything seems pointless and useless to me.

성격 변화

- 걸핏하면 화를 냅니다.
  I've become quick-tempered.
- 쉽게 화가 납니다.
  I easily fly into a rage.
- 겁쟁이가 되었습니다.
  I've become a coward.
- 사람들과 말조차 할 수가 없습니다.
  I can't even talk to people.
- 사소한 일로 걱정을 합니다.
  I worry about insignificant things.
- 항상 긴장합니다.
  I'm always tense. / I'm always under stress.

- 참을성이 많이 부족해졌습니다.
  I've lost much of my patience.
- 하찮은 일에 몹시 신경을 씁니다.
  I'm always very particular about trifling〔trivial〕 things.

감정 변화

- 심한 망상에 시달리고 있습니다.
  I'm suffering from delusions.
- 항상 시무룩합니다.
  I'm always brooding. 2)
- 암울합니다.
  I have a heavy feeling.
- 무서움을 느낍니다.
  I feel scared.

활용어휘

- 싫증이 나는 : disgusted
- 소심한 : timid
- 좌절감을 느끼는 : frustrated
- 울적한 : gloomy
- 슬픈 : sad
- 침울한 : depressed
- 짜증이 나는 : irritated
- 불안한 : insecure
- 내성적인 : introverted
- 우울한 : melancholic
- 음울한 : dismal
- 절망적인 : hopeless
- 초조한 : nervous / fretful
- 성미가 급한 : short-tempered

- 정신적인 문제라도 있습니까?
  Do you have any mental problems?
- 환각을 일으킵니다.
  I have hallucinations. 3)
- 환청을 일으킵니다.
  I've developed auditory hallucinations. 4)

활용어휘

- 스트레스 병 : stress disease
- 정신분열증 : schizophrenia
- 정신과 전문의 : psychiatrist
- 정신병 전문의 : mental specialist
- 정신병자〔정신박약자〕 : mental defective〔patient〕
- 정신 박약 : mental deficiency
- 정신 안정제 : happy pill / tranquilizer
- 정신병 : psychosis
- 정신병원 : mental asylum〔hospital〕

---

2) brood : 수심에 잠기다, 걱정하다; 알을 품다; 한배 병아리
3) hallucination : 환각, 환상
4) auditory : 청각의, 귀의

14 주사실에서

주사실에서 주로 쓰이는 표현에는 “I need a Hep-B shot.(B형 간염접종을 하러 왔습니다.)”, “You should get a shot.(주사를 맞으셔야겠습니다.)”, “I'll give you a shot.(주사를 놔 드릴게요.)”, “Please relax your arm.(팔에 힘을 빼세요.)”, “Please don't scratch that part.(주사 부위를 긁지 마세요.)” 등이 있다.

주사를 맞기 전에

- 주사를 놓을 테니 소매를 걷어 주세요.
  Roll up your sleeve for a shot.
- 독감 예방주사 좀 놔 주시겠습니까?
  Could you give me a preventive shot against the flu? [1)]
- 의사가 독감예방에 관한 처방을 주셨습니다.
  The doctor gave me a prescription for the flu shot.
- 최근 결핵 검사를 한 게 언제입니까?
  When was your latest TB test?

주사를 맞으면서

- 어깨까지 소매를 올려 주십시오.
  Please pull your sleeve up to your shoulder.

A: Doesn't it hurt? (아프지 않은가요?)
B : It wouldn't hurt much. (별로 안 아플 겁니다.)

- 약간 따끔할 겁니다.
  Maybe a little sting.

주사를 맞은 후

- 다 끝났습니다. / 주사를 맞은 것 같지도 않은데요.
  That's all. / I don't feel anything.
- 많이 부었군요.
  It is swollen a lot.
- 10분 후에 괜찮으시면, 가셔도 좋습니다.
  If you are okay after 10 minutes, you can go.
- 피가 멎을 때까지 이걸로 팔을 누르세요.
  Press this on your arm until the bleeding stops.

---

1) flu : 인플루엔자, 유행성 감기, 독감(flue) → flu 앞에는 항상 정관사 the를 붙인다.

15 치과에서

치과에서 자주 쓰이는 표현에는 "I have a toothache.[1] (이가 아픕니다.)", "I have a cavity.(충치가 한 개 있습니다.)", "This tooth feel lose.(이 이 한 개가 흔들거립니다.)", "I want to have this tooth pulled out.(이 이를 빼고 싶습니다.)", "Rinse your mouth, please.(입안을 헹구세요.)" 등이 있다.

기 본 대 화

A : Open your mouth as wide as you can.
B : Ah–
A : Where does it hurt?
B : I'm afraid I chipped one of my upper left molars. [2]
The pain is killing me.
A : Let me take a close look at it.
Hmm. You have a cavity in the back molar. [3]
It's quite big.
B : What should I do?
A : I'll take care of it now.
It's obviously causing you a great deal of pain.
B : Thank you.
A : First, I'll give you some novocain, and then I'll begin working on the filling.

A : 입을 최대한 크게 벌려 보세요.
B : 아 –
A : 어디가 아프세요?
B : 왼쪽의 위쪽 어금니 한 개가 부러진 것 같습니다.
아파 죽겠어요.
A : 자세히 한번 보죠.
음. 어금니 뒤쪽 부분에 충치가 생겼군요. 아주 큰데요.
B : 어떻게 해야 되죠?
A : 지금 치료해 드리겠습니다. 무척 통증이 심한 것 같으니까요.
B : 고맙습니다.
A : 우선, 마취를 한 다음 때우는 작업을 시작하겠습니다.

1) 치아 한 개가 아플 때
2) chip : 깨지다, 부러지다
3) molar : 어금니
4) novocaine : 노보카인 〈상표명〉 : 치과용 국부 마취제

치 통

• 이가 아픕니다.
My teeth hurt. [5)]
• 술을 마시면 치아에 통증이 있습니다.
There is a slight pain in my teeth when I drink liquor.
• 신 것을 먹으면 이가 찌르듯 아픕니다.
I have a piercing pain when I eat something sour.
• 음식이 닿으면 이가 아픕니다.
The tooth hurts when food touches it.
• 이를 조금만 건드려도 지독히 아픕니다.
Even a slight touch to the tooth is intensely painful.
• 찬 것을 먹으면 이가 시큰거립니다.
I have a piercing pain when I have something cold.
• 치통 때문에 음식을 잘 씹을 수가 없습니다.
I can't chew my food well because of the toothache.
• 두드리면 이가 아픕니다.
The tooth hurts when I tap it. [6)]
• 사랑니가 나서 아픕니다.
My wisdom tooth is cutting and it's hurting me.

충 치

• 충치가 2개 있습니다.
I have two decaying teeth. [7)]
• 이 충치를 치료받고 싶습니다.
I want to have this cavity treated.
• 충치에 채운 봉이 떨어졌습니다.
The filling of this tooth cavity fell out.

이를 빼다

• 이가 들떠 흔들리는 것 같습니다.
It feels like my teeth are sitting on edge.
• 가능하다면 이를 빼지 않았으면 합니다.
If possible, I'd rather not have it extracted.

---

5) 치아가 2개 이상 아플 때
6) tap : 가볍게 두드리다
7) decay : 부패하다; 부패시키다; 썩다; 썩게 하다

- 그 이를 뽑으실 건가요?
  You're going to pull it?
- 사랑니가 난 것 같습니다.
  I think my wisdom tooth is cutting [breaking] through.
- 사랑니를 빼버리는 게 좋겠습니다.
  You'd better pull out the wisdom tooth.

치 료

- 단지 때우기만 합니다.
  It only needs to be filled. / It needs only a filling.
- 담뱃진 좀 제거해 주세요.
  Please remove the cigarette stains from my teeth.
- 의치(義齒)를 해 넣고 싶습니다.
  I want to have a false tooth put in.
- 정기적으로 하는 스켈링을 하러 왔습니다.
  I'm here for a regular cleaning.
- 치석을 제거하고 싶습니다.
  I'd like to have my teeth cleaned.
- 치석이 많이 끼었습니다.
  I have a lot of tartar on my teeth. [8)]
- 입을 벌리고 '아-' 하세요.
  Open your mouth and say 'a-a-h'.

기 타

- 너무 단 것을 먹으면 이가 썩어요.
  If you eat too many sweets, your teeth will decay.
- 땜질한 것이 떨어졌습니다.
  A cap has fallen off.
- 앞니 하나가 빠졌습니다.
  One of my front tooth is chipped. [9)]
- 어금니 하나가 부러졌습니다.
  One of my back tooth has broken off.
- 이가 고르지 않습니다.
  I have an irregular set of teeth.
- 입 안에 염증이 생겼습니다.
  I have an inflammation in my mouth.

---
8) tartar : 치석
9) chip : 이가 빠지다; 조각, 토막

- 입안에 작은 아구창이 생겼습니다.
  I have a small canker sore〔blister〕 in my mouth. [10)]
- 입에서 냄새가 나는 것 같습니다.
  I'm afraid I have bad breath.
- 입이 끈적거리고 냄새가 납니다.
  I have a sticky mouth and bad breath.

잇몸에 이상이 있을 때

- 잇몸이 아픕니다.
  My gums hurt. [11)]
- 잇몸에서 피가 나옵니다.
  Blood comes out from the gums.
- 잇몸이 너무 부어서 아무것도 먹을 수가 없습니다.
  My gums are so swollen that I can't eat anything.
- 이를 닦을 때 잇몸에서 피가 납니다.
  My gums bleed when I brush my teeth.
- 혀가 부었습니다.
  I have a swollen tongue.

활용어휘

- 구각(口角) : corner of the mouth
- 구강암 : canker sores
- 사랑니 : wisdom tooth
- 어금니 : molar (tooth) [12)]
- 음식 찌꺼기 : food particles
- 의치의 틀 : bridge
- 잇몸 : gums
- 잇몸 출혈 : gingival bleeding
- 젖니 : baby teeth
- 충치 : decayed tooth / bad tooth
- 치과 의사 : dentist
- 치관(齒冠) : crown(golden crown : 금관)
- 치석 : calculus
- 치열 교정기 : bracer
- 치열 교정 : straightening of irregular teeth
- 구강 치과의사 : oral surgeon
- 뻐드렁니 : projecting teeth / snag
- 앞니 : incisor / front teeth
- 영구치 : permanent teeth
- 의치 : denture / false teeth
- 치 신경 : root canal
- 잇몸 질환 : gums disease
- 잇몸치료 전문의 : periodontist
- 충전물 : filling
- 치과 : dentistry
- 교정 치과의사 : orthodontist
- 치근(齒根) : (dental) root
- 치석 제거 명주실 : flossing
- 송곳니 : canine tooth / eyetooth

10) canker : 구강 궤양
11) gums : (보통 복수형으로) 잇몸
12) 작은 어금니는 premolar

16 피부과에서

피부과에서 주로 쓰이는 표현에는 "I have a prickly feeling all over.(온 몸이 따끔따끔거립니다.)", "I'm itching all over.(온몸이 가렵습니다.)", "I have hives on my belly.(배에 두드러기가 생겼습니다.)"

- 등에 딱딱한 종기가 생겼습니다.
  I have a stubborn boil on my back.
- 등이 가렵습니다.
  My back itches.
- 피부가 너무 까칠까칠합니다.
  I have a bad roughening of the skin.
- 피부가 텄습니다.
  I have chapped skin.
- 화장품 때문에 살갗에 발진이 생겼습니다.
  I have skin rash caused by cosmetics.
- 저는 화장품에 알레르기 반응이 일어납니다.
  I'm allergic to cosmetics.

활용어휘

- 가려움 : itchiness
- 기미 : fleck
- 두드러기 : hives / nettle rash
- 땀띠 : prickly heat / heat rash
- 무좀 : athlete's foot
- 발진 : a rash
- 붉은 발진 : red specks
- 사마귀 : wart
- 알레르기 전문의 : allergist
- 옴 : scabies
- 점 : mole
- 종양 : a growth
- 주름 : wrinkles 3)
- 탈모증(脫毛症) : baldness
- 피부 손질 : skin care
- 피부과 전문의 : dermatologist
- 피부염 : dermatitis
- 화분(花粉) : pollen
- 건초열 : hay fever
- 동상 : chilblains 1)
- 딱지 : scab
- 모반(母斑) : birthmark 2)
- 물집 : blister
- 백선〔쇠버짐〕 : ringworm
- 비듬 : dandruff
- 습진 : salt rheum / eczema
- 여드름 : acne / pimple
- 일광 피부염 : sunburn
- 종기 : a boil
- 주근깨 : freckles
- 체취〔암내〕 : body odor
- 티눈 : corn
- 피부 영양 크림 : skin-food
- 피부병 : skin disease
- 혹 : lump

1) 보통 복수형으로 쓰이며, frostbite(동상)보다 가벼운 증세
2) 태어날 때부터 몸에 있는 점
3) 깊은 주름 : furrow / 눈가의 주름 : crow's feet

17 문병을 갈 때

문병을 갈 때는 사전에 면회시간(visiting hours)을 확인해 두고, 문병객 수도 한번에 2~3명으로 제한되어 있기 때문에 이를 고려해야 한다. 환자에게 줄 선물을 가지고 갈 때는 "Dear Mr. Brown, I hope you will take good care of yourself and get well soon.(브라운씨, 몸조리 잘 하시고 빨리 쾌유하시길 바랍니다.)" 라는 식의 쾌유를 비는 내용이 담긴 카드를 동봉하면 더욱 좋다.

기 본 대 화

A : Hello, Mr. Miller. How do you feel?
B : Much improved. Thanks, Mr. Park.
A : Well, how has the doctor diagnosed your case?
B : He says I've caught the flu.
But the doctor says that I'll be back on my feet again in a couple of days. [1]
A : I'm relieved to hear that.
(Leaving a room) Take care of yourself, Mr. Miller.
B : Thanks for coming by, Mr. Park.

A : 안녕하세요, 밀러씨. 좀 어떠세요?
B : 많이 좋아졌습니다. 고맙습니다. 박 선생.
A : 그런데, 의사가 진단을 어떻게 내렸어요?
B : 유행성 독감에 걸렸다고 하더군요.
그러나 2~3일 후면 회복될 거라고 했어요.
A : 그 말 들으니 안심이 되는군요.
(병실을 떠나면서) 몸조리 잘 하세요, 밀러씨.
B : 방문해 주셔서 감사합니다, 박 선생.

입원 소식

A: Mr. Miller has been in the hospital.
B : Which hospital is he in?

A : 밀러씨가 입원해 있어요.
B : 어느 병원에 입원해 있죠?

1) be (back) on one's feet : 발로 서다 → (병 등에서) 회복되다

- 그가 입원해 있어요. / 그가 아파서 누워 있어요.
  He's hospitalized. / He is sick in bed.
- 사고 후에 그는 급히 병원으로 옮겨졌어요.
  After the accident, he was rushed to the hospital.
- 그가 총상을 입고 병원에 입원했어요.
  He has been admitted to (the) hospital with gunshot wounds.
- 그 사람이 다시 입원해야 한데요.
  I heard that he had to go back to the hospital.
- 밀러씨가 어젯밤에 병원으로 실려 갔어요.
  Mr. Miller was taken to the hospital last night.
- 누군가는 병원에 들러서 그를 들여다봐야 해요.
  Somebody should stop by the hospital and see him.
- 병원 면회시간이 언제입니까?
  What are visiting hours at the hospital?
- 어제 우리가 그에게 꽃을 좀 보냈어요.
  We sent him some flowers yesterday.
- 우리 병원에 들러서 그를 면회하는 게 어때요?
  Why don't we stop by and visit him at the hospital?

환자의 증세

A: Is there any chance for him to recover?
B : Sure. He'll come around soon. [2]

A : 그가 회복할 가능성이 있습니까?
B : 곧 의식을 회복할 겁니다.

- 그가 언제 퇴원하게 될까요?
  When will he get out of the hospital?
- 그는 매일 조금씩 좋아지고 있어요.
  Everyday he's getting a little (bit) better.
- 의사는 당신이 언제 다시 일할 수 있다고 말하던가요?
  When did the doctor say (that) you could go back to work?

호 전

- 2-3일이면 일어나서 돌아다닐 수 있을 겁니다.
  You could be up and around in a couple of days. [3]

2) come around : 원기를 회복하다, (기절했던 사람이) 정신이 들다
3) be up and around : (환자가 병에서 회복을 하여) 일어나서 돌아다니다

- 이젠 훨씬 좋아졌습니다.
  I feel much better now.
- 그는 곧 퇴원할 겁니다.
  He will soon be out of hospital.
- 그는 일주일이면 퇴원할 겁니다.
  He'll be discharged in a week.
  He'll release from the hospital in a week.
- 하루 푹 쉬면 될 것 같습니다.
  I think one day's good rest should do it.
- 내일이면 집에 갈 수 있을 거예요.
  I can go home tomorrow.
- 환자의 상태는 좋습니다.
  The patient is doing well.

악 화

- 그는 위독해요. / 그는 한 시간 동안 의식이 없었어요.
  He is seriously ill. / He was out for an hour.
- 그는 오늘밤을 넘기지 못할 것 같습니다.
  I'm afraid he'll die before morning.
  He'll not live through the night.
  He won't make it by morning.
- 그는 회복할 가망이 없습니다.
  There is no hope of his recovery.
- 그는 식물인간이나 다름없어요.〈속어〉
  He is a vegetable. [4)]

기 타

- 그 사람 건강상태에 아무런 변화가 없어요.
  There is no change in his condition.
- 그의 맥박은 아직 뛰고 있어요.
  His pulse is still beating.
- 그가 회복될 한 가닥의 희망은 아직 있어요.
  There is still a ray of hope for his recovery.

환자를 위로할 때

A: How are you feeling? (기분이 좀 어떠세요?)

4) vegetable : 〈보통 복수형〉 야채, 채소; 무기력한 사람; 식물 인간 / green vegetables : 푸성귀, 신선한 야채 요리 / live on vegetables : 채식하다

B : A little better. (좀 나아졌습니다.)

- 좀 나아지셨습니까?
  Are you feeling better?
- 다시 회복되시기를 바랍니다.
  I hope you will get well again.
- 참 안됐군요.
  I'm sorry to hear that.
- 심하지 않았으면 합니다.
  I hope it's nothing serious.
- 곧 나아지길 바랍니다.
  I hope you feel better soon.
- 몸조리 잘 하세요.
  Take good care of yourself, please.
- 어쩌다가 다치셨습니까?
  How did you get hurt?
- 그간 아프셨다니 안됐군요.
  I'm sorry to hear you've been sick.
- 당신 건강이 좋아지셨다니 기쁩니다.
  I'm glad you are feeling better.
- 결국은 건강이 제일이지요.
  After all, your health comes first.[5)]
- 당신이 그분을 간호하십니까?
  Are you attending to him?
- 너무 아파서 침대에서 일어날 수가 없습니다.
  I'm too sick to get out of bed.
- 머리를 수술했습니다.
  I had an operation on my head.
- 의사 얘기로는 그 사람이 다음 주말에 퇴원할 거라고 했어요.
  The doctor says he'll get out next weekend.
- 옷을 벗으시고 이 가운을 입으세요.
  Take off your clothes and put this gown on.
- 들어가서 그를 봐도 될까요?
  May I go in and see him?
- 들러 주셔서 감사합니다.
  Thank you for coming by.

5) come first : 우선하다

명언 한 마디

Knowledge is proud that he has learned so much;
Wisdom is humble that he knows no more.

지식이란 자기가 그만큼 배웠다는 교만이고
지혜는 자기가 더 이상 알지 못한다는 겸손이다.

- William Cowper(1731-1800) : 영국 시인 -

E N G L I S H C O N V E R S A T I O N D I C T I O N A R Y

CHAPTER 6

쇼핑

- 매장 위치를 찾을 때
- 물건을 고를 때
- 가격을 흥정할 때
- 계산할 때
- 포장 · 배달을 부탁할 때
- 특정 가게에서
- 물건을 교환 · 반품할 때
- 쇼핑에서 돌아온 후
- 기타

| 매장 위치를 찾을 때

대형 쇼핑센터에 들어서면 어느 곳에 어느 상품이 있는지 잘 모를 때가 있다. 이런 경우 '안내계(INFORMATION)' 나 인접 매장 점원에게 매장의 위치를 묻게 되는데, 이럴 때는 **"Excuse me. Where is the book corner?**(서적 코너가 어디 있죠?)" 또는 **"Which floor is the children's wear on?**(아동복 코너가 몇 층에 있습니까?)"라고 찾고자 하는 매장을 물으면 된다. 안내원이 먼저 **"May I help you?**(도와 드릴까요?)"라고 물으면 **"I'm looking for the dairy section.**(유제품 코너를 찾고 있습니다.)"라는 식으로 말한다.

기 본 대 화

A : Excuse me.
Where's the nearest convenience store from here?
B : You can find it around the corner.
A : Thank you.

A : 실례합니다.
여기서 가장 가까운 편의점이 어디에 있습니까?
B : 모퉁이 근처에 가면 보일 겁니다.
A : 감사합니다.

- 도움이 필요하세요?
  Do you need any assistance?
- 필름을 어디서 살 수 있습니까?
  Where can I buy a film?

백화점 안에서

A: Where can I buy children's clothing?
B: It's on the third floor.
A : 아동복은 어디서 사죠?
B : 3층에 있습니다.

- 아동복은 어디에서 살 수 있습니까?
  Where could I find children's clothing?
- 남성복은 몇 층에 있습니까?
  Which floor is the men's wear on?

- 장난감을 어디서 팝니까?
  Where do they sell toys?
- 화장품 코너가 어디에 있습니까?
  Where is the cosmetic counter?
- 에스컬레이터에서 내리면 오른쪽에 보일 겁니다.
  As you get off the escalator you'll see it on your right.

※ 세부 표현 : 길을 묻거나 안내할 때(p. 101, 105)

활용 어휘

- 농산물 : farm products
- 주방 용구 : kitchen utensil〔unit〕
- 에스컬레이터 : escalator
- 전자제품 : electronic products
- 가구 : furniture
- 남성복 : men's wear
- 아동복 : children's wear
- 건강 미용 보조품 : health and beauty aids
- 쇼핑 센터 : shopping center [1)]
- 복도 : hall
- 식탁용 식기류 : table ware
- 엘리베이터 : elevator
- 통조림 식품 : canned food
- 가정용품 : household appliance
- 숙녀복 : ladies' wear
- 액세서리 : accessory
- 화장품 : cosmetics
- 백화점 : department store

1) ((비교)) shopping mall : 보행자 전용 상가(商街)

2 물건을 고를 때

매장이나 가게에 들어서면 어김없이 점원이 **"May I help you?**(도와 드릴까요?)"라고 말한다. 이때 그냥 구경만 한다고 할 때는 **"No, thanks. I'm just looking around. / I'm just browsing.**(아니오, 됐습니다. 그냥 구경만 하고 있습니다.)"라고 하면 어떤 점원은 **"Take your time.**(천천히 보세요.)"라고 응대하는 경우도 있다. 또한 물건을 사려고 할 때는 **"I'm looking for a gift for my wife.**(아내에게 줄 선물을 찾고 있습니다.)"라는 식으로 말한다. 물건을 찾고 있을 때 이미 다른 점원이 자신의 시중을 들어 주고 있는데 또 다른 점원이 다가와서 **"May I help you?**(도와 드릴까요?)"라고 할 때는 **"I'm being helped.**(다른 분이 도와 주고 있어요.)"라고 말한다.

기 본 대 화

A : May I help you?
B : I'd like to see that camera.
A : This one, sir?
B : Yes, and show me another one, please.
A : Here you are.
B : Thank you. What's the difference between these two?
A : This one is automatic and that one is hand-operated.
B : What are the prices of these two?
A : This one is $300 and that one is $150.
B : I'll take this one.

A : 뭘 도와 드릴까요?
B : 저 카메라를 좀 보고 싶습니다.
A : 이것 말인가요, 손님?
B : 네. 그리고 다른 것도 하나 보여 주세요.
A : 여기 있습니다.
B : 고맙습니다. 이 둘은 어떤 차이가 있죠?
A : 이것은 자동이고, 저것은 수동입니다.
B : 가격은 어떻게 되죠?
A : 이것은 300달러이고, 저것은 150달러입니다.
B : 이것으로 하겠습니다.

살 물건을 말할 때

- 청색 재킷을 찾고 있습니다.
  I'm looking for some blue jackets.
- 모자를 좀 보고 싶습니다.
  I'd like to see some hats.
- 실크 넥타이를 보여 주세요.
  Please show me some silk ties.
- 실크 넥타이를 볼 수 있을까요?
  Can I see some silk ties?
- 우리 딸에게 줄 선물을 사고 싶은데요.
  I want to buy a gift for my daughter.

취급 상품을 물을 때

> A: Do you carry Oriental foods?(동양 식품 있습니까?)
> B : We don't carry any. (전혀 취급하지 않습니다.)

- 이 물건 있습니까?
  Do you have this in stock? [1]
- 그런 상품은 취급하지 않습니다.
  We don't carry that item.

> A: Do you have one like this?
> B : We're temporarily out of that item.
>
> A : 이것과 같은 것이 있습니까?
> B : 마침 그 물건이 떨어졌습니다.

- 그 물건은 잠시 품절입니다만, 현재 주문을 해 놓은 상태입니다.
  We're out of them temporarily, but they're on order.
- 다음 주 월요일까지는 준비가 될 겁니다.
  That'll be ready by next Monday.
- 마침 그 물건이 떨어졌습니다.
  They're all sold out.
  We're temporarily out of stock on that item.
- 그 상품은 재고가 없습니다〔품절됐습니다〕.
  The item is out of stock. [2]

---

1) 광고 팸플릿에 나온 어떤 특정 물건을 가리키면서
2) out of stock : 품절된, 매진된

- 언제쯤 물건이 새로 들어옵니까?
  How soon do you expect a new shipment?
- 저희는 그런 물품은 취급하고 있지 않습니다.
  We are not carrying those goods.
- 그것들은 이미 다른 손님들이 모두 사 가버렸습니다.
  The other shoppers had already snapped them all up. [3)]

물건의 위치를 찾을 때

A: Excuse me. Where can I find some razors?
B : They're in the aisle 5 on your left.
They're next to the stationery.

A : 실례합니다. 면도기가 어디에 있습니까?
B : 왼쪽 5번 통로에 있습니다. 문방구 옆에요.

- 치약이 어디 있습니까?
  Where is the toothpaste?
- 즉시 갖다 드리겠습니다.
  I'll get it for you right away.
- 이것과 같은 것을 찾는데 도와 주시겠습니까?
  Could you please help me (to) find one like this?

물건을 고를 때

A: What are you looking for?
B : I'm looking for a jacket?
A: We have just a few jackets left.
Can I show them to you?
B : I'd like that. Thank you.
A: Here is a zippered jacket. Would you like to try it on?
B : No, thank you.
A: It comes in several colors. In your size, we have a blue, a black and a brown.
B : No, I'm looking for something different.
A: I'm sorry. This is all we have now.

A : 뭘 찾고 계십니까?
B : 재킷을 찾고 있습니다.

3) snap up : ~을 잽싸게 사다, 잡아채다

A : 재킷은 몇 개밖에 남은 게 없는데요. 그거라도 보여 드릴까요?
B : 네. 줘 보세요. 감사합니다.
A : 지퍼 달린 재킷입니다. 입어 보시겠어요?
B : 고맙지만 됐습니다.
A : 몇 가지 색깔로 나오는데. 손님 사이즈에는 청색, 검정색, 갈색이 있습니다.
B : 아닙니다. 저는 다른 것을 찾고 있습니다.
A : 미안합니다. 지금은 이것밖에 없습니다.

상품의 선전

- 이것이 가장 잘 팔리는 상품입니다.
  This is the largest selling brand.
- 이 물건은 쓰시는 동안 품질 보증을 해 드립니다.
  We give a lifetime guarantee for this.
- 이 시계는 신품이나 다름없어요.
  This watch is as good as a new one.
- 이거 어때요? 저희 가게에서 제일 좋은 것입니다.
  How about this one?
  This is the best one we have.
- 손님한테 딱 맞는 상품이 있습니다.
  We have just the right thing for you.
- 그런 물건은 흔하지 않아요.
  Such things are by no means common.
- 그건 중고품들입니다.
  They are second hand.
- 그건 불티나게 팔리고 있습니다.
  It sells like hot cakes. [4)]
- 그건 나와 있는 것 중에서 제일 좋습니다.
  It's the best there is.
- 저희 상품을 보여 드릴까요?
  May I show you our line?
- 견본품을 보여 드리겠습니다.
  I'll show you some samples.
- 이게 단연코 최고급입니다.
  This is first-class, and no mistake. [5)]

4) sell〔go off〕 like hot cakes : ((구어)) 대량으로 빨리 팔리다, 불티나게 팔리다
5) and no mistake : ((구어)) 확실히, 틀림없이 예 It's hot today, and no mistake!(오늘은 정말 덥군요!)

- 이게 요즈음 가장 잘 팔리는 상품입니다.
  This is a hot sale item nowadays.
- 저희는 다양한 물건들을 가지고 있습니다.
  We have a variety of goods.
  We have a large selection.

원하는 상품의 특성

A: What is your choice?
B : I'll choose after looking.
A : 어느 것으로 하시겠습니까?
B : 물건을 본 후에 결정하려고 합니다.

- 청색이면 되겠습니까?
  Will a blue one do?
- 특별히 마음에 두고 계시는 스타일이 있나요?
  Do you have a particular style in mind?
- 특별히 좋아하시는 브랜드라도 있으신지요?
  Is there any special brand you like?
- 어떤 것을 말씀하시는지요?
  Which one do you mean?
- 이것은 어떻습니까?
  How do you like this one? [6)]
- 어떤 것을 좋아하시는지요?
  What sort of things do you have in mind?
- 어떤 스타일의 양복을 원하십니까?
  What kind of style do you want?
- 손님께서 원하시는 건 이거죠?
  Is this the one you want?
- 만족을 못 하시면 반품하셔도 됩니다.
  If not fully satisfied, return it to us.
- 어떤 것을 좋아합니까?
  What is your preference?
- 어떤 상표를 원하십니까?
  Which brand do you want?
- 누가 쓰실 건데요?
  Who are they for?
- 마음에 드는 걸 골라 보세요.

6) 손님이 어떤 종류의 물건을 살 것인가를 망설이고 있는데, 점원이 물건을 추천해 줄 때

Just pick out what you like. [7)]

- 아직까지는 이게 최고입니다.
  This is the best one yet.

상품에 대한 질문

- 젊은이들에게 인기 있는 모자가 어떤 것입니까?
  Which is a popular hat for young people?

A: Who makes this product? (이것은 어느 회사 제품입니까?)
B : It is made in Korea. (한국제입니다.)

- 팔 것은 조립 안된 상태로 상자 속에 있습니다.
  They come unassembled in boxes.
- 그것들은 조립된 상태로 파는가요?
  Do they come assembled?
- 이 상품이 신문에 광고된 것입니까?
  Is this item advertised in the newspaper?

다른 물건을 원할 때

- 그건 마음에 안 들어요. 다른 걸로 하나 보여 주세요.
  I don't like it. Please show me another.
- 다른 디자인으로 된 것을 보고 싶습니다.
  May I see others in a different style?
- 여름 제품을 보여 주시겠어요?
  May I see your summer line? [8)]
- 이것 좀 봐도 될까요?〈물건을 집어들면서〉
  Can I have this one?
- 몇 가지 더 보여 주시겠어요?
  Will you show me some?
- 진열되어 있는 게 마음에 듭니다.
  I like the one on display.

시범을 부탁할 때

A: Can I see this for a minute?
B : Sure.

7) pick out : 고르다, 선택하다(choose)
8) fall line : 가을 상품 / special line : 특별 상품군

A: I don't know how to operate this camcorder. [9]
Can I see a demonstration?
B : Certainly. I'll show you.

A : 이걸 잠깐 볼 수 있을까요?
B : 물론이죠.
A : 음, 이 캠코더 조작 방법을 모르겠군요.
시범 좀 보여 주시겠어요?
B : 네. 보여 드리죠.

살 마음이 없을 때

- 잠깐 생각 좀 해 볼게요.
  Let me think for a while.
- 유감스럽게도 마음에 드는 게 없군요.
  Too bad I can't find anything I like.
- 이 가게에는 살 만한 물건이 없어요.
  Nothing in this shop attracts me.
- 마음에 드는 게 없군요.
  I don't see anything I want.
  I can't find what I'm interested in.
- 다른 데하고 비교 좀 해봐야겠습니다.
  I think I'll do some comparison shopping.
- 다른 데도 알아 봐야겠습니다.
  I think I'll shop around.
- 한 집만 더 들러보고 싶어요.
  I feel like going to one more store.
- 또 찾아 주세요. / 다시 올게요.
  Please come again. / I'll come again.

살 물건을 결정할 때

- 이걸로 하겠습니다. / 이것이 가장 마음에 듭니다.
  I'll take this. / I like this one best.
- 이것과 저것을 하나씩 주십시오.
  One of these and one of those, please.

9) camcorder : 캠코더(VCR을 연결하여 사용하는 휴대용 TV 카메라), 비디오 카메라(camera)와 비디오 리코더(recorder)의 기능을 가진 소형 전자 기기

A: Is there anything else you want?
B: That's it.

A : 그밖에 또 필요하신 건 없으세요?
B : 그것뿐입니다.

- 그게 좋겠군요. / 그게 더 좋을 것 같네요.
  It looks good. / That's more like it.
- 이게 마음에 드는군요.
  I like this one.
- 이 종류로 두 개를 주세요.
  I'll take two pieces of this kind.
- 섞어서 주세요.
  Please mix and match.
- 노란 장미 12송이 주세요.
  I'd like a dozen yellow roses, please.
- 가장 적절한 것을 고르셨습니다.
  You couldn't have picked anything more suitable.

A: Which will you recommend?
B : Given a choice, I'll take this.

A : 어느 것을 권하시겠습니까?
B : 저한테 고르라면〔저한테 선택권이 주어진다면〕, 이걸 고르겠습니다.

- 보면 볼수록 마음에 드는데요.
  The more I see it, the more I like it.
- 좋아하시는 것을 골라 보세요.
  Choose what you want, please.
- 골라 보세요.
  Take your pick, please.

3 가격을 흥정할 때

살 물건을 결정하고 나면 가격을 묻고 가격이 너무 비쌀 때는 깍아달라고 부탁하게 된다. 물건에 대한 가격을 흥정하고 나서 살 물건을 결정하는 경우도 있다. 가격을 물을 때는 **"How much is it?**(얼마입니까?)", 가격이 너무 비쌀 때는 **"It's too expensive.**(너무 비싸군요.)", 깍아달라고 할 때는 **"Can you come down a little?**(조금 깍아 주시겠어요?)" 라고 한다.

기 본 대 화

A : How much is it?
B : Three hundred dollars.
A : Oh, it's too expensive.
Can't you make it a little cheaper?
B : I can sell it for 280 dollars.
A : Is there anything cheaper?
B : This is 210 dollars.
A : I'll take it.

A : 그거 얼마죠?
B : 300달러입니다.
A : 오, 너무 비싼데요. 더 싸게 줄 수는 없습니까?
B : 280달러에는 드릴 수 있습니다.
A : 좀 더 싼 것은 없습니까?
B : 이건 210달러짜리입니다.
A : 그걸로 하겠습니다.

가격을 물을 때

- 가격이 얼마죠? / 할인하면 얼마입니까?
  How much is it? / What's the price after discount?
- 권장 소매가격이 얼마입니까?
  What's the suggested retail price?
- 정가가 얼마입니까? / 표시된 가격대로 받습니까?
  What's the regular price? / Is the price as marked?
- 얼마에 파시겠습니까?
  How much do you charge for it?

- 물건값에 배달비와 설치비가 포함되어 있습니까?
  Does the price include delivery and installation charges?
- 이것 10달러 어치만 살 수 있어요?
  Can I have 10 dollars'worth of this?

> A: What's the difference in price between this and that? [1]
> B: Actually, they cost about the same.
>
> A : 이것과 저것은 가격차가 얼마죠?
> B : 실제로는 비슷해요.

가격이 비쌀 때

- 너무 비싼 것 같군요.
  I think it's too expensive〔much〕.
- 이게 더 좋기는 한데, 값이 더 비싸군요.
  This is better, and〔then〕 costs more.
- 좀더 싼 건 없습니까?
  Don't you have anything cheaper?
- 이 스타일로 좀 더 싼 것을 볼 수 있을까요?
  Can I see something cheaper in this style?

예산과 다를 때

- 생각했던 것보다(도) 값이 비싼데요.
  It costs more than I thought.
- 수중에 돈이 이것밖에 없습니다.
  That's all the money I can spare now.
- 이건 나한테는 너무 비쌉니다. / 그건 제 예산 밖인데요.
  This is out of my price range. / It's out of my budget.

> A: What's your general price range?
> B : About seventy dollars or so.
>
> A : 대충 얼마 정도의 가격을 생각하고 계십니까?
> B : 약 70달러 정도입니다.

- 가진 돈이 넉넉지 못해요. / 그걸 살 여유가 안됩니다.
  I don't have much money with me. / I can't afford to buy it.

---

1) ((참고)) a difference in appearance〔quality〕 : 외관〔질〕의 차이 / the difference between A and B = the difference of A from B : A와 B의 차이

- 그걸 살 만한 돈이 없어요.
  I don't have enough money to buy it. [2)]
- 이 가격이 제 예산에 꼭 맞습니다.
  This price is good for my budget.
- 그것을 얼마에 원하세요〔얼마에 사고 싶으세요〕?
  How much do you want to for it?
- 예산은 어느 정도입니까? / 얼마 정도를 쓰실 겁니까?
  What's your budget? / How much are you willing to spend?

> A: How much are you asking? (얼마면 되겠습니까?)
> B : I'll buy it if it's 60 dollars. (60달러라면 사겠습니다.)

- 어느 정도의 가격을 원하십니까?
  What price range do you have in mind? [3)]
- 얼마 정도를 생각하고 계신지요?
  May I ask what price range you have in mind?
- 얼마 정도를 쓰실 수 있습니까?
  How much can you afford?

> A: How much are you asking? (얼마를 받으려고 하세요?)
> B : Name a price. (값을 한번 말씀해 보세요.)

- 말씀을 해 보세요.
  Make an offer. / You name it.

할인을 요구할 때

- 가격을 좀 깎아 주시겠습니까?
  Can you come down on the price?
  Could you make a deal with me?
- 더 깎아 주시겠습니까?
  Can you give me any more discount?
  Can you make it a little lower?
- 10% 할인해 주시겠어요? / 30달러로 합시다.
  Can you bring it down by 10%? / Let's make it $30.
- 많이 사면 값을 깎아 줍니까?

---

2) enough의 용법 : ① 형용사로 쓰일 때는 명사 앞에 올 수도 있고, 뒤에 올 수도 있지만 앞에서 수식하는 경우가 보통이다. 수량을 나타낼 때는 명사 앞에 두는 것이 강조적이다. ② 부사로 쓰일 때는 동사나 형용사 뒤에 온다. 예 It's good enough for me.(나한테는 그거면 충분합니다.)
3) 직역 : 어떤 가격범위를 염두에 두고 계십니까?

Do you give discounts on volume purchases?
If I buy in bulk do I get a discount?
If I buy lots of things do I get a discount?

- 최대 가격을 말씀해 보세요. / 얼마까지 깎아줄 수 있죠?
  Give me your best price. / How much can you go?
- 현금이면 얼마나 할인됩니까?
  Do you give any discounts for cash?
  Do you make any allowance for cash payment?

할인을 거부할 때

- 한 푼도 깎아 드릴 수 없습니다.
  I wouldn't come down a cent. / I can't take a penny off.
  I won't take off a cent. / I can't take a penny off.
- 그렇게 에누리하지 마십시오. / 더 이상 깎아 드릴 수는 없습니다.
  Don't bid so low. [4] / This is my final price.
- 값은 깎지 마십시오. 정찰제입니다.
  We do not bargain. Our prices are fixed.
- 정찰제를 실시하니 가격을 깎지 마십시오.
  We are practicing a price marking system, and no discount is allowed.
- 이건 적당한 가격입니다. / 그 값으로는 본전도 안 됩니다.
  This is a good price. / Your figure is below cost.
- 그거〔그 가격이면〕 아주 싸게 사시는 겁니다.
  It's a real good buy (at that price).
- (이미) 인하된 가격입니다.
  The price's already marked down.
- 그건 매우 싼 겁니다. / 그건 거저나 마찬가지예요.
  That's very cheap. / That's a steal. [5]

할인을 해 줄 때

A: I'll give you twenty percent discount.
B : Now you're talking now.

A : 20% 할인해 드리겠습니다.
B : 이제야 제대로 말씀하시는군요.

---

4) bid : (값을) 매기다, 부르다
5) steal : 횡재(橫財)

- 현금으로 사시면 얼마쯤 감해 드립니다.
  We give a discount for cash.
  You'll get a discount if you pay in cash.
- 그것과 똑같은 가격에, 아니 그보다 더 싸게 드리겠습니다.
  We'll match it, no we'll beat it.
- 그걸 아주 싸게 드리겠습니다.
  I will let you have it very cheap.
- 이것을 판매가의 반액으로 드리겠습니다.
  I'll offer this at half the sale price.
- 하나 사면 덤으로 하나 더 드립니다.
  Buy one, get one free.

외상을 할 때

- 그것 외상으로〔월부로〕 살 수 있습니까?
  Can I buy it on credit? / Is credit available?
  Is financing available?
- 이 컴퓨터를 사면서 현금을 내실 필요는 없어요.
  There's no money down on this computer. [6)]

세일 중일 때

- 이건 언제쯤 세일을 합니까?
  When is it going to be on sale?
- 이것도 세일합니까? / 지금 신발류를 세일하고 있습니다.
  Is this on sale also? / Shoes are on sale right now.
- 세일 기간이 얼마나 되죠?
  How long is the sale?
- 세일 가격은 6월 24일까지 유효합니다.
  Sale prices are good through June 24.
- 지금은 특별 할인기간입니다.
  This is the special season for bargain sales.
- 이번 주는 파격세일을 하고 있습니다.
  We're having a big sale this week.
- 이 쿠폰을 사용할 수 있습니까? / 그 쿠폰은 유효 기간이 끝났습니다.
  Can I use this coupon? / That coupon has expired.
- 그 쿠폰을 어디에서 났습니까?
  Where did you get that coupon?

---

6) down = down payment : 현금 지불

세일(sale)의 종류

- one-price sale : 전 품목 균일가 세일
- clearance sale : 철이 지난 재고를 처리하기 위한 세일
- white elephant sale : 팔다 남은 물건을 처리하는 세일
- warehouse sale : 창고형의 대형 매점에서 실시하는 세일
- going-out-of business sale : 점포정리를 위한 세일
- one-day sale : 하루동안만 실시하는 세일
- garage sale : 불필요한 물건을 정리하는 세일, yard sale, miscellaneous sale 이라고도 한다.
- moving sale : 이사를 하면서 불필요한 물건을 정리하는 세일

덤으로 줄 때

- 이것 무료〔공짜〕입니까?
  Is this free of charge?
- 그건 가지셔도 됩니다. / 그거 가지십시오〔그건 당신 것입니다〕.
  You can keep it. / It's yours.
- 덤으로 모자 한 개 드리겠습니다.
  I'll give you an extra hat for free.
- 이건 덤으로 드리는 겁니다.
  This is frosting on the cake. [7)]
- 흠이 있으니 값을 좀 싸게 해 드리죠.
  It has some flaws, so I will lower the price a little.
- 손님에게 나눠주는 샘플 있습니까?
  Do you have any samples to give out?
- 덤으로 몇 개 더 주시오.
  Throw in a few more, please.

바가지를 씌울 때

- 나한테 바가지 씌울 작정은 아니겠죠?
  Aren't you charging me too much?
- 나한테 바가지라도 씌우려는 거요?
  Are you trying to rip me off or something?

흥정 실패 후

- 그럼 그거 필요 없습니다.

7) frosting : (케이크)에 설탕을 입힘(icing)

I don't think I want it, then. [8)]

- 다시는 절대 얼씬도 않을 겁니다.
  I'll never set foot in here again. [9)]
- 당신과의 거래는 이걸로 끝장이요!
  I'm through with you!
  This is the last time I'll ever do business with you!
- 당신은 단골 손님을 하나 잃으셨군요.
  You've just lost a steady customer. [10)]
- 당신은 단골 손님을 하나 잃게 될 거요.
  You will lose a steady customer. [11)]
- 내가 다시는 여기 오나 봐라!
  This is the last time I'll ever come here! [12)]

기 타

- 가격표가 안 보이는데요. / 여기에는 가격표가 안 붙어 있는데요.
  I don't see a price tag. / There is no price tag here.
- 가격은 변하는 수가 있습니다.
  The prices are subject to change.
- 값이 싸다고 해서 반드시 질이 나쁜 것은 아니에요.
  Cheap prices do not necessarily mean cheap quality.
- 골라잡아 천 원.
  1,000 won a piece at your choicing.
- 그는 손님 얼굴을 보고 값을 바꿔요.
  He changes the price according to the customer's looks.
- 솔직히 말씀드리면, 그 물건은 재고가 쌓여 밑지고 파는 겁니다.
  Honestly, we are overstocked on that item, so we're selling it below cost.
- 저 가게는 모든 것을 비싸게 팔아요.
  They sell everything at a high price in that store.[13)]
- 저희들은 상품에 싼값을 매기고 있습니다.
  We put a cheap price on the articles.

---

8) 가격 흥정이 안되서 손님이 흥정이 되던 물건을 사지 않는다고 말할 때
9) set foot in〔on〕 ~: ~ 에 결코 발을 들여놓다, ~을 방문하다
10) 현재완료형 : 끝장 내고 돌아서면서 하는 말
11) 미래형 : 주인에게 아직도 기회를 주고 있음
12) 직역 : 이번이 내가 여기에 오는 마지막이다.
13) ((주의)) : 무생물인 "가게"를 주어로 하지 않고 "사람"을 주어로 한 점에 유의하자.

활용 어휘

- 가게 정리 세일 : liquidation sale
- 가격 인하 판매 : markdown sale
- 가격표 : price list / price tag
- 꽤 높은 가격 : considerably high priced
- 단가(單價) : piece rate / unit price
- 도매가 : wholesale price
- 떨이품 : clearance goods
- 새학기 맞이 세일 : back-to-school sale
- 시장 가격 : market price
- 정찰 가격 : marked〔list / fixed〕 price
- 출고 가격 : factory〔store〕 price
- 특별할인 상품 : super saver
- 할인 판매〔판매 중〕 : on sale
- 할인가 : sale price
- 가격 인하 경쟁 : price(-cutting) war
- 가격이 비싼 물건 : big-ticket item
- 공장도 가격 : factory price
- 내림시세시 구매 : scale-down buying
- 대폭 할인 : steep discount
- 떨이 판매 : rummage sale
- 사은 판매 : thank-you sales
- 소매가 : retail price
- 시판 가격 : selling price
- 최저가 : lowest price / bedrock price
- 특가〔염가〕 : bargain basement price
- 판매 가격 : net amount
- 할인〔가격 인하〕 : price cutting
- 현찰가 : cash price

명언 한 마디

It takes three generations to make a gentleman.

신사를 만드는 데에는 3대가 걸린다.

4 계산할 때

물건을 사고 나서 계산을 할 때는 우선 계산하는 곳이 어디인지를 묻게 된다. 계산 장소를 물을 때는 **"Where is the cashier?**(계산하는 곳이 어디입니까?)", 합계가 얼마인지를 물을 때는 **"How much (is it) in all?**(합계가 얼마입니까?)", 지불방법을 물을 때는 **"Do you accept personal check?**(개인 수표를 받습니까?)"라고 말한다. 그리고 돈을 건네면서 하는 표현은 **"Here you are.**(여기 있습니다.)", 계산이 틀릴 때는 **"I think you made a mistake in this bill.**(이 계산서가 틀린 것 같습니다.)"라고 말한다.

기 본 대 화

A : How much is it all together?
B : It's $ 55.75 with tax.
Is that cash or charge?
A : Cash, but I'll give you a check, if it's all right.
B : Yes, that'll be fine. Thank you.

A : 전부해서 얼마입니까?
B : 세금 포함해서 55달러 75센트입니다.
현금인가요, 신용거래인가요?
A : 현금입니다. 괜찮으시다면, 수표로 드리겠습니다.
B : 네, 그게 좋겠습니다. 감사합니다.

계산 장소를 물을 때

A: Where do I pay?
B : At the register counter over there, please.

A : 어디에서 계산을 하죠?
B : 저쪽 계산대에서 합니다.

- 계산하는 곳이 어디죠? / 이 물건값을 여기서 내도 됩니까?
Where is the check-out counter? / Can I pay for this here?

계산할 때

계산을 부탁할 때

A: Will you add these up for me?
B : Yes, I'll ring it up for you quickly. [1)]
A : 이것 좀 계산해 주겠어요?
B : 즉시 계산해 드리겠습니다.

- 합계가 얼마입니까?
  How much does that come to? / What does it ring up to?
  What's the total for all of this? / How much in all?
- 얼마입니까?
  How much is it? / How much will it cost?
  What does my bill come to? / How much does it cost?
- 달러로〔한국 돈으로〕 얼마죠?
  How much is that in dollars〔in Korean money〕?
- 고액권 가지고 계세요?
  (Do you) have anything larger? [2)]
- 아참, 이 셔츠도 계산에 넣어 주세요. / 그것을 합산해 드리겠습니다.
  Oh, and add in this shirt. [3)] / I'll add it up.

지불 방법

A: May I pay by personal check? (개인수표로 지불해도 되나요?)
B : We accept cash only. (죄송하지만, 현금만 받습니다.)

- 개인수표로 지불해도 되나요?
  Can I write a check for this?
- 현금 대신 수표는 안되겠습니까?
  May I give you a check instead of paying you in cash?
- 이것을 신용 카드로 계산할 수 있을까요?
  Can I charge this with my credit card? [4)]
- 신용 카드로 계산하겠습니다. / 신용 카드로 결제하겠습니다.

---

1) ring it up : cash register(계산하는 기계)가 땡(ring)소리를 내며 물건값을 찍는 행위, 금전등록기의 키를 눌러 (어떤 금액을) 나오게 하다
2) 물건을 산 후 점원이 거스름돈으로 1달러짜리 잔돈만 잔뜩 내놓자 손님이 하는 말
3) add in : 셈에 넣다, 포함시키다(include)
4) ((참고)) 요금 지불 수단 : 신용 카드(credit card), 직불 카드(debit card), 현금(cash), 수표(check), 여행자 수표(traveler's check)

Let me pay for it with my card. / Charge it, please.

- 이것을 현금으로 지불하시겠습니까, 수표로 지불하시겠습니까?
  Will you pay for this in cash or by check? 5)
- 외상 기간은 얼마나 됩니까?
  What are the terms? 6)
- 외상으로 달아 놓으세요.
  Put it on my account, please.
  Give me some terms on that, please. 7)
- 현찰입니까, 외상입니까? / 나중에 저에게 청구서를 보내세요.
  Cash or charge? / Bill me later.
- 이 가게는 현금을 지불하면 3%를 할인해 드립니다.
  This shop offers a 3% discount for cash.
- 얼마를 현금으로 지불해야 합니까?
  How much do I put down? 8)

계산이 틀릴 때

- 거스름돈이 모자라는 것 같군요.
  I think I was shortchanged.
- 계산을 다시 좀 해 주시겠습니까?
  Would you mind checking the bill again?
- 계산이 틀린 것 같습니다.
  I think you made a mistake on this bill.
  I think there's a mistake on the bill.
  I think there's something wrong on the accounts.
  I think you charged a wrong amount.
- 거스름돈을 덜 받았습니다. / 거스름돈이 맞지 않는데요.
  I got shortchanged. / This change is not right.
- 거스름돈을 더 주셨습니다.
  You gave me too much change.
- 제가 돈을 더 낸 것 같군요.
  I think I was overcharged.
- 15달러를 받아야 하는데, 14달러를 주셨습니다.
  I was supposed to get 15, but you gave me 14.

---

5) ((주의)) 전치사의 쓰임 : 현금인 경우에는 in cash, 수표인 경우에는 by check
6) 직역 : (지불) 기간은 얼마나 됩니까?
7) 단골 식당 · 가게 등에서 물건을 사거나 식사를 하고 나서
8) 월부 구입이 가능할 경우, 최초 얼마를 현금으로 지불(down payment)해야 하는가를 묻는 표현이다. 간단하게 "How much down?"이라고도 한다.

기 타

- 더 작은 돈〔액면가가 적은 돈〕 있으세요? / 거스름 돈 여기 있습니다.
  (Do you) Have anything smaller? / Here's your change.
- 그렇게 헤프게 쓰다간 빚더미에 올라서요.
  You'll be up to your ears in debt if you keep spending so much money. [9)]
- 이걸 사게 되면 도가 지나칠 거야.
  I'm being really extravagant by getting this. [10)]
- 누구 앞으로 수표를 써 드릴까요?
  Who do I write〔make〕 it out to?
  Who do I write this check to?
- 여기에 서명해 주십시오.
  Sign here, please.
- 당신 신용이 나빠서 더 이상 외상을 줄 수가 없습니다.
  We can't give you any more credit because your credit is not very good with us. [11)]
- 대금은 상품이 도착한 후에 현금으로 지불하시면 됩니다.
  Please pay in cash after you have received the goods.
- 미안하지만, 이렇게 큰돈은 바꿔 드릴 수가 없습니다.
  I'm sorry, but I can't change this a large bill.
- 미안하지만, 잔돈이 없는데요.
  Sorry, but I have no (small) change.
- 미안합니다, 이 계산대는 끝났습니다.
  Sorry, this counter is closed.
- 실례지만, 거스름돈을 잘못 주셨습니다.
  Excuse me, but you gave me the wrong change.
- 영수증 좀 끊어주세요.
  Let me have a receipt〔a copy of the receipt〕, please.
  May〔Can〕I have〔keep〕a receipt, please?
- 이건 시세가 얼마나 할 것 같습니까?
  What do you think is reasonable price for this? [12)]
- 자, 거스름돈과 영수증 여기 있습니다.
  Here's your change and receipt.

---

9) be up to one's ears = go〔get〕 into deep debt : (사랑 · 빚더미 등에) 깊이 빠져들다
10) extravagant : 도가 지나친, 무리한, 씀씀이가 헤픈
11) '외상이 너무 많아서'를 "because there are too many bills you haven't paid."라고 표현할 수도 있다.
12) reasonable price : 시세에 맞는 합당한 가격, 부담스럽지 않은 가격

A: Change some money for me. [13] (잔돈 좀 바꿔 주세요.)
B: I don't have anything smaller. (잔돈 가진 게 없는데요.)

- 잔돈을 세어 보고 맞는지 확인해 보세요.
  Count your change and make sure it is right.
- 잔돈은 놔두세요〔가지세요〕.
  Keep the change.

명언 한 마디

Extreme remedies are most appropriate for extreme diseases.

극단적인 병에는 극단적 치료법이 가장 적합하다.

- Hippocrates(460-357 B.C) -

13) change가 위와 같은 의미로 쓰일 때는 〈change + 직접 목적어 + for + 인칭 대명사〉 형태를 취한다. 이런 동사류에는 close, answer, correct, translate 등이 있다. Closes the door for me. / Answer the questions for us. / Correct this sentence for me. / Translate that passage for me.

5 포장 · 배달을 부탁할 때

산 물건을 선물용으로 포장해 달라고 할 때는 "Could you wrap it up as a gift?(그걸 선물용으로 포장해 주시겠어요?)"라고 말하고, 배달을 부탁할 때는 "Do you deliver?(배달을 해 줍니까?) 또는 "Can you deliver〔send〕 it to my house?(그걸 저희 집까지 배달해 주시겠어요?)"라고 말한다.

기 본 대 화

A : Do you deliver?
B : Yes, we do.
A : Well, can you deliver〔send〕 it to my house?
B : Sure. Do you have a specific date for delivery?
A : Yes. I'd like to have it on Tuesday.

A : 배달해 주나요?
B : 네. 그렇습니다.
A : 그럼, 그걸 저희 집으로 배달해 주시겠어요?
B : 그러죠. 특별히 원하시는 배달 날짜가 있으신지요?
A : 네. 화요일에 배달해 주세요.

포장을 부탁할 때

- 포장을 해 주시겠어요?
  Would you have them wrapped?
- 이걸 선물용으로 포장해 주시겠어요?
  Could you wrap this up as a gift? / Would you giftwrap this?
- 이걸 따로따로 포장해 주세요.
  Wrap them separately〔individually〕.
- 리본을 달아서 포장해 주시겠어요? / 리본을 달아 주세요.
  Would you add a ribbon? / I want a ribbon on it.
- 이걸 가방에 넣어 주시겠어요?
  Would you put this in a bag, please?
- 종이 봉투 좀 주시겠어요?
  Can I have a carrier?

배달을 부탁할 때

A: Do you deliver?
B: I'm sorry, but we don't have a delivery service.

A : 배달을 해 주나요?
B : 죄송하지만, 배달은 안 합니다.

- 3일 이내에 배달이 되도록 하겠습니다.
  I'll see that it's delivered to you within three days.
- 이 주소로 이걸 배달해 주시겠어요?
  Can I have these delivered to this address?
- 이걸 저희 집으로 배달해 주시겠어요?
  Can you deliver these to my house?
- 배달에 대한 별도의 요금을 내야 합니까?
  Do I have to pay extra for delivery?
- 이것들을 한국에 선편으로 보낼 수 있습니까?
  Can you ship these to Korea?
- 이것들을 한국으로 보내 주시겠습니까?
  Could you send these to Korea?

기 타

- 그건 비매품입니다. / 그건 팔려고 내놓은 겁니다.
  It's not for sale. / We have put it up for sale.
- 그걸 당신에게 공짜로 드리겠습니다.
  I'll give it to you for nothing.
- 그것은 박스 째로 사시는 게 더 쌉니다.
  It's cheaper to buy them by the case.
- 미안하지만, 다 팔렸습니다. 손님이 원하시면 다음 기회를 드리겠습니다.
  I'm sorry, but they're all sold out.
  We'll give you a rain check if you want. [1)]
- 저희 고객 목록에 손님 성함을 올려놓을까요?
  Would you like to put your name on our list?
- 반품 방침이 어떻게 됩니까?
  What return policy do you have?
- 그것이 잘 작동되지 않으면, 반품할 수 있습니까?
  If it doesn't work, can I bring it back? [2)]

---

1) rain check : ① 백화점 등에서 세일하겠다고 광고를 낸 물건이 세일 기간이 끝나기도 전에 다 팔리고 없을 때 손님의 요구가 있으면 쪽지(rain check)를 하나 주고, 손님은 그 쪽지를 가지고 나중에 그 상품을 살 수 있도록 하는 것 / ② (초대 따위를) 형편이 나아질 때까지 연기해 주는〔받는〕 것 / ③ 우천 순연권(야구 시합 등이 비 때문에 중지되었을 경우 다음에 관람할 수 있도록 관객에게 주는 입장권)
2) work : (기계 · 기관 등이) 움직이다, 운전되다

6 특정 가게에서

앞에서는 물건을 사고 파는 곳이면 어느 곳에서나 공통적으로 쓰이는 표현들을 제시하였으며, 여기에서는 특정한 물건이나 상품을 취급하는 특정 매장에서 쓰이는 기본적인 대화와 표현들을 망라하였다. 추가적인 표현들은 앞의 상황을 참조하기 바란다.

기념품 가게에서

A: I'm looking for some souvenirs for my son. [1)]
Could you help me to make a selection?
B : I'd be glad to. How old is he?
A: He is seven years old.
I want something that symbolizes what's typical in the United States.
B : Then, I think this figurine will make a good souvenir. [2)]

A : 제 아들에게 줄 기념품을 찾고 있습니다.
고르는데 도움을 주시겠습니까?
B : 기꺼이 도와 드리죠. 아들이 몇 살이죠?
A : 7살입니다.
미국의 전형적인 것을 상징하는 것이면 좋겠습니다.
B : 그렇다면, 이 조각상이 좋은 기념품이 될 겁니다.

- 교육적인 것이 있습니까?
  Do you have anything educational?
- 당신이 쓰실 건가요?
  Is it for you?
- 오, 제가 쓸 게 아니고, 제 아내에게 줄 것이에요.
  Oh, it's not for me, it's for my wife.
- 이건 요즘 외국인 관광객들에게 대단히 인기가 있습니다.
  These have been quite popular among tourists lately.
- 이 지방의 대표적인 공예품을 찾고 있습니다.
  I'm looking for typical crafts of this area.
- 제 아내한테 줄 선물로 무엇이 좋을까요?
  What gift would you recommend for my wife?

1) souvenir : 기념품, 선물, 추억의 유품
2) figurine : (돌 · 금속 등으로 만든) 작은 조각상, 입상(立像)

활용어휘

- 기념일 : anniversary
- 꽃다발 : bouquet / bunch of flower
- 리본 : ribbon
- 상품권 : gift certificate / coupon
- 생일 선물 : birthday present
- 선물 가게 : gift shop
- 안개꽃 : gypsophila
- 이별의 선물 : parting present〔gift〕
- 증정본 : presentation〔author's〕 copy
- 축하 선물 : congratulatory present
- 포장지 : packing paper
- 꽃가게 : flower shop / florist
- 답례품 : return present
- 보석 : jewel
- 새해의 선물 : New Year's gift
- 선물 : present / gift
- 선물 교환 : exchange of presents
- 연말 선물 : year-end present
- 종이학 : paper crane
- 증정자 : presenter / giver
- 크리스마스 선물 Christmas present
- 화환 : (floral) wreath

보석 가게에서

A: I'm trying to find a Christmas present for my wife.
B : OK. What kind of thing are you looking for?
A: I'm not sure, really. Maybe you can help me.
B : How about earrings?
A: No, I bought her earrings for her birthday.
B : Maybe a bracelet, then.
The bracelets are made of 22 carat gold.
A: Mmm, what kind of stone is that?
B : A diamond, and it's less than $4,000!
A: Oh, well, maybe you could show me some bracelets, then.

A : 아내에게 줄 크리스마스 선물을 찾으려고 합니다.
B : 네. 어떤 것을 찾고 계십니까?
A : 잘 모르겠어요. 저를 도와 주셔야 할 것 같아요.
B : 귀걸이가 어떻습니까?
A : 아니에요. 귀걸이는 아내 생일 선물로 사 주었어요.
B : 그럼, 팔찌가 낫겠군요. 팔찌는 22캐럿 금으로 만들어졌습니다.
B : 음, 그건 어떤 종류의 보석이죠?
A : 다이아몬드인데, 4,000달러도 안돼요.
B : 오, 그럼, 팔지 좀 보여 주세요.

- 다이아 반지 좀 볼까요?
Can I see some diamond rings?
- 이건 몇 캐럿이죠? / 그건 3캐럿입니다.
How many carats is this? / It's three carats.
- 끼워봐도 되나요?

May I try it on?

- 이게 18금입니까? / 이거 진짜 금입니까?
  Is this 18 carat gold? / Is this real gold?
- 이거 진짜입니까, 모조품입니까?
  Is this genuine or an imitation?
- 이건 가짜 같은데요.
  This looks phony. / This looks like an imitation. [3)]

활용 어휘

- 팔찌 : slave-bangle / bracelet
- 목걸이 : necklet / tub / neckpiece
- 안경알 : eyeglass / spectacle lens
- 금테 안경 : gold-rimmed glasses
- 코안경 : pince-nezs

식료품 가게에서

A: What are the store's specialities?
B : Lobsters and salmons.
A: Could you send these to my house?
B : All right, ma'am.

A : 이 가게의 특산품이 무엇입니까?
B : 가재와 연어입니다.
A : 저희 집까지 배달해 주시겠습니까?
B : 그러죠, 부인.

- 시식해도 되나요?
  Can I taste it?

A: Do you have fresh lettuce?
B: Yes, we do. It's very fresh.

A : 신선한 양상추 있습니까?
B : 네, 있습니다. 아주 신선합니다.

활용 어휘

- 계란 한 줄(12개) : a dozen of eggs
- 주스 두 병 : two bottles of juice
- 껌 한 통 : a package of gum
- 초콜릿 한 상자 : a box of chocolate
- 소고기 600 그램(한 근): six hundred grams of beef
- 잼 한 통 : a jar of jam
- 빵 한 조각 : a loaf of bread
- 우유 한 병 : a container of milk
- 시금치 : spinach [4)]

❖ 식품에 관한 추가 어휘 : 식생활(p. 1260, 1330)

3) phony : 가짜의 / phonies : 가짜(fake), 위조품; 사기꾼 / imitation : 모조품, 위조품
4) 시금치 두 다발 : two bundles of spinach

신발 가게에서

A: I'd like to see some running shoes.
B : Certainly, sir. This way, please.
These are all running shoes.
How about this pair?
A: Looks good. But I don't like the color.
Don't you have it in a light blue?
B : How would you like this pair?
Please try them on.
A: Too small. What about the next size up?
B : Here's half size larger. Try these on.
A: Very comfortable. I'll take these.

A : 조깅화 좀 보여 주세요.
B : 그러죠. 이쪽으로 오십시오.
이것들이 전부 조깅화입니다.
이게 어떻습니까?
A : 모양은 좋은데, 색깔이 마음에 안 듭니다.
밝은 색조의 청색은 없습니까?
B : 이것은 어떻습니까? 신어 보세요.
A : 너무 작습니다. 다음 사이즈가 어떨까요?
B : 여기 반 인치 더 큰 것이 있습니다. 신어 보세요.
A : 아주 편하군요. 이걸로 하겠습니다.

취급 상품

- 저희는 모든 종류의 운동화, 농구화, 테니스화, 구두 등을 팝니다. 손님께서 이름만 대 보세요.
  We sell all kinds of sneakers, high top, tennis shoes, dress shoes etc. You name it. [5)]
- 저희는 신발이라면 모두 취급합니다.
  We carry a full line of shoes. [6)]
- 이것은 진짜 가죽으로 만들어진 것입니다.
  These are made of genuine leather.

5) ((참고)) "You name it."라는 표현은 약속 시간 · 장소 등을 정하는 데 있어서 상대방에게 일임할 때도 쓰인다. 즉 "그것은 너한테 달렸다.(It's up to you.)", "네 맘대로 해.", "네가 결정해."라는 뜻이다.
6) 신발(shoes)의 종류 : sneakers(운동화의 총칭), high top(농구화), tennis shoes(테니스화), running shoes(조깅화), dress shoes(양복과 함께 신는 구두), sandals(샌들), indoor〔house〕 shoes / slippers(실내화) 등

- 굽이 높은 걸 찾으세요, 낮은 걸 찾으세요?
  Are you looking for high heels or low heels?
- 이 구두는 오래 신을 수 있습니다.
  You can wear these shoes for a long time.

크기와 치수

> A: How do you feel? (어떠세요 잘 맞습니까?)
> B : These shoes are too tight. (이 신발은 너무 꽉 끼입니다.)

- 잘 맞습니까〔어떻습니까〕? / 구두 뒤꿈치 부분이 죄는데요.
  How do they feel? / The shoe pinches me at the heel.
- 발가락이 너무 끼는데요.
  They put too much pressure on my toes. [7]
- 구두가 너무 꽉 끼어서 아파요.
  These shoes are so tight they hurt.
- 이 신발이 딱 맞습니다.
  These shoes are just right. / These shoes fit me perfectly.
- 이건 좀 작은 것 같은데, 더 큰 것 없습니까?
  I don't think this one is big enough.
  Have you got a larger one?
- 이건 좀 작은데요. / 이건 폭이 좁군요〔넓군요〕.
  These aren't big enough. / These are too narrow〔wide〕.
- 이 종류로 좀 작은 것 있습니까?
  Do you have this in a smaller size?

> A: What size do you wear? (어떤 사이즈를 신으세요?)
> B : I need a size 7. (사이즈 7을 주세요.)

- 사이즈가 어떻게 되시죠? / 사이즈를 인치로 말해 주세요.
  What's your size? / Please tell me the size in inches.
- 8사이즈 있습니까?
  Do you have it in size 8?
- 제 신발 사이즈 좀 재 주세요.
  Please check my shoe size.
- 이 사이즈로 다른 걸 보여 주세요.
  Please show me another one in this size.
- 좀 더 작은 사이즈 좀 보여 주세요. / 다른 사이즈를 줘 보세요.
  Show me a smaller size. / I need a different size, please.

7) put pressure on ~ : ~에 압력을 주다

신발의 크기

신발의 길이는 4에서 15정도까지 12단위로 나뉘어져 있고 폭은 AA(가장 넓음), A, B, C, D, E, EE(가장 좁음)로 나뉘어져 있다. 센티미터 개념이 아니기 때문에 신발을 살 때는 직접 신어 보고 사는 것이 최선이다.

기 타

- 구둣주걱 좀 주시겠어요?
  Can I have a shoehorn? [8)]
- 구두 좀 닦아 주시겠습니까?
  Could I have my shoes shined?
- 구두를 수선해야겠어요.
  My shoes need repairing.
- 아저씨, 구두 닦으세요.
  Shine, sir?
- 어디서 구두를 닦을 수 있습니까?
  Where can I have my shoes shined?

※ 색깔, 어울림, 재질 등에 관한 표현 : 옷 가게에서(p. 358~360)

활용 어휘

- 가죽 구두 : leather shoes
- 구두약 : shoe polish
- (구두) 끈 : lace
- (구두) 밑창 : sole
- 굽이 높은 신발 : high-heeled shoes
- 신발 주머니 : shoes-keeping sack

옷 가게에서

A: I'd like to buy a shirt, please.
B : What's your size?
A: I'd wear a medium.
B : What color would you like?
A: I want a shirt with bright patterns.
B : How about this one?
A: That looks good. May I try it on, please?
B : Sure. (pause) The color favors you.
A: All right. I'll take it.

A : 셔츠를 하나 사고 싶습니다.
B : 치수가 어떻게 되죠?

8) shoehorn : 구둣주걱; 좁은 공간에 밀어 집어넣다

A : 중간 치수를 원합니다.
B : 어떤 색깔을 원하시는지요?
A : 밝은 계통의 셔츠를 원합니다.
B : 이거 어떠세요?
A : 좋아보이는데요. 입어 봐도 되나요?
B : 물론이죠. (잠시 후) 그 색깔이 손님에게 맞는군요.
A : 좋습니다. 이걸로 하겠습니다.

크기와 치수

• 이 치마는 허리부분이 너무 꽉 끼는데요.
This skirt is too tight around the waist.

A: Does this shirt come in medium?
B : Yes, it does. Here's a medium.
A : 이 셔츠로 중간 크기가 나옵니까?
B : 네. 중간 크기 여기 있습니다.

• 어떤 사이즈를 원하십니까? / 중간 사이즈 있습니까?
What size do you need? / May I have a medium?

• 이걸로 더 큰〔작은〕 사이즈가 나오나요?
Does this come in a larger〔smaller〕 size?

• 너무 꽉 조이는데. 좀 더 큰 것은 없습니까?
It's too tight. Do you have a little bit larger (size)?

• 가슴 품이 너무 큽니다. / 좀 더 작은 것으로 주세요.
It's too big in the bust. / I'd like something smaller.

• 그 사람 사이즈를 확실히는 모릅니다.
I'm not sure of his size.

• 스커트가 조금 조이네요. / 히프가 조금 큽니다.
This skirt is a little too tight. / It's a little big in the hip.

• 이 바지가 좀 헐렁해요.
This trouser are a little loose-fitting. [9)]

• 너무 헐렁한 것 같은데요.
It feels too loose for me.

• 이 재킷이 한 치수 작았으면 하는데요.
I wish this jacket was one size smaller.

• 한 치수 큰 것을 보여 주시겠습니까?
Could you show me one size up?

9) loose-fitting : (의복 등이) 헐렁한

색 깔

A: Do you have〔carry〕this in size 9?
B: Yes, we do.〔No, I'm sorry. We don't.〕

A: 이걸로 사이즈 9가 있습니까?
B: 네, 있습니다.〔미안합니다. 없습니다.〕

- 같은 색깔로 좀 더 큰 것 없습니까?
  Don't you have any larger ones in the same color?
- 이것과 같은 것으로 다른 색상 있습니까?
  Do you have this in another color?
- 그건 너무 야한데요. 좀 더 수수한 것 없나요?
  It's too fancy. Can't you find something more casual?

A: Look at this one. The color is perfect for you!
B: I like it, too.

A : 이걸 보세요. 색깔이 참 어울리군요.
B : 저도 좋은데요.

재 질

- 그건 (옷감)재질이 뭐죠? / 그건 무슨 재질로 만들어졌습니까?
  What kind of material is it? / What material is it made of?
- 그건 순실크〔비단〕으로 만든 것입니다. / 그건 100% 면입니다.
  It's made of pure silk. / It's one hundred percent cotton.

활용 어휘

- 방수가 되는 : waterproof
- 튼튼한 : durable
- 진짜 가죽 : genuine leather

유 행

- 지금 유행하고 있는 것이 무엇입니까?
  What is fashionable?
- 요즘 숙녀복은 어떤 것이 인기가 있습니까?
  What's popular in women's clothing?
- 저는 유행을 쫓지 않습니다.
  I don't follow the trends in fashion.

입어 볼 때

A: May I try on this jacket? (이 재킷 입어 봐도 될까요?)
B : Certainly. Go ahead. (물론이죠. 어서 입어 보세요.)
A: (pause) How does it fit? ((잠시 후) 어때요?)
B : It's just right. (딱 맞습니다.)

- 미안하지만, 입어 보실 수는 없습니다.
  I'm sorry, you can't.
- 이 스웨터를 한번 입어 보시겠어요?
  Would you like to try this sweater on?
- 이 옷을 한번 입어 보고 싶습니다. / 옷을 갈아입는 곳이 어디죠?
  I'd like to try this suit on. / Where's the fitting room? 10)

옷을 입고 나서

- 잘 어울리시는데요. / 참 멋있군요.
  It looks good on you. / You look beautiful.
- 둘 다 마음에 듭니다. / 둘 다 당신한테 어울리는 것 같군요.
  I like both of them. / I think both suit you all right.
- 어색한데요. / 안 어울리는데요.
  It looks awkward. / It doesn't look good.

기 타

- 수영복 있어요?
  Do you have〔carry〕swim suits?
- 내 상의에 어울리는 넥타이 몇 개를 부여 주세요.
  Please show me some ties that would go well with my jacket.
- 결혼식에 입고 갈 옷을 찾고 있습니다.
  I'm looking for a dress to wear for a wedding.
- 요즘엔 긴치마가 유행이에요.
  Long skirts are in vogue now.
- 요즘엔 미니스커트가 유행이에요.
  Miniskirts are the fad these days. 11)

10) fitting room : (의복을) 처음에 구입하기 전에 맞는지 입어보는 방
11) fad : 일시적 유행; 변덕

• 요즘에는 남녀공용 스타일이 유행입니다.
The unisex mode is in style now.
• 이 넥타이는 유행이 지난 것입니다.
This tie is out of style.

A: Can you break up the set? 12) (하나만 따로 살 수 있습니까?)
B : Sorry, but we don't break a set. (미안하지만, 따로따로 팔지는 않습니다.)

활용어휘

• (남자용) 예복 : dress suit
• 카디건 : cardigan
• 끝이 뾰족한 모자 : pointed hat
• 나팔바지 : bell-bottoms
• 넓은 반바지 : plus fours〈골프용〉
• 러닝 셔츠(팔이 없는 것) : tanktops 14)
• 목욕 가운 : bathrobe
• 바바리 코트 : trench coat
• 바지 멜빵 : suspenders
• 브래지어 : brassiere / bras
• 비키니 : bikini / two-piece swimsuit
• 속옷〔내의〕 : underwear
• 운동복 : gim suit
• 신사복 상의 : sack coat
• 여성용 잠옷 : nightgown
• 옷 : clothing / garment / apparel
• 작업복 : fatigue clothes〔dress〕((軍))
• 주름 치마 : gathered skirt
• 중절 모자 : soft hat
• 파자마 : night suit / pajamas
• 패션 견본집 : fashion book
• 허리띠 : waistband
• V형 옷깃 : V neck
• 가발 : wig
• 나비 넥타이 : bow tie
• 끽연복 : smoking jacket 13)
• 넥타이핀 : tiepin / tie clip / tie tack
• 목도리 : neckerchief
• 밀짚 모자 : straw hat
• 바지 : slacks
• 반바지 : breeches / shorts
• 브로치 : brooch
• 속바지 : drawers
• 속이 비치는 옷 : see-through clothing
• 승마복 : hacking coat〔jacket〕
• 여성용 속옷 : slip
• 여자 재봉사 : seamstress
• 작업 바지 : overalls
• 점퍼 : jumper
• 중산 모자 : derby hat
• 차양 모자 : sun hat / sunbonnet
• 판탈롱 : pantaloons(딱 달라붙는 바지)
• 팬티 스타킹 : pantyhose

화장품 가게에서

A: I'd like to buy lipstick.
B : How about this?
A: Can I try it?
B : Yes, ma'am. But you can try only the samples.

12) 상 하 한 벌로 된 옷을 하나만 사려고 할 때
13) 남자용의 헐거운 평상복(평상시 편하게 입고서 담배도 피우면서 실내에서 생활하는 옷)
14) 팔이 있는 것 : T-shirts

A : 립스틱을 하나 사려고 하는데요.
B : 이것 어떠세요?
A : 칠해 봐도 되나요?
B : 네, 손님. 그런데 샘플만 바르세요.

- 이것은 무슨 향입니까?
  What type of fragrance is this?
- 좀 더 진한 색으로 주세요.
  A deeper color, please.
- 여기 샘플이 있습니다. 발라 보세요.
  Here's a tester. Please try it.

A: What type of skin do you have? (어떤 피부를 가지고 계신지요?)
B : My skin is very oily. (제 피부는 지성입니다.)

- 피부가 건조하시군요.
  Your skin is dry.

활용 어휘

- 분 : face powder
- 영양 크림 : moisture cream
- 기초 화장 : make-up base
- 볼연지 : cheek rouge
- 화장수 : tonic water / skin lotion
- 화장품 : cosmetics

면세품 가게에서

- 그걸 면세로 살 수 있습니까?
  Can I get it tax-free?
- 이기 면세입니까?
  Is this duty-free?
- 세금을 포함해서 20달러입니다.
  It's twenty dollars including tax.
- 20달러에 세금 추가입니다.
  It's twenty dollars plus tax.

7 물건을 교환 · 반품할 때

물건을 사고 나서 물건이 불량품이거나 불필요한 물건일 경우가 있다. 이럴 경우 물건을 교환하거나 반품을 하게 되는데, 교환할 때는 "I'd like to exchange this for something else.(이걸 다른 것과 교환하고 싶습니다.)"라고 하고, 반품할 때는 "I'd like to get a refund on this.(이걸 환불받고 싶습니다.)"라고 한다.

A : Excuse me. I'd like to exchange this jacket.
B : What seems to be the problem with it?
A : It was a birthday gift, but I don't like it.
I think I want something more colorful.
B : OK. Well, why don't you look around?
A : I like these two.
Which one do you think is better?
B : I like the blue one much better than the black one.
A : OK. I'll take this one instead.
B : No problem. I'll switch them for you.

A : 실례합니다. 이 재킷을 교환하고 싶습니다.
B : 무슨 문제가 있죠?
A : 이건 생일 선물인데. 마음에 들지 않거든요.
좀 더 화려한 것을 주세요.
B : 알겠습니다. 음, 둘러보시죠.
A : 저는 이 두 개가 좋은데. 어느 것이 좋은 것 같습니까?
B : 저는 검정색보다 청색이 더 좋은데요.
A : 좋습니다. 이걸로 대신하겠습니다.
B : 그러세요. 그걸로 교환해 드리겠습니다.

물건을 교환할 때

A: Can I exchange this?
B : Yes, of course. Do you have the receipt?
A: Yes, here it is.
B : Here's new one, sir.

A: Thank you.

A : 이것을 교환해 주시겠어요?
B : 물론이죠. 영수증 가지고 계십니까?
A : 네, 여기 있습니다.
B : 새 것 여기 있습니다.
A : 감사합니다

- 그 상품을 살 때는 결함을 발견하지 못했습니다.
  I didn't notice the defects of the item when I bought it.
- 이걸 다른 것과 교환해 주시겠습니까?
  Would you exchange this for another?
- 이걸 환불받을 수 있습니까?
  Is this refundable?
- 이것을 교환하고 싶습니다.
  I'd like to exchange this.
- 이 신발을 좀 더 작은 사이즈로 바꾸고 싶습니다.
  I'd like to exchange these shoes for a little smaller size.

물건을 반품할 때

- 이 물건을 반품하고 싶습니다.
  I'd like to get a refund on this. / I'd like to return this. [1)]
- 이 신발을 환불받을 수 있습니까?
  Can I get a refund for these shoes?
- 이걸 환불해 주시겠어요?
  May I have a refund on this, please?

환 불

- 환불을 받을 수 있습니다.
  It's refundable. / There is a money-back guarantee.
  You can get your money back.
- 부가가치세를 환불받고 싶습니다.
  I'd like to refund VAT. / VAT refund, please. [2)]

1) 물건을 물리기 위해서는 영수증이 반드시 필요하며, credit card로 구입한 물건은 물릴 수 없다.
2) VAT (Value-added Tax) : 부가가치세

30일간의 환불 보장

대부분의 미국 상점에서는 '30일간의 환불 보장제도(30-day money back guarantee)'를 채택하고 있다. 즉 고객이 물건을 산 후 상품에 결함이 있거나 만족하지 못했을 때 30일 이내에 영수증을 가지고 물건을 샀던 가게에 가면 다른 물건을 교환하거나 환불받을 수 있는 제도다. 그러나 이 환불 제도는 물품별로 적용하기 때문에 물건을 구입할 때 그 물품이 환불 가능한 품목인지를 구입 전에 확인해야 한다.

명언 한 마디

I realize that patriotism is not enough.
I must have no hatred or bitterness towards anyone.

애국심만으론 충분하지 못하다는 것을 실감합니다.
나는 누구에게도 증오나 반감을 갖고 있지 않습니다.

- Edith Louisa Cavell(1865-1915) -
영국 간호사로서 제1차 대전중 독일군에게 총살 당하기 직전에 한 말.

8 쇼핑에서 돌아온 후

쇼핑에서 돌아온 후 자신이 산 물건을 남에게 자랑을 하고 싶은 마음은 누구에게나 있다. 특히 여성들은 더욱 그렇다. 구입한 장소를 물을 때는 "Where did you buy that dress?(그 드레스 어디서 사셨어요?)", 구입가격을 물을 때는 "How much did you pay for it?(그것 얼마 주고 사셨어요?)" / 바가지 쓴 것 같을 때는 "You got ripped off.(바가지 쓰셨군요.)", 좋은 가격에 산 것 같을 때는 "That's a good buy.(아주 좋은 가격에 사셨군요.)" 라는 표현을 쓴다.

기 본 대 화

A : Wow! Your dress is very pretty.
Where did you get [buy] it?
B : I bought it on sale at New Core Department.
A : How much did you pay for it?
B : It only cost me $100.
A : That's a good buy.

A : 와! 당신 옷이 정말 멋있는데요.
그것 어디서 사셨어요?
B : 뉴코아 백화점에서 세일할 때 샀어요.
A : 얼마 주셨어요?
B : 100달러밖에 안 들었어요.
A : 참 잘 사셨군요.

물건에 대한 얘기

가격을 물을 때

- 이것을 얼마 달라고 하던가요?
  How much do they want for this?
- 이것이 얼마인지 아세요?
  Do you have any idea how much this would cost?

싸게 샀을 때

- 굉장히 싸네요!
  What a deal! / It's dirtcheap. [1] / What a steal!

1) dirtcheap : ((구어)) 아주 헐값의, 헐값으로

- 정말 싸게 샀군요.
  You really got it cheap.
- 그 드레스를 그 값에 샀으면 횡재한 거예요.
  That dress is a steal at that price. [2)]

비싸게 샀을 때

- 제가 바가지 쓴 것 같아요.
  I guess I got ripped off. / I guess I was robbed.
- 이건 아주 비싸게 산 거예요!
  This is highway robbery! [3)]
- 당신 바가지를 썼군요.
  You paid through the nose. / You took a beating.
- 여기저기 다녀 보시면 더 싼 것도 있는데 그러셨어요?
  Why didn't you shop around for bargains? [4)]
- 당신은 고물차를 가지고 나한테 바가지를 씌웠군요.
  You ripped me off with a junker.

구입 장소

- 그 양복을 어디에서 맞추셨어요?
  Where did you have it custom-made?

기 타

- 이것 고물이잖아! / 이런 고물 같으니!
  This is crappy.〈속어〉 [5)] / What a piece of junk!
- 그걸 괜히 샀어요.
  I regret buying it. [6)]
- 당신 신발은 어느 회사거예요?
  What brand are your shoes?
- 또 언제 세일(할인판매)할 건지 아세요?
  Do you know when it will go on sale again?
- 싼 게 비지떡이거든요.

---

2) steal : ((美 구어)) 엄청나게 이익을 봄, 횡재 / ((참고)) a bargain = a (good) buy : 뜻밖에 싸게 산 물건
3) 이것은 노상 강도와 같다. / highway robbery : 백주 강도, 노상 강도; 폭리
4) 직역 : 싼 물건을 (사기) 위해서 왜 여기 저기 돌아보시지(shop around) 않으셨어요? → 어떤 물건을 너무 비싸게 샀다고 생각되는 사람에게 말할 때 쓸 수 있는 표현이다.
5) crappy : ((속어)) 쓸데없는, 시시한
6) 직역 : 나는 그것을 산 것을 후회한다.

When you buy cheap things, they end up falling apart.[7)]
You're penny wise and pound foolish.[8)]

명언 한 마디

To maintain a joyful family requires much from both the parents and the children. Each member of the family has to become, in a special way, the servant of the others.

즐거운 가정을 유지하기 위해서 부모와 자식간에 서로가 많은 것을 요구하게 된다. 가족 개개인은 특별히 나머지 가족들의 종이 되어야 한다.

- Pope John Paul Ⅱ -

---

7) end up ~ing : 결국 ~이 되다 / fall apart : 못쓰게 되다, 산산조각이 나다
8) 직역 : 당신은 작은 돈에는 현명하고, 큰돈에는 바보다.

9 기 타

영업 시간

- 10 분 후에 문을 닫겠습니다.
  Our shop will be closing in ten minutes. [1)]
- 몇 시까지 문을 엽니까?
  What time are you open until?
- 언제까지〔몇 시까지〕 영업을 합니까?
  How late are you open?
- 가게문을 몇 시에 열죠?
  What time do you open the shop?
  What time do you open?
- 가게문을 몇 시에 닫습니까?
  What time does your shop close?
- 그 상점은 휴일에는 문을 닫을 겁니다.
  The shop will be closed for the holiday.
- 그곳은 9시에 문을 열어요.
  They're open at 9:00.
- 오전 9시부터 오후 8시까지 개장합니다.
  We're open from 9:00 a.m. to 8:00 p.m.
- 토요일에 영업을 합니까?
  Are you open on Saturday?
- 우리 가게는 24시간 영업을 합니다.
  We're open 24 hours.
- 월요일에서 금요일까지 오전 9시부터 오후 5시까지 영업을 합니다.
  We're open Monday through Friday, 9:00 a.m. to 6:00 p.m.
- 이 시간에 문을 연 가게는 없을 거예요.
  I doubt there's any places open at this hour.
- 미안합니다. 영업이 끝났습니다.
  SORRY. (WE'RE) CLOSED
- 영업 중
  IN OPERATION / OPEN
- 오후 6시까지 영업함
  OPEN TILL 6 P.M. / WE STAY OPEN TILL 6 P.M.
- 임시 휴업
  CLOSED TEMPORARY

1) 안내 방송 멘트

잔돈 바꾸기

A: Can you take〔handle〕 this〔a 100 bill〕?
B: Sorry I can't. We just opened.
A : 이것〔100달러짜리〕를 받고 거슬러 줄 수 있습니까?
B : 미안하지만 안 되는데요. 지금 막 문을 열었어요.

활용어휘

- 24시간 영업 : round-the-clock operation
- 가두〔노점〕 상인 : pitchman / street vendor
- 개점 시간 : open hour
- 노점상 : stall-holder
- 정기 휴업일 : scheduled holiday
- 가게 주인 : storekeeper
- 간판 : signboard / sign
- 노점 : vendor's stall
- 정규 영업시간 : regular hours
- 휴일 영업시간 : holiday hours

통신 구매

- 대형 TV 가격을 알아보려고 전화했습니다.
  I just called to price big-screen TV sets. 2)
- 카탈로그에서 2~3개를 주문하고 싶습니다.
  I'd like to place a couple of catalog orders.
- 주문하고자 하는 품목의 번호가 몇 번입니까?
  What's the catalog number of the item you would like to order?
- 주문하실 품목 번호를 말씀해 주세요.
  May I have the item number of your order?
  Would you tell me the item number of your order?
- 주문품이 도착하면 전화드리겠습니다.
  I'll call you when these items arrive.

쇼핑 취향

- 주로 어디로 쇼핑을 가십니까?
  Where do you usually go shopping?
  Where do you usually shop?
- 우리는 지난 주말 녹초가 되도록 쇼핑을 했어요.
  We shopped until we dropped last weekend. 3)

2) price : 값을 물어 보다〔알아 보다〕 / beat a price : ~의 가격보다 더 싸게 팔다 / match a price : ~와 똑같은 가격으로 팔다
3) drop : 방울져 떨어지다, 뚝뚝 떨어지다; (꽃이) 지다; 푹 쓰러지다, 지쳐서 쓰러지다

- 우리는 심야에 쇼핑을 해요.
  We do our shopping at midnight.
- 저는 쇼핑을 좋아해요. / 저는 아이쇼핑을 좋아해요.
  I love shopping. / I like window-shopping.
- 쇼핑할 만한 좋은 곳이 어디죠?
  Where's a good place to go shopping?
- 상표가 무슨 소용이야?
  What's in a name? [4)]

기 타

- (물건의) 상태를 보지 않고 사는 건 위험해요.
  It's risky to buy something blindly.
- 보지 않고 물건을 사는 건 위험해요.〈속어〉
  It's dangerous to buy a pig in a poke. [5)]
- 저는 항상 최고 상표(의 상품)를 사요.
  I always buy top brands〔big name〕.
- 일시적인 기분으로 세일 중인 밍크코트를 하나 샀어요.
  On the spur of the moment I got a mink coat on sale. [6)]
- 아무리 인기 있는 상품이라도 언젠가는 그 수명이 끝나게 돼 있어요.
  The life of any hit product will come to an end someday. [7)]
- 어디서 쇼핑용 손수레를 구할 수 있죠?
  Where can I get a shopping cart?

활용어휘

- 기성품(既成品) : ready-made goods
- 끼워 팔기 : combination sale
- 대량 구매 : bulk purchase
- 매장(賣場) : salesroom / selling floor
- 비매품 : article not for sale
- 상품 광고 쇼 : industrial show
- 상품권 : gift certificate
- 원산지 증명 : certificate of origin
- 보존 기간 : shelf-life period
- 잡화〔장신구〕 : fancy goods
- 지하상가 : underground arcade
- 도매점〔큰 상점〕 : warehouse
- 까다로운 고객 : particular customer
- 단골 손님 : regular〔steady〕 customer
- 독점 판매 : exclusive sale
- 벼룩 시장 : flea market
- 상점 주인 : storekeeper
- 상품 진열대 : stall
- 쇼핑용 손수레 : shopping cart
- 위탁 판매인 : commission merchant
- 이동 매점 : mobile shop
- 장신구점 : outfitter
- 진열장 : showcase / display case
- 최고급품 : top-quality product

4) "상표가 무슨 소용이야, 질이 중요하지."라는 의미
5) buy a pig in a poke : 현물을 보지 않고 물건을 사다, 충동구매하다
6) on the spur of the moment : 순간적인 충동으로, 일시적인 기분으로 / on the spur : 전속력으로; 매우 급히 / put spurs to ~ : ~에 박차를 가하다 / spur : 박차; 자극; 동기
7) come to an end : 끝나다

- 충동 구매 : impulse buying
- 특약점 : special agent
- 현금만 받는 상점 : cash store
- 특매품 : loss leader [8)]
- 판매 유효기간 : pull〔sell〕(-by) date
- 종이〔비닐〕봉지 : paper〔plastic〕 bag

명언 한 마디

But love is blind, and lovers cannot see the pretty follies that themselves commit.

사랑은 맹목적이다. 연인들은 자기 스스로 저지르는 어리석음을 잘 보지 못한다.

- William Shakespeare(1564-1616) :「베니스의 상인」에서 -

8) 손님을 끌기 위해 밑지고 파는 상품

명언 한 마디

Any government, like any family, can for a year spend a little more than it earns. But you and I know that continuance of that habit means the poorhouse.

어떤 정부도 어떤 가족의 경우와 마찬가지로 1년간은 수입보다 지출을 약간 더 많이 할 수도 있다. 그러나 그 습관을 계속 지속한다는 것은 궁핍을 뜻한다는 것을 우리는 알고 있다.

- Franklin D. Roosevelt(1882-1945) : 32대 미국대통령 -

E N G L I S H
C O N V E R S A T I O N
D I C T I O N A R Y

CHAPTER

숙 박

- 호텔을 예약할 때
- 호텔 현관에서
- 체크인(1) : 예약했을 때
- 체크인(2) : 예약을 안 했을 때
- 프런트에서 객실까지
- 서비스를 부탁할 때
- 불편사항을 신고할 때
- 국제전화를 걸 때
- 체크 아웃할 때
- 투숙객을 확인할 때
- 기타

1 호텔을 예약할 때

관광 시즌에는 호텔이 만원이 되기 일쑤이므로 되도록 일찍 예약을 하는 것이 좋다. 호텔에 전화를 걸어 "I'd like to reserve a room for ～.(～날짜에 예약을 하고 싶습니다.)"라고 말하면, 교환이 "I'll give you the front desk.(프런트 데스크로 돌려 드리겠습니다.)"라고 하면서 전화를 돌려 준다.

기 본 대 화

A : Hilton Hotel, front desk. May I help you?
B : Yes, I'd like to make a reservation for tonight. [1)]
A : What kind of room do you have in mind?
B : I'd like a twin room, please.
A : I'm afraid we're fully booked.
The only room available now is a suite.
B : Could you tell me what the rate is?
A : Yes, sir. Eighty dollars a night.
B : All right. I'll take〔reserve〕it.

A : 힐튼 호텔, 프런트 데스크입니다. 도와 드릴까요?
B : 네. 오늘밤 예약을 하고 싶습니다.
A : 어떤 방을 원하시는데요?
B : 1인용 침대가 2개 있는 방이 필요합니다.
A : 죄송하지만 방이 다 찼습니다.
남아 있는 방은 특실 하나 뿐입니다.
B : 숙박 요금이 얼마인지 말씀해 주시겠어요?
A : 네. 1박에 80달러입니다.
B : 좋습니다. 그걸로 쓰겠습니다〔예약하겠습니다〕.

숙박 기간

- 얼마나 머무르실 겁니까?
How long will you be staying? / How long are you staying?
- 3박을 할 겁니다.
I'm staying for three nights.
- 5월 12일과 13일 싱글 룸을 예약하고 싶습니다.

1) make a reservation : 예약하다(reserve / book)

I'd like to reserve a single room for May 12th and 13th. [2)]

• 7월 12일부터 2일간 예약하려고 합니다.
I'd like to make a reservation for two nights starting July 12.

원하는 방을 말할 때

• 어떤 종류의 방을 원하십니까?
What kind of room would you like (to have)?

• 싱글 룸이 하나 필요합니다.
I'd like a single room, please. [3)]

객실의 형태

- single room : 1인용 객실(1인용 침대 1개)
- double room : 2인용 객실(2인용 더블 침대 1개)
- twin room : 2인용 객실
- twin-bedded room : 1인용 침대가 2개 있는 객실
- triple room : 3인용 객실(1인용 침대 3개)
- suite : 특실(침실에 응접실이 달림)
- 기타 : a single room with bath(욕실 달린 싱글 룸),
  a double room facing the front (전방을 향한 2인용 객실)

• 오늘밤부터 3일간 욕실이 있는 1인용 객실을 예약하고 싶습니다.
I want to reserve a single room with a bath for three nights starting tonight.

• 3일 밤을 묵을 좋은 방을 원하는데요.
We want a nice room for three nights.

• 오늘밤 싱글 룸 하나 쓸 수 있는지 알고 싶은데요.
I'd like to know if a single room is available for tonight.

호텔 설비 문의

A: Does your hotel have a swimming pool?
B : Yes, it does.

A : 호텔에 수영장이 있는가요?
B : 네, 있습니다.

---

2) reserve : 예약하다; 비축하다; 비축물, 예비품 / a reserve of food : 비축 식량 / a reserve of fund : 준비금 / the Reserve : 예비군 / All rights reserved.(판권 소유)
3) 원하는 방을 말할 때의 표현 방법 : "~이 딸린 –방을 원합니다."라고 말할 때는 "I'd like〔I want〕 ~(객실의 형태) with –(객실 내부시설 : 목욕탕, 응접실 등)."라고 표현한다.

숙박 요금

A: How much do you charge for a single room?
B : The charge is 80 dollars per night plus tax and service charge.

A : 1인용 객실의 숙박 요금은 얼마입니까?
B : 요금은 1박에 80불이며, 세금과 봉사료는 별도입니다.

- 하루 숙박비가 얼마입니까? / 1박에 얼마입니까?
  What is the daily rate? / What's the rate per night?
- 더 싼 것〔방〕은 없습니까?
  I wonder if you have anything less expensive.
  Don't you have anything cheaper (rooms)?
- 욕실이 없는 방의 숙박료는 얼마입니까?
  What's the charge of a room without a bath?
- 숙박료가 얼마인지 알려 주시겠습니까?
  Could you let me know what the rate is?
- 숙박료에 대해서 좀 알고 싶습니다.
  I'd like to have some information on room rates.
- 하루 숙박비로 어느 정도를 쓰실 생각이세요?〈예약 담당원〉
  How much are you willing to spend for a night?

방이 없을 때

- 죄송합니다만 그 날에는 빈방이 없습니다.
  I'm afraid we have no vacancies on that day. [4)]
- 죄송합니다만 지금은 (방이) 다 찼습니다.
  I'm afraid we're all filled up now.
- 내일 밤에는 빈방이 나겠습니까?
  Will you have anything tomorrow night?
  Do you have anything available tomorrow night?
  Do you expect any openings tomorrow night?
  Do you expect any rooms available tomorrow night?
- 예약 취소가 있을 경우, 손님에게 맨 먼저 그 방을 드리겠습니다.
  We'll give you the first cancellation.
- 당신의 성함과 전화번호를 남겨 두십시오.
  Leave your name and phone number, please.

4) I'm afraid (that) ~ : 흔히 that가 생략되며, 은연중 유감의 뜻을 나타내는 공손한 표현이다. 예 I'm afraid (that) I can' t help you.(아무래도 도와 드릴 수가 없겠네요.)

A: I'd like to reserve a single room.
B : Certainly. For what dates?
A: From December seventeenth to the twentieth.
B : Could I have your name, please?

A : 싱글 룸을 하나 예약하고 싶습니다.
B : 그러죠. 몇 일간이죠?
A : 12월 17일부터 20일까지입니다.
B : 성함이 어떻게 되시죠?

예약 확인

- 예약을 확인하고 싶습니다.
  I'd like to confirm my reservation.
- '성찬우' 라는 이름으로 예약된 방을 확인하고 싶습니다.
  I'd like to confirm a reservation for Chan-woo Seong.
  I'd like to check if there is a reservation for a room under the name of Chan-woo Seong.

예약 변경

- 예약을 변경하고 싶습니다.
  I'd like to change my reservation.
- 9월 13일자로 되어 있는 예약을 변경하고 싶습니다.
  I'd like to change my reservation for September 13. [5]
- 9월 13일로 예약을 했었습니다.
  I booked for September 13.
- 2인용 룸으로 예약했는데, 1인용 룸으로 바꿀 수 있을까요?
  I have a reservation for a double, but I would rather have a single instead. Is it possible?
- 현재 예약된 날짜는 9월 13일로 되어 있습니다.
  My present reservation is for September 13.
- 2인용 객실 대신 1인용 객실 2개로 예약을 변경했으면 합니다.
  I'd like to make a change in my reservation for two singles instead of a double.

5) ((참고)) September 13, September 13th 등 두 가지 표현 모두 맞는 표기법이다.

예약 취소

- 9월 13일자 예약을 취소하고 싶습니다.
  I'd like to cancel my reservation for September 13.
- 이 예약을 (취소하려면) 언제까지 취소해야 합니까?
  Up to when do I have to cancel this reservation?
- 48시간 전에 하셔야 합니다.
  Forty-eight hours prior, sir.
- 제가 좀 늦더라도 예약을 취소하지 마십시오.
  Please hold my reservation if I'm a little late.

2 호텔 현관에서

호텔 입구에 도착하면 제복을 입은 도어맨(door man)이 차의 문을 열어주며 정중하게 맞이하면서 짐을 내려준다. 짐이 많을 경우 호텔 안에 대기중인 포터(porter : 짐 나르는 사람)나 벨보이(bell boy)에게 짐을 가져 가도록 신호를 보내면 이들이 나와서 프런트까지 짐을 운반해 준다.

기 본 대 화

A : Welcome to our Hotel.
May I help you with your baggage?
B : Yes, please. Where can I register?
A : Right this way, please.
B : All right.

A : 저희 호텔에 오신 것을 환영합니다.
짐을 들어 드릴까요?
B : 네. 숙박 등록을 어디서 하죠?
A : 이쪽으로 오십시오.
B : 알겠습니다.

3 체크인(1) : 예약했을 때

호텔에 도착하면 Front Desk(접수 창구)에 가서 숙박카드를 작성하고 방 열쇠를 받아 방으로 가는 절차를 밟는 것을 체크인(check in)이라고 한다. 예약을 했을 경우에는 예약자의 이름을 말한다.

기본대화

A : Good evening. May I help you?
B : Yes. I have a reservation for Mr. Park.
A : Just a minute, please.
Oh, yes. Mr. Park, a single for three nights.
Would you fill out this registration form?
B : OK. (after a while) Here you are.
A : Here is your key. Your room number is 777.
B : Thank you. When is the check out time?
A : It's twelve o'clock.

A : 안녕하세요. 도와 드릴까요?
B : 네. '박' 이라는 이름으로 예약을 했습니다.
A : 잠깐만요.
오, 미스터 박, 싱글 룸으로 3박을 하시는군요.
이 숙박 신고서를 작성해 주시겠어요?
B : 알겠습니다. (잠시 후) 여기 있습니다.
A : 여기 방 열쇠가 있습니다. 방 번호는 777번입니다.
B : 고맙습니다. 체크아웃 시간은 몇 시죠?
A : 12시입니다.

접수할 때

- 예약은 하셨습니까? / 어느 분의 이름으로 예약되어 있습니까?
  Have you made a reservation? / What name is it under?
- '성찬우' 라는 이름으로 되어 있습니다.
  It's under the name Chan-woo Seong.
- '성찬우' (라는 이름으로) 예약이 되어 있군요.
  You have a reservation for Chan-woo Seong.
- 전화로 세 사람을 예약했습니다.
  I made a reservation for three by phone.

- 선생님 방은 7층 715호실입니다.
  You're in room 715 on the seventh floor.
- 이 카드에 이름과 국적, 여권번호를 기입해 주십시오.
  Please write down your name, nationality, and passport number on this card.
- 이 숙박 카드를 작성해 주십시오.
  I need you to complete this registration card.
- 언제 퇴숙하실 겁니까?
  When are you going to check out? [1)]

예약 착오

- 죄송하지만, 손님은 예약이 안 되어 있습니다.
  I'm afraid I can't find your reservation.
  I'm sorry, we don't have your reservation.
- 언제 예약을 하셨습니까?
  When did you make a reservation?
- 분명히 오늘 날짜로 예약을 했습니다.
  I'm certain I made a reservation for today.

A: What name is it under? (어느 분으로 예약이 되어 있습니까?)
B : It's under Chan-woo Seong. ('성찬우' 란 이름으로 되어 있습니다.)

- 엘리트 여행사를 통해서 예약을 했습니다.
  My reservation was made through Elite Travel.
- 손님 방을 다른 손님한테 드렸습니다.
  We gave your room to another guest. [2)]
- 저희는 대개 예약이 확인된 방만 비워 놓습니다.
  We usually hold rooms for confirmed reservation.

1) 프런트 데스크에서의 투숙(check in) 절차 : ① 예약 확인서를 제출한다. ② 접수계원이 예약 명부(reservation list)와 대조 확인한다. ③ 숙박 신고서를 작성한다. 기재 내용은 name(이름), address(주소), 직업(occupation), arrival date(도착일), departure date(출발일), passport number(여권 번호) 등이다. ④ bell boy가 방을 안내하거나 투숙객에게 열쇠를 건네주면서 방 번호를 알려 준다.
2) 손님이 예약 일자를 넘겨서, 호텔 측에서 이미 다른 손님에게 방을 내 주었을 때

4 체크인(2) : 예약을 안 했을 때

미처 호텔 예약을 못했을 경우에는 'Front Desk' 에 가서 "Do you have a room available?(빈방 있습니까?)" 라고 묻거나 "I'd like to have a room.(방이 하나 필요합니다.)" 라고 말한다.

기 본 대 화

A : Do you have a reservation?
B : No, I don't, but do you have a room for tonight?
A : Yes. A single room, or a double room?
B : A single room, please.
Well, do you have any rooms with a wonderful night view of this city?
A : Room 777 has a beautiful view of the city.
B : How much is it?
A : It's 150 dollars including tax.
B : All right. I'll take it.
(fills out the registration form)

A : 예약을 하셨습니까?
B : 안 했습니다만, 오늘밤에 방이 있습니까?
A : 네. 싱글 룸으로 드릴까요, 더블 룸으로 드릴까요?
B : 싱글 룸이요. 그런데 이 도시의 멋진 야경을 볼 수 있는 방이 있습니까?
A : 777호실이면 도시의 멋진 경관을 볼 수 있습니다.
B : 숙박 요금은 어떻게 되죠?
A : 세금을 포함해서 150달러입니다.
B : 좋습니다. 그걸로 하겠습니다.
(숙박 신고서를 작성한다)

예약 여부 확인

- 예약을 하셨습니까, 손님?
Do you have reservation, ma'am?
- 예약은 하지 않았습니다.
I have no reservation.

빈방이 있는지를 확인할 때

A: Do you have any vacancies?
B : There's no vacancy at the moment.
A: How soon can I expect any openings?
B : We will have one single room, but it's not available until two o'clock.

A : 빈방이 있습니까?
B : 지금은 빈방이 없습니다.
A : 언제쯤 빈방이 날까요?
B : 싱글 룸 한 개가 나오긴 하지만, 2시 이후에나 가능합니다.

- 대기자 명단에 올려 주세요.
  Please put me on the waiting list.
- 오늘밤 묵을 방이 있습니까?
  Do you have any rooms for tonight?
- 이 근처에 있는 다른 호텔 하나 추천해 주시겠습니까?
  Could you recommend another hotel near by?
  Could you refer me to another hotel near here?

방을 결정할 때

A: What kind of room would you like?
B : May I have a room on the third floor?

A : 어떤 방을 원하십니까?
B : 3층으로 방 하나 주세요.

- 가능한 한 위층으로 부탁합니다.
  I'd rather have something higher up.
- 방이 어떻게 생겼는지 말씀해 주시겠어요?
  Could you tell me what the room is like?
- 방들이 서로 이웃해 있는가요?
  Are the rooms next to each other? 1)

A: Do you have a room overlooking the pool? 2)
B : Yes, certainly. You can have room 1025.

---

1) 방을 2개 이상 예약했을 때 그 방들이 서로 가까이 혹은 붙어 있는지를 묻는 말
2) overlook : 내려다 보다(look down on to); 보지〔알아채지〕 못하다; 간과하다 예 Our garden is overlooked from the neighbors' windows. = They can look down on to our garden from their windows.(우리 정원은 이웃집 창문에서 내려다 볼 수 있도록 되어 있다.)

A : 수영장을 내려다 볼 수 있는 방이 있습니까?
B : 물론이죠. 1025호실을 잡으시면 됩니다.

- 전망이 좋은 방을 주십시오.
  I need a room commanding a good view.
- 저희는 한국 스타일의 방〔온돌방〕도 있습니다.
  We have Korean style rooms, too.
- 조용한 방으로 부탁합니다.
  I'd like a quiet room.

※ 관련 추가 표현 : 호텔을 예약할 때(p. 376)

방을 바꾸고 싶을 때

- 이 방이 마음에 들지 않습니다. / 방이 좋지 않습니다.
  I don't like this room. / The room is no good.
- 방을 바꿀 수 있을까요?
  Could I change my room?
- 방을 좀 바꿔 주시겠습니까?
  Could you please change my room?
- 밖에서 차량 소음이 너무 많이 들립니다.
  I hear a lot of traffic noise from outside.
- 좀 더 조용한 방을 부탁합니다.
  I'd like a quieter one〔room〕.

5 프런트에서 객실까지

프런트 데스크에서 접수(registration)가 끝나고 열쇠(key)를 받으면 호텔 보이가 짐을 들고 방으로 안내를 해준다. 방에 도착하면 방 내부의 시설에 대해서 간단하게 소개해 준다.

기 본 대 화

A : Sir, this way, please.
B : OK.
A : This is your room.
B : It's a nice room.
A : Where shall I put your baggage?
B : Over here by the window.
A : OK, sir. Have a good night, sir.
B : Wait a minute. This tip is for you.
A : Thank you, sir.

A : 손님, 이쪽으로 오십시오.
B : 알겠습니다.
A : 여기가 손님 방입니다.
B : 멋진 방이군요.
A : 짐은 어디에 놓을까요?
B : 여기 창가에 놓으세요.
A : 알겠습니다. 편히 쉬십시오.
B : 잠깐만요. 이건 당신께 드리는 팁입니다.
A : 감사합니다.

짐 부탁

- 제 짐을 방으로 올려 주시겠습니까?
  Would you please have my luggage taken up to my room?
- 벨보이에게 제 짐을 방으로 옮겨 달라고 해 주세요.
  Please have a bellboy carry my luggage up to my room.
- 이 가방을 엘리베이터까지 운반해 주세요.
  Please take this bag to the elevator.

방으로 안내할 때

- 손님께서 예약하신 방을 보여 드리겠습니다.
  I'll show you the room that you reserved.
- 이 방이 선생님을 위해 준비해 둔 방입니다.
  This is the room I have in mind for you.
- (방이) 마음에 드십니까?
  Do you like it?
- 필요한 것이 있으시면 저를 불러 주십시오.
  If you need anything, please call me.
- 편안한 체류가〔밤이〕 되시기 바랍니다.
  I hope you'll have very comfortable stay〔night〕. [1)]
- 틀림없이 모든 것이 만족스러울 겁니다.
  I'm sure you'll find everything satisfactory. [2)]

예약한 방과 틀릴 때

A: I've just checked in, I have a problem with my room.
B : What's the problem?
A: I asked for an nonsmoking room, but I didn't get it.
My room smells like cigarettes.
Could you change my room, please?
B : I'm sorry, but we don't have any more nonsmoking rooms. We won't charge you for your room tonight.
A: Thank you.
B : I'm terribly sorry about this.
A: That's OK.

A : 방금 투숙했는데, 방에 문제가 있습니다.
B : 무슨 문제죠?
A : 비흡연 방을 부탁했었는데, 그 방이 아닌데요.
방에 담배 냄새가 나는 것 같습니다. 방을 바꿔 주시겠습니까?
B : 죄송합니다만, 비흡연 방이 더 이상 없는데요.
오늘밤은 손님에게 숙박료를 부과하지 않겠습니다.
A : 감사합니다.
B : 이거 대단히 죄송합니다.
A : 괜찮습니다.

1) comfortable : 기분이 좋은; 마음 편한; 안락한; 목도리(scarf / muffler); ((美)) 이불 / in comfortable circumstances : 편안한 환경에(서)
2) satisfactory : 만족스러운, 더할 나위 없는; 충분한; (성적이) 보통의, 양의, C의

6 서비스를 부탁할 때

호텔 방안에 비치된 안내서(**leaflet**)를 보면 호텔내의 각종 편의시설 이용 및 여행 안내, 우편물 발송, 룸 식사, 세탁 서비스(**laundry service**), 모닝콜(**morning call**) 등 다양한 서비스에 대한 소개가 되어 있으므로 이를 활용한다. 그리고 룸 서비스의 경우에는 서비스를 해준 종업원에게 총액의 **10%** 정도의 팁을 줘야 한다. 아래 대화는 룸 서비스를 요청하는 상황이다.

기 본 대 화

A : Room service. May I help you?
B : Yes. This is room 777.
Could you bring my breakfast in my room?
A : All right, sir. I'll send it up right away.
B : Thank you.

A : 룸 서비스입니다. 도와 드릴까요?
B : 네. 여기 777호실입니다.
제 방으로 아침 식사를 갖다 주시겠어요?
A : 알겠습니다. 즉시 올려 보내 드리죠.
B : 감사합니다.

룸 서비스

- 룸 서비스가 됩니까?
  Is room service available?
- 지금 아침 식사를 주문할 수 있습니까?
  Can I order breakfast now?
- 777호실에 아침 식사를 갖다 주시겠습니까?
  Could you please bring my breakfast to [in] my room?
  Could I have breakfast in my room?
- 8시에 갖다 주세요.
  I'd like it at eight.
- 맥주 5병을 주문했는데 어떻게 된 건지요.
  I ordered five bottles of beer. I wonder what happened to them.
- 30분 전에 맥주 5병을 주문했는데, 아직 안 왔습니다.

I ordered five bottles of beer thirty minutes ago, but they haven't come yet.

- 주문한 것 빨리 좀 갖다 주시겠습니까?
  Could you rush my order?
- 룸 서비스에 점심식사를 주문해 두었어요.
  I ordered lunch from room service.
- 룸 서비스를 주문합시다.
  Let's order something from room service.

※ 호텔에서 아침 식사를 할 때 : 아침 식사 주문(p. 428)

세탁 · 방청소 부탁

- 세탁물이 있습니다.
  I have some laundry. [1)]

> A: When can I have it back?
> B : They will be ready by tomorrow evening.
>
> A : 언제나 돌려받을 수 있을 수 있습니까?
> B : 내일 저녁까지는 될 겁니다.

- 이 바지와 셔츠를 세탁해 주세요.
  I'd like to have my shirts and trousers cleaned. [2)]
- 언제 다 됩니까?
  When will it be ready?
- 제가 외출하는 동안에 방 청소를 해 주시겠습니까?
  Would you clean my room while I'm out?
- 방 청소와 세탁을 부탁합니다.
  HOUSE KEEPING, PLEASE. [3)]
- 방 청소를 부탁합니다.
  MAKE UP THIS ROOM, PLEASE.

모닝콜 부탁[4)]

- 5시에 깨워 주시기 바랍니다.
  I'd like a five o'clock wake-up call.
- 5시에 깨워 주십시오.

---

1) laundry : 세탁업; 세탁소 / the laundry : (집합적) 세탁물, 빨래 / laundryman : 세탁물 수집〔배달〕원
2) "이것을 ~해 주세요." 라고 말할 때는 "I'd like to have〔get〕 this + ~(동사의 과거분사형)." 형태로 표현한다.
3) ((참고)) 'House Keeping Department' 에서는 방 청소는 물론 세탁 서비스까지 해준다.
4) 모닝콜(morning call)이란 다음날 아침 일찍 일어나야 할 때 교환에 전화를 걸어서 자신이 원하는 시간에 깨워달라고 부탁하는 것을 말하며, 실제 대화에서는 'wake-up call' 이란 표현을 많이 쓴다.

Please call me at 5:00. / Please wake me up at 5:00.
Put in a call for me at 5.

- 내일 아침 5시에 전화로 깨워 주시겠어요.
  Would you give me a wake-up call at five tomorrow morning?
- 저는 잠귀가 어두우니까, 대답이 없거든 벨을 계속 울려 주세요.
  I'm a heavy sleeper. If I don't answer, keep ringing.

귀중품 보관

- 귀중품을 맡기고 싶습니다.
  I'd like to deposit〔check〕 my valuables. [5)]
- 귀중품 보관함을 사용하고 싶습니다.
  I'd like to use a safe deposit box〔a security box〕.
- 이 카메라를 체크아웃할 때까지 보관해 주시겠습니까?
  Could you keep〔store〕 this camera until I check out?
- 귀중품을 맡길 수 있습니까?
  Can I check my valuables with you?
- 그걸 이 봉투에 넣어서 봉해 주십시오.
  Please put it in this envelop and seal it.
- 귀중품 보관함을 열고 싶습니다.
  I'd like to open my safe deposit〔security〕box.
- 맡긴 귀중품을 돌려주세요.
  I'd like my valuables back.

주차 서비스

A: Could you get my car, please?
B : Sure. What make is it?
A: It's a red Dodge Shadow.
B : I'll bring it right away.

A : 제 차를 갖다 주시겠습니까?
B : 네, 차종이 뭐죠?
A : 빨간 색 더지 새도우입니다.
B : 곧 갖다 드리겠습니다.

5) valuable : 금전적 가치가 있는, 유가(有價)의; 값비싼, 소중한, 귀중한; 매우 유익한〔유용한〕 / valuables : 귀중품(특히 보석류)

우편 서비스

A: Can I mail these letters here?
B : Sure. Do you need stamps?
A: Yes, I do. Can I have about $5.00?
B : Five dollars worth? No problem. Here you are.
A: Thanks.
B : You're welcome.

A : 여기서 이 편지들을 부칠 수 있습니까?
B : 물론이죠. 우표를 드릴까요?
A : 네. 5달러 어치 정도 주세요.
B : 5달러 어치요? 물론이죠. 여기 있습니다.
A : 감사합니다.
B : 천만에요.

- 이 가방을 한국으로 부치고 싶습니다.
  I'd like to send this bag to Korea.
- 이 편지 좀 부쳐 주시겠습니까?
  Would you please mail this letter for me?
- 이 호텔에서 팩스를 보낼 수 있습니까?
  Can I send a fax message from your hotel?

※ 우편물 관련 추가 표현 : 우체국에서(p. 596)

기 타

- 시내 지도 한 장 주시겠습니까?
  Can I have a city map?
- 이 지도에서 센트럴 공원을〔공원의 위치를〕 알려 주시겠습니까?
  Could you show me the Central Park on this map?
- 한국말을 할 줄 아는 사람 좀 소개해 주십시오.
  Please find someone who speaks Korean.
- 통역 요원을 채용할 수 있는지요?
  I'd like to know if I can hire an interpreter.
- 하룻동안 통역 요원을 채용할 수 있는지 알고 싶습니다.
  I'd like to know if I can hire an interpreter for a day.

※ 호텔에서 필요한 추가 표현 : 택시를 이용할 때(p. 207) /
이발소에서(p. 539) / 미용실에서(p. 544)

7 불편사항을 신고할 때

호텔 내에서는 여러 가지 사소한 문제들(**problems**)이 발생할 수 있다. 방 내부 시설이 불비하거나 시설물의 고장, 그리고 방 열쇠를 분실하거나 방안에 두고 문을 잠궈버렸을 경우에는 교환이나 객실 담당부에 전화를 걸어서 조치를 부탁한다.

기 본 대 화

A : Maintenance Department. May I help you?
B : Yes. I don't have any hot water in the shower.
A : Oh, we're sorry. We'll take care of it right away.
What's your room number?
B : Room 777.

A : (객실) 관리부입니다. 도와 드릴까요?
B : 네. 샤워기에서 온수가 안 나옵니다.
A : 아, 죄송합니다. 즉시 조치해 드리겠습니다.
방 번호가 어떻게 되죠?
B : 777호실입니다.

객실 내부 문제

A: Excuse me. I'm staying in room 777,
and air-conditioner can't be turned on.
B : I'm very sorry. We'll have it fixed right away.

A : 실례합니다. 777호실에 투숙하고 있는데, 에어컨이 켜지지 않습니다.
B : 정말 죄송합니다. 즉시 고쳐 드리겠습니다.

- 방에 문제가 있습니다.
  I have problem with my room. [1)]
- 방이 너무 덥습니다.
  The room is too hot.
- 방 온도를 어떻게 조절합니까?
  How can I control the room temperature?

1) "~에 문제가 있습니다."라고 말할 때는 "I have a problem ~." 또는 "Something is wrong with ~." 라고 표현한다.

- 방에 타월이 부족합니다.
  I don't have enough towels in my room.
- 새 목욕수건 한 세트가 필요합니다.
  I'd like to have a fresh set of bath towels.
- 온수가 안 나옵니다.
  I don't have any hot water.
- TV가 고장났습니다. / 전기가 나갔습니다.
  The TV is out of order. [2] / The power is off.
- 욕실 배수관이 고장났습니다.
  The bathroom drain doesn't work.
- 하수구가 막혔습니다.
  The drain is clogged. [3]
- 화장실 물이 나오지 않습니다.
  The toilet doesn't flush. [4]
- 제가 부탁한 게 아직 안 왔습니다.
  I still haven't got what I asked for.

A: Can you send someone up? (사람 좀 올려 보내 주시겠어요?)
B : We'll send someone right away. (즉시 사람을 보내겠습니다.)

도난 · 분실

- 누가 카운터에 둔 제 여행가방을 가지고 가버렸습니다.
  Somebody took my suitcase from the counter.
- 가방을 도둑맞았는데, 그 안에는 귀중품이 들어 있습니다.
  My bag is stolen and my valuables were in it.
- 외출한 동안에 제 방에 강도가 들었습니다.
  A burglar broke into my room while I was out.
- 침대 위에 둔 카메라가 없어졌습니다.
  My camera which I placed on the bed is gone.

기 타

- 문이 저절로 잠겨버렸습니다.
  The door (is) locked by itself.
- 문을 좀 열어 주시겠습니까?

2) "~(장비 · 시설)이 고장났습니다."라고 말할 때는 "~ is broken 〔out of order〕." 또는 "~ doesn't work."라고 표현한다.
3) clog : (파이프 등이) 막히다; 막히게 하다 / clogs : (진창 등을 걷기 위한) 나막신
4) flush : (물이) 왈칵〔쏵〕 쏟아지다, (연못 등의) 물을 빼다

Could you open the door for me?

- 열쇠를 방에다 놓고 문을 잠가 버렸습니다.

I'm locked out of the room.

- 방 열쇠를 잃어버렸습니다.

I lost the key to my room.

명언 한 마디

It is better that ten guilty persons escape than one innocent suffer.

한 사람의 죄없는 사람이 처벌받기보다
10명의 죄인이 도망가는 편이 더 낫다.

- Sir William Blackstone(1723-1780) : 영국 법관 및 법사학자 -

8 국제전화를 걸 때

호텔에서 교환을 통해 국제전화를 걸고자 할 때는 호텔 룸 내에 비치된 전화사용 안내 서비스에 호텔 교환을 부르는 번호가 명시되어 있다. 이 번호를 누르면 "Operator. May I help you?(교환입니다. 뭘 도와 드릴까요?)"라는 교환의 목소리가 들리는데, 이때에 "I'd like to make a overseas call to Korea?(한국에 국제전화를 신청하려고 합니다.)"라고 말한다.

기 본 대 화

A : Operator. May I help you?
B : I'd like to make an international call to Seoul Korea. Make it a collect call, please. [1)]
A : What's the phone number, please?
B : It's 02-797-6595.
A : Who would you like to talk to?
B : To Mr. Song, please.
A : Your name and phone number, please?
B : My name is Seok-jin Kang.
The number is 723-431-2745.

A : 교환입니다. 뭘 도와 드릴까요?
B : 한국 서울로 국제전화를 하고 싶습니다.
콜렉트 콜로 해 주세요.
A : 전화번호가 몇 번입니까?
B : 02-797-6595입니다.
A : 누구에게 전화하시겠습니까?
B : 미스터 송입니다.
A : 선생님의 성함과 전화번호는요?
B : 제 이름은 강석진이고, 전화번호는 723-431-2745입니다.

전화 신청

- 한국에 국제전화를 신청하려고 합니다.
  I want to place a call [an overseas call] to Korea.
- 서울 시간으로 월요일 오전 10시에 통화를 하고 싶습니다.

1) collect call : 수신자 요금 부담 전화

I'd like to call Seoul, Korea on Monday at 10:00 a.m. Seoul time.

- 특정 시간에 예약을 할 수 있을까요?
  Can I book for a special time?

통화 방법

- 번호 통화로 해 주십시오.
  Please make it a station-to-station call. [2)]
- 지명 통화를 신청하고자 합니다.
  I want to make a person-to-person call. [3)]

통화 상대를 물을 때

- 거시려는 국가와 도시 이름을 알려 주시겠습니까?
  Could you give me the country and city you wish to call?
- 몇 번에 통화하시려고 합니까?
  What number are you trying to dial?
- 미국 어느 도시에 거시는 거죠?
  What city in the U.S. are you calling, sir?
- 서울 전화번호를 알려 주세요.
  May I have the number in Seoul, please?
- 몇 번으로 하실 거죠?
  What number, sir? [4)]
- 서울 전화번호를 알려 주세요.
  What's the Seoul number?
- 어디로 거실 겁니까?
  What country are you calling?
  Where would you like to call to, sir?
- 통화하고 싶은 사람의 이름과 전화번호를 말씀해 주시겠습니까?
  May I have the name and number of the person you wish to call?

신청자의 전화번호를 물을 때

- 전화 거시는 분의 전화번호는 몇 번입니까?

---

2) station-to-station call : 번호 통화(전화를 받는 사람에 상관없이 신청한 전화번호만 연결되면 되는 통화 방법 – 번호가 연결되는 순간부터 요금이 적용됨)
3) person-to-person call : 지명 통화(전화가 연결되더라도 신청할 때 지정한 상대가 받지 않으면 요금이 계산되지 않으며, 지정한 상대가 받는 순간부터 요금이 적용됨)
4) 신청자의 전화번호를 물을 때는 "What's your name and number, please?"라고 한다.

What number are you calling from, sir?
What's your number, please?

통화중에 전화가 끊어졌을 때

- 뉴욕과 통화중에 전화가 끊겼어요.
  I was cut off during my call to New York.
- 다시 연결해 주세요.
  Call them again for me. / Please try the number again.
  Put the call through again.
- 전화가 끊어졌습니다. 다시 연결해 주세요.
  We were disconnected. Place the call again, please.

교환원이 연결을 해 줄 때

기다리라고 할 때

- 전화를 끊고 기다려 주세요.
  Please hang up and wait.
- 곧 연결시켜 드릴 수 있을 겁니다.
  I think I can get your call right through.
- 금방 연결될 겁니다〔1분밖에 안 걸릴 거예요〕.
  Your call won't take but a minute.

수신자가 연결됐을 때

- 상대방이 나왔습니다. / 브라운씨가 나와 있습니다.
  I have your party. / Mr. Brown's on the line.
- 연결되었으니, 말씀하세요.
  You're on the air, make your point. [5)]
- 상대방이 나왔습니다. 말씀하세요.
  Your party is on the line. Go ahead, please.

연결을 시도하고 있을 때

- 부르고 있는 중입니다. / 신호를 보내고 있는 중입니다.
  We're working on it. / I'm calling your number now.
- 서울을 연결하고 있는 중입니다.
  We're trying to reach Seoul.

5) point : 요점 / make one's point : 자기의 제의를 관철하다

연결이 안될 때

- 서울 통화에 큰 어려움이 있어서 그러니까, 기다려 주시겠어요?
  We're having difficulty in calling to Seoul, will you hold?
- 신호는 가고 있는데 전화를 받지 않는군요.
  It's ringing but no one answers.
- 죄송합니다. 상대쪽에서 전화를 안 받습니다.
  I'm sorry. Your party doesn't answer.

다시 연결해 달라고 할 때

- 신호를 좀 더 길게 보내 주세요. 그 사람은 잠귀가 어둡거든요.
  Please let it ring a little longer. He's a heavy sleeper. [6)]
- 703-6547로 연결해 봐 주세요.
  Try this number, 703-6547.
- 다른 번호, 703-6541로 연결해 봐 주시겠습니까?
  Will you try another number, 703-6541?
- 다른 번호를 하나 더 드리면 안 될까요?
  Can I give you another number?

요금에 대한 표현

전화 신청자

- 몇 시부터 특별 요금이 적용됩니까?
  From what time does the special rate apply?
- 언제 전화를 거는 것이 요금이 더 쌉니까?
  When is it cheaper to call?
- 전화요금이 가장 싼 시간이 언제입니까?
  When is it cheapest to call?
- 통화가 끝나면 통화 시간과 요금을 알려 주시겠습니까?
  Could you tell me the time and charges after this call?
- 통화가 많지 않은 시간에는 할인됩니까?
  Is there a discount during off-hours? [7)]

교 환

- 요금은 거시는 분이 냅니까?
  Are you paying for the call?

---

6) heavy sleeper : 잠귀가 어두운 사람 / light sleeper : 잠귀가 밝은 사람
7) off-hour : 휴식 시간(의), 비번(의); (사무 · 교통이) 바쁘지 않은 시간(의) / ((반의어)) rush hour(러시아워)

- 요금은 거시는 전화의 종류에 따라 다릅니다.
  It changes with the type of call.
  The charges vary according to the type of call you make. [8)]

신청한 전화를 취소할 때

- 고맙습니다만, 취소해 주십시오.
  Thank you so much, but please cancel the call.
- 방금 신청한 전화를 취소하려고 합니다.
  I'd like to cancel the call I just made.
- 취소해 주십시오. / 지금 신호가 가고 있는데도 취소하시겠어요?
  Please cancel the call. / It's ringing. Do you still want to cancel?

기 타

신청한 전화가 소식이 없을 때

- 신청한 전화가 안 나와서 어떻게 됐나 확인하려고 전화 드렸습니다.
  I'd like to find out about the call I made before.
- 연결이 되려면 얼마나 걸릴까요?
  How long will it be (before I get through)?
  How long will it take to put through?
  How much time will it take (to get through)?

전화 걸기에 적절한 시간을 물을 때

- 국제전화를 걸기에 가장 붐비지 않는 시간이 언제입니까?
  When is the least busiest time to make an overseas call?
- 한국에 국제전화를 걸려면 몇 시가 제일 좋죠?
  What's the best time to make an overseas call to Korea?

전화 사용

- 이 전화기로 직접 국제전화를 할 수 있습니까?
  Can I call overseas directly from this phone?
- 이 전화기로 직접 국제전화를 할 수 있습니까?
  Can I make an overseas call directly from this phone?
- 이 전화는 교환을 통해야 합니까, 아니면 직접 걸 수 있습니까?

---

8) vary : 바꾸다, 변경하다; 바뀌다, 변화하다; 달라지다

Do I need operator's assistance, or can I call direct from this phone? 9)

국제전화 통화 방법

① Station call(번호 통화) : 상대국의 전화번호만을 신청하는 방법으로 비교적 요금이 싸다.

② Personal call(지명 통화) : 통화할 상대를 지정해서 신청하는 방법이며, 통화대상이 부재 시에는 요금을 물지 않는다. 요금이 다소 비싸다.

③ Collect call(수신자부담 전화) : 전화 요금을 수신자가 부담하는 통화

④ ISD〔International Subscriber Dialing(국제 다이얼통화)〕 : 교환을 거치지 않고 직접 통화하는 방법

9) direct = directly : 곧장, 직접적으로 → 이 두 단어가 같은 뜻으로 쓰는 경우는 다음 두 가지 경우에 한한다. ① 직선적으로 움직일 때 : go direct〔directly〕 to New York(뉴욕으로 직행하다) / ② 장애물이 개입되지 않고 : direct〔directly〕 from a producer to buyer(생산자로부터 구매자에게 직접)

9 체크아웃할 때

호텔 숙박을 마치고 프런트에서 숙박료를 계산하는 절차를 체크아웃(check out)이라고 한다. 숙박비는 24시간 단위로 계산하는데, 체크아웃 시간(check-out time)은 통상 정오에서 다음날 정오까지이며, 정오를 넘길 때는 추가 요금을 지불해야 한다. 손님이 많지 않은 한가한 시기일 경우에는 부탁을 하면 2-3시간 정도는 추가 요금의 부담 없이 머무를 수 있도록 배려를 해준다. 숙박료에는 숙박일수, 음료수 및 식사비, 전화 사용 요금, 세탁료 등 호텔에서 사용한 일체의 비용이 합산된다.

기 본 대 화

A : I'd like to check out. How much is the charge?
B : What's your name and room number?
A : I'm Song-jin Lim and the room number is 777.
B : Wait a minute, sir. Your bill comes to $180 including the tax and service charge.
A : Can I pay you with a traveler's check?
B : That'll be okay.
A : It's been a very pleasant stay.
B : Thank you for staying with us. I hope you'll come again.
A : I'll try. Good bye.

A : 체크아웃을 하고 싶습니다. 숙박 요금이 얼마죠?
B : 성함과 방 번호가 어떻게 됩니까?
A : 이름은 임송진이고, 방 번호는 777호실입니다.
B : 잠깐만요. 세금과 서비스 요금을 포함해서 180달러입니다.
A : 여행자 수표로 지불해도 되나요?
B : 물론이죠.
A : 무척 즐겁게 보냈습니다.
B : 투숙해 주셔서 감사합니다. 또 들러 주세요.
A : 그렇게 하도록 해 보겠습니다. 안녕히 계세요.

체크아웃을 하려고 할 때

- 체크아웃을 하려고 합니다.
  Check out, please.
- 퇴숙하려고 합니다. 계산서 좀 주세요.

I'm checking out. I'd like my bill.

- 퇴숙하려고 합니다. 계산서 좀 작성해 주세요.
  I'm checking out. Please make out my bill.
- 포터 한 사람 제 방으로 올려 보내 주십시오.
  Please send up a porter to my room.
  Please get me a porter.

계산을 할 때

- 계산서를 부탁합니다.
  I'd like to take care of my bill.

A: Cash or credit card?
B : I'd like to pay for that with my credit card.

A : 현금으로 지불하시겠습니까, 카드로 하시겠습니까?
B : 신용카드로 지불하겠습니다.

숙박료 지불 방법

① 신용카드(credit card)에 의한 지불 : 카드를 직원에게 제시한다.
② 현금(여행자 수표 포함)에 의한 지불 : 대개 현금으로 지불시에는 숙박 일수에 상당하는 보증금을 요구하는데, 퇴숙시 총 숙박료와의 차액은 손님에게 되돌려 준다.

- 신용카드를 이용하시겠습니까?
  Will you be using a credit card?
- 개인수표를 받습니까?
  Do you take [accept] personal checks?
- 마스터 카드는 됩니까?
  Is Master Card alright?
- 개인수표는 안 받지만 신용카드는 받습니다.
  We don't take personal checks, but we take credit cards.
- 여기에 서명해 주십시오.
  Please sign here.

계산이 틀릴 때

- 이 요금은 뭐죠?
  What is this charge for?
- 청구액이 틀립니다.
  This charge is wrong.

You charged a wrong amount.

• 저는 국제전화를 걸지 않았는데, 청구서에는 들어 있습니다.
I didn't make an overseas call, but it's on the bill.

호텔 요금(hotel bill) 계산 방식

European plan(객실료만 계산) 방식과 American plan(객실료에 식사비 포함) 방식 두 가지가 있다. American plan은 다시 continental plan(객실료 + continental breakfast), half pension(객실료에 아침 점심 저녁 식사 중 택일하여 식사비 포함), full pension(객실료에 아침 점심 저녁 식사비 포함)으로 구분된다.

• 저는 룸 서비스를 받지 않았습니다.
I didn't get any room service.

• 이건 707호실 청구서군요. 저는 777호실입니다.
This is a bill for 707. My room is 777.

• 봉사료가 포함된 가격인가요?
Does the price include the service charge?

체류 기간 변경

A: Could I extend my stay for another night? [1)]
B : I'm sorry, but we're fully booked through the 13th.

A: 하루 밤 더 연장할 수 있을까요?
B : 죄송하지만, 13일까지는 방이 다 찼습니다.

• 하루 밤 더 연장할 수 있을까요?
Could I stay one more night in my room?

• 하루를 더 묵고 싶습니다. / 하루 일찍 나가고 싶습니다.
I'd like to stay a day longer. / I want to leave a day earlier.

체크아웃 시간 연장

• 체크아웃 시간을 좀 연장해 줄 수 있나요?
Could you give me an extra hour to check out?
Is there any possibility of an extended check-out time?

1) 2일 더 : for two more days / 다가오는 토요일까지 : until this coming Saturday

A: Excuse me. Sorry to bother you, but I wonder if you can do me a favor.
B : Sure if I can.
A: My flight doesn't leave until five o'clock this afternoon. Is there any chance of extending check-out time for me?
B : We're very busy today, but I can give you two extra hours. Will that help?
A: That's a big help. Thank you very much.

A : 실례합니다. 귀찮게 해서 죄송합니다만, 부탁 하나 들어 주시겠어요?
B : 물론이죠. 들어줄 수만 있다면요.
A : 제가 타야할 비행기가 오늘 오후 5시가 되어서야 출발합니다. 체크아웃 시간을 연장할 수 있을까요?
B : 오늘 무척 붐비긴 하지만 2시간 더 드릴 수 있습니다. 그러면 되겠습니까?
A : 큰 도움이 됩니다. 감사합니다.

기 타

- 그걸 숙박비에 포함시켜 놓으세요.
  Put it on my hotel bill, please. [2)]
  Add it to my hotel bill, please.
- 저희 호텔에서 즐겁게 묵어 가시길 바랍니다.
  I hope you enjoy your stay in our hotel.
- 이곳에 투숙하시는 동안 즐거우셨기를 바랍니다.
  We hope you enjoyed your stay with us.

2) 호텔 내에서 식사한 후 식사비를 숙박비에 포함시키라고 할 때

10 투숙객을 확인할 때

Mr. Hinton이라는 사람이 호텔에서 1박을 하고 다음날 한국 친구와 만나기로 약속을 했다. 그래서 호텔 예약을 제대로 했는지, 투숙은 했는지 또는 퇴숙했는지를 알고 싶을 때 호텔에 전화를 걸어서 확인하고자 한다. 아래 대화는 이 상황을 묘사하고 있다.

기 본 대 화

A : Front desk. May I help you?
B : Yes. Would you check and see if a Mr. Hinton is registered with your hotel?
A : Hold on, please. Let me check. [1)]
Oh, yes, he is. But he's out at the moment.
Would you leave a message?
B : Yes. Would you have him call me at 723-5023 when he gets back?
A : Sure, sir. I'd be glad to. And your name is?
B : I'm Mr. Lee. Thank you.

A : 프런트 데스크입니다. 뭘 도와 드릴까요?
B : 힌톤씨가 그 호텔에 투숙했는지 확인해 주시겠습니까?
A : 잠깐만 기다려 주십시오. 확인해 보겠습니다.
아, 있습니다. 그런데 지금은 외출하셨습니다.
전하실 말씀이 있으신지요?
B : 그분이 들어오면 723-5023으로 전화해 달라고 해 주세요.
A : 알겠습니다. 그렇게 하겠습니다. 성함은요?
B : 미스터 리입니다. 감사합니다.

- 힌톤씨의 방 좀 연결해 주시겠습니까?
  Could you connect me to Mr. Hinton's room?
- 힌톤씨가 그 호텔에서 나갔는지 알아봐 주시겠습니까?
  Could you please check and see if Mr. Hinton has checked out?
- 투숙객 중에 힌톤씨라는 분이 있습니까?
  Do you have a Mr. Hinton registered there?
- 오늘 날짜로 예약하셨는데, 아직 투숙하지 않았습니다.
  He made a reservation for today, but he hasn't checked in.

1) ((참고)) "Please hold while (I) check.(확인하는 동안 기다리세요.)"라고 말할 수 있다.

11 기 타

엘리베이터를 이용할 때

A: Would you like to take the stairs or take the elevator?
B : I need some exercise.

A : 계단을 이용할까요, 아니면 엘리베이터를 타고 갈까요?
B : 운동 좀 해야겠어요.

- 여기가 몇 층이죠〔우리가 몇 층에 있죠〕?
  What floor are we on? [1)]
- 5층 좀 눌러 주시겠어요? / 안으로 좀 들어서 주십시오.
  Could you push 5 for me, please? / Please step inside.
- 어디를 가십니까〔몇 층으로 가십니까〕?
  Where are you going?
- 올라가실 겁니까? / 다음 엘리베이터를 타세요.〈엘리베이터 안내원〉
  Are you going up? / Next car, please.
- 잠깐요! 엘리베이터 좀 잡아 주세요!
  Wait! Hold the elevator!
- 자 탑시다. / 몇 층을 원하세요〔몇 층을 눌러 드릴까요〕?
  Here you go. / Which floor do you want?
- 내려갑니다. / 올라갑니다.
  Down, please. / (Going) Up, please.
- 엘리베이터를 이용하셔서 3층까지 가세요.
  Use the elevator and go to the third floor.
- 엘리베이터를 타고 3층까지 가세요.
  Take the elevator and go to the third floor.
  Take the elevator to the third floor.
- 2번 엘리베이터를 타셔서 10층에서 내리세요.
  Take elevator 2 and get off on the 10th floor. [2)]
- 엘리베이터에서 내려서 좌측으로 가십시오.
  Turn left when you get off the elevator.
- 승강기 뒤쪽으로 물러서 주십시오.
  Please step to the rear of the car〔elevator〕.
- 이 엘리베이터는 3층과 6층에서만 섭니다.

1) floor : 마루, 바닥; (건물의) 층; (국회의) 의원석 / first〔second / third〕 floor : 1〔2 / 3〕 층 / basement : 지하실 / take the floor : (토론에서) 발언하다
2) get off : (차 등에서) 내리다

This elevator stops only on the third and the sixth floors.

- 이 엘리베이터는 3층에서는 서지 않습니다.
  This doesn't stop on the third floor.
- 5층까지 논스톱입니다.
  It's an express to the fifth floor.
- 이 엘리베이터는 6층 이하에서는 서지 않습니다.
  This elevator doesn't stop below the sixth floor.
- 계단을 이용하셔야 할 겁니다.
  You'll have to take the stairs.
- 미안합니다. 정전입니다. / 엘리베이터가 수리중입니다.
  Sorry, the power is out. / The elevator is being repaired.
- 이 엘리베이터에는 12명 이상은 탈 수 없어요.
  This elevator cannot take more than twelve persons.
- 이 건물에는 엘리베이터가 없어요.
  This building has no elevator.

활용 어휘

- 위〔아래〕 단추 : up〔down〕 button
- 정지 단추 : door-hold button
- 종업원용 승강기 : service elevator
- 고속 엘리베이터 : high-speed elevator

기 타

- 어디서 묵고 계십니까?
  Where are you staying?
- 오늘밤 묵을 곳이 있으세요?
  Do you have a place to stay tonight?
- 그 호텔은 설비가 잘 돼 있어요.
  The hotel is well accommodated〔has great facilities〕.
- 그랜드 하얏트 호텔에서 묵을 겁니다.
  I'll be (staying) at the Grand Hyatt Hotel.
- 제 방 열쇠 주세요. 208호실입니다. / 방해하지 말 것〔깨우지 말 것〕!
  My key, please. Room 208. / DON'T DISTURB! [3)]

A: Any messages for me, room 208?
B : I have a message left by a man two hours ago.

A : 저한테 메시지 온 것 없습니까? 208호실입니다.
B : 2시간 전에 어떤 남자 분께서 남기신 게 있습니다.

3) 사무실 문이나 호텔 방문 바깥쪽에 거는 팻말의 문구

• 숙소는 정하셨습니까?

Have you arranged accommodations?

MAKE YOURSELF AT HOME.

Close to the border and just a short walk to the Convention Center La Quinta® Inn gives you both convenience and comfort with great features such as in-room coffee makers, 25" TVs with Nintendo® video games & movies on demand. In addition, free 24-hour airport shuttle service, free local calls, and dataport phones. Also, you can start your day with our Free First Light® breakfast or a dip in the pool. You'll feel at home with La Quinta.

La Quinta Inn McAllen
Highway 83 at Tenth St.
956-687-1101

Call 1-800-NU-ROOMS for reservations
100% SATISFACTION GUARANTEE

명언 한 마디

And so, my fellow Americans : Ask not what your country can do for you - ask what you can do for your country.
My fellow citizens of the world : ask not what America will do for you, but what together we can do for the freedom of man

그러므로 미국 국민 여러분!
국가가 여러분을 위해 무엇을 할 수 있는가를 묻지 말고
여러분이 국가를 위해 무엇을 할 수 있는가를 생각해 보시오.
세계의 동포여러분,
미국이 여러분을 위해 무엇을 할 수 있는가를 묻지 말고
우리들이 다함께 인류의 자유를 위해
무엇을 할 수 있는가를 생각하시오.

- John F. Kennedy : 35대 미국 대통령 -
'1961년 inaugural address (취임연설)에서'

E N G L I S H
C O N V E R S A T I O N
D I C T I O N A R Y

CHAPTER 8

식 당

- 식사를 제의할 때
- 식당을 예약할 때
- 식당 입구에서
- 음식을 주문할 때
- 필요한 것을 부탁할 때
- 식사에 관한 화제
- 술을 마실 때
- 계산할 때
- 식사를 마친 후

1 식사를 제의할 때

미국인과 함께 식사를 해 본 사람들 중에는 다소 이해하기 어려운 경우를 접해 본 적이 있을 것이다. 같이 식사를 하자고 해서 따라 갔더니 식사 후 계산을 할 때 자신의 식사비를 자신이 지불한 경우다. 그들은 기본적으로 자신의 몫은 자신이 낸다(**Dutch pay**)는 사고방식을 가지고 있다는 걸 이해해야 한다. 그러나 한국인과 식사를 자주 해 본 경험이 있거나 한국의 식사문화를 이해하고 있는 미국인의 경우는, 그들도 우리가 대접한 만큼 대접할 줄 아는 기본 매너(**manner**)를 가지고 있다. 미국인에게 점심을 사고 싶을 때는 **"Why don't we have lunch together? It's on me.**(점심 같이 하시죠. 제가 낼게요.)"라고 말한다.

기 본 대 화

A : Mr. Miller, would you like to go out for lunch with me? It's on me.
B : I'd love to. Thank you.
A : Which would you prefer to have Korean or American food?
B : I'd like Korean food.
A : What is your favorite Korean food?
B : It's Bulgogi.
A : All right. Let's go out, then.

A : 밀러씨, 나가서 점심 같이 하실까요? 제가 살게요.
B : 그러죠. 고맙습니다.
A : 한국 음식을 드시겠습니까, 양식을 드시겠습니까?
B : 한국 음식을 먹고 싶습니다.
A : 제일 좋아하는 한국 음식이 뭐죠?
B : 불고기입니다.
A : 좋아요. 그럼 나갑시다.

식사 제의

- 우리 점심 식사 같이 할까요?
  Shall we have lunch together?
- 내일 점심 식사 같이 하시는 게 어때요?
  How about having lunch with me tomorrow?
  Why don't you have lunch with me tomorrow?
- 오늘 저녁 식사 같이 하시겠어요?

Would you join me for dinner today?
Would you like to have dinner with me today?

- 내일 저녁 식사 같이 하러 가실까요?
  May I take you to dinner tomorrow?
- 점심 식사하러 나갑시다.
  Let's go out for lunch. / Let's go and eat lunch.
  Let's go have lunch.
- 지금 막 뭘 좀 먹으러 나갈 참인데, 같이 가실래요?
  I'm just going out to get a bite to eat, would you like some company? [1)]
- 뭐 좀 간단히 먹으러 나갑시다. / 저는 벌써 먹었어요.
  Let's go out for a snack. / I ate already.
- 가벼운 걸로 먹고 싶어요.
  I feel like something light.
- 언제 식사나 같이 합시다.
  We'll have to do lunch sometime.
- 점심 먹으면서 업무얘기를 하는 게 어때요?
  How would you like to make it a working lunch?

길을 지나가다가

- 어디 들러서 점심이나 먹읍시다.
  Let's stop off somewhere for lunch. [2)]
- 여기 들러서 뭐 좀 먹읍시다.
  Let's stop here for a bite to eat.

자신이 사겠다고 할 때

- 제가 낼게요. / 자 갑시다! 제가 살게요.
  My treat. / Come on! It's on me.
- 제가 점심을 대접하겠습니다.
  Let me treat you to lunch.
  I'd like to treat you to lunch.
- 오늘 저녁을 제가 사겠습니다. / 무슨 명목이죠?
  Let me take you to dinner tonight. / What's the occasion? [3)]
- 오늘 월급 받았어요. 오늘 저녁 맛있는 저녁 사 드릴게요.

---

1) get a bite to eat : 간단한 음식을 먹다 / bite : 음식, 한 입, 소량
2) stop off : 도중에 들르다; (여행중에) 도중 하차하다
3) 갑자기 친구가 한턱 낸다고 하기에 우리 말에 "웬 일이니?"와 가까운 뜻

I got paid today. I'll treat you to a good dinner tonight. 4)

- 당신에게 특별히 한턱 내고 싶습니다.
  I'd like to treat you to something special.
- 다음에 크게 한턱 내세요.
  I'll let you be a big spender next time. 5)

싸가지고 왔을 때

- 저는 점심을 싸가지고 왔어요.
  I brought my lunch.
- 저는 매일 점심을 싸가지고 다녀요.
  I brown-bag it everyday. 6)
  I'm a brown-bagger everyday.

배달해서 먹을 때

- 전화로 점심을 시켜 먹을까요?
  Do you feel like calling out for lunch?
- 점심을 시켜 먹읍시다.
  Let's have our lunch delivered.

식당 결정

A: Do you have any particular restaurant in mind?
B: I heard about a new restaurant around here.

A : 특별히 생각해둔 식당이라도 있으세요?
B : 이 근처에 식당이 하나 생겼다고 들었어요.

- 오리엔탈 가든에서 식사해 보신적 있으세요?
  Have you eaten at the Oriental Garden?
- 바로 길 건너편에 괜찮은 식당 하나 있는데, 가보시겠어요?
  There's a nice restaurant just across the street.
  (Do you) Want to try it?
- 점심 식사할 만한 좋은 식당 하나 추천해 주시겠어요?
  Can you recommend a good place for lunch?

A: What do you want to try? Korean? American?
B: I can't stand making decisions. You choose!

4) treat A to B : A에게 B를 대접하다, 한턱 내다
5) (big) spender : 돈 쓰는 사람; 낭비가
6) brown-bag : ((구어)) (술 등을 누런 봉투에 넣어) 식당에 갖고 들어가다; 도시락을 지참하다

A: OK. Let's go Korean restaurant.
Where is the nearest restaurant?

A : 뭘 드시고 싶으세요? 한국 음식? 양식?
B : 결정을 못하겠어요. 당신이 결정하세요.
A : 좋아요. 한국 식당으로 갑시다. 가장 가까운 식당이 어디에 있죠?

- 한국 음식을 드셔본 적 있으세요?
  Have you ever tried Korean food?
- 점심으로 뭘 드실 거예요?
  What are you having for lunch?
- 이번엔 냉면을 드셔보세요.
  How about trying Naengmyon this time?
- 갈비탕 좋아하세요?
  Do you feel like Galbitang?
- 불고기를 먹고 싶어 죽겠어요.
  I have a craving for Bulgogi. [7)]

미국 간이 식당의 종류

- 카페테리아(cafeteria) : 빠르고 간편하게 식사를 할 수 있는 self service 식당으로 자신이 직접 카운터에서 접시에 음식을 담아서 계산을 치른 후 식사를 한다.
- 드럭 스토어(drugstore) : 원래는 약국이란 뜻이었으나 요즘은 일용잡화(생활용품 · 신문 · 잡지 · 약 등)를 파는 곳으로서 간단한 식사를 할 수 있도록 되어 있다.
- 드라이브인 레스토랑(drive-in restaurant) : 차를 탄 채로 주문을 하고 차안에서 식사를 할 수 있는 식당
- 커피숍(coffee shop / coffee house) : 미국의 커피숍에서는 우리 나라처럼 음료수만 파는 것이 아니라, 간단한 식사를 할 수도 있다.
- 델리커테슨(delicatessens) : 우리의 스낵 바 개념의 식당, delicatessen은 원래 미리 요리된 고기 치즈 샐러드 통조림 등 '조제된 식품'을 뜻하는 말이다.
- 스낵바(snack bar) : 햄버거, 피쉬 버거(fish burger), 소시지, 치킨, 샐러드, 음료수 등을 파는 간이 식당

7) have a craving for ~ : ~을 열망〔갈망〕하다 / craving : 열망; 갈망

2 식당을 예약할 때

대부분의 식당은 예약(**reservation**)을 하지 않고서도 식사를 할 수 있지만, 고급 레스토랑(**restaurant**)이나 손님이 붐비는 식당은 예약제로 운영한다. 그러므로 자기 혼자가 아닌 중요한 모임이나 외국인과 함께 식사를 하려고 할 때는 미리 식당에 좌석을 예약해 두어야 한다. 식당에 전화를 걸어 예약을 할 때는 **"I'd like to reserve a table for three at 6 tonight.**(오늘저녁 6시에 3인용 테이블을 예약하고 싶습니다)"라고 말한다.

기 본 대 화

A : Hello, I'd like to reserve a table for ten at 7:00 p.m. tonight.
B : Smoking or nonsmoking section?
A : Smoking, please.
B : May I have your name, please?
A : Jong-ho Kim.
B : That's a table for ten, smoking, at 7:00.

A : 여보세요. 오늘밤 7시에 10인석 테이블을 예약하고 싶습니다.
B : 흡연석입니까, 금연석입니까?
A : 흡연석입니다.
B : 성함이 어떻게 되시죠?
A : 김종호입니다.
B : 7시에 10인 흡연석 예약입니다.

예약할 때

- 저녁 식사를 하려면 예약이 필요한지요.
  I'm wondering whether we need a reservation for dinner.
- 대개 저녁에는 손님이 많기 때문에 예약하시는 게 좋을 겁니다.
  It would better to make reservations since we usually get a lot of customers in the evenings.
- 죄송하지만, 그 시간에는 좌석이 만원입니다.
  I'm sorry, but the seats are full at that time.
- 저희는 보통 많은 손님은 받지를 않습니다.
  We don't usually take large parties. [1)]

1) party : 일행, 일단(一團), 무리, 패, 동아리

- 9시 이후에는 자리를 마련해 드릴 수 있습니다.
  We can give you a table after 9:00.
- 알겠습니다. 7시에 기다리겠습니다.
  All right, we'll be waiting for you at 7:00.

예약을 취소할 때

- 오늘밤 7시 예약을 취소하고 싶습니다.
  I'd like to cancel my reservation for 7:00 tonight.
- 선생님께서 예약하신 걸 취소하겠습니다.
  I'll cancel your reservation.
- 다른 기회에 식사하시기를 기대하겠습니다.
  I hope you'll dine with us some other time [2)]

기 타

- 미리 예약을 해 둬야겠어요.
  We need to make reservations well in advance. [3)]
- 그곳에 가려면 미리 예약을 해야 할 거예요.
  You'll have to make a booking in advance if you want to go there.
- 제가 오리엔탈 가든에 자리를 예약해 둘게요.
  I'll reserve a table for us at the Oriental Garden.
- 거기에서 토요일 저녁식사를 하시려면 예약하는 게 좋습니다.
  Reservations are recommended for Saturday evenings there.
- 거기에서 부페식 저녁식사를 하시는 데는 예약이 필요 없어요.
  No reservations are required for the buffet dinner there.
- 거기에서 식사할 계획이라면, 예약을 해 두세요.
  If you're planning to dine there, reservations are recommended. [4)]
- 예약을 하지 않으면 테이블을 얻기가 어려울 겁니다.
  I doubt we can get a table without reservations.
- 예약을 해두는 게 좋겠어요.
  I think we should make a reservation.

---

2) 여기서 us는 식당의 주인이나 점원을 가리킨다.
3) in advance : 미리; 앞서서; 선금(先金)으로
4) dine : 정찬을 먹다

3 식당 입구에서

식당에서 무턱대고 안으로 들어가는 것은 실례다. 지정좌석제로 운영되는 식당일 경우에는 카운터에서 자리가 날 때까지 기다린 후 웨이터의 안내를 받아 테이블로 가야 한다. 지정좌석제로 운영하는 식당은 입구에 "PLEASE WAIT TO BE SEATED.(자리가 날 때까지 기다려 주십시오.)"라는 안내 표지가 붙어 있으며, 반대로 오는 순서대로 자리를 잡는 식당의 경우에는 "FIRST COME, FIRST SERVED(선착순으로 서비스를 해 드립니다.)"라는 등의 안내표지가 있다.

기 본 대 화

A : May I help you? Do you have a reservation?
B : No, we don't, but do you have a table for five available?
A : We don't have one now, but one should be available soon.
B : How long will we have to wait?
A : About 20 minutes.
Please wait here for a minute.
I'll call your name when a table is available.
B : All right.
A : May I have your name, please?
B : Jong-ho Kim.

A : 어서 오세요. 예약은 하셨습니까?
B : 예약은 하지 않았지만, 5인석 테이블이 있습니까?
A : 지금 당장은 없지만, 곧 날 겁니다.
B : 얼마나 기다려야 합니까?
A : 20분 정도예요. 여기서 잠깐 기다려 주세요.
자리가 나면 손님 성함을 부르겠습니다.
B : 알겠습니다.
A : 성함이 어떻게 되십니까?
B : 김종호입니다.

예약을 재확인할 때

• 예약은 하셨습니까?
Do you have a reservation?

예약 시간

- 김길남이라는 이름으로 예약을 했습니다.
  I have a reservation for Kil-nam Kim.
- 7시로 예약을 했습니다.
  I have a reservation at 7:00 p.m.
- 오늘 저녁 7시로 예약을 했습니다.
  I made a reservation for seven o'clock this evening.

예약 착오

- 예약 명단을 다시 한번 확인해 주시겠습니까?
  Could you check the reservation list again?
- 명단에는 손님의 이름이 없습니다.
  We don't have your name on the list.
- 당신 지배인과 얘기할 수 있을까요?
  Can I talk with your manager?

좌석을 잡을 때

- 자리 있습니까?
  Can we have a table?
- 5인석 테이블이 있습니까?
  Do you have a table for party of five?
- 우리 모두가 함께 앉을 만한 큰 방이 있어요?
  Do you have a room large enough for us all?

일행의 수

> A: How many in your party? (일행이 몇 분이십니까?)
> B : We have a party of ten. (저희 일행은 10명입니다.)

- 일행이 몇 분이십니까?
  How many (are there) in your group?
  How many are with you? / How large is your party?
- 2인용 테이블로 해 주세요.
  We need a table for two.
- 4인용으로 해 주세요. 친구 2명이 더 올 겁니다.
  Make that four, please. We're expecting 2 more friends.
- 혼자세요? / 동행이 있습니까?

Are you alone? / Are you with someone?

- 점심 식사를 함께 하실 분이 또 오시나요?
  Is someone going to join you for lunch?

원하는 자리

- 흡연석으로 해 주세요. / 금연석으로 해 주세요.
  Smoking section, please. / Non-smoking section, please.
- 창가에 앉고 싶습니다. / 조용한 곳이 좋습니다.
  We'd like to sit by window. / Some place quiet.
- 창쪽에 자리가 있습니까?
  Do you have seats by the window?

일행에게

A: Shall we sit by the window? (창가에 앉을까요?)
B : Let's do that, we can catch the breeze. (그러죠, 바람 좀 쐬게요.)

좌석이 마음에 안들 때

- 미안하지만, 이 자리가 마음에 안 드는데요.
  I'm sorry, but we don't like this seat.
- 저쪽으로 옮길 수 있을까요?
  Could we move over there?
- 좀 더 조용한 방으로〔다른 테이블로〕옮기고 싶습니다.
  I'd like to move to a quieter room〔another table〕.

대기할 때

- 기다리시는 동안 여기 앉아 계십시오.
  Please have a seat here while you wait.
- 얼마나 기다려야 합니까? / 언제쯤 자리가 날까요?
  How long do we have to wait? / When can we get a table?
- 우리 차례가 아직 안 됐습니까? / 실례합니다. 우리가 먼저 왔는데요.
  Isn't it our turn yet? / Excuse me. We're first. [1]
- 죄송하지만 지금 당장에는 자리가 없습니다.
  I'm afraid there's nothing available right now.

1) 웨이터가 나중에 온 손님을 먼저 안내하려고 할 때

- 테이블이 준비될 때까지 여기서 기다려 주시겠습니까?
  Would you like to wait here until your table is ready?
- 명단에 제 이름을 올려주시겠습니까?
  Can you put my name on the list?
- 대기자 명단에 올려놓을 수 있습니다. 30분은 기다리셔야 합니다.
  I can put you on the waiting list. Waiting time is about 30 minutes. [2]
- 박 선생님 일행 세 분! 자리가 준비됐습니다.
  Mr. Park's party for three! [3] Your table is ready.

명언 한 마디

The more you sweat in peace,
the less you bleed in war.

평화시에 땀을 많이 흘릴수록 전시에는 피를 덜 흘리게 된다.

- Adm. Hyman G. Rickover : 전 미국해군대장 -

2) wait(ing) list : (취소시) 대기자 명단, 후보자 명단, 보결 명부
3) 여기서 party란 '일행'이란 뜻이다.

4 음식을 주문할 때

손님이 식탁에 자리를 잡으면 주문을 받기 위해서 당연히 웨이터가 오지만 그렇지 않을 경우 웨이터를 부르고 싶을 때는 손을 가볍게 들고 손가락 하나를 세우면 된다. **"Hey, waiter!**(이봐, 웨이터!)"라는 식으로 부르는 것은 실례다. 부득이 불러야할 경우에는 **Waiter!**(웨이터!)", **"Waitress!**(아가씨!)" 또는 **"Ma'am!**(아주머니!)"라고 조용하게 부른다. 웨이터가 주문한 음식을 갖다 주면서 자주 쓰는 **"Enjoy your meal.**(맛있게 드세요.)"라는 표현도 알아 두자.

기 본 대 화

A : How are you this evening, sir?
B : Fine, thank you.
A : Would you like to order now?
B : Yes, I'd like a T-bone steak. [1]
A : How would you like your steak done?
B : Medium, please.
A : Would you like soup or salad with that?
B : What kind of soup do you have tonight?
A : Cream of mushroom. [2]
B : I'll take that.
A : All right. And what would you like, sir?
C : I'll have the spaghetti and a salad.
A : What kind of dressing would you like on your salad?
C : I'd like oil and vinegar.
A : OK. I'll be back with your soup and salad.
C : Thank you.

A : 웨이터 B,C : 손님(2명)

A : 안녕하세요. 손님.
B : 안녕하세요.
A : 지금 주문하시겠습니까?
B : 네. 저는 티본 스테이크를 주세요.

1) T-bone steak : 스테이크의 뼈(bone) 모양이 T자형으로 되어 있어서 붙여진 이름
2) mushroom : 버섯(주로 식용); ((구어)) 버섯 모양의 모자

A : 어떻게 요리해 드릴까요?
B : 중간 정도로 익혀 주세요.
A : 함께 드실 것은 수프로 드릴까요, 샐러드로 드릴까요?
B : 오늘 저녁에는 어떤 수프가 있습니까?
A : 버섯 수프입니다.
B : 그걸로 하겠습니다.
A : 알겠습니다. 이쪽 손님은 뭘 드시겠습니까?
C : 스파게티와 샐러드를 주세요.
A : 샐러드 드레싱은 뭘로 해 드릴까요?
C : 오일과 식초를 주세요.
A : 알겠습니다. 수프와 샐러드를 곧 갖다 드리겠습니다.
C : 감사합니다.

주문을 받을 때

- 주문하실 준비 되셨습니까?
  Are you ready (to order now)?
- 주문하시겠어요? / 뭘 드릴까요?
  May I take your order, please? / What'll it be?
- 뭘 드시겠습니까?
  What would you like to have? / What will you have?

이미 주문했을 때

A: Are you being helped? (주문 받으셨습니까?)
B : Yes, I've ordered. (네. 이미 주문했습니다.)

- 주문하셨습니까?
  Did you order?
- 시중을 받고 계신가요?
  (Are you) being served? / (Are you) being waited on?
  Have you been waited on?

결정을 못했을 때

A: Have you decided yet, sir?
B : Could we have a few more minutes, please?
A : 결정하셨습니까, 손님?
B : 잠시만 시간을 주시겠어요?

- 아직 결정을 못했습니다. 잠깐만 기다려 주세요.
  I haven't made up my mind yet. Just a moment, please.
- 아직 결정을 못했습니다.
  I haven't decided yet.
- 정해지면 알려 드리겠습니다.
  We'll let you know when we've decided. [3)]

기 타

- 숨 좀 돌리고요. / 또 오실 분이 있습니까?
  Let me catch my breath. / Do you have company?

메뉴 결정

메뉴를 부탁할 때

A: Can I see the menu, please? (메뉴 좀 볼 수 있을까요?)
B : Here's our menu, sir. (메뉴 여기 있습니다, 손님.)

스페셜 메뉴

- 오늘의 특별 요리가 뭐죠?
  What's the special today? / What's today's special?
- 점심 식사로는 무엇이 있습니까?
  What's for lunch?
- 여기서〔이 식당에서〕 잘하는 게 뭐죠?
  What's good here?

요리 문의(메뉴를 보면서)

- 이건 어떤 요리죠?
  What kind of dish is this? / What is this like?
- 이것과 저것은 뭐가 다르죠?
  What's the difference between this and that?
- 스페셜 'A' 는 얼마나 걸립니까?
  How long does special 'A' take?
- 빠르고 쉽게 준비되는 요리가 뭐죠?
  Which dish is quick and easy to prepare?

3) 서빙하는 사람이 테이블 옆에서 주문을 받기 위해서 기다리는 것을 보고 손님이 하는 말

• 가장 빨리 되는 요리가 뭐죠?
What is the fastest meal I can eat?

• 빨리 되는 걸로 뭐가 있죠? 1시간밖에 시간이 없거든요.
What can be served quickly? I have only one hour.

• 이건 양이 많은가요?
Is this a big dish?

• 이 요리는 어떻게 먹는 거죠?
How do I eat this dish?

A: Will this dish take a long time to prepare?
B : It will come right up.
A : 이 요리는 준비하는 데 오래 걸립니까?
B : 금방이면 됩니다.

• (주문한 것이) 금방 됩니까?
Can I have it right away?

• 가벼운 걸로 뭐 없습니까?
Could you fix me something light?

• 여기서 특히 잘하는 음식이 뭐죠?
What do you specialize in?

• 오늘 메뉴에 맛있는 게 뭐가 있죠?
What's good on the menu today?

• 여긴 메뉴가 별로 없는 것 같군요.
I'm afraid the menu is rather limited here.

• 이 곳은 메뉴가 상당히 다양하군요.
The menu is rather extensive here.

• 오늘의 수프는 뭐죠?
What's the soup of the day? [4)]

추천 부탁

• 뭐 좀 추천해 주시겠어요?
What do you recommend? / What would you recommend?

• 그밖에 다른 것으로 뭐가 좋습니까?
What else would you recommend?

일행에게 물어볼 때

4) 수프의 종류 : potage[포타즈] ((불어)) : 진한 수프(thick soup) / consomme[콩소메] ((불어)) : 묽은 수프(thin soup)

A: What are you going to have, Mr. Miller?
B : I'll have the spaghetti and a salad.
How about you? What are you having?
A: Spaghetti sounds good, but I like a steak.
I guess we're ready to order. Waitress!

A : 밀러씨, 뭘 드시겠어요?
B : 스파게티와 샐러드를 먹겠어요.
당신은요? 뭘 드시겠어요?
A : 스파게티도 좋지만, 저는 스테이크를 먹겠습니다.
주문할 준비가 끝났군요. 웨이트리스!

- 어떤 음식을 드시겠습니까?
What kind of food would you like to have?
- 저 같으면 스페셜을 먹겠어요.
I'll have the special if I were you.
- 지난번에 여기서 그걸 먹었는데, 정말 좋았어요.
I had it last time here. It was great.
- 저는 잘 모르니까, 제 대신 주문해 주세요.
I really don't know. Why don't you order for me?
- 당신이 권하시는 걸 먹을게요. / 당신이 주문한 대로 하겠습니다.
I'll have what you suggest. / Whatever you say.
- 저는 아무거나 괜찮습니다.
I'm easy to please. / I'm not hard to please.
Anything's OK.
- 저는 뭘로 주문했으면 좋겠어요?
What do you suggest I order?
- 뭘 드시겠습니까?
What would you like? / What's your pleasure?
- 오늘은 새로운 걸 먹어 보겠어요. / 그저 늘 먹던 걸로 하겠어요.
I'm going to try something new. / I'll just have the usual.
- 이 요리 좀 봐요. 값이 적당한데요.
Look at this dish. The price is affordable.
- 제가 알아서 주문할게요.
Let me do the ordering.
- 피자 어때요?
What do you say to pizza? [5)]
- 한국 요리를 먹는 게 좋겠어요.

5) What do you say to ~ ? : ~에 대해서 어떻게 생각하세요?

I'd rather have some Korean food.

• 두 가지 다 먹어보죠. / 전 맛있는 것을 고르겠어요.
I'll try both. / I'll select something tasty.

활용어휘

• 참치 : tuna
• 상추 : lettuce
• 마늘 : garlic
• 애호박 : zucchini
• 양파 : onion
• 야채 : vegetables
• 조개탕 : clam chowder [6]
• 가지 : eggplant
• 새우(작은 것) : shrimp
• 큰새우(바닷가재) : lobster
• 감자 : potato
• 빵 : bread
• 튀긴 생선 : fried fish
• 애플 파이 : apple pie

주문할 때

• 아가씨〔아주머니〕, 주문 좀 받아 주시겠습니까?
Miss〔Ma'am〕, can you take our order, please?
• 주문 좀 받으시죠?
Why don't you take our order?
• 이걸로 주세요.(메뉴를 가리키면서)
This, please. / I'll have this, please. [7]

같은 것으로 주문

• 저도 같은 걸로 하겠습니다.
I'll have the same. / Same, here.
I'll have that, too. / The same for me.
• 같은 걸로 둘 주세요.
Make it two, please.

필요한 것을 물을 때〈웨이터〉

• 그밖에 다른 것 없으신가요?
(Is there) Anything else? / Isn't there anything else?
Do you need anything else?
• 그게 전부인가요?
Will that be all?

6) chowder : 잡탕 요리(생선 혹은 조개에 절인 돼지고기, 양파 등을 섞어 끓인 것)
7) 음식을 주문할 때 "~으로 주세요." 또는 "~을 먹겠습니다."라고 말할 때는 "I'll have〔take〕 ~(음식 이름)." 또는 "I'd like ~(음식 이름)."라는 표현을 쓴다.

• 더 필요한 것 있으세요?
Would you like anything else?

주문을 바꿀 때

• 주문을 바꿔도 되겠습니까?
May I change my order?

아침 식사 주문

A: Are you ready to order?
B : Yes, a toast, three eggs and coffee, please.
A: How would you like your eggs cooked?
B : Sunny-side up, please. 8)
A: All right. Cream and sugar with your coffee?
B : Yes, please.

A : 주문하시겠습니까?
B : 네, 토스트 한 개와 계란 세 개 그리고 커피 주세요.
B : 계란은 어떻게 요리를 해 드릴까요?
A : 한 쪽만 후라이 해 주세요.
B : 알겠습니다. 커피에는 크림과 설탕을 넣어 드릴까요?
A : 네, 그렇게 해 주세요.

음료수 주문

A: What would you like to drink?
B: Do you have any iced tea?
A: I'm afraid we don't. (Certainly.)
B: I'll have a lemonade. (I'd like some, please.)

A : 음료수는 뭘로 드시겠습니까?
B : 얼음으로 차게 한 차 있습니까?
A : 미안합니다만 없습니다. (네. 있습니다.)
B : 그럼 레모네이드로 주세요. (그걸로 주세요.)

• 마실 것은 뭘로 하시겠습니까? / 마실 것을 드릴까요?
Anything to drink? / Would you like something to drink?
• 얼음을 더 드릴까요?

8) 계란은 조리의 방법에 따라 fried(계란 후라이), sunny-side up(한쪽만 후라이), over easy(양쪽 다 후라이 → 반숙 정도로 살짝 익힘) 등으로 구분된다.

Would you like more ice?

- (커피는) 식사와 함께 하시겠습니까, 식후에 드시겠습니까?
  With your meal or after?
- 식사하시면서 마실 것은 뭘로 하시겠습니까?
  What would you like to drink with your meal?
- 식사와 함께 커피를 주세요.
  I'd like coffee with my meal, please.
- 마실 것을 갖다 드릴까요?
  Can I get you something to drink?
- 우선 커피부터 마시겠습니다.
  I'd like to start with a coffee.
- 제 커피가 식었는데, 한 잔 더 갖다 주세요.
  My coffee is cold, could you bring me another?
- 커피 한 잔 주세요.
  A cup of coffee, please. / Get me a cup of coffee, please.
  I'll have a cup of coffee. / Fix me a cup of coffee, please.
- 커피를 뜨겁게 해서 주세요.
  I'd like to have my coffee hot.
- 물만 좀 주세요.
  Just some water, please.

뷔페식 주문

A: Would you like the buffet or a menu? 9)
B : I'd like buffet.

A : 뷔페식을 드시겠습니까, 메뉴로 하시겠습니까?
B : 뷔페식으로 하겠습니다.

스테이크 주문

A: How would you like it? (요리를 어떻게 익혀 드릴까요?)
B : (I'd like it) Well-done, please. (바짝 익혀 주세요.)

스테이크의 조리

스테이크는 고기를 익히는 정도에 따라서 rare(설익힌), medium(중간 정도 익힌), well-done(바짝 익힌), medium well-done(medium과 well-done의 중간 정도 익

9) buffet[버페이] : 뷔페(식당)

힌)으로 구분되며, 식성에 따라 다르겠지만 한국 사람이 먹기에는 'well-done' 이 가장 무난하다.

샐러드 드레싱 주문

A: What kind of dressing would you like?
B : Thousand island.

A : 드레싱은 어떤 걸로 드릴까요?
B : 싸우전드 아일랜드로 주세요.

드레싱(dressing)의 종류

드레싱이란 스테이크 등을 주문했을 때 전채로 샐러드가 나오는데, 이 샐러드에 발라서 먹는 일종의 소스다. 종류에는 French, Italian, Russian, Thousand island, Vinegar and oil(식초와 오일), Blue cheese 등이 있는데, 한국 사람의 입맛에는 'Thousand island' 가 가장 무난하다. 뷔페식 식당에서는 자신이 직접 선택한다.

전채 주문

A: What would you like for appetizer? [10]
B : I'd like a shrimp cocktail, please.

A : 전채는 뭘로 하시겠습니까?
B : 새우 칵테일로 주세요.

Dip이란?

저녁식사를 하기 전이나 파티에서 제공되는 크림 소스로서 치즈, sour cream(산패유) [11], 요구르트, 야채, crab meat(게맛살), 계란 등을 넣어서 만든다. 보통 크래커, 감자, 콘칩, 야채 등이 dip으로 제공된다. 미국에서 대중적인 dip은 avocados(아보카도 나무)로 만든 guacamole(아보카도를 으깨어 만든 소스 샐러드)와 토마토로 만든 salsa, 양파와 sour soup으로 만든 onion dip 등이다.

10) appetizer : 전채(前菜) → 주 요리(main dish)가 나오기 전에 식욕을 돋구기 위해 나오는 간단한 음식을 말하며, ((불어))로는 'hors d'oeuvre[오르 되보르]' 라고 한다.
11) sour cream : 산패유(酸敗乳) → 유산으로 산화시킨 크림, 빵 · 과자 등에 사용함

디저트 주문

A: What would you like for dessert?
B : I'll have chocolate ice cream, please.

A : 디저트를 어떤 걸로 드릴까요?
B : 초콜릿 아이스크림으로 주세요.

- 디저트를 드시겠습니까?
  Would you like for dessert?
- 디저트는 나중에 주문하겠습니다. / 디저트는 생략하겠습니다.
  I'll order dessert later. / I'll skip the dessert. [12)]
- 디저트로는 아이스크림을 주세요.
  I'll have some ice cream for dessert.

와인 주문

- 와인 메뉴 좀 볼까요?
  May I have the wine list?
- 식사 전에 술 한 잔 하고 싶은데요.
  I want to have a drink before my meal.

주문 음식이 나온 후

- 어느 분이 새우를 주문하셨죠?
  Who ordered the shrimp?
- 가재가 어느 분 거죠?
  Whose is the lobster?
- 그것은 제 것이에요〔제가 주문했어요〕.
  That's mine. / That's for me.
- 모든 게 괜찮은가요?
  Is everything all right?
- 맛있게 드세요.
  Enjoy your meal, please.
- 음식은 어떻습니까?
  How is the food?

12) skip : 뛰어다니다; 건너뛰다; 훑어보다; (식사 등을) 거르다; (수업 등을) 빼먹다

식사 시작

A: Don't wait for me. Please start.
B: Thanks. Do you want to try some of my salad?
A: It looks really good. Are you sure?
B: Sure, I'm sure. Go ahead, help yourself.
A: Great, well, enjoy your meal.

A : 저를 기다리지 말고, 먼저 드세요.
B : 고맙습니다. 제 샐러드 좀 드셔 보겠어요?
A : 정말 맛있게 보이는군요. 정말 맛있죠?
B : 네, 정말 그래요. 당신도 어서 드세요.
A : 굉장하군요. 식사 맛있게 드세요.

서양식 식사에서 포크, 나이프, 스푼의 사용법

서양식을 처음 하는 사람의 경우에 식탁 위에 놓인 포크와 나이프가 너무 많아서 그 용도를 분간하기 어려울 것이다. 코스에 따라 다르지만 보통 5코스의 경우에는, 접시를 중심으로 좌로 포크 2개(3개), 우로 나이프 2개(3개)와 스푼 한 개가 놓여 있다. 우측에 놓여 있는 스푼은 맨 처음에 나오는 수프를 먹을 때 사용한다. 그리고 좌우로 놓인 포크와 스푼은 바깥쪽에서부터 안쪽으로 각각 생선용, 고기용, (샐러드용)으로 사용한다. 즉, 바깥쪽 것부터 안쪽 것 순서로 사용하게 되는데, 이는 음식이 나오는 순서대로 배치해 놓은 것이다. 디저트용 포크와 나이프는 디저트 음식을 담은 접시와 함께 별도로 나온다.

음식이 안 나올 때

- 주문한 음식이 아직 안 나왔습니다.
  My order hasn't come yet.
  I didn't get my order yet.
- 스테이크가 아직 안 나왔습니다.
  I don't have my steak.
- 30분 전에 주문했습니다.
  I ordered thirty minutes ago.

A: Waiter, how much longer will my order take?
B: It'll take about five more minutes.

A : 웨이터, 주문한 것이 얼마나 더 걸릴까요?
B : 약 5분 가량 더 걸립니다.

주문한 음식이 아닐 때

A: Excuse me. (실례합니다.)
B : Yes, sir? (네. 손님.)
A: This is not what I ordered. (이건 제가 주문한 거 아닌데요.)
B : Oh, sorry. What did you order?
(아, 죄송합니다. 뭘 주문하셨죠?)
A: I ordered the shrimp. (새우를 주문했습니다.)
B : All right. I'll be right back with it.
(알겠습니다. 곧 갖다 드릴게요.)

- 이건 주문을 안 했는데요.
  I didn't order this.
- 다시 가져가 주시겠어요?
  Could you take it back, please?
- 이건 제가 주문(요구)한 게 아닌데요.
  This is not my order.
  This isn't what I asked for.
- 다른 테이블에서 주문한 걸 가지고 오셨군요.
  I'm afraid you came to the wrong place.
  I'm afraid you brought me the wrong order.

음식에 이상이 있을 때

조리 상태가 틀릴 때

- 웰던(well-done)을 시켰는데, 미디움(medium)이 나왔습니다.
  I wanted my steak well-done, but I got it medium.
- 이 고기가 충분히 익지 않았는데요.
  I'm afraid this meat is not done enough.
  I'm afraid this meat isn't done well.
- 감자가 덜 익었는데요.
  The potatoes are undercooked.
- 생선 튀김이 완전히 익지 않았어요.
  The fried fish isn't cooked completely yet.
- 좀 더 구워 주시겠어요?
  Could I have it broiled a little more?
- 제 커피가 식었습니다.
  My coffee got cold.

불순물이 들어있을 때

- 수프에 파리〔머리카락 / 벌레〕가 들어 있어요!
  There is a fly〔hair / bug〕in my soup!
- 음식에 이상한 것이 들어 있습니다.
  There is something strange in my food.
- 바꿔 주시겠습니까?
  Would you please exchange it?

음식이 상했을 때

- 이 우유 맛이 이상합니다.
  This milk tastes funny.
- 이 고기가 고약한 냄새가 나요.
  This meat smells. [13)]
- 이 빵조각이 말라져서 돌처럼 딱딱해요.
  This loaf of bread is dried out and as hard as a rock.
- 이 음식이 상한 것 같은데요.
  I'm afraid this food is stale. [14)]
- 이 사과가 썩었는데요.
  This apple is rotten.
- 우유가 맛이 갔는데요〔상했는데요〕.
  This milk has gone bad.
  This milk tastes sour.
- 이 생선 냄새가 이상합니다. 상한 것 같습니다.
  This fish smells bad. I'm afraid it's spoiled.

---

13) smell : 냄새 나다; 고약한 냄새가 나다
14) stale : (음식 등이) 싱싱하지 못한; (고기 · 계란 등이) 썩어가는; (빵 등이) 곰팡내 나는

5 필요한 것을 부탁할 때

식사 도중에 포크를 떨어뜨리거나 물을 엎질렀을 때 웨이터에게 부탁을 하거나, 식탁에서 소금, 후춧가루 등 조미료통을 사용하고자 할 때가 있다. 식탁에서 소금을 건네 달라고 할 때는 "Would you please pass me the salt?(소금 좀 건네주시겠어요?)"라고 한다.

기본대화

A : I'm sorry, I dropped my fork.
Could you please bring me another (one)?
B : Yes, I'll get you one in a moment.

A : 미안합니다. 포크를 떨어뜨렸는데.
다른 것을 갖다 주시겠어요?
B : 네, 곧 갖다 드리겠습니다.

웨이터에게

- 아이스 티를 다시 채워 주시겠습니까?
  Could I have a refill on my iced tea, please? [1)]
- 치즈 좀 더 주시겠습니까?
  Could I have a little more cheese, please?
- 식탁 좀 치워 주시겠어요?
  Could you please clear (off) the table?
- 테이블 위에 물 좀 닦아주세요.
  Wipe the water off the table, please.
- 이 접시들 좀 치워 주시겠습니까?
  Would you take the dishes away?
- 물 좀 더 주시겠어요? / 이 우유 좀 데워 주세요.
  May I have more water? / Please warm (up) this milk.

옆 사람에게

- 후춧가루 먼저 쓰시고 저에게 주세요.
  After you with the pepper.
- 후춧가루 좀 건네주시겠어요?

1) refill : 다시 보충하다, 다시 (꽉) 채우다; 다시 채운 것; (음식물의) 두 그릇〔잔〕째

Would you pass me the pepper, please?

- 나이프와 포크가 정말 많은데, 뭘로 먹어야 할지 모르겠어요.
  There are so many knives and forks. I don't know which to eat with.

기 타

- 필요하실 땐 이 벨을 누르세요.
  Ring this bell when you want me.

A: I'm sorry. I'm all thumbs today. [2)]
B: That's all right. Nobody's perfect.
A : 죄송합니다. 오늘 실수가 많아서.
B : 괜찮습니다. 누구나 완벽할 수는 없는 거니까요.

- 그 여자는 물건을 잘 떨어뜨려요.
  She is butterfingers. [3)]
- 당신은 식사 매너를 다시 배워야겠군요.
  You should brush up (on) your table manners. [4)]

A: I'm sorry. I spilled some water on the table.
B : Oh, that's all right. I'll dry the table.
A : 미안합니다. 테이블에 물을 엎질러서.
B : 괜찮아요. 제가 테이블을 닦아 드릴게요.

- 그냥 그대로 놔두세요. / 아직 먹고 있는 중입니다.
  Just leave it there. [5)] / I'm still working on it. [6)]

식사 에티켓

- 그릇끼리 부딪치는 소리가 나거나 수프 등을 마실 때 소리가 나지 않도록 한다.
- 음식이 뜨거울 때는 입으로 불지 말고, 수저를 저어서 식힌다.
- 사용 중인 냅킨은 식탁에 올려놓지 않으며, 식사가 끝난 후에는 접어서 자신의 왼쪽 테이블 위에 올려놓는다.(여성은 립스틱이 냅킨에 묻지 않도록 한다.)
- 식사를 할 때는 다리를 꼬고 앉지 않는다.
- 식사 중 또는 식사 후 식탁에서 이쑤시개 사용은 금물이다.
- 입안에 음식물이 가득한 채 얘기하지 마라.(Don't talk with your mouth full.)
- 수프를 먹을 때 후르륵 소리를 내지 마세요.(Don't slurp when you eat soup.)

2) 시중드는 사람이 식탁에 물을 엎지르는 등의 실수를 했을 때
3) 손에 버터를 바른 것처럼 미끄러워서 잘 떨어뜨린다 / butterfingers : 물건을 잘 떨어뜨리는 사람
4) brush up (on) ~ing : ~을 복습하다
5) 웨이터가 식탁을 치우려고 할 때
6) work on ~ : ~〔일 · 행위 등〕을 계속하다

- 식사 중에 머리카락을 만지는 것은 금기사항이다.
- 식사 중에 화장을 하는 것도 금기사항이다. 화장을 고칠 때는 화장실을 이용한다. • 나이프와 포크는 바깥쪽 것부터 사용한다.
- 식사 중 잠시 쉬거나 자리를 뜰 때는 나이프와 포크를 팔(八)자가 되도록 놓는다.
- 식사가 끝나면 포크와 나이프는 가지런히 접시 위에 놓는다.

6 식사에 관한 화제

외국인과 식사를 하다보면 할 얘기가 없어서 아무 말없이 먹기만 하는 경우가 있다. 뭔가를 얘기하고 싶어도 막상 영어 표현이 생각나지 않을 때는 답답하고 어색하기 짝이 없다. 이런 상황에서 식당, 음식맛, 식성 등 음식이나 식사와 관련된 내용을 우선 화제로 삼으면 보다 깊은 대화도 가능할 것이다. 아래 대화는 식당을 화제로 대화하는 내용이다.

기 본 대 화

A : Is this the place you mentioned?
B : Yes. They serve delicious chicken.
A : Are you a regular customer here?
B : Yes, I am.
A : How often do you come here?
B : (I come here) About twice a month.

A : 이곳이 당신이 얘기한 식당인가요?
B : 네, 닭고기를 아주 맛있게 해요.
A : 여기 단골이세요?
B : 네, 그래요.
A : 여기엔 얼마나 자주 오십니까?
B : 한 달에 두 번 정도 옵니다.

식 당

- 여기 자주 오세요?
  Do you come here often?
- 이 식당은 항상 (사람들로) 붐벼요.
  This restaurant is always crowded.
- 이 식당의 분위기가 마음에 안 들어요.
  I don't like the atmosphere of this restaurant.
- 이 식당은 음식을 잘 해요.
  This restaurant serves good meals and drinks.
- 이 식당은 한국 사람들로 우글거려요.
  This restaurant is crawling with Koreans. [1)]

1) be crawling with ~ : ~으로 우글[득실]거리다

- 전에 여기 와본 적이 없어요. / 여긴 오늘이 처음이에요.
  I've never been here before. / This is my first time here.
- 여기서 종종 만나는군요.
  I often see you here.
- 레스토랑이 한국 사람들로 넘치는군요.
  The restaurant is overflowing with Koreans.
- 여기 분위기를 좋아해요.
  I like the atmosphere here.
- 여기서는 5,000원 이하로 좋은 식사를 할 수 있어요.
  We can get a good meal for less than ₩5,000 here.
- 이곳이 이 지역에서 가장 고급스런 식당이에요.
  This place is the most exclusive restaurant in this area. [2)]
- 이 식당은 너무 후지군요.〈속어〉
  This restaurant is crummy. [3)]
- 이 식당에 웬 사람이 이렇게 많죠?
  How come there are so many people in this restaurant?
- 이 식당은 물고기 요리를 잘 해요.
  They do fish very well in this restaurant.
- 이 집은 새우가 일품이에요.
  This place has delicious shrimp.
- 한국 음식을 제대로 하는 곳은 이곳뿐이에요.
  This is the place to enjoy Korean meals. [4)]

활용 어휘

- 간이 식당 : snack bar / sandwich shop
- 값싼 식당 : eating house〔place〕
- 단골 손님 : steady customer / patron
- 피자집 : pizza joint
- 자동차 출입 가능한 레스토랑 : drive-through restaurant [5)]

식 성

음식을 안 가리다

- 전 음식을 별로 가리지 않습니다.
  I'm not fussy about food. [6)]

2) exclusive : 배타적인, 독점적인; 전문적인; (상점, 식당, 옷 등이) 고급의, 무척 비싼
3) crummy : ((속어)) 초라한, 싸구려의, 하등의, 시시한
4) 직역 : 이곳이 바로 한국 음식을 즐길 수 있는 곳이다. / 자음 앞의 the를 '디'라고 실제보다 좀 더 크고 길게 발음하면 '바로 ~'이란 뜻이 된다. 예 You mean you shook hands with the Tiger Woods?(네가 바로 그 유명한 타이거우즈와 악수를 했단 말이야?)
5) 승용차를 탄 채로 식사를 주문하여 받아갈 수 있는 식당, 그곳에서 식사를 할 수는 없다. ((비교)) drive-in restaurant : 차에 탑승한 채 식사를 할 수 있는 식당
6) fussy : (하찮은 일에) 야단법석하는; 귀찮은; 까다로운

I'm not fastidious about my food. [7]

• 저는 먹는 걸 별로 가리지 않아요.
I'm not so particular about what I eat.

• 저에게는 신경 쓰지 마세요. 뭐든지 잘 먹으니까요.
Don't mind me. I eat just about everything.

식성이 까다롭다

• 저는 식성이 매우 까다로워요.
I'm a picky eater. [8]
I'm very finicky about what I eat. [9]

• 당신은 입이 매우 까다로우신 것 같군요.
I think you are very fussy about what you eat.

맞지 않은 음식

• 기름진 음식은 더 이상 속에서 받질 않아요.
I can't handle eating oily things any more.

• 저는 아이스크림을 먹으면 여드름이 나요.
Whenever I eat ice cream, my face breaks out.

• 저는 돼지고기를 못 먹어요〔돼지고기는 저한테 안 맞아요〕.
Pork doesn't agree with me.

• 저는 돼지고기를 먹으면 알레르기가 생겨요.
I'm allergic to pork. [10]

• 이걸 먹으면 속이 좋지 않습니다. [11]
This makes me sick. / This thing disagrees with me.
This upsets my stomach.

• 이 음식은 소화가 잘 안되요〔잘 되요〕.
This food digests terrible〔well〕.

좋아하다

• 저는 매운 음식을 좋아합니다.
I like hot food.

• 저는 단 것을 잘 먹습니다. / 저는 단 것을 좋아합니다.

---

7) fastidious about one's food〔clothes〕 : 음식〔옷〕에 까다로운
8) picky : ((구어)) 성미 까다로운
9) finicky = finical : (외양 등에) 몹시 신경을 쓰는, 꽤 까다로운(overfastidious)
10) allergic : 알레르기가 생기는
11) 상대방이 자기 음식 체질에 맞지 않은 음식을 권할 때

I have a sweet tooth. / I like sweets.

- 뜨거울수록 좋아요.
  The hotter, the better.

싫어하다

- 이건 별로 좋아하지 않아요.
  I just don't like it very much. / I'm not crazy about it.
- 외국 음식은 별로 안 좋아해요.
  I don't much care for foreign food.
- 저는 기름기 있는 음식은 안 좋아해요.
  I don't like oily food.
- 저는 찬 음식을 싫어합니다.
  I hate cold meals.

기 타

- 이제 이 음식에는 질렸어요.
  I get tired of eating this food.
- 매일 햄버거 먹는 게 지겨워요.
  I'm sick and tired of eating hamburgers everyday.

식 욕

A: Are you hungry? It's only 5:00 p.m.
B : Yes. I haven't eaten anything all day long.
A: You must be starved.

A : 배고프세요? 5시밖에 안됐어요.
B: 네. 하루종일 아무것도 안 먹었거든요.
A : 몹시 시장하시겠군요.

- 점심은 주로 뭘 드십니까?
  What do you usually have for lunch?
- 한국 음식을 드신 적이 있습니까?
  Have you ever tried Korean dishes〔food〕?
- 시간이 없을 때 주로 무엇을 드세요?
  What is your favorite for a quick bite?

배고프다

- 배가 고파요.
  I'm hungry. / I'm famished. [12)]
- 배고파 죽겠어요.
  I'm starving now. / I'm dying from hunger.
  I could eat a horse. [13)]
- 배가 무척 고파요.
  I'm so hungry now. / I'm as hungry as a bear. [14)]〈속어〉
- 뱃속에서 꼬르륵 소리가 나는데요.
  My stomach is growling. [15)]〈속어〉
- 배가 부르지 않는 것 같아요.
  I don't feel full.
- 오늘 하루종일 아무것도 안 먹었어요. / 오늘 점심을 건너뛰었어요.
  I've been fasting all day. [16)] / I skipped lunch today.
- 어젯밤 이후로 아무것도 못 먹었습니다.
  I haven't had a bite since last night.

배가 부르다

- 배가 부르군요.
  I'm full. / I'm stuffed.
- 디저트는 들어갈 자리가 없어요.
  I don't have any room for dessert.

식욕이 없다

- 저는 요즘 식욕이 별로 안 좋아요.
  I don't have good appetite these days.
- 저는 잔뜩 먹었어요. / 먹고 싶은 생각이 없어요.
  I had my fill. / I don't feel like eating.

식욕이 왕성하다

- 저는 요즘 식욕이 왕성해요.
  I have a great appetite these days.

12) famished : 굶주린, 몹시 배고픈
13) 직역 : 말 한 마리를 먹을 수 있다. → 그 만큼 배가 고프다.
14) as hungry as a bear : 무척 배가 고픈
15) growl : 으르렁거리다
16) fast : 단식〔금식〕하다

- 항상 그렇게 빨리 먹으세요?
  Do you always eat so fast?
- 1시인데도, 배가 전혀 안 고파요.
  It's one o'clock, and I'm not hungry at all.
- 가을에는 누구나 식욕이 좋아요.
  Everybody has a good appetite in autumn.
- 저는 식욕이 왕성해요.
  I have a big appetite.
- 저는 엄청나게 많이 먹어요.
  I eat like a horse. [17] 〈속어〉
- 당신은 대식가군요.
  You're a big eater.
- 저는 아침 식사를 많이 해요.
  I eat a big breakfast.

과 식

- 제가 과식을 했나 봐요.
  I'm afraid I ate too much. / It seems that I overate.
- 너무 많이 먹지 않았으면 해요.
  I hope that you don't eat too much.
- 전 피자를 엄청나게 많이 먹었어요.
  I ate too much pizza. / I ate pizza like a pig.〈속어〉
  I pigged out on pizza.〈속어〉
- 햄버거 2개를 2분 동안에 먹어 치웠지요.
  I downed two hamburgers in two minutes.
- 어젯밤 파티에서 포식했어요.〈속어〉
  I ate up a storm at the party yesterday. [18]

기 타

- 저는 다이어트 중입니다. / 균형된 식사를 하세요.
  I've been dieting. / Eat a well balanced diet.
- 다이어트 해서 3kg을 줄여야 해요.
  I have to go on a diet and lose 3kg.
- 너무 배가 고파서 티본 스테이크 2인분을먹어 치웠어요.

17) eat like a horse : 말처럼 먹다 → 무척 많이 먹다
18) up a storm : 극도로, 잔뜩

I was so hungry that I stuffed myself with two orders of T-bone steak. [19]

- 이걸 먹으면 식욕이 없어져요.
  This will spoil your appetite. [20]
- 운동을 좀 하면 입맛이 날 겁니다.
  A little exercise will give you an appetite.
- 시장이 반찬이에요.
  Nothing comes amiss to a hungry man. [21]
- 저는 조금밖에 안 먹어요.〈속어〉
  I eat like a bird.

음식맛

맛있어 보이다

- 음, 이 음식이 맛있어 보이군요.
  Mmm, this food looks delicious.
- 그거 맛있겠는데요.
  It sounds delicious〔wonderful〕.
- 이 케이크 정말 맛있군요.
  This cake is yummy! [22]
- 맛있는 냄새가 나는데요.
  That smells delicious.
- 먹음직스러울 것 같은데요.
  That sounds appetizing.
- 군침이 도는군요.
  My mouth is watering.
- 그 냄새 못 참겠는데요.
  I can't stand that smell.
- 그건 생각만 해도 군침이 돌아요.
  It makes my mouth water just to thinking about it.
- 이 요리는 어떤 건지 궁금하군요.
  I wonder how this dish is going to turn out. [23]

---

19) stuff : 채워 넣다; (사람 뱃속에) 음식을 채워 넣다; ((구어)) (음식을) 잔뜩 먹다(with)
20) spoil one's appetite〔dinner〕 : (식전에 무엇을 먹고) 식욕을 잃다 / ((반의어)) whet〔pep up〕 one's appetite〔dinner〕 : 식욕을 돋우어 주다
21) come amiss : 탐탁치 않는, 잘못된
22) yummy : ((속어)) 맛있는(주로 여성들이 쓰는 용어)
23) turn out : (결과로) 나타나다, 드러나다

맛을 물을 때

A: How does it taste? (맛이 어떻습니까?)
B : It's very good [delicious]. (아주 맛있는데요.)

• 맛이 어떻습니까?
What does it taste like?
• 미국 음식과 비교해 볼 때, 한국 음식은 어떻습니까?
How do Korean dishes compare with American dishes?

맛의 종류

• 이 음식은 너무 맵군요.
This food is spicy.

활용어휘

• 짠 : salty
• 단 : sweet
• 기름기가 많은 : greasy
• 싱거운 : bland
• 신 : sour
• 매운 : hot
• 순한 : mild

맛있다

• 맛있습니다.
It's delicious.
• 음, 이거 아주 맛있는데요!
Hmm-hmm, this is so good! [24)]
• 이렇게 맛있는 닭고기는 정말 오랜만에 먹어보는데요.
This is the best chicken I've eaten in a long time.
• 갈비가 정말 맛있군요!
What a yummy Galbi!
• 정말 맛있군요!
How tasty it is! / Sure hits the spot!
• 이 음식은 정말 맛있군요.
This food is out of this world. [25)]
• 여기 스테이크는 정말 대단해요.
The steaks here are really something.
• 이 케이크는 맛이 아주 좋군요.

---

24) hmm-hmm : 〈의성어〉 음-(잠시 머뭇거릴 때, 음식맛이 좋을 때 따위에 내는 소리)
25) 직역 : 이 음식은 이 세상의 것이 아니다. → "그 만큼 맛있다."라는 의미

This cake is rich. [26]

- 이거 맛있군요.
  This tastes good.
- 생각보다 맛있군요.
  It's better than I expected.
- 이 칵테일은 잘 내려가는데요.
  This cocktail goes down pretty well. [27]

맛이 없다

- 이건 맛이 별로 없군요.
  This is not good. / This is tasteless. / This is flavorless.
- 이 닭고기는 정말 맛이 없군요.
  This chicken tastes awful.
- 이 음식은 형편없군요.
  This food is terrible.
- 이건 보기보다는 맛이 없군요.
  This doesn't taste as good as it looks.
- 그것을 먹기는 먹었지만, 맛은 없었어요.
  I ate it, but it had no flavor.

입맛에 안 맞다

- 이건 제 입맛에 안 맞아요.
  This food doesn't suit my taste.
- 이거 비린내가 나요.
  This smells fishy.

기타

- 이번이 한국음식을 처음 먹어 보는 거예요.
  This is the first time I've eaten Korean food.
- 겉보기로 요리 맛을 판단하지 마세요.
  Don't judge it's taste by how it looks.
- 비타민이 풍부한 음식을 드세요.
  Eat food rich in vitamins.
- 이 고기 꽤나 질기군.
  This meat is stringy〔tough〕.

---

26) 재료가 풍부하게 들어가서 맛이 좋다는 표현
27) go down : (음식 · 약 등이) 삼켜지다, 목구멍으로 내려가다

- 고기가 아주 연하군요.
  This meat is very tender.
- 이 쌀은 끈기가 많군요.
  The rice is rich in gluten. 28)

식사 습관

A: How often do you eat out?
B : About once a month. How about you?
A: We eat out every week.
B : What kind of food do you usually have?
A: We have American food.

A : 외식을 얼마나 자주 하십니까?
B : 한 달에 한번 합니다. 당신은요?
A : 우리는 매주 외식을 합니다.
B : 주로 뭘 드십니까?
A : 양식을 먹습니다.

- 저희는 매주 토요일에 외식을 합니다.
  We eat out every Saturday.

기 타

- 미국인이 보통 먹는 주식은 무엇입니까?
  What is the typical diet of the Americans? 29)
- 미국에서는 주식이 뭐죠?
  What's the main food in America?
- 한국인들은 쌀을 주식으로 해요.
  The Koreans live on rice.
- 한국음식을 먹어본 적이 있습니까?
  Have you ever tried〔eaten〕 Korean food〔dishes〕?
- 우리의 쌀은 당신네들 빵과 같은 거예요.
  Our rice compares to your bread.
- 당신은 코가 예민하시군요.
  You have a keen nose. 30)
- 당신은 후각이 좋으시군요.
  You have a good sense of smell.

---

28) gluten : 글루텐, 부질(곡식 알 속에 있는 담백질) / glutinous : 끈적끈적한(sticky)
29) diet : 주로 먹고 마시는 음식; 건강상의 이유로〔살을 빼기 위해서〕특별히 마련해 먹는 음식; be〔go〕on a diet : 식이요법〔다이어트〕를 하고 있다. / one-sided diet : 편식
30) 어떤 냄새를 잘 맡는 사람에게

7 술을 마실 때

술(liquor)을 마시는 건 어느 나라에서나 훌륭한 사교 수단 중의 하나다. 외국인과 술좌석을 같이 하는 기회를 마련해 보길 권하고 싶다. 술을 마시다 보면 서로 허심탄회한 얘기를 나눌 수 있고, 영어를 구사하는데 있어서도 훨씬 자연스럽고 부담이 없음을 느낄 것이다. 외국인에게 술을 마시자고 제안할 때는 "What do you say about having some drink with me tonight?(오늘밤에 저와 같이 술 좀 드시죠?)" 또는 "How about a drink tonight?(오늘밤 한잔하시죠?)", 술을 사겠다고 할 때는 "I'll buy you a drink.(제가 한 잔 사겠습니다.)"라고 한다. 아래 대화는 술을 권할 때의 상황이다.

기 본 대 화

A : Would you like one more drink?
B : Thank you. Just a touch.
A : Say when. [1)]
B : When!

A : 한 잔 더 하시겠습니까?
B : 감사합니다. 조금만 주세요.
A : 적당할 때 '그만' 하라고 말씀하세요.
B : 됐습니다 (그만 따르세요).

술 마실 것을 제의할 때

A : How about a glass of beer, Mr. Miller?
B : Rain check, please.

A : 밀러씨, 맥주 한 잔 어때요?
B : 다음에 할게요.

- 술 한 잔 하시겠습니까?
  Would you care for a drink?
- 오늘밤 한잔하시죠?
  How about having a drink tonight?
- 한 잔 사고 싶은데요. / 오늘 저녁에는 제가 사겠습니다.
  Let me buy you a drink. / Be my guest tonight, please.
- 술마시는 걸 좋아하세요? / 어떤 술을 좋아하십니까?

1) "(상대에게 술을 따라주면서 술 따르는 것을) 멈춰야할 때를 말씀하세요."라는 뜻

Do you like to drink? / What's your favorite drink?

- 오늘 저녁에 한잔하는 게 어떻습니까?
  How about a drink tonight?
- 이 근처에 싱글이 주로 가는 술집이 있습니까?
  Is there a single's bar around here?
- 이 술집이 제 단골 술집입니다.
  This bar is my hangout. [2)]
- 이번 잔은 제가 살게요.
  I'll buy this round.
- 저는 마실 준비가 되어 있습니다.
  I'm ready for a drink.
- 저희 집에 가서 한잔하시죠?
  Let's go have drink at my place. [3)]
- 제가 사겠습니다. / 제가 술 한 잔 사겠습니다.
  It's my treat. / I'll buy you a drink.
- 한잔하시겠습니까?
  Would you like a drink?
- 한잔할 생각 없으세요?
  Are you in the mood for a drink?
- 한잔하실 시간 있습니까?
  Do you have time for a drink?
- 이 근처에 단골 술집이 있는데, 가시겠어요?
  My favorite bar is near here. Would you like to go there?

> A : How about a drink before dinner?
> B : Thanks but I'll pass.
>
> A : 저녁 시사 전에 술 한잔하는 게 어때요?
> B : 고맙지만 사양하겠습니다.

주문할 때

> A: What do you want to drink? (뭘로 마시겠습니까?)
> B : I'd like a beer. (맥주 한 병 주세요.)
> C: Whiskey here, please. (저는 위스키로 주세요.)

- 와인 메뉴 좀 볼까요?
  Can I see your wine list?

2) hangout : 집합소, 아지트
3) place : ((구어)) 집, 사는 곳, 저택

- 저도 같은 걸로 하겠습니다. / 저는 마티니로 마셔보겠어요.
  I'll have the same. / I'll try a Martini.
- 우선 맥주부터 드실까요?
  Do you want to have a beer first?
- 금방 나오는 안주가 뭐죠?
  What snack can you serve right away?
- 맥주 두 잔 갖다 주세요.
  Will you get us two beers?
- 맥주 한 병 더 주세요.
  Another bottle of beer for me, please.
- 술 한 잔씩 더 따라 주세요.
  Give us all a refill, please. [4] / Please give us one more.
  Another round. [5]
- 얼음을 타서 주세요.
  On the rocks, please. [6]
- 이 술은 독한가요?
  Is it strong?
- 찬 것으로 좀 바꿔 주시겠어요?
  Would you mind replacing it with a cold one?
- 이 맥주가 시원하지 않군요.
  I'm afraid this beer is not cold.
- 안주는 무엇이 있습니까?
  What food do you have to go with your wine?
- 웨이터, 술안주가 없어요.
  Waiter, There is nothing good to take with the wine.
- 한 잔 더 주세요.
  (The) Same thing again, please.

술을 권할 때

- 맥주 좀 드릴까요?
  Will you have some beer?
- 한잔합시다
  Let's have a drink.
- 한잔하실래요? / 자기 전에 한잔하실래요?
  Would you care for a drink? / Care for a nightcap? [7]

---

4) 술잔이 비었을 때 웨이터에게 한 잔 채워 달라는 말
5) 웨이터에게 테이블에 앉아 있는 사람 수만큼 한 잔씩 더 주문할 때
6) on the rocks : 얼음 조각 위에 부은 위스키; 파멸 · 파산하여; 돈이 궁하여
7) nightcap : 잠잘 때 마시는 술

- 뭐 좀 마시겠어요?
  Would you like to something to drink?
- 당신 잔을 더 채워 드리겠습니다.
  Let me freshen your drink. [8] / Let me pour you a glass.
- 맥주 한 잔 더 하시겠습니까?
  Would you like another glass of beer?
- 자 모두들 들이킵시다!
  Everybody, get ready to chug your beer! [9]
- 자 한잔하게. 적당할 때 말해.
  Here you go! Say when. [10]
- 제가 한 잔 따라 드리겠습니다.
  Let me pour you a drink.
- 과장님께 맥주 좀 따라 드리세요.
  Please serve your boss some beer.
  Please pour some drinks for your boss.

사양할 때

A: Will you have another drink? (한 잔 더 드시겠어요?)
B : No, thanks. I' m too drunk. (아니오. 됐습니다. 과음했습니다.)

- 그만하면 충분합니다. / 고맙지만, 지금 막 한 잔 들었습니다.
  That's enough. / I just had one, no thank you.

술을 받을 때

A: Would you like a refill? [11] (한 잔 더 드시겠어요?)
B : I might as well. (그러죠.)

- 일어서기 전에 딱 한 잔만 주세요.
  Give me just one more for the road. [12]
- 좋아요. 조금만 마셔보겠습니다.
  All right. I'll try a little.

8) freshen : 신선하게 하다, 새로이 힘을 북돋다
9) chug : 'chugalug(꿀꺽꿀꺽 마시다, 단숨에 들이키다)' 의 단축형
10) 옆사람에게 술을 따라 주면서 할 수 있는 표현
11) refill : 다시 채운 것, (음식물의) 두 그릇[잔]째
12) one more for the road : 길 떠나기 전에 한 잔 더, 즉 술꾼이 자리에서 일어나기 전에 마지막으로 한 잔 더 마시는 것

기 타

- 술 한 잔 더 합시다. / 그런 의미에서 한잔합시다.
  Let's have one for the road. / Let's drink to that!
- 취하도록 마셔 봅시다.
  Let's get drunk.
- 이게 술안주에 좋아요.
  This goes very well with wine.
- 죽 들이키세요.
  Have a long drink.
- 한 잔 더 해도 탈은 없을 겁니다.
  Another glass won't hurt you.
- 마시면서 얘기 나눕시다.
  Let's have a talk over drinks.
- 2차 갑시다!
  Let's go another round! / Let's go bar-hopping. [13] 〈속어〉

건배 제의

단체 건배

A : Let's toast to our future success! Cheers!
B : Hear, hear!
A : 우리 앞날의 성공을 위하여 건배합시다, 위하여!
B : 위하여! 위하여! [14]

단둘이서 건배

A: Cheers! (위하여!)
B: Bottoms up! [15] (건배!)

- 건배합시다!
  Let's have a toast! / Skin off your nose!〈속어〉
- 당신을 위하여! 위하여!
  Here's to you! - Cheers!
- 건배!〔행운을 빕니다!〕
  Happy landings!
- 건배합시다!

13) bar-hopping : 여러 술집을 돌아다니며 마시는 것
14) 축배 제의자의 제창에 호응하는 소리 / ((英)) (의회에서 찬성의 표시로) 옳소! 옳소!
15) bottoms up : 술잔 바닥을 위로 가게 하다 → 잔을 비우다 → 건배하다

Let's toast! [16)]

• 그의 성공〔건강〕을 위해서 건배합시다.
Let's drink to his success〔health〕.

• 사장님의 건강을 위하여 축배를 듭시다!
I propose a toast to our president's health!

• 여러분 모두의 행복을 위하여!
To happiness for all of you!

• 우리들의 건강을 위하여!
To our health!

• 여러분들 모두 잔을 드십시오.
Everybody, please pick up your glasses.

• 이 모든 것을 위하여 건배합시다!
Let's drink to all of these!

A: I'd like to offer a toast.
B: Get on with it.
A: OK. Here's to our health and well-being!
B: Cheers!

A: 제가 건배를 제의하겠습니다.
B: 어서 하세요.
B: 좋아요. 우리의 건강과 행복을 위하여!
A: 위하여!

술맛 · 취향

• 이 맥주 맛 끝내주는데요. / 바로 이런 게 맥주 맛이에요.
This beer hits the spot. [17)] / That's a beer.

• 술을 섞어 마시는 건 좋지 않아요.
It's not good to mix different kinds of liquor.

• 이 술은 뒷맛이 안 좋아요.
This liquor leaves〔has〕 a nasty aftertaste. [18)]

• 이 포도주 정말 독한데요. / 저는 독한 술을 좋아합니다.
This wine really packs a wallop. [19)] / I like strong liquors.

• 이건 좋은 술이니, 음미하면서 드세요.
This is good stuff. You should nurse it.

16) toast : 축배를 하다, 건배를 들다
17) hit the spot : 말할 나위 없다, 만족스럽다
18) nasty : 구역질나게 하는, (약 · 음식 · 냄새 등으로) 역겨운, 불쾌한 ; ((구어)) (비디오로 제작된) 공포 영화
19) pack a wallop : (독한 술 등이) 굉장한 위력이 있다

• 이렇게 더운 날에는 차가운 맥주보다 더 좋은 게 없어요.
There is nothing like a cold beer on a hot day like this.

• 저는 생맥주가 더 좋아요.
I prefer draft beer.

양주의 종류

① 식전에 마시는 술(aperitif / cocktails) : 식욕을 돋구기 위한 술로서, 기본으로 gin, vodka, whisky 등이 있고 추가로 vermouth cocktail, long drinks 등이 있으며, 혼합주(기본 + 추가)로는 scotch and soda, gin tonic, vodka 등이 있다.

② 식사와 함께 마시는 술 : 식사를 할 때는 wine을 마시는 것이 상례다. 와인은 색깔에 따라 red wine, white wine, pink wine 등으로 구분된다. 만찬에는 white wine, red wine, champagne(샴페인 : 건배용)이 제공된다.

③ 식후에 마시는 술 : Brandy(브랜디)와 liqueur(혼성주)가 있다. 브랜디에는 꼬냑이 있는데 저장기간에 따라 V.S.O〔Very Superior Old : 15-20년〕, V.O〔Very Old : 12-15년〕 등으로 표시된다.

주 량

A: Do you like beer? (맥주 좋아하세요?)
B : Oh, not half. (좋아하다마다요.) [20]

• 평소에 어느 정도 마십니까?
How much do you usually drink?

주량이 많다

• 그 사람은 술이 세서 보조 맞추기가 힘들어요.
It's hard to keep up with him because he's a heavy drinker.

• 저는 술고래입니다. / 저는 술을 물 마시듯 마셔요.
I'm a heavy drinker. [21] / I drink like a fish.

• 그는 알코올 중독자예요. / 저는 술이라면 사족을 못써요.
He is an alcoholic. / I'm on the bottle. [22]

• 저는 맥주에는 안 취해요.
I don't get drunk on beer.

20) not half : 몹시〔지독히〕 ~하다
21) heavy〔hard〕 drinker : 술고래
22) on the bottle : 술에 빠진, 술을 잔뜩 마신

주량이 적다

• 가끔 한잔합니다.
I enjoy a glass every now and then.
• 저는 술을 별로 안 마셔요. / 저는 술을 별로 좋아하지 않습니다.
I'm a light drinker. / I don't enjoy drinking very much.
• 저는 맥주 한 잔만 마셔도 취해버려요.
One shot of beer, and I'm under the table.
• 저는 한 잔만 마셔도 얼굴이 빨개져요.
A single cup of wine makes me flushed.

술을 못하다

• 술을 끊었습니다.
I gave up drinking.
• 저는 술을 한 방울도 못 마십니다.
I don't touch liquor. / I don't drink even a drop.

과음했을 때

A : You're obviously drunk.
B : I'm fine. Let's just have one more.
A : 너무 취하셨어요.
B : 괜찮아요. 딱 한 잔만 더 합시다.

과음하다

• 그 사람은 술마시는 걸 통제를 못해요.
He can't control his drinking.
• 당신은 과음하셨군요.
You had too many drinks.
• 술을 마시는 것도 좋지만, 적당히 마셔야 해요.
You may drink, but you must drink in moderation.
• 술을 먹어도 도를 지나쳐서는 안 되요.
You should refrain from excessive drinking.
• 어젯밤에 밤새 과음을 했어요.〈속어〉
I was elbow-bending all last night. [24)]
• 왜 그렇게 술을 많이 마시세요?

24) elbow-bending : 과음한

What makes you drink so much?

- 이제 그만 마시는 게 어때?
  Don't you think you'd better cool it〔ease up〕? [25)]
- 저는 과음을 했어요.
  I had a little too much. / I had a heavy drink.

술에 취하다

- 당신 취했군요.
  You are drunk.
- 나 벌써 상당히 취했어요.
  I'm already pretty high. [26)]
- 술이 좀 오르는 것 같은데요. / 술기운이 도는데요.
  I'm feeling a little high. / I'm catching a buzz. [27)]〈속어〉
- 점점 취해 가는데요. / 좀 취하는데요.
  I'm getting drunk. / I'm slightly buzzed.
- 그 맥주 마시고 많이 취했어요.
  I'm on a booze from that beer. [28)]
- 그 사람 내버려두세요.
  Don't bother〔disturb〕him. / Leave him alone.
  Let him be. [29)]
- 그 사람한테 술 더 주지 마세요.
  Keep the bottle away from him.
- 그 사람은 (지금) 엄청나게 취했어요.
  He got dead drunk. / He's blind drunk now. [30)]
- 그 사람 자게 내버려두세요.
  Let him sleep.
- 그 사람은 취하면 딴 사람이 되요.
  He's like a different person when he's drunk.
- 그는 술만 들어가면 옷을 벗어요.
  He always strips when he loads his stomach with liquor. [31)]
- 그는 술이 들어가면 딴사람 같아요.
  He looks like another man when the wine is in him.

---

25) ease up : 누그러지다, 완화되다
26) 친구가 자꾸 술을 권할 때
27) catch a buzz : 술기운이 약간 돌다
28) on a booze : 몹시 취한
29) 술취한 친구를 달래고 있는 친구에게 그냥 가만 놔두라고 하는 말
30) blind〔dead〕drunk : 곤드레만드레 취한
31) load one's stomach with ~ : ~을 뱃속에 채워 넣다 / have a load on : ((속어)) 취해 있다 / load : 충분히 취할 정도의 술의 양; 취함

• 그는 술만 마시면 같은 말을 자꾸 되풀이해요.
He gets repetitious when he drinks. [32)]

• 그는 술만 취하면 떠들어대요.
He gets loud when he's drunk.

• 그는 술만 취하면 잔소리를 시작해요.
Whenever he gets drunken, he goes into his lousy preaching routine. [33)]

• 그는 버릇없는 술주정뱅이예요. / 그는 고약한 술꾼이에요.
He is a mean drunk. [34)] / He's an obnoxious drinker. [35)]

• 그는 술이 거나하면 호인이 되요.
He's a happy 〔friendly〕 drinker.

• 그는 취하면 상대하기가 곤란해요.
He's not good company when he's drunk.

• 그는 취했다 하면 우는 버릇이 있어요.
Every time he's drunk, he ends up crying. [36)]

• 저는 조금밖에 안 마셨어요.
I had a little drink.

• 취해서 물건이 둘로 보이세요?
Are you beginning to see double? [37)]

• 당신 술 깬 다음에 얘기합시다.
Let's talk when you sober up.
Let's talk when you' re straight.

• 똑바로 걷지를 못하겠어요.
I couldn't walk a straight line.

• 운전하려면 술을 깨야 해요.
I have to sober up for driving. [38)]

• 지독한 숙취군! 머리가 쪼개지는 것 같아요.
What a hangover I've got! My head feels like it's going to split.

• 아, 그가 잠들어 버렸어요. 이 일을 어쩌죠?
Oh! He's fallen asleep. What should we do?

• 저는 취해도 정신은 안 잃어요.
I carry my liquor well.

---

32) repetitious : (자꾸) 되풀이하는, 반복성의
33) go into ~ : ~을 시작하다 / lousy : 형편없는 / preaching : 설교
34) drunk : ((구어)) 술주정뱅이
35) obnoxious : 비위 상하는, 불쾌한, 싫은
36) end up ~ing : 결국 ~을 하다
37) 술에 취해 초점이 흐리멍덩해진 친구에게 / see double : 취해서 물건이 둘로 보이다
38) sober up : 술을 깨다

속이 거북하다

- 빈속에 술을 마시는 건 좋지 않아요.
  It's not good for you to drink on an empty stomach.
- 기분이 언짢아요.
  I feel sick. [39] / I don't feel good.
- 토할 것 같아요. / 속이 메스꺼워요.
  I'm going to throw up. / I feel nauseated. [40]
- 실례하겠습니다. 몸이 좀 안 좋아서요.
  Please excuse me. I don't feel well.
- 토해버리세요. 토하면 기분이 나아질 거예요.
  Why don't you throw up? / You'll feel better afterwards.

술이 깨다 · 나아지다

- 이젠 좀 나아졌어요.
  I don't feel sick anymore. / I don't feel so bad now.
  I feel better now. [41] / I'm okay now.
- 나 술 깼어요. / 나 정신 멀쩡해요〔나 안 취했어요〕!
  I'm sober. / I'm as sober as a judge! [42]

기 타

- 저는 사교상 술을 마셔요.
  I'm a social drinker.
- 다른 술집으로 옮겨 갈까요?
  Would you like to move to another bar?
- 다른 자리로 바꿀까요?
  Would you like to find other seats?
- 좀 더 떠들썩한 술집으로 가시겠어요?
  Would you like to go to a lively bar?
- 좀 더 조용한 곳으로 옮기시겠어요?
  Would you like to move to a quiet place?
- 홧김에 술을 마시지 마세요.
  Don't drink liquor in anger.
- 사람은 술을 마시면 본성이 드러나는 법이에요.
  Liquor shows one's true character.

---

39) 술을 마시고 난 후 (특히 과음시) 몸의 컨디션이 별로 좋지 않을 때
40) nauseate : 구역질나(게 하다), 혐오감을 느끼(게 하다)
41) 기분이 언짢은 상태 · 속이 안 좋은 상태에서 더 나아졌을 때
42) as sober as a judge : 매우 진지한, 완전히 취하지 않은(completely sober)

활용어휘

- 과실주 : fruit wine
- 독주(毒酒) : hard liquor
- 맥주 거품 : head
- 병마개 : bottle cap〔top〕 / cork
- 보드카 : vodka
- 흑맥주 : porter
- 술취한 : drunken / loaded
- 약한 맥주 : small beer
- 최고급 포도주 : extra good wine
- 김빠진 맥주 : flat beer
- 럼주 : rum
- 병 맥주 : bottled beer
- 주류 판매(면허)점 : liquor store
- 술 : drink / alcohol / booze〈속어〉
- 펀치 : punch [43)]
- 안주 : snack / food
- 열매로 담근 술 : elderberry wine
- 캔 맥주 : canned beer

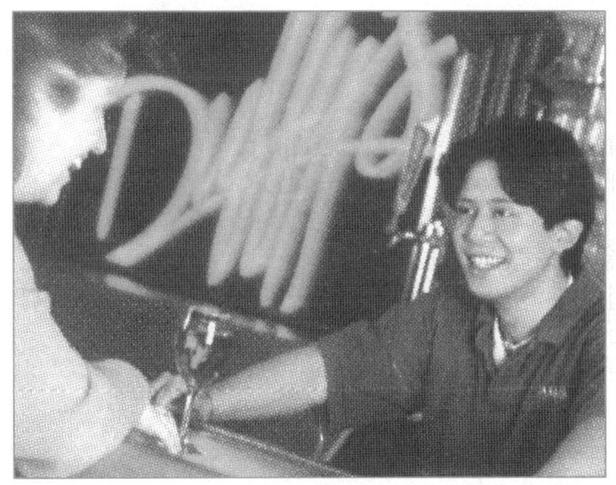

43) 물, 술, 레몬, 설탕, 스파이스 등 5가지 종류를 섞어서 만든 음료 / punch : ((산스크리트어)) 5(five)

8 계산할 때

식사를 마치고 계산을 할 때는 웨이터에게 직접 계산을 하는 경우가 있고, 카운터에서 계산을 할 때가 있다. 계산을 부탁할 때는 **"Check, please.**(계산을 부탁합니다.)" 또는 **"Can I have the bill?**(계산서 좀 주시겠습니까?)"라고 하고, 계산하는 장소를 물을 때는 **"Where can I pay?**(어디서 계산을 하죠?)"라고 한다.

기 본 대 화

A : Could I have the check, please?
B : Sure. (After a while) Here you are.
A : Is the service charge included in the check?
B : Yes, it is.
A : Do you accept this credit card?
B : Sure. No problem. Could you sign here, please?
A : All right.
B : Thank you very much.

A : 계산서 부탁합니다.
B : 알겠습니다. (잠시 후) 여기 있습니다.
A : 여기에 봉사료가 포함되어 있습니까?
B : 네, 그렇습니다.
A : 이 신용카드 받습니까?
B : 물론입니다. 상관없습니다. 여기에 서명 좀 해 주시겠습니까?
A : 알겠습니다.
B : 감사합니다.

계산할 때

계산 부탁

- 계산을 부탁합니다.
  Check〔Bill〕, please.
- 계산을 어디서 하죠?
  Where do I pay the bill?
- 계산을 좀 하고 싶은데요.
  I'd like to get the tab, please. [1]

1) tab : ((속어)) 계산서; 전표(check), 출납 기록, 기장; 검산

- 계산서 좀 주시겠어요?
  May I have the check, please?

> A : One check or two?
> B : Make out separate check, please.
> A : 계산서를 하나로 할까요, 따로따로 할까요?
> B : 따로 따로 해 주세요.

- 계산을 하나로 할까요, 따로 할까요?
  One check or separate?
- 선불입니다, 손님.
  You have to pay in advance, sir.
- 한국 돈으로 얼마죠?
  How much is it in Korean money?

자신이 낼 때

- 제가 낼게요.
  It's on me. / I'll get it.
  Please allow me (to pay).
- 이번에는 제가 사겠습니다.
  This time I'll treat you.
  This time you're my guest.
- 제가 낼 차례입니다.
  It's my turn to treat you. / It's my turn to pay.
- 이건 제가 낼게요.
  I'll get this one.
- 당신은 다음에 한턱 내세요.
  You can treat me next time.
- 다음엔 제가 대접할게요.
  Next time it will be my treat.
- 제가 계산할게요.
  I'll pick up the tab.
  I'll take care of the bill.
- 회사에서 지불하는 겁니다.
  It's on my company.
- 한턱 내는 겁니다.
  It's on the house.

각자 부담

- 각자 부담합시다.
  Let's go dutch. / Let's pay by separate checks.
  Let's share the bill.
- 반반씩 냅시다.
  Let's go halves. / Let's go fifty-fifty on the bill.
  Let's split the bill. [2)]
- 이번에도 각자 부담하는 게 어때요?
  Why don't we pay half this time?
- 제 몫은 제가 낼게요.
  Let me pay for myself.
- 제가 낼 게 얼마죠?
  How much is my share?
- 크레빌씨가 전부 계산했어요.
  Mr. Krebill footed the entire bill. [3)]
- 제 음식값도 좀 내 주겠어요? 내일 직장에서 만나서 갚을게요.
  Would you mind paying for my food, too? I'll pay you back tomorrow when we meet in work.

팁을 줄 때

- 이건 당신에게 드리는 팁입니다.
  This is a tip for you. / This is a little something for you.
- 잔돈은 가지세요.
  Keep the change. / The rest is yours.
- 그 여자에게 줄 팁을 남겨 놓으세요.
  Leave a tip for her.
- 서비스를 잘 해주셨으니까 계산서에 20%의 팁을 더하세요.
  You can add a 20% tip to the bill for your excellent service.
- 전체 계산의 10%에 해당하는 팁을 남기는 것이 일반적이에요.
  It's standard to leave a tip equal to 10% of the total bill.

활용 어휘
- 팁 잘 주는 사람 : a good tipper
- 팁이 후한 사람 : a big tipper

2) split the bill : 계산서를 쪼개다 → 비용을 절반씩 부담하다
3) foot the〔a〕 bill : 비용을 부담하다, 돈을 치르다

계산서 확인

- 팁이 포함된 건가요?
  Is the service charge included? / Is tip included?
- 생각해보니, 돈이 모자라네.
  Come to think of it, I don't have enough money.
- 아직 거스름돈을 안 받았습니다.
  I haven't got my change back yet.
- 여기 음식은 왜 이리 비싸죠?
  Why is the food so expensive here?

계산서가 틀릴 때

- 합계가 틀린 것 같습니다.
  I think this is added up wrong.
- 계산이 틀립니다.
  There is a mistake in the bill.
- 계산서를 다시 확인해 주시겠습니까?
  Could you please check our bill again?
- 이건 저희 계산서가 아닌데요.
  This is not our check.
- 주스는 주문하지 않았는데요.
  We didn't order juice.

미국의 팁(tip) 문화

우리 나라에서는 팁 제도가 보편화되어 있지 않지만 미국에서는 팁 제도가 관례화되어 있다. 특히 서비스업계에서는 요금을 지불할 때 반드시 팁을 포함시겨 계신해야 한다. 미국에서는 이 팁만으로 생계를 유지하는 사람들이 있다는 사실도 기억해 두자. 업종에 따라서 팁의 액수는 다소 차이가 있지만 대체로 전체 요금의 10 ~ 20%를 준다.

- 레스토랑〔바(bar)〕의 웨이터 및 웨이트리스(직접 서빙하는 사람) : 15 ~ 20% • 택시 운전사 : 10 ~ 15%
- 공항 포터(porter) : 짐 한 개당 50센트 ~ 1달러
- 호텔 : 도어맨(1달러) / 포터(짐 한 개당 1달러) / 청소부〔room maid〕(1박에 1달러) / 룸 서비스 담당자(음식값의 10 ~ 15%)
- 관광버스 기사 및 안내원 : 1달러(장거리 관광의 경우 관광요금의 10% 정도)
- 이발소〔미용실〕: 15 ~ 20 %(손톱 손질, 샴푸, 면도, 구두닦이 등 각 담당자에게 별도로 10-15% 정도)
- 공항 셔틀 : 일정한 노선을 운행하는 대형 버스의 경우 팁을 줄 필요 없지만, 각 승객들의 목적지까지 차례대로 실어다 주는 소형 밴(van)의 운전사에게는 1달러 이상의 팁을 준다.

- 팁을 주지 않아도 되는 사람 : 버스 보이(busboy) / 레스토랑 등에서 식기 등을 치우는 사람 / 세관원, 경찰관 등의 공무원 / 항공사의 직원 / 주유소의 종업원 / 극장 · 영화관 등의 안내원 / 패스트 푸드점의 점원(패스트 푸드점은 self-service로 운용됨) / 사무실의 청소부 / 쇼핑센터 및 백화점의 점원 등
- 레스토랑에서 또는 택시 요금 등을 지불할 때 "잔돈〔거스름돈〕은 가지세요."라고 할 때는 "Keep the change."라고 말한다.

명언 한 마디

Imagination is more important than knowledge.

상상력은 지식보다 더 중요하다.

- Albert Einstein(1879 ~ 1955) -

9 식사를 마친 후

식사를 마치고 나서 상대방에게 식사 대접에 대한 감사의 인사를 할 때는 **"I enjoyed it very much.**(아주 잘 먹었습니다)**"** 또는 **"Thank you for your dinner.**(저녁 식사 대접에 감사드립니다.)**"**라고 말한다.

감사의 인사

- 식사 맛있게 드셨기를 바랍니다.
  I hope you enjoyed your meal.
- 점심 식사 맛있게 드셨어요?
  Did you enjoy your lunch?
- 아주 맛있게 먹었습니다.
  I enjoyed it very much.
- 술 잘 마셨습니다.
  I enjoyed your drink.
- 점심 식사를 대접해 주셔서 감사합니다.
  Thank you for your lunch.

식당을 떠날 때

- 또 오세요.
  Please come again.
- 서비스도 뛰어나고 음식도 근사했어요.
  The service has been superb and the food magnificent. [1)]
- 식사 정말 맛있었죠?
  Wasn't that meal just sensational, was it?

1) magnificent : 훌륭한, 격조높은, 멋진

10 패스트 푸드점에서

패스트푸드 식당(Fast-food restaurant)이란 음식이 매우 빨리 주문되고 서비스가 이루어지기 때문에 'fast food' 라는 이름을 가지고 있다. 메뉴는 주로 햄버거(hamburger), 후라이(fries), 콜라(coke) 등이다. 일부 식당은 자동차를 탄 채로 주문하고 식사할 수 있는 드라이브 인 서비스(drive-in service / drive-thru service)를 제공하기도 한다. [1)]

기 본 대 화

A : May I help you?
B : Yes, give me a hot dog and a medium coke.
A : Would you like the whole works on your hot dog? [2)]
B : Yes, but hold the onions, please.
A : All right. For here or to go.
B : To go, please.
A : Okay. That'll be $2, please.
B : (Paying 2 dollars) Here you are.

A : 도와 드릴까요?
B : 핫도그 한 개와 중간 크기로 콜라 하나 주세요.
A : 핫도그에는 바르는 것을 다 발라 드릴까요?
B : 네, 그렇지만 양파는 빼 주세요.
A : 알겠습니다. 여기서 드실 겁니까, 가지고 가실 겁니까?
B : 가지고 갈 겁니다.
A : 알겠습니다. 2불입니다.
B : (돈을 주면서) 여기 있습니다.

주문할 때

- 싸가지고 갈 것을 주문할 수 있습니까?
  Can I order a take-out〔carry-out〕?
- 이걸 다 먹지 못했는데, 싸가지고 갈 봉지 하나 주시겠어요?
  I couldn't finish this food. Can I have a doggie bag? [3)]

1) thru : ((美 구어)) through
2) the (whole) works : ((구어)) 전부, 일체 → 여기서는 핫도그 위에 발라 주는 ketchup(케첩), mustard(겨자), relish(오이 썬 것 + 기타 양념) 등을 가리킨다.
3) doggie bag : 개에게 준다는 데서 유래한 것으로 식당에서 손님이 먹다남은 음식을 넣어 주는 비닐 봉지를 말한다.

- 가지고 갈 겁니다.
  I'll take them away.
- 가게 안에서 먹어도 됩니까?
  Can I eat in the shop?
- 포크는 어디에 있습니까?
  Where can I get forks?
- (가지고 갈 수 있도록) 햄버거 3개 싸 주세요.
  (Can I have) Three hamburgers to go, please.
  Can I have three hamburgers to carry out?
- 구운 소고기 샌드위치와 토마토 주스 한 잔 주세요.
  I'll have a roast beef sandwich and a glass of tomato juice, please.

> A: Will that be all? (그게 전부입니까?)
> B: Yes, that's all〔it〕. (네, 그게 전부입니다.)

- 이것 좀 싸 주시겠어요?
  Would you wrap this for me? [4)]
- 남은 것은 가지고 가셔도 됩니다.
  You may take out what's left over.
- 어떤 맛이 나는 걸로 드릴까요?
  What flavor would you like? [5)]
- 토스트에 버터를 바르시겠어요?
  Would you like butter on your toast?
- 겨자는 빼 주세요〔겨자는 바르지 마세요〕.
  No mustard, please

기 타

- 이건 서비스로〔덤으로〕 드리는 겁니다.
  This is on the house (expense).
  We'll throw this in.
  This is complimentary. [6)]
  This is a free gift.

---

4) wrap : (감)싸다, 입다; (일 회의 등을) 끝내다, 마치다
5) 아이스크림을 살 때 점원이 어떤 맛이 나는 것을 원하는지 묻는 표현으로 맛의 종류에는 초콜릿, 바닐라, 호두 등이 있다. / flavor : 맛, 향
6) complimentary : 칭찬하는; 무료의 / complimentary ticket〔seat〕: 무료 티켓〔초대권〕

명언 한 마디

When a man sits with a pretty girl for an hour, it seems like a minute. But let him sit on a hot stove for a minute-and it's longer than any hour. That's relativity.

남자는 예쁜 소녀와 한 시간 동안 앉아 있어도 단 1분처럼 느끼나, 뜨거운 난로 위에는 단 1분을 앉아 있어도 한 시간 보다 훨씬 더 길게 느낄 것이다. 그것이 상대성의 원리이다.

- Albert Einstein(1879~1955) -

E N G L I S H
C O N V E R S A T I O N
D I C T I O N A R Y

CHAPTER 

 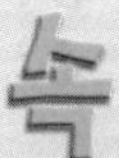

- 약속을 정할 때
- 약속을 확인할 때
- 약속을 변경 · 취소할 때
- 약속 장소에서
- 약속을 어겼을 때
- 기타

1 약속을 정할 때

약속(appointment)을 정할 때는 우선 상대방의 형편을 물어 본 후 용건을 말하고 약속 시간(time)과 장소(place)를 결정해야 한다. 상대방의 형편을 물을 때는 "There's something I'd like to discuss with you. Could you spare a few minutes for me?(의논할 게 있어서 그러는데, 시간 좀 내 주시겠습니까?)" 라고 말하고 가능한 시간을 물을 때는 "What time would be good for you?(몇 시가 좋습니까?)" 또는 "Are you free tomorrow afternoon?(내일 오후에 시간 있으세요?)" 라고 말한다. 그리고 약속 시간과 장소를 결정할 때는 "Where and what time shall we meet?(어디서 몇 시에 만날까요?)" 라고 말한다.

기 본 대 화

A: I'd like to discuss something with you.
When can I come over to see you?
B : At your convenience.
A : How about 6 o'clock?
B : That suits me fine.
A : Well, I'll come to your office at six o'clock
or earlier if I can.
B : All right. The sooner, the better.

A : 뭐 좀 상의할 게 있어서 그러는데요.
언제 가서 만나 뵐 수 있을까요?
B : 편리한 시간에 오세요.
A : 6시가 어떨까요?
B : 그 시간이면 저도 좋습니다.
A : 그럼, 6시나 가능하다면 그 전이라도 당신 사무실로 갈게요.
B : 알았어요. 빠를수록 좋아요.

약속 제안

만나고 싶을 때

- 잠깐 만나 뵐 수 있을까요?
  Can I see you for a moment?
- 그것에 관해 상의하려고 하는데 내일 시간 있어요?
  Do you have time tomorrow to discuss that?

- 내일 언제 한번 만났으면 합니다.
  I want to see you sometime tomorrow.
- 일간 한번 만났으면 합니다.
  I'd like to see you one of these days.
  I'd like to get together with you sometime.
- 당신과 약속을 하고 싶은데요.
  I'd like to make an appointment.
- 언제 한번 만납시다.
  Let's get together sometime.
- 기회 있을 때 한번 만났으면 합니다.
  I'd like to see you when you get a chance.

형편을 물을 때

- 지금 시간 있으세요?
  Are you free now? / Are you available now?
- 시간 좀 있니? / 잠시 시간 좀 있으세요?
  Have you got time? / Do you have a minute?
- 내일 무슨 약속이 있습니까?
  Do you have any appointment tomorrow? [1)]
- 오늘 저녁 한 시간 정도 내 주시겠습니까?
  Would you spare me one hour this evening?
- 언제 시간이 있습니까?
  When do you have time?
- 오늘 저녁 무슨 할 일이라도 있습니까?
  Are you doing anything this evening?
- 이번 주 일요일에 함께 만날까요?
  Shall we get together this Sunday?
- 이번 주말에 무슨 계획이 있으세요?
  Do you have any plan for this weekend?

제안에 대한 응대

용건을 물을 때

- 그런데, 왜죠?
  Yes, why?

---

1) appointment : 지정; 임용; (만날) 약속 / appointments : (건물의) 설비, 장비(outfit) / engagement : (회합 등의) 약속; 약혼 / a previous engagement : 선약 / engagements : 채무

• 무슨 일로 저를 만나려 하시죠?
What do you want to see me about?
• 글쎄요. 아직까지는 계획이 없는데요. 왜 그러시죠?
Let me see. No, I don't think I've got anything planned yet. Why?

약속에 응할 때

• 그러잖아도 언제 한번 만났으면 했습니다.
I intended to see you one of these days.
• 다음주엔 아무리 바빠도 당신과 만날 시간을 마련하겠습니다.
No matter how busy I'm next week, I'll find the time to see you.
• 특별한 약속이 없어요.
I have nothing on my calendar (schedule).
I have no particular engagements.

시간이 없을 때

A: Mr. John. Could I see you on Friday evening?
B : I'm sorry, but I can't. I have to work late this Friday.
A: Oh, that's too bad.
B : Are you doing anything on Saturday?
A: Well, I can't make it on Saturday either, but I'm free on Sunday night.

A : 존슨씨. 금요일 저녁에 저 좀 만날 수 있을까요?
B : 미안하지만 안 되요. 이번주 금요일 저녁에는 야근을 해야 하거든요.
A : 오, 안됐군요.
B : 토요일에는 무슨 일 있으세요?
A : 음, 토요일은 안 되지만, 일요일 밤에는 시간이 있어요.

• 급한 일에 매여 있어 몹시 바빠요.
I'm tied up with something urgent.
• 미안하지만, 오늘 스케줄이 꽉차 있습니다.
I'm sorry, I'm booked up today.
I'm sorry, but I have a heavy schedule today.
I have a full schedule today.
• 토요일에는 스케줄이 빠듯해요.
I have a tight schedule on Saturday.

A: I'm really sorry. I can't make it.
B : OK. Maybe we can do it some other time, then.
A: Yes, I'd really like to.
A : 정말 미안합니다. 시간약속을 할 수 없어서.
B : 괜찮아요. 그럼 다음에 언제 할 수 있겠죠.
A : 그래요. 저도 꼭 그러고 싶어요.

- 저는 시간에 쫓기고 있습니다. / 저는 정말 시간이 없어요.
  I'm pressed for time. / I really haven't got time.
- 점심 시간이 지나서야 시간이 있어요.
  I'm not free until after lunch.
- 이번주는 그 날만 비어 있습니다.
  That's all I have open this week. 2)

선약이 있을 때

- 미안합니다만, 그 날은 선약이 있습니다.
  I'm afraid I have another appointment〔engagement〕 for that day. 3)
- 오늘밤에는 매우 중요한 약속이 있습니다.
  I have a very important appointment tonight.
- 미안해요. 하루종일 약속이 있어요.
  I'm sorry. I have appointments all day.
- 11시 30분에 점심 약속이 있습니다.
  I have a lunch date at 11:30.
- 오후 3시에 제 친구와 약속이 있습니다.
  I have an appointment with my friend at 3:00 p.m.
- 그 날밤은 이미 계획이 잡혀 있습니다.
  I already have plans for that evening.
- 그 날에는 연달아 약속이 있어요.
  I have appointments back-to-back that day. 4)
- 오늘 만날 사람이 많이 있어요.
  I have a lot of people to see today.
- 오늘 찾아 올 손님이 있습니다.
  I'm expecting visitors today. / I expect visitors today.

---

2) 직역 : 그게 제가 비어 있는 전부입니다.
3) ((참고)) 약속 제안 거절시 에티켓 : 외국인이 약속을 제안해 올 때 무턱대고 "I'm very busy."라고 말해 버리면 상대방이 무안감을 느낄 수 있다. 따라서 이럴 때는 "I'm sorry, but I have another appointment.(죄송하지만, 선약이 있습니다.)"라는 식으로 말하면 상대의 체면을 세워 주고 거절의 명분도 확실해지게 된다.
4) back-to-back : 등을 서로 맞댄; 연속적인

시간을 정할 때

A: What's a good time for you?
B : I can be ready by 6:00.
A: That's okay with me. See you then.
A : 몇 시가 좋으십니까?
B : 6시까지는 갈 수 있어요.
A : 저도 좋습니다. 그럼 그때 봐요.

상대의 의향을 물을 때

- 5시가 어때요?
  How about five o'clock? / How would five o'clock be?
- 5월 5일이면 괜찮겠어요?
  Is May 5th a good date?
- 3시면 괜찮겠어요?
  Is three o'clock all right? / Would three o'clock suit you?
  Would three o'clock be all right?

좋은 시간을 물을 때

- 당신한테는 몇 시가 가장 좋으세요?
  What time would be best for you?
  What time suits you best?
- 몇 시에 약속을 하고 싶으세요?
  What time do you want to make it?
- 몇 시에 만날까요?
  What time shall we make it for?
- 당신에겐 언제가 가장 편리하겠습니까?
  When would it be most convenient for you? [5)]
- 하루 중 언제가 가장 좋은 시간입니까?
  When is the best time of the day for you?

시간에 상관없을 때

- 아무때나 좋아요. / 저한테는 괜찮습니다.
  Anytime will be fine. / It's all right with me.
- 저녁에는 아무때나 좋습니다.
  Anytime in the evening will be fine.

5) 'convenient' 의 주어는 사람이 될 수 없으며, 'it' 나 기타 명사 및 대명사를 주어로 사용한다. / make it convenient to + 동사원형 : 형편을 보아 ~을 하다

• 오후엔 시간을 비워 놓을테니까, 당신 편리한 대로 들르세요.
I'll have all afternoon open for you. So drop in at your convenience.

적절하지 못할 때

• 어디 봅시다. 오늘은 별로 좋지 않군요.
Let me see. Today is not so good.

최종 결정을 할 때

• 5시에 만나죠.
Let's make it five o'clock. [6] / Let's make it at five.
• 날짜를 정합시다.
Let's set a date.
• 좋아요, 그럼 결정됐어요. 거기서 봐요.
O.K. then it's settled. See you there.
• 괜찮으시다면 목요일에 만났으면 합니다.
I'd like to see you on Thursday if it's OK with you.
• 다음 주 일요일로 (정)합시다.
Let's try for next Sunday.

장소를 정할 때

A: Where shall we meet?
B : How about the Oriental Garden?
A: I'm afraid that's awfully far.
Let's meet somewhere halfway.
B : All right. How about the Dragon Hill, then?
A: That'll be fine with me.

A : 어디서 만날까요?
B : 오리엔탈 가든이 어떠세요?
A : 거긴 너무 멀어요. 중간쯤에서 만납시다.
B : 좋아요. 그럼 드래곤 힐은 어떠세요?
A : 그곳이 좋겠군요.

• 거긴 너무 멀어요. / 중간쯤에서 만납시다.
That's too far. / I'll meet you halfway.

6) "make it"의 의미 : ① 성공하다, 해내다 I made it.(해 냈어요.) / ② 제 시간에 도착하다 I can't make it by 3 p.m.(3시까지는 도착할 수 없어요.) / ③ 약속 시간 · 장소를 ~으로 정하다 Let's make it five.(약속 시간을 5시로 합시다.) / ④ 성교하다

• 그러시다면 그 후에〔그 일을 끝내고〕 아무때나 이쪽으로 오시는 게 어때요?
So why don't you come over anytime after that?
• 괜찮은 회합 장소가 있습니까?
Is there a good place to meet?
• 불편하시지 않으면, 이쪽으로 오시겠습니까?
If it isn't inconvenient for you, do you want to come my way?
• 선생님께서 불편하시다면, 제가 그쪽으로 가겠습니다.
If it's inconvenient for you, I can come your way.
• 제가 당신 쪽으로 갈까요, 아니면 당신이 이쪽으로 오겠습니까?
Shall I come your way or would you come my way?
• 제가 묵고 있는 호텔에서 만납시다.
Let's meet at my hotel.
• 당신이 장소를 결정하세요. / 어디든 좋습니다.
You pick the place. / Any place will do.

기 타

• 언제 어디서 만나 뵐 수 있을까요?
When and where can I meet you?
• 제 스케줄 좀 확인해 볼게요.
Let me check my calendar.
• 당신이 시간과 장소를 결정하세요.
You name the time and place.
• 당신 좋을 대로 하세요.
Suit yourself.
• 당신을 기다리고 있겠습니다. / 아마 좀 늦을지도 몰라요.
I'll be expecting you. / I may be a few minutes late.
• 바람맞히지 마세요. / 늦지 마세요.
Don't stand me up. [7] / Don't be late.
• 약속을 어기지 마세요. / 잊지 마세요.
Don't break your appointment. / Don't forget.
• 다음 주 토요일을 비워두세요〔토요일에는 아무런 약속하지 마세요〕.
Please keep next Saturday open.
• 5시에 차를 보내서 당신을 모시도록 하겠습니다.
I'll send a car to pick you up at 5:00.
• 5시에 누구를 보내서 당신을 모시도록 하겠습니다.
I' ll have someone pick you up at 5:00.

7) stand sb up : ((구어)) 약속에 나오지 않다, 데이트에서 바람맞히다

- 5시 30분에 차로 당신을 모시러 가겠습니다.
  I'll pick you up at half past five.
- 제가 당신을 모시러 가겠습니다.
  I'll come and get you.
- 제가 내려가서〔그리로 가서〕 당신을 모시러 가겠습니다.
  I'll come down and pick you up.

2 약속을 확인할 때

누구에게나 갑작스런 일이 생겨서 약속이 변경되거나 취소되는 경우가 생길 수 있다. 특히 직위가 높은 사람이나 늘 스케줄이 꽉차 있는 사람과의 약속은 더욱 그렇다. 그러므로 상대방과 약속을 해놓고 그 약속이 가능한지를 확인할 필요가 있다. 이럴 경우에는 "Are you still on for our 7:00 appointment today?(오늘 7시에 만나기로 한 약속 변동 없죠?)" 라고 말한다.

기본대화

A : Are we still planning to get together after work today?
B : Oh! I'm terribly sorry, Mr. Son.
I forgot and made other plans.

A : 오늘 퇴근 후에 만나기로 한 것 변동 없죠?
B : 아! 정말 죄송합니다. 손 선생님.
깜빡 잊고 다른 약속을 해버렸어요.

- 오늘밤 7시에 만나기로 한 것 아직 변동 없죠?
  Are you still on for 7:00 o'clock appointment tonight?
- 오늘 점심 약속한 것 변동 없는 거죠?
  Are we still on for lunch today?
- 약속을 잊고 계셨군요.
  You're forgetting our appointment.

Today's Schedule

- 08:30 arrive at the office
- 12:00 have lunch with Jackson
- 3:00 pick up Mr. Johnson at the airport
- 09:30 meet the president
- 1:00 work on computer
- 6:00 leave the office

3 약속을 변경 · 취소할 때

결정된 약속은 가능한 한 지킨다. 서구인들은 서로 상의하여 약속 시간과 장소가 결정된 후, 그것을 변경(change)하거나 취소(cancel)할 때는 매우 신중하게 고려한다. 또한 약속을 일방적으로 취소하는 것은 사교상의 큰 실례로 간주한다. 만약 약속을 변경하거나 취소할 때는 충분한 시간을 두고 분명한 사유를 밝혀야 한다.

기 본 대 화

A : Mr. Anderson, may I help you?
B : Oh, Mr. Anderson, this is Mr. Kim.
I'm calling about our appointment for today.
A : What's the matter?
B : I know we are supposed to meet at 6:00, but something came up unexpectedly.
Could we reschedule our appointment?
A : Sure. My schedule is flexible, [1] so you tell me.

A : 앤더슨입니다. 뭘 도와 드릴까요?
B : 오, 앤더슨씨, 저 미스터 김입니다.
오늘 우리 약속 때문에 전화를 걸었습니다.
A : 무슨 일이세요?
B : 우리 6시에 만나기로 되어 있는데, 갑자기 무슨 일이 좀 생겼거든요. 약속시간을 다시 정할 수 있을까요?
A : 물론이죠. 제 스케줄을 바꿀 수 있으니까, 말씀해 보세요.

약속 변경

- 우리 약속을 7시로 변경합시다.
  Let's change our appointment to 7 o'clock.
- 우리 약속을 6시에서 7시로 변경하죠?
  Why don't we change our appointment from 6:00 to 7:00?
- 제 스케줄을 당신 스케줄에 맞추겠습니다.
  I'll arrange my schedule to fit yours.

1) 직역 : 내 스케줄(시간계획)은 융통성이 있다.

약속 시간을 앞당길 때

A: Could we meet earlier? (좀 더 일찍 만날 수 있을까요?)
B : Sure. That's no problem. (물론이죠. 상관없어요.)

- 우리 약속을 5시 이전으로 앞당깁시다.
  Let's make our appointment sooner than five o'clock.
- 좀 더 일찍 만나는 게 어때요?
  Why don't you make it a little earlier?
- 그 시간은 너무 늦는 것 같은데, 좀 더 일찍 만날 수 있을까요?
  I'm afraid that's too late. Could we meet sooner?
- 그 시간은 너무 늦어요. 좀 더 일찍 만나죠.
  It's too late. Make it sooner.
- 우리 약속을 7시 이전으로 앞당깁시다.
  Let's move our appointment ahead to 7 o'clock.

약속 시간을 늦출 때

- 괜찮으시다면, 조금 늦췄으면 좋겠습니다.
  I'd rather make it just a little bit later if you don't mind.

약속을 연기할 때

- 우리 약속을 연기해야 할 것 같습니다.
  I'm afraid we have to postpone our appointment.
- 우리 약속을 연기해야 할 것 같습니다.
  I'm afraid I have to put off our appointment.
- 우리 약속을 7시로 연기하시죠?
  Why don't we postpone our appointment to 7:00?
- 급한 일이 생겼습니다.
  Something urgent came up. [2)]
- 하지만 그 약속은 오래 전에 했었잖아요?
  But didn't we make that appointment a long time ago?
- 제가 내일 너무 바쁘게 되면 전화를 드리겠습니다.
  If I'm too tied up tomorrow, I'll call you.

약속 취소

A: Mr. Miller, I'm afraid something has come up and

2) 'something'을 수식하는 형용사는 뒤에 위치한다. / urgent : 긴급한, 다급한, 촉박한

I can't make our 6:00 meeting today.
B : What's up?
A: Something urgent came up.
B : That's okay. Sometimes things can't be helped.
We can make it some other time, then.

A : 밀러씨, 급한 일이 생겨서 오늘 6시 약속을 못 지킬 것 같습니다.
B : 무슨 일이세요?
A : 급한 일이 좀 생겼습니다.
B : 괜찮아요. 때로는 불가피한 일이 있을 수 있는 거죠.
그럼 다음에 만나요.

- 무슨 중요한 일이 생겼는가요?
  Did something important come up?
- 당신과의 내일 약속을 취소해야 할 것 같습니다.
  I'm afraid I have to cancel tomorrow's appointment with you.[3)]
- 갑자기 일이 생겨서 참석할 수 없습니다.
  I cannot attend owing to unexpected business.[4)]
- 급한 일이 좀 생겼습니다.
  Something happened that can't wait.
- 오늘 나머지 약속을 모두 취소해 주세요.
  I want you cancel my appointment for the rest of the day.
- 아, 그거 취소!
  Oh, take it back![5)]
- 약속을 취소할 적당한 핑계를 대세요.
  Why don't you come up with good excuse to cancel the appointment?[6)]
- 퇴근할 때마다 무슨 일이 생기는 거예요.
  Everytime I am about to get out of the office, something always happen.

---

3) cancel : (계약 · 주문 · 약속 등을) 취소하다; (줄을 그어) 지워 버리다, 말소하다; (계획 · 예정 등을) 중지하다; 소인(消印)을 찍다; (차표 등을) 펀치로 찍다 / cancel an order for the book : 그 책의 주문을 취소하다 / cancel(l)er : 소인기 / ((비교)) cancer : 암(癌)

4) owing to ~ : ~ 때문에(on account of ~) 예 The accident was owing to careless driving.(그 사고는 부주의한 운전 때문이었다.), There was no game owing to the rain.(비 때문에 시합이 중지되었다.), 부사가 들어갈 경우에는 'owing mainly to ~ (주로 ~ 때문에)' 형태로 나타낸다. / unexpected : 예기치 않은, 뜻밖의, 갑작스런

5) 약속 등을 하고 나서 바로 취소할 때 → 격이 없는 친구들 사이에서 쓸 수 있다.

6) come up with ~ : ~을 따라 잡다; ~에 복수하다; 제안하다, 안출하다〔생각해 내다〕/ ((참고)) come (up) to the scratch : 단호한 조치를 취하다, 과감하게 대적하다; 출발선〔개시선〕에 나오다 / scratch : (핸디캡을 받지 않은 주자의) 출발선, (권투 경기의); 개시선; 휘갈겨 쓰기; 긁다, 할퀴다; 갈겨쓰다

4 약속 장소에서

약속 시간이 지났는데도 상대방이 나타나지 않을 때는 우선 상대방의 사무실이나 집으로 전화를 걸어서 "How late are you going to be?(얼마나 늦을 것 같습니까?)" 라고 물어보고, 약속 시간에 늦었을 때는 "I'm sorry. I'm late.(늦어서 미안합니다.)" 라고 사과를 한다. 그리고 왜 늦었는지를 물을 때는 "What took you so long?(왜 이렇게 늦으셨어요?)" 라고 말한다. 아래 대화는 약속 장소에 도착하지 않은 상대방의 사무실에 전화를 걸어 확인하는 상황이다.

기 본 대 화

A : Hello, Mr. Peterson. May I help you?
B : Oh, Mr. Peterson! What happened?
We're supposed to meet at 6:00, aren't we?
We're waiting for you at the restaurant.
A : I'm so glad you called. Something important just came up at the last minute and I didn't know how to reach you.
I'm very sorry to keep you waiting.
B : How late are you going to be?
A : I can't say for sure, but maybe another hour.

A : 여보세요. 미스터 피터슨입니다. 도와 드릴까요?
B : 오, 피터슨씨! 어떻게 된 거예요?
6시에 만나기로 했잖아요.
우리 지금 레스토랑에서 기다리고 있어요.
A : 전화 주셔서 다행입니다. 나갈 시간이 다 돼서 갑자기 중요한 일이 생겼는데, 연락할 방법이 없었습니다.
기다리게 해서 정말 죄송합니다.
B : 얼마나 늦어질 것 같으세요?
A : 확실하지는 않지만, 한 시간 정도 될 것 같아요.

상대방이 안 나타날 때

궁금할 때

A: I wonder what's holding him up?
He should have been here ten minutes ago.

B : Do you want me to call to see if he's still at the office?

A : 왜 그 사람이 아직도 안 오는 거죠?
10분 전에 여기에 도착했어야 하는 건데.

B : 그분이 아직도 사무실에 있나 제가 전화로 확인해 볼까요?

- 무슨 일이죠? / 왜 그가 못 오는 거죠?
  What's the matter with? Why can't he come?
- 그가 올 수 있을지 모르겠어요.
  I don't know if he'll be able to come.
- 그 사람은 지금 사무실에 없을 것 같아요.
  I don't think he's in his office.
- 그에게 무슨 일이 일어났을까?
  I wonder what happened to him.
- 그가 안 오면 어떻게 하죠?
  What if he doesn't come?
- 그는 한 시간 전에 여기에 오기로 되어 있었어요.
  He was due here an hour ago.
- 지금쯤이면 그가 여기에 와 있어야 하는데.
  He should have been here by now.
  He was supposed to be here by now.

확인 전화

- 얼마나 늦어질 것 같습니까? / 언제쯤 오실 수 있겠어요?
  How late do you think you'll be? / How soon can I expect you?
- 최대한 서두르면 몇 시에 오실 수 있겠어요?
  What's the fastest you can make it (here)?
- 가장 빨리 오면 몇 시나 될까요?
  What could be the earliest possible time?
- 일이 끝나려면 얼마나 걸릴 것 같습니까?
  How long do you think it'll be until your work finished?
- 끝나는 대로 그리로 가겠습니다.
  I'll hurry over as soon as I'm finished.
- 6시까지는 거기에 도착할 수 없을 것 같습니다.
  I'm afraid I won't be able to get there by six.
  I don't think I can make it by six.
- 그분이 몇 시에 출발했습니까?
  What time did he get started?

• 잠깐만 기다리세요. 곧 나갈게요.
Just (give me) a moment, and I'll be right with you.
• 지금 갑니다.
I'm on my way.

좀더 기다릴 때

• 5분만 더 기다립시다.
Let's wait five more minutes.
• 그는 한 시간 늦게 도착할 거예요. / 그가 늦을 거라고 전화했었어요.
He is arriving an hour late. / He called to say he'll be late.
• 그는 직장에서 직접 이리 올 겁니다.
He's coming directly from work.

더 이상 기다릴 수 없을 때

• 우리 그만 갑시다.〈속어〉
Let's take off. [1)]
• 더 이상 기다리는 건 시간 낭비예요.
It's a waste of time to wait any longer.

기 타

• 어디 가서 시간을 좀 때우지?〈속어〉
Where should I go to kill some time? [2)]
• 저는 시간을 안 지키는 사람은 싫어요.
I don't like people who aren't punctual.

약속 시간에 늦었을 때

• 너 또 늦었구나, 존!
You're late again, John!
• 너 요즘 시간을 안 지키는구나.
You haven't been very punctual lately.

늦은 이유를 물을 때

• 왜 이렇게 늦으셨어요? / 왜 늦었어요?
What took you so long? / Why are you late?
• 무슨 일이 있었어요?
Did you have any problem? / Did anything go wrong?

1) 중간 장소에서 만나기로 했는데, 상대가 30분이 지나도 나타나지 않자 최종 목적지로 그냥 가자고 말할 때
2) kill time : (약속 시간이 될 때까지) 시간을 때우다〔보내다〕

Was there any problem? / Did something happen?

- 무슨 일이 있었어요? 걱정하고 있었어요.
  What happened? I was getting worried.
- 이곳에 4시에 온다고 했잖아요.
  You said you'd be here at 4:00!
  You were supposed to come here by 4 o'clock!
- 그래서 늦었군요.
  No wonder you were so late.

늦어서 사과할 때

- 늦어서 미안해요.
  I'm sorry. I'm late. / I'm sorry to be late.
- 기다리게 해서 죄송합니다.
  I'm sorry to keep you waiting. / Sorry you had to wait.
- 오래 기다리셨어요?
  Have you been waiting for a long time?
- 어쩔 수 없었어요. 교통이 너무 막혔거든요.
  I couldn't help it. The traffic was terrible.
- 늦게 올 수밖에 없었어요. 버스가 늦게 왔거든요.
  I couldn't help getting here late. The bus was late.
- 일하느라고 시간 가는 줄 몰랐어요.
  I was too busy working to notice the time.
- 그렇게 화내지 마세요. 내가 점심 살게요.
  Don't be so upset. I'll treat you to lunch.
- 미안해요. 다시는 안 늦을게요.
  I'm sorry. I won't be late again.

A: When did you get here? (언제 도착하셨어요?)
B : I got here half an hour before you.
(당신 보다 30분 전에 왔어요.)

기 타

- 2시간이나 기다렸어요.
  I've been waiting for you two hours.
- 존이 30분 늦게 왔어요. / 그는 늘 그래요.
  John showed up half an hour late. / That's typical of him.

생각보다 빨리 도착했을 때

A: How did you get here so quickly〔fast〕?
B : I caught a cab as soon as I left home.

A : 어떻게 이렇게 빨리 오셨어요?
B : 집을 나서자마자 택시를 잡아탔어요.

• 택시를 타서 빨리 왔어요. / 택시로 왔어요.
I made good time because I caught a taxi. [3) / By taxi.

명언 한 마디

Man is no more than a reed, the weakest in nature.
But he is a thinking reed.

인간은 자연에서 가장 약한 갈대에 지나지 않는다.
그러나 인간은 생각하는 갈대이다.

- Blaise Pascal (1623~1662) -

3) make good〔poor〕time : (일 · 속도가) 빠르다〔더디다〕

5 약속을 어겼을 때

상대방과 약속을 해 놓고 지키지 못했을 때는 “I’m sorry I broke my appointment with you yesterday.(어제 당신과의 약속을 어겨서 죄송합니다.)”, “I couldn’t be helped.(어쩔 수 없었어요.)”, “Something urgent came up.(급한 일이 생겼었어요.)”, “It slipped my mind.(깜박 잊어버렸어요.)” 등의 표현으로 사과하거나 사유를 말한다.

대 화

A : Hello?
B : Liz? Is that you?
A : Oh, George, I’m sorry.
B : Yes. We had a date last night.
Where were you? I waited for two hours.
A : Oh, I’m terribly sorry. I couldn’t come.
B : Couldn’t come! Why not?
A : Well, I had to have my hair cut.
B : Have your hair done!
Why didn’t you call me?
A : I wanted to call you, but-uh-I-uh-couldn’t remember your phone number.
B : It’s in the phone book.
A : Yes, of course, but I don’t have it in my office.
B : Oh... But why did you have your hair cut last night?
A : Well, I had to do it last night because I’m going to see a movie tonight.
B : To see a movie? With who?
A : The son of my company’s president.
B : I see.
A : He asked me yesterday, and I couldn’t say no.

A : 여보세요?
B : 리즈? 너니?
A : 오, 조지, 미안해.
B : 알았어. 우리 어젯밤에 만나기로 했었잖아.
어디에 있었니? 2시간이나 기다렸었는데.
A : 오, 정말 미안해, 조지. 갈 수가 없었어.

B : 올 수 없었다고! 왜 올 수 없었는데?
A : 저, 커트를 해야 했거든.
B : 머리를 했다고! 왜 전화를 안 한 거야?
A : 전화를 하려고 했는데, 음- 저- 네 전화전호를 기억할 수 없었어.
B : 전화번호부에 있잖아.
A : 알아, 물론 그렇지, 하지만 내 사무실에는 전화번호부가 없어.
B : 오... 그런데 어젯밤에 왜 머리를 자른 거야?
A : 음, 오늘밤에 영화를 보러가기 위해서 그랬어.
B : 영화를 보기 위해서? 누구하고 (보러 가는데)?
A : 우리 회사 사장님 아들이야.
B : 알겠어.
A : 그분이 어제 부탁을 하는데 거절할 수가 없었어.

기 타

- 어제 무슨 이유로 안 나타난 거야?
  Why didn't you show up yesterday?
- 약속을 꼭 지키세요.
  Be sure to keep your appointment. [1]
- 저는 약속을 어겨본 적이 없어요.
  I've never failed to keep my word. [2]
- 저는 항상 시간을 잘 지킵니다.
  I'm always punctual.
- 그들은 끝내 나타나지 않았어요.
  They didn't show up. [3]

1) keep one's appointment with sb : 아무와의 약속을 지키다
2) keep one's word : 약속〔언약〕을 지키다
3) show up : (회의, 공연, 모임 등에 어떤 사람이) 참석하다, 나타나다

6 기 타

- 잠시 거기에 계세요.
  Stay put for a while. [1]
- 10분 후에 돌아올게요.
  I'll be back in ten minutes.
- 제 시간에 여기 도착하셨군요.
  You got here on the dot. [2] / You're right on time. [3]
- 그녀가 안 와도 저는 상관없어요.
  I don't mind even if she doesn't come.
- 그는 여느 때처럼 가장 먼저 도착했어요.
  He was the first to arrive as usual. [4]
- 우연히 그를 만났어요.
  I crossed his path. [5]
- 당신보다 30분 전에 이곳에 도착했어요.
  I got here half an hour before you.
- 문제는, 우리가 시간 내에 거기에 도착할 수 있을까요?
  The thing is, can we get there in time?
- 서두르면 제 시간에 도착할 겁니다.
  You'll be on time if you hurry.

> A: Am I on time?
> B : Yes, you came none to soon. [6]
>
> A : 제가 때 맞춰 왔나요?
> B : 네. 딱 맞게 오셨습니다.

- 아무리 일찍 출발해도 8시까지는 거기에 도착할 수 없어요.
  No matter how early we start, we can't get there by 8:00.
- 여기서 잠깐만 기다려 주시겠어요?
  Would you mind waiting here for a moment?
- 이봐, 친구들, 나 여기 있어.
  Hey, you two, I'm over here. [7]

---

1) stay put : ((구어)) 그 자리에서 (꼼짝 않고) 머물다, 제자리에 가만히 있다, 그대로 있다.
2) on the dot : 제 시간에, 정각에
3) on time : 제 시간에 맞게; 정각에
4) as usual : 평소와 같이, 여느때처럼
5) cross sb's path = cross the path of sb : 아무를 우연히 만나다; 방해하다
6) none to soon : 꼭 알맞은 시간에
7) 기다리던 사람이 저쪽에서 자기를 찾기 위해 두리번거리고 있을 때

명언 한 마디

Old soldiers never die; they just fade away.

노병은 결코 죽지 않는다. 그들은 사라져 갈 뿐이다.

- Douglas MacArthur(1880~1964) -

CHAPTER 10

의견

- 제안과 권유를 할 때
- 상대의 견해를 물을 때
- 소감을 물을 때
- 상대의 의견을 칭찬할 때
- 자신의 견해를 밝힐 때
- 자신의 구상을 밝힐 때
- 자신의 느낌을 말할 때
- 결심이나 결정을 할 때
- 상대의 의중을 확인할 때
- 상대를 설득할 때
- 당위성을 말할 때
- 지시나 명령을 할 때
- 추측과 판단을 할 때
- 토의 및 협상을 할 때
- 확신을 밝힐 때

I 제안과 권유를 할 때

상대방에게 뭔가를 제안하거나 권유할 때는 "Let's + 동사원형 ~.(~합시다.)", "Why don't you ~?(~하는 게 어때요? / ~하시죠?)", "How about ~?(~하시는 게 어때요?)", "Would you like to ~?(~하시겠어요?)" / "Shall we ~?(~할까요?)", "You'd better + 동사원형 ~.(~하시는 게 낫겠어요.)" 등의 문형을 써서 표현한다.

기본대화

A : Have you done your work for the day?
B : Yes, I have.
A : Would you like to go for a drink somewhere with me?
B : I'd love to, but I have another appointment.

A : 오늘 일 다 끝내셨어요?
B : 네. (다 끝냈어요.)
A : 어디 가서 저하고 술 한 잔 하실까요?
B : 그러고는 싶지만, 선약이 있어요.

제안 · 권유를 할 때

- 퇴근합시다.
  Let's call it a day. [1)]
- 우리 돌아가는 게 좋지 않겠어요?
  Don't you think we'd better go back?
- 그를 해고시키는 게 좋겠습니다. / 테니스 치러 가시죠?
  You'd better fire him. [2)] / Why don't we go play tennis?
- 제 입장에서 생각해 보세요. 〈속어〉
  Put yourself in my shoes [place]. [3)]
- 그의 말을 새겨들으세요.
  You should take his words to heart. [4)]
- 그 사건을 경찰에 신고합시다.
  I suggest we report the accident to the police.

1) call it a day : 하루(의 일)를 끝내다
2) fire : 불, 화재 사고; (총포의) 발사; 불지르다; 불태우다; 발사하다; ((구어)) 해고하다
3) put oneself in [into] sb's shoes : 아무의 입장이 되어 보다 / place : 자리, 장소; 입장 / put oneself in sb's place [position] : 아무의 입장에서 생각하다
4) take ~ to heart : ~을 깊이 마음에 새기다; 몹시 슬퍼하다

- 존한테 잠깐 들렀다 갈까요?
  Shall we drop in on John? [5]
- 지금 출발해야겠어요.
  We'd better leave now.
- 괜찮으시다면, 같이 가시죠〔하시죠〕.
  You're welcome to join us, if you want.
- 커피 한 잔 드시겠어요?
  Would you like a cup of coffee?
- 저하고 쇼핑 가실래요?
  How about going shopping with me? [6]
- 좀 더 계시지 그러세요?
  Why don't you stay a little longer?
- 창문을 열까요?
  Would you like me to open the window?
- 그에게 당신 짐을 가져오게 할까요?
  Shall he bring you your baggage?
- 있잖아요, ...
  I'll tell you what, ... [7]
- 당신을 저녁 식사에 초대하고 싶습니다.
  I'd like to invite you to have dinner with us.
- 제가 가방을 들어 드릴까요?
  Why don't I carry your suitcase?
- 술을 끊는 게 좋겠어요. / 휴식을 취할 것을 권합니다.
  You'd better quit drinking. / I advise you to take a rest.
- 텔레비전을 켤까요?
  Should I turn on the TV?
- 당신은 여기 계시는 게 좋겠어요.
  You might as well stay here. [8]
- 괜찮으시다면, 제가 함께 가 드리겠습니다.
  I'll go with you, if you like.
- 한번 시도해 보는 것도 괜찮겠군요.
  Maybe we should give it a try. [9]

---

5) drop in on sb : 아무에게 잠깐 들르다 / drop by sb's office : 아무의 사무실에 잠깐 들르다
6) How about 다음에는 '~ing형'이나 명사형을 쓴다.
7) 상대방에게 무슨 얘기를 하려고 할 때 서두로 사용하는 표현
8) might as well ~ (as -) : (-하는 것은) ~하는 거나 마찬가지다, -하느니 ~하는 것이 낫다〔좋다〕
9) give it a try : 시도하다

제안 · 권유를 받아들일 때

- 좋습니다. / 네, 그렇게 하겠습니다.
  OK.〔All right.〕 / Yes, I'd love to.
- 감사합니다. 그렇게 해 주세요.
  Thank you. Please do.
- 그거 좋은 생각이군요. / 그거 좋군요.
  That's a good idea. / That sounds good〔nice〕.
- 그거 재미있겠는데요. / 그렇게 합시다.
  That sounds interesting. / Yes, let's do that.
- 기꺼이 당신 제의를 받아들이겠습니다.
  I'm happy to accept your offer.
- 그거 아주 좋은 생각 같군요. / 그거 괜찮겠군요.
  That sounds like a good idea. / Maybe we should do it.

거절할 때

- 그럴 기분이 아닙니다.
  I don't feel like it. / I'm not in the mood for it. [10)]
- 그렇게 하지 맙시다.
  No, we'd rather not.
- 고맙지만, 됐습니다. / 고맙지만 사양하겠습니다.
  No, thank you. / Thank you, but I'd rather not.
- 그럴 생각이 없습니다. / 저는 지금 무척 피곤해요.
  I'm not ready for that. / I'm very tired now.
- 저는 쇼핑을 하고 싶지 않습니다.
  I don't feel like shopping. [11)]
- 다음 기회로 미룰까요?
  Can you give me a rain check? [12)]
- 다음에 언제 합시다.
  Let's make it some other time.
- 그러고 싶지만, 선약이 있어요.
  I'd love to, but I have another appointment.

---

10) in the mood for ～ : ～할 기분이 나는(in the mood to + 동사원형)
11) feel like ～ing : ～하고 싶다
12) rain check : 우천 순연권(雨天順延券) → 우천으로 인해서 경기가 연기되었을 때 이미 표를 산 관객들에게 다음 기회에 입장할 수 있도록 주는 티켓 / 일상회화에서는 상대방으로부터 초대 등을 받았을 때 다음 기회에 응하겠다고 할 때 쓰는 표현으로 쓰인다.

2 상대의 견해를 물을 때

뭔가에 대해서 상대의 견해를 묻는 가장 기본적인 표현은 "What do you think of ~?(~에 대해서 어떻게 생각하세요?)"을 쓴다. 그 외에도 "How do you find the new dormitory?(새 기숙사에 대해서 어떻게 생각하세요?)", "How do you feel about this?(이것에 대해서 어떻게 생각하세요?)" 또는 "What do you say?(어떻게 생각하세요?)" [2] / "How do you like this tie?(이 넥타이 어때요?)" 등의 문형을 쓸 수 있다.

기본대화

A : What do you think of this plan?
B : I think that's stupid. It won't work.

A : 이 계획에 대해서 어떻게 생각하십니까?
B : 엉터리 같아요. 실현되지 못할 거예요.

다른 제안이 있는지를 물을 때

- 귀측의 제안은 없으신지요?
  Do you have any proposal to make?
- 다른 제안이 있습니까?
  Have you any other suggestions?
- 제의에 대해 검토해 보시고, 내일 당신의 의견을 알려 주세요.
  Please think about the proposal and tell me your views tomorrow.
- 좋은 생각이라도 떠오르세요?
  Can you come up with any good ideas? [2]
- 좋은 아이디어가 떠오르십니까?
  Did a good idea come to you?
- 어떤 좋은 생각이 나셨습니까?
  Have you thought of anything good yet?

상대의 견해를 물을 때

- 그 여자에 대해 어떻게 생각하세요?
  What do you think of her?

1) 이 표현은 방송의 열띤 토론회 프로그램 등에서 사회자가 방청객의 의견을 직접 듣고자 할 때, 방청석에 다가가서 방청객에게 마이크를 내밀면서 사용하는 것을 흔히 볼 수가 있다.
2) come up with : 제안하다, 안출하다

- 그가 누구라고 생각하십니까?
  Who do you think he is?
- 실내장식이 어떻습니까?
  How do you find the interior?
- 내 의견에 대해서 어떻게 생각하세요?
  What would you say to my opinion?
- 어느 것이 더 그럴듯하게 보이나요, 이거예요, 아니면 저거예요?
  Which looks better, this one or that one?
- 당신이 내 입장이라면, 어떻게 하시겠어요?
  What would you do if you were in my shoes?

기 타

- 그는 자기 의견을 남에게 말하지 않아요.
  He keeps his opinion to himself. [3)]
- 그 사람 입을 틀어막으려면 뭘 줘야 되죠?
  What should I give to keep him from telling? [4)]
- 당신 얼굴에 그렇게 씌어 있어요.
  It's written all over your face. / Your face tells it all.
- 당신이 그렇게 생각하다니 이상하군요.
  It is strange that you should think so.
- 머리를 짜서 생각해 보세요.〈속어〉
  Rack your brains. [5)]
- 어느 것을 원하세요, 이것 아니면 저것?
  Which one would you like, this or that?
- 내 마음을 알아채는군요.
  You read my mind. [6)]
- 자, 제가 어떻게 하면 되겠습니까?
  Now, what am I supposed to do?

> A: Was my pronunciation correct? (제 발음이 정확했습니까?)
> B : That was close. [7)] (상당히 비슷했어요.)

3) 직역 : 그는 자기 의견을 자기 혼자서만 가지고 있다.
4) keep sb from ~ing : 아무로 하여금 ~을 못하게 하다
5) rack one's brains〔wits〕 : 머리를 무리하게 쓰다, (생각 등을) 짜내다, (생각해내려 하거나, 궁리하거나 문제를 풀려고) 머리〔지혜〕를 짜다
6) read sb's mind〔thought〕 : 아무의 마음〔생각〕을 알아채다
7) close : 가까운, 근접한

3 소감을 물을 때

상대방에게 소감을 물을 때는 “What's the first impression of ~?(~에 대한 첫인상이 어떻습니까?)”, “Do you like Korea?(한국이 마음에 드세요?)” 등의 표현을 쓸 수 있다. 그리고 첫 느낌을 물을 때 “How did ~ strike you?” 라는 표현이 있는데, 이를 직역하면 “~이 당신을 어떻게 때렸습니까?” 즉 “~에 대한 첫인상이 어떻습니까?” 라는 뜻이 된다. 예를 들면 “한국에 대한 첫인상이 어땠습니까?” 라고 물을 때 “How did Korea strike you?” 라고 한다.

기 본 대 화

A : How long have you been in Korea?
B : For three months.
A : How do you like Korea?
B : I like it very much.

A : 한국에 계신 지 얼마나 됐습니까?
B : 3개월 됐습니다.
A : 한국의 생활이 어떻습니까?
B : 아주 좋습니다.

소감을 물을 때

- 소감을 말씀해 주세요. / 한국에 대한 소감이 어떻습니까?
  Give me some feedback, please. / How do you find Korea?
- 한국에서 가장 인상적인 것은 무엇이었습니까?
  What impressed you the most about Korea?

A: What are your feelings about leaving your job after being there a long time?
B : It's a bittersweet feeling.

A : 오랫동안 근무하고 떠나시는 소감이 어떠세요?
B : 시원섭섭합니다.

- 아주 싫습니다. / 전혀 안 좋습니다. / 참을 수 없을 만큼 안 좋습니다.
  I hate it. / I don't like it at all. / I can't stand it.
- 뭐가 그렇게 좋았습니까?
  What did you like about it?

A: Do you like Seoul? (서울이 좋으세요?)
B: Yes, I really like it. (네, 아주 좋습니다.)

유머 한 마디

■ **Wakeful Honeymoon**

The beaming young bride drove off with her new husband to a secluded spot at the lakeshore for a two weeks honeymoon. When they returned, she immediately phoned her mother as soon as her hushand had stepped out of their apartment.
"Mamma," asked the puzzled girl, "when do man sleep?"

■ **잠 안 자는 신혼 여행**

기쁨에 넘친 젊은 신부가 신랑과 함께 2주일 계획으로 호젓한 호수가로 신혼 여행을 떠났다. 그러나 신혼 여행에서 돌아오자마자 신부는 남편이 밖으로 나간 틈에 친정 어머니에게 전화를 걸어 못내 궁금한 것을 물었다.
"엄마, 남자들은 언제 잠을 자는 거죠?"

- wakeful : 잠 못이루는, 불면의, 자지 않는, 방심하지 않는.

4 상대의 의견을 칭찬할 때

상대가 기발한 의견이나 멋진 지적 또는 답변을 했을 때는 "Good point. / You've got a good point.(좋은 지적입니다.)", You're right. You hit the nail on the head.[1)](맞습니다. 정곡을 찌르셨습니다.)", "It was right on the dot.(딱 맞았습니다.)", "How did the idea strike you?(어떻게 그런 생각을 해 내셨죠?)", "That is what I was going to say.(그게 제가 말하려고 했던 겁니다.)", "That's it!(바로 그겁니다!)" 등의 표현으로 상대를 칭찬해 준다.

기 본 대 화

A : We're planning to remodel our offices.
Do you know a good interior designer?
B : Well, I have a friend who is in that business.
Why don't you get in touch with him?
A : That's a good idea.
Do you have his phone number?
B : Yes. Here's his business card.

A : 우리 사무실을 개조하려고 하는데.
실력 있는 실내장식가를 좀 알고 계세요?
B : 음, 제 친구 중에 한 명이 그런 일에 종사해요.
그 사람한테 연락해 보시죠?
A : 그것 좋은 생각이군요.
그분 전화번호를 가지고 계세요?
B : 네. 여기 그 친구의 명함입니다.

상대의 의견을 칭찬할 때

- 당신 말에도 일리가 있어요.
  You are partly right.
- 정말 좋은 생각이군요! / 그것 참 좋은 얘기입니다.
  What a good idea! / Now you're talking. [2)]

A: Thanks for the great idea!
B : Don't mention it. The great idea was yours.

A : 훌륭한 의견 감사합니다.
B : 천만에요. 그 생각은 당신이 해낸 건데요.

1) 직역 : 당신은 못의 머리를 맞췄다. → 상대의 답변 등이 정확하게 맞았을 때
2) 직역 : 이제야 말을 하는군요. → 이제야 말다운 말을 하는군요. → 그것 참 좋은 말이군요.

- 그것이 바로 문제의 초점입니다.
  That is the very point of the matter.
- 참고되는 말씀을 해 주셔서 감사합니다.
  Thank you for your suggestion.
- 그거 좋은 생각 같군요.
  That sounds like a good idea.
- 그건 기상천외한 생각인데요!
  It's a fantastic idea!
- 어떻게 그런 생각을 해 내셨죠?
  How did you come up with the idea?
- 대단히 훌륭한 지적을 해 주셨습니다.
  You made a very good point.
- 나와 뜻이 맞는군요.
  You speak my language.
- 생각 잘했어요. / 적절한 말씀을 하셨습니다.
  Good thinking. / You said a mouthful. [3)]
- 바로 그겁니다.
  That's the way! / That's the card for it! [4)] <속어>
  You hit the spot!<속어> / That's the cheese!<속어>
- 맞았어요. 바로 그겁니다. / 일리가 있는 말입니다〔그거 말이 되네요〕.
  You got it! [5)] / That makes sense.

상대의 의견을 비난할 때

- 그거 이상하군요.
  That sounds strange.
- 정말 어리석은 생각이군요! / 그런 생각은 아무런 효과가 없어요.<속어>
  What a foolish idea! / That idea cuts no ice. [6)]
- 당신의 생각은 낡아빠진 것이에요.<속어>
  Your ideas are old hat. [7)] / Your ideas are old-fashioned.

※ 동의 · 반대 추가 표현 : 찬성〔동의〕할 때(p. 786, 943) / 반대할 때(p. 747, 786, 949) / 반론을 제기할 때(p. 505)

---

3) say a mouthful : 중요한〔적절한〕 말을 하다 / mouthful : ((구어)) 중요〔적절〕한 말
4) card : 바른 것, 올바른 것
5) 퀴즈 프로그램 등에서 답을 정확히 맞혔을 때 사회자가 통상 이런 표현을 쓴다.
6) cut no ice : 아무런 효과가 없다
7) old hat : 케케묵은 것, 낡아빠진 것

5 자신의 견해를 밝힐 때

자신의 견해나 의견을 밝힐 때는 "Would you mind if I gave you a suggestion?(제가 제안을 한 가지 해도 되겠습니까?)", "As〔So〕 far as I'm concerned,(제 생각으로는)", "In my humble opinion,(제 소견으로는)", "Excuse me for interrupting, but ....(주제넘습니다만, ...)", "I've got an idea!(좋은 생각이 있어요!)" 등과 같은 표현으로 서두를 꺼내고 자신의 견해를 밝히면 된다.

기본대화

A : What time is it now, John?
B : Ten after three.
A : Well, why hasn't Miller showed up yet?
B : I think that maybe he missed the train.

A : 지금 몇 시지, 존?
B : 3시 10분이야.
A : 그런데, 밀러가 왜 여태 안 나타나는 거지?
B : 내 생각으로는, 그가 아마 열차를 놓친 것 같아.

자신의 견해를 밝힐 때

- 그게 더 좋겠어요.
  That's more like it.
- 그게 훨씬 더 좋은데요.
  That's much better.
- 굶어 죽는 것보다는 그게 낫죠.
  It's better than starving to death.
- 그 정도가 타당할 겁니다.
  That's about right.
- 그건 (결국은) 아주 잘 될 겁니다.
  I think all is for the best. [1)]
- 그것도 역시 효과가 없을 겁니다.
  That won't do, either.
- 그런 게 아니고요.
  It's not that, and ....

1) all (is) for the best : 모두가 하느님의 뜻이다, 하늘이 무심치 않다

- 다른 뾰족한 수가 없는 것 같아요.
  Looks like there's no other choice.
- 당신 의견은 내 의견과 비슷하군요.
  Your opinion is similar to mine.
- 마지막으로 한 말씀드리겠습니다.
  In conclusion I should like to say a word.
- 목욕하다가 우연히 해결책을 생각해 냈어요.
  I hit upon a solution when I was taking a bath. [2)]
- 뭐라고 꼭 꼬집어서 말하기는 어렵지만, 내 몸이 어딘가 잘못된 것 같아요.
  I can't put my finger on it but I'm afraid something is wrong with me. [3)]
- 제 소견〔사견〕을 말씀드리겠습니다.
  Let me give my humble opinion.
- 저도 그 문제에 대해서 얘기를 하고 싶어요.
  I want to have my say in it. [4)]
- 아, 나한테 좋은 생각이 있어요.
  Look, I've got an idea.
- 생각이 떠올랐어요.
  An idea struck me.
- 아마 그건 세대차이 때문일 겁니다.
  It's probably due to a generation gap.
- 엄밀히 말하자면, 그건 정확하지 않아요.
  Strictly speaking that is not correct.
- 오히려 이것이 나아요.
  This is preferable.
- 온갖 생각이 마음속에 떠오르는군요.
  A crowd of ideas comes to my mind.
- 제 소견을 분명히 말씀드리자면, ...
  If I may put in my two cents', ... [5)]
- 이건 단지 제 사견입니다.
  This is only my personal opinion.
- 이게 괜찮을 거라고 생각합니다.
  I should think you'd find this all right.

---

2) hit upon〔on〕 ~ : ~에 부딪히다; 우연히 ~을 발견하다; ~〔묘안〕을 생각해 내다; ~가 머리에 떠오르다
3) I can't put my finger on it but, ... = I can't pinpoint it but, ... : 뭐라고 꼭 꼬집어서 말하기는 어렵지만〔확실히는 모르지만, 딱 지적할 수는 없지만, ...〕
4) say : 발언권 예 You have no say in it.(당신은 그것에 대해서 발언권이 없다.)
5) put in one's two cents' (worth) : ((구어)) 분명히 자기 의견을 말하다

- 이런 식으로 표현하는 것이 어떨까요?
  Let me put it this way. [6]
- 긴 안목으로 보면 그 방법이 나아요.
  That's a better way in the long run. [7]
- 이 점이 중요해요.
  This is the main point.
- 이 정도면 무난할 겁니다.
  This is passable. [8] / This may pass.
- 이제 내가 말할 차례예요.
  It is now my say. [9]
- 제 개인적으로는 그렇게 생각하지 않습니다.
  Personally, I don't think so.
- 저는 컴퓨터를 정말 갖고 싶어요.
  I'm willing to give my right arm for that computer. [10]
- 저는 특별히 별로 할 말이 없습니다.
  I have nothing special to say for myself.
- 좋은 생각이 떠올랐어요.
  A good idea flashed on me. [11]
- 우리는 상호간에 의견 차이가 크군요.
  We differ a good deal in opinion from each other.
  We differ a good deal from each other.
- 제 판단으로는 그는 아주 정직한 사람이에요.
  I judge him to be a very honest man.
- 제가 몇 마디 하게 해 주십시오.
  Permit to say a few words.
- 드릴 말씀이 있습니다.
  I've got something to tell you.
- 제가 필요로 하는 건 이게 아닙니다.
  This is not what I need〔want〕.
- 한 말씀드려도 될까요?
  May I say a word or two?

---

6) put it : 표현하다, 진술하다, 설명하다
7) in the long run : 긴 안목으로 보면, 결국(in the end) / ((반의어)) in the short run : 단기적으로는, 당장은 / keep the run of sb : ((美)) 아무와 어깨를 나란히 하다, 아무에게 뒤지지 않다 / out of the usual〔common〕run : 보통과 다른, 유별난
8) passable : 통행할 수 있는; 웬만한, 쓸만한, 무난한; 통용하는; 가결될 수 있는
9) say : ((속어)) 발언권, 발언할 기회〔차례〕 / the say : 결정권 / have a〔no〕 say in the matter : 참견할 권리가 있다〔없다〕
10) give one's right arm for ~ : ~을 위해서는 큰 희생을 치르다
11) flash : 번쩍 비치다, 번쩍거리다, (칼 등이) 번쩍번쩍하다; (기지 등이) 번쩍 떠오르다; (신문사 · 방송국 등에 전송되어 오는) 뉴스 속보 / in a flash : 순식간에, 눈 깜짝할 사이에

May I make another point?
May I put my two cents in?

- 지금 당장 떠오르는 생각으로는, ...
  Off the top of my head, ...
- 직접적으로 말씀드리면, ...
  To be blunt with you, ... [12)]
- (제가 하고 싶은 말을) 당신이 다 하신 것 같습니다.
  I think you said it all.
- 참고로 말씀드릴까요?
  May I suggest that?
- 퍼뜩 어떤 생각이 그의 머리를 스쳤어요.
  An idea flashed across 〔on〕 my mind.
- 한 가지 생각이 떠올랐어요.
  An idea hit me. [13)]
- 한 말씀 덧붙이겠습니다.
  Let me add a few more words to make sure.
- 그게 우리의 주장입니다.〈속어〉
  That's our case. [14)]
- 당신이 크게 틀렸어요〔잘못했군요〕.〈속어〉
  You are dead wrong.
  You are off base. [15)]
  Your opinions don't hold water. [16)]

> A: May I be honest with you?
> B : Of course.
>
> A : 솔직하게 말씀드려도 될까요? [17)]
> B : 물론이죠.

- 말씀 좀 드려도 될까요?
  Can I tell you something?
- 그가 자신의 입장을 명확히 했다고 생각해요.
  I think he has made his position clear.

---

12) blunt : 퉁명스러운; 무딘
13) hit : 때리다, 치다; ((야구)) (안타 등을) 치다, ~루타를 치다(hit a double : 2루타를 치다); (생각 등이) 떠오르다 / hit a man when he's down : 넘어진 상대방을 치다, 비겁한 행동을 하다 / hit or miss : 성패를 운에 맡기고, 무작정으로, 되는대로
14) case : 주장, 논거; 처지, 입장
15) be off base : ((속어)) 크게 잘못하고 있는
16) hold water : (논리가) 이치에 맞다; (이론 · 계획 따위가) 빈틈이 없다; 잘 돼 가다
17) be honest with sb : 아무에게 정직하게 터놓다; 아무와 떳떳하게 사귀다

• 잠시 현실적으로 생각해 봅시다.
Let's be real for a second.[18]
We need to think about this realistically.

반론을 제기할 때

• 당신 말도 일리가 있지만, ...
You have a point, but ....

• 그럴 수도 있지만, ...
That could be so, but ....

• 제가 아는 바로는 그렇지 않아요.
Not that I'm aware〔know〕 of.
As far as I'm concerned, no.

• 하시는 말씀을 이해합니다만, ...
I understand what you're saying, but ....

• 당신 말이 옳다고 생각하지만, ...
I guess you're right, but ....

• 제 말이 틀릴지도 모르지만, ...
I may be wrong, but ....

• 당신의 견해를 존중하지만, ...
I respect your point of view, but ....[19]

• 저는 그것에 대해 좀 다른 의견을 가지고 있습니다.
I have a little different opinion about it.

• 그건 견해상의 문제입니다.
That's a matter of opinion.

• 그것이 사실일지 모르지만, 제가 알기로는 ....
That may be true, but I know ....

• 당신 의견은 옳지만, ...
You have a right to your opinion, but ....

• 당신은 감성적으로 생각하시는군요.
You're thinking with your heart.

---

18) real : 실제의, 현실의, 객관적인; 진짜의(genuine), 진정한
19) respect : 존경(하다); 존중(하다); 중시(하다); 점, 면; (복수형으로) 인사, 문안, 안부 / in all〔every〕 respects : 모든 점에서 / be held in respect : 존경받다

6 자신의 구상을 밝힐 때

자신의 계획이나 구상, 예정 등을 밝힐 때는 "I'm going to + 동사원형 ~.(~하려고 합니다.)", "I'm thinking of ~ing.(~을 할까 생각 중입니다.)", "I'm planning to + 동사원형 ~(~할 계획입니다.)", "I intend to +동사원형 ~.(~할 작정입니다.)", "I'm considering ~ing.(~할까 고려 중입니다.)", "I resolve to + 동사원형 ~.(~하기로 결심했습니다.)" 등의 문형으로 표현한다.

기 본 대 화

A : What are your New Year's resolutions?
B : Just the usual. I'd like to lose some weight, and earn some more money.
A : Come on! Everyone makes those resolutions.
B : I know. This is not a resolution, but I hope I get a promotion at work this year. I'm going to work harder. So, what are you going to do this year?
A : Well, first, I resolve to quit smoking. And I want to get more exercise.
B : That sounds good!

A : 새해 결심이 무엇입니까?
B : 항상 똑같죠 뭐. 살 좀 빼고 돈을 더 벌고 싶어요.
A : 이봐요! 그건 누구나 하는 결심이잖아요.
B : 알아요. 결심은 아니지만, 올해는 직장에서 승진을 하고 싶어요. 더 열심히 일을 할 거예요. 그럼 당신은 올해 무엇을 할 계획이세요?
A : 음, 우선, 담배를 끊기로 결심했어요. 그리고 운동을 더 하고 싶어요.
B : 그거 좋은데요!

구상을 밝힐 때

- 노트북 컴퓨터를 한 대 살까 합니다.
  I'm thinking of 〔about〕 buying a notebook computer.
- 이번 주말에 스키여행을 갈 예정입니다.
  I'm planning to take a ski tour. / I'm in that direction.

- 아내와 이혼을 고려 중에 있습니다. / 그런 방향으로 할 생각입니다.
  I'm considering a divorce from my wife. [1)]
  I'm considering divorcing my wife.
- 그 계획을 끝내 완수할 작정입니다.
  I intend to go through with the project. [2)]

> A: When are you going to marry her?
> B : Well. It's still on the drawing board. [3)]
>
> A : 그 여자하고 언제 결혼할 겁니까?
> B : 글쎄요. 아직 구체적인 계획이 없습니다.

- 미국에 계신 어머니를 방문하려고 합니다.
  I'm going to visit my mother in the United States.
- 그 여자와 결혼할 생각입니다.
  What I have in mind is marrying her.
- 새로운 사업을 하나 시작하려고 합니다.
  What I intend to do is start a new business.

결심을 밝힐 때

- 제 생각을 바꿨어요. / 이번에는 해내고 말 겁니다.
  I changed my mind. / I'm gonna make it this time.
- 새해 무슨 각오라도 하셨습니까?
  Did you make any New Year's resolutions?
- 새해에 무슨 결심이라도 하셨어요?
  Have you made any vows for the new years? [4)]
- 담배를 끊기로 결심했습니다.
  I resolved to stop smoking. [5)] / I'm burning my bridges. [6)]
- 그의 사과를 받아들이기로 결정했습니다.
  I've decided to accept his apology.
- 아파트를 사기로 결심했습니다.
  I've made up my mind to buy an apartment. [7)]

---

1) consider + ~ing : ~할 것을 고려하다 / divorc'e[디보ㄹ쎄이] : ((불어)) 이혼한 남자
2) go through with ~ : ~을 완수하다; (계획을) 실행하다
3) 직역 : 아직 제도판에 있다. → 시작하지도 않았다는 의미
4) vow : 맹세(하다), 서약(하다) / make〔take〕 a vow : 맹세하다; 서원(誓願)하다 / take (the) vows : 수도원에 들어가다 / vow a crusade : 성전(holy war)을 맹세하다
5) resolve : 결심하다; 결정하다; 결의하다; 분해하다 / resolve to + 동사원형 = resolve that + 절 = resolve on〔upon〕 ~ing : ~하기로 결심하다
6) burn one's bridges〔boats〕 (behind one) : 자신이 건널〔타고 갈〕 다리〔배〕를 불지르다 → 배수진을 치다 / be (all) in the same boat : (처지 · 운명 · 위험 등을) 같이 하다
7) make up one's mind : 결심〔결정〕하다

7 자신의 느낌을 말할 때

자신의 느낌을 말할 때는 "I think〔guess〕 (that) ~(절).(~할(인) 것 같아요.)", "It seems that ~. / It looks like ~(절).(~인 것 같아요.)", "I have a hunch[1] that ~.(~이라는 예감이 들어요.)" 등의 문형을 써서 표현한다.

기본대화

A : What's wrong with Bliss today?
She has had a long face all day long.
B : I guess she got out of bed on the wrong side. [2]

A : 블리스가 왜 저러는 거죠?
하루종일 얼굴을 찌푸리고 있어요.
B : 기분이 안 좋은 것 같아요.

가벼운 추측이나 생각

- 당신 말이 옳은 것 같군요.
  I think you are right.
- 그가 실수로 그런 것 같아요.
  I guess he did it by mistake.
- 간밤에 잘못 주무신 것 같군요.
  I take it you didn't sleep very well.
- 그가 안 올 것 같아요.
  I doubt he'll show up.
- 그들이 뭔가 꾸미고 있는 것 같아요.
  I suspect they're up to something. [3]
- 존에게 무슨 일이 있는 것 같아요.
  There seems to be something wrong with John.
- 틀림없이 저를 다른 사람으로 착각하셨군요.
  You must have mistaken me for someone else.
- 당신 승진하셨나 보군요.
  I gather you got promoted..

1) hunch : ((구어)) 육감, 예감
2) get out of bed on the right〔wrong〕 side : 기분이 좋다〔나쁘다〕
3) up to ~ : ((구어)) ~을 할 수 있는, ~을 감당한; 나쁜 짓에 손을 대는, ~을 꾀하는

- 그가 그것에 대해서 모두 알고 있는 것 같아요.
  It seems like he knows everything about it.

예 감

- 그가 안 올 것 같은 예감이 들어요.
  Something tells me (that) he shouldn't come.[4)]
- 그들이 우리에게 뭔가를 감추고 있는 것 같아요.
  I have a hunch that they're hiding something from us.
- 그녀가 날 좋아하는 걸 알고 있어요. 직감으로 느껴요.
  I know she likes me. I feel it in my bones.[5)]
- 저한테는 그렇게 들리네요.
  That's what it sounds like to me.

명언 한 마디

Man is by nature a civic animal.

인간은 태어나면서 사회적 동물이다.

- Aristotle(384 ~ 322 B.c) -

4) something tells (that) me ~ : ((구어)) 어쩐지 ~이라고 나는 생각한다.
5) feel ~ in one's bones : 직감적으로 느끼다.

8 결심이나 결정을 할 때

뭔가에 대해서 생각해 본 적이 있는가를 물을 때는 "Have you thought of learning golf?(골프를 배우겠다고 생각한 적이 있으세요?)", 어떤 결심을 하기 위해서 시간이 필요할 때는 "I need some time to think about that.(생각할 시간이 좀 필요합니다.)", 아직 결정을 하지 못했을 때는 "I haven't decided yet.(아직 결정을 못했습니다.)", 결정을 상대에게 미룰 때는 "It's up to you.(그건 당신한테 달려 있어요.)" 라고 말한다.

기본대화

A : When should I give you my definite answer?
B : Please make up your mind right now.
A : May I have a couple of days to think it over?
B : All right. I'll spare another day for you.

A : 언제까지 제 확답을 드려야 합니까?
B : 지금 당장 결심해 주세요.
A : 그것에 관해 며칠 생각할 시간을 주시겠어요?
B : 알겠습니다. 하루의 시간을 더 드리겠습니다.

결심을 유보할 때

- 경우에 따라서요〔상황을 봐서요〕.
  (It) Depends.
- 지금은 말하고 싶지 않습니다.
  I'd rather not say right now.
- 그 문제를 밤새도록 곰곰이 생각해 봤어요. 〈속어〉
  I spent the whole night chewing the matter over. [1)]
- 그것에 대해서 많이 생각해 봤어요.
  I thought about it a lot.
- 글쎄, 어떻게 할까?
  Well, let (me) see. [2)]
- 상황을 봐서 (하거나 말거나 할게요).
  Let me see what happens.
- 대답을 하기 전에 생각 좀 해볼게요.
  Let me think over the matter before giving my answer.

1) chew over : 심사숙고하다
2) 상대가 뭔가를 제안할 때, 즉석에서 수락하지 못하여 망설일 경우나 수락을 나중으로 미루고자 할 때

- 대답하시기 전에 두 번〔한번 더〕 생각해 보세요.
  Think twice before you answer.
- 며칠동안 생각할 시간을 주세요.
  Let me think about it for a few days.
- 우리는 모든 가능성을 고려해 봐야 합니다.
  We should consider all the options.
- 밤새 잘 생각해 보세요.
  Consult your pillow. [3)]
- 그것에 대해 생각 좀 해 볼게요.
  Let me think about it.
- 음, 생각 좀 해 볼게요.
  Well, I'll think it over.
- 아직 고려할 여지가 있어요.
  There is still some room for consideration.
- 어떤 뾰족한 방법이 없을까요?
  Isn't there any way out?
- 이 문제를 잠시 좀 더 신중하게 고려해 봅시다.〈속어〉
  Let's play this matter close to the chest for a bit. [4)]
- 답변을 드리기 전에 (생각할) 시간을 주세요.
  Give me time before I answer.
- 잠시 상황을 지켜봅시다.
  Let's wait and see which way the cat jumps. [5)]
- 제가 한 말을 곰곰이 생각해 보세요.
  Please think over what I've said.
- 좀 더 생각해 보세요.
  Reconsider it. / Sleep on it, please. [6)] / Think twice.
- 한가한 시간에 천천히 생각해 볼게요.
  I'll think it over at my leisure.
- 충분히 생각해 보고 답변을 드리겠습니다.
  I'll sleep on it and give you my answer.
- 좀 더 지켜〔두고〕 봅시다.
  Let's wait and see. [7)]

---

3) 직역 : 당신의 베개한테 자문을 구해 보세요. / take counsel of〔with〕 one's pillow = consult (with) one's pillow : 하룻밤 자며 잘 생각하다 / pillow : 베개
4) play this matter close to chest : 신중하게〔조심스럽게〕 일을 처리하다
5) see which way the cat jumps = see〔watch〕 how the cat will jump = wait for the cat to jump : 고양이가 어느 방향으로〔어떻게〕 뛰는가를 지켜보다, 고양이가 뛰기를 기다리다 → 기회를 엿보다, 형세를 관망하다
6) sleep on〔over〕 ~ : ~에 대해서 하룻밤 자면서 생각해 보다
7) 확실한 결정을 하기 어려울 때나 결정을 뒤로 미루면서 하는 말

- 결과가 나올 때까지 두고 봅시다.
  Let's wait and see how it turns out. [8)]
- (그건) 아직 미정이에요.
  (It's) Up in the air.
- 당신은 생각을 너무 많이 하는 것 같아요.
  You seem to have too many things on your mind.
- 그것은 여러 각도에서 고찰할 필요가 있어요.
  It requires〔involves〕consideration from various points of view.

결심〔결정〕을 바꿀 때

- 왜 마음을 바꾸셨습니까?
  What made you change your mind?
- 다시 생각해 보니까, ...
  On second thought, ...
- 이 계약을 취소하고 싶은 생각이 들어요.
  I have in mind to cancel this contract.

결정권

상대에게 달려 있다

- 모든 것이 당신의 결정에 달려 있어요.
  Everything depends on your decision.
- 결정권은 당신에게 있어요.
  The decision rests with you.
- 그건 당신이 결정할 일이에요.
  That's for you to decide.
- (가든지 말든지) 그건 당신에게 달렸습니다.
  It depends on you.
  It is optional with you (to stay or go).
- 당신 마음대로 하세요.
  You can suit yourself.
- 두 가지 다 가질 수는 없으니, 양자택일하세요!
  You can't have it both ways.
  You can't eat〔have〕 your cake and have〔eat〕 it, either! [9)]

---

8) turn out : 결국 ~이 되다, (결과) ~이 되다
9) You can't eat your cake and have it. = You can't have your cake and eat it. : 당신은 케이크를 먹을〔가질〕 수는 없지만, 가질〔먹을〕 수는 있다. → 꿩 먹고 알 먹고 할 수는 없다. → 두가지 다 할〔가질〕 수는 없다. → 양자택일해야 한다.

- 뭘 결정하셔도 저는 좋습니다.
  Whatever you decide is all right with me.
- 받아들이냐 안 받아들이냐 하는 건 당신에게 선택권이 있어요.
  You have the option to take it or leave it.
- 좋을 대로 하세요. 저는 그냥 따라 할게요.
  You decide and I'll just follow.
- 무엇을〔어떻게〕 할 것인가를 신중히 결정해야 해요.
  We shall be careful in deciding what〔how〕to do.
- 당신이 결정하세요.
  You be a judge. / You're on your own.
- 당신들이 원하는 대로 결정하세요.
  You guys decide whatever you want.
- 당신이 그걸 결정하도록 할 게요.
  I'll let you be the judge of that.
- 이것이든 그것이든, 둘 중에 하나를 가지세요.
  Take one of the two, either this one or that one.

자신에게 결정권이 없을 때

- 그건 제 마음대로 결정할 수가 없습니다.
  I can't settle it on my own authority.
- 저는 그런 사항을 결정할 권한이 없습니다.
  I don't have the authority to make that kind of decision.
- 저한테 선택권을 주세요.
  Give me the right to make the choice. [10)]
- 저는 이 문제에 대한 최종 결정권이 없습니다.
  I don't have the final say in this matter.

기 타

- 그 건에 대한 최종 결정자가 누구죠?
  Who makes the final decision on the matter?
- 저는 과거에 한번도 새해 결심을 실천한 적이 없어요.
  I've never lived up to my New Year's resolutions in the past.
- 심각하게 생각해 볼 때예요.
  It's think-tank time.
- 그는 결단력이 없어요.
  He lacks decision. / He can't make decision.

10) choice : 선택(하기), 선택의 기회 / have no choice : 선택의 여지가 없다 / have one's choice : 고를 권리가 있다, 마음대로 고를 수 있다

- 결심을 잘 하셨습니다.
  I applaud (you for) your decision. [11)]
- 더 이상 해 봤자 무슨 소용이 있겠어요?
  What's the use of making any more?
- 다른 의견도 알아 보겠습니다.
  I'll get a second opinion.
- 저는 새해 결심을 매년 깨뜨리는 것 같아요.
  Seems like every year I break my New Year's resolutions.

결정하기가 곤란할 때

- 선택〔결정〕하기 어렵군요.
  It's a tough choice.
- 어떻게 해야 할 지 모르겠어요.
  I don't know where to turn. [12)]
- 귀추를 보고 결정하도록 합시다.
  Let's see how things turn out before we decide.
- 결심하기에는 너무 일러요.
  It's too early to make up our mind.
- 가야 할 지 말아야 할 지 모르겠어요.
  I don't know whether to go (or not). [13)]

결정을 못했을 때

- 아직 결정이 안됐어요.
  Not decided yet.
- 아무런 결정도 안 났어요.
  No decision was reached.
- 아직 공식적인 것 없습니다.
  It's not official yet.
- 아직 결정을 못했습니다.
  I haven't decided yet.
  My decision is still up in the air. [14)]
  I haven't come up with an answer yet. [15)]
- 어디로 갈지 아직 확실치 않습니다.
  It's not certain yet where I'll go.

---

11) applaud : (~에게) 박수갈채하다, 칭찬하다 / applaud to the echo : 극구 칭찬하다
12) 직역 : 어느 방향으로 돌아야 할 지 모르겠다.
13) whether는 명사구를 이끄는데, 이것을 if로 바꿀 수 없음.
14) in the air : 미정(未定)인
15) come up with : ((구어)) ~을 마련〔안출〕하다

기 타

- (이럴 때는) 이게 제일이에요.
  This hits the spot. [16)]
- 어려운 결심을 하셨군요.
  You made a hard decision.
  That's a tough decision you made.
- 이것으로 결정이 났습니다.
  That's a bargain.
- 주사위는 던져졌어요〔운명은 결정됐어요〕.
  The die is cast.
- 당신은 마음만 먹으면 그걸 할 수 있어요.
  You can do it if you put your mind to it.

명언 한 마디

Genius is one percent inspiration and
ninty-nine percent perspiration.

천재란 1퍼센트의 영감과 99퍼센트의 땀으로 되어 있나.

- Thomas Alva Edison(1847-1931) -

16) hit the spot : 말할 나위 없다

9 상대의 의중을 확인할 때

상대의 마음속에 있는 의중을 물을 때는 "What are you thinking about?(무얼 생각하고 계십니까?)", "What's the catch?[1] (의도가 무엇입니까?)", "What's your ulterior motive?[2] (당신의 저의가 무엇입니까?)", "Whose side are you on?(당신은 누구 편이세요?)" 등의 표현을 쓰고, 상대가 의도를 숨기려고 할 때는 "Don't conceal your intentions from me.(당신의 의도를 제게 숨기지 마세요.)"라고 한다.

기 본 대 화

A : What are you going to do about our office picnic?
B : I'm thinking of canceling it.
A : Why? Everyone wants to go.
B : Not really. Female employees don't much care for it.

A : 우리 사무실 소풍에 대해서 어떻게 처리하실 겁니까?
B : 취소할 생각입니다.
A : 왜요? 모두가 가고 싶어하잖아요.
B : 그렇지 않아요. 여자 직원들이 탐탁지 않게 생각하거든요.

상대의 의중을 물을 때

- 당신은 누구 편이세요?
  Who do you agree with?
- 그의 제안을 어떻게 처리하실 건가요?
  What are you going to do with his proposal?[3]
- 진심으로 그런 말을 하시는 겁니까?
  Do you seriously mean what you say?
- 어떨 작정이니?
  What's the idea?
- 무엇을 할 생각이세요?
  What do you want to do? / What would you do?

1) catch : ((구어)) (사람을 걸리게 하는) 함정, 올가미, 책략 예 The question has a catch in it.(그 문제에는 함정이 있다.)
2) ulterior : 마음속의; 이면의; 배후의; 입 밖에 내지 않은
3) do with ~ : ~을 처리하다

- 아무런 조건도 없습니다.
  No strings attached to it. [4]

기 타

- 당신의 속셈을 모르겠군요.
  I don't know what your game is. [5]
- 당신이 뭘 생각하고 있는지 알아요.
  I know what you're thinking.
- 그의 견해를 타진해 보시죠?
  Why don't you sound (out) his view? [6]
- 그의 속을 모르겠어요.
  He's so mysterious.
- 그 건에 대해서 그의 의중을 떠볼 기회가 있었습니까?
  Did you have a chance to sound him out about the matter?
- 그 문제에 대해서 그의 의향을 타진해 볼 필요가 있어요.
  We have to feel him out on the matter. [7]

---

4) string : 줄, 끈 / strings(복수형) : 부대 조건, 단서
5) game : 경기, 놀이; 승부의 점수; 계획, 방침, 의도, 속셈 / games : 계략, 수작(trick)
6) sound sb out : (아무의 태도나 의견 기분 따위를) 탐지하다, 알아내다, 타진하다, 떠보다 예 They tried to sound me out.(그들은 내 의중을 탐지하려 했다.)
7) feel sb out : 아무의 의향을 떠보다, 타진하다

10 상대를 설득할 때

자신의 주장을 하거나 고집을 부릴 때는 "I don't mind what people say of me.(남들이 뭐라고 하든 상관없어요.)", "That's my privilege.[1] (그거야 제 마음대로죠.)", "What's that got to do with me?(그게 나하고 무슨 상관이죠?)" 등의 표현을 쓴다. 상대방을 설득하기 위해서 자기 말대로 하라고 할 때는 "You heard me.(내 말을 들으세요. / 내 말대로 하세요.)"라고 하고, 상대방의 주장에 못 이겨 그대로 따를 때는 "All right if you insist.(정 그러시다면 좋습니다.)"라는 표현을 쓸 수 있다.

기 본 대 화

A : I intend to sue him for damages.
B : That's a bad idea. You're partly responsible for it.
You'd better settle the case out of court.
A : I'll never do that.
B : You listen to me. [2]
A : No, you listen to me.

A : 그를 상대로 손해배상 소송을 제기할 겁니다.
B : 그건 좋은 생각이 아니에요. 당신도 일부 책임이 있잖아요.
합의를 보시는 게 좋을 거예요.
A : 그렇게는 안 할 겁니다.
B : 제 말을 들으세요.
A : 아니오, 당신이 제 말을 들으세요.

고집을 피울 때

- 나는 내 방식대로 하겠어요.
  I'm bound to get it my way. [3]
- 더 이상 이 일을 못 맡겠습니다.
  I can't take on this work any more. [4]
- 그렇다면 구태여 말리지 않겠어요.
  If you insist, I won't press you to stop it.

1) privilege : 특권, 특전; 특권(특전)을 주다 / the privilege : (기본적 인권에 의한) 권리 / the privilege against self-incrimination : ((법)) 불리한 진술을 강요받지 않을 권리
2) 여기서 'me'는 '내 말(my words)'이란 뜻이다.
3) be bound to ~ : ~할 결심이다
4) take on : (일 · 농장 등을) 맡아서 경영하다

- 그는 매사를 남에게 얘기하지 않아요.
  He keeps things to himself.[5]
- 그 여자는 그 남자와의 결혼을 거부하는 데 있어서 요지부동이에요.
  She was adamant in refusing to marry the man.[6]
- 그는 항상 자기 마음대로 하려고 해요.
  He will always have his own way.[7]
- 저에게 결정하도록 강요하지 마세요.
  Don't force me to make a decision.

설득하다

- 이게 어때요〔이래도 안 하시겠어요〕?
  How does this sound?
- 그를 설득해서 비밀을 캐내는 게 어때요?
  How about pumping the secret out of him.[8]
- 당신의 제안을 그가 받아들이도록 할게요.
  I will get him to accept your offer.
- 우리는 그들에게 10%를 할인해 주도록 설득했어요.
  We talked them down to a 10% discount.[9]
- 우리 계획의 중요성을 그들에게 이해시켜야 합니다.
  We should get across to them the importance of our project.[10]

> A: Here is a tip for you. (이건 당신에게 드리는 팁입니다.)
> B : We can't accept tips. (저희는 팁을 받으면 안 됩니다.)
> A: I insist. (그래도 받으세요.)
> B : All right if you insist.[11] Thank you.
> (정 그러시다면 좋습니다. 감사합니다.)

설득에 실패하다

- 그의 결심을 바꾸는 데 실패했어요.
  I wasn't able to make him change his mind.
- 아무리 해도, 그를 설득할 수 없을 거예요.
  Try as you may, you won't be able to persuade him.

5) 직역 : 그는 매사를 자기 혼자서 가지고 있다.
6) adamant : 단호한, 확고한, 완고한
7) have one's (own) way : 자기 뜻대로〔마음대로〕 하다
8) pump the secret out of sb : 아무한테서 비밀을 캐내다
9) talk sb down to ~% : 아무에게 ~%를 할인해 달라고 얘기〔설득〕하다
10) get across to sb : 아무를 이해시키다
11) 위 표현은 함께 술을 마신 후 상대방이 극구 자기가 술값을 내겠다고 할 때 "All right if you insist.〔정 그러시다면 좋습니다. (당신이 내십시오.)〕"라고 말할 경우 등에 쓰인다.

11 당위성을 말할 때

"~해야 한다. / ~하지 않으면 안 된다."라는 의미의 당연 의무 등 당위성을 표현할 때는 "<must / have to / should / ought to> + 동사원형" 형태의 문형을 쓴다. 'must'와 'have to' 의 차이점은 'must'는 말하는 사람이 상대에게 의무를 부과할 때 쓰이는 구어적 표현이며, 'have to'는 외부적인 의무를 나타낼 때 사용하는 문어적 표현이다. 'ought to'는 'must'보다 뜻이 다소 약하며 'should'와 같은 정도의 의미를 갖는다. 당위성을 나타내는 동사는 부정형태에 따라 뜻이 달라진다. 즉, "must not + ~(동사원형). (~해서는 안 된다)", "don't have to ~(~할 필요가 없다 = need not ~)" 라는 뜻이 된다.

기 본 대 화

A : Hey, Alice, what are you doing here?
B : What are you talking about?
A : You're supposed to be at the meeting in Seoul. 1)
B : What? Wait a minute! What time is it now?
A : Three o'clock.
B : Oh, my God! I forgot.

A : 이봐, 앨리스, 지금 여기서 뭘하고 있니?
B : 무슨 소리야〔왜 그래〕?
A : 서울 회의에 참석해야 하잖아.
B : 뭐라고? 잠깐! 지금 몇 시지?
A : 3시야.
B : 오, 이런! 깜박 잊고 있었군.

자신의 당위성을 말할 때

- 이만 가봐야 합니다.
  I must go now.
- 오늘은 야근을 해야 해요.
  I have to work late today.
- 그 건에 대해서는 저희 사장님과 상의를 해야 합니다.
  I need to talk to my boss about the matter.
- 그것에 대해서는 그분에게 확인을 해 봐야겠어요.
  I'll have to check with him about it.

1) 직역 : 당신은 지금 서울에 있는 회의에 참석하게 되어 있다〔참석해 있어야 한다〕.

- 그를 절도죄로 고소할 수밖에 없어요.
  I have no other choice but to bring a charge of theft against him. [2)]
- 그에게 말하지 않을 수 없었어요.
  I couldn't help telling him.
- 회의를 취소하는 수밖에 없습니다.
  We have no other alternative but to cancel the meeting. [3)]

상대의 당위성을 말할 때

- 거기에 가시면 안 됩니다.
  You're not supposed to go there.
- 그에게도 기회를 줘야 해요.
  You should give him a chance.
- 그 사람 말을 그대로 믿으시면 안 됩니다.
  You shouldn't take his word for it.
- 그 일을 당신에게 말하면 안 되요.
  I'm not supposed to tell you about it.

2) bring a charge (of) burglar〔fraud〕 against sb : 아무를 강도죄〔사기죄〕로 고발〔고소〕하다 / charge sheet : (경찰의) 사건기록부, 기소용 범죄자 명부
3) alternative : 양자택일의; 대신의; 양자택일(the alternative); 대안(an alternative plan) / There is 〔I have no〕 (other) alternative.(달리 방도가 없다.) / alternative courses of death or life : 죽느냐 사느냐의 두 갈래 길

12 지시나 명령을 할 때

상대방에게 어떤 지시나 명령을 할 때는 기본적으로 "동사원형 ~!(~을 해!)" 형식의 문형으로 표현한다. 외국 영화를 보면, "Do it right now!(당장 시행해!)"라는 표현을 자주 듣게 된다. 또는 상대방의 말이나 행동을 가볍게 제지할 때는 "You can't do this.(이러시면 안 됩니다.)"[1], 상대방에게 뭔가를 하지 말라고 할 때는 "Don't + 동사원형 ~.(~하지 마세요.)" 형태의 문형을 쓴다.

기 본 대 화

A : How's the paper coming along?
B : It's not even half done yet.
A : Be sure to finish it by this Friday.
B : Yes, sir. I'll do my best.

A : 그 서류 어떻게 돼가고 있어?
B : 아직 절반도 못했습니다.
A : 이번 주 금요일까지 확실히 끝내게나.
B : 네. 최선을 다하겠습니다.

지시하다

- 그 사람 일 좀 시키세요. / 그 사람 좀 빨리 데려 오세요.
  Put him to work. / Please bring him (back) soon. [2]
- 그 사람 지시에 따르세요. / 그 사람 지시를 기다리세요.
  Follow his instructions. / Wait for instructions from him.
- 그건 이렇게 하세요. / 그러지 마세요.
  Do it this way. / You can't do that. [3]
- 그들을 감시해야 해요.
  You ought to keep tabs on them. [4]

---

1) 이 문장을 "당신은 이것을 할 수 없습니다."라고 해석하면 상황에 맞지 않는 경우가 많다. 또 다른 예를 들어 보자. You can't die.(당신은 죽어서는 안 되요.(O), 당신은 죽을 수 없어요.(×)) / You can't mean that.(그럴 리가 없어요.(O), 당신은 그것을 의미할 수 없어요.(×)) / My wife can't know about this.(제 아내가 이걸 알면 안 되요.(O), 제 아내가 이것을 알 수가 없어요.(×)) / You can't run away for me.(저를 두고 가시면 안 되요.(O), 당신은 나를 두고 도망갈 수 없어요.(×))
2) bring ~ back : ~(사람 · 물건)을 데리고[가지고] 오다
3) "당신은 그럴 수 없습니다."라고 직역을 하게 되면 진정한 의미가 표현되지 않는다. 예 You can go to the smoking area.(흡연구역으로 가세요.) → 흡연[금연석]이 구분되어 있는 식당에서 손님이 담배를 피울 수 있는 자리를 원하자 점원이 이렇게 말할 수 있다.
4) keep tabs on ~ : ~를 감시하다

- 꼼짝말고 있어요! / 여기 잠깐 계세요.
  Stay put! / Stay here for a moment.
- 내가 말한 대로 해! 그렇지 않으면. (안 좋을 줄 알아!)
  Do as I tell you or else. 5) / Do it or else!
- 당신한테는 어떤 지시도 받지 않겠소.
  I'll take no orders from you.
- 떠들지 마세요. / 조용히 해!
  Don't be noisy. / Do be quiet! 6)
- 무슨 수를 써서라도 매상을 올리세요.
  You must increase sales any way you can. 7)
- 무슨 일이 있어도 그것을 해라. / 분부대로 하겠습니다.
  Do it by all means. / I'll act upon your words. 8)
- 무슨 일이 있어도 오늘밤엔 밖에 나가지 마세요.
  Don't go out tonight no matter what happens.
- 무슨 일이든지 분부만 하십시오.
  I'm always at your service. / I'm at your service.
- 당신은 들은 대로만〔시키는 대로만〕 하면 됩니다.
  You're supposed to do what you're told.
  You only have to do as you are told.
- 싫더라도 그걸 해야 한다.
  Even if you don't like it, you must do it.
- 이러쿵저러쿵 핑계대지 말고 당장 그걸 해라!
  Do it now, and no ifs, ands, or buts!
- 잡담 그만 하고 일 좀 해라!
  Stop talking and do your work!
- 저는 누구의 지시도 받지 않습니다.
  I won't be dictated to. / No one shall dictate to me.
- 어떤 장애가 있더라도 그걸 해야 한다.〈속어〉
  You have to do it, come hell or high water. 9)
- 그런 잔심부름은 못하겠습니다.
  I can't run such small errands for you. 10)

---

5) "그렇지 않으면 좋지 않을 줄 알아!"라는 의미가 내포되어 있다.
6) 여기서 'do'는 강조를 나타내는 조동사로서, "Be quiet!"보다 훨씬 강한 표현이다.
7) 지시나 명령을 할 때
8) act on〔upon〕: (주의 · 충고 등을) 따라〔좇아〕 행동하다
9) come hell and〔or〕 high water : 어떤 장애가 있더라도, 죽든지 살든지
10) run small errands : 잔심부름을 하다

13 추측과 판단을 할 때

어떤 결과에 대한 예측을 물어 볼 때는 "What will be the end of this election?(이번 선거 결과가 어떻게 될까요?)", 추측 판단이 맞았을 때는 "The result met our expectations.(결과는 우리가 생각한 대로 였어요.)", 예측 판단이 틀렸을 때는 "That's the last thing I would expect.[1] (그렇게 될 줄은 꿈에도 몰랐어요.)"라고 표현하고, 상대방이 어떤 일의 결과를 속단할 때는 "Don't rush to a conclusion.(성급하게 결론을 내리지 마세요.)" / "The results are still out.(결과가 어떻게 될지 아직은 알 수가 없어요.)"라고 말할 수 있다.

기 본 대 화

A : Who do you think will be elected in the presidential election?
B : Bob Dole.
A : He doesn't have a fat chance.[2]
B : Don't jump to the conclusions. Nobody can predict the result.

A : 대통령 선거에서 누가 당선될 거라고 생각하세요?
B : 밥 돌이오.
A : 그 사람은 당선할 가능성이 전혀 없어요.
B : 속단하지 마세요. 아무도 결과를 예측할 수 없어요.

추측 · 판단이 맞았을 때

- 그럴 줄 알았어!
  It figures!
- 당신 추측이 딱 맞았어요.
  Your guess was right on the nose.[3]
- 제가 옳았다는 것이 판명되었어요.
  It turned out that I was right.
- 결과에 대한 우리 예측이 맞았어요.
  Our guess about the results was right.

---

1) the last : 결코 (~할 것 같지) 않은 ; 가장 부적당한〔어울리지 않는〕 예 the last man (in the world) I want to see.(내가 가장 만나고 싶지 않는 사람) / He is the last man to succeed in the attempt.(그는 해 봤자 좀처럼 성공할 것 같지 않다.) / She is the last wife for a farmer.(그녀는 농부에게 도무지 어울리지 않는 부인이다.)
2) a fat chance : 많은 기회; ((반어적)), 희박한 가망((of))
3) on the nose : ((구어)) 어김없는, 정확한; 〈경마〉 일등할 (말)

- 결과가 우리 예상대로 되었어요.
  The results came up to our expectations.
  The results were just as we expected.

추측 · 판단이 틀렸을 때

- 결과가 우리가 예상했던 것과는 정반대였어요.
  The result was opposite of what we expected.
- 당신이 오리라고는 전혀 생각을 못했어요.
  I had no idea that you were coming.
- 그가 이길 거라는 사실은 전혀 예상을 못했어요.
  We hadn't bargained on the fact that he won. 4)
- 그건 전혀 예상 밖의 상황이었어요.
  That's a whole new ball game. 5)
- 이 책이 날개 돋친 듯 팔릴 것이라곤 꿈에도 생각을 못했어요.
  This book is the last product I'd have expected to sell like crazy.
- 일이 이렇게 될 줄을 누가 알았겠어요!
  Who would have expected things to turn out like this!

추측 · 판단이 어려울 때

- 내일 무슨 일이 일어날 지는 아무도 모르는 거예요.
  Nobody can foretell what will happen tomorrow.
- 결과가 어떻게 나올지 말하기 어려워요.
  It is difficult to say how it will turn out.
- 아직 모르는 일이에요.
  The jury is still out. 6)
- 그건 예측하기 어려워요.
  It's anybody's guess.
- 예측을 불허합니다.
  It's a toss-up. 7)
- 내가 아는 바로는, 그건〔그런 일이 일어나는 건〕 시간 문제예요.
  As far as I know, it's a matter of time.
- 전혀 짐작이 안 가요.
  I haven't the faintest idea.

---

4) bargain on ～ : ～을 기대〔예상〕하다
5) whole new ball game : 전혀 예상 밖의 상황
6) 직역 : 배심원이 아직 법정 밖에 있다. → 판결이 어떻게 날지 아직 속단할 수 없다.
7) toss-up : ((구어)) 반반의 가능성

- 추측할 길이 없어요.
  There is no guessing.

기 타

- 전망이 어두워요〔불투명해요〕.
  The prospect is gloomy. [8] / The future looks dim. [9]
  The outlook is bleak. [10]
- 전망이 밝습니다.
  The futures's bright.
- 그 사람이 그렇게 말했을지도 모르죠.
  He may have said so.
- 그건 결과가 뻔한 사건이에요.
  It's an open-and-shut case. [11]
- 그건 단지 추측에 지나지 않아요.
  It is no more than a guess.
- 당신 판단에 맡길게요.
  I will leave you to judge for yourself.

유머 한 마디

One doctor ran his hand over his friend baldhead. And he said "It feels like my wife's behind." The other man put his hand to his own head. "Well, buddy, it does at that."

한 의사가 친구의 대머리를 쓰다듬으면서 말하기를
"이거 꼭 우리 마누라 엉덩이 같은데." 그러자 상대방 남자가 자신의
머리를 손으로 만져보더니 응수하기를 "음, 여보게, 정말 똑 같은데."

8) gloomy : 어두운, 음울한, 비관적인
9) dim : ((구어)) 가망성이 희박한; 미덥지 못한 / take a dim view of ~ : ~을 비관적으로 보다; ~에 찬성하지〔탐탁하게 여기지〕 않다
10) bleak : (날씨, 바람 등이) 차가운; (장소 등이) 바람맞이의, 황량한, 삭막한(dreary); (생활 등이) 궁색한, 처절한; (장래 등이) 어두운
11) open-and-shut : ((구어))명백한, 대번에 알 수 있는; 간단한

14 토의 및 협상을 할 때

토의와 협상에 있어서 기본은 상호간의 양보를 통한 타협이다. 서로 양보하자고 할 때는 "Let's go fifty-fifty. / Let's split the difference.[1] (서로 양보합시다.)" 라고 말하고, 어떤 문제에 대해서 상대방에게 재고(再考)를 부탁할 때는 "I do hope you'll reconsider it.(다시 한번 생각해 주셨으면 합니다.)" 라고 말한다.

기 본 대 화

A : We'd like to finalize everything by the end of this week.
B : I'd love to, but I'll have to check with my boss again.[2]
A : We're getting nowhere.
Come on, Let's meet halfway.
B : Well, may I suggest a compromise?
A : Sure. Go ahead, please. What is it?
B : I hope you can offer a better price.
A : All right. We're going to give a discount.

A : 이번 주말까지 모든 걸 마무리짓고 싶습니다.
B : 그러고 싶지만, 저의 사장님과 다시 상의를 해 봐야 합니다.
A : 우린 제자리걸음을 하고 있군요.
자, 서로 조금씩 양보를 합시다.
B : 그럼, 타협안을 제시해도 될까요?
A : 물론이죠. 어서 말씀해 보세요. 그게 뭐죠?
B : 더 나은 가격으로 해 주셨으면 합니다.
A : 좋습니다. 그러죠. 가격을 인하해 드리겠습니다.

재고를 부탁할 때

- 다시 한번 생각해 봐 주시겠습니까?
  Would you think it over once more?
- 본부에서 승낙하는 대로 시작할 겁니다.
  As soon as our headquarters give us the go-ahead, we will start.[3]

---

1) 직역 : (서로간의) 차이를 (절반으로) 쪼갭시다.
2) check with sb : 아무와 상의하다
3) give sb the go-ahead : 아무에게 승낙〔승인〕을 하다

양보와 타협

- 그 문제에 관해서는 한치도 양보하지 않을 거예요.
  I'll not yield an inch on that matter.
- 우리는 그들로부터 더 많은 양보를 요구해야 합니다.
  We should ask for more concessions from them.
- 아무것도 양보하지 마세요.
  Don't concede anything. [4]
- 그와 타협을 해 보도록 하겠습니다.
  I'll try to make a deal with him. [5]
- 우리 협상합시다!
  Let's make a deal!
- 타협합시다.〈속어〉
  If you put your two cents in, I'll put my two cents in. [6]
- 이걸로 청산된 것으로 합시다. / (그런 의미에서) 악수나 합시다.
  Let's call it even. / Put it there! [7]
- 이번 주말까지는 모든 것이 해결될 것으로 예상됩니다.
  I expect everything to be nailed down by this weekend. [8]
- 일주일 후면 우리는 합의에 도달할 겁니다.
  We'll reach to an agreement in a week.
- 우리는 그 건에 대해서 완전히 합의를 봤어요.
  We saw eye to eye on the matter. [9]
- 우리는 그들과 쉽게 타협할 수 있었어요.
  We could easily come to terms with them. [10]

논점이 빗나갈 때

- 그건 별개의 문제죠.
  That's another story. / That's another pair of shoes. [11]
  That's something else.

---

4) concede : 양보하다, 용인하다(yield); 승인하다, 인정하다 / We conceded them the palm of victory.(우리는 그들에게 승리를 양보했다.) / We must concede that this is true.(우리는 이것이 사실임을 인정해야 한다.) / He conceded the point to us in the debate.(그는 토론에서 우리에게 그 점을 양보했다.)
5) deal with : 타협〔협상〕하다
6) 직역 : 당신이 2센트를 넣으면 나도 2센트를 넣겠소.
7) 상호간 의견의 일치를 보았을 때
8) nail down : ((속어)) ~을 확정시키다, 최종적으로 해결하다
9) see eye to eye : 완전히 합의하다, 의견의 일치를 보다
10) come to terms with sb : 아무와 타협하다, 화해하다, 합의를 보다
11) another pair of shoes : 전혀 다른 일

- 그건 상황이 전혀 다른 경우예요.
  That's a whole new ball game.
- 그건 우리가 지금 얘기하고 있는 것과는 아무런 상관이 없어요.
  That's got nothing to do with what we're talking about now. [12)]
- 그건 토론 중인 주제와 아무런 관련이 없어요.
  That has no bearing upon the subject under discussion. [13)]
- 문제의 핵심이 분명하지 않군요.
  The root of the question isn't clear.
- 미안합니다만, 그건 주제를 벗어난 이야기군요.
  Excuse me, but that has nothing to do with the topic.
  Excuse me, but that's out of the context.
- 그것과 이것은 경우가 달라요.
  We must distinguish between the two cases. [14)]
- 그는 항상 논점을 교묘히 회피해요.
  He always begs the question. [15)]
- 문제의 주변만을 다루지 말고, 핵심을 다루세요.〈속어〉
  Don't argue round and round about the problem.
  Try to get at〔to〕 its roots.
- 그건 대수로운 게 아니에요.〈속어〉
  It's just a mosquito bite. / It's nothing but a bite.
- 이건 좀 다른 얘기지만, ...
  I'm getting a little sidetracked here, but .... [16)]
- 그건 그쯤 해 두고 다른 문제로 넘어 갑시다.
  Let's leave that and go on to another issue.

토 의

- 맥주 한잔하면서 토의합시다.
  Let's discuss it over a beer.
- 이러한 조건에 준해서〔의해서〕, 당신의 제의를 받아들이겠소.
  According to these terms, I accept your proposal.
- 해결책을 찾을 때까지 그 문제에 대해서 토의를 합시다.
  Let's discuss the problems until a solution is found. [17)]

---

12) have (got) nothing to do with ~ : ~와 전혀 관계가 없다
13) have no bearing upon ~ : ~와 아무런 관계가 없다
14) 직역 : 우리는 두 경우들 간에 구별해야 한다. / distinguish A from B : A와 B를 구분하다〔구별하다〕
15) beg the question : 논점을 교묘히 회피하다; 논점을 증명하지 않고 옳은 것으로 가정해 놓고 논하다
16) sidetrack = off the track : 주제〔문제〕를 벗어난
17) ((주의)) discuss는 타동사이므로 'about'나 'on'을 붙이지 않는다.

- 원하실 때는 언제든지 그것을 논의하겠습니다.
  I'll discuss it with you whenever you like.
- 입증되지 않은 것을 기정 사실로 가정하지 맙시다.
  Let's not beg the question [18)]
- 그들과 논의를 해 봤자 소용이 없어요.
  It's useless to argue with them.
- 중요하지 않은 얘기는 그만 합시다.
  Let's cut the small talk. [19)]
- 그럭저럭 우리의 얘기를 했어요.
  We actually managed to wind up our talks successfully. [20)]

기 타

- 양측은 아직도 의견이 달라요.
  Both sides are still poles apart. [21)]
- 우리는 그들에게 우리의 제한사항을 이해시켜야 합니다.
  We have to get across our limitations to them. [22)]
- 우리는 그들의 제안을 받아들여야 합니다.
  We should accept their offer.
- 우리는 마침내 의견의 일치를 보았어요.
  We're finally of one accord. [23)]
- 우리는 유리한 입장에 서 있어요.
  We're in a good situation. / We're on the right track.
- 우리는 불리한 입장에 놓여 있어요.
  We have the wrong end of the stick. [24)]
- 이 문제에 대해서는 견해가 분분해요.
  Opinion is divided on this question.
- 이 문제에 있어 의견일치를 보지 못했어요.
  On this matter no agreement was reached.

---

18) beg the question : 논점을 옳은 것으로 가정해 놓고 논하다, 논점을 교묘히 회피하다
19) small talk : 잡담, 한담(chitchat)
20) wind up : (논설, 연설 등의) 결말을 짓다
21) poles apart : 의견이 다른
22) get across : (취지 · 농담 등을) 이해시키다, 전하다
23) of one accord : (의견 등이) 일치한
24) the wrong〔short / dirty〕end of the stick : 불리한 입장; 부정한 취급

15 확신을 밝힐 때

상대방에게 자신의 확신을 말할 때는 "I'm sure. / I'll bet (you).(저는 확신합니다.)", 상대에게 어떤 얘기를 듣고 확실한 가를 물을 때는 "Are you sure? / You bet?(확실해요?)" 또는 "Are you sure about that?(그거 확실한가요?)" 라고 말한다.

기 본 대 화

A : I'm convinced our team will win this game.
B : What makes you say so?
A : For one thing, we have the referees on our side. [1)]
B : Don't jump the conclusions.

A : 이 게임은 우리 팀이 꼭 이걸 거야.
B : 무슨 근거로 그런 말을 하는 거지?
A : 심판들이 우리 편이라는 게 한 예지.
B : 속단하지마.

확신을 말할 때

자신의 확신을 말할 때

- 물론이죠.
  Certainly. / Of course. / Sure. / You bet. [2)] / Sure thing!
- 당신이 옳다고 확신합니다.
  I bet you are right. [3)]
- 내기를 해도 좋아요. / 그건 제가 보증합니다.
  I can even bet on that! / I give you my word for it.
- 100% 확실합니다.
  Absolutely certain.
- 무슨 근거로 그렇게 확신하죠?
  What makes you so positive?
- 맹세[단언]합니다.
  I swear (to you). / Cross my heart! [4)]

1) for one thing : 하나는, 첫째는
2) "당신은 나에게 내기를 해도 좋다." 즉 "물론이죠."라는 의미
3) I bet ~. : ~을 확신하다[틀림없이 ~ 할 것이다].
4) 직역 : 가슴에 십자가를 긋다 → '맹세하다'를 의미하는 제스처

• 그것에 대해 확신합니다.〈속어〉
I'll bet you my bottom dollar on it. [5)]
• 문제없습니다〔확신합니다〕.
No sweat! [6)]
• 그것에 대해서는 의심할 여지가 없습니다.
There's no question〔doubt〕 about it. [7)]
• 이건 장담할 수 있는 사실입니다. / (그걸) 믿으셔도 됩니다.
I can guarantee this fact. / You'd better believe (it).
• 그걸 알고 있습니다. 그래서 제가 말할 수 있는 겁니다.
I know that. That's why I can talk about.
• 저는 그의 결백을 보증합니다.
I assure you that he is innocent.
• 저는 결코 누구한테도 말한 적이 없습니다.
I've never told anybody.
• 제 이름을 걸고 꼭 하겠습니다.
I'll do it, or my name is Smith.
• 그것을 서면으로 약속하겠습니다.
I'll have you put that in writing.
• 틀림없어요〔염려 마세요〕!
Depend upon it!
• 그는 꼭 합격할 겁니다.
I don't doubt he'll pass the exam. [8)]
• 저는 그것을 99% 확신합니다.
I'm 99% sure of it!
• 신의 이름으로 맹세합니다.
I swear in the name of God.

확신의 근거를 물을 때

• 왜 그렇게 확신하세요?
What makes you so confident?
• 정말 전혀 문제가 없어요?
Are you sure it's no trouble?

---

5) 직역 : 내가 가진 돈 전부를 그것에 걸겠다. / bet one's bottom dollar〔boots / shirt / life〕 on ~ : ~을 확신한다 / bottom dollar : 남은〔가진〕 돈 전부
6) no sweat : ((속어)) 간단한 일; 간단히, 수월하게, 힘들이지 않고
7) 확신을 밝힐 때
8) ((비교)) I doubt whether〔if〕 he'll pass the exam.(그가 시험에 합격할지 의문이에요.) → doubt의 목적어로 절이 올 경우, 긍정문에서는 whether나 if가 오며, 부정문 의문문에서는 that나 but가 온다.

확고한 의지를 말할 때

- 무슨 일이 있어도, 제 결심을 바꾸지 않을 겁니다.
  Whatever may come, I won't change my decision.
- 경우에 따라서는 죽음도 불사하겠어요.
  I'm ready to die if I have to.
- 어떤 것을 준다 해도 가지 않겠습니다.
  I wouldn't go for anything.
- 무슨 일이 있어도, 제 결심을 바꾸지 않을 겁니다.
  Whatever may come, I won't change my decision.
- 경우에 따라서는 죽음도 불사하겠어요.
  I'm ready to die if I have to.
- 그곳은 절대로 안 갈 겁니다.
  That's the last place I would go. 9)
- 모든 것을 잃는 한이 있어도 기꺼이 하겠습니다.
  I'm willing to risk losing everything.
- 무슨 일이 있어도 3시까지는 거기에 도착할게요.
  Come what may, I'll be there by three o'clock. 10)
- 다시는 도박을 하지 않겠습니다.
  I'm never going to gamble again.
- 어떻게 해서라도 나는 미국에 가고 싶습니다.
  I want to go to America, any way I can.
- 어떤 상황에서도 그녀와 결혼할 겁니다.
  I'll marry her for better or for worse. 11)
- 저는 한번 뭔가를 하려고 결심하면, 결코 마음을 바꾸지 않아요.
  Once I decide to do something, I never change my mind.

약속(promise)

- 그들이 우리를 돕겠다고 구두로 약속했어요.
  They verbally promised to help us.
- 그런 약속은 하지 않았어요.
  I didn't bargain for that.
- 우리에게 약속했잖아요?
  You gave us your word, didn't you?

기 타

- 그건 뻔해요. / 설명할 필요가 없어요〔당연한 일이에요〕.

9) "I wouldn't be caught dead in a place like that."도 같은 의미
10) come what may〔will〕 : 무슨 일이 있어도〔일어나더라도〕
11) for better (or) for worse : 어떠한 상황에서도, 좋건 궂건

It is self-evident. / It speaks for itself.

- 달리 방법이 없어요.
  There's no other alternative〔choice〕 left.
  There's no other way.
- 그는 단호했어요.〈속어〉
  He's bound and determined. [12)]

확신이 서지 않을 때

- 아직은 확실하지 않습니다. / 확실한 것은 모르겠습니다.
  I'm not sure yet. / Your guess is as good as mine. [13)]
- 그 점에 대해선 확실하지 않습니다.
  I'm not positive about the point.
- 장담할 수는 없습니다. / 노력하겠지만, 장담은 못하겠습니다.
  I can't say for sure. / I'll try, but I can't promise.
- 단언할 수는 없지만, ...
  I cannot say positively〔for certain〕, but ...

활용어휘

- 거수 표결 : vote by show of hands
- 요컨대〔결론으로서〕 : to sum up / in short
- 고정 관념 : fixed idea / stereotyped idea
- 기결 사항 : matter settled
- 기명〔공개〕 투표 : open ballot
- 긴급 문제 : pressing〔burning〕 question
- 두뇌 집단 : think-tank(er)
- 미봉책〔임시변통〕 : half measures
- 생각 끝에 : on reflection
- 시각〔관점〕 : perspective
- 심사숙고 끝에 : after much consideration
- 의견서〔해명서〕 : position paper [16)]
- 이의 신청인 : demurrant / demurrer
- 절충안 : compromise plan
- 조건부 승인 : conditional approval
- 종합 판단 : synthetic judgment
- 차선책 : second best
- 한 마디로 말해서 : in a〔one〕 word
- 건의서 : recommendation
- 고려사항 : considerations
- 공개 토론회 : panel discussion [14)]
- 기립 투표 : standing vote
- 긴급 동의 : urgent motion
- 낙천적 견해 : sanguine view [15)]
- 미결〔당면〕 문제 : pending question
- 사전 동의 : previous consent
- 서명〔조인〕 식 : signing ceremony
- 철저한 논의 : in-depth discussion
- 우선 순위 : priority order
- 일괄 제안 : package proposal
- 일괄 타결 : package settlement
- 제안함〔투서함〕 : suggestion-box
- 조정안 : arbitration proposal
- 지엽〔부차〕적 문제 : side issue
- 타결 조건 : terms of agreement
- 협상안〔계약안〕 : contract offer

12) bound and determined : 단호한 / bound : ((구어)) 결심을 한
13) 직역 : 당신 추측이나 내 추측이나 마찬가지다. / mine은 my guess를 뜻한다.
14) 공개토론회에 참석한 토론자는 panelist(패늘리스트)라고 한다.
15) sanguine[쌩귄] : 쾌활한, 낙천적인, 자신만만한, 낙관하는
16) position paper : (어떤 문제에 대한) 정당의 정책 방침서

ENGLISH CONVERSATION DICTIONARY

CHAPTER 11

이성교제

- 교제 관계를 물을 때
- 데이트를 신청할 때
- 데이트를 하면서
- 데이트를 하고 나서
- 애정을 표현할 때
- 이별할 때

1 교제 관계를 물을 때

외국인과 친한 사이가 되면 상대방의 이성교제에 대한 질문도 하게 되고 때로는 이성을 소개시켜 주는 경우도 있다. 상대에게 "여자 친구 있으세요?"라고 말할 때는 "Do you have a girlfriend?"라고 하고, "사귀는 사람 있으세요?"라고 말할 때는 "Are you seeing somebody?"라고 한다. 교제 상대를 소개시켜 달라고 할 때는 "Would you introduce me to someone?(누구 좀 소개해 주시겠어요?)"라고 말하고, 이상형을 물을 때는 "What type of a girl do you like?(어떤 타입의 여자를 좋아하세요?)"라고 말한다.

기 본 대 화

A : Hey, John! Are you seeing somebody?
B : No, I'm not (dating anybody).
Would you introduce me to someone?
A : What type of a girl do you like?
B : Well, I like a girl with beautiful eyes and a slim waist.
A : All right. I'll find you a date.
B : That sounds great. Thank you, Terry.

A : 이봐, 존! 너 사귀는 사람 있니?
B : 아니, 사귀는 사람 없어.
누구 좀 소개시켜 주겠니?
A : 어떤 스타일의 여자를 좋아하는데?
B : 음, 눈이 예쁘고 허리가 날씬한 여자가 좋아.
A : 알았어. 내가 데이트 상대를 한 사람 구해줄게.
B : 그거 좋은데! 고마워, 테리.

교제 현황

사귀는 사람이 있는지 물을 때

- 교제하고 있는 사람이 있습니까?
  Are you dating someone?
- 여자〔남자〕친구 있으세요?
  Do you have a girlfriend〔boyfriend〕?

교제중이다

A: How are you doing with her?
B : So far so good.

A : 그 여자와는 어떻게 돼 가고 있죠?
B : 지금까지는 좋아요〔잘 되고 있어요〕.

- 그녀는 내 애인이에요.〈속어〉
  She's my valentine. [1)]
- 우리는 단지 친구사이예요.
  We're just friends.
- 나 여자 친구 생겼어.
  I've got a girl friend. / I've got myself a girl friend.
- 우리는 계속 사귀는 중이에요.
  We're going steady.

애인에 대한 질문

A: How long have you known her?
B : I met her seven years ago. [2)]

A : 그 여자를 알게 된지가 얼마나 됐어요?
B : 7년 전에 그녀를 만났어요.

- 그 여자를 처음 만난 게 언제였어요?
  When did you first meet her?

A: What's nice about him?
B : He's romantic at heart.

A : 그 남자의 어디가 마음에 드십니까?
B : 그 사람 (겉보기와는 달리) 낭만적이에요.

- 그 여자가 어떤가요?
  How do you like her?
- 그 여자가 마음에 드세요?
  Are you happy with her?
- 그 여자는 저한테 정말 의미있는 여자예요.
  She's really something to me. [3)]

---

1) valentine : (Valentine's Day에 선물을 줄 대상인) 애인
2) ago와 before의 차이 : ago는 말을 하고 있는 현재를 기준으로 해서 "~전"을 의미한다. / before는 과거 혹은 미래의 어느 시점을 기준으로 해서 "(그것보다) 전에"를 의미한다.
3) something : 상당한 사람〔물건〕

- 그녀가 나를 좋아하는 것 같아요.
  Looks like she's kind of grown attached to me. [4]
- 그녀를 만나볼 기회가 몇 번 있었어요.
  I have had several occasions to see her.
- 그 여자를 본다는 것 하나로 회사에 나가요.
  I go to work just to see her.
- 우리는 서로 떨어질 수 없는 사이입니다.
  We are inseparably bound in love to each other. [5]
- 우리는 서로 아주 친한 사이입니다.
  We are hand in glove with each other.
- 저는 그 여자와 깊은 관계에 있어요.
  I have a close relationship with her.
- 우리는 서로에게 미쳐 있어요.
  We're crazy about each other.
- 우리는 천생연분이에요.
  We're a match made in heaven.
- 그 여자와는 얘기만 하고 지내는 사이입니다.
  I'm on speaking terms with her. [6]

> A: How did you meet your girl friend?
> B : I met her at college.
> We were both studying education.
>
> A : 여자 친구를 어떻게 만나셨어요?
> B : 대학교때 만났어요. 둘 다 교육학을 전공했었거든요.

- 그 여자를 어떻게 알게 되었어요?
  How did you get to know her?
- 그렇게 예쁜 아가씨를 만나셨다니, 부럽군요.
  I envy you for finding such a beautiful girl.
- 우리는 몰래 두 번 만났어요.
  We met twice secretly.

관계가 나빠지다

- 그 여자가 싫어졌어요.
  I got tired of her.
- 그 여자가 지겨워졌어요.

4) attached : 사랑(사모)하는 / grow attached to sb : 아무를 사랑하기 시작하다
5) be hand in(and) glove with sb : 아무와 매우 친한 사이다
6) be on speaking terms : 얘기를 건넬 정도의 사이다

I've gotten sick and tired of her.

- 그 사람은 재미없는 남자예요. 〈속어〉
  He is a flat tire. [7)]
- 그 사람이 저를 화나게 했어요. 〈속어〉
  He pissed me off. [8)]
- 그 남자는 마음이 변했어요.
  He had a change of heart.
- 그가 저에게 냉정한 태도를 보였어요.
  He gave me the cold shoulder. [9)]
- 그 남자는 보기만 해도 섬뜩해요. [10)]
  He gives me the creeps.
- 그 여자를 보면 밥맛이 떨어져요.
  She turns me off.
- 그 여자와 어색한 관계가 됐어요.
  I'm out with her.
- 그녀가 나를 좋아하지 않는 것 같아요.
  I get the feeling that she doesn't like me.
- 그는 나를 진지하게 대하지 않아요.
  He doesn't take me seriously.
- 우리 사이가 진행이 잘 안 되가고 있어요.
  Things are not working out between us.
- 그 사람은 쉴새없이 지껄여서 저를 싫증나게 했어요. 〈속어〉
  He talked my head off. [11)]

헤어지다

- 그 여자를 차 버렸어요.
  I dropped her. [12)] / I've dumped her.
- 그 여자한테 채였어요〔실연당했어요〕.
  I got dumped by her.
- 우리는 작년 겨울에 헤어졌어요.
  We broke up last winter.
- 제 여자 친구와 절교했어요.

7) flat tire : 재미없는 사람; 맥빠진 사람, 기력이 없는 사람; 펑크 난 타이어
8) piss : 오줌; ~을 오줌으로 적시다 / piss off : 지겹게 하다; 화나게 하다
9) cold shoulder : 냉담(한 태도), 냉대, 퇴박하기
10) the (cold) creeps : ((구어)) (등골이 오싹해지는 것 같은) 전율
11) talk one's head〔arm / ear〕 off : 쉴새 없이 지껄이다
12) drop : ((구어)) 우호관계를 끊다, 절교하다; 그만두게 하다

I broke up with my girlfriend. [13)]

- 우리는 끝났어요.
  We're finished.
- 그 여자와는 끝났어요.
  I'm off with her now. / I was washed up with her. [14)]
  I'm through with her.
- 그 여자와 헤어진 이유는 두 가지가 있어요.
  There are two reasons why I broke up with her.
- 이 세상에 여자가 그 여자 하나뿐이 아니잖아요.
  It's not like she's the only woman in the world. [15)]
- 우리는 절교 상태입니다.
  We are not on speaking terms. [16)]
- 저는 첫사랑에 실패했어요.
  I lost my first love
- 그 여자한테 절교의 편지를 받았어요.
  I got a "Dear John" letter from her. [17)]
- 두 번째 우리가 만났을 때, 그이가 내게 맞지 않다는 것을 알았어요.
  The second time we met, I found he wasn't for me.

활용 어휘

- 진한 키스 : French kiss
- 삼각 관계 : eternal triangle
- 실연하다 : wear the willow [18)]
- 상사병 : lovesick

이상형에 대하여

A: What kind of a girl do you like?
B : I like a girl who is tall and pretty.

A : 어떤 스타일의 여자를 좋아하세요?
B : 키가 크고 예쁜 여자를 좋아해요.

---

13) break up : 남녀 사이를 갈라놓다
14) wash up : 씻어 치우다
15) It's not like ~ : 굳이 ~라고 할 수는 없다
16) be not on speaking terms : (~와) 만나도 말을 건넬 정도의 사이가 아니다, 사이가 나쁘다
17) Dear John (letter) : ((구어)) (원래는 군인에게 보내는 아내의) 이혼 요구서; (여자 친구 · 연인으로부터의) 절연장(絕緣狀)
18) 옛날에 실연당하거나 애인의 죽음을 서러워할 때 버들잎 화환을 달고 그 뜻을 표시함

활용 어휘

- 잘 생긴 : handsome(남자)
- 야심적인 : ambitious
- 귀여운 : cute
- 낭만적인 : romantic
- 융통성 있는 : flexible
- 아름다운 : beautiful

- 당신이 좋아하는 스타일이 어떤 거죠?
  What's your type?
- 다른 사람의 여자 친구가 너의 여자 친구보다 항상 더 나아 보이는 거야. [19]
  John's girl friends always look better than yours.
- 당신이 아무리 많은 여자와 교제를 해도 완벽한 사람을 찾기는 어려울 거예요.
  No matter how many girls you go with, it'll be hard to find the perfect one.
- 데이트 상대를 선택할 때 가장 중요한 게 뭐라고 생각하십니까?
  What do you think is the most important thing you look for when choosing a date?
- 그 여자는 내가 좋아하는 타입이 아니에요.
  She is not my kind〔type〕 of girl.
- 맘에 드는 사람이 있나요?
  Do you see anyone you like?

> A: What type of a man do you like?
> B : I like a man with good manners.
>
> A : 어떤 스타일의 남자를 좋아하시죠?
> B : 매너가 좋은 남자를 좋아해요.

활용 어휘

- 유머감각 : sense of humor
- 부드러운 목소리 : a soft voice
- 쌍꺼풀 : double eyelid
- 날씬한 허리 : a slim waist

※ 다른 사람에 대한 평가 · 화세 : 타인 평가(p. 832, 835, 1111)

교제 상대를 소개시켜 주다

- 누구 좀 소개해 주시겠어요?
  Would you introduce me to someone?
- 당신 여동생과 데이트 좀 시켜주겠어요?
  Would you please fix me up with your younger sister. [20]
- 그 여자를 한번 봐 보세요.
  Just take a look at her.

19) 우리 속담의 "남의 떡이 커 보인다."라는 의미와 비슷한 표현이다.
20) fix A up with B : A를 B와 데이트시켜 주다

- 내가 소개해 준 여자들에게 관심이 없는 걸 보니, 누군가 따로 마음속에 두고 있는 사람이 있어요?
  Seeing that you're not interested in the girls I've introduced you to. Do you have someone else in mind?
- 그 여자는 유부남도 상관하지 않아요. 〈속어〉
  She doesn't give a damn if he's married.

관심이 없을 때

- 관심〔흥미〕 없어요.
  I'm not interested. / I'm not turned on.

기 타

- 당신은 여자에게 관심이 없는 것 같군요. 〈속어〉
  You seem to be a cool guy.
- 그는 삼각관계에 빠져 있어요.
  He's in a love triangle.
- 그건 짝사랑이군요.
  That's a one-sided love!
- 그는 여자 꽁무니만 따라다니고 있어요.
  He's always chasing girls.
- 존은 수잔의 꽁무니를 따라다녀요.
  John's after Susan.
- 그들은 그렇고 그런 사이에요.
  They are flirting with each other. [21)]
- 그들은 어울리지 않는 사람들 같아요.
  I think they are a mismatch.
- 그들은 진짜 어울리는 한 쌍이에요.
  They are right match.
- 친구가 될 만한 여자를 만나지 못했어요.
  I didn't meet any potential girl friends.
- 좋은 사람을 만나고 싶어요.
  I'd like to meet someone decent. [22)]
- 그녀는 남자들에게 인기가 있어요.
  She's popular with the boys.

> A: How do you like her? (그 여자가 마음에 드세요?)
> B : She really strike my fancy. [23)] (정말 마음에 들어요.)

21) flirt with sb : 아무와 불장난하다, (남녀간에) 어울리다
22) decent : 남 보기 흉하지 않는; 예절에 맞는; 친절한, 너그러운, 이해심이 많은
23) strike sb's fancy = take〔catch / strike / suit / please〕 the fancy of sb : 아무의 마음에 들다

2 데이트를 신청할 때

데이트를 신청할 때는 기본적인 매너를 알아두어야 한다. 우선 데이트를 신청하는 것은 항상 남자 쪽이며, 상대에게 충분한 시간을 두고 데이트를 신청하되, 날짜는 보통 금요일 또는 토요일 저녁으로 잡는다. 그리고 데이트를 신청할 때는 데이트의 구체적인 내용을 밝히는 것이 좋다. 이 때 "토요일에 저와 ~을 하시겠어요?"라고 할 때는 "Would you like to ~ with me on Saturday?"라고 말하고, 그냥 막연히 "저와 데이트를 해 주시겠어요?"라고 말할 때는 "Would you like to go out with me? 1)"라고 한다.

기본대화

A : Hi, Miss Bliss! Would you like to go on a date with me on Saturday?
B : Let me see.
A : I have a fantastic idea on how to spend our time together.
B : What is it?
A : I'm thinking of driving to Niagara Falls. Would you like to come along?
B : Oh, I'd love to. That'll be great.

A : 안녕하세요, 블리스 양! 이번 주 토요일에 나와 데이트를 해 주겠어요?
B : 글쎄요.
A : 함께 시간을 보낼 수 있는 멋진 생각이 있어요.
B : 그게 뭔데요?
A : 나이아가라 폭포로 드라이브를 가려고 해요. 같이 가겠어요?
B : 오, 그러죠. 그거 아주 멋지겠는데요.

데이트를 신청할 때

- 데이트를 청해도 될까요? / 데이트를 청하고 싶습니다.
  Could I ask you for date? / I'd like to ask you on a date.
- 이번 토요일에 데이트할까요?
  Would you go out with me this Saturday?

1) go out : (이성과) 교제하다, 나다니다

- 당신과 사귀고 싶습니다.
  I'd like to go out with you.
- 당신의 애인이 되고 싶습니다〔사귀고 싶습니다〕.
  I'd like to be your boy〔girl〕 friend.
- 파티에 함께 갈 파트너가 없어요.
  I don't have a date for the party.
- 다음에 하죠.
  Maybe later. / Maybe some other time.

❈ 시간 약속을 할 때 : 약속을 정할 때(p. 470)

기 타

- 바람맞히지 마세요.
  Don't drop me cold. / Don't stand me up. [2]
- 그녀에게 말할 용기가 없었어요.
  I hadn't the courage to speak to her.
- 그 여자 만나기를 기대하고 있어요.
  I'm looking forward to seeing her. [3]
- 그 여자의 손에 메모를 살짝 건네주었어요.
  I slipped a note into her hand.
- 그녀에게 데이트를 신청하고 싶었는데, 그럴 용기가 없었어요.
  I wanted to ask her out, but I didn't have the courage to do it. [4]
- 그녀에게 데이트를 신청해 보세요. 받아 줄 거예요.
  Ask her out, she'll go.

데이트 상대를 물색하다

A: Who is that fine looking chick? [5]
B : Which one?
A: I mean the girl with glasses and blond hair.
B : Do you want to go talk to her?
A: Yeah. She's is making eyes at me. [6]
B : Don't kid around! She's not even looking at you.

A : 저 멋진 아가씨가 누구지?

2) stand (sb) up : 약속에 대오지 않다, 데이트에서 (아무를) 바람맞히다 / drop (sb) cold : 아무를 바람맞히다
3) look forward to ～ : ～을 기대하다, (기대를 갖고) 기다리다
4) ask sb out : 아무를 밖으로 불러내다
5) chick : ((속어)) 젊은 아가씨, 소녀; 여자 친구
6) make eyes at sb : 아무에게 추파를 던지다

B : 누구 말이니?
A : 안경 쓴 금발머리 아가씨 말야.
B : 저 여자와 얘기하고 싶니?
A : 그래. 저 아가씨가 내게 추파를 던지고 있어.
B : 농담하지마. 그 여자는 거들떠보지도 않고 있는데 뭐.

- 파티에서 데이트 상대가 되어 주시겠어요?
  Would you be my date for the party?
- 여자 낚기가 점점 어려워지는군요.〈속어〉
  Girl hunting is getting to be hard.
- 오다가다 길에서 만난 여자는 다 그런 거예요.〈속어〉
  A pickup is a pickup. 7)
- 네가 사장 딸을 유혹하려고 온갖 수단을 다 쓴다면서?
  I heard you're trying to make a play for the president's daughter? 8)
- 저 여자 임자가 있니?
  Is she spoken for? 9)
- 네가 그 여자한테 선수를 쳤구나.
  You beat me to her. 10)
- 저런 타입의 여자는 내가 좋아하는 타입이 아니에요.〈속어〉
  That type of girl is not my cup of tea. 11)
- 저는 저런 스타일에는 관심이 없어요.
  I don't care for that kind of style.
- 저런 타입의 사내는 싫어요.
  I don't like that type of men.
- 사내에서 후보를 물색해보는 게 어때요?
  How about an internal candidate? 12)
- 잘 생긴 여자들은 모두 기혼자예요.
  Every good-looking woman is married.
- 쓸 만한 사람은 다 임자가 있는 거예요.
  All the good ones are taken.
- 그 여자 얼굴에서 묘한 미소를 눈치챘어요?
  Did you notice that subtle smile on her face? 13)

---

7) pickup : ((속어)) 우연히 알게된 연애 상대, 오다가다 만난 연인
8) make a play for : ((구어)) (특히 여성을) 유혹하려고 온갖 수단을 다 쓰다
9) speak for ～ : (자리 따위를) 예약하다(reserve); ～을 주문하다〔맞추다〕
10) 관심을 두고 있는 여자에게 다른 친구가 그녀에게 먼저 데이트나 결혼을 청했을 때
11) one's cup of tea : ((구어)) 기호에 맞는 것; 마음에 드는 사람; 좋아하는 일
12) 결혼 상대자를 사내(社內)에서 물색해보라는 제안
13) subtle : 민감한; 미묘한; 교활한, 음흉한

- 그 사람은 블리스양과 친해지려고 애를 쓰는 것 같아요.
  He seems to be trying his best to get friendly with Miss Bliss.
- 그 여자 영계예요.〈속어〉
  She is an unbroken lady.
- 저는 풋사랑을 경험해 보지 못했어요.〈속어〉
  I have never experienced puppy love. [14)]

14) puppy love : 어린 시절의 사랑, 풋사랑(calf love)

3 데이트를 하면서

여성을 만날 때는 상대의 집으로 데리러 가는 것이 기본 매너(manner)다. 데이트 비용은 남자가 부담하는 것이 원칙이지만, 아주 오랫동안 사귄 사이라면 여성이 돈을 직접 부담하는 것보다는 자기 집에 초대하거나 영화나 연주회 티켓 등을 미리 사 두어 남성의 부담을 줄이는 배려를 해 줄 수도 있다. 데이트는 가능한 한 자정이 넘기 전에 끝나도록 하되, 이 때 남성은 반드시 여성을 집 앞까지 데려다 주는 것이 기본 에티켓이다.

기 본 대 화

A : Let's see, where should we go?
B : Let's go to the restaurant where we had our first date.
A : Could you slow down a little bit, please?
I can't keep up with you.
B : Oh, I'm sorry.

A : 자, 우리 어디로 가죠?
B : 첫 데이트할 때 갔던 레스토랑에 갑시다.
A : 좀 천천히 걸을 래요?
(너무 빨리 걸어서) 따라갈 수가 없어요.
B : 아, 미안해요.

기다리는 설렘

A: Why are you dressed up this evening?
B : I'm going to out with Miss Kim tonight.
A : 너, 오늘 저녁 무슨 일로 정장을 했지?
B : 오늘밤 미스 김과 데이트를 할 거예요.

- 오늘 존과 데이트가 있어서, 가슴이 무척 설레요.
  I have a date with John today. [1] I'm so excited.
- 그가 오늘은 키스를 해 줄지도 몰라.
  I wonder if he's going to kiss me. [2]
- 제 심장이 두근거려요.

1) have a date with sb : 아무와 데이트하다
2) 아직 가능성이 있을 경우

I feel my heart pounding. [3)]

• 왜 가슴이 이렇게 두근거리지?
Why is my heart beating so fast?

• 흥분되어 어쩔 줄을 모르겠어요.
I have butterflies in my stomach. [4)]

데이트를 하면서

• 사람들이 잘 안 가는 곳을 찾아 봅시다.
Let's try to find some place that is off the beaten path〔track〕. [5)]

걸음이 빠를 때

• 좀 천천히 걸어 주시겠어요?
Would you mind walking a little slower?

다음 계획을 물을 때

• 당면 계획이 뭐죠?
What's the plan now?

• 다음에는 뭘하죠?
What shall we do next? / What's next?

함께 있고 싶다

• 당신과 함께 있어서 기뻐요.
I'm happy to be in your presence.

• 영원히 당신과 함께 있고 싶어요.
I want to be with you forever.

• 이대로 영원히 함께 있었으면 좋겠어요.
I wish we could be together like this forever.

• 한시도 떨어지고 싶지 않아요〔항상 당신과 함께 있었으면 좋겠어요〕.
I wish I could be with you all the time. [6)]

• 결코 헤어지고 싶지 않아요〔당신을 결코 떠나 보내고 싶지 않아요〕.
I never want to leave you.

---

3) pound : 세게 치다, 마구 치다, 두드리다
4) have butterflies in the stomach : ((속어)) 안달하다, 안절부절못하다
5) off the beaten path〔track〕 : 인적이 드문 곳에서; 상도를 벗어난; 별난
6) all the time = all in good time : 언제나

데이트가 끝난 후

감사의 인사

- 당신과 함께 있어서 즐거웠습니다.
  I enjoyed your company. [7)]
- 오늘 아주 즐거웠어요.
  I enjoyed myself today. / I had a good time today.
  Today was nice.

애프터 신청

- 또 만나 주시겠어요? / 우리 다시 만날 수 있을까요?
  Will you see me again? / Could we see each other again?
- 당신을 언제 다시 만날 수 있을까요?
  When can I see you again?
- 언제 우리 다시 만날 수 있죠?
  When can we see each other again?
- 전화번호만이라도 알려 주시겠어요?
  Can you at least tell me your phone number?

귀가 시간

- 규정된 시간 안에 돌아가야 해요.〈기숙사 등으로 돌아갈 때〉
  I have to make my curfew. [8)]
- 돌아가고〔떠나고〕 싶지 않아요.
  I don't wanna go〔leave〕.
- 어머, 늦었어요. 집에 가야 돼요.
  Uh-oh! It's late. I have to go home.
- 막차를 타야 해요.
  I have to make the last train.

바래다주다

A: I'll drive you home. (집까지 태워다 드릴게요.) B : Oh, I'd appreciate it. (어머, 그래주시면 고맙죠.)

- 집까지 바래다〔데려다〕 줄게요.

---

7) 정중한 표현
8) curfew : 귀영 시간; (계엄령 등의) 야간외출〔통행〕 금지

I'll escort you home. / Let me take you home.

- 집에 태워다 줄까요? / 걸어서 집에 바래다 줄까요?
  Shall I drive you home? / Shall I walk you home?
- 우리 집에 잠깐 들렀다 갈까요?
  Would you like to come over to my place for a while?
- 우리 집에 잠깐 들러서 커피 한 잔 하죠?
  How about stopping by my place for a cup of coffee?

4 데이트를 하고 나서

데이트를 하고 나서 그 결과가 좋으면 기분이 날아갈 것 같아서 누군가에게 얘기하고 싶어진다. 그러나 데이트를 망쳤을 때는 왠지 기분이 우울해지기 마련이다. 상대방에게 데이트 결과를 물어 볼 때는 "How did your date with John?(존과의 데이트 어땠니?)"라고 한다. 아래 대화는 블리스양이 데이트를 망치고 나서 오빠와 대화를 나누는 상황이다.

기 본 대 화

A : Bliss, what's the problem?
Do you want to talk about your date?
B : No... Yes... I don't know.
A : Come on, Bliss, I'm your brother.
What's the matter?
B : It's Hinton. He's really fun to be with, but
he's the cheapest guy I've ever gone out with.
A : Why? What did he do?
B : Yesterday we went to a music concert.
I bought the tickets while he parked the car.
A : So?
B : Well, he never gave me any money for his ticket.
And you won't believe what happen next!
A : Yeah?
B : We had dinner at the restaurant after the concert.
Well, he asked me to split the bill.
A : Wow! That sounds terrible.
B : I really like him, but he makes me mad, too.
What should I do?
A : You should start looking for a new boyfriend!

A : 블리스, 무슨 문제야?
너 데이트에 대한 얘기를 하고 싶어?
B : 아니... 응... 모르겠어요.
A : 이봐, 블리스, 난 너의 오빠잖아. 무슨 일이야?
B : 힌톤 때문이에요. 그와 함께 있으면 정말 재미있어요, 하지만 그는 지금까지 사귀어 본 남자 중에서 가장 치사해.
A : 왜? 그가 어떻게 했는데?

B : 어제 음악 연주회에 갔었어요.
그가 주차를 하는 동안에 내가 그의 티켓을 샀거든요.
A : 그래서?
B : 글쎄, 자기 티켓 값을 나한테 안 주지 뭐야.
그리고 다음에 무슨 일이 있었는지 안 믿어질 거야.
A : 그래?
B : 연주회가 끝나고 레스토랑에서 저녁 식사를 했어요.
그런데, 식사비를 같이 부담하자고 하는 거예요.
A : 와, 그거 정말 잘못됐구나.
B : 그래. 내가 그를 좋아하지만, 그이 때문에 화가 나 미치겠어요.
어떻게 해야 되죠?
A : 새로운 남자 친구를 찾아 보도록 해봐.

데이트 결과

A: How was your date with John?
B : I didn't know he was so bossy. [1)]

A : 존과의 데이트 어땠어?
B : 그가 그렇게 으스댈 줄 몰랐어요.

- 그 여자가 바람 맞혔어요.
  She stood me up. / I was left out in the cold. [2)]
- 그는 내가 생각했던 것과는 전혀 달랐어요.
  He's not at all how I'd imagined.
- 그 여자하고 어제 재미있게 얘기를 나눴어요.
  I enjoyed talking with her yesterday.
- 어제 당신과 함께 길을 걷던 그 예쁜 여자가 누구였죠?
  Who was the pretty girl (whom) you were walking down the street with?

1) bossy : ((구어)) 두목 티를 내는, (보스인양) 으스대는
2) out in the cold : 따돌림당한, 무시된, 한데 버려진 상태로

5 애정을 표현할 때

이 세상에서 가장 아름다운 것이 사랑(love)이라는 말이 있듯이 그것을 표현하는 방법도 무수히 많다. 사랑을 표현하는 기본 표현에는 "I love you.(당신을 사랑합니다.)" "Me, too.(저도 당신을 사랑합니다.)"이라 할 수 있다. 보다 섬세하고 그윽한 사랑의 표현은 풍부한 어휘의 구사 능력을 필요로 할 것이다. 여기에서 제시된 표현을 익힌다면 듣고 말하는 능력을 한층 더 키울 수 있을 것이다.

기 본 대 화

A : I'll be with you forever. I promise you.
B : For a minute there, I was worried.
A : Look. I'll be with you, all right?
I'll be with you until death do us apart and beyond, remember? [1)]
B : I remember.
A : I just have to reserve the right to disagree with you sometimes.
B : Would you disagree with this? [2)]
A : No, not a prayer. [3)] I love you, Alice.
B : I love you, too, Carl.

A : 당신과 영원히 함께 있을 게요. 약속할게요.
B : 잠시나마 걱정했어요.
A : 봐. 내가 당신과 함께 있잖아요, 그렇죠?
죽을 때까지, 아니 그 이상으로 당신과 함께 할 거예요. 기억나요?
B : 기억나요.
A : 때로는 당신 의견과 다를 수밖에 없을 때도 있는 거예요.
B : 이것도 다른가요?
A : 아니에요, 전혀 아니에요. 당신을 사랑해요, 앨리스.
B : 저도 사랑해요, 칼.

---

1) until death do us apart : 죽음이 우리를 갈라놓을 때까지 → 이 표현은 결혼식에서 결혼 서약의 일부분이다. "Remember?"는 "결혼 서약을 하던 때가 기억나?"라는 의미다.
2) 지금 사랑한다는 의견에 대해서도 반대하느냐고 묻고 있는 의미다.
3) not have a prayer : 성공할 가능성이 없다 / 'not a prayer'는 "You don't have a prayer."를 줄여서 쓴 표현이다.

상대를 칭찬할 때

- 당신은 나에게 무척 소중해요.
  You mean so much to me.
- 당신은 하늘의 별처럼 아름답군요.
  You are as beautiful as a star in the sky.
- 장미처럼 우아하고 아름다워요.
  You are delicate and beautiful like a rose.
- 당신은 정말 멋있어요.
  You are absolutely wonderful.
- 당신이 최고예요!
  You are the best!

그리워질 때

A: I will be there in two weeks. (2주 후면 거기에 갈 거야.)
B : I really can't wait to see you. (널 보고 싶어 못 참겠어.)

- 그녀가 정말 보고 싶어요. / 그녀가 보고 싶어 죽겠어요.
  I miss her so much. / I'm dying to see her.
- 언제나 당신을 생각하고 있어요.
  I think about you all the time.
- 매일 당신을 생각하고 있어요〔당신은 매일 내 생각 속에 있어요〕.
  You are in my thoughts everyday.
- 밤낮으로 당신을 생각하고 있어요.
  I think about you day and night.
- 그녀를 빨리 만나보고 싶어요〔그녀를 만나는 걸 기다릴 수가 없어요〕.
  I can hardly wait to see her.
- 당신을 생각하면 미소가 절로 떠올라요.
  Thoughts of you make me smile.
- 당신은 내 마음속에 특별하게 자리잡고 있어요.
  You have a special place in my heart.
- 당신은 항상 내 마음속에 있어요.
  You're always on my mind.
- 당신 생각이 끊이지 않아요.
  I can't stop thinking about you.
- 때로는 당신을 꿈에 그리곤 합니다.
  I sometimes get dreaming of you.
- 당신을 만날 수 없는 때는 매일 당신이 무척 그리워져요.

I miss you so much each day when I can't see you.

- 당신을 만날 수 없는 날이 나에게는 가장 괴로운 날입니다.
  The days when I can't see you are my most painful days.
- 당신이 (곁에) 없으면 불안해요.
  I feel uneasy without you.
- 당신이 떠나가시면, 저는 외로울〔우울할〕 거예요.
  If you go away, I'll be lonely〔blue〕.
- 당신이 떠나고 나면 그리워질 거예요.
  I'll miss you when you leave.
- 당신이 머릿속에서 떠나질 않고 있어요.
  I can't get you out of my mind.
- 당신이 없으면 어떻게 해야할지 모르겠어요.
  I don't know what I'd do without you.
- 당신이 없으면 허무함을 느껴요.
  I feel so empty without you.
- 당신을 무척 그리워했어요.
  I've missed you badly.
- 나한테 손대지 마세요.
  Get your hands off me.
- 당신은 제가 함께 하고 싶었던 여자예요.
  You are the woman I wanted to be with.
- 당신을 절대로 내버려두지 않을 거예요.
  I will never leave you.
- 우리의 사랑은 영원할 거라고 믿어요.
  I believe that our love is eternal. [4)]
- 당신을 진심으로 사랑해요.
  I love you with all my heart.
- 무슨 일이 있어도 당신 편에 있을 게요.
  No matter what happens, I'll be at your side.
- 그 무엇도 우리를 떼어놓을 수 없어요.
  There's nothing to keep us apart.
- 어떤 남자가 당신을 사랑하길 원한다면 그에게 좋은 음식을 만들어 주세요.
  The way to man's heart is through his stomach. [5)]
- 자나깨나 당신을 잊을 수가 없었어요.
  I could not get you out of my mind, whether awake or asleep.

---

4) eternal : 영원한, 영구한(everlasting); 불후의, 불변의(immutable)
5) 직역 : 남자의 마음 속으로 가는 방법은 그의 배를 통하는 것이다.

사랑에 빠졌을 때

A: I love you. (당신을 사랑해요)
B : Ditto. [6] (저도요.)

- 나는 그 여자와 사랑에 빠졌어요.
  I fell in love with her. [7]
- 첫눈에 그녀에게 반했어요.
  I fell for her at first sight. [8]
- 나는 그녀에게 홀딱 반했어요.〈속어〉
  I had〔got〕a crush on her. [9]
  I really flipped for her. [10]
- 나는 그 여자에게 반했어요.〈속어〉
  I'm nuts about her. [11] / I' m crazy about her.
- 나는 그 여자와 사랑에 빠졌어요.
  I fell for her.
- 나는 그 여자한테 홀딱 반했어요.
  I'm head over heels about her. [12]
- 나는 그 여자를 짝사랑하고 있어요.
  I have an unrequited〔unanswered〕love for her.
  I'm singing a torch song for her.〈속어〉
- 그건 첫눈에 반한 사랑이었어요.
  It was love at first sight.
- 난 첫 눈에 그녀에게 반했어요.
  I took a shine to her at first sight. [13]
  I fell in love with her at first sight.
- 당신은 내 마음을 완전히 빼앗아 갔어요.
  You've really got a hold on me. [14]
- 당신을 만난 직후 사랑한다는 걸 알았습니다.
  Shortly after I met you, I knew I was in love with you.

6) ditto는 상대방이 한 말을 그대로 반복할 때 쓰이는 말로서, "Me, too.", "So do I.", "Same here." 등과 같은 뜻이다. / 영화 〈사랑과 영혼〉에서 나오는 대화임.
7) fall in love with sb : 아무와 사랑에 빠지다
8) fall for ~ : ~에 홀딱 반하다
9) have〔get〕a crush on sb : 아무에게 홀딱 반하다.
10) flipped for sb : 아무에게 (이성을 잃을 정도로) 홀딱 반하다
11) be nut about〔on〕 ~ : ~에 열중〔골몰〕하다, ~에 능란하다
12) head over heels : (사랑 따위에) 깊이 빠진, 'heels over the head'가 와전된 것 → He fell head over heels in love with her.(그는 그녀에게 홀딱 반했다.)
13) take a shine to sb : 아무가 좋아지다, 아무에게 반하다
14) have〔have got〕a hold on ~ : ~을 붙들고 있다, 지배하고 있다.

- 당신이 내 마음을 빼앗은 유일한 사람이에요.
  You are the only one who stole my heart.
- 당신을 처음 만났을 때, 당신은 내 마음을 사로잡았어요.
  When I first met you, you captured my heart.
- 나는 그 여자를 뼈저리게 사랑하고 있어요.
  I love her to the bone. [15)]
- 그 여자에게 반해 있어요.
  I carry a〔the〕 torch for her. / I'm stuck on her. [16)]
  I'm sweet on her. [17)]
- 당신을 처음 보았을 때, 내가 찾고 있는 바로 그 사람이라는 걸 알았어요.
  When I first saw you, I realized that you were the one I was looking for.
- 당신처럼 멋진 사람을 만날 수 있으리라고는 생각도 못했어요.
  I never thought I could find such a wonderful person as you.
- 내 인생에서 당신을 맞이하게 돼서 무척 행운이에요.
  I feel very lucky to have you in my life.
- 모두들 내가 당신을 만난 걸 부러워해요.
  Everybody is jealous because I found you.
- 당신을 알게 돼서 정말 행복해요.
  I'm very happy to have gotten to know you.
- 당신의 애인이 되어 정말 행운이에요.
  I'm very lucky to be your sweetheart.

사랑을 고백할 때

- 당신을 사랑해요. / 당신을 제일 사랑합니다. / 당신이 좋아요.
  I love you. / I love you the most. / I like you.
- 당신을 사랑하고 있습니다. / 당신을 진심으로 사랑합니다.
  I'm in love with you. / I love you with all my heart.
- 마음 속으로부터 당신을 사랑합니다.
  I love you from the bottom of my heart.
- 당신만을 사랑합니다. / 나만큼 당신을 사랑하는 사람은 없어요.
  I love only you. / No one loves you as much as I do.

---

15) to the bone : 뼛속까지, 뼈저리게, 철저하게
16) stuck on sb : 아무에게 반한
17) sweet on sb : 아무에게 반한

- 당신한테만은 솔직해질 수 있어요.
  I can be honest with you only.
- 믿을 수 있는 것은 당신뿐이에요.
  I only believe in you.
- 의지할 사람은 당신뿐이에요.
  You're the only one I can turn to.
- 함께 있으면 행복해지는 사람은 당신뿐이에요.
  You're the only woman I could be happy with.
- 당신 없이는 살 수 없어요.
  I can't live without you.
- 당신은 나에게 이 세상 전부예요.
  You mean the world to me.
- 당신은 내 인생의 전부예요.
  You are my whole life.
- 당신을 사랑하지 않을 수 없어요.
  I can't stop loving you.
- 당신을 좀 일찍 만났었더라면 좋았을텐데.
  I wish I had met you sooner〔earlier〕.
- 당신에 대해서 더 알고 싶습니다.
  I'd like to get to know you better.
- 처음엔 그냥 친구로 지냅시다.
  Let's just be friends first.
- 당신에게만 관심이 있어요.
  I only have eyes for you.
- 내 인생은 당신의 것이에요.
  My life is yours.
- 당신의 나의 것이에요.
  You belong to me. [18]
- 누구보다도 당신을 사랑해요.
  I love you more than anyone.
- 당신 같은 사람은 이 세상에 없어요.
  There's no one like you in the world.
- 당신과 함께 있고 싶어요.
  I want to be with you.
- 당신과 함께 있는 것보다 더 큰 기쁨은 없어요.
  There's no greater joy than just being with you.

18) belong to ～ : ～에 소속하다; ～의 소유물이다

- 당신과 함께 있으면, 마음이 평온해요.
  When I'm with you, I have peace in my mind.
- 당신에 대한 나의 사랑은 표현할 수가 없어요.
  I can't describe my love for you.
- 당신에 대한 사랑으로 내 마음은 터질 것만 같아요.
  My heart is bursting with love for you. 19)
- 당신에 대한 사랑을 표현할 수 있는 말은 이 세상에 없어요.
  No words can describe my love for you.
- 당신은 나에게 기쁨을 가져다주는 사람이에요.
  You are the one who brings me joy.
- 당신은 나의 모든 것이에요.
  You are everything to me. / You are my everything.
- 죽는 날까지 당신을 사랑할 거예요.
  I'll love you until the day I die.
- 당신은 나를 끝까지 돌봐 준 사람이었어요.
  You were the one who saw me through. 20)
- 당신은 내가 약할 때 힘이 되어 주었어요.
  You were my strength when I was weak.
- 당신은 제게 빛이에요.
  You are sunshine to me.

활용 어휘
- 생명 : life
- 기쁨 : joy
- 보물 : treasure
- 운명 : destiny
- 빛 : light

- 당신은 내가 사는 보람이에요.
  You are what I live for.
- 당신은 내 인생에 멋진 변화를 주었어요.
  You've made such a wonderful difference in my life.
- 당신은 내 인생에 행복을 주었어요.
  You've brought happiness to my life.
- 당신은 내 인생에서 가장 중요한 부분이에요.
  You are the most important part of my life.
- 당신은 내 인생을 밝게 하고 있어요.
  You light up my life.
- 당신은 신이 주신 선물이에요.

19) burst : (폭탄 등이) 폭발하다, 파열하다 ; (가득 차서) 팽배하다 / be bursting with health [happiness] : 건강[행복]으로 충만하다
20) see sb through : 아무를 끝까지 봐주다, 뒤를 돌봐 주다

You are a gift from God.

- 당신은 저의 평생 연인이에요.
  You're the love of my life.
- 당신을 있는 그대로 사랑해요.
  I love you just the way you are.
- 당신의 모든 것을 사랑합니다.
  I love everything about you.
- 당신이 나를 사랑하는 이상으로 당신을 사랑해요.
  I love you more than you love me.
- 당신이 있기 때문에 행복하게 살 수 있어요.
  You are the reason for my happiness.
- 말로 표현할 수 없을 만큼 당신을 사랑해요.
  I love you more than words can express.
- 무슨 일이 있어도, 항상 당신과 함께 있고 싶어요.
  Whatever happens, I always want to be with you.
- 우리의 마음은 하나예요.
  We're one in our hearts.

사랑을 맹세할 때

- 당신을 믿고 있어요.
  I believe in you. [21)]
- 무슨 일이 있어도 당신을 믿어요.
  Whatever happens, I believe in you.
- 영원히 당신을 사랑할 거예요.
  I'll love you forever.
- 우리의 사랑은 영원해요.
  Our love is endless.
- 제 곁에 꼭 있어 주세요.
  Stick〔Hang〕 with me, please.
- 기쁨도 슬픔도 함께 나누고 싶습니다.
  I'd like to share both happiness and sadness with you.
- 당신 같은 사람이 없으면 저는 아무런 의미도 없어요.
  I'm nobody without someone like you.
- 당신과 영원한 관계를 맺고 싶어요.
  I'd like to have a lasting relationship with you.
- 당신과 있으면 용기가 (솟아)나요.

21) believe in sb : 아무를 믿다 / believe in God : 하느님의 존재를 믿다

I feel encouraged to be with you.

- 당신에 대한 사랑은 멈추지 않을 겁니다.
  I'll never stop loving you.
- 당신을 언제나 소중히 하겠습니다.
  I'll cherish you forever. 22)
- 당신을 위해서라면 모든 것을 버리겠어요.
  I will give up everything for you.
- 세월이 흘러도 당신에 대한 나의 사랑은 결코 변치 않을 겁니다.
  As time goes by, my love for you will never change.
- 우리 앞에 닥칠지도 모르는 어떠한 장애도 헤쳐 나갈 거예요.
  We'll overcome any obstacles that may come before us.
- 우리는 한 마음, 한 몸이에요.
  We're one in body and mind.
- 우리의 사랑은 불멸할 거예요. / 우리의 사랑은 영원히 계속될 거예요.
  Our love will never die. / Our love will last forever.
- 우리의 사랑이 영원히 계속되길!
  May our love last forever!
- 죽을 때까지 나를 버리지 마세요.
  Don't ever leave me until I die.

청혼할 때

결혼해 주세요

- 저와 결혼해 주시겠습니까?
  Would you marry me?
- 우리 결혼할까요?
  Why don't we get married? 23)
  Will you become the mother of my children?
- 당신과 결혼하고 싶습니다.
  I want to marry you.
- 저를 받아 주시는 겁니까?
  Will you accept me?
- 결혼을 생각해 본 적이 있습니까?
  Have you ever thought of getting married?

---

22) cherish : (어린아이를) 소중히 하다, 귀여워하다, 소중히 기르다, (추억을) 고이 간직하다; (소망 · 신앙 · 원한 등을) 품다
23) 오만한 태도형의 청혼

가정을 꾸리고 싶다

- 당신 아이를 갖고 싶어요.
  I'd like to have your baby.
- 내 아이를 낳아 주시겠습니까?
  Would you please have my baby?
- 저와 평생 함께 해 주시겠습니까?
  Would you please be with me for the rest of my life?
- 나와 행복한 가정을 만들지 않겠습니까?
  Would you please have a happy family with me?
  Wouldn't you like to make a happy family with me?
- 당신과 평생〔영원히〕 함께 살고 싶어요.
  I'd like to live with you forever.
- 당신과 인생을 함께 하고 싶어요.
  I want to share my life with you.

사랑을 받아들이다

- 당신의 사랑을 받아들일게요.
  I accept your love.
- 저도 당신을 영원히 사랑할게요.
  I'll love you forever, too.
- 우리 사이가 잘 되었으면 해요.
  I hope things will work out between us.

기 타

- 결혼을 전제로 당신과 사귀고 싶습니다.
  I'd like to go out with you on the premise that we'll marry. [24)]
- 그녀에게 청혼을 했는데, 거절당했어요.
  I asked her to marry me but she turned down my proposal.
- 그녀에게 청혼을 했어요.
  I made a proposal (of marriage) to her.
- 그녀에게 청혼해 보는 게 어때요?〈속어〉
  How about trying to pop the question to her? [25)]
- 당신 부모님을 만나 뵐 수 있을까요?

---

24) premise : 전제; 전제〔서두〕로서 말하다, 전제로 하다, 조건으로 하다 / the premises : 전술한 말, 기술 사항(旣述 事項) / a major〔minor〕 : 대〔소〕 전제

25) pop the question : ((구어)) (여자에게) 청혼〔구혼〕하다

Can I meet your parents?

• 어서 가서 그 여자한테 청혼하세요.
Go ahead and propose to her.

육체적 접촉

손을 잡다

• 팔 이리 주세요.
Give me your arm.

• 제 손 좀 놔주세요.
Please let go off my hand.[26)]

• 그 남자가 내 손을 잡아 줬어요.
He held my hand.

• 우리가 함께 걸을 때, 나는 항상 그녀의 팔을 끼고 다녀요.
I always take her arm when we walk together.

포 옹

• 꼭 안아 주세요. / 꼭 안아 주세요, 달링!
Hold me tight. / Hold me tight, my darling!

• 그녀는 팔로 내 목을 부둥켜안았어요.
She twined her arms around my neck.

• 나와 있을 때 자연스럽게 행동하세요.
Please be yourself with me.

• 내 어깨에 기대고 한바탕 울어 버리세요.
Cry on my shoulder.

• 나를 안아 줄 당신의 팔이 필요해요.
I need your arms to hold me.

키 스

• 키스해 주세요. / 안고 키스해 주세요.
Kiss me. / Hug and kiss me.

• 우리 눈이 마주쳤을 때, 저는 황홀했어요.〈속어〉
When our eyes met, I was on cloud nine. [27)]

• 그건 모르는 거예요. 엿보는 사람이 있을 수 있잖아요.

---

26) go off : 떠나다(leave), 출발하다; 도주하다
27) be on cloud nine : ((속어)) 최고로 행복한 기분이다

You never know. There could be a peeping Tom. [28)]

- 어젯밤 그녀와 키스를 했어요.
  I kissed her last night.
- 그녀가 어젯밤 내게 뽀뽀를 살짝 해주었어요.
  She gave me a peck on the cheek last night. [29)]
- 예의를 갖춰서 키스를 하세요.
  Kiss me by the book.[30)]

섹 스

> A: I can make your bed warm tonight if you don't mind.[31)]
> B : How can you tell me such a joke with a straight face?[32)]
>
> A : 괜찮다면 오늘밤 당신과 잠자리를 같이 하고 싶습니다.
> B : 얼굴색 하나 안 변하고 어떻게 그런 말을 할 수 있죠?

- 지금 그럴 기분이 아니에요.
  I'm not in the mood right now.
- 이 치한 같으니라고!
  You dirty old man! [33)]
- 남자는 다 똑같아요.
  You men are all alike.
- 우리의 소중한 사랑을 더럽히지 맙시다.
  Let's not spoil our precious love. [34)]
- 너무 그렇게 추근거리지 마세요.
  Stop acting like a lovesick puppy. [35)]
- 당신이 그런 식으로 저를 다루는 건 싫어요.
  I don't like the way you are treating me.
- 이 이상은 허락할 수 없어요.
  This is as far as I could let you go. [36)]
- 나는 그녀를 침대에 쓰러뜨렸어요.
  I had her down on the bed.

---

28) peep : 엿보다, 들여다 보다
29) peck : (부리로) 쪼다; ((구어)) 가벼운 키스
30) by the book : 정식으로, 규칙대로, 일정한 형식대로
31) 직역 : 당신이 원한다면 오늘밤 당신 잠자리를 따뜻하게 해 줄 수 있어요.
32) 한 달밖에 사귀지 않은 남자 친구가 호텔 가자고 하는 말에 여자가 대꾸하는 말
33) dirty old man : 색골 노인
34) spoil : 망치다, 상하게 하다, 못 쓰게 만들다 / The heavy rain spoiled the crops.(큰 비가 농작물을 망쳐 버렸다.) / precious : 고귀한, 귀중한, 값비싼
35) lovesick : 사랑에 번민하는〔애태우는〕 / lovesickness : 상사병
36) 직역 : 이것이 내가 당신에게 허용할 수 있는 한계예요.

- 당신이 남자인가요?
  Are you a man or a mouse?
- 남자는 다 늑대예요.
  A man is a man, you know. [37)]
- 당신이 저를 노리개감으로 취급하는 건 싫어요.
  I don't like you toying with me.
- 철없이 굴지 마세요. 저는 우리 사랑을 망치고 싶지 않아요.
  Let's be adults. I don't want to spoil our love.
- 제가 당신에게 성적으로 자극할 수 있는 사람이었으면 해요.
  I wish I could turn you on. [38)]

영화 『English patient』의 한 장면

37) 직역 : 남자는 남자다.
38) turn sb on : 아무를 성적으로 자극하다

6 이별할 때

이성과 이별을 할 때는 서로가 마음에 상처를 받지 않도록 하는 것이 가장 바람직한 방법이지만, 상대가 정말 미워지고 싫어졌을 때는 그렇게 할 수 밖에 없을 것이다. 이별을 하면서 쓸 수 있는 기본적인 표현에는 **"Your manner always get me down.** [1] (당신 태도에 실망했어요.", **"You don't seem like yourself.**(당신은 예전 같지 않군요.)", **"I'm fed up with you.**(당신이 지겨워요.)", **"Let's break it off cleanly.**(깨끗하게 헤어집시다.)" 등을 쓸 수 있다. 그리고 오해로 인하여 관계가 악화됐을 때는 **"Let's make up.**(화해합시다.)"라고 말할 수 있다.

상대가 싫어질 때

- 왜 솔직히 털어놓고 나를 사랑하지 않는다고 말하지 않으세요?
  Why don't you talk frankly and say you don't love me any more?
- 그래서 저를 사랑하지 않는군요.
  So you don't love me.
- 당신 얼굴을 봐도 아무런 느낌이 없어요.
  I feel nothing when I see your face.
- 당신에 대한 감정이 사라져 버렸어요.
  The feelings I had for you have died.
- 당신에 대한 저의 사랑이 없어졌어요.
  My love for you is gone.
- 당신은 이제 옛날의 당신이 아니군요.
  You're not like you used to be.
- 당신은 이젠 꼴 보기도 싫어요.
  I can't bear the sight of you.
- 당신은 항상 무례한 말을 하는군요.
  You're always making rude remarks.
- 당신을 경멸해요! / 당신이 미워요!
  I despise you! / I hate you!
- 이젠 당신을 사랑하지 않아요. / 예전처럼 당신을 사랑하지 않아요.
  I don't love you anymore. / I don't love you like I used to.
- 이젠 당신과 함께 있어도 즐겁지가 않아요.
  It's no longer fun being with you.
- 이젠 당신에게 싫증이 나요. / 이젠 당신에게 흥미가 없어요.
  I'm bored with you now. / I'm not interested in you now.

1) get down : 실망시키다

- 절대로 당신을 내 버리지 않을 거예요.
I will never leave you.

헤어지고 싶을 때

- 깨끗하게 헤어집시다.
Let's make a clean break.
- 당신과는 끝이에요. / 나한테서〔내 인생에서〕 떠나가 주세요.
I'm through with you. / Please get out of my life.
- 다시 나를 성가시게 하지 마세요.
Don't bother me again.
- 지금까지 우리 사이에 있었던 모든 일은 없었던 걸로 합시다.
Please forget everything that happened between us.
- 당신은 제게 너무 과분한 사람이에요.
You're too good for me. / I don't deserve you. [2)]
- 당장 내 앞에서 사라지세요.
Please get out of my sight right now.
- 더 이상 당신을 행복하게 할 자신이 없어요.
I no longer think that I can keep you happy.
- 더 이상 이런 상태를 지속할 수 없어요.
We can't stay together like this anymore.
- 우리 둘 다 각자의 길을 가야할 것 같아요.
I think we should go our separate ways.
- 안보면 마음도 멀어질 거예요.
Out of sight, out of mind. [3)]
- 언젠가는 이렇게 될 줄 알았어요.
I knew this would happen someday.
- 얼마 정도 떨어져 있는 게 좋을 것 같아요.
I think we should spend some time apart.
- 우리 관계는 이제 끝이에요. / 우리 관계는 이제 지난 일이에요.
Our relationship is over. / Our relationship is history.
- 우리가 함께 보낸 시간은 환상이었어요.
The time we spent together was an illusion.
- 이것으로 끝이에요.
It's over. / This is it.
- 우리 헤어져야겠어요. / 이제 더 이상 만나지 맙시다.
We should break up. / Let's not see each other anymore.

---

2) deserve : 받을만한 자격이 있다
3) 직역 : 안 보면 마음에서 멀어진다.

- 이제 서로 만나지 않는 게 좋겠어요.
  I don't think we should see each other anymore.
- 이제 쫓아다니지 마세요.
  Please don't follow me around.
- 당신하고 같이 살 수는 없어요.
  I can't stand to live with you.
- 당신과 헤어지고 싶지 않아요.
  I don't want to break up with you. [4)]
- 나를 구속하려 하지 마세요. / 나는 당신의 소유가 아니에요.
  Please don't try to control me. / I don't belong to you.
- 화내지 말고 조용히 떠나 가세요.
  Don't go away mad. Just go away.
- 우리는 다시는 서로를 보지 못할 거예요.
  We'll never see each other again.

헤어지고 싶지 않을 때

- 우리의 관계를 생각할 시간이 아직 충분해요.
  We still have a lot of time to think about our relationship.
- 우리의 문제를 생각할 시간이 필요해요.
  We need time to think about our problems.
- 계속 사귑시다. / 당신이 돌아와 주기를 바래요.
  Let's keep our relationship going. / I want you back.
- 당신과의 관계를 지속하고 싶어요.
  I still want to keep my relationship with you.
- 저를 놔두고 떠나지 마세요. / 저를 포기하지 마세요.
  Please don't leave without me. / Don't give up on me.
- 처음부터 다시 시작해요.
  Let's start from the beginning again.
- 친구로 있는 편이 마음이 편할 것 같아요.
  I think we'll feel more comfortable if we just become friends.
- 그냥 친구로 있는 게 좋겠어요.
  Maybe we should just be friends.
- 헤어지더라도 친구로 지냅시다.
  Even though we've broken up, let's still be friends.
- 결론을 내기에는 아직 일러요. / 당신을 포기할 수 없어요.
  It's too early to say that. / I cannot give you up.
- 당신에게 준 나의 사랑을 저버리지 마세요.

---

4) break up : ((구어)) 관계를 끊다, 절교하다, 인연을 끊다

Don't give away the love I gave you. [5]

기 타

- 당신을 원하는 건 저예요!
  I'm the one that wants you!
- 당신은 나를 포기한 것처럼 말하는군요.
  You say it like you've given me up.
- 나 혼자만의 시간이 필요해요.
  I need some time alone.
- 나를 사랑하지 말라고 했잖아요. / 당신은 정말 무책임하군요!
  I told you not to love me. / You are so irresponsible!

활용 어휘

- 무성의한 : insincere
- 우유부단한 : indecisive
- 심한 : terrible
- 이기적인 : selfish

- 당신이 싫어진 건 아니지만, ...
  I'm not tired of you, but ....
- 어떻게 하면 나를 믿겠어요?
  What can I do to make you believe in me?
- 왜 당신은 제 말을 안 믿죠?
  Why didn't you believe me?
- 우리 관계가 어디서 잘못됐죠?
  Where did our relationship go wrong?
- 울지 마, 자기.
  Don't cry, my darling.
- 저는 당신한테 너무 부족한 사람이에요. / (이대로) 함께 있어요.
  I'm not good enough for you. / Let's stay together.
- 전에는 더 즐거웠었는데요. / 황홀했던 과거가 그리워요.
  We used to be happier. / I long for the good old days. [6]
- 양다리 걸치지 마세요. / 당신의 예전 모습 그대로가 좋아요.
  Don't play the field. [7] / I like you the way you were.

---

5) give away : 저버리다, 배반하다
6) long for : 갈망하다, 열망하다
7) play the field : ((속어)) 여러 이성과 교제하다 / ((비교)) go steady : ((구어)) (가벼운 데이트 단계를 넘어) 연인이 되다, 특정한 이성 한 사람과 교제하다

명언 한 마디

There are four stages in a marriage. First there's the affair, then the marriage, then children and finally the fourth stage, without which you cannot know a woman, the divorce.

결혼에는 네 단계가 있다. 첫째, 연애를 하고, 결혼을 하고, 아이를 낳고 그리고 끝으로 네번째 단계가 있는데 이것 없이는 부인을 알 수 없다. 그것은 이혼이다.

- Norman Mailer(1923 ~) The Naked and the Dead(1948)의 미국작가 -

E N G L I S H
C O N V E R S A T I O N
D I C T I O N A R Y

CHAPTER 12

- 주택을 임대할 때
- 관공서에서
- 은행에서
- 우체국에서
- 이발소에서
- 미용실에서
- 세탁소에서
- 양복점에서
- 약국에서
- 육아

Ⅰ 주택을 임대할 때

주택을 임대하고자 할 때는 신문이나 잡지에 게재된 광고나 집 주변에 "For Rent(셋방 있음)", "Leasing Now(임대 중)" 등이라고 쓰여져 있는 안내표지를 보고 정보를 얻는다. 또한 'Real Estate Agency(부동산 중개업소)'를 찾아 가서 임대 문의를 하면 중개업자가 해당 아파트 관리소에 연락을 취해준다. 어떤 형태로든 주택 임대가 결정되면 임대할 집을 직접 확인한 후 최종적으로 결정한다. 아래 대화는 부동산 중개업소에서 집 임대에 관해 문의를 하는 상황이다.

기 본 대 화

A : Good morning. May I help you?
B : Yes, I'm looking for a two-bedroom apartment.
A : What area would you like to live in?
B : I prefer somewhere close to a shopping center and a subway station.
A : When would you like the apartment?
B : I'll need it by July 5th.
A : OK. We have several apartments available. I'll set up a couple of appointments and then call you back.
May I have your name and phone number?
B : My name is Chan-ho Park and my number is 723-5023.

A : 안녕하세요. 뭘 도와 드릴까요?
B : 네, 침실이 두 개인 아파트를 찾고 있습니다.
A : 어떤 지역에서 살고 싶으신지요?
B : 쇼핑센터와 지하철역 근처를 원합니다.
A : 아파트에 언제 입주하고 싶으세요?
B : 7월 5일까지 필요합니다.
A : 알겠습니다. 매물이 몇 군데 나와 있는데, 두세 군데 약속을 해 두고 다시 전화 드리겠습니다.
성함과 전화번호를 말씀해 주시겠어요?
B : 박찬호, 전화번호는 723-5023입니다.

부동산 중개업소에서

- 주거자용 주차장이 있습니까?
  Do they have a residence's〔owner's〕 parking lot?
- 그 집은 차 3대를 넣을 수 있는 차고가 있어요.
  The house has a three-car garage.
- 그 집은 대지가 몇 에이커나 됩니까?
  How many acres of land is the house built on?
- 햇볕이 충분히 드는 방을 원합니다.
  I want a room that gets enough sunlight.
  I want a room with a lot of sunlight.
- 근처에 전철역이 있는가요?
  Is there a subway station in the neighborhood? [1)]
- 손님의 집을 최고 가격으로 팔아 드리겠습니다.
  I'll sell your house for top dollar. [2)]
- 시설은 어떤가요?
  What are the facilities?
- 아파트의 코너가 좋습니다.
  I prefer a corner apartment.
  I prefer an end unit.
- 우리는 1,000 평방 피트 되는 사무실을 찾고 있습니다.
  We're looking for an office with 1,000 square feet. [3)]
- 이 근처에 괜찮은 아파트 한 채가 현 시세로 얼마나 갑니까?
  What is the going rate for a decent apartment around here?
- 이 지역의 집 값은 얼마나 됩니까?
  What does housing go for in this area? [4)]
- 벌써 저의 집을 물색해 두셨습니까?
  Have you found a house for me yet?
- 교통 (수단)은 어떤가요?
  What's the transportation like?
- 30분이면 시내에 들어갈 수 있을 거예요.
  You'll be able to get downtown in half the time.

---

1) in the neighborhood = around here = nearby : 근처에
2) 부동산 중개업자가 집을 팔려고 내놓은 의뢰인에게 한 말
3) 1,000 square feet(1,000평방피트) ≒ 30평 / 1 square feet ≒ 0.03평
4) go for : 통용되다

미국의 단독주택(independent housing unit) 유형

① ranch house : 미국 교외에 많으며, 칸막이가 거의 없거나 아주 적고 지붕 물매가 뜬 낮은 단층 주택

② split level : 1층과 2층 사이에 방이 있는 주택(이런 방식으로 된 3층 주택을 tri-level 이라고 한다.)

③ new England colonial〔Cape Cod〕 : 지상에 1층 그 위로 절반만 방이 있는 주택

④ Georgian house〔Victoria House〕 : 전자는 주로 2층, 후자는 3층으로 되어 있음, 벽이 목각으로 되어 있으며, 높은 천장의 방 또는 침실에 난로가 설비된 주택

활용어휘

- (입주) 신청서 : application form
- 2세대용 주택 : duplex house
- 계약금 : contract deposit
- 권리금 : premium
- 남향집 : a place facing south
- 매매 조건 : terms of sale
- 명의 변경 담당 회사 : title company [6]
- 별관 : annex
- 보증금 : deposit〔security〕 (money)
- 살 만한 집 : habitable house
- 셋방 : rented room
- 아파트 관리인 : resident manager
- 부동산 중개업자 : real estate agent
- 이웃 마을 : neighboring village
- 임대료 : rental fee
- 호화 주택 : a deluxe house
- 주거비 : housing cost
- 주택분양 추첨 : housing lottery
- 집주인〔지주〕 : landlord
- 청약금 : subscription money
- 태양열 주택 : solar (heated) house
- 원 룸 아파트 : studio apartment〔flat〕 [5]
- 3층 집 : a three-story house
- 관리비 : maintenance fee
- 꽤 좋은 집 : a decent house
- 등기료 : registration fee
- 매입가 : purchase price
- 방이 4개인 집 : a four-room house
- 별장 : villa / cottage
- 본관〔본채〕 : main building
- 세입자 : renter
- 시가(時價) : the current price
- 아파트 단지 : apartment complex
- 연립 주택 : row house
- 임대 주택 : rental house
- 임차인〔입주자, 거주자〕 : tenant
- 절충 가격 : compromise price
- 주택 조합 : housing association
- 중개수수료 : realtor's commission
- 집문서 : house deed
- 클로우징 코스트 : closing costs [7]
- 하숙집 : boarding house [8]
- 가구가 딸리지 않은 작은 아파트 : a small unfurnished flat
- 가구가 딸린 아파트 : a furnished apartment
- 차고 딸린 집 : a house with an (attached) garage
- 1개월치 선불 : one month's advance rent

5) ((비교)) studio apartment [flat] : 부엌, 목욕실이 한방에 딸린 아파트
6) 미국에서 주택을 구입시 명의 변경을 대신 해 주는 회사
7) 부동산 매매시의 구입가격 이외의 세금 · 등기등의 비용
8) (주로 식사가 없는) 하숙집 : lodging house

집을 확인할 때

A: Would you mind showing us the apartment?
B : Not at all. This way, please.
(Pause) This is the two-bedroom apartment.
It's furnished.
A: It looks good. What's the rent?
B : It's $600 a month.
A: Does that include public utilities' charge?
B : No, you have to pay that separately.
A: How much do I have to pay to move in?
B : You have to pay $1,320.
It includes the first and last months' rents plus a cleaning charge of $120.
A: OK. I'll take it.

A : 아파트 좀 보여 주시겠어요?
B : 그러죠. 이쪽으로 오세요.
(잠시 후) 이게 침실이 2개짜리인 아파트입니다.
가구가 설비되어 있습니다.
A : 좋아 보이군요. 임대료가 얼마입니까?
B : 한 달에 600달러입니다.
A : 공과금이 포함된 겁니까?
B : 아닙니다. 공과금은 별도로 내셔야 합니다.
A : 입주하려면 얼마를 내야 합니까?
B : 1,320달러를 내셔야 합니다.
첫 달과 마지막 달 임대료와 청소비 120달러가 포함되어 있습니다.
A : 좋습니다. 이걸로 하겠습니다.

- 집은 아주 좋은데, 위치가 별로 좋지 않군요.
  It's a great house, but the location is not so great.
- 이 건물은 지은 지 몇 년이나 됐죠?
  How old is this building?
- 이것이 당신에게 말씀드린 바로 그 집입니다.
  This is the house that I told you about.
- 집주인이 안 계시지만, 제가 열쇠를 가지고 있습니다.
  The owners are away, but I have the keys.
- 언제 지어진 거죠?
  When was it built?

- 꽤 오래돼서 수리가 좀 필요합니다.
  It's fairly old, so it needs a little work. [9)]
- 초등학교에 다니는 애들이 둘 있는데, 학교 버스가 이곳으로 지나가나요?
  I have two little boys in elementary school. Does a school bus pass by here?
- 이곳에서 남쪽으로 2블록 떨어진 곳에 새 병원이 곧 지어질 겁니다.
  A new hospital is going to be built two blocks south of here.
- 마음에 안 드시는 것이라도 있습니까?
  Is there anything you don't like about it?
- 쓸 만해 보이는데요.
  It looks like in good shape.
- 오셔서 한번 보시겠습니까?
  Would you come over and take a look? [10)]
- 이 아파트의 부엌은 필요한 것이 모두 갖추어져 있어요.
  The kitchen in this apartment is fully-equipped.
- 이 방은 햇빛이 잘 들어요.
  This room gets a lot of sun.
- 이 아파트는 방이 몇 개죠?
  How many rooms does this apartment have?
- 집이 겉보기에는 좋은데, 내부는 보잘것없군요.
  The house looks nice from the outside but the inside is nothing much to look at.

활용어휘

- 가족실 : den〔family room〕 [11)]
- 계단용 양탄자 : stair carpet
- 다락방 : attic
- 신발 매트 : doormat
- 천장 : ceiling
- 현관 : porch
- 회전문 : revolving door / turnstile
- 계단 : staircase [12)]
- 나선 계단 : corkscrew staircase [13)]
- 뒷마당 : backyard
- 이중문 : dual doors
- 뚜껑문 : trap door [14)]
- 현관문 구멍 : peephole [15)]
- 발코니〔노대(露臺)〕: balcony

9) work : (건물, 자동차 등의) 수리, 수선
10) 집을 팔려고 하는 사람이 사려는 사람에게 전화로 통화하는 표현
11) (작고 아담하고 쾌적한) 사실(私室), (조용한 서재, 작업실, 쉬는 방 따위)
12) 난간을 포함한 계단 전체 / flight : (한 층계참까지의 연속된) 계단 / landing : (계단의) 층계참(層階站)
13) 나사 모양으로 돌아서 오르고 내리도록 된 계단
14) (지붕 천장 따위에 설치한) 치켜 올리는 문; (마루 · 무대 따위의) 함정문; 드는 뚜껑; (광산의) 통풍문 (weather door)
15) 집 밖에 누가 방문했을 때 누구인지 확인할 수 있도록 문에 만들어진 조그마한 구멍

계약할 때

- 이 아파트를 임대하겠습니다.
  I'd like to rent this apartment.
- 보증금은 (나중에) 되돌려 받을 수 있습니까?
  Is the deposit refundable?
- 임대청약서를 주시겠습니까?
  May I have the lease application form?
- 그 사항은 서면으로 해 주십시오. / 그 사항은 계약서에 포함시켜 주십시오.
  I want that in writing. / I want that written into lease.
- 임대 여부는 내일 알려 드리겠습니다.
  I'll let you know tomorrow whether I'll rent it or not. [16)]
- 아파트를 (다른 사람에게) 재임대할 수 있습니까?
  Is subletting permitted? / Can I sublet the unit, I have to? [17)]

입주 후 생활

- 2달 전에 이사를 했습니다.
  I moved two months ago.
- 새로 이사 온 이웃입니다. 방금 이사해 들어왔습니다.
  I'm your new neighbor. I just moved in.
- 집들이 언제 하실 겁니까?
  When are you going to have a housewarming (party)?
- 집들이가 언제죠?
  When is the housewarming (party)?
- 이 동네에 이사 오신 것을 환영합니다.
  Nice to have you in the neighborhood.

전기 · 가스 · 수도 신청

- 방금 아파트로 이사를 왔는데, 전기와 수도를 보내 주십시오.
  We've just moved into the apartment. I'd like to have the lights and the water turned on in our apartment.

---

16) 유사의미 동사의 차이 : ① charter : (교통수단 등을 운전사를 붙여서) 임차하다, 전세 내다 예 We'll take a trip to east coast in chartered bus.(우리는 전세 버스로 동해안 여행을 할 예정이다.) / ② hire : (사용료를 내고) 빌리다, (사용료를 받고) 빌려주다(hire out) 예 He hired a motorcar by $30 a day.(그는 일일 30달러에 자동차를 빌렸다.) 예 He hired out his house.(그는 자기 집을 세 놓았다.) / ③ lease : (정식계약서에 의해서) 임대하다, 임차하다 / ④ let : 세를 놓다, 세를 내주다 예 He lets his house (to others) for the winter.(그는 겨울 동안 자기 집을 세준다.) / ⑤ rent : 임대〔임차〕하다 예 He rented a room from his friend.(그는 친구로부터 방 하나를 세로 얻었다.)

17) sublet : 전대(轉貸)하다; (일 등을) 하청을 주다

- 저희 아파트에 가스를 넣어 주십시오.
  I'd like to have the gas turned on in our apartment.

전화 신청

- 저희 아파트에 전화를 설치하고 싶습니다.
  I'd like to have a telephone installed in our apartment.

> A: What kind of service would you like?
> B : I want call waiting and 3-way call.
>
> A : 어떤 서비스를 원하십니까?
> B : 통화중 대기와 3인 통화 서비스를 원합니다.

❖ 관련 세부 표현 : 전화 서비스(p. 694)

구독 · 배달 신청

- 워싱턴 포스트지를 구독하고 싶습니다.
  I'd like to subscribe to the Washington Post. [18)]
- 언제부터 배달이 가능합니까?
  When can you deliver it?
- 다음 번 배달은 두 배로 해 주세요.
  I'd like you to double next delivery. [19)]
  I want next delivery doubled.
- 다음 번 배달은 한번 걸러 주세요.
  I'd like you to skip the next delivery.
  I want next delivery skipped.
- 어제 아침에 우유 배달을 받지 못했습니다.
  I didn't get my milk yesterday morning.
  The milk didn't get delivered yesterday morning.

시설물 고장 신고

- 수도꼭지가 계속 샙니다.
  My faucet drips continually. [20)]
- 물이 전혀 안 나와요.
  We have no water.
- 퓨즈가 나갔어요.
  The fuse has gone. / The fuse has blown.

---

18) subscribe : 기부하다, 투자하다; (서명하여) 기부를 약속하다; (신문 · 잡지 등을) 예약 구독하다 / subscribe for ten dollars : 10달러를 기부하다 / subscribe to〔for〕 : 잡지를 예약 구독하다
19) 우유 등을 하루에 한 개씩 배달 받던 것을 2개씩 배달해 달라고 배달원에게 말할 때 / double : 두 배로 하다
20) drip : (액체가) 똑똑 떨어지다

- 부엌 싱크대가 막혀서 물이 역류합니다.
  The drain in our kitchen sink is clogged; it's backing up. [21)]
- 세탁기가 고장났습니다.
  The washing machine broke down.
  Our washing machine doesn't work (right).
  Our washing machine is down. [22)]
- 수리할 사람을 보내 주시겠습니까?
  Could you send someone to repair it?
- 알겠습니다. 제가 가서 보겠습니다.
  OK. I'll come by and have a look at it.

공과금 청구에 이상이 있을 때

- 지난 달 전화요금 청구에 잘못이 있는 것 같습니다.
  There seems to be a mistake in my telephone bill for last month.
- 해외 전화는 두 번 걸었던 것 같은데요.
  I think I made an overseas call twice.
- 그렇게 많은 물을 쓰지 않았습니다.
  I've never used that much water.

활용 어휘
- 전기 요금 청구서 : electric bill
- 수도 요금 청구서 : water bill
- 가스 요금 청구서 : gas bill
- 공과금 청구서 : utilities bill

이사할 때

A: When are you moving into the new house?
B : This coming Sunday. Could you help me (to) move?

A : 새 집으로 언제 이사가시죠?
B : 이번 주 일요일에요. 이사하는 것 좀 도와 주시겠어요?

- 짐을 다 싸셨어요?
  Have you packed up?
- 이사 대행업체에 의뢰하는 게 정말 수월할 것 같아요.
  Packing service sounds really handy. [23)]

---

21) drain : 배수(관); 배수로; 수채(sewer) / clog : (파이프 등을) 막히게 하다 / back up : (물이) 거꾸로 흐르다
22) down = on the blink = out of kilter = out of work : 고장난
23) moving company : 이삿짐 센터

• 한국으로 아주 가십니까?
Are you going to Korea for good? [24)]

미국 아파트(apartment) 유형

① studio : 방 1개 + 침대, 소파, 가스레인지, 냉장고 등
② single : studio보다 약간 넓고 부엌이 딸림
③ one bedroom : ② + 거실, 화장실 + 침실 1개
④ two bedroom : ③ + 침실 1개 + 화장실
⑤ three bedroom : ③ + 침실 2개 + 화장실
⑥ four bedroom : ③ + 침실 3개 + 욕실 · 화장실 1~2개
⑦ five bedroom : ③ + 침실 4개 + 욕실 · 화장실 1~2개

이사전 조치(통보) 사항

• 9월 23일에 아파트를 떠나려고 합니다.
We are leaving the apartment on September 23.

• 9월 23일부로 저희 아파트 전기와 가스를 끊어 주십시오.
I'd like to terminate my service for lights and gas as of September 23.

• 9월 23일부로 전화를 끊어 주십시오.
I'd like to have my phone disconnected as of September 23.

• 워싱턴 포스트지 구독을 중단하고 싶습니다.
I'd like to stop delivery of the Washington Post.

활용 어휘

• 노끈 : twine
• 도장공 : painter
• 목수 : carpenter
• 문패 : doorplate
• 미장공 : plasterer
• 벽지(壁紙) : wallpaper
• 이사 비용 : house-moving expense
• 이삿짐 운반차 : moving〔removal〕 van
• 포장용 상자 : packing box
• 도배장이〔표구사〕 : paperhanger
• 명찰〔문패〕 : nameplate
• 문손잡이 : doorknob / knob
• 미닫이문 : sliding door
• 배관공 : plumber
• 운임료 : moving fee
• 이삿짐 센터 : house-moving center
• 포장 테이프 : packing tape
• 포장지 : packing-paper

기 타

• 당신 건물에 임대용 아파트가 있습니까?
Are there any apartments in your building for rent?

24) for good : 영원히

- 그 집을 (시장에) 내놓기에는 지금이 가장 좋은 시기라고 생각합니다.
  I think this is the best time to put the house on the market. [25)]
- 그 집은 팔려고 내놓은 지 2개월이 됐어요.
  The house has been on the market for two months.
  The house has been up for sale for two months.
- 그 오래된 지하 매장을 팔려고 내 놓았어요.
  I put the old underground shop up for sale. [26)]
- 부동산 중개업소를 많이 찾아가 보세요.
  You'd better visit a lot of real estate agents.
- 부동산 중개업자는 집 판매가격의 2%를 수수료로 받아요.
  The agent gets 2% commission on the selling price of the house.
- 우리 집 팔려고 내 놓았어요.
  We're put our house up for sale.
- 부동산 중개업소를 돌아다녀 봐야겠어요.
  I'll make the rounds of real estate agents. [27)]
- 우리는 워싱턴 D.C.에 있는 작은 사무실을 임대하려고 해요.
  We're going to lease a small office in Washington, D.C.
- 우리는 달라스 교외에 있는 아파트 한 채를 샀어요.
  We bought an apartment on the outskirts of Dallas. [28)]
- 집 계약금으로 500만원을 지불했어요.
  I paid five million won down on the house. [29)]
- 집을 이 달말까지 비워 주세요.
  I request for you to vacate the house by the end of this month. [30)]
- 임대 기간이 만료되면 다시 갱신할 거예요.
  I'm going to renew my lease after it expires.
- 임대 기간이 언제 만료되죠?
  When does your lease expire?
- 그 사무실의 일부를 스키너씨에게 재임대해 줄 계획입니다.
  I plan to sublease a part of the office to Mr. Skinner.
- 집세를 밀리면 안 됩니다.
  You shouldn't be behind in your rent.

---

25) put ~ on the market : ~을 팔려고 (시장에) 내놓다
26) put ~ up for sale : ~을 팔려고 내놓다
27) make the rounds of ~ : ~을 차례차례 다니며 방문하다
28) outskirt : 변두리, 교외 / on〔at / in〕 the outskirts of ~ : ~의 변두리에
29) pay ~ down : (월부 따위의) 계약금〔보증금〕으로 ~을 지불하다
30) vacate : 그만두고 물러나다, 사퇴하다, 공석으로 하다; 퇴거하다, (집 등을) 비우다; ((구어)) 떠나가다; 휴가를 가다; ((법)) 무효화하다

활용 어휘

- 가정 용구 : home appliances
- 강철로 된 줄자 : steel tape
- 구멍 뚫는 기구 : filepunch
- 끌〔정〕 : chisel
- 납땜 인두 : soldering iron
- 냉동차 : refrigerator car
- 다용도 가방 : utility bag
- 독서등 : reading stand
- 리벳 박는 기계 : rivet gun
- 백열 전등 : incandescent light
- 부엌용품 : kitchenware
- 삽 : spade [33)]
- 선풍기 : rotary fan
- 수은 전지 : mercury cell
- 안전 장치 : safety device
- 열쇠 꾸러미 : key chain
- 장도리 : nail puller
- 전기 스탠드 : floor lamp
- 전축 : phonograph
- 조광기(調光器) : dimmer
- 줄 : file [35)]
- 창문 블라인드 : window shade
- 전기 콘센트 : electrical outlet
- 전력(電力) : electric power
- 절연재 : insulating material
- 정전 : power outage〔failure〕
- 회로 차단기 : circuit breaker
- 콘센트 : wall outlet socket
- 가정 (부엌) 용품 : housewares
- 고무줄 : elastic string〔cord〕
- 꼬마 전구 : midget lamp
- 나이트 스탠드 : nightstand
- 냉동실 : freezer [31)]
- 냉장고 : fridge / refrigerator
- 대패 : plane
- 렌치 : wrench
- 백열 전구 : light bulb
- 태피스트리 : tapestry [32)]
- 펜치 : pliers
- 생활 필수품 : daily necessities
- 손도끼 : hatchet
- 식기류 : dinnerware
- 여벌 열쇠 : duplicate key
- 유리 절단기 : diamond pencil
- 전기 면도기 : electric shaver
- 작은 톱 : handsaw [34)]
- 접는 자 : folding ruler
- 조명등 갓 : lampshade
- 줄자 : tape measure
- 응급 수리 : running repairs
- 전기선 : electrical cable
- 전선(電線) : electric wire
- 접지 : ground(ing)
- 형광 불빛 : fluorescent lighting
- 휴즈 : safety fuse

임대 주택 안내 광고문

In Newton Square
3-bdrm 2-bath house
w/garden. $1,000/mo.
Call Mr. Johns at 565-5329/eves.

- eves. = evening : 저녁(에)
- furn. = furnished : 가구 설비

■ **광고문에서 사용되는 약어〔용어〕**

- 4 Sale = For Sale : 팔려고 내놓음
- apt. = apartment : 아파트
- bath.〔ba.〕= bathroom : 욕실
- bdrm. = bedroom : 침실
- gar. = garage : (자동차의) 차고
- lg. = large : 큰

31) 냉장고의 식품을 얼리는 칸
32) 고블랭직〔Gobelins : 화려한 그림이나 도안을 짜 넣은 두꺼운 융단으로서 벽걸이나 가구걸이 따위로 쓰임〕의 벽걸이 양탄자
33) 일반적인 삽(shovel)과는 달리 금속 부분이 평평함.
34) 한 손으로 들고 켜는 톱 / hacksaw : 쇠톱
35) 쇠를 가는 연장

- lndry. = laundry : 세탁실
- m(o)d. = modern : 현대식의
- No Fee : 소개비 받지 않음
- incl. = included : ~이 딸린
- nr. = near : ~ 근처에
- utils. = utilities : 공공 요금
- liv rm. = living room : 거실
- mo. = month : (매) 월
- hw. = hot water : 온수
- kit. = kitchen : 부엌
- prkg. = parking : 주차 가능
- etc. = et cetera : 기타
- w/ = with ~ : ~가 딸려 있음
- prv.〔priv.〕 hse = private house : 개인 주택
- unfurn. = unfurnished : 가구 미 설비
- w/d = washer and dryer : 세탁기와 탈수기
- stv./frig.〔rf.〕 = stove and refrigerator : 가스레인지와 냉장고
- w/w crpt. = wall-to-wall carpeting : 완벽한 카펫 설비
- No pets : 애완동물을 키울 수 없음

2 관공서에서

이 절에서는 관공서나 공공기관에서 공무나 개인 용무를 볼 때 자주 사용되는 표현을 망라하였다. 기타 우체국, 은행, 경찰서 등을 방문하여 용무를 볼 때는 해당 편을 참조하기 바란다.

기본대화

A : Sorry to keep you waiting.
B : That's all right.
A : I'll be right with you in about five minutes.
B : Take your time. I'm in no hurry.

A : 기다리게 해서 죄송합니다.
B : 괜찮습니다.
A : 5분 정도면 손님 일을 봐 드리겠습니다.
B : 천천히 하세요. 저는 바쁘지 않으니까요.

담당 부서를 찾을 때

- 담당 부서를 가르쳐 주시겠습니까?
  Would you direct me to the right section?
- 이곳이 사회복지사업을 신청하는 곳입니까?
  Is this the place to apply for social service? [1)]
- 부서를 바로 찾아 오셨습니다.
  You came to the right section. / You are at the right place.

담당자를 찾을 때

- 이 일은 어느 분이 담당하십니까?
  Who am I supposed to see about this?
- 그분이 지금 안 계시는데요.
  He is not here at the moment.
- 저는 잠시 일을 대신하는 사람일뿐입니다.
  I'm just a fill-in. [2)]

1) social service = social work〔welfare〕 : 사회복지사업(무료 진료소, 탁아소 등 경영)
2) fill-in : 대리, 빈자리를 메우는 사람〔것〕

- 내일 오전에 다시 와 주시겠습니까?
  Could you come again tomorrow morning?

일처리 진행 확인

- 누가 지금 제 일을 처리하고 있습니까?
  Who is taking care of my application?
- 신속하게 도와 드리지 못해서 죄송합니다.
  Sorry we couldn't help you fast. 3)
- 저희는 오늘 일손이 부족합니다.
  We're short of workers today.
  We're shorthanded today. 4)
- 지금 안내를 받고 있습니다〔제 일을 봐 주고 있습니다〕.
  I'm being helped.

기 타

> A: Would you like an application form?
> B : Yes. I'll complete it at home and bring it back tomorrow.
>
> A : 신청서가 필요하세요?
> B : 네. 집에서 작성해서 내일 가지고 오겠습니다.

- 문서로 작성하셔야 합니다.
  You have to put it down in writing. 5)
- 신청서를 다음 주 금요일까지 제출하셔야 합니다.
  You have to turn in the application by next Friday.
- 정자로 정확히 기재하세요〔타자로 치거나 펜으로 또박또박 쓰세요〕.
  Please type or print clearly.
- 우선 신청부터 하셔야 합니다.
  You have to apply for it first.
- 신청서를 먼저 작성해 주셔야겠습니다.
  You need to fill out the application first.
- 제가 작성해야 할 서류가 뭐죠?
  Which form am I suppose to fill out?
- 번호를 받으시고 자리에 앉아서 기다리세요.
  Please take a number and have a seat.

---

3) fast : 신속한; 신속하게
4) 관공서 직원의 일손 부족으로 손님에게 신속하게 서비스를 해 주지 못했을 때
5) put down : 기입〔기록〕하다

- 앉아서 손님 이름을 부를 때까지 기다리세요.
  Have a seat and wait until your name is called.
- 어디에 서명을 하죠? / 여기에 서명을 좀 해 주시겠어요?
  Where shall I sign? / May I have your signature here?
- 여기에 서명하시고 날짜를 쓰세요.
  Just sign here and date it.
- 다음 손님!
  Next in line, please.
- 오랫동안 기다려 주셔서 감사합니다.
  Thank you for your patience.

활용 어휘

- 경찰서 : police station
- 공공봉사 : public service
- 공무 : official affairs (business)
- 관공서 : public office
- 구청 : ward [6]
- 국세청 : the National Tax Administration
- 담당자 : sb in charge
- 민원 상담실 : civil affairs office
- 민원 안내 : Civil Service Information
- 소방서 : fire station
- 주민 등록 : resident registration
- 하급 공무원 : lower-level officials
- 경사로 : ramp [7]
- 고급공무원 : high-ranking officials
- 공금 : official funds
- 공무원 : official / civil servant
- 관료 : bureaucracy
- 구청 직원 : ward official
- 군청 : county office
- 도청 : provincial office
- 민원실 : Public Service Center
- 법원 : court
- 시청 : city hall
- 지방 공공단체 : municipal body
- 공문 : official note (document)

6) 구청장 : ward head (chief)
7) 공공 건물 입구에 휠체어를 밀고 올라갈 수 있도록 계단 옆에 설치된 평탄한 경사로

3 은행에서

미국에서 여행을 하는 동안 은행(bank)이나 환전소(Exchange Bureau / Money Exchange)를 이용할 경우가 많을 것이다. 단순히 환전이나 입출금을 하려면 공항 내에 설치된 환전소를 이용한다. 또한 단순히 돈을 입출금할 때는 'ATM(Automated Teller Machine : 자동 현금 지급기)'를 이용하면 편리하다. 그러나 미국에서 대체로 장기간 거주하는 사람의 경우에는 필히 은행계좌를 개설해야 할 것이다. 은행의 영업 시간은 오전 9시 ~오후 6시까지이지만, 은행마다 개폐점 시간이 다르므로 자신에게 편리한 시간대에 용무를 보면 된다. 아래 대화는 은행에 예금 계좌를 개설하는 상황이다.

기 본 대 화

A : May I help you?
B : Yes, I'd like to open a savings account. [1)]
A : Certainly.
First we'll have to fill out a few forms. [2)]
Could I have your name, please?
B : It's Johnson, David Johnson.
A : Fine. Could I please have your address?
B : 2323 West 8th St., L.A. The zip code is 90057. [3)]
A : OK, and please give us your telephone number.
B : It's 723-5023.
A : 723-5023. All right. And finally, Mr. Johnson, what's your occupation?
B : I work at Riverside Publishing Company.
I'm an editor.
A : Fine. I just need some IDs, and we'll be all set.

A : 뭘 도와 드릴까요?
B : 보통예금 계좌를 개설하고 싶습니다.
A : 그러죠. 우선 몇 가지 서류를 작성하셔야 합니다.
성함이 어떻게 되시죠?
B : 존슨, 데이비드 존슨입니다.
A : 좋습니다. 주소는 어떻게 됩니까?
B : 로스앤젤레스 서부 8번가 2323번지입니다.

1) savings account : 보통 예금 (계좌)
2) fill out : (문서 등의) 여백을 메우다(fill in)
3) zip code : ((美)) 우편 번호; 영국에서는 'postcode' 라고 한다.

우편번호는 90057입니다.
A : 전화번호를 말씀해 주세요.
B : 723-5023번입니다.
A : 723-5023, 좋습니다.
마지막으로 존슨씨, 직업이 무엇입니까?
B : 리버사이드 출판사에서 편집자로 근무합니다.
A : 좋습니다. 신분증만 주시면 모든 게 끝납니다.

환전할 때

고액권을 잔돈으로

A: Could you change this bill to small change?
B : Sure. How would you like to change it?
A: I like eight ten dollar bills and twenty one dollar bills, please.

A : 이 지폐를 작은 돈으로 바꿔 주시겠습니까?
B : 그러죠. 어떻게〔얼마짜리로〕 바꿔 드릴까요?
A : 10달러짜리 8장과 1달러짜리 20장으로 주세요.

- 100달러 한 장을 잔돈으로 바꿔 주시겠습니까?
  Would you change a hundred-dollar bill?
- 얼마짜리로 드릴까요?
  What denominations would you like? [4)]
- 바꿔 주세요.
  Change, please. [5)]
- 잔돈이 필요합니다.
  I need some small change.

미국 동전〔경화〕의 종류

1센트 : one cent / penny (구리색, 링컨 대통령 초상)
5센트 : five cents / nickle (은색, 제퍼슨 대통령 초상)
10센트 : one dime / dime (은색, 루스벨트 대통령 초상)
25센트 : quarter dollar / quarter (은색, 워싱턴 대통령 초상)
50센트 : fifty cents / half dollar (은색, 케네디 대통령 초상)
1달러 : one dollar (은색, Susan B. Anthony초상)

4) denomination : 명명; 명칭; 계급; 파; 종류; (화폐의) 금종(金鍾); 종파
5) 한화(韓貨) 등을 내밀면서 달러로 바꿔 달라고 할 때

수표를 현금으로

A: I'd like to cash this check, please.
B : Please endorse [sign] on the back.
How would you like it?
A: I want it all in $100 bills.

A : 이 수표를 현금으로 바꾸고 싶은데요.
B : (수표) 뒷면에 이서[서명]를 해 주십시오.
얼마짜리 돈으로 드릴까요?
A : 전부 100달러짜리로 주세요.

- 이 수표를 현금으로 바꿀 수 있을까요?
  Can I cash this check, please?
- 현금으로 바꾸려는 수표가 얼마입니까?
  How much of the check do you want to cash?
- 고액권으로 드릴까요, 소액권으로 드릴까요?
  Do you want large bills or small bills?
- 수표를 얼마짜리로 바꿔 드릴까요?
  What would you like to change your check into?
- 전액을 10달러짜리로 주세요.
  Give me the whole amount in ten-dollar bills.
- 저희 은행에 계좌를 가지고 계신가요?
  Do you have an account with us?

기 타

- 한국 돈을 달러로 바꾸고 싶습니다.
  I'd like to change Korean money into dollars.
- 달러를 원화로 바꾸고 싶습니다.
  I'd like to change some dollars to won.
- 오늘 환율이 얼마입니까?
  What's the exchange rate today?
- 1달러에 대한 한국 돈의 환율이 얼마입니까?
  What's the exchange rate for Korean won to the U.S. dollar?
- 환전 수수료가 얼마입니까?
  What's the fee for exchange?

여행자 수표 구입

A: I need $1,000 in traveler's checks.
B : All right. How would you like it?
A: Five hundred dollar bills, six fifties and ten twenties, please.

A : 1,000달러 여행자 수표가 필요합니다.
B : 알겠습니다. ($1,000짜리를) 어떻게 해 드릴까요?
A : 100달러 5장, 50달러 6장, 20달러짜리 10장으로 주세요.

- 1,000달러치 여행자 수표를 사고 싶습니다.
  I'd like to buy 1,000 dollars' worth of traveler's check.

계좌 개설 · 해약

- 이율은 얼마입니까?
  What are the interest rates?
- 새 예금통장 여기 있습니다.
  Here's your new savings account passbook.
- 계좌를 해약하고 싶습니다.
  I'd like to cancel my account.
- 당좌예금 계좌를 해제하려고 합니다.
  I'm closing my checking account.

※ 추가 표현 : 은행에서 – 기본 대화(p. 587)

부도 수표 여부 확인

A: I have received a check from someone.
Could you check and see if this is good?
B : What's the account number?
A: 12345-2259.
B : Sorry. Insufficient funds at this time.
A: Really? Thank you anyway.

A : 어떤 사람으로부터 수표 한 장을 받았는데,
잔고가 있는 수표인지 확인해 주시겠습니까?
B : 계좌 번호가 몇 번입니까?
A : 12345–2259입니다.
B : 죄송합니다. 현재로서는 충분한 잔고가 없습니다.
A : 그래요? 어쨌든 고맙습니다.

- 이 수표를 (부도 수표인지 아닌지) 확인해 주시겠습니까?
  Could you verify this check, please?
- 금액〔수표의 액면가〕은 얼마입니까?
  What's the dollar amount?
- 김 선생, 당신이 준 수표가 부도가 났습니다.
  Mr. Kim, your check was returned.
- 현재로서는 잔고가 충분히 있습니다.
  Funds are available at this time.
- 수표 한 장을 지불정지시키려고 합니다.
  I'd like to stop payment on a check.

예금 · 입금 · 인출

A: I want to deposit money in your bank.
B : What type of account do you want?
A: A one year fixed deposit.

A : 이 은행에 돈을 예금하고 싶습니다.
B : 어떤 예금을 원하십니까?
A : 1년짜리 정기예금입니다.

- 입금을 하고 싶습니다.
  I want to make a deposit.
- (돈을) 인출하고 싶습니다.
  I'd like to make a withdrawal.
- 100달러를 인출하고 싶습니다.
  I'd like to withdraw $100.
- 어느 계좌에 넣어 드릴까요?
  Into which account, sir?
- 금액을 확인해 보세요.
  Will you check the amount?

신용 카드

신 청

- 신용카드를 신청하고 싶습니다.
  I'd like to apply for a credit card.
- 신용카드를 발급 받고 싶습니다.
  I'd like to get a credit card.
- 새 카드는 언제 받게 됩니까?
  How soon do I get a replacement card?

• 카드는 나중에 우송해 드리겠습니다.
I'll mail your bank card to you later.

인 출

> A: Can I get $100 with this credit card?
> B : I'm sorry, but your card is over its limit.
>
> A : 이 신용카드로 100달러를 인출할 수 있을까요?
> B : 미안하지만, 손님 카드는 한도액을 초과했습니다.

• 이 은행에서 현금 서비스를 받을 수 있습니까?
Can I get a cash advance at your bank?

• 미안하지만, 손님 카드는 기한이 만료됐습니다.
I'm sorry, but your card has expired.

• 손님의 신용대출 한도액이 초과됐습니다.
You're over your credit limit.
Your credit card maxed out. [6)]

• 당신의 신용카드 한도액인 3,000달러가 이미 초과됐습니다.
Your credit limit of $3,000 has been exceeded. [7)]

• 수수료가 얼마죠?
What rate of commission do you charge?

분 실

• 분실 카드를 신고하려고 합니다.
I'd like to report a lost card.

• 신용카드 분실신고를 하려고 합니다.
I'd like to report that my credit card is lost.

• 누군가가 그것을 벌써 사용했으면 어떻게 되죠? [8)]
What if someone has already used it?

• 당신의 책임 액수는 100달러를 넘지 않습니다.
Your liability won't exceed $100.

현금자동지급기(ATM) 이용 [9)]

• 카드를 넣으십시오.
Please insert your card.

---

6) max out : 최대량이 되다
7) 은행으로부터의 경고장
8) 잃어버린 신용카드를 누가 사용했을 까봐 걱정하는 표현
9) ATM = Automated Teller Machine : 현금 자동 인출기(cash machine) / ((참고)) ATM 이용에 관련된 표현들은 현금자동인출기 화면상에 나타난 표현들이다.

- 비밀번호를 입력하십시오.
  Please enter your secret code number.
- 거래 내용을 선택하십시오.
  Please select (a) transaction. [10)]
- 중지하려면 취소를 누르십시오.
  Press cancel to return.
- 입금시킬 계좌의 종류를 선택하십시오.
  Select account for deposit. [11)]
- 다시 선택하려면 취소를 누르십시오.
  Press cancel to select again.
- 입금액을 넣으십시오.
  Enter amount for deposit.
- 예금문을 올리고 예금 봉투를 넣으십시오.
  Please lift depository door and insert deposit envelop.
- 거래가 종료됐습니다.
  Your transaction is complete.
- 카드와 명세서를 받으십시오.
  Please take your card and acknowledgement statement.
- 비밀 번호를 다시 입력해 주세요.
  Please reenter your personal code number.
- 처음부터 다시 시작하세요. 〈은행 직원의 말〉
  Please start again from the beginning.

대 출

- 대출을 받고 싶습니다.
  I want to take out a loan.
- 사업 대부를 신청하고 싶습니다.
  I'd like to apply for a business loan.
- 담보물 없이는 대부를 받을 수가 없습니다.
  You can't usually get a bank loan without collateral.
- 제 집을 담보로 5만 달러를 대출 받을 수 있을까요?
  Can I borrow $50,000 against my house?
- 그 대출은 10%의 이자가 붙어요.
  The loan carries 10% interest.
- 주택대부에 대한 이자율이 얼마죠?
  What is the rate on a house loan?

10) 인출시에는 'withdraw' 를 입금시에는 'deposit' 를 현금서비스를 받고자 할 때는 'fast cash' 를 선택한다.
11) 수표 계좌일 경우 'to checking' 을, 저축 계좌일 경우에는 'to saving' 을 선택한다.

- 담보가 없으면, 어떤 은행도 대부를 안 해줄 겁니다.
  Unless you've got collateral, no bank will give you a loan.[12)]
- 연대보증인 없이도 대부를 받을 수 있습니까?
  Can I get a loan without a cosigner? [13)]
- 저희는 장단기 융자를 모두 취급합니다.
  We have both short and long term loans.
- 그건 저희 은행 규정에 위배됩니다.
  It's against our banking regulations.
- 제 보증 좀 서 주시겠어요?
  Could you stand surety for me? [14)]

잔고 확인

A: Could you check my balance, please? [15)]
B: Sure. What's your account number?

A : 제 잔고를 확인해 주시겠습니까?
B : 그러죠. 계좌번호가 어떻게 됩니까?

수표 발행

A: I need a cashier's check for $1,000. [16)]
B: All right, who will it be made out to?

A : 1천달러짜리 은행보증 수표가 필요합니다.
B : 알겠습니다. 누구 앞으로 만들어 드릴까요?

기 타

- 우리 돈을 신탁은행에 넣어두는 게 좋겠어요.
  It'd be better to put our money into a trust bank.
- 서울은행에 그의 명의로 된 예금이 50만달러 있어요.
  There is $500,000 standing on deposit in his name at the Seoul Bank.
- 은행에서 나머지 돈을 찾아야겠어요.
  I should get some extra money out of bank.
- 저는 블랙리스트에 올라 있어요.
  I'm on the blacklist. [17)]

---

12) collateral : loan 담보부 대출 / a collateral security 근저당
13) cosigner : 연서인, 어음의 공동 서명인
14) stand〔go〕 surety for sb : 아무의 보증인이 되다, 보증을 서다
15) balance : 균형, 조화; 저울; 〈회계〉 차액, 차감 잔액
16) cashier's check : 자기앞 수표〔은행이 그 지배인의 서명으로 자기 은행 앞으로 발행한 수표〕
17) blacklist : 블랙리스트〔요주의 인물 일람표〕

A: Who are you banking with?
B : I have a checking account with City Bank.
A : 어느 은행과 거래하십니까?
B : 시티뱅크와 거래하고 있습니다.

- 어느 은행과 거래를 하십니까?
  Where do you have your bank account?
  Who do you bank with?
- 돈은 매월말 손님 계좌로 입금이 될 겁니다.
  The money will be put into your account at the end of each month.

활용어휘

- 거치 기간 : the term of a loan
- 귀중품 보관실 : vault
- 금리 : interest rate
- 담보 대출 신청 : mortgage application
- 당좌 예금 : checking account
- 대여 금고 : safe-deposit box [20)]
- 대출 자금 : money to lend
- 대출담당 직원 : loan officer
- 드라이브인 은행 : drive-in bank [21)]
- 복리 : compound interest
- 송금액 : the amount of remittance
- 야간 금고 : night deposit box
- 예금 용지 : deposit slip
- 예금 증서 : deposit receipt〔certificate〕
- 온라인 송금 : wire transfer
- 은행 영업시간 : banking hours
- 은행 융자 : bank loan
- 은행 창구 : bank counter
- 은행 통장 : bankbook
- 번호 날인기 : numbering machine
- 입금 전표〔의뢰서〕 : deposit slip
- 정기 예금 : fixed〔time〕 deposit
- 계좌 번호 : account number
- 금고 자동경보기 : safe alarm
- 다이얼 자물쇠 : combination lock [18)]
- 담보 융자 : mortgage (loan) [19)]
- 대부 : loan
- 대출 금리 : lending rate
- 대출 한도액 : credit line
- 도난방지 시스템 : security system
- 보통예금 (계좌) : savings account
- 송금 수수료 : remittance charge〔fee〕
- 송금인(送金人) : remittor
- 연대 보증인 : joint surety
- 예금 통장 : deposit passbook
- 예금 청구서 : withdrawal slip
- 온라인송금 번호 : wire address
- 은행 예금의 잔고 : balance at a bank
- 은행 이자 : bank interest
- 은행 창구 직원 : (bank) teller
- 은행장 : the president of a bank
- 인출 용지 : withdraw slip
- 자동 인출 : automatic draft [22)]

18) 숫자 · 글자 등으로 맞추어 풀고 잠그는 자물쇠(금고 열쇠 등)
19) mortgage : 저당, 담보
20) 은행의 지하실에 설치되어 있으면서 개인에게 빌려주는 금고
21) 차를 탄 채로 은행업무를 볼 수 있도록 된 은행 / ((비교)) Walk Up Teller : 은행 밖에서 고객이 차에서 내려 걸어가 예금이나 인출을 하는 것
22) 통장에서 요금이 자동으로 납부되는 것

4 우체국에서

미국 우체국(post office)의 영업시간은 주(state)마다 다르지만, 보통 월요일은 08:30~17:00이고, 토요일은 08:30~12:00까지다. 우편물 중 속달 우편(express mail)은 토요일, 일요일에도 배달된다. 우체국을 이용할 때는 우체국 안의 창구 앞에서 줄을 서서 기다리다가 우체국 직원이 "Next, please.(다음 손님 오세요.)"라고 말할 때 자신의 용무를 보면 된다. 미국의 대도시의 경우 백화점이나 쇼핑 센터에도 간이 우체국이 있으므로 이를 적절히 이용하면 훨씬 편리할 것이다. 아래 대화는 편지를 부치는 상황이다.

기본대화

A : How much is this letter?
B : Let me weigh it. It's 80 cents.
A : Here you go.
B : Here's your stamps and change.
A : Thank you.

A : 이 편지 부치는 데 얼마입니까?
B : 무게를 달아 보죠. 80센트입니다.
A : 여기 있습니다.
B : 우표와 잔돈 여기 있습니다.
A : 감사합니다.

우표를 살 때

A: Which window sells stamps?
B : Please go to window No. 3

A : 어느 창구에서 우표를 팝니까?
B : 3번 창구로 가십시오.

- 어디서 우표를 살 수 있죠?
  Where can I buy stamps?
- 미안합니다, 여기서는 우표를 팔지 않습니다. 옆 창구로 가셔야 합니다.
  I'm sorry, but we don't sell postage stamps here.
  You must go to the next window.
- 우표를 좀 사고 싶은데요.
  I'd like some stamps.

- 국내용 우표 두 줄 주세요.
  I'd like to buy two rolls of domestic stamps.
- 29센트짜리 우표 5장 주세요.
  Please give five twenty-nine cent stamps.

활용 어휘

- 기념 엽서 : memorial picture postcard
- 왕복 엽서 : return card [1)]
- 항공 봉함엽서 : air letter / aerogramme
- 관제 엽서 : postal card
- 기념 우표 : commemorative stamp
- 우표 한 줄 : a roll of stamps
- 해외용 엽서 : overseas postcard

편지를 부칠 때

- 이 편지를 등기로 부쳐 주세요.
  Please register this letter.
- 이 편지를 속달로 부치고 싶습니다.
  I'd like to send this letter by special delivery.
- 이 편지를 속달로 보내는데 비용이 얼마입니까?
  How much does it cost to have the letter sent by express?
- 이 편지에는 얼마짜리 우표를 붙입니까?
  What is the postage for this letter?
- 한국까지 항공우편 요금이 얼마입니까?
  What's the airmail postage to Korea?
- 한국에 편지 한 통 부치는 데 얼마입니까?
  How much is it to mail a letter to Korea?
- 거기까지 도착하는 데 얼마나 걸립니까?
  How long does it take to get there?
- 여기서 등기우편을 취급합니까(이곳이 등기우편을 취급하는 곳입니까)?
  Is this the registered mail section?

※ 추가 표현 : 우체국에서 – 기본 대화(p. 596)

미국 우편의 종류

① 1종 우편(first class mail) : 12온스 미만의 관제엽서, 그림엽서, 편지 및 인쇄물 등의 우편물 ② 2종 우편(second-class matter) : 신문, 잡지 및 간행물 등 우체국이 허가한 우편물 ③ 3종 우편(printed matter) : 16온스 미만의 우편물로서 광고물, 책, 인쇄물, 식물 등 1 · 2종에 포함되지 않는 우편물 ④ 4종 우편 : 16온스 이상으로, 1 · 2 · 3종에 포함되지 않는 우편물 ⑤ 우선 우편(priority mail) : 12온스 이상의 1종 우편으로, 부친 후 그 다음날까지 수신자 측에 배달됨

1) 광고자가 주문 등의 회신을 바라는 엽서

소포를 부칠 때

- 여기서 소포 우편물을 취급합니까?
  Do you handle parcel postage?
- 이 소포를 한국으로 부치고 싶습니다.
  I'd like to send this package to Korea.
- 이 소포를 항공편으로 부치고 싶습니다.
  I'd like to airmail this package.
  I'd like to send this package by airmail.
- 이 소포에 50달러의 보험을 들고 싶습니다.
  I'd like to insure this package for $50.
  I'd like to have this package insured for $50.
- 먼저 세관신고서를 작성하셔야 합니다.
  You need to fill out customs declaration form first.

> A: What does it contain?
> B : The content of this package is cosmetics. [2)]
>
> A: 안에 무엇이 들어 있습니까?
> B : 이 소포의 내용물은 화장품입니다.

- 이 소포가 도착하는 데 얼마나 걸리죠?
  How long will it take for the package to arrive?
- 그게 언제 거기에 도착하죠?
  When is it supposed to get there?
- 그 위에 우표를 충분히 부치셨어요?
  Did you put enough stamps on it?
- 비용은 소포의 무게와 크기에 따라 다릅니다.
  The cost depends on the weight and size of the package.
- 영수증을 만들어 드릴까요?
  Shall I make out a return receipt? [3)]
- 우편요금은 편지는 70센트, 소포는 2달러가 되겠습니다.
  The postage will be 70 cents for the letter, and $2.00 for the parcel.

2) "It contains cosmetics.(화장품이 들어 있습니다.)"라고 답변할 수도 있다.
3) return receipt : 수취 확인 영수증

활용 어휘

- 그림 엽서 : picture post card
- 등기 우편으로 : by registered mail
- 레터 헤드 : letterhead [5)]
- 발송부 : Circulation Department
- 반신(返信) 주소 : return address
- 보통 우편 : regular〔surface〕 mail letter
- 사서함 : post-office box〔P.O.B〕
- 선편 우송 : sea mail
- 소인 : cancellation
- 속달편 : special delivery
- 수화물 취급소 : luggage office
- 요금 별납 우편 : metered mail
- 우체국 직원 : mail clerk / postal clerk
- 우편 : mail
- 지방 무료 우편배달 : rural free delivery
- 우편물 담당실 : mail room
- 우표 부착용 풀 : original gum〔O.G.〕 [9)]
- 자동우표 판매기 : stamp machine
- 집배원 : letter carrier
- 꼬리표 : dispatch note [4)]
- 등기로 : by registration
- 물표〔꼬리표〕 : tab stock [6)]
- 발신인 : sender / addresser
- 배달 증명 우편 : certified mail
- 보험든 우편물 : insured mail
- 서적 우편 요금 : book rate
- 설명용 편지 : covering letter [7)]
- 속달 편지 : special delivery letter
- 수수료 : handling charge
- 야간 배달 우편 : overnight mail
- 우정국 : Post Bureau
- 우체통 : mail box / letter box((英))
- 우편 번호 : ZIP (code) [8)]
- 우편 집배원 : mail carrier
- 우편물을 다는 저울 : letter balance
- 운송료 : shipping charges
- 택배 회사 : courier service
- 특별 취급 : special handling
- 운임 선불 : freight forward / advanced freight [10)]

우편환 송금

- 우편환으로 1,000달러를 송금하고 싶습니다.
  I'd like to send $1,000 by money order.
- 한국으로 우편환을 보내고 싶습니다.
  I'd like to send a money order to Korea.

전보를 칠 때

전보 신청

- 전보〔국제 전보〕를 치고 싶습니다.
  I'd like to send a telegram〔an overseas telegram〕.
- 이 내용을 전보로 보내 주세요.
  Send this message by telegram, please.

---

4) 국제 우편물의 소화물에 붙이는 것
5) 편지지 위에 인쇄된 발신인 또는 회사의 주소 및 이름; 회사 편지지
6) 물건을 쉽게 개봉할 수 있도록 물건에 길게 표시한 장식
7) covering letter〔note〕 : (소포나 편지에 동봉한) 첨부 편지; (제품에 첨부된) 설명서
8) Zone Improvement Program
9) 우표 뒷면에 칠해진 풀
10) ((비교)) 운임 후불 : carriage collect

- 이 전보를 누구에게 보내실 거죠?
  Who are you sending this telegram to?
- (전보를) 받으실 분이 누구죠?
  Who's the other party? [11] / Who's your party?
- 전보용지 좀 주세요.
  A telegram blank, please.
- 글자 한 자에 얼마죠?
  How much is it per word?
- 요금은 다음 전화요금에 합산되어 청구될 겁니다.
  You'll be charged on your next bill.
  They charge it on 〔to〕 your telephone bill.

기원 전보

- 다시 뵐 때까지 신의 축복이 함께 하시기 바랍니다.
  God bless you till we meet again.
- 당신의 미래가 희망으로 충만하길 기원합니다.
  Hoping the future will bring you the fulfillment of your dreams.
- 당신의 생일에 행운이 가득하길 진심으로 기원합니다.
  Best wishes on your birthday.
- 새해에는 소원 성취하시길 바랍니다.
  May the hopes of the New Year come to pass. [12]
- 새해에도 평안하시고 행복하시길 바랍니다.
  May peace and happiness be yours in the New Year.
- 즐거운 크리스마스가 되길 바랍니다.
  Love and best wishes for a Merry Christmas.
- 행복하고 번창하는 새해가 되길 기원합니다.
  Love and best wishes for a happy and prosperous New Year.
- 즐거운 크리스마스와 멋진 새해를 기원합니다.
  Merry Christmas and Happy New Year.

조전(弔電)

- 고인의 명복을 빕니다.
  Pray for the bliss of dead.
- 그 사고 소식을 듣고 정말 슬펐습니다.
  Deeply grieved about the accident.

---

11) 전보를 신청할 때 교환원이 수신자의 이름을 물을 때
12) come to pass : (일이) 일어나다(happen); 실현되다(come true)

- 당신의 사고 소식에 정말 슬펐으며, 전 직원은 애도를 드림과 아울러 신속한 쾌유를 빕니다.
  Very sorry to hear of your accident. All the staff joins me in expressing sympathy and sincere wishes for your rapid recovery.
- 당신의 슬픔을 함께 하며 깊은 조의를 보냅니다.
  Share your loss and send you our deepest sympathy.
- 모친의 부음을 접하고 정말 슬펐으며 깊은 조의를 표합니다.
  Deeply grieved at sad news of your mother's death. Express our deepest sympathy.
- 사별하셨다는 소식에 깊은 조의를 표합니다.
  Deepest sympathy in your bereavement. [13)]
- 깊은 조의를 표합니다.
  Please accept my deepest sympathy.
- 충심으로 애도의 뜻을 표합니다.
  Heartfelt condolences to you.
- 편찮으시다니 유감의 뜻을 표하며, 신속한 쾌유를 기원합니다.
  Sorry to hear of your illness.
  Best wishes for a speedy recovery.
- 혈육을 잃으심에 충심으로 애도를 표합니다.
  My heart feels sympathy in your loss.

축전(祝電)

- 결혼 10주년을 축하 드립니다.
  Congratulations on your 10th anniversary.
- 결혼식을 진심으로 축하하며 아울러 행복하길 빕니다.
  Congratulations and happiness on your wedding day.
- 결혼을 진심으로 축하합니다.
  Love and congratulations on your marriage.
  Congratulations on your wedding.
- 멋진 결혼생활이 되길 바라며, 두 분에게 애정과 축하를 드립니다.
  Have a wonderful marriage. Lots of love and my best wishes to you both.
- 약혼을 축하합니다.
  Rejoice in your engagement. [14)]
- 생일을 축하 드립니다.
  My best wishes are with you on your birthday.

13) bereavement : (근친을) 여읨, 사별함
14) rejoice in ~ : ~을 축하하다

- 당신의 능력이 인정돼서 기쁩니다.
  Happy to see that your talent is recognized.
- 득남을 축하 드립니다.
  Congratulations on birth of your son.
  Congratulations on the arrival of your new son.[15)]
- 아이의 탄생을 축하 드립니다.
  Congratulations on birth of your child.
- 엄마가 된 것을 축하 드립니다.
  Congratulations on you becoming a mom.
- 개업을 축하 드립니다.
  Congratulations on your new business.
- 사무실 개관을 축하 드립니다.
  Congratulations on opening of your office.
- 생일을 축하합니다.
  Happy birthday to you.
- 즐거운 생일이 되길 바랍니다.
  Best wishes for a happy birthday.
- 졸업을 축하합니다.
  Congratulations on your graduation.
- 당신 승진 소식에 정말 기뻤습니다.
  Very pleased〔delighted〕 to hear of your promotion.
- 승진을 축하 드립니다.
  Congratulations on your promotion.
- 기쁜 이 날을 축하 드립니다.
  Congratulations on this happy day.
- 꿈이 실현된 것을 축하합니다.
  Congratulations on making a dream come true.
- 승승장구하시길 간절히 바랍니다.
  Best wishes for continued success.
- 당신의 회복 소식에 정말 기쁩니다.
  Your recovery is wonderful news!
- 희소식을 들어서 기쁩니다.
  Delighted to hear happy〔good〕 news.

통보(通報)

- 도착하는 대로 연락하겠음.
  Will contact on arrival.

15) arrival : 출생; 신생아 / arrive : ((구어)) 아기가 태어나다

- 500만원 전신환 보내기 바람.
  Telegraph five million (won). [16)]
- 내일 서울로 출발함.
  Leaving for Seoul tomorrow. [17)]
- 모교에서 동기회를 갖고자 함.
  Having classmate reunion at the old school.
- 모친 위독, 즉시 올 것.
  Mother seriously ill, come immediately.
- 부친 위독 즉시 귀가 바람.
  Father seriously ill, return at once.
- 수요자 많음. 곧 선적할 것.
  Ship immediately heavy demand.
- 재고량 전보로 송신 바람. / 최저가 즉시 타전 바람.
  Cable stocks. / Cable lowest price prompt. [18)]

전보문의 작성 요령

- 간결명료해야 한다.
- 주어 1인칭은 생략하고 2인칭도 때로는 생략한다.
- 뜻이 통하면 관사 · 전치사 · 형용사 · 관계대명사 등도 생략한다.
- 구문 어구는 가장 간결한 것을 선택하며, 긴 절이나 어구는 피한다.
- 부호의 표기는 아래와 같이 약속된 표현으로 대신 사용된다.
  마침표(.) → STOP / 콤마(,) → COMMA / 의문부호(?) → /Q/
  인용부호(“ ”) → QUOTE, UNQUOTE

※ 따라서 전보문에서는 구두점(.) / 콤마(,) / 물음표(?) / 인용부호(“ ”) 형태의 부호를 쓰지 않고, 전 문자를 대문자로 쓰는 것이 원칙이지만, 학습자의 독해를 용이하게 하고 문장의 끝을 명시하기 위해서 구두점을 사용하고 소문자로 표기하였음.

활용 어휘

- 미국의 전보회사 : Western Union
- 야간 배달 전보 : night letter [19)]
- 축전 : congratulatory message
- 암호 전보 : code telegram
- 전보 : telegram
- 평문 전보 : plain language telegram

우편물

- 귀하의 편지 잘 받았습니다.
  Thank you very much for your kind letter.

16) 현재형은 ‘명령’을 나타냄
17) 현재진행형 동사는 ‘가까운 미래’를 나타냄
18) cable : 전보를 치다; 케이블〔피복 전선〕, 굵은 밧줄
19) 그 다음 날 아침에 수신자 측에 배달되며 요금이 싸다.(내용은 100 어수 이내)

- 그건 어제 부쳤어요.
  I mailed it yesterday.
- 저한테 우편물 온 것 없어요?
  Is there any mail for me?
- 우편물 아직 안 왔어요?
  Hasn't the mail come yet?
- 이 소포 누구에게 온 거죠?
  Who is this package for? [20)]
- 이 편지 누구한테서 온 거죠?
  Who is this letter from?
- 그건 어제 우편물로 보냈습니다.
  It was sent in yesterday's mail.
- 그걸 봉하지 않으면 우체국에서 안 받아 줄 거예요.
  The post office won't accept that unless you seal it.
- 당신 책상 위에 소포가 하나 와 있어요.
  There's a parcel for you on your desk.
- 빨리 답장을 주세요.
  Let me have an early answer.
- 소포는 내일 아침이면 그곳에 도착할 거예요.
  The package will be there by tomorrow morning.
- 여기에 밀러씨의 편지를 첨부합니다.
  I append Mr. Miller's letter herewith.
- 오늘 우편물 벌써 수거해 갔나요?
  Has today's mail already gone out?
- 우편물은 통상 오후 4시경에 옵니다.
  The mail usually comes at around 4 p.m.
- 우편물은 하루에 한번 배달되고 수거됩니다.
  The mail is picked up and delivered once a day.
- 우편물이 몇 시에 배달되죠?
  What time is the mail delivered?
- 이 편지를 우체통에 넣어 주시겠어요?
  Could you drop this letter in the mail box for me?
- 제 편지 받으셨습니까?
  Have you received my letter yet?
- 휴가 중에 우편배달 보류를 신청하려고 합니다.
  I'd like to have my mail held while I'm on my vacation.

---

20) 수신자가 누구인가를 묻는 표현

활용 어휘

- 쓰레기 우편물 : junk mail[21)]
- 편지의 소인 : letter stamp
- 편지지 : letter paper
- 우송용 고객 명부 : mailing list
- 편지 폭탄 : letter bomb(우편물에 폭탄을 장치한 것)
- 우편함〈가정용〉 : mail drop
- 우편물 : postal matter
- 우체국장 : postmaster
- 우편 광고〔선전〕: mailshot

명언 한 마디

A successful marriage is an edifice that must be rebuilt every day.

성공적인 결혼이란 매일같이 개축해야 하는 건물과 같은 것이다.

\- Andre Maurois (1885~1967) -

21) 가정으로 엄청나게 배달되는 불필요한 잡동사니 우편물(광고 자료, 선전물 등)

5 이발소에서

이발소(barbershop)에 가서 이발을 할 때는 자기가 원하는 헤어스타일을 얘기해야 한다. 손님이 특별히 헤어스타일을 요구하지 않으면 커트만 해주는 경우가 보통이다. 따라서 머리를 감을 것인지, 면도(shave)를 할 것인지, 드라이(dry)를 할 것인지를 분명하게 얘기해야 한다.

기본대화

A : I need a haircut.
B : Have a seat, please. What would you like?
A : Trim the sides and taper it in the back, please. [1)]
B : (After cutting) Is this short enough?
Do you want more taken off?
A : No, it looks fine. How much is it?
B : 20 dollars.
A : Here you are.
B : Thank you and please stop by again. [2)]

A : 이발을 하려고 합니다.
B : 앉으세요. 어떻게 해 드릴까요?
A : 옆은 다듬고 뒤는 깎아 주세요.
B : (커트를 하고 난 후) 충분한가요? 좀 더 짧게 자를까요?
A : 아니오. 보기 좋은데요. 얼마죠?
B : 20달러입니다.
A : 여기 있습니다.
B : 감사합니다. 또 들르세요.

이발을 해 달라고 할 때

- 머리를 깎고 싶습니다.
  I'd like to have my hair cut〔done〕. [3)]
- 머리를 잘라야겠어요.
  I need to get a haircut. / I'll have my hair cut.

---

1) trim : (깎아) 다듬다, 정돈하다 / taper : 점점 가늘게〔작아지게 / 적어지게〕 하다
2) stop by〔in〕 = drop in : 들르다
3) done(do의 과거분사형)은 여자 머리를 손질할 때 쓰는 단어다.

• 이발과 면도를 부탁합니다.
Haircut and shave, please.

헤어스타일

A: How would you like your hair cut?
B : Can you cut it in this style? 4)

A : 어떻게 깎아 드릴까요?
B : 이런 스타일로 잘라 주세요.

이발사

• 어떤 스타일로 해 드릴까요? / 어떻게 해 드릴까요?
How should I style it? / What will it be?

• 어떤 스타일을 원하십니까?
What kind of style would you like?

• 윗머리는 어떻게 해 드릴까요?
How about the top?

• 특별히 생각하고 계신 게 있습니까?
Do you have anything special in mind?

• 특별히 원하시는 방법이 있습니까?
Any particular way?

손 님

• 헤어스타일을 바꾸고 싶은데, 저한테 어떤 스타일이 가장 좋을 것 같습니까?
I'd like to change my hair style. What style do you think is the best for me?

• 이 스타일로 해 주세요. / 자연스럽게 해 주세요.
I want this style. / I want a casual hairdo. 5)

• 헝클어진 윗머리 좀 정돈해 주세요.
Straighten out the mess on top, please.

• 전체적으로 다 깨끗하게 해 주세요.
Clean it up all around.

• 헤어스타일을 바꾸고 싶습니다.
I'd like to change my hairdo.

4) 손님이 책자에서 가장 마음에 드는 model의 헤어스타일을 가리키면서
5) hairdo : (여성의) 머리 모양(coiffure); 머리 손질

가르마

A: Where do you part your hair?
B : Please part it on the left 〔right〕 (side).

A : 가르마는 어느 쪽으로 타 드릴까요?
B : 왼쪽〔오른쪽〕으로 타 주세요.

- 가르마는 어느 쪽으로 타 드릴까요?
  Where do you want your hair parted?

머리 길이

A: How would you like it cut?
B : I want to keep growing my hair so just style it.

A : 어떻게 잘라 드릴까요?
B : 계속 기르고 싶으니까, 그냥 손질만 해 주세요.

- 그냥 자르고 손질만 해 주시겠어요?
  Could you just cut and style it for me?
- 짧게 잘라 주세요. / 너무 짧게 자르지는〔하지는〕 마세요.
  I want to cut it short. / Don't cut〔make〕 it too short.
- 다듬기만 하세요.
  Just a trim, please. [6)]
- 양 옆머리를 좀 더 잘라 주세요.
  Take some more off the sides.
- 양쪽 옆면을 조금만 잘라 주세요.
  Give a clipping on the sides, but not too much.
- 옆머리는 이 만큼 길게 해주세요.
  I want my sideburns this long.
- 옆은 다듬고 뒤는 깎아 주세요.
  Trim the sides and taper it in the back, please.
- 윗머리는 손대지 마세요〔그냥 놔두세요〕.
  Don't touch the top. / Leave the top alone.
- 앞머리는 그대로 놔두세요.
  Please leave the bangs as they are. [7)]
- 앞머리를 좀 길게〔짧게〕 해 주세요.
  I want the bangs to be a little longer〔shorter〕.

---

6) 머리를 자르는 정도를 나타내는 표현 : medium cut(중간 정도 자름) / short cut(짧게 자름) / crew cut(군대식으로 짧게 자름)
7) bang(s) : 단발의 앞머리, 가지런히 잘라 내린 앞머리

- 위를〔윗머리를〕 고르게 잘라 주세요.
  Even cut the top, please.
- 윗〔옆〕머리를 조금만 깎아 주세요.
  Take a little off the top〔sides〕, please.
- 지금 상태에서 다듬어만 주세요.
  Please set my hair in the same style.
- 귀 주변을 좀 더 깎아 주세요.
  Trim off more around the ears.
- 귀가 보이게 해 주세요.
  I'd like my ears to show.
- 좋아 보이기는 한데, 좀 짧은 것 같군요.〈이발을 하고 나서〉
  It looks nice, but a little short.

면 도

- 목 면도를 해 드릴까요?
  Would you like to your neck shaved?
- 구렛나루를 어떻게 다듬어 드릴까요?
  How do you like your sideburns trimmed?
- 구렛나루는 그대로 놔둘까요?
  Would you like me to leave your sideburns? [8)]
- 면도를 해주세요.
  Give me a shave, please.
- 턱수염을 면도해 주세요.
  Please shave off my beard.
- 거기는 면도하지 말고 놔두세요.
  Leave it unshaved, please.
- 목 뒤의 면도를 꼭 해 주세요.
  Be sure to shave the back of my neck.

염 색

- 터치업 좀 해 주세요.
  I like a touch-up. [9)]
- 흰머리 염색 좀 해 주시겠어요?
  Could you dye the gray hair? [10)]

---

8) sideburns : 짧은 구레나룻(귀밑털) / beard : 턱수염(whiskers) / mustache : 코밑수염
9) touch-up : 염색한 머리의 경우 새로 자라서 하얗게 된 부분을 염색을 하는 것; 약간 손질을 하여 외관을 보기 좋게 하다
10) gray hair : 흰머리 ((주의)) '흰머리'를 'white hair'라고 하지 않는다.

이발을 시작하면서

• 자 이제 해 드리겠습니다.
I'll do you now, sir. [11]
• 전에 누가 머리를 잘랐어요?
Who cut your hair before?
• 전에 이발을 어디서 하셨습니까?
Where did you get your hair cut before?
• 머리숱이 많으시군요.
Your hair is very thick.
• 머릿결이 푸석푸석하군요.
Your hair is very dry.

기 타

A: Do you want me to use the clippers?
B : Use the scissors, please.

A : 옆에 기계를 댈까요?
B : 가위로 해 주세요.

• 머리 손질을 잘 해 주세요.
Please give my hair a good brushing.
• 머리 좀 감겨 주세요.
I want a shampoo, please. [12]
• 그냥 드라이기로 말려 주세요.
Just blow-dry it, please. [13]
• 머릿기름은 바르지 마세요.
No hair oil, please.
• 이 로션은 탈모를 방지해요.
This lotion stops the hair from falling out.

활용어휘

• 드라이기 : air blower / hair dryer
• 머리 손질 : hair care
• 머리 자르는 빗 : thinning scissors
• 머릿기름 : brilliantine
• 면도칼 : razor
• 비듬 제거제 : dandruff remover
• 전기 면도기 : electric razor (shaver)
• 머리 염색약 : hair color
• 머리 모양 : hairstyle / hairdo
• 면도용 크림 : shaving cream
• 비듬 : dandruff / scurf
• 손톱 깎는 가위 : nail nippers

11) 오래 기다리던 손님에게 자리에 앉으라고 하면서 / do : 볼일을 봐주다
12) shampoo : 샴푸, 머리 감기; 샴푸로 감다
13) blow-dry : 머리를 드라이기로 매만지다

- 손톱 다듬는 줄 : nail file
- 이발 기계 : clippers
- 대머리(인 사람) : baldhead
- 손톱깎이 : nail clippers
- 이발 용구 : hairdressing appliances

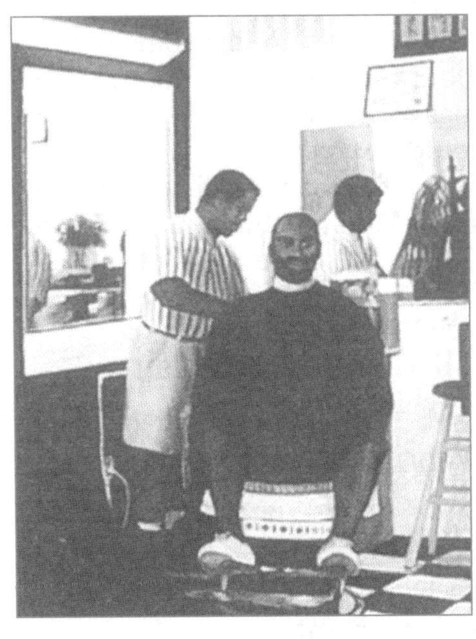

6 미용실에서

호텔 등에서 이발소〔미용실〕를 이용할 때는 예약을 해 두는 것이 상식이다. 전화로 예약을 할 때는 **"I'd like to make an appointment for a hair cut at 3 o'clock.(3**시에 머리손질 예약을 하고 싶습니다.)"라고 말한다. 물론 시간은 자기가 원하는 시간을 말한다. 아래 대화는 미용실을 예약하는 상황이다.

기 본 대 화

A : Hello. I'd like to make an appointment for a permanent.
B : OK. When would you like come in?
A : How about tomorrow afternoon?
B : How does 3 o'clock sound?
A : That would be fine.
B : May I have your name and number, please?
A : My name is Kil-sun Shin and my phone number is 723-5023.
B : All right. See you tomorrow.

A : 여보세요. 파마 예약을 하고 싶은데요.
B : 좋아요. 언제 오시겠습니까?
A : 내일 오후가 어때요?
B : 오후 3시는 괜찮으세요?
A : 좋습니다.
B : 손님의 성함과 전화번호가 어떻게 되죠?
A : 이름은 신길순이고, 전화번호는 723-5023입니다.
B : 알았습니다. 내일 뵙겠습니다.

미용실 예약

- 오늘 저녁으로 예약할 수 있을까요?
  Can I make an appointment for this evening?
- 6시에 비어 있습니다. / 6시에 그곳으로 가겠습니다.
  We have an opening at six. / I'll be there at six.

미용실에서

A: Hello. I have an appointment today at 3 for a perm.
B : Oh, you're Ms. Seo?
A: Yeah.
B : Right this way and have a seat, please.
What kind of perm do you want?
A: I'd like a pin curl. [1)]
B : Would you like me to set it or would you like to have it air dried?
A: Set will be fine.

A : 안녕하세요. 오늘 3시에 파마 예약을 해 두었는데요.
B : 아, 서 양이시죠?
A : 네.
B : 이쪽으로 오셔서 앉으세요. 어떤 스타일의 파마를 원하세요?
A : 핀컬로 해 주세요.
B : 세트로 할까요, 드라이로 할까요?
A : 세트가 좋겠어요.

파 마

- 파마를 하고 싶습니다. / 머리를 곱슬곱슬하게 해 주세요.
  I'd like to have a perm. / I'd like to keep my hair in curl.
- 머리를 감겨주고 세트해 주세요.
  Shampoo and set, please.
- 가볍게〔강하게〕 파마를 해 주세요.
  A soft〔tight〕 permanent, please.

커 트

- 짧게 커트를 하고 싶습니다.
  I'd like to my hair cut short.
- 제 머리를 이 모델의 스타일처럼 자르고 싶습니다.
  I'd like to my hair cut in the style of this model.
- 어깨 길이만큼 잘라 주세요.
  I like my hair cut shoulder-length.
- 이 만큼 길게 해 주세요.
  Leave them this long. / This long. [2)]

---

1) 핀이나 클립을 꽂아서 만드는 곱슬머리
2) 손으로 위치를 가리키면서

염 색

• 머리 염색을 하고 싶습니다.
I'd like to my hair dyed, please.

• 머리 염색 좀 해 주시겠어요? / 갈색으로 염색을 해 주세요.
Could you dye my hair? / I'd like to my hair dyed brown.

기 타

• 파마를 하시는 게 어때요?
How about getting a perm?

• 파마를 하실 거예요, 커트를 하실 거예요?
Which do you want, perm or cut?

• 샴푸는 필요 없어요.
I don't need the shampoo.

• 손톱 손질 좀 해 주시겠어요?
Could you do my nails?

• 손톱에 매니큐어를 칠해 주세요.
I'd like to have my fingernails manicured.
I'd like to have a manicure.

활용어휘

• 곱슬 파마 : curly perm
• 머리 세트기 : rollers
• 미용사 : hair stylist / hairdresser / hair designer
• 미용실 : beauty shop〔salon〕
• 미안용 팩 : facial pack
• 향수 : perfume
• 머리 연화제 : hair conditioner
• 헤어 라인 : hairline [4]
• 모발제 : hair restorer
• 가발 : hairpiece
• 머리 염색제 : hairdye
• 세안제 : facial scrub
• 얼굴의 윤곽 : facial contour
• 얼굴 화장용 크림 : facial cream
• 기초 화장 : make up base
• 마스카라 : mascara
• (머리) 세트 약품 : setting gel
• 헤어핀 : bobby pin [3]
• 헤어 네트(여성의) : hairnet
• 헤어 스프레이 : hair spray
• 머리 솔 : hairbrush
• 머리털이 없는 : hairless
• 얼굴 마사지 : facial massage
• 고급 휴지 : facial tissue
• 스크럽(안면 각질 제거용) : facial scrub
• 헤어 클립〔머리 집게〕 : ((불어)) barrette((美)) / hair slide((英))

3) 핀의 갈라진 폭이 좁고 가느다란 U자형의 머리핀으로 단발머리를 고정하는 데 사용되며 영국에서는 hairgrip이라고 한다. / 이보다 갈라진 폭이 약간 넓은 것으로 긴 머리를 고정시키는 데 사용되는 것은 hairpin이라고 한다.
4) (이마의) 머리털이 난 선

헤어스타일(hairstyle)의 종류

- crew cut(상고머리) : 군대식으로 매우 짧게 깎은 머리 모양
- flattop(플랫탑) : 상고머리의 일종으로 윗머리를 평탄하게 깎은 머리 모양
- bob(단발머리) : 여성의 단발머리
- dreadlocks(드레드락스) : (자메이카 흑인들이 주로 하는) 여러 가닥의 로프 모양으로 따아 내린 머리 모양, 일명 라스타파리안(Rastafarian) 헤어스타일
- pigtail(피그테일) : (돼지 꼬리처럼) 땋아서 뒤로 길게 늘인 여성의 머리 모양 (= braid)
  - 두 갈래로 딴 머리 모양은 복수형을 써서 pigtails〔braids〕라고 한다.
  - 영국에서는 plait(한 갈래로 딴 머리), plaits(두 갈래로 딴 머리)라고 한다.
- ponytail(포니테일) : 긴 머리를 뒤에서 모아 묶어서 길게 늘어뜨린 머리 모양

※ pigtail과 차이점은 머리를 따지 않고 그냥 묶기만 한다는 점이다.

7 세탁소에서

회화의 기본은 인사를 나누는 것이다. 시간과 장소에 구애받지 않고 할 수 있는 인사는 "Hi! [1] (안녕하세요!)" 라는 표현이다. 시간에 따라 "안녕하세요." 라는 표현에는 "Good morning.(오전), Good afternoon.(오후), Good evening.(저녁)" 등이 있으며, formal한 경우에는 "Good morning, Mr. Miller.(밀러씨, 안녕하세요!)" 처럼 Mr. / Mrs. / Miss 등의 존칭과 이름을 붙여서 인사를 한다.

기 본 대 화

A : Good morning. May I help you?
B : I want this suit dry-cleaned.
A : When would you like to pick it up?
B : I need it the day after tomorrow.
A : We're very busy these days.
And I can't promise but I'll try.
Why don't you give me a call tomorrow afternoon?
B : I will. How much will it be?
A : That'll be $13.00. Here's your claim check. [1]
B : Thank you.

A : 안녕하세요. 뭘 도와 드릴까요?
B : 이 양복을 드라이클리닝하고 싶습니다.
A : 언제 찾아 가시려고 합니까?
B : 모레 필요합니다.
A : 요즘 저희가 무척 바빠서, 약속은 못 드리지만 해 보도록 하겠습니다. 내일 오후에 전화를 해 보세요.
B : 그렇게 하겠습니다. 얼마입니까?
A : 13달러입니다. 교환증 여기 있습니다.
B : 고맙습니다.

1) claim check : 보관증; 번호표(물건을 맡기면서 받는 교환증으로서, 물건을 다시 찾을 때 그 증표로 제시하는 것)

세탁을 맡길 때

세탁물을 맡길 때

- 이 양복 다림질 좀 해 주세요.
  I'd like to have this suit pressed, please.
- 이 양복 세탁 좀 해 주세요.
  I'd like to have this suit washed, please.
- 이 셔츠에 풀 좀 먹여 주세요.
  Have this shirt starched, please.
- 풀을 가볍게〔빳빳하게 / 중간 정도〕 먹여 주세요.
  Light〔Heavy / Medium〕 starch, please.
- 풀은 먹이지 마세요.
  No starch, please. [2)]
- 이 셔츠에 있는 얼룩 좀 제거해 주시겠어요?
  Could you remove the stain on this shirt?

완료 시간

- 언제 찾아 갈 수 있죠?
  How soon can I get it back? / When can I pick it up?
- 언제 다 됩니까?
  When will it be ready?

수선 부탁

A: Hi! Do you do alterations?
B : Yes, we do. What do you want done?
A: I'd like to have this skirt shortened.
It's too long for me.
B : Fine. It'll take about a week.
A: And at the same time I want to have this dress lengthened. It's too short.
B : OK. Would you mind putting on the dress first?

A : 안녕하세요! 수선을 하는가요?
B : 네, 그렇습니다. 뭘 하시려고 그러세요?
A : 이 치마를 줄이고 싶습니다. 너무 길거든요.
B : 네. 일주일 정도 걸립니다.
A : 그리고 동시에 이 드레스를 길게 하고 싶습니다. 너무 짧거든요.
B : 알겠습니다. 우선 드레스를 입으시겠어요?

2) starch : 풀을 먹이다; 녹말

- 이 코트를 수선해 주시겠어요?
  Could you mend this coat?
- 이 바지가 찢어졌는데, 꿰매 주세요.
  These pants are ripped. I'd like to have them sewn up. 3)
- 단추가 떨어졌는데. 달아 주세요.
  Buttons are missing. Have them fixed, please.
- 바지를 길게 해 주시겠습니까?
  Can I have my pants lengthened?
- 소매가 너무 긴데, 좀 고쳐 주시겠습니까?
  The sleeves are too long. Could you alter them for me?
- 옷 길이 좀 줄여 주세요.
  Please have my dress shortened.

세탁 완료 여부 확인

- 제 세탁물이 다 됐는지 재확인하고 싶습니다.
  I'd like to double-check if my laundry is ready.
- 제 세탁물이 다 됐습니까?
  Is my laundry ready?

세탁물을 찾을 때

- 세탁물을 찾고 싶습니다.
  I'd like to pick up my laundry.

세탁 이상

- 이건 다림질이 잘 안 됐군요.
  This hasn't been ironed well.
- 이 셔츠에 얼룩이 안 빠져 있어요.
  The stain on this shirt didn't come out.
- 이 얼룩을 빼려고 했는데, 안 빠지더군요.
  I tried to get this stain out, but it didn't come out.

기 타

- 그걸 한번 더 짜세요.
  Give it another wring.
- 미지근한 물만 사용하세요.
  Use only lukewarm water.

---

3) sew up : 꿰매 맞추다, 봉합하다

- 비눗물을 잘 헹궈 주세요.
  Rinse out the soap thoroughly. [4)]
- 이 스커트를 세탁소에 좀 맡겨 주겠어요?
  Could you take this skirt to the laundry?
- 아직 옷이 눅눅합니다.
  The clothes are still damp〔wet〕.
  The clothes aren't dry yet.
- 여보, 빨래 좀 들여놓아 주겠어요?
  Can you bring in the clothes, dear?

활용어휘

- (고체) 세탁 비누 : yellow soap
- 기름 얼룩 : grease stain
- 세제 : detergent
- 세탁소 : cleaner / laundry
- 재봉틀 : sewing machine
- 탈수기 : drying machine / spin-drier
- 표백제 : bleach
- 건조기 : dryer
- 다리미 판 : ironing board〔stand〕
- 세탁기 : washer
- 빨래판 : washboard
- 세탁을 하다 : do the laundry
- 유연제 : softner
- 손빨래 : hand wash

4) rinse out : (비눗기 · 티끌 등을) 헹궈내다

8 양복점에서

양복점에서 "양복을 한 벌 맞추고 싶습니다."라고 말할 때는 "I'd like to order a new suit."라고 하며, 원하는 재질을 말할 때는 "I want a suit made of this material.(이 옷감으로 된 양복을 원합니다.)"라고 한다. 가봉을 할 때 옷이 너무 길면 "Make it an inch shorter.(1인치 짧게 해 주세요.)"라고 한다.

기 본 대 화

A : I want to order a new suit.
B : Do you have any special material in mind?
A : Yes. I want something that doesn't wrinkle easily. 1)
Can I see some samples?
B : Yes, sir. This way, please.

A : 새 양복을 맞추고〔주문하고〕 싶습니다.
B : 특별히 마음에 두고 계신 옷감이라도 있으신가요?
A : 예. 쉽게 구김이 가지 않는 옷감을 원합니다.
견본을 볼 수 있을까요?
B : 그러죠. 이쪽으로 오십시오.

옷을 주문할 때

- 가봉은 언제 하죠? / 언제 다 됩니까?
  When is the fitting? / When will it be ready?
- 수요일에 가봉하러 오실 수 있습니까?
  Can you come back for tacking〔fitting〕 Wednesday? 2)
- 가봉은 다음 주 수요일에 할 겁니다.
  The fitting will be next Wednesday.
- 한 벌이면 됩니다.
  Just one pair will do.
- 바지 한 벌을 여벌로 해 주세요.
  I want spare trousers.

1) wrinkle : 주름, 잔주름, (천 등의) 구김살, 주름살; ((구어)) 좋은〔멋진〕 생각, 묘안; 조언, 지혜; 주름살지게 하다, 주름을 잡다; 주름살지다, 구겨지다 예 She has got wrinkles round her eyes.(그녀는 눈가에 잔주름이 생겼다.) / Give me a wrinkle or two.(묘안을 좀 가르쳐 주세요.)
2) tack : 압정; 시침(질), 가봉(fitting); 시침질하다, 가봉하다(fit)

- 이 옷감으로 양복 한 벌을 맞추고 싶습니다.
  I want a suit made of this material.
- 이 옷감이 좋아 보입니다.
  This material looks very good.
- 이것은 저한테는 너무 밝습니다.
  This is a bit too light for me.
- 안감은 어떤 것으로 하시겠습니까?
  What kind of lining would you like? 3)
- 치수를 잴 까요?
  May I take your measurements?
- 허리 품을 넉넉하게 해 주세요.
  I want lots of room around the waist.
- 싱글로 해 주세요.
  I want single-breasted suit.
- 더블로 해 주세요.
  I want double-breasted suit.

옷을 가봉할 때

- 어깨 둘레가 잘 맞지 않습니다.
  It doesn't fit around the shoulders.
- 1인치 더 길게〔짧게〕 해 주세요.
  Make it an inch longer〔shorter〕.
- 바지가 약간 긴〔짧은〕 것 같습니다.
  I'm afraid the trousers are a bit long〔short〕.
- 0.5인치 정도 줄여 주세요.
  I'd like it about a half of an inch shorter.
- 주머니 뚜껑을 다시겠습니까?
  Do you want flaps for the trousers? 4)

기 타

- 소매를 약간 줄이는 게 어때요?
  Why don't you take in the sleeve a bit? 5)
- 이 옷감은 구김살이 잘 갑니다.
  This material creases very easily. 6)

---

3) lining : 안(감) 대기, 안받치기, 안, 안감; 장식하기, 줄무늬; 알맹이, 내용물
4) flap : (옷 주머니에 붙은) 뚜껑; (모자의) 늘어진 테두리; (새의) 날개 치는 소리
5) take in : (옷 등을) 줄이다
6) crease : (바지의) 주름〈주로 복수형〉; (옷의) 주름, 큰 구김살; 구겨지다, 주름지다

- (큰 마음 먹고) 새 양복 한 벌을 맞췄어요.
  I treated myself to a new suit.

활용 어휘

- 양복업계 : the rag trade
- 기성복 : ready-made clothes
- 밧줄 무늬 : cables / cable stitch
- 싸구려 기성복 : slopwork
- 고급 주문복 : haute couture
- 바지 주름 : crease
- 맞춤옷 : custom suit

9 약국에서

약은 약뿐만 아니라 일상용품까지 판매하는 drugstore(드럭 스토어)[1] 또는 전용 약국(pharmacy)에서 약을 살 수 있다. 약에는 ①처방전(prescription) 없이도 살 수 있는 약과 ② 처방전이 있어야만 살 수 있는 약이 있다. ①의 경우는 drugstore나 슈퍼마켓에서도 살 수 있으나, ②의 경우는 약국 간판이 있는 곳에서만 살 수 있다. 참고로 항생제 종류는 의사 처방전이 없으면 살 수가 없다.

기 본 대 화

A : May I help you?
B : I came to get some medicine for my stomach.
A : Do you have a prescription? [2]
B : Yes, here you are.
A : (Giving the medicine)
You take it three times a day after a meal.
B : All right. Thank you.

A : 뭘 도와 드릴까요?
B : 위장약 좀 사려고 왔습니다.
A : 처방전을 가지고 계십니까?
B : 네, 여기 있습니다.
A : (약을 주면서)
식후 하루에 3번씩 복용하세요.
B : 알겠습니다. 고맙습니다.

약을 살 때

손 님

• 감기약 있습니까?
Do you have〔carry〕something for a cold? [3]

• 감기약 좀 주세요.
I'd like to buy some drugs for a cold.

---

1) drugstore : 드럭 스토어(약품 이외에 일용잡화, 담배, 화장품, 잡지 등도 팔며, 차를 마시거나 간단한 식사 설비도 되어 있다.) / 영국에서는 'chemist's shop'이라고 한다.
2) prescription : 규정, 규칙, 법규; ((법)) (취득) 시효; ((의학)) 처방(약) / write out a prescription : 처방을 쓰다 / negative〔positive〕prescription : 소멸〔취득〕 시효
3) cold : 추운, 찬, 차가운 / a cold : 감기

- 감기에 좋은 약이 없을까요?
  Isn't there any good medicine for cold?
- 약이 다 떨어져서 그러는데, 처방대로 다시 조제를 해 주시겠어요?
  I've run out of my medicine, could you have my prescription refilled?
- 이 처방대로 약 좀 지어주세요.
  Will you fill this prescription, please?[4)]
- 체한 데 듣는 약 좀 주시겠습니까?
  Will you give me something for my upset stomach?
- 콘돔 좀 주시겠어요?〈속어〉
  Can I have some rubbers?[5)]
- 수면제 좀 주세요.
  I need sleeping pills, please.
- 부작용은 없을까요?
  Couldn't that cause side effects?
- 부작용이 있나요?
  Isn't there any adverse reaction?
- 감기약에도 처방전이 필요한가요?
  Do I need a prescription for a cold medicine?

약 사

- 그 약을 먹으면 좋아질 겁니다.
  The medicine will do you good.
- 죄송합니다만, 그 약이 지금 없습니다.
  I'm sorry, but we don't have that medicine.
- 원하시는 약을 한꺼번에 다 드릴 수는 없습니다.
  I can't give you all that you asked for at one time.
- 의사의 허락 없이는 피임약을 팔 수가 없습니다.
  We can't sell birth control pills without a doctor's permission.
- 이 약을 드시면 통증이 가라앉을 겁니다.
  This medicine will relieve you of your pain.
- 이 약이 진통제입니다.
  This medicine is a pain reliever〔painkiller〕.
- 이 약을 드시면 편히 잘 수 있을 겁니다.
  This dose will give you a quiet sleep.[6)]

4) fill : 처방약을〔처방대로 약을〕 조제하다
5) rubber : 고무; ((구어)) 콘돔
6) dose : (약의) 1회의 분량, 복용량

- 이 약이 감기에 좋습니다.
  This medicine is good for a cold.
- 이 약이 두통에 효과적이에요〔잘 들어요〕.
  This medicine is effective against headaches.
- 진통제를 드리겠습니다.
  I'll give you some medicine for the pain.
- 보통약을 드릴까요, 상표 있는 약을 드릴까요?
  Would you like a generic or a brand (name) drug? 7)

활용어휘

- 가려움증 치료 연고 : anti itch cream
- 강심제 : cardio-tonics
- 과산화수소 : hydrogen peroxide
- 구취 제거약 : mouthwash
- 근육통 치료 연고 : BEN GAY gel
- 기침 시럽 : cough syrup
- 땀띠약 : talcum power
- 무좀 : athlete's foot
- 반창고 한 통 : a roll of adhesive
- 붕산 : boric acid
- 성대 통증방지 드롭 : sore throat lozenge
- 소독용 알코올 : rubbing alcohol
- 소화제 : digestive aid
- 신경안정제 : tranquilizer / ataractic
- 안약 : eyedrops
- 연고(軟膏) : ointment
- 완화제 : laxative
- 제산제 : antacid
- 진정제 : sedative / tranquilizer
- 처방전이 필요한 약 : prescription drug
- 탈지면 : absorbent cotton
- 항생제 : antibiotics
- 해독제 : antidote
- 혈압 강하제 : hypotenser
- 흥분〔강장〕제 : pick-me-up 8)
- 코막힘 제거제 : nasal decongestant
- 감기약 : cold medicine
- 거담제 : expectorant
- 관장약 : enema
- 귀 물약 : eardrop
- 기침 드롭 : cough drop
- 기침약 : cough mixture
- 목 통증 치료 드롭 : throat lozenges
- 무좀 연고 : athlete's foot ointment
- 붕대 : bandage
- 생리대 : sanitary napkins / Kotex
- 소독약 : antiseptics
- 소독용 헝겊〔면봉〕 : swab
- 수면제 : sleeping pill
- 아스피린 : aspirin
- 암모니아 : ammonia
- 옥도정기 : iodine tincture
- 외용약 : medicine for external use
- 좌약(坐藥) : suppository
- 진통제 : decongestants / painkiller
- 충혈 완화제 : decongestant
- 핀셋 : tweezers
- 항히스타민제 : antihistamines
- 해열제 : fever remedy
- 환각제 : mind-expander
- 기침 완화제 : cough suppressant

7) 의사의 처방 없이도 팔 수 있는 약을 'over-the-counter drug〔medication〕'이라고 하는데 여기에는 제약회사 상표가 붙은 'brand (name) medication'과 'generic[즈네릭](제약 회사의 상표가 붙어 있지 않고 약 이름만 명시된 약품으로, 값은 매우 싸면서도 약품의 질은 동일함)' 등 두 종류가 있다.

8) ((구어)) (힘을 내게 하는) 알코올 음료; 각성제(stimulant restorative), 흥분제(tonic)

복용 방법

A: How should I take this medicine?
B : Take one spoonful every six hours.

A : 이 약을 어떻게 복용해야 합니까?
B : 6시간마다 한 숟갈씩 복용하세요.

- 하루 세 번, 식후 30분에 드십시오.
  Take it three times a day, thirty minutes after eating.
- 하루에 두 번씩 문질러 바르세요.
  Just rub it twice a day.
- 이 알약은 얼마나 자주 복용해야 됩니까?
  How often should I take this pill? [9)]
- 식전에 이 약을 먹는 것을 잊지 마세요.
  Don't forget to take this medicine before meals.
- 약을 규칙적으로[제 때에] 드세요.
  Take your pills regularly.

A: How many pills should I take?
B : Take three pills if you start having pains.

A : 몇 알씩 복용해야 되죠?
B : 통증이 시작되면 3알을 드세요.

- 이 약은 한번에 몇 알을 먹어야 합니까?
  How many pills should I take at one time?
- 한번에 한 알씩만 드세요.
  Take only one at a time.

활용 어휘

- 1회 복용량 : one dose
- 두 알 : two pills
- 정제 : tablet
- 4시간마다 : every four hours
- 식후에 : after each meal
- 하루에 두 번씩 : twice a day
- 취침 전에 : before you go to bed / before sleeping
- 하루 세 번 식후에 : after the meal three times a day
- 식후 30분에 : thirty minutes after each meal

증 상

- 어디가 아프십니까?
  What's the problem?

9) ((참고)) 약(medicine)의 종류 : tablet(알약 : 특히 영국에서 사용하는 표현, 미국에서는 알약을 'pill' 이라고 한다.) / powder(가루약) / liquid medicine(물약)

- 그밖에 다른 증세는 없는가요?
  Any other symptoms?
- 아프신 데는 없으세요?
  Do you feel any pain anywhere?
- 소화가 잘 안 됩니다.
  I have indigestion. [10)]
- 열이 좀 있지만 심하지는 않습니다.
  I have a little fever but it's not serious.
- 머리가 아픕니다.
  I have a headache.
- 숙취가 심합니다.
  I have a terrible hangover. [11)]
- 병원에 가봐야 되겠습니까?
  Do you think I should go to a hospital?

❖ 증상에 관한 추가 표현 : 진료실에서(p. 242)

기 타

- 어느 약국에서나 이 처방전에 따라 약을 조제해 줄 겁니다.
  You can have this prescription filled at any drugstore.
- 약국에 가서 감기약 좀 사 오세요.
  Go to the pharmacy and get some cold medicine.
- 여보, 오늘 약 드셨어요?
  Have you taken your medicine today, dear?
- 이런, 약 먹는 걸 잊어버렸군.
  Oh, dear! I've forgotten to take my medicine.
- 그 효과는 신기했어요.
  Its effect was magical. [12)]
- 그는 약을 단숨에 삼켰어요.
  He downed the medicine in one swallow. [13)]
- 내가 당신 약을 찾아다 드릴게요.
  I'll pick up your medicine for you.
- 기침약을 드셔야겠어요.
  You ought to get some cough syrup.
- 약국에 가서 약 좀 사와야겠어요.
  I need to get some medicine from a pharmacy.

---

10) indigestion : 소화불량
11) hangover : 숙취; 잔존물, 유물; (약의) 부작용
12) magical : 마술적인, 신비한
13) down : (액체 등을) 마시다, 삼키다

- 잊지 말고 약을 드세요.
  Don't forget to take your medicine.
- 좋은 약은 입에 쓰나 몸에 이롭다.
  A good medicine is bitter to the mouth but of value for the body.
- 마시거나 냄새를 맡지 말 것
  DO NOT DRINK OR INHALE THIS PRODUCT
- 건조한 곳에 보관
  KEEP DRY / MUST BE KEPT DRY

활용 어휘

- 냉찜질 : cold pack
- 만병통치약 : panacea / theriac / cure-all
- 약효 : the virtue of medicine
- (가정용) 약상자 : medicine chest〔cabinet〕
- 가정 상비약 : household medicine
- 머큐롬 : Mercurochrom[14)]
- 녹용 : deer antler
- 약물 중독 : drug addiction
- 특효약〔영약〕 : miracle drug
- 비상약 : first-aid medicine
- 졸림 성분 없음 : no drowsiness

14) 상처 소독에 쓰이는 소독약으로 Mercurochrom은 상표명이다

10 육 아

현대 사회에서는 여성의 사회적 지위가 향상되고 사회적 참여 욕구가 증대됨에 따라 많은 능력 있는 여성들이 가정생활에 얽매이지 않고 사회 활동을 하는 추세다. 미국은 어느 나라보다 여성의 사회 활동 참여가 높은 나라로서 이에 부합되게 탁아소 개념의 육아 시설이 잘 설비되어 있다. 아이를 낳고 기르면서 혹은 외국 영화 등을 보면서 자주 사용되는 아이와 관련된 표현에는 **"When are you expecting?**(출산 예정일이 언제입니까?)", "**I'm pregnant.**(저는 임신중입니다.)", "**I have morning sickness.**(저는 입덧을 해요.)" 등이 있다. 참고로 '아이를 (돌)봐주는 사람'을 '**baby-sitter**'라고 하는 것도 알아 두자.

기 본 대 화

A : I'm pregnant now.
B : Oh, really? When are you due?
A : I'm due on April 25.
B : I hope you have a son.
Take good care of yourself.
A : Thank you.

A : 저는 지금 임신 중이에요.
B : 오, 그래요? 출산 예정일이 언제죠?
A : 4월 25일이에요.
B : 아들이길 바래요.
몸조리 잘 하세요.
A : 고마워요.

임 신

- 우리는 아이를 가지려고 해요.
We're going to have a baby.
- 그녀는 지금 임신 중이에요.
She is expecting now. / She's in the family way. [1]
She is with child.
- 다음 주에 출산할 예정입니다.
I'm expecting my baby next week.

1) in the family way = expecting = heavy with child : 임신한

• 출산 예정일이 언제입니까?
When are you expecting? / When is the blessed event?
When is your baby due (date)? / When is it due?

> A: What month are you due? (임신 몇 개월째죠?)
> B : I'm three months pregnant. (임신 3개월째예요.)

• 9개월째 들어섰어요. / 지금 만삭이에요.
I'm into the ninth month. / My time is near now.

• 그녀는 신체적으로 아기를 가질 수가 없어요.
She's physically incapable of having children.

• 저는 지금 생리 중이에요. / 생리가 늦어요.
I've got my period now. / My period is late. [2)]

• 아기가 발길질을 해요.
The baby's kicking!

• 출산 예정일이 벌써 일주일이나 지났어요.
The baby's already a week overdue〔late〕.

• 클래식 음악이 아이에게 좋아요.
Classical music is good for a unborn baby.

출 산

> A: I heard you're a new father.
> B : Yes, I have a 3.5kg son.
>
> A : 아빠가 되셨다는 소식을 들었습니다.
> B : 네, 3.5kg짜리 아들을 낳았습니다.

출산 진통중일 때

• 제 아내가 지금 막 진통을 시작했어요. 앰뷸런스를 보내 주세요!
My wife's just started labor. Send an ambulance, please!

• 제 아내가 분만 진통을 하고 있어요. / 제 아내가 아이를 낳고 있어요.
My wife is in labor. [3)] / My wife is having a baby.

• 구급차가 곧 그곳에 도착할 겁니다.
Our ambulance will be right over.

출산 직후

• 사내아이다!
It's a (baby) boy!

2) period : 월경(기)
3) labor : 진통; 분만의 고통 / easy〔hard〕 labor : 순산〔난산〕

- 아! 앙증맞은 발! / 어머, 작기도 해라!
  What tiny feet! / Look how tiny she is!
- 영양 섭취를 잘 하세요.
  Make sure you get the right nutrition. 4)

기 타

- 그는 사생아로 태어났어요.〈속어〉
  He was born out of wedlock. 5)
- 우리는 늦게 아들을 얻었어요.
  We had a son late in their life.
- 그 여자는 딸을 낳았어요. / 그 여자는 쌍둥이를 낳았어요.
  She delivered〔had〕 a baby girl. / She had two at a birth.
- 그녀는 또 유산을 했어요.
  She lost the baby again. / She has miscarried again. 6)
- 당신 아들의 이름을 뭐라고 지으셨어요?
  What did you name〔call〕 your son?

활용 어휘

- 낙태죄 : illegal abortion
- 조산(早産) : premature delivery
- 출생증명서 : birth certificate
- 샴 쌍생아 : Siamese Twins 7)
- 정상 출산 : live birth
- 출산 수당 : maternity benefit
- 일란성 쌍둥이 : monocular twins
- 시험관 아기 : test-tube baby

※ 임신 출산에 관한 추가 표현 : 산부인과에서(p. 293)

아이를 볼 때

- "안녕하세요." 해 봐.
  Say "Hello!" 8)
- 내가 목마를 태워줄게.
  Let me give you a ride on my shoulders.
- 소란 피우지 마라. / 그가 실컷 놀게 내버려두세요.
  Don't make a scene. / Let him have his fling.
- 아가야 걸음마하자.
  Let's walk now. Step firm!
- 아기를 깨우지 마세요. / 애가 벌써 깼어요?
  Don't wake the baby. / Has the baby woken yet?

---

4) nutrition : 영양물 (섭취); 음식물; 영양학
5) born out of wedlock : 혼인 외에서〔미혼모에게서〕 태어난 / bastard : 사생아, 서자
6) lose the baby = have a miscarriage : 유산하다 / premature birth : 조산(早産)
7) 몸의 일부를 공유하는 쌍둥이
8) 부모가 이제 막 말문이 열린 아이로 하여금 다른 사람에게 인사하도록 할 때

- 오늘은 애가 아주 칭얼대요.
  The baby is quite fretful today. [9)]
- 애들아 엄마를 귀찮게 하지 마라.
  Don't bother your mother, children.
- 자, 코할 시간이야!
  Come, beddy-bye! [10)]
- 그 애는 (다른 애들에 비해) 발육이 빨라요.
  She's way ahead of most babies.
- 그 애에게 말을 시켜 보세요.
  Try to get the child to talk.
- 어머니께서 오늘밤 수잔나를 돌봐 줄 거예요.
  My mother will look after Suzanna tonight.
- 우리 애가 젖을 잘 먹지 않아요.
  My baby doesn't nurse very well. [11)]
- 착하기도 해라! / 그 아기는 정말 얌전해요.
  What a good boy〔girl〕! / The baby is as good as gold. [12)]
- 그 아이 참 잘 생겼구나! / 참 깜찍한 애구나!
  What a handsome child (he is)! / What a clever lad!
- 이 애는 낯선 사람을 따라요〔낯을 안 가려요〕.
  This baby takes to strangers. [13)]

아이를 꾸중할 때

- 너 또 버릇없이 구는구나! / 매를 아끼지 마세요.
  You're acting up again. [14)] / Don't spare the rod.
- 애야, 참 착하지! / 얌전하게 굴어라!
  There's〔That's〕 a dear! [15)] / Be good!
- 오, 정말 울보구나! / 자, 자, 그만 울어라!
  Oh, what a crybaby! / Here, here, don't cry!
- 울지 마라, 착한 애구나.
  Don't cry, that's a good boy〔girl〕.
- 그것 그만 좀 가지고 놀아라. / 너 매 좀 맞아야겠구나
  Stop fiddling around with that. [16)] / You want the stick.

---

9) fretful : 화를 잘 내는, 성마른, 안달하는(irritable)
10) beddy-bye : 〈어린이 용어〉 취침 시간; 침대; 자장자장(sleep)
11) nurse : 젖을 먹다〔먹이다〕; 유모 / suck〔suckle〕 : (액체 젖 등을) 빨다
12) as good as gold : (어린애가) 아주 착한〔얌전한〕; 아주 친절한
13) take to sb : 아무가 좋아지다, 아무를 따르다
14) act up : ((구어)) 버릇없는 짓을 하다, 장난치다, 소란을 피우다, 난잡하게 행동하다
15) 우는 애를 달랠 경우
16) fiddle around : 만지작거리며 놀다

- 저는 아기를 잘 다루지 못해요. / 그 여자 애는 다루기가 힘들어요.
  I'm not good with babies. / She is a handful. 17)
- 너는 장난감을 가지고 놀 나이가 아니야.
  You have outgrown your playthings. 18)
- 부모님 말씀대로 해라.
  You should mind your parents. 19)
- 부모님 말씀에 순종해야 한다.
  You should obey your parents.
- 아버지한테 또 어리광을 부리고 있구나.
  You are again making up to your papa. 20)
- 아이 성가셔라!
  What a nuisance! 21)
- 우리 애들은 나를 잘 따라요.
  My children take to me.
- 아이를 달래서 약을 먹이세요.
  Coax a child to take a medicine.
- 애들은 역시 애들이에요. / 애들은 가만히 있지를 않아요.
  Boys will be boys. / Kids can't keep still.
- 애들 다루는 솜씨가 좋으시군요.
  You have a way with kids.
- 애야, 피아노 건반 두드리지 마라.
  Boy, don't bang on the keys on the piano. 22)
- 애가 장난하지 못하게 칼을 치우세요.
  Put the knife away so that the child can't toy with it.
- 우리 애들은 저를 피곤하게 해요.
  My children have been running me down. 23)
- 장난감을 온 방바닥에 어지르지 마라.
  Don't litter toys all over the floor.
- 그 아이는 엄마 곁을 떠나지 않아요.
  The child is always at his mother's side.
- 메롱, 약오르지?
  Got'cha, got'cha! / Tease-ya, tease-ya! 24)

---

17) handful : 한 줌, 한 움큼, 한 손 가득; ((구어)) 귀찮은 것〔사람〕
18) plaything : 장난감, 노리개; 위안이 되는 것; 희롱물; 희롱당하는 사람
19) mind : 명령을 따르다
20) make up to sb : 아무에게 아첨하다, 비위를 맞추다, 환심을 사려고 하다 / papa : 〈어린이 용어〉 아빠 (pa / paw / pap), 보통 아빠를 dad 또는 daddy라고 부른다.
21) nuisance : 남에게 폐를 끼치는 행위〔것〕, 성가신〔귀찮은 / 불쾌한〕 사람〔물건〕
22) bang : 탕 치다, 세게 치다
23) run sb down : (보통 수동형으로) 아무를 쇠약하게 하다; 건강 상태가 나쁘다
24) tease : 놀리다, 조롱하다

- 아이가 20분 정도 울면서 칭얼대다가 잠이 들었어요.
  The baby fell asleep after crying peevishly for about 20 minutes. [25)]
- 이 애는 잠시도 가만히 있지 않아요.
  This child is always fidgety. [26)]

애를 봐 달라고 부탁할 때

- 우리 딸 좀 봐주시겠습니까?
  Could you baby-sit my daughter?
- 제가 없는 동안에 제 아이 좀 봐주세요.
  Please take care of my child while I'm not here.
- 제 아기를 잠깐 안아 주시겠어요?
  Would you mind holding my baby in your arms a minute, please?
- 제 딸 좀 업어 주시겠어요?
  Would you give my daughter a piggyback ride? [27)]

활용어휘

- 구슬치기 : marbles
- 기마전 : piggyback fight
- 놀람 상자 : jack-in-the-box [28)]
- 닭싸움 : cockfight
- 동화책 : storybook
- 목마 : piggyback
- 자장가 : lullaby
- 숨바꼭질 : hide and seek
- 자장가〔동요〕 : nursery rhyme〔song〕
- 조각그림 맞추기 : jigsaw puzzle [30)]
- 종이 접기 : paper folding
- 딸랑이 : rattle
- 블록 쌓기 : building blocks
- 굴렁쇠 굴리기 : rolling the hoop
- 놀이방 : playhouse / playroom
- 놀이터 : playland
- 동화 : nursery〔fairy〕 tale
- 매직 스퀘어 : magic square [29)]
- 미끄럼틀 : slide
- 바람개비 : pinwheel
- 옆으로 재주넘기 : cartwheel
- 재주넘기 : somersault
- 종이 오리기 : cutouts / punch-outs
- 회문(回文) : palindrome [31)]
- 각반〔정강이 받이〕 : leggings
- 장난감 : toy

아이 양육

- 아기 우유 먹였어요?
  Did you feed the baby?

25) peevishly : 투정거리며, 역정을 내며
26) fidgety : 조바심하는, 안절부절못하는, 안달하는
27) piggyback : 업기, 업어주기(pickaback)
28) 뚜껑을 열면 괴물인형이 툭 튀어나오면서 놀라게 하는 상자; 불꽃〔폭죽〕의 일종
29) 가로, 세로, 대각선의 합이 같도록 숫자를 배열하는 게임
30) jigsaw(실톱)으로 잘라서 만들었기 때문에 이렇게 부른다.
31) 앞쪽에서 읽으나 뒤쪽에서 읽으나 똑같은 낱말이나 문장이 되도록 하는 놀이, 예를 들면 deed, radar, madam 등의 단어를 말한다.

- 그는 자식을 맹목적으로 사랑하는 아버지예요.
  He's a real doting father. [32)]
- 이 애는 이제 혼자 걸을 수 있어요.
  This child can now walk by himself.
  This child can now hold himself up.
- 그 애는 참 현명해요.〈속어〉
  He's as wise as an owl. [33)]
- 아기 트림을 시켜야지.
  I need to burp the baby. [34)]
- 어머, 아기가 걸었어요!
  Look, he took a step! / Look, he walked!
- 아기에게 젖을 먹입니까, 아니면 우유를 먹입니까?
  Do you breast-feed or bottle-feed your baby? [35)]
- 저는 우리 아이들에게 엄격해요.
  I'm strict with my children.
- 나는 항상 네가 어리게만 생각되는구나.
  I always think of you as a child.
- 너 몰라보게 컸구나.
  You sure have grown up beyond recognition.
- 아이를 키운다는 게 얼마나 큰일이에요!
  What a hassle it is to bring up a child! [36)]
- 우리 애들은 말썽을 안 피워요.
  Our children don't act up.
- 자식들이란 여러 가지로 부모를 괴롭혀요.
  Children bother their parents in many ways.
- 자식을 가져봐야 부모의 은혜를 알아요.
  Without child, without true filial gratitude. [37)]
- 양부모가 친부모보다 나아요.
  Foster parents are〔can be〕 dearer than real parents. [38)]
- 엄마, 다녀왔습니다!
  Mom, here I am!
- 애들은 부모가 하는 일을 흉내내요.
  As the old cock crows, the young cock learns. [39)]

32) doting : 자식을 맹목적으로 사랑하는, (자식을) 지나치게 귀여워하는, 노망해 있는
33) as wise as an owl : 매우 현명한 / owl : 올빼미
34) burp : 트림하다〔시키다〕
35) breast-feed : (아이를) 모유로 키우다 / bottle-feed : 우유〔인공 영양〕으로 기르다
36) hassle : ~을 들볶다, 괴롭히다; 혼전, 혼란; 싸움, 말다툼
37) filial : 자식으로서의
38) foster parents : 양부모, 수양 부모
39) cock : 수탉 / crow : (수탉이) 울다

활용 어휘

- 가정 교육 : upbringing
- 턱받이 : bib
- 기저귀 : diaper [40)]
- 모성애 : maternal affection
- 놀이터 : playground
- 보육원〔유치원〕 : preschool
- 갓난아기용 로션 : baby lotion
- 아동 상담소 : child guidance clinic
- 어린이날 : Children's Day
- 어린이용 자전거 : sidewalk bike
- 유모(乳母) : wet nurse
- 유아기 : babyhood
- 유아용 파자마 : sleepers
- 유치원 : nursery / kindergarten
- 전후 세대 : (baby) boomer
- 젖니 나는(시기) : teething
- 지진아 : retarded child
- 포대기 : receiving blanket
- 고아원 : orphan asylum
- 고무 젖꼭지 : pacifier / dummy((英))
- 면봉 : swab
- 모유 : mother's milk
- 반항기 : the period of contrariness
- 보행기 : go-cart / walker
- 겉옷 : smock
- 아기 놀이터 : playpen
- 아동기 : childhood
- 어린이용 2층 침대 : bunk bed
- 어린이용 잠옷 : sleeping suit
- 유모차 : stroller / baby carriage
- 유아용 침대 : crib
- 유아용품 : infant's needs
- 전쟁 고아 : war orphan
- 젖꼭지 : mammilla / papilla
- 젖병 : feeding bottle / feeder
- 천진난만한 애들 : unsophisticated children

자녀 교육

- 몇 시에 출석을 부르지?
  What time do you call the roll?
- 서둘러라, 안 그러면 학교 버스 놓치겠다.
  Hurry up or you'll miss the school bus.
- 서둘러라, 안 그러면 늦겠다.
  Hurry up or you'll be late.
- 오늘 학교 안 가는 날이니?
  Don't you go to school today?
  You have no school today?
- 선생님이 하시는 말씀을 잘 들어라.
  Listen carefully to what your teacher tells you.
- 숙제는 꼭 해라.
  Be sure to do your homework.
- 제 아들이 숙제는 제때에 제출하는지요?
  Does my son turn in his homework on time? [41)]
- 점심 값을 잊지 말고 가지고 가라.
  Don't forget your lunch money.

40) 1회용 기저귀 : disposable diapers
41) turn in : 제출하다, 반려하다; 배신하다; 달성하다

- 학교에 빠지지 마라〔수업을 빼먹지 마라〕.
  Don't cut〔skip〕 classes!
- 또 학교를 빼 먹으면 아버지는 나를 무척 혼낼 거예요.〈속어〉
  My father will kill me if I play hooky again. [42)]
- 학교에서는 너에게 뭘 가르치는지 모르겠구나.
  I wonder what they teach you at school.

42) play hooky : 학교를 빼먹다, (학교 따위를) 꾀부려 쉬다; 일을 태만이 하다 / hooky : ((구어)) 학교 (등을) 빼먹기, 꾀부려 쉼

명언 한 마디

The most important thing a father can do for his children is to love their mother.

아버지가 자식들을 위해서 할 수 있는 가장 중요한 일은 그들의 어머니(즉 아내)를 사랑하는 것이다.

- Thedoore M. Hesburgh -

ENGLISH CONVERSATION DICTIONARY

CHAPTER 13

전화

1 전화 벨이 울릴 때

전화벨이 울릴 때는 누군가가 전화를 받아야 한다. 상대에게 전화를 받아 달라고 할 때는 "**Would you get that phone**?(전화 좀 받아 주시겠어요?)"라고 하고, 자기가 받겠다고 할 때는 "**I'll get it**.(내가 받을게요.)"라고 한다.

기 본 대 화

(The telephone's ringing.)
A : Miss Bliss, could you answer the phone?
B : Sure. Shall I say you're not here right now?
A : If it's Mr. Miller again, tell him I'm gone for the day.
B : All right.

(전화벨이 울리고 있다.)
A : 블리스 양, 전화 좀 받아 주시겠어요?
B : 그러죠. 지금 안 계신다고 할까요?
A : 또 밀러씨면, 저 퇴근했다고 해 주세요.
B : 알겠습니다.

전화 벨이 울릴 때

- 아, 전화가 왔군요.
  Oh, there is the phone. / Oh, there goes the phone.
- (옆 사무실 등에서) 전화 벨소리가 나는 것 같은데. 가서 확인해 봐요.
  I think I hear the phone ringing. Go and check.
- 빨리 가서 좀 받아 줄래요?
  Would you hurry up and get it?
- 전화 좀 받아 주시겠습니까?
  Would you please answer the phone for me? 1)
- 받지 말고 놔 두세요, 그가 끊을 거예요.
  Just let it ring and he'll hang up.
- 자동응답기가 받도록 놔두세요.
  Let the machine get it.

1) answer the phone = pick up the phone = get the phone : 전화를 받다

2 전화를 받을 때

미국인으로부터 걸려오는 전화를 받으려고 할 때는 왠지 당황스럽다. 그러나 전화 수화기를 드는 순간 우선 "Personnel department. May I help you?(인사부입니다. 도와 드릴까요?)"라고 수신자의 소속과 신분을 밝힌다. 그러면 상대는 어김없이 "May I speak to ~(사람)?(~ 좀 바꿔 주시겠어요?)"라고 말할 것이다. 이때 상대가 찾는 사람이 부재중이면, "He's not in at the moment.(그분은 지금 안 계십니다.)", 바꿔줄 때는 "Hold on, please. I'll get him for you.(잠깐 기다리세요. 그분을 바꿔 드리겠습니다.)"라고 말하고, 찾는 대상이 자기 자신일 때는 "Speaking, please.(접니다.)"라고 말한다.

기 본 대 화

A : City Bank. May I help you?
B : Hello. May I speak to Mr. Levine?
A : Who's calling, please? [1)]
B : This is Mr. Johnson of ABC Insurance Company.
A : Please hold the line. I'll connect you with him.
B : Thank you

A : 시티 뱅크입니다. 도와 드릴까요?
B : 여보세요. 레빈씨 좀 바꿔 주시겠습니까?
A : 전화 거시는 분이 누구시죠?
B : ABC 보험회사의 존슨이라고 합니다.
A : 기다리세요. 그분에게 연결해 드리겠습니다.
B : 감사합니다.

상대방의 신분을 확인할 때

A: Who's calling, please?
B : Just tell him that I'm a friend of Mr. Miller.

A : 전화 거시는 분은 누구시죠?
B : 밀러씨의 친구라고만 전해 주세요.

이름을 물을 때

- 성함이 어떻게 되십니까?

1) 여기에서 전화를 건 사람이 통화하고 싶어하는 대상이 자신일 경우에는 "Speaking." / "This is he speaking." / "This is he."라고 말한다, 여성일 경우에는 물론 'he' 대신 'she'를 쓴다.

May I have your name, please? [2)]
- 성함이 뭐라고 하셨죠?
  What was your name again?
- 성의 철자가 어떻게 됩니까?
  How is your last name spelled?
- 성함의 철자가 어떻게 되죠?
  How do you spell your name, please?
- 성함의 철자를 좀 가르쳐 주시겠습니까?
  Would you spell your name for me?
- 제가 당신 이름을 맞게 발음합니까?
  Am I pronouncing your name correctly?

누구인지 짐작이 갈 때

- 존슨씨이세요?
  Is this Mr. Johnson? / Am I speaking to Mr. Johnson?
- 너 존슨이지? / 아, 존슨인 모양이구나!
  That you, Johnson? / Oh, that's got to be Johnson!
- 존슨이니?
  Johnson?

착각했을 때

- 당신 목소리가 밀러씨와 비슷하군요.
  Your voice is just like Mr. Miller.

옆에서 물어볼 때

- 전화를 건 사람이 누구죠? / 그 전화 누구에게 온 거였죠?
  Who's that on the phone? / Who was it that call for?

전화를 바꿔줄 때

A: Hello. May I speak to Mr. Levine?
B : Who's calling, please?
A: This is Mr. Johnson.
B : Would you hold on a moment, please?
I'll connect you with him.

2) ((주의)) 전화를 건 사람의 신분을 확인할 때 "Who are you?(너는 누구니?)"라는 무례한 표현을 써서는 안 된다. 그리고 전화상으로 자신의 신분을 밝힐 때는 "I'm Mr. Park."이라고 하지 않고 "This is Mr. Park."처럼 "This is ~(사람 이름)." 형식의 문형을 사용한다.

A : 여보세요. 레빈씨 좀 바꿔 주시겠습니까?
B : 전화 거시는 분이 누구시죠?
A : 저는 존슨이라는 사람입니다.
B : 잠깐만 기다려 주시겠습니까? 그분을 연결해 드리겠습니다.

바꿔준다고 말할 때

- 그분을 바꿔 드리겠습니다. / 그분과 곧 통화가 될 겁니다.
  I'll get him for you. / He'll be right with you.
- 지금 막 들어오십니다.
  He's coming in just now. / I see him coming in the door.
- 방금 들어오셨습니다.
  He's just walked in〔stepped in〕.

전화를 돌려줄 때

- 그분한테 전화를 돌려 드리겠습니다.
  Let me transfer your call to him.
- 그 쪽으로 돌려 드리겠습니다.
  I'll switch over to him.
- 그의 사무실로 돌려 드리겠습니다. / 연결해 드리겠습니다.
  I'll connect you to his division. / I'll connect you. [3)]

잠깐 기다리라고 할 때

- 잠깐만 기다리세요. 그분을 데리고 오겠습니다.
  Hold on a second, please. [4)] / I'll go (to) get him.
- 조금 기다리셔야겠습니다.
  I'm going to put you on hold.
- 대기상태에 두어도 되겠습니까?
  May I put you on hold?
- 돌려드리는 동안 끊지 마십시오.
  Hold on while I transfer your call.

통화 대상을 물을 때

- 누구라고 하셨죠〔누구를 바꿔달라고 하셨죠〕?

3) ((비교)) I'll put you through right away.(곧 연결해 드리겠습니다.) / through는 교환대를 거치거나 전화기의 기능이 다른 방이나 사무실로 전화를 돌려줄 수 있는 경우에 사용한다.
4) "잠깐 기다리세요."의 여러 가지 표현 : Hang on. / Just a minute〔second〕. / Let me put you on hold. / Stand by. / Wait a minute. / Hold the line. 등이 있다.

Who did you say? / Who was that you wanted?

- 누구를 바꿔 드릴까요?
  Who do you want? / Who do you want to speak to?
- 통화하고 싶은 분이 누구세요?
  Who is it that you want to talk to?
- 누구를 찾으시죠?
  Who are you calling?
- 그분이 어느 부서에 근무하죠?
  What department does he work in?
  What department is he with?

동명이인이 있을 때

- 여기에는 밀러씨라는 분이 두 분 계시는데요.
  There are two Mr. Millers. / We have two Mr. Millers.
  We have two people by the name of Mr. Miller.

바꿔줄 수 없을 때

- 이 전화설비로는 돌려 드릴 수가 없습니다.
  Our phone system doesn't handle transfers.
  Our phone system doesn't transfer calls.
- 죄송합니다만, 이 전화는 돌릴 수가 없습니다. 다시 전화를 하셔서 내선 201번을 바꿔 달라고 하시겠어요?
  I'm sorry, but I can't transfer this call. Could you call again and ask for extension 201, please?

전화를 받으라고 할 때

- 레빈씨, 전화 왔습니다.
  Mr. Levine, you are wanted on the phone.
  Mr. Levine, there is a call for you.
  Mr. Levine, you have a call.
- 전화 받으세요.
  A phone call for you. / Telephone for you.
- 레빈씨, 1번 전화 받아 보세요.
  Mr. Levine, pick up the phone on line one, please.
- 존슨씨가 당신과 통화를 했으면 합니다.
  Mr. Johnson wants to speak with you.
- 그분이 당신과 잠깐 얘기 좀 했으면 합니다.

He wants to have a word with you.

- 그분이 전화상으로 당신에게 안부를 전하고 싶어하는데요.
  He wishes to say hello to you on the phone.
- 레빈, 전화 받아!
  Levine, telephone! [5]
- 레빈씨, 전화 좀 받아 보시겠어요?
  Mr. Levine, can you take a call?
- 전화 좀 받아 보겠어요? 당신 부인인 것 같아요.
  Will you answer the phone? It could be your wife.
- 존슨씨가 2번 선에서 기다리고 있습니다.
  Mr. Johnson's holding on line 2.
- 레빈씨, 4번 선에 당신과 통화하려고 대기중인 전화가 왔어요.
  Mr. Levine, you have a call on line 4 holding.

받고 싶지 않을 때

- 누가 전화하더라도 저는 없다고 하세요.
  No matter who calls me, tell'em I'm out.
- 김 박사한테서 전화 오면 나 없다고 해 줘요.
  If there's a call from Dr. Kim, please say I'm out.

통화 대상이 부재중일 때

A: May I speak to Mr. Miller?
B : He's not in at the moment, but he should be back soon.
Would you like to leave a message?
A: No, that's all right.
How soon do you expect him back?
B : About four o'clock this afternoon.
Would you like him to call you when he gets in?
A: No, thank you. I'll call back later.

A : 밀러씨 좀 바꿔 주시겠어요?
B : 그분은 지금 안 계십니다만, 곧 돌아오실 겁니다.
전하실 말씀이 있으신지요?
A : 아니오. 괜찮습니다. 그분이 언제쯤 돌아오실 것 같습니까?
B : 오늘 오후 4시쯤 (돌아옵니다). 돌아오시면 전화 드리라고 할까요?
A : 아니오, 됐습니다. 제가 나중에 다시 전화 드리겠습니다.

---

5) 친한 사이 또는 아랫사람에게

부재중일 때

- 그분은 (지금) 안 계십니다.
  He's not in (at the moment).
  He's not here (at the moment). / He's out (at the moment).
- 그분은 아직 (여기에) 안 들렀습니다.
  He hasn't stepped in yet.
- 아직 여기에 안 오셨습니다.
  He hasn't come by [in] yet.
- 이 건물 어디에 계시는데, 지금 어디 계신지는 모르겠습니다.
  He's somewhere in this building, but I don't know where he is right now.
- 방금 나가셨는데, 기다려 보세요. 근처에 있는지 확인해 볼게요.
  You just missed him. Hold on. I'll check to see if he's nearby.
- 방금 점심 식사하러 나갔습니다.
  He just stepped out for lunch.
- 잠깐 나가셨습니다.
  He just stepped out for a moment.
- 화장실에 가셨습니다.
  He's in the rest room now.

퇴근했을 때

- 그분은 퇴근하셨습니다.
  He has gone for the day. / He went home.
- 방금 퇴근하셨습니다. / 벌써 퇴근하셨습니다.
  He just left for home. / He's already gone home.

출근을 안 했을 때

- 그는 아직 나오지 않았습니다.
  He hasn't shown up yet.
- 그는 오늘 나오지 않습니다.
  He's not with us today. / I'm afraid he's not in today.
  He's out today.
- 그분은 2주 동안 회사에 출근하지 않을 겁니다.
  He won't be in [He'll be out] for two weeks.
- 그분은 독감으로 출근하지 않습니다.
  He's out with the flu.

휴가중일 때

- 그분은 휴가를 갔습니다.
  He took the days off.
- 그분은 오늘 근무하지 않습니다.
  Today he is off. / Today is his day off. [6)]

출장중일 때

- 이번 주는 출장중이어서 안 계십니다.
  He's away on a business trip this week.
- 그분은 대구에 가셨습니다.
  He went to Taegu.

회사를 그만두었을 때

- 그분은 이제 여기서 일하지 않습니다.
  He's no longer working here. [7)]
- 이 회사를 그만두셨습니다. / 이 회사에서 퇴직하셨습니다.
  He left this company. / He resigned from this company.

돌아오는 시간을 알려줄 때

A: How soon will he be〔get〕back? [8)]
B : He'll be back in about half an hour.

A : 그분이 언제쯤 돌아오십니까?
B : 30분 후쯤에나 오실 겁니다.

- 금방 돌아오실 겁니다.
  He'll be back soon. / He'll be back in a minute.
- 다음주나 되어야 돌아오십니다.
  He won't be back for a week.
  He isn't due back till next week.
  We don't expect him back till next week.
- 2시까지는 돌아오실 겁니다.
  He will return by two. / I expect him back by two.
  He should be back before〔by〕2 p.m.

---

6) day off : 비번(非番), 휴일
7) ((참고)) no longer는 '시간'을 나타내는 부사구, here는 '장소'를 나타내는 부사다, '시간' 부사와 '장소' 부사가 함께 있을 때는 '시간 - 장소순'으로 배열한다.
8) 전화를 건 사람이 "그분이 언제쯤 돌아오십니까?"라고 묻는 표현에는 "How soon〔When〕do you expect him back?" / "When do you think he'll be back?" / "What time is he going to be back?." 등이 있다.

- 30분쯤 후에는 통화하실 수 있을 겁니다.
  You can catch him in about 30 minutes. [9]
- 그분이 오전 중에는 안 계실 겁니다.
  He'll be gone (out) until noon.
- 오전에는 그분하고 통화할 수 없습니다.
  He isn't available until noon.
- 오늘은 사무실에 (다시) 안 들어오실 겁니다.
  He won't be back in this office today.

연락처를 가르쳐 줄 때

- 723-8210번으로 전화하시면 그분과 연락할 수 있습니다.
  You can reach him by calling 723-8210.
- 그곳으로 전화하시면 연락이 될 겁니다.
  Maybe you can reach him there.
- 그쪽으로 연락을 해보세요.
  Please try to contact him there.
- 그분과 꼭 통화를 하시려면 9시 이전에 전화를 하세요.
  Call him before nine so that you can be sure to reach him.
- 723-4365번으로 전화해서 그분이 그곳에 계신지 알아보세요.
  Please call 723-4365 and try to get him there.

※ 연락처에 관한 추가 표현 : 연락처를 묻거나 알려 줄 때(p. 659, 686)

부재자가 복귀했을 때

- 나한테 전화 온 것 없나요?
  Did anyone call me? / Were there any calls for me?
- 누구한테서 연락 온 것 없었어요?
  Were there any message left for me?
- 나 없는 사이에 전화 온 데 없었어요?
  Were there any calls while I was out?
- 브라운씨한테 온 전화 누가 받았죠?
  Who answered the call from Mr. Brown?
- 그분 전화번호를 받아 두었어요?
  Did you get his number?
- 그분이 무슨 용건으로 전화했는지 아세요?
  Do you have any idea what he called about?
- 그분이 무슨 일로 전화했던가요?

9) catch him = talk with him

What did he call about?

- 무엇에 관한 전화였죠?
  What was the phone call about?
- 점심 먹고 왔습니다.
  I'm back from lunch.

자신이 외출할 경우

- 누가 전화하면 30분 후쯤에 돌아올 거라고 전해 주세요.
  In case anyone calls me, tell him〔her〕 I'll be back in about thirty minutes.
- 제가 없는 사이에 전화 오면, 753-3707로 전화하라고 하세요.
  If anyone calls me while I'm out, please have him〔her〕 call me at 753-3707.
- 전언을 반드시 받아 두세요〔용건을 잘 메모해 놓으세요〕.
  Please be sure to take a message.
- 2시간 후쯤에 여기로 다시 전화해 달라고 하세요.
  Tell him to call back here in about 2 hours.
- 누구한테 전화 오면, 723-8210번에 있다고 알려 주세요.
  If anyone calls, tell him〔her〕 I'll be at 723-8210.
- 누구한테 전화 오면, 723-8210으로 전화하면 연락이 된다고 알려 주세요.
  If anyone calls, he〔she〕 can reach me at 723-8210.

자동응답기(answering machine) 녹음

Hello. This is Mr. Song. I'm away from my desk at the present time. Please leave your message after you hear the beep. I'll call you back as soon as I possibly can. Thank you for your call.(안녕하세요. 미스터 송입니다. 저는 지금 외출중입니다. '삐' 소리가 난 후 메시지를 남기십시오. 제가 가능한 한 속히 전화를 해 드리겠습니다. 전화해 주셔서 감사합니다.)

전화받기 곤란한 상황일 때

A: May I speak to Mr. Johnson?
B : He's very tied up at the moment.

A : 존슨씨 좀 바꿔 주시겠습니까?
B : 그분은 지금 매우 바쁘십니다.

다른 전화를 받고 있을 때

- 그분은 지금 다른 전화를 받고 계십니다.
  He's on another line.
- 곧 끝날 것 같지 않습니다.
  It won't be finished soon.
  It looks as if it won't end soon.
- 아직 멀었습니다.
  He's got a way to go yet.
- 한참 걸리겠습니다.
  It's gonna be while.
- 좀 더 있어야 통화가 끝날 것 같습니다.
  It looks like it's going to take a while longer.
- 지금 다른 사람과 통화중입니다만, 곧 끝날 겁니다.
  He's on the phone with someone right now but he'll be done in a minute.
- 통화가 좀 길어질 것 같습니다.
  I'm afraid it'll take a little more time.

일이 바쁠 때

- 그분은 지금 고객과 같이 있습니다〔애기중입니다〕.
  He's with a client.
- 그분은 지금 몹시 바쁩니다.
  He's extremely busy at the moment.
- 그분은 지금 매우 바쁜데요. 다른 분을 바꿔 드리면 안될까요?
  He's really tied up right now. Would it be all right if I connect you someone else?
- 지금 무얼 하고 있는 중입니다.
  He's right in the middle of something.

받을 형편이 안될 때

- 그분은 지금 전화를 받으러 올 수가 없습니다.
  He can't come to the phone right now.
- 그분은 지금 전화 받을 형편이 못됩니다.
  He's not available now.
- 그 전화를 대기상태로 좀 놔두세요.
  Put him on hold, would you? [10)]

---

10) 전화를 받아야 할 사람이 바빠서 당장 전화를 받을 수 없을 때, 처음 전화를 받은 사람에게 걸려와 있는 전화를 대기상태로 놔두라고 부탁할 때 하는 표현

또 다른 전화가 걸려왔을 때

- 또 다른 전화가 왔군요.
  I've got someone on another line.
  The other line's ringing.
  I got another call.
  The other phone is ringing.
  There's another phone call for me.

자고 있을 때

- 지금 주무시고 계시는데요. 중요한 일이면 깨우겠습니다.
  He's asleep at the moment. If it's important, I'll get him up.
- 지금 주무시고 계시는데요. 깨워 드릴까요?
  He is in bed now. Shall I wake him up?

자신이 받기 곤란한 상황일 때

- 지금은 전화 받기가 좀 곤란합니다.
  You caught me at a bad time.
- 안 좋은 시간에 전화를 하셨군요.
  You're calling me at a bad time.
- 지금 매우 중요한 일을 하고 있는 중입니다.
  I'm in the middle of something quite important.
- 지금은 통화할 시간이 없습니다.
  I don't have time to talk to you now.
- 지금은 전화 받을 시간이 없습니다.
  I'm not free at the moment.
- 좀 더 일찍 전화하지 그랬어요?
  Why didn't you call me before?
- 좀 더 일찍 전화를 주셨어야 했는데.
  You should have called me earlier.

나중에 다시 걸어달라고 할 때

- 5분 후에 다시 전화를 해 주는 게 어때요?
  How about calling again in five minutes?
- 5분 후에 다시 전화해 주시겠습니까?
  Could you call back again in five minutes?

전화가 잘못 걸려 왔을 때

A: Hello. Is Mr. Miller there?
B : I'm afraid you have the wrong number. [11)]
There is no one here by that name.
A: Oh, I'm sorry to have bothered you.
B : That's all right.

A : 여보세요. 거기 밀러씨 계십니까?
B : 전화를 잘못 거신 것 같습니다.
여기에는 그런 이름을 가진 분은 안 계십니다.
A : 오, 귀찮게 해드려서 죄송합니다.
B : 괜찮습니다.

전화번호가 틀렸을 때

- 아닙니다. 여기는 723-5023번입니다. 전화번호를 잘못 돌린 것 같습니다.
  No, it's 723-5023. I'm afraid you dialed 〔got〕 the wrong number.
- 틀림없이 전화를 잘못 거셨습니다.
  You must have dialed the wrong number.
- 몇 번으로 전화를 거셨습니까?
  What number did you call? / What number are you calling?

전화번호는 맞을 때

- 전화번호는 맞습니다.
  The number's correct. / You've got the right number.
- 번호는 맞는데, 전화번호를 잘못 아셨군요.
  You dialed correctly, but you must have the wrong number.

그런 사람이 없을 때

- 그런 이름을 가진 사람은 안 계십니다.
  We don't have anyone by that name.
  Nobody is here by that name.
  You've got the wrong party here.
- 부서를 잘못 찾으셨습니다.
  You have the wrong department.

11) 잘못 걸려 온 전화에 대해서는 "You've dialed the wrong number."라고 하는 것보다는 "I'm afraid You've dialed the wrong number."라고 말하는 것이 훨씬 공손하고 교양 있는 표현이 된다.

전언을 받거나 전달할 때

A: Can I speak to Mr. Rupinen, please?
B : I'm sorry. He's away on a business trip now.
May I take a message?
A: Yes. Would you have him call me when he gets in?
B : Sure, I will.

A : 루피넨씨 좀 바꿔 주시겠습니까?
B : 죄송합니다. 지금은 출장을 가셔서 안 계십니다.
전하실 말씀이라도 있으신지요?
A : 예. 그분이 돌아오시면 저한테 전화 좀 해달라고 해 주시겠어요?
B : 네. 그렇게 하겠습니다.

전언을 받을 때

- 전할 말씀이라도 있습니까?
  Would you leave a message? / Any message?
- 그분한테 뭐라고 전해 드릴까요?
  What should I tell him?
- 그분에게 선생님 말씀을 전해 드리겠습니다.
  I'll give him your message.
- 전화 왔었다고만 전해 드리면 됩니까?
  Should I just tell him you called?
- 전화 드리라고 할까요?
  Do you want him to call you back?
- 만약을 위해서 선생님의 전화번호를 주시겠습니까?
  Can you give me your phone number just to be on the safe side? 12)
- 그분이 필요로 할지 모르니까 전화번호를 가르쳐 주시겠어요?
  Can I have your phone number just in case he needs it?
- 잠깐만요. 필기구를 준비할게요. 됐습니다. 말씀하세요.
  Wait a minute, please. Let me get a pen. All right, go ahead.
- 그분이 들어오는 대로 선생님께서 전화하셨다고 전해 드리겠습니다.
  I'll tell him you called as soon as he comes back.

전언을 전할 때

- 존슨씨한테서 전화가 왔었는데, 전화 좀 걸어 달라고 하더군요.

12) on the safe side : 안전하게, 신중을 기하여, 만일에 대비하여

You got a call from Mr. Johnson, he wanted you to call him back.

• 들어오시는 대로 그분에게 전화해 주셨으면 고맙겠다고 하던데요.
He said he would appreciate it if you would return the call as soon as you came in.

• 어떤 남자 분이 전화를 했는데, 이름을 말하지 않으려 하던데요.
A man called, but he wouldn't give me his name.

• 요점은 전혀 말하지 않았어요.
He never got to the point. 13)

• 그 말밖에는 안했습니다.
That's all he would say.

• 존슨씨한테 전화해 보세요. 당신이 안 계실 때 전화 왔었어요.
Call Mr. Johnson. He buzzed while you were out. 14)

• 당신이 나간 뒤에 곧바로, 존슨씨한테서 전화가 왔었어요.
Right after you left, there was a phone call from Mr. Johnson.

• 당신이 안 계신 동안에 어떤 친구분한테서 전화가 왔었어요.
While you were out, a friend of yours called for you.

• 안 계시는 동안 메시지 다섯 개를 받아 두었어요.
I had〔took〕 five messages while you were out.

때마침 전화가 왔을 때

A: Hi, Mr. Park. This is Mr. Miller.
B : Oh, Mr. Miller. That's funny! 15)
I was just about to call you.
A: Yeah, that's a coincidence. Well, how are you?
B : Fine, thank you. How about yourself?

A : 안녕하세요, 박 선생. 저 밀러입니다.
B : 아, 밀러씨. 그것 참 묘하군요. 제가 막 전화를 드리려던 참이었거든요.
A : 네. 우연의 일치군요. 그런데, 어떻게 지내세요?
B : 덕분에 잘 지내고 있습니다. 당신은요?

• 마침 전화 잘 하셨군요.
I just caught you in time.

• 저도 전화를 드리려던 참이었습니다.

13) get to the point : 요점을 말하다
14) buzz sb : ((구어)) 아무에게 전화를 걸다
15) funny : ((구어)) 별난, 이상한, 묘한, 기묘한

I was just going to call you.
I was just thinking of calling you.

- 당신 전화를 기다리던 중이었어요.
  I've been waiting for your call.
- 당신과 통화하려고 기다리던 중이었어요.
  I've been looking forward to talking to you.
- 오늘 어쩌면 당신이 저한테 전화할 거라고 생각했어요.
  I thought perhaps you'd call me today.
- 당신 얘기를 하던 참이었어요. / 막 나가려던 참이었어요.
  We were just speaking of you. / I was just about to leave.

전화 거는 장소를 물을 때

A: Can you come out to see me for a while here?
B : Where are you calling from?
A: Coffee shop on the second basement of this building.
B : Okay. I'll come down right away.

A : 여기로 잠깐 나와서 저 좀 만날 수 있을까요?
B : 지금 어디서 전화를 하는 거죠?
A : 이 건물의 지하 2층 커피숍이에요.
B : 알있어요. 바로 내려갈게요.

- 어디서 전화를 걸고 계신다고 하셨죠?
  Where did you say you were calling from?
- 지금 거기가 어디세요?
  Where are you right now?
- 지금 걸고 계신 곳의 전화번호가 몇 번이죠?
  What's the number of the phone you're calling from?

A: Where are you located at present?
B : I'm calling from my co-worker's office.
A : 지금 계시는 곳이 어디죠?
B : 제 동료 사무실에서 전화 걸고 있습니다.

- 지금 공중전화에서 걸고 있어요. / 공중전화 박스 안에 있어요.
  I'm calling from a pay phone. / I'm at the pay phone.
- 이거 공중전화에서 거는 거니까, 이만 끊어야겠어요.
  This is a pay phone, so I want to finish it up.
- 지금 해외에서 전화를 걸고 있어요.
  I'm calling from overseas now.

3 전화를 걸 때

미국인에게 전화를 걸기 위해서 수화기를 들고 무슨 말을 해야 할까? 통화음이 울리고 상대가 전화를 받는 순간 "**City Bank, (Mr. Johnson.) May I help you**?(시티 뱅크입니다. 도와 드릴까요?)"라고 수신자가 소속, 근무처, 또는 이름을 밝히고 뭘 도와 드릴 것인지를 묻는다. 이 말이 끝난 순간 "**Hello, this is Mr. Park. May I speak to Mr. Miller, please?**(안녕하세요, 저는 미스터 박입니다. 밀러씨 좀 바꿔 주시겠습니까?)"라고 자신의 신분과 통화하고 싶은 사람을 말한다.

기 본 대 화

A : City Bank. May I help you?
B : Hello. This is Mr. Lee.
May I speak to Mr. Miller, please?
A : Hold on a moment, please.
I'll put him on right away.
B : Thank you.

A : 시티 뱅크입니다. 도와 드릴까요?
B : 안녕하세요. 저는 미스터 이입니다.
밀러씨 좀 바꿔 주시겠습니까?
A : 잠깐 기다리세요. 즉시 바꿔 드리겠습니다.
B : 감사합니다.

바꿔달라고 할 때

- 밀러씨와 통화하고 싶습니다. / 밀러씨 좀 부탁합니다.
I'd like to speak to Mr. Miller. / Mr. Miller, please.
- 밀러씨와 통화할 수 있습니까?
Is Mr. Miller available?
- 근처에 아무 선생님이나 안 계세요?
Aren't there any teachers around?

있는지 여부를 확인할 때

- 밀러씨 있습니까? / 밀러씨 좀 바꿔주세요.
Is Mr. Miller in? / Give me Mr. Miller, please.
- 밀러씨 벌써 나가셨나요?
Has Mr. Miller left yet?

꼭 통화하고 싶을 때

- 집에 급한 일이 생겨서 그러는데요. 그분 좀 바꿔 주세요.
  I have an emergency at home. Please get him for me.
- 밀러씨와 직접 통화를 했으면 합니다.
  I really wanted to speak with Mr. Miller directly.
- 그분에게 전화 좀 받으라고 해 주시겠어요?
  Would you get him on the phone?
- 그분이 잠깐 나올 수 있나 봐 주세요.
  See if he can break away for a second. [1)]
- 그분에게 방해가 되겠지만 전화 좀 받으라고 해 주시겠어요?
  Could you please interrupt him for me?
- 그분을 좀 찾을 수는 없을까요?
  Is it possible for you to locate him?
- 그분이 어디 있을 것 같습니까?
  Where do you think he might be?

전화를 돌려달라고 할 때

- 이 전화를 그분 사무실로 돌려주시겠습니까?
  Would you transfer this call to his office?

다시 바꿔달라고 할 때

- 또 귀찮게 해드려서 죄송합니다.
  I'm sorry to bother〔disturb〕 you again.
- 밀러씨 좀 다시 바꿔 주시겠습니까?
  Would you put Mr. Miller back on the phone, please?

통화가 언제 끝날지를 물을 때

- 그분의 통화가 곧 끝날까요?
  Is he gonna be done soon?
- 그분의 통화가 길어질 것 같습니까?
  Will he be on the phone long?
- 그분이 오래 걸릴까요?
  Will he be long?
- 그분의 통화가 얼마나 오래 걸릴 것 같습니까?
  How long will he be on the phone?

1) break away : 하던 일을 잠깐 중단하고 자리를 뜨다 → 통화 대상자가 회의 등에 참석 중일 때

• 통화가 얼마나 더 길어질 것 같습니까?
How much more time will he be taking?

제 3자와 안부통화를 하고 싶을 때

• 그 사람 나한테 바꿔 주세요. / 그 사람〔브라운씨〕 좀 바꿔 주겠어요?
Let me talk to him. / Will you put him〔Mr. Brown〕 on? [2)]

교환을 통해 바꿔달라고 할 때

• 브라운씨 좀 연결해 주시겠어요?
Would you put me through to Mr. Brown?
• 내선 400번 좀 부탁합니다.
(I'd like) Extension 400, please.
• 내선 400 좀 연결해 주시겠습니까?
Could you give me extension 400, please?
Could you transfer to the extension 400, please?
• 인사과 좀 부탁합니다.
Personnel Department, please.
• 인사과 좀 연결해 주시겠습니까?
Would you connect me with the Personnel Department?
Would you put me through to the Personnel Department?

자신의 신분을 밝힐 때

• 저는 ABC 회사에 근무하는 미스터 강입니다.
This is Mr. Kang from ABC company.
• 나야!
It's me. [3)]

통화한 적이 있는 사람에게

• 지난 번 저와 통화하셨던 분 아닙니까?
Aren't you the one I spoke with last time?
• 어제 저와 통화를 하셨죠?
Did I talk to you yesterday?

---

2) 독자가 Miller씨와 통화를 하면서, 그와 함께 근무하고 있는 Brown씨 하고도 독자가 통화를 하고 싶을 때 쓰는 표현
3) 자신의 목소리만 들어도 자신이 누구인지 알 만큼 친한 관계인 사람에게 "나야!"라고 할 때 쓰는 표현이다.

조금 전에 전화했다고 말할 때

- 방금 전에 전화 드렸던 사람입니다.
  I just called a minute ago.
  This is the person who was just on the phone.
- 방금 전에 전화했던 존슨입니다.
  This is Mr. Johnson I just called.
- 내가 누군지 알아 맞혀 봐요.
  Guess who this is.

통화 대상이 부재중일 때

돌아오는 시간을 물을 때

- 언제쯤 돌아오실까요?
  How soon do you expect him back?
- 곧 돌아오실까요?
  Do you expect him shortly?
- 좀 더 일찍 돌아오지는 않을까요?
  Won't he be back a little earlier?
- 좀 더 일찍 들어오실 가능성은 없습니까?
  Any chance that he'll be back sooner?
  No chance that he'll be back sooner?
- 언제쯤 들어오신다는 말씀은 전혀 없었습니까?
  Didn't he mention anything about when he'll return?

돌아왔는지를 물을 때

- 그분이 돌아오셨습니까?
  Has he come in yet? / Has he returned yet?
  Is he back yet?
- 밀러씨 거기 계십니까? / 밀러씨가 아직도 안 돌아오셨습니까?
  Is Mr. Miller there? / Isn't Mr. Miller in yet? [4)]

연락처를 물을 때

- 그분하고 연락할 방법이 없을까요? 급한 일인데요.
  Is there any way I can contact him? It's urgent.
- 지금 어디에 전화를 하면 그분과 통화할 수 있습니까?
  Where do you think I can reach him right now?

---

4) 급한 일로 밀러씨와 통화를 해야 하는 상황에서 그가 사무실에 돌아왔는지를 확인할 때 쓰는 표현이다.(이때 'yet' 에 강세를 두어 말한다.)

- 그 사람 어디 있는지 모르세요?
  Do you have any idea where he is?
- 그 사람의 연락처를 아세요?
  Do you know where I can reach him?
- 혹시 그분이 어디 가신다는 말씀은 없었습니까?
  Did he say anything about where he went?
- 그에게 연락을 취하는 게 어렵습니까?
  Will it be hard for you to get in touch with him?
- 혹시 그분이 어디 가셨는지 아십니까?
  Do you happen to know where he went?
- 어디 계시는지 좀 찾아낼 수 없을까요?
  Can you find 〔trace〕 him?
- 그분이 어디 계신지 찾아 봐 주시겠습니까?
  Would you please track him down somewhere? [5)]
- 그분에 연락할 수 있는 방법이 없을까요?
  Is there any way I can reach him?
- 어떻게 하면 그분과 연락할 수 있죠?
  How can I get in touch with him?

전화를 걸어 봤는데 없다고 말할 때

- 그 사람한테 전화를 걸어 봤는데 전화를 받지 않더군요.
  I called 〔tried〕 him but there was no answer.
- 이 시간이면 그 사람 늘 집에 있는데, 왜 전화를 안 받았을까?
  He's usually at home at this time. I wonder why no one answered.
- 전화를 했지만 아무도 없었습니다.
  I called but no one was there.
- 한 어린애가 전화를 받더니, 나중에 다시 걸라고 하더군요.
  A child answered and said to call back later.

전언을 남길 때

A: Hello. Is Mr. Alsup in?
B : No, he is out now.
A: When do you expect him back?
B : He'll be back in an hour or so.
Shall I take a message?

5) track down : 발견할 때까지 찾다

A: Yes. Please tell him Mr. Jones tried to get in touch with him.
B : Certainly.

A : 여보세요. 알섭씨 계십니까?
B : 그분은 지금 외출중입니다.
A : 언제쯤 돌아오실까요?
B : 한 시간 후쯤에 돌아오실 겁니다. 전하실 말씀이 있습니까?
A : 네, 미스터 존스가 통화를 했으면 하더라고 전해 주세요.
B : 그렇게 해 드리죠.

전언을 남기고자 할 때

- 전언을 좀 받아 주시겠습니까? / 메모를 남겨도 되겠습니까?
  Would you take a message? / May I leave a message?
- 그분 책상 위에 메모 좀 남겨 주시겠습니까?
  Would you leave a message on his desk?
- 그분에게 전언을 좀 남기고 싶습니다.
  I'd like to leave a message for him.
- 제가 말하는 걸 메모 좀 해 주세요.
  Please make a note of what I'm saying.

전언 내용을 말할 때

- 미스터 조가 전화했었다고 전해주세요.
  Tell him Mr. Cho called.
- 제가 전화했었다고만 전해 주시겠습니까?
  Would you just tell him that I called, please?
- 그분이 들어오는 대로 저한테 전화해 달라고 해 주시겠어요?
  Could you ask him to call me back when he returns?
  Would you have him call me back when he returns?
- 제가 통화를 좀 했으면 하더라고 전해주세요.
  Please tell him I tried to get in touch with him.
- 제 사무실로 전화해 달라고 해 주시겠습니까?
  Could you ask him to call me at the office?
- 점심 식사 직후에 제가 전화를 걸겠다고 말씀해 주시겠어요?
  Could you tell him I'll return his call right after lunch?
- 그에게 잊지 말고 전화해 달라고 일러주세요.
  Please remind him to call me.
- 그분과 통화를 좀 했으면 하더라고 전해 주시겠습니까?
  Could you leave a message that I tried to reach him?

특별한 용건이 아닐 때

- 그렇게 중요한 용건은 아닙니다.
  It's not important.
- 안부인사나 하려고 전화했습니다.
  I just called to say hello.
- 급한 일은 아닙니다.
  It's nothing that can't wait.
  It's nothing urgent.

사과 전화를 할 때

A: Mr. Peterson? This is Mr. Chang.
B : Oh, Mr. Chang, I'm so glad you called.
I've been expecting your call all afternoon.
A: I'm sorry not to have called sooner.
I had to take my daughter to the hospital.
B : That's too bad. I hope everything's okay with her.

A : 피터슨씨? 저 미스터 장입니다.
B : 오, 미스터 장, 마침 전화 잘 하셨군요.
오늘 오후 내내 당신 전화를 기다리고 있었거든요.
A : 좀 더 일찍 전화를 못해서 정말 미안합니다.
제 딸애를 병원에 데리고 가야 했었거든요.
B : 그것 참 안됐군요. 딸 애한테 아무 일 없기를 바랍니다.

- 전화가 늦어서 미안합니다.
  I'm sorry that my call is late.
- 좀 더 일찍 전화를 못 드려서 죄송합니다.
  I'm sorry I didn't get back to you sooner.
- 제 시간에 전화를 못 드려서 죄송합니다.
  I'm sorry that I didn't call on time.
- 제가 전화를 드렸어야 했는데 그랬군요.
  I should have called you.
- 무례하게도 깜박 잊고 어제 전화를 못 드렸습니다.
  It was so rude of me to forget to call you yesterday.
- 약속한 시간에 전화를 못 드려서 미안합니다.
  Please forgive me for not calling on time.
- 어제 전화를 못 드려서 미안합니다. 그만 깜박 잊어버렸어요.
  I'm sorry I didn't call yesterday. I just simply forget.

- 어제는 회답전화를 할 수가 없었습니다.
  I couldn't return your call yesterday.
- 꼭 전화를 한다고 하면서 그만, 다른 일 때문에 못했습니다.
  I really meant to call, but I got side-tracked.
- 미안해요. 어제 전화를 못해서. 깜박 잊었어요.
  Sorry. I didn't give you a ring yesterday. It slipped my mind.

받는 사람

- 당신 전화를 기다리고 있었는데, 어떻게 된 거예요?
  I'm expecting your call. What's going on?
- 저한테 전화하실 줄 알았는데요. 어떻게 된 거예요?
  I thought you were going to call me. What happened?
- 9시에 당신 전화를 기다렸어요. 무슨 일이라도 있었어요?
  I expected your call at 9:00. Did something come up?

다시 걸겠다고 할 때

A: I'd like to speak with Mr. Wilson.
B : He's not in right now, but he'll be back in a few minutes. Will you hold the line or call again?
A: I'll call again in five minutes.

A : 윌슨씨와 통화를 하고 싶습니다.
A : 그분은 지금 안 계시지만, 잠시 후에 돌아오실 겁니다. 기다리시겠습니까, 아니면 다시 거시겠습니까?
A : 5분 후에 다시 걸겠습니다.

상대방에게 직접 말할 때

- (확인해서) 다시 전화 드리겠습니다. / 곧 다시 전화 드리겠습니다.
  I'll get back to you. / I'll call you again shortly.
- 며칠 후에 다시 전화 드리겠습니다.
  I'll give you another call in a few days.
- 안 바쁠 때 다시 전화 드리겠습니다.
  I'll get back to you when you're not so busy.
- 좀 더 편리한 시간에 다시 전화를 드릴까요?
  May I call you back at a better time?
  May I call you at a more convenient time?

제 3자에게 말할 때

- 제가 나중에 걸겠습니다.
  I'll call later. [6]
- 잠시 후에 다시 걸겠습니다.
  I'll call back in a while.
- 그가 들어오면 나가지 말라고 해 주세요. 곧 다시 걸 테니까요.
  When he comes in, please ask him not to leave. I'll be calling back soon.

답신 전화를 할 때

- 전화하셨다고 해서 전화 드리는 겁니다.
  I'm calling you back.
- 전화해 달라는 메모를 받았습니다〔전화해 달라는 메모 받고 전화했습니다〕.
  I had a message to call you.
- 아까 저한테 전화를 거셨다면서요.
  You tried to call me earlier.

A: Hello. Am I speaking to Mr. Wilson?
B : Yes, you are.
A: Hi, Mr. Wilson. This is Mr. Kang.
I'm returning your call.
B : Yes, Mr. Kang.
I called to discuss the contract with you.

A : 여보세요. 윌슨씨이세요?
B : 네, 그런데요.
A : 안녕하세요, 윌슨씨. 저 미스터 강입니다.
제가 없는 동안에 전화하셨다면서요.
B : 네. 강 선생님. 계약 건에 대해서 상의하려고 전화했었습니다.

상대방과 직접 통화할 때

- 어제 전화하실 때 없어서 죄송합니다.
  I'm sorry I missed you yesterday.
  I'm sorry I wasn't here when you called.
- 전화하셨을 때 못 받아서 미안합니다. 그날은 제가 쉬는 날이었습니다.
  I'm sorry to have missed your call. It was my day off.
- 무슨 일 때문에 전화하셨어요?

6) later = back later = later on : 나중에

What did you call for?

• 오전에 전화해 주셔서 감사합니다.
Thank you for your call this morning.

• 오늘 전화한 게 너였니?
Was it you who called today?

• 오늘 제가 없는 동안에 전화하셨어요?
Did you call me while I was gone today?
Did you call me while I was out today?

• 어제 전화를 걸었는데, 자동응답기만 받더군요.
I called you yesterday, but only got your answering machine.

제 3자와 통화할 때

• 미스터 박인데요, 밀러씨가 전화했다고 해서 전화를 드리는 겁니다.
This is Mr. Park returning Mr. Miller's call.

전화를 잘못 걸었을 때

자신이 잘못 걸었을 때

• 죄송합니다. 제가 전화를 잘못 걸었습니다.
I'm sorry. I have the wrong number.

• 죄송합니다. 2222가 아니라, 2241이 맞습니다.
Oh, I'm sorry. It should have been 2241 not 2222.

교환원이 잘못 연결했을 때

A: Operator, I'm afraid you gave me a different party.
B : I'm sorry. What was the number, please?
A: 723-5023.
B : Okay, sir. Hold on a moment. I'll try again.

A : 교환, 다른 데를 연결해 주신 것 같습니다.
B : 죄송합니다. 몇 번이었죠?
A : 723-5023번입니다.
B : 알겠습니다. 잠깐 기다리세요. 다시 연결해 드리겠습니다.

• 교환, 다른 데가 나왔는데요.
Operator, I've been connected to the wrong party.
Operator, you connected me to the wrong party.

• 다른 내선이 나왔는데요.
I got the wrong extension.

- 또 다른 데가 나왔습니다. / 제가 몇 번이라고 했죠?
  I got a wrong connection again. / What number did I say?
- 제가 부탁한 전화가 몇 번이죠? 723-5023이 아니었던가요?
  What number did I give you? Wasn't it 723-5023?

통화하기가 힘들 때

A: Hello. May I speak to Mr. Morin?
B : Speaking.
A: Oh, Mr. Morin!
It's really hard to get you on the phone.
B : Oh, I'm sorry, Mr. Chung.
I was out of town on business last week.

A : 여보세요. 모린씨 좀 바꿔 주시겠어요?
B : 전데요.
A : 오, 모린씨! 당신과 전화통화 하기가 정말 힘들군요.
B : 아, 미안해요, 정 선생님.
제가 지난주에 지방으로 출장을 갔거든요.

통화중일 때

- 통화중이에요.
  The line's busy. / It's busy.
- 계속 통화중 소리가 들리는데요.
  I keep getting a busy signal.
- 아직도 통화중 소리가 납니다.
  There's still a busy signal.
- 전화를 걸 때마다 통화중이더군요.
  Whenever I call you, your line is busy.
- 전화를 해 드리려고 몇 번 시도를 해 봤지만, 계속 통화중이더군요.
  I've tried several times to return your call, but your line has been continually busy.
- 하루 종일 전화를 드렸는데도, 계속 통화중이더군요.
  I've been trying to call you all day long, but your line has been continually busy.
- 전화를 해도 통화가 되지를 않아요.
  I cannot get through to him by phone.

전화를 받지 않을 때

- 전화를 안 받아요.
  There is no answer.
- 신호는 가고 있는데, 아무도 받지 않군요.
  It's ringing, but nobody answer.

연결됐을 때

- 드디어 신호가 가는 군. / 드디어 연결이 됐군.
  It's ringing at last. / I got through at last.

통화가 힘든 이유를 물을 때

- 누가 그렇게 오랫동안 붙잡고 있었던 거야?
  Who has been tying you up so long? [7]
- 당신 전화는 늘 통화중인 것 같아요.
  Your line always seem to be in use.
- 무슨 회의가 그렇게 길었어요?
  What kind of meeting tied you up so long?
- 당신과 통화하기가 정말 어렵군요.
  It's really difficult to reach you by phone.
  It's really hard to get in touch with you on the phone.
- 당신에게 3번이나 전화를 걸어 봤어요.
  I tried to contact you three times.
- 아마 1분 정도는 신호를 보냈을 거예요.
  I think I kept ringing for about a minute.
- 하루 종일 전화를 드렸습니다.
  I've been trying to call you all day long.
- 어제는 왜 그렇게 전화가 오랫동안 통화중이었습니까?
  What kept your phone so busy yesterday?
  Why was your phone so busy yesterday?
- 왜 그렇게 오랫동안 자리를 비우셨어요?
  Why have you been away so long?
- 왜 그렇게 전화를 늦게 받으세요?
  What took you so long to answer the phone? [8]

---

7) 상대방의 전화가 계속 통화중이다가 겨우 통화된 경우 / tying은 tie의 현재분사형 / tie up ~ : ~을 속박〔구속〕하다, ~을 움직이지 못하게 하다
8) 직역 : 전화를 받는데 무엇이 그렇게 오랫동안 당신을 붙잡았는가?

난처한 시간에 전화를 걸 때

밤늦게 전화를 걸 때

- 이렇게 늦게 전화 드려서 죄송합니다.
  I'm sorry to call you so late.
- 밤에 (이렇게) 전화 드려서 죄송합니다만, 중요한 일이라서요.
  I hate to disturb you at night, but this is important.
- 이렇게 밤에 전화를 드려서 죄송합니다.
  I'm sorry to disturb you at night.
- 주무시는데 깨우는 건 아닌지 모르겠네요.
  I'm afraid I wake you up. / I hope I didn't wake you up.
- 내가 잠을 깨운 것 아니야? / 안 자고 있었니?
  Did I wake you? / Were you up?
- 안녕, 내가 너무 늦게 전화했지?
  Hi, am I calling too late?
- 오늘 저녁 제가 방해가 안 되었는지 모르겠네요.
  I hope I haven't interrupted you tonight.

너무 이른 아침에 전화를 걸 때

- 너무 일찍 전화한 걸 양해해 주세요.
  Forgive me for calling so early.

휴일에 전화걸 때

- 휴일날 (이렇게) 귀찮게 해서 죄송합니다.
  Excuse me for disturbing you on a holiday.
- 쉬는 날 집으로 전화해서 대단히 죄송합니다.
  Terribly sorry to bother you at home on your day off.
- 주말에 이렇게 전화를 드려서 죄송합니다.
  I'm sorry to call you on the weekend.

공중전화(pay phone / public phone) 사용 방법

• **공중전화의 위치를 물을 때는**

"Excuse me. Is there a pay phone around here?(이 근처에 공중전화가 있습니까?)" 라고 말한다.

• **공중 전화를 거는 순서는 다음과 같다.**

① 수화기를 든다.

② 동전투입구에 동전(5 · 10 · 25센트 짜리)이나 전화카드(**calling card**), 신용카드(**credit card**)를 넣는다.

- 시내 통화(**local call**)의 경우 3분 통화의 기본 요금은 25센트이며, 시외 통화(**long-distance call**)의 경우에는 전화번호를 다 누르고 나면 컴퓨터에 녹음된 교환의 목소리로 "**Please deposit 50 cents.**(50센트를 넣으세요.)"라는 식으로 필요한 금액을 알려 준다. 동전을 넣고 나면 "**Thank you.**"라는 말과 함께 전화가 연결된다.

③ 걸고자 하는 전화번호를 누른다.

- 시내 통화의 경우에는 해당 전화번호만 누르고, 시외 전화인 경우에는 먼저 '1'을 누르고 지역번호-전화번호순으로 누른다. 예를 들어 독자가 임의의 지역에서 워싱톤 D.C. 지역의 123-456번으로 전화를 걸고자 한다면, '1(시내 · 시외 전화 구분) - 202(워싱턴 지역번호) - 123-456(상대방 번호)'를 누르면 된다.
- 넣어 둔 돈에 비해 시간이 초과하면 "**Another 50 cents.**(50센트 더 넣으세요.)" 라는 식으로 교환의 안내 목소리가 들린다.

④ 통화를 하고 싶지 않거나 연결되지 않으면 동전 반환장치(**Coin Release**)를 돌려서 남은 돈을 회수할 수 있다. 그러나 통화 후 남은 금액은 돌려 받을 수 없다.

• **동전을 넣지 않고 통화할 수 있는 방법**

- 긴급〔비상〕전화 번호 : 911(우리 나라의 119에 해당함) 등
- 수신자 부담 전화(**toll-free number**) : 번호 앞에 '1-800'이 붙어 있는 전화번호

• **기타**

- 공중 전화 자체에 고유 번호가 있어서 걸려 오는 전화도 받을 수가 있다.
- 호텔 방안에서 전화를 사용하면 수수료가 붙기 때문에 공중전화 요금보다 조금 비싸다.
- 공중 전화 관련 불편사항 신고 등은 '**Public Service Commission**'에 문의한다.
- 공중 전화는 공항이나 호텔 · 빌딩 로비, 레스토랑, 술집, 극장, 백화점, 드럭 스토어, 주유소, 담배 가게, 보도(步道)의 전화 박스 등에 설치되어 있다.

❖ 관련 세부 표현 : 전화 서비스(p. 695)

4 전화를 끊을 때

전화를 끊을 때의 기본 매너로서, 받는 사람이 먼저 끊는 것이 아니라 전화를 건 사람이 먼저 끊는 다는 점에 유의하자. 전화를 끊고자 할 때는 "I have to hang up.(전화를 끊어야겠어요.)"라고 말하고, 할 얘기가 더 있는데 상대가 끊으려고 할 때는 "Wait a minute, please.(잠깐만요.)", "Just one minute will do.(1분이면 돼요.)"라고 한다. 그리고 전화를 끊을 때는 "Thank you for your call.(전화해 주셔서 감사합니다.)" 또는 "Good bye!(안녕히 계세요!)"라는 정도의 인사를 하는 것이 기본 매너다.

기 본 대 화

A : Hello, Mr. Choi?
B : Yes, Hello, Mr. Henderson.
What's on your mind?
A : I got a big problem, I want you to help me with.
B : Sure.
Why don't we get together this evening at 7:00?
A : Well then, where shall we meet?
B : Say, wait a minute, please.
The president's coming in now.
Excuse me, but I have to hang up.
I'll call you right back.

A : 최 선생님이세요?
B : 네, 안녕하세요, 헨더슨씨. 어쩐 일이세요?
A : 큰 문제가 하나 생겨서 당신 도움이 필요해요.
B : 도와 드리죠. 오늘 저녁 7시에 만나죠.
A : 그런데, 어디에서 만나죠?
B : 저, 잠깐만요. 지금 사장님이 들어오셨거든요.
실례지만, 이만 끊어야겠어요.
곧 다시 전화 드릴게요.

끊겠다고 말할 때

• 이만 전화를 끊어야겠어요.
I have to get off the line now. [1] / I have to go now.
I'll have to say-goodbye.

1) get off ~ : ~에서 떨어지다, 떼어놓다

- (제 사무실에) 손님이 들어 오시거든요.
  I have a client coming in.
- 다른 전화가 왔어요.
  I have a call on the other line. / I have a incoming call.
- 바쁜 것 같으니까 이만 끊을게요.
  I know you're busy so I'll let you go.
- 이만 통화를 끝내야겠어요.
  We'd better finish up.
- 이제 얘기도 대충 끝난 것 같으니까 이만 끊읍시다.
  I think we're about through so let's hang up.
- 통화료가 너무 많이 나오겠어요.
  It's costing too much. / The bill will be too high.

인사를 할 때

- 전화 주셔서 고맙습니다.
  Thank you for calling. / Thank you for your call.
  I appreciate your call.
- 자주〔계속〕 연락합시다.
  Let's keep in touch. [2)]
- 행운을 빕니다. 잘 가세요.
  Good luck and take care.

시간을 빼앗았을 때

- 너무 많은 시간을 빼앗아서 죄송합니다.
  I'm sorry I've taken up so much of your time. [3)]
- 너무 오래 통화해서 죄송합니다.
  I'm sorry I talked such a long time.
- 일도 못하시게 붙들고 있는 건 아닌지 모르겠네요.
  I'm afraid I'm keeping you from your work.
- 통화를 너무 오래 한 것 같군요.
  I shouldn't have talked so long.
- 이렇게 오래 붙들고 있지 말았어야 하는 건데.
  I shouldn't have tied〔kept〕 you up so long.

2) keep in touch with sb : 아무와 연락〔접촉〕을 지속하다
3) take up : (장소, 시간을) 점유하다, 차지하다; 막다; 걸리다

통화할 시간이 없을 때

- 미안해요. 긴 얘기는 못하겠어요.
  I'm sorry. I can't talk long.
- 회의가 있어서 지금 가봐야겠어요.
  I have to leave right away for a meeting.
- 2~3분이면 되겠어?
  Will a couple of minutes do?
- 빨리 얘기해.
  Make it snappy.
- 용건만 간단히 얘기할게요.
  We'd better cut it short.
- 미안해요. 얘기할 시간이 조금밖에 없어요.
  Please excuse me. My time is limited.
- 요점만 얘기하고 자세한 건 나중으로 미루세요.
  Just get the point and save the details.
- 가봐야 해요. 나중에 또 이야기해요.
  I have to go. Talk to you later.
- 회의에 참석해야 되는데 늦겠어요.
  I'm running late. I'm due at a meeting.
- 지금은 통화할 시간이 별로 없어요.
  I'm rather short of time at the moment.

얘기를 더 하고자 할 때

- 1분만 얘기할게요.
  I will keep you only a minute.
- 1분밖에 안 걸려요.
  It'll take only a minute.

상대방이 끊었을 때

- 그쪽에서 전화를 끊었어요.
  He hung up on me.
- 그 사람이 아무 말 없이 끊어버렸어요.
  He hung up without saying a word.
- 누군가가 수화기를 꽝 놔 버리더군요.
  Whoever it was just slammed the receiver. [4)]

---

4) slam : 꽝[털썩] 내려놓다

5 전화 통화를 하면서

전화 통화를 하는 중에 상대방의 인기척이 없을 때 우리 말에 "여보세요! / 듣고 계세요?"라고 상대방이 전화 상에 있는지를 확인할 때는 "Hello!"라고 하지 않고 "Are you still there?(듣고 계세요?)"라고 한다는 점에 유의한다. "Hello!"는 처음 전화가 연결되어 "안녕하세요!" 또는 "여보세요!"라고 말할 때 사용하는 표현이다. 아래 상황은 전화 통화를 하면서 인사를 나누는 상황이다.

기 본 대 화

A : May I speak to Mr. Song?
B : Speaking.
A : Oh, Hi, Mr. Song. This is Mr. Ross.
B : Oh, yes, Mr. Ross. Long time no talk (hear).
How have you been these days?
A : I'm fine, thank you.
B : Well then, what's on your mind?
A : I'd like to discuss something with you.

A : 송 선생님 좀 바꿔 주시겠어요?
B : 전데요.
A : 아, 송 선생님, 저 로스입니다.
B : 아, 로스씨, 오랜만에 통화하는군요.
요즘 어떻게 지내세요?
A : 덕분에 잘 지내고 있습니다.
B : 그런데, 어쩐 일이세요?
A : 선생님과 의논할 게 좀 있습니다.

※ 인사에 관한 추가 표현 : 일상적인 인사(p. 2)

인사를 나눌 때

통화가 돼서 반가울 때

- 통화가 돼서 정말 반갑습니다.
  I'm glad I caught you.
- 목소리를 다시 듣게 되어 반갑습니다.
  It's good to hear your voice again.

오랜만에 통화할 때

- 당신 목소리를 들어서 반갑습니다. 오랜만인데요.
  Nice to hear from you. It's been a long time.
- 오랜만에 당신 목소리를 듣는군요.
  I haven't heard from you in a long time.
- 당신 목소리 들은 지 일년은 된 것 같아요.
  It must have been a year since I've heard from you.
- 다시 소식을 듣게 되어 반갑습니다.
  It's good to hear from you again.
- 상당히 오랜만에 통화를 하는 것 같군요.
  It seems like forever since we last talked.
- 요즘 당신을 통 못 만난 것 같군요.
  I haven't seen much of you lately.

전화로 인사를 나눌 때

전화로 인사를 나눌 때 "오랜만입니다."라고 말할 때는 "It's been a long time." 또는 "Long time no talk〔hear〕."라고 한다. 여기서 'talk'를 쓴 것은 상대방을 직접 만나서(see) 인사를 나누는 것이 아니라 전화로 얘기를 나누기(talk) 때문에 그렇게 표현한다. 이와 마찬가지로 "통화하게 돼서 반갑습니다."라고 할 때는 "Nice to talk to you."라고 한다.

확인할 때

이해를 확인할 때

A: You got that? (알았지?)
B : I got it. (알았어.)

- 이해하시겠어요?
  Do you understand me?
- 알았어요.
  All right. / Okay.
- 제가 당신 얘기를 잘못 들은 모양입니다. / 제가 잘못 알아들었습니다.
  I might have misheard you. / I didn't quite catch it.

※ 이해에 관한 추가 표현 : 이해를 확인할 때(p. 674, 954)

듣고 있는지를 확인할 때

A: Are you (still) there? [1] (듣고 계세요?)
B : Yes, I'm here. (네. 듣고 있어요.)

• 듣고 계세요?
Are you (still) with me? / Are you still on the phone?
You got me?

전달 내용을 확인할 때

• 다 적으셨습니까?
Did you write it down?
• 다시 한번 읽어 주시겠어요?
Would you read it back to me, please?
• 제가 다시 한번 읽어 보겠습니다. 맞습니까?
I'll read it back to you. Is it correct? [2]

얘기를 들어 달라고 할 때

• 저..., 들어봐.
Listen! [3]
• 잠깐만요!
Hold on! / Wait! / Hold it!
• 내 얘길 끝까지 들어 보세요.
Just hear me out.

맞장구를 칠 때

• 음- 흠-.
Uh - huh.[어 허] / Um - hum.[음 흠]
• 그래요?
Really? / Is that so?
• 알겠어요.
I see. / I understand you. [4]
• 어머, 저런!
Oh, my!

❖ 맞장구칠 때 추가 표현 : 맞장구칠 때(p. 675, 942)

1) 통화 도중 인기척이 없을 때, 혹은 상대에게 잠시 기다리라고 했다가 잠시 후에 다시 부를 때 쓰는 표현
2) 상대방으로부터 전언 내용(이름의 철자 등)을 받아 적거나 듣고 나서, 내용이나 철자 등을 하나하나 상대에게 읽어 주면서 맞는지 여부를 확인할 때
3) "Hold on!(잠깐!)"이란 의미로서, 보다 정중한 표현은 "Excuse me, but...." / "Pardon me, but...." 등을 쓸 수 있다. 그러나 상대방이 나의 얘기는 들으려고 하지 않고 자기 주장만 하는 상황에서 화를 내면서 "Listen!"라고 하면 "내 말을 들어 봐!"라는 의미가 된다.
4) 상대방과 통화중에 알아듣지 못한 말이 있을 때는 "I beg your pardon?(문장의 끝부분을 올리면서 말한다.)" / "Pardon me?" / "Pardon?"이라고 한다.

전화 감도에 이상이 있을 때

A: Mr. Miller, can you hear me?
B : Yes, but I can hear someone else talking, too.
A: I guess the lines are crossed.
I'll hang up and call you back.
B : Okay.

A : 밀러씨, 제 말 들리세요?
B : 네. 그런데 다른 사람이 얘기하는 것도 들리군요.
A : 혼선이 됐나 봐요. 제가 전화를 끊고 다시 걸게요.
B : 알겠습니다.

잘 들리는지를 물을 때

- 이제 연결상태가 더 낫습니까? / 이제 더 잘 들립니까?
  Is this connection better? / Now, can you hear me better?
- 이젠 어때요? / 이제 더 낫습니까〔잘 들립니까〕?
  How's that now? / Is this better?

감도가 좋을 때

- 잘 들리는군요.
  I can hear you very well.

감도가 안 좋을 때

- 당신 목소리가 명확하지 않아요. / 목소리가 들리다 안 들리다 하는데요.
  Your voice is not clear. / The sound goes on and off.
- 감도가 안 좋군요. / 더 안 들리는데요.
  The line's bad. / It's even worse.
- 전혀 안 들립니다. / 거의 마찬가지인데요.
  I can hear nothing you're saying. / It's about the same.
- 전화 감이 엉망이군! / 연결상태가 엉망인데요.
  What a noisy line! / This line's all messed up. [5)]

크게 말해 달라고 할 때

- 좀 더 크게 말씀해 주시겠습니까?
  Would you speak a little louder, please?
  Would you speak up, please?

5) mess up : 망치다, 실수를 하다; 혼란시키다, 뒤죽박죽〔엉망진창〕으로 만들다(muddle / spoil)

- 좀 더 크게 말해 보세요. / 천천히 크게 좀 얘기해 보세요.
  Talk louder, will you? / Not so fast and make it louder.

혼선이 됐을 때

- 혼선이 되는군요.
  There's some interference.
- 아마 우리 전화가 혼선이 된 모양입니다.
  Maybe we're connected with another line.
- 다른 사람이 통화하는 것도 들리는군요.
  I hear another party, too.
- 왜 다른 사람이 얘기하는 게 들리죠?
  Why is it that we can hear someone else talking?
- 전화에서 이상한 소리가 나요.
  The phone makes an unusual sound.

도청하는 것 같을 때

- 누가 우리들 전화를 도청하는 모양이에요.
  I think someone is listening in on our line. [6]
- 이 전화는 도청되고 있어요.
  The line is tapped. [7]
- 누가 우리 얘기를 엿듣는 것 아닌가요?
  Is someone eavesdropping on us? [8]

전화기에 이상이 있을 때

- 제 전화기가 제대로 작동하지 않아요.
  My phone's not working right.
- 제 전화기에 이상이 있어요.
  Something's wrong with my telephone.
  I'm having a problem with my phone.
- 이 전화가 계속 되다 안되다 하니까, 끊어지면 제가 다시 걸게요.
  This telephone line keeps getting interrupted. If we become disconnected, I'll call you back.
- 전화가 계속 끊기는군요. / 전화가 계속 먹통이 되는군요.
  We keep getting cut off. / The line keeps going dead. [9]

---

6) listen in : 도청하다
7) tap : (전화 · 전신을) 도청하다
8) eavesdrop : 도청하다
9) keep going dead : 계속 먹통이 되다 / keep going : 계속하다

- 연결상태가 안 좋군요.
  Our connection is very bad.
  We have a bad connection.
- 다른 전화로 걸어 볼게요.
  Let me call you from a different line.
- 다른 전화로 받아 볼게요.
  I'll switch to another phone. / I'll change phones.

6 업무를 처리할 때

직장 생활을 하다 보면 전화로 업무를 처리하거나 확인해야 할 사항들이 많다. 상대방의 전화 용건을 물을 때는 "**What is your call regarding?**(무슨 일 때문에 그러시죠?)"라고 말한다. 용건을 물을 때 주의할 것은 "**Why did you call me?**(나한테 왜 전화했죠?)"라는 무례한 표현을 써서는 안 된다. 그리고 전화를 건 용건을 말할 때는 "**I'm calling about the next Monday's meeting.**(다음 주 월요일 회의 건으로 전화를 드리는 겁니다.)"라는 식으로 표현한다.

기본대화

A : Hello, Mr. Stark. This is Mr. Kim.
B : Hello, Mr. Kim.
A : I've finished the documents you asked for last week. Shall I send them to you?
B : Please, don't bother, Mr. Kim. I'll have a member of my staff pick them up this afternoon.
A : Okay, then, when can I expect him?
B : Between 2:00 and 3:00.

A : 안녕하세요. 스타크씨. 저 미스터 김입니다.
B : 안녕하세요. 김 선생님.
A : 지난주에 부탁하신 서류가 다 됐는데, 그걸 보내 드릴까요?
B : 그러실 필요 없어요. 김 선생님.
오늘 오후에 저희 직원 한 명을 보내서 가져오도록 할게요.
A : 알았습니다. 그런데 그 사람이 언제쯤 올 수 있죠?
B : 2시에서 3시 사이쯤 될 겁니다.

용건을 묻거나 말할 때

용건을 물을 때

- 용건이 뭔지 여쭤봐도 되겠습니까?
  May I ask what this is about?
  May I ask what this is in regard to?
- 무슨 일로 그러시죠?
  What is this concerning? / Regarding what, Sir?

What is it concerning [about]? / What do you want?

- 무슨 일로 전화하셨습니까?
  What are you calling about? / What are you calling for?
- 뭘 도와 드릴까요?
  What can I do for you? / What can I help you with?
- 제가 뭐 도와 드릴 일이 있습니까?
  Anything I can do for you?
- 무슨 일이니?
  What's up?

용건을 밝힐 때

A: Could you put me through to the editorial department?
B: Do you want to speak to anyone in particular?
A: I'm calling to ask about publication procedures.
B: Would you hold on a moment, please?
I'll put you through the chief editor.

A: 편집부 좀 연결해 주시겠습니까?
B: 특별히 통화할 분이라도 계십니까?
A: 출판 절차에 대해서 문의드리려고 전화했습니다.
B: 잠깐만 기다리세요. 편집부장을 연결해 드리겠습니다.

- 내일 모임에 참석하는지 알아보려고 전화를 드렸습니다.
  I'm calling to see if you're going to attend tomorrow's meeting.
- 다음 주 월요일 회의 건으로 전화를 드리는 겁니다.
  I'm calling in reference to next Monday's meeting. [1]
- 다음 주 월요일 회의에 대해서 물어보려고 전화를 드리는 겁니다.
  I'm calling to ask about next Monday's meeting.
- 당신과 뭘 좀 상의하고 싶습니다.
  I'd like to discuss something with you.
- 부탁 하나 드리려고 전화 드렸습니다.
  I'm calling to ask you a favor.
- 전화상으로는 설명드리기가 어려울 것 같습니다.
  It would be difficult to explain that over the phone. [2]
- 전화를 건 용건은 다름이 아니고, ...
  What I'm calling about is this ....

1) in reference to ～ : ～에 관해서, ～에 관련하여
2) 전화상으로 : over the phone / on the phone / by the phone

• 전화 상으로 말씀드리면 시간이 너무 많이 걸릴 텐데요.
It'd take too much time to explain on〔over〕 the phone.
• 제가 전화 드린 이유는 회의에 관해서 물어보려고 한 겁니다.
The reason I'm calling is to ask about the meeting.
• 회의에 관해서 알고 싶습니다〔싶었습니다〕.
I want〔wanted〕 to ask about the meeting.
• 회의에 관해서 물어 보려고 전화 드렸습니다.
I'm calling because I want to ask about the meeting.

> A: Could I take a message?
> B: Yes, please. I'm calling to tell him there's a party on Friday at 7:00.
>
> A: 전하실 말씀이 계신지요?
> B: 네. 금요일 7시에 파티가 있다는 걸 알리려고 전화했습니다.

• 회의에 참석하실 수 있으신지요.
I wonder if you are going to attend the meeting.
• 루피넨씨가 선생님께 전화해 보라고 해서 전화 드렸습니다.
Mr. Lupinen referred me to call you.
Mr. Lupinen suggested I call you.
• 그냥 (한번) 걸어 봤어요.
I just called by chance.

기 타

• 요즘 서로 연락을 못해서 전화 한번 해봤어요.
We've been out of touch lately, so I thought I'd give you a call.
• 너 있나 없나 한번 걸어 본 거야.
I just took a chance and called.
• 잠깐 통화할 시간을 낼 수 있습니까?
Can I have a moment of your time?
• 사적인 전화예요.
It's a personal call.

일의 진척 상황을 물을 때

• 그 일이 어떻게 진행되고 있죠?
How's the work going? / How's the work coming along?
• 그 일이 얼마나 진행되었습니까?
How far along are you with the work?

- 얼마나 끝내셨습니까?
  How much have you finished〔done〕?

결과를 통보할 때

- 확인해서 다시 전화 드리겠습니다.
  I'll have to check on it and get hold of you again.
  I'll check it out and get back to you again.
- 알아보고 전화 드리겠습니다.
  I'll have to find out and give you a call.
- 그것에 대해 생각 좀 해본 후에 다시 연락 드리겠습니다.
  I'll think about it and get back to you.
- 모든 것이 결정되면 전화를 드리겠습니다.
  When it's all set, I'll call you.
- 일정이 확정되면 알려 드리겠습니다.
  When I get a definite date, I'll let you know.
- 제 일정이 확정되는 대로 전화 드리겠습니다.
  As soon as my schedule is fixed, I'll give you a call.
- 시간이 확정되는 대로 연락 드리겠습니다.
  I'll call back as soon as I set a time.
- 정확한 시간을 알게 되면 연락 드리겠습니다.
  I'll get back to you after I get a definite time set.

상의 및 문의

- 뭐 좀 물어볼 게 있는데요.
  I want to ask you something.
- 그런 일은 직접 오셔서 상의하셔야 합니다.
  You'll have to come in person in order to discuss that matter.
- 복잡한 내용이라서 전화로 설명하기가 어렵습니다.
  It's complicated and difficult to explain on the phone.
- 의문 나는 게 있으면 언제든지 전화하세요.
  If you have any other questions, just feel free to call.
- 업무상 할 얘기가 있어서 전화를 드렸습니다.
  I'm calling to discuss some business with you.
- 그 문제에 대해서 같이 검토를 했으면 합니다.
  I'd like to go over that problem with you. [3]

3) go over : 점검하다, 검토하다; 검사하다; 다시 하다

• 언제든지 전화하세요.
Call me any time.
• 직접 오셔서 알아보십시오.
Please come in person to get that information.

담당 부서 문의

A: Is this the right number to inquire about wanted ad?
B : This is it.
A : 거기가 구인광고에 대해서 문의하는 곳입니까?
B : 맞습니다〔바로 여기가 그 부서입니다〕.

• 거기가 대한항공 예약과 아닙니까?
Isn't this KAL reservations department?
• 그 자료를 구하려는데 거기가 맞습니까?
Is this the right office to get the information?
• 그 부서가 제가 알고자 하는 사항을 취급하는 곳입니까?
Does this department handle the information I need?
• 맞습니다〔바로 여기가 그 부서입니다〕.
You have it, sir.
• 그건 저희 부서의 소관이 아닙니다.
That's not my department.

담당자 문의

A: Who'd be the best person to talk to?
B : Mr. Miller has all the information you need.
A : 어느 분과 상의하는 것이 가장 좋을까요?
B : 밀러씨가 선생님께서 필요하신 모든 자료를 가지고 있습니다.

• 어느 분과 얘기를 해야 합니까? / 어느 분한테 물어봐야 되죠?
Who should I talk to? / Who should I ask for?
• 어쩌면 제가 답변을 드릴 수 있을 겁니다.
Maybe I can answer your question.
• 그분께서 저한테 당신과 말씀을 나누라고 하셨습니다.
He told me talk to you.

A: Are you the right person to speak to?
B : I'm sorry, but I'm not the person in charge.
A : 당신이 담당자 맞습니까?
B : 미안하지만, 저는 담당자가 아닙니다.

- 저는 그 일의 담당자가 아닙니다.
  I'm not the person handling the matter.
- 그 일을 맡고 있는 담당자를 바꿔 드리겠습니다.
  Let me put on the person in charge of that matter.
- 그 문제를 담당하고 있는 밀러씨에게 전화를 돌려 드리겠습니다.
  Let me switch you to Mr. Miller who's in charge of the matter.
- 그 일 담당자인 밀러씨가 오늘 결근하셨습니다.
  Mr. Miller who takes care of that is out today. [4)]
- 저의 상사와 말씀을 나누셔야겠습니다.
  You need to talk to my boss.

옆에서 듣고 바꿔 달라고 할 때

- 그 사람 전화 이리 돌려줘요. / 그 전화 나한테 돌려주세요.
  Switch him over to me. / Switch the phone over to me.
- 전화 이리 줘 보세요.
  Give me the phone. / Let me have the phone.

기 타

- 그 문제에 대한 새로운 정보를 들으면 나한테 전화해 주세요.
  Give me a call if you hear any information about the matter.
- 거기 가서 얘기해 주면 어떨까요?
  How about telling you when I get there?
- 만나서 얘기하면 안될까요?
  Can I tell you when we're getting together?
- 물어 보시지 않았더라면, 깜박 잊을 뻔했어요.
  If you hadn't asked, I might have forgotten (it).
- 만나서 얘기합시다.
  Let's get together and talk about it.
- 직접 만나서 얘기하면 안될까요?
  Can I tell you when I see you in person?
- 그는 곤란한 일이 있을 때만 나한테 전화를 걸어요.
  He only call me when something's wrong.
- 누가 그 서류를 찾으러 오시겠습니까?
  Is someone going to come for the documents?
- 제가 그걸 보내 드릴까요?
  Shall I have them sent over?

4) take care of ~ = be in charge of ~ = handles ~ : ~을 맡다, 담당하다

- 당신이 그걸 찾으러 오시겠습니까?
  Will you pick them up?
- 전화로 처리하시죠.
  Why don't we take care of it over the phone?
  We can handle it over the phone.
- 이 서류를 그쪽으로 보내 드릴까요?
  Do you want me to send these papers over?
- 누굴 보내서 그것을 찾아가시겠습니까?
  Will you have someone come and get it?

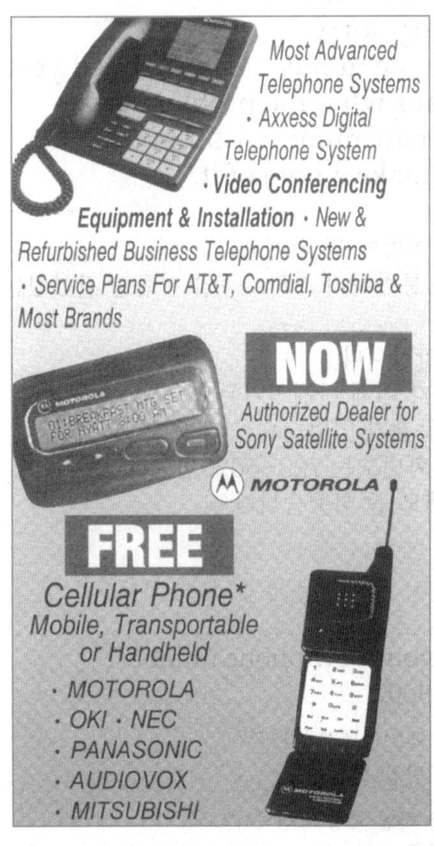

7 연락처를 묻거나 알려줄 때

상호간의 연락처(전화번호, 통화 가능 시간 등)를 교환할 때 필요한 기본적인 표현에는 "What's your phone number(전화번호가 어떻게 되죠?)", "How can I reach you?(당신에게 어떻게 연락을 드릴 수 있죠?)", "Just call any time after 7:00.(7시 이후에는 언제든지 전화하세요.)" 등을 쓸 수 있다.

기 본 대 화

A : Oh, Mr. Miller. What's the matter?
I tried to get you all day long yesterday.
There was no answer.
B : Oh, I'm very sorry.
My telephone number was changed yesterday.
A : Oh, so that's what the problem was.
B : Yeah. My new number is 723-5023.
A : Okay, I'll make a note of it.

A : 오, 밀러씨, 어떻게 된 거예요?
어제 당신과 통화하려고 하루종일 전화를 걸었었는데, 받지 않더군요.
B : 아, 정말 미안합니다.
제 전화번호가 어제 바뀌었거든요.
A : 아, 그래서 문제가 있었군요〔그래서 그랬군요〕.
B : 네. 제 새 전화번호는 723-5023번입니다.
A : 알았어요. 메모 좀 하겠습니다.

연락처를 물을 때

A: What's your new phone number?
B : It's 725-9002.

A : 새 전화 번호가 어떻게 됩니까?
B : 725-9002번입니다.

- 이 번호로 전화를 하면 항상 계십니까?
  Are you at this number all the time?
- 오늘 하루종일 집에 계실 겁니까?
  Do you expect to be home (for) the rest of the day?

Will you be there all day long?

- 그 번호에 계실 건가요?

  Are you gonna be at that number?
- 어디 계실 건가요?

  Where will you be?
- 연락이 가능한 전화번호 좀 알려 주세요.

  Please give me a number where I can reach you.

  Please leave a number where you can be reached.

연락처를 알려줄 때

- 723-5023번으로 전화 주세요.

  Call me at 723-5023.
- 10월 23일부터 전화번호가 725-9002번으로 바뀔 거예요.

  The number will be changed to 725-9002 starting Oct. 23.
- 제 사무실로 전화해 보세요.

  Please get me at the office.
- 723-5023번으로 전화하시면 저와 연락이 됩니다.

  You can reach me at 723-5023.
- 960-963-00번으로 전화하면 교환이 나옵니다. 그러면 구내 2241번을 대 달라고 하십시오.

  If you call 960-963-00, you will get the switch board. Then ask for extension 2241.
- 그러면 인사부가 나옵니다.

  Then you'll get the Personnel Department.
- 이 번호는 늘 통화중이니까, 사용하지 않는 게 좋을 거예요.

  This number is always busy. So you'd better not use it.
- 이 번호로 걸 때는 교환 400번을 부탁하세요.

  Please ask for extension 400 at this number.
- 제 전화번호는 723-5023입니다.

  My phone number is 723-5023.
- 723-8210으로 전화해서 저를 바꿔달라고 하세요.

  Call 723-8210 and ask for me.
- 4시까지는 전화가 안될 겁니다.

  The telephone will be out of order until 4:00 p.m.

  You can't reach me until 4 p.m.

  The phone will be out of operation until 4 p.m.

  The telephone service will be interrupted until 4 p.m.
- 그렇지만, 그분이 전화번호를 남겨 놨어요.

He left his number, though.

- 언제라도 상관없으니, 오늘 저에게 전화 주세요.
  Call me today, no matter when.
- 제 사무실로 전화하세요.
  Call me at the office. / Call my office.
- 긴급시에는 저희 집으로 연락하세요.
  In case of emergency, you can reach me at home.
- 제 사무실로 전화하시면 5시까지는 언제든지 연락이 가능해요.
  You can reach me anytime at office till five. 1)

전화번호가 바뀌었을 때

- 그분이 제 전화번호를 알고 있을 겁니다.
  I guess he knows my phone number.
- 누가 제 새 전화번호를 알려 주던가요?
  Who gave you my new phone number?
- 새 전화번호는 723-5023입니다.
  It's now 723-5023. / New phone number is 723-5023.
- 저희 전화 국번이 지난주에 바뀌었어요.
  Our telephone exchange was changed last week.
- 제 새 전화번호를 알려준 사람이 없어요.
  There's no one that I gave my new phone number to.
- 어떻게 제 새 사무실 전화번호를 아셨어요?
  How did you get (hold of) my new office number?
- 어떻게 제 새 전화번호를 알 수 있었죠?
  How were you able to know my new number?

기 타

- 전화번호부에서 찾아 보셨어요?
  Did you look it up in the (telephone) directory?
- 이거 직통전화입니까?
  Are these all direct lines?
- 그건 무료 전화번호입니다.
  It's a toll-free call. 2)
- 저한테 삐삐 치세요.
  Page me. / Beep me. 3)

---

1) "~와 연락이 되다" : get in touch with ~ / get hold of ~ / contact ~
2) toll-free number = 1-800 number : 무료 전화번호 → 수신자가 전화 요금을 부담하는 전화번호로서, 주로 대기업 등이 회사 홍보 및 소비자 의견을 청취하고자 설치한 전화이며 그 번호가 1-800번으로 시작된다.
3) '삐삐〔호출기〕'는 영어로 beeper 또는 pager라고 한다.

연락 방법을 알려줄 때

- 오후엔 사무실로 연락하시더라도 대부분 제가 없을 겁니다.
  You won't be able to reach me at the office most afternoons.
- 제가 집에 없으면 자동응답기에 메시지를 남겨 두세요.
  Please leave your message on the answering machine when I'm not home.
- 제가 없으면 그저 자동응답기에 메시지를 남겨 두세요.
  Just leave your message on my answering machine if I'm not there.
- 저는 보통 오후엔 다른 곳에 볼일이 있어서 자리를 비웁니다.
  I'm usually out of the office on business elsewhere every afternoon.
- 저는 오후에 주로 자리에 없습니다.
  I'm out most afternoons.
- 저와 연락이 가능한 전화번호를 제 비서에게 남겨 놓겠습니다.
  I'll leave the number where I can be reached with my secretary.
- 제 동료에게 말씀을 전해놓겠습니다.
  I'll relay the message to my co-worker.

통화가 가능한 시간

A: When would be a convenient time to reach you?
B : Any time after 7:00 is okay.

A : 제가 전화를 드리려면 언제가 좋죠?
B : 7시 이후에는 언제든지 전화하세요.

- 밤 10시 이후에 전화하시는 게 좋을 거예요.
  You'd better call me after ten o'clock at night.
- 오후 3시에 전화를 해 주시겠습니까?
  Will you call me at 3:00 p.m.?
- 제가 당신과 통화하려면 언제가 (가장) 좋죠?
  What time would be good to talk to you?
  What would be good time to reach you?
  What time would be best for me to talk to you?
  When's the best time to get hold of you?
- 9시 이후에는 언제든지 전화하세요.
  Go ahead and call any time after 9:00.
  Feel free to call any time after 9:00.

8 전화기를 사용할 때

상대의 전화기를 사용하고자 할 때는 "Excuse me. May I use your phone?(실례합니다. 전화기 좀 써도 될까요?)"라고 한다. 시외 전화를 거는 방법을 물을 때는 "How can I make a long distance call from this phone?(이 전화로 시외전화를 하려면 어떻게 하죠?)" 또는 "Can I make an outside call on this line?(이 전화로 외부 전화를 할 수 있습니까?)"라고 한다.

기 본 대 화

A : Mr. Miller, may I use the phone?
B : I'm sorry, but I'm expecting an important call on this line from the Riverside Publishing Company. Do you think it'll take very long?
A : No. I'll try to cut 〔keep〕 it short.[1)]
B : Okay. Go ahead.

A : 밀러씨, 전화 좀 써도 될까요?
B : 미안하지만, 이 전화로 리버사이드 출판사에서 중요한 전화가 오기로 되어 있거든요.
오래 걸릴 것 같습니까?
A : 아니오. 짧게 끝내겠습니다.
B : 알았어요. 어서 쓰세요.

전화기를 사용할 때

- 전화를 좀 걸어야겠어요.
  I've got to make a phone call.
- 어서 쓰세요.
  Be my guest.

사용 방법

- 시내통화는 무료예요.
  Local calls are free.
- 시외에서 여기로 전화하려면 몇 번을 돌려야 하죠?
  What number should I dial from outside the city?

1) cut short : 간단히 말하다; 단축하다, 생략하다

- 외부로 전화를 하시려면 먼저 99번을 누르세요〔돌리세요〕.
  Push 99 first to get an outside line.
  Dial 99 first to make an outgoing call.
- 이 전화는 외부로 나가는 전화가 아닙니다.
  This phone is not for outgoing calls.
- 이 전화로 시외전화를 할 수 있습니까?
  Can I make a long distance call from this phone?
- 이 전화 직통전화인가요?
  Is this a direct line?

전화를 너무 오래 하고 있을 때

- 전화기를 다 쓰셨습니까?
  Are〔Have〕 you finished with the phone?
- 전화 걸 데가 있으세요? / 전화 걸 곳이 한 군데 있습니다.
  Do you have any calls to make? / I have a (phone) call.
- 사적인 전화로 전화기를 너무 많이 쓰지 마세요.
  Don't use the phone too much for personal calls.
- 내가 먼저 쓸게요.
  Let me use the phone first. 2)
- 전화 좀 빨리 끝내 주시겠어요? 아주 중요한 전화를 기다리고 있거든요.
  Would you please finish soon? I'm waiting for a very important call.
- 당신은 전화기를 너무 오래 쓰는군요. / 가능하면 통화를 간단히 하세요.
  You're tying up the line. / Please be as brief as possible.
- 통화를 너무 길게 하지 마세요.
  Don't talk too long on the phone.
- 통화중에 미안합니다. 얼마나 더 걸릴 것 같습니까?
  I'm sorry to interrupt you. How much longer do you think it'll take? 3)
- 그렇게 긴 통화를 하면 안 되요.
  You shouldn't make such long calls.
- 전화를 너무 많이 하지 마세요.
  You shouldn't make so many call.
- 누군가와 통화하시려고 기다리시는 겁니까?

2) 상호 연결된 전화를 두 사람이 동시에 들고서 전화를 걸려고 할 때, 이때 한 사람이 자기가 먼저 사용할 때 쓰는 표현
3) 중요한 전화가 걸려 올 시간이 되었는데 다른 사람이 그 전화기로 계속 통화하고 있을 때, 급해서 물어보는 상황

Are you waiting to speak to someone? 4)

- 밀러씨의 전화를 기다리고 있습니다.
  I'm expecting a call from Mr. Miller.
- 그는 하루종일 전화에만 매달려 있어요.
  He's on the phone all day.

전화기에 이상이 있을 때

A: I guess something's wrong with this phone.
I don't get a dial tone. 5)
B : Okay, then hang up the receiver and try again.
A: Same also.
B : Let me see. Darn it! 6)
This phone is out of order again.

A : 이 전화기 이상이 있는 것 같아요.
신호음이 안 들려요.
B : 그러면 수화기를 놓았다가 다시 걸어 보세요.
A : 마찬가지예요.
B : 어디 봅시다. 젠장! 이 전화기 또 고장이군요.

- 계속 이상한 소리가 납니다.
  I keep getting a funny noise. 7)
- 다이얼을 다 돌리기도 전에 통화중 소리가 납니다.
  I can't finish dialing before I get a busy signal.
- 다이얼을 돌리는 도중에 통화중 신호가 납니다.
  I get a busy signal while dialing.
- 다이얼을 돌릴 때마다 통화중 신호음이 나서 전화를 못 걸겠어요.
  I get stymied by a busy tone every time I try to call. 8)
- 웅 - 하는 소리가 나는 군.
  I continually hear a buzz.
- 아마 수화기를 잘못 놓아서 그럴 거예요.
  Maybe they hung up the receiver improperly.
- 전화가 또 고장이군.
  The phone's out of order again. / The phone's dead again.

4) 사람이 없는 상태에서 한참 동안 내려져 있는 수화기를 들어 보니, 상대방의 인기척 소리가 들린다. 이때 상대방에게 누구와 통화중에 기다리고 있느냐고 물을 때 쓰는 표현
5) dial tone : 신호음(전화를 걸려고 수화기를 처음 들었을 때 윙- 하고 들리는 소리)
6) Darn it! : 지긋지긋해! / 젠장! / 빌어먹을!
7) funny : ((구어)) 별난, 이상한, 묘한, 기묘한(queer / odd / strange)
8) stymie : 방해하다

- 전화기를 가볍게 몇 번 흔들어 보세요.
  Please jiggle the phone a few times. 9)
- 찌지직하는 소리만 나요.
  I get nothing but a lot of static. 10)
- 수화기를 바로 놓아 두세요.
  Don't leave the phone off the hook.
  Put down the phone properly.

9) jiggle : 가볍게 흔들다
10) static : (방송 등의) 잡음

9 전화 서비스

우리 나라의 전화번호 안내 서비스를 하는 번호가 '114' 이지만 미국에서는 '411' 이다. "안내입니다."라는 표현은 "Directory assistance."이다. 전화를 가설하고자 할 때는 "I'd like to have a telephone installed.(전화를 가설하고 싶습니다.)"라고 하고, 이사 등으로 인해서 전화를 해제하고자 할 때는 "I'd like to have my phone disconnected.(전화를 끊고 싶습니다.)"라고 한다. 아래 대화는 '전화번호 안내(411)'를 이용하는 상황이다.

기본대화

A : Hello, directory assistance.
What's the name and address of your inquiry?
B : Harrington Hotel, Washington, D.C.
A : Just a moment, please.
The number is area code 2-1-4, 3-5-1, 6-7-2-5.
(recorded message)

A : 안녕하세요. 전화번호 안내입니다.
물어보실 번호와 주소가 어떻게 되죠?
B : 해링톤 호텔. 워싱턴 D.C.에 있습니다.
A : 잠깐 기다리세요. 지역 번호 2-1-4에 3-5-1,
6-7-2-5입니다. (녹음된 응답 메시지)

411 안내 이용

- 교환, 웨인 홀이라는 이름이 전화번호부에 나와 있나요?
Operator, do you have a listing for Wane Hall?
- 그분의 전화번호는 안 나와 있습니다.
His number is unlisted.
- 죄송합니다. 그런 이름은 안 나와 있습니다.
I'm sorry. I don't have any listing for him.
- 지금 거신 번호는 통화정지 중입니다.
The number you have reached is disconnected.
- 미시건가 2580번지에 사는 로버트 넬슨씨의 전화번호를 알고 싶습니다.
I need a number for Mr. Robert Nelson at 2580, Michigan Street.
- 411를 돌려서 번호를 알아보세요.
Why don't you dial 411 and ask for the number.

전화 가설

- 전화를 가설하고 싶습니다.
  I'd like to have a phone line connected.
- 바로 어제 전화가 가설되었어요.
  We got the phone installed just yesterday.
- 다음 주 월요일에 전화선을 설치할 겁니다.
  The phone company will be putting in the line on next Monday. [1)]
- 새 전화가 언제쯤 나올 것 같습니까?
  When do you expect your new phone will be installed?
- 선생님 성함을 전화번호부에 어떻게 실을까요?
  How would you like your name to be listed in the phone book?
- 새 전화를 언제 가설하세요?
  When do they say your phone will be installed?
  When do you think they'll put in a new phone?
  When will you get 〔have〕 your new phone?
- 전화가 언제 개통됩니까?
  When do you expect your phone to be working?

전화 서비스의 종류

- **three way calling**(3인 통화) : 세 사람이 동시에 전화통화를 할 수 있는 서비스
- **speed calling**(단축 다이얼링) : 전화번호를 전부 누르지 않고 두 자리 수로 단축해서 사전에 입력해 둠으로써, 신속하게 전화 연결이 되도록 해 주는 서비스
- **third number call**(제 3자 지불통화) : 다른 사람의 전화를 쓰면서 전화 요금은 거는〔사용한〕 사람의 전화번호에 부과되는 서비스
- **call forwarding**(착신 전환) : 자신의 집이나 사무실 전화기에 자신이 위치하고 있는 전화번호를 사전에 입력해 두면 부재중에 걸려 오는 통화가 자동적으로 미리 지정된 번호로 연결되어 본인이 현재 위치에서 받을 수 있는 서비스
- **call waiting**(통화중 대기) : 통화중에 걸려오는 전화를 특수한 신호음으로 알려 준다. 이때 현재 통화중이던 사람을 기다리게 하고, 수화기 버튼(**hang-up button**)을 짧게 누르면 제 3자의 전화를 받을 수 있으며 이 통화를 끝내고 다시 수화기 버튼을 누르면 처음에 통화했던 사람과 다시 통화할 수 있는 서비스

전화 고장 신고

- 전화고장 신고를 하려고 합니다.
  I want to report a problem with my telephone.

---

1) put in ~ : ~(선로 등을) 넣다, 꽂다

- 거기가 전화고장 수리 부서입니까?

Is this the telephone repair service department?

- 전화에 문제가 있어서 신고하려고 합니다.

I'd like to make a complaint about my telephone.

기 타

- 당신은 한 달 전화료가 얼마나 됩니까?

How much is your telephone bill a month?

- 우리 전화번호를 전화번호부에서 빼 주십시오.

I want my telephone number removed from telephone directory.

I want my telephone number unlisted.

- 저녁시간대 전화요금이 가장 쌉니다.

Calling on evening rates costs the least.

Evening rates are the cheapest.

- 전화요금은 언제까지 내야합니까?

When is this phone bill due?

- 제 전화가 통화정지를 당했어요.

They cut me off. [2] / They cut off my phone.

활용어휘

- 카폰 : car phone
- 공중 전화 : pay〔public〕 phone
- 국번 : exchange number
- 내선〔구내〕 : extension
- 무선 전화기 : cordless〔wireless〕 phone
- 비상 전화번호 : emergency number
- 시외 지역번호 : area code
- 음성 우편함 : voice mail
- 자동 응답장치 : answering machine
- 전신주 : telephone pole
- 전화 가입자 : telephone subscriber
- 전화 요금 : telephone〔call〕 charge
- 전화번호부 : directory
- 전용 전화선 : exclusive line
- 휴대폰 : cellular phone
- 공중전화 박스 : telephone booth
- 기계식 전화기 : dial phone
- 전화 번호부 : telephone directory [3]
- 버튼식 전화 : push button phone
- 구내 교환 전화 : P.B.E [4]
- 전자식 전화기 : touch-tone telephone
- 무료 전화번호 : toll-free number [5]
- 장난 전화 : prank call
- 전용 회선 : private line
- 전화 도청 : phonetapping
- 전화 카드 : (telephone) calling card
- 평일 요금 : weekdays rates
- 이동 전화기 : mobile phone

2) cut off : (통화 따위를) 끊다; (공급 따위를) 중단하다; (관계를) 단절하다

3) 전화번호부의 구성 : White Pages(개인명 전화번호부) : 인명이 알파벳순으로 배열되어 있으며 종이 색깔이 백색으로 되어 있다. / Yellow Pages(업종별 전화번호부) : 가게, 호텔, 레스토랑 등 알파벳순으로 업종이 나열되어 있으며, 종이 색깔이 노란색이다. / Blue Pages(공공기관 전화번호부) : 관공서 및 공공기관의 전화번호가 알파벳순으로 나열되어 있으며 종이 색깔이 청색으로 되어 있다

4) private branch extension

5) 수신자가 통화료를 부담하는 전화번호로서, 주로 기업이나 서비스 업계 등에서 홍보 및 고객 유치 목적으로 설치하여 운용한다.

ENGLISH CONVERSATION DICTIONARY

CHAPTER 14

직장(I): 일상업무

- 직장을 구할 때
- 업무를 처리할 때
- 사무기기를 이용할 때
- 회의
- 방문객을 맞이할 때
- 사무실을 방문할 때
- 기타(조퇴, 결근, 퇴근, 휴가)

I 직장을 구할 때

직장 생활의 첫 걸음은 우선 직장을 구하는 것이다. 직장은 구인 광고(wanted ad)나 추천(recommendation)을 통해서 구하게 되는데, 어느 직장이나 채용을 하기 전에는 채용 시험(job examination)과 취직 면접(job interview)을 실시한다.

기본대화

A : City Bank, Personnel Department.
May I help you?
B : Yes, I'm calling about your help-wanted ad in the newspaper. Is the job still available?
A : Yes it is.
B : What should I do to apply for the job?
A : You have to turn in your résumé in duplicate first. [1] And then wait to be interviewed.
B : All right. Thank you for your information.

A : 시티 뱅크 인사부입니다.
무엇을 도와 드릴까요?
B : 신문에 난 구인 광고를 보고 전화를 드리는 겁니다.
아직도 그 자리가 비어 있습니까?
A : 네, 그렇습니다.
B : 그 자리에 지원하려면 어떻게 해야 합니까?
A : 우선 이력서를 두 통 만들어서 제출하셔야 합니다.
그런 후에 면접 때까지 기다리세요.
B : 알겠습니다. 안내해 주셔서 감사합니다.

일자리 찾기

A: Who should I see about the position that's open?
B : Ask for the personnel manager.

A : 공석에 대해 알아보려면 누구를 만나야 합니까?
B : 인사부장을 요청하세요.

1) duplicate : 중복의; 이중의; 두 배의; 부본, 사본, 복제 / done〔made〕 in duplicate : 정부(正副) 두 통으로 만들어진 / a duplicate key : 여벌 열쇠(passkey) / in triplicate : 세 통으로 만들어

- 비서직에 빈자리가 있습니까?
  Could you tell me if you have any secretarial openings?
- 타이피스트 자리에 빈자리가 있습니까?
  Do you have any openings for a typist?
- 지금 혹시 일자리가 있나 알아보기 위해서 전화를 드렸습니다.
  I'm calling to find out whether you have any job openings at this time.
- 신문에 내신 그 자리에 지원할까 합니다.
  I'm interested in applying for the job you advertised in the paper.
- 직업 소개료로 얼마를 드려야 하나요?
  How much do I have to pay for the commission charges?
- 혹시 일자리가 있습니까? / 그 자리는 아직도 비어 있어요.
  Do you have any openings? / The position is still open.
- 이력서 좀 보여 주시겠어요?
  May I see your résumé? [2)]
- 당신에게 딱 맞는 일이 있습니다.
  We have the perfect job for you.
- 그곳은 이미 채용됐습니다.
  It's already been filled.
- 지원서를 작성해 주시겠어요?
  Will you fill out this application form?
- 화요일 11시에 면접을 하러 오시겠어요?
  Could you come in for an interview Tuesday at 11:00?
- 자리가 나는 대로 곧 알려 드리겠습니다.
  As soon as there is a place, I'll let you know right away.
- 나가서 일자리 좀 알아 봐야겠어요.〈속어〉
  I think I'd better go drum up some business. [3)]
  I have to go job hunting.
- 더럽고 힘든 직업은 피하고 싶어요.
  I'd like to stay away from jobs that are dirty and difficult.
- 밀러씨가 그 자리에 눈독을 드리고 있어요.
  Mr. Miller has an eye upon that position. [4)]
- 좋은 직업을 찾기가 쉽지 않아요.
  Good jobs are hard to find.
- 미스 김 후임을 채용하셨어요?

---

2) résumé[레쥬메이] ((불어)) : 이력서 / [리쥬움]이라고 발음하면 '다시 시작[차지]하다' 란 뜻이 된다.
3) drum up ~ : ~을 권유하며 다니다
4) have an eye upon ~ : ~에 눈을 떼지 않고 (경계하고) 있다

Have you hired a replacement for Miss Kim yet?

• 제의가 들어오는 직장이 몇 군데 있어요.
I have several job offers.

• 세 회사를 저울질하고 있어요.
I'm weighing three companies.

취직 추천

A: Don't you know anyone to recommend as my secretary?
B : Not at the moment, but I'll keep my eyes open for you.

A : 제 비서로 누구 추천할 만한 사람 없습니까?
B : 지금 당장은 없지만 앞으로 눈여겨보겠습니다.

• 우리 인사부에 공석이 하나 있습니다.
We have a vacancy in personnel department.

• 자리가 나면 당신을 고려해 보겠습니다.
You will be considered when there is a vacancy.

• 그 사람은 연줄로 취직했어요.
He pulled strings to get the job. [5)]

• 그가 저에게 취직을 주선해 줬어요. / 당신이라면 기꺼이 추천하겠소.
He found me a job. / I will gladly recommend you.

• 밀러씨에게 일자리를 하나 얻어 달라고 부탁했어요.
I asked Mr. Miller to get a job for me.

• 인맥 없이 직장을 찾는다는 건 어려워요.
It's hard to find a job without any connections.

활용어휘

• 구인 : recruiting / recruitment
• 원하는 직종 : job objective [6)]
• 직업 상담소 : vocational clinic
• 직업 소개소 : employment agency
• 취직 지원서 : job application
• 취업난 : job plight
• 구직자 : job seeker
• 구직 광고 : situation〔position〕 wanted
• 직업 : job [7)]
• 직업 소개 회사 : placement〔job〕 firm
• 취직 설명회 : job festival〔fair〕 [8)]
• 재취업율 : reemployment rate
• 생계를 꾸리다 : learn a livehood
• 철새노동자 : migrant worker [9)]

5) pull strings : 연줄을 이용하다; 배후에서 조종하다; (인형극에서) 줄을 조종하다
6) 이력서를 작성할 때 자신이 원하는 직종
7) 직업에 관한 어휘 : business : 사업, 장사 / calling : 천직(신의 부르심에서 '천직' 이라는 개념) / job : 일, 직업(occupation)이란 의미의 구어적 표현 / occupation : 일반적인 '직업' 의 개념 / trade : 숙련을 요하는 '직업' (목수, 재단사, 자동차 수리공 등) / vocation : 직업, 천직(calling의 개념과 비슷함) / work : 일, 직업('일' 의 일반적인 개념)
8) 대학 구내에서 구인회사가 개최
9) 철새처럼 직장을 바꾸는 사람

취직 면접

면접하러 갈 때

• 좋은 인상을 주려고 하세요.
Make a good 〔favorable〕 impression.
Put your best foot forward.

• 당신의 좋은 면을 보여 주세요.
Show off your good sides.

면접 시작

A: Come in. Have a seat. It's Jack Hudson, isn't it?
B : Yes, that's right.
A: Well, I've looked over your application.
Can I check the information?
B : Yes, of course.
A: You're applying for a secretarial job, aren't you?
B : Yes, a bilingual secretarial job.
A: You went to school in San Francisco, didn't you?
B : That's correct.

A : 들어오세요. 앉으세요. 잭 허드슨씨죠?
B : 네, 그렇습니다.
A : 음, 당신의 지원서를 검토해 봤습니다.
몇 가지 사항을 확인 좀 할까요?
B : 네, 물론이죠.
A : 비서직에 지원하셨군요.
B : 네, 2개 국어를 하는 비서직에 지원했습니다.
A : 샌프란시스코에서 학교를 다니셨군요, 그렇죠?
B : 그렇습니다.

• 당사를 지망해 주셔서 감사합니다.
Thank you for your interest in our company.

• 자, 몇 가지 사항을 확인하겠습니다.
Now, let me just check a few things.

지원 동기

• 당사를 지원〔선택〕하게 된 동기가 무엇입니까?

What made you choose our company?
What was it that made you decide to choose our company?
What made you pick this company?

- 왜 이 회사에서 일하고 싶다고 생각하세요?
  Tell me why you are interested in working for this company.
- 무엇 때문에 직업을 바꾸기로 결심하셨습니까?
  What made you decide to change your job?
- 그 회사를 왜 그만두셨습니까?
  May I ask you why left the company?
- 다른 회사에 지원한 적이 있습니까?
  Have you applied for work with any other companies?
- 앞으로 이 일을 계속 하시겠습니까?
  Are you interested in making a career of this job?
- 양쪽 다 채용된다면, 어느 회사를 선택하시겠습니까?
  If you are accepted at both places, which company will you choose?
- 왜 그 직장에 채용이 안 됐다고 생각합니까?
  Why do you think you didn't get that job?
- 왜 그 일을 그만두셨습니까?
  Why did you quit the job?
- 왜 이런 직업에 당신이 적당하다고 생각하십니까?
  Why do you consider yourself qualified for this kind of work?
- 왜 이런 직업을 갖기로 결심하셨습니까?
  What made you decide on this type of job?
- 어떻게 해서 이런 일에 관심을 갖게 되었습니까?
  What got you interested in this sort of work?
- 우리 회사에 대해서 어떻게 아셨습니까?
  How did you know about our company?
- (당사의) 구직에 대해서 어떻게 아셨습니까?
  How did you hear about the job?
  How did you see our help-wanted ad?
- 이 직업의 어떤 점이 마음에 드십니까?
  What would you like about this job?
- 이 회사를 위해서 무엇을 할 수 있겠습니까?
  What can you do for this company?
- 이 회사에 무엇을 기여할 수 있다고 생각하십니까?
  What do you think you'll bring to this company?

- 저희 회사 사장님을 위해서 일할 적합한 비서를 찾고 있습니다.
  We're looking for a suitable secretary to work for the president of our company.
- 추천서를 가지고 있습니까?
  Do you have references?
- 회사가 참작하기를 바라는 특별한 사항이라도 있습니까?
  Do you have any particular〔specific〕conditions that you would like the company to take into consideration?
- 이 회사는 장래가 아주 밝습니다.
  This company provides you with a very good future.

기본 사항

- 자기 소개를 해 보세요.
  Tell me about yourself, please.
- 가족관계에 대해서 말씀해 주시겠습니까?
  Could you tell me about your family background?
- 가족들과 (대화를) 나누는 시간이 많습니까?
  Do you spend much time (speaking) with your family?
- 형제자매들과의 사이는 어떻습니까?
  How do you get along with your brothers and sisters? [10]
- 현재의 주소는 어디입니까?
  What's your present address?
- 본적이 어디입니까?
  Where is your family from?
- 현재 나이는 어떻게 되십니까?
  How old are you now?
- 사회보장번호가 어떻게 되죠?
  Do you have a social security number? [11]
- 안경은 항상 쓰십니까?
  Do you always wear glasses?
- 이사 경험이 있습니까? / 외국에 가 본 적이 있습니까?
  Have you moved often? / Have you ever gone abroad?
- 자동차를 가지고 계십니까?
  Do you have a car?
- 통근하는 데는 시간이 오래 걸립니까?
  Is it a long commute to work?

10) get along with ～ : (동료 등과) 사이좋게 지내다; (연구 등을) 해나가다, 진행시키다
11) social security number : 사회보장번호〔미국에서 우리 나라의 주민등록번호와 같은 것〕

Will it be a commute to work?

- 여기서 집까지 통근하는 데는 시간이 얼마나 걸리나요?
  How long does it take to commute between here and your home?

건강 상태

- 건강 상태는 어떻습니까? / 건강합니까?
  How is your physical condition? / Are you in good health?
- 예전에 중병에 걸린 적이 있습니까?
  Have you ever had any serious illnesses?
- 일을 하는 데 영향을 줄 만한 신체적 결함이 있습니까?
  Do you have any physical defects that will affect your work? 12)

※ 건강에 관한 추가 표현 : 건강(p. 1106)

근 무

- 이 회사에 입사하게 되면, 어느 부서에서 근무하고 싶습니까?
  If you got hired by this company, what department would you like to work in?
- 여기서 얼마나 근무할 생각입니까?
  How long do you think can you work here?
- 우리와 얼마나 근무하실 생각입니까?
  How long are you planning to stay with us?
- 우리가 필요하다면 어느 때나 일을 하실 수 있습니까?
  Are you available to work at anytime if required?
- 곧 일을 시작할 수 있으세요?
  Would you be able to start working right away?
- 교대 근무를 할 수 있습니까? 때때로 야근을 해야 하거든요.
  Would you be able to do shift work? Sometimes you would have to work the night shift.
- 어떤 직업 경험을 가지고 계십니까?
  What kind of job experience do you have?
- 언제부터 일할 수 있습니까?
  When would you be available to start working?
- 주당 몇 시간을 일할 수 있습니까?
  How many hours can you work per week?

12) defect : 결점, 결함; 단점; 약점; 흠(blemish)

- 영업부에 영업사원 자리 하나가 비어 있습니다.
  We have an opening position as a clerk in the sales department.
- 전 직장에서의 근무성적은 어땠습니까?
  How was your performance with your previous employer?
- 직장에서 해고당한 적이 있습니까?
  Have you ever been fired from a job?
- 결근을 많이 하셨습니까?
  Did you miss many days of work?
- 파업에 가담한 적이 있습니까?
  Have you ever been involved in any walkouts? [13)]
- 배치 시험 후에 보직이 될 겁니다.
  After the placement test you'll be assigned.

급 여

- 급여는 어느 정도 생각하고 계십니까?
  How much are you expecting to get paid?
- 초봉은 얼마나 생각하고 계십니까?
  What starting salary would you expect?

❖ 급여 관련 추가 표현 : 급여 인상을 요구할 때(p. 769) / 급여 체계(p. 1028)

능 력

- 당신의 자격은 무엇이라고 생각하세요?
  What do you think your qualifications are? [14)]
- 특별한 자격증을 가지고 계십니까?
  Do you have any special qualifications?
- 어떤 자격을 가지고 계십니까?
  What are your qualifications?
- 업무수행 능력은 어떻습니까?
  How is your professional conduct?
- 영어로 의사소통을 할 수 있습니까?
  Can you make yourself understood in English?
- 영어 외 다른 언어를 공부한 적이 있습니까?
  Have you studied any other languages besides English?
- 워드프로세서를 사용할 줄 아십니까?

---

13) walkout : 동맹 파업(labor strike) ; (회의 등에서의) 항의 퇴장
14) qualification : 자격 부여, 면허; 유자격, 자격; 자격증명서, 면허증

Can you use a word processor?

• 이력서를 보니까, 영어를 아주 잘 하시는 것 같군요.
From reading over your résumé, I assume your English is quite good.

• 컴퓨터를 다룰 줄 아십니까?
Can you operate a personal computer?

• 타이프는 어느 정도 칩니까?
How fast can you type? / How is your typing?

• 타자는 분당 몇 자나 치십니까?
How many words per minute do you type?

• 특별한 기술이라도 가지고 계십니까?
Do you have any special skills?

• 특수한 기술직 경험이 있으신지요?
Do you have any special technical background?

• 다른 일을 하신 경험 있으세요?
Do you have other work experience?

• 우리는 경험자를 필요로 하고 있습니다.〈속어〉
We need a man who knows the ropes. [15)]

• 혼자서 일하는 걸 좋아하세요, 아니면 사람들과 함께 일하는 걸 좋아하세요?
Which do you prefer working with people or alone?

인간 관계

• 가장 존경하는 분의 이름을 말씀해 주시겠어요?
Could you name the person that you respect most?

• 정말 친하다고 할 만한 친구들이 있습니까?
Do you have any people you'd call really close friends?

• 저희 회사에 알고 있는 분이 계신가요?
Do you know anybody in our company?

• 직장 동료와 일하면서 무슨 문제가 있었습니까?
What problems have arisen when working with your co-worker?

• 가까운 친구가 몇이나 됩니까?
How many close friends do you have?

• 친구가 많은 편인가요, 적은 편인가요?
Would you say you have lots of friends or just a few?

• 여행을 하면서 친구들을 사귄 적이 있습니까?

15) know the ropes : 요령을 잘 알고 있다 / show sb the ropes : 아무에게 요령을 가르쳐 주다 / learn the ropes : 요령을 배우다

Have you ever made friends while you were traveling?

- 어린 시절의 가장 좋은 기억이 무엇입니까?
  What's your favorite childhood memory?

인생 · 직업관

- 인생에서 가장 중요한 게 뭐라고 생각하십니까?
  What do you think is the most important thing in life? 16)
- 인생의 좌우명이 무엇입니까?
  What basic principle do you apply to your life?
- 장래 포부는 무엇입니까?
  What kind of things do you want in your future?
- 장래 희망이 뭡니까?
  What do you hope for?
- 직업관을 말씀해 주시겠어요?
  Would you tell me what you think of a job?
- 직업관이 무엇입니까?
  What are your thoughts about the job?
- 직업을 구할 때 무엇을 중요하게 생각합니까?
  What do you consider important when looking for a job?
- 행복을 위해서 가장 중요한 게 뭐라고 생각합니까?
  What do you think is the most important thing for your happiness?
- 인생의 생활 신조가 있습니까?
  Do you have any guiding principles in your life?

취 미

- 운동은 구경하는 편인가요, 실제로 하는 편인가요?
  Do you watch, or play?
- 어떤 취미를 가지고 계십니까?
  What kind of hobbies do you have?
- 바둑을 둔 지는 얼마나 오래 됐습니까?
  How long have you been playing Paduk?
- 여가를 어떻게 활용하십니까?
  How do you spend your free time?
- 최근에 읽은 책 중에서 가장 인상적인 책은 무엇입니까?
  What is the most impressive book you've read recently?

16) in life : 살고 있는 동안; 이 세상에서 / in one's life : 살고 있는 동안, 일생에서

- 취미는 뭐죠? / 취미를 가지고 있습니까?
  What is your hobby? / Do you have any hobbies?

※ 취미에 관한 추가 표현 : 여가와 취미(p. 1063)

학력 · 학창시절

- 당신에게 가장 깊은 인상을 심어 주었던 스승은 누구입니까?
  Who is the teather who impressed you most strongly?
- 대학 시절 학교 성적은 어땠습니까?
  How were your grades in college?
- 대학 시절에 대한 얘기를 좀 해 주세요.
  Please tell me something about your experiences in college.
- 대학 시절에 아르바이트를 하셨습니까?
  Did you work during college?
- 대학 시절에 클럽 활동에 관여하셨습니까?
  Were you involved in any club activities at your college? [17)]
- 좋아했던 과목은 무엇이었습니까?
  What was your favorite subject?
- 졸업 논문은 무엇에 관한 것이었습니까?
  What was your graduation thesis on? [18)]
- 중학교 시절의 친구들과 교류가 있습니까?
  Have you kept in contact with any of your friends from middle school?
- 당신에게 깊은 인상을 주었던 선생님이 있었습니까?
  Was there a teacher who impressed you strongly?
- 학력에 대해서 말씀해 주시겠어요?
  Would you tell me about your educational background?
- 학창 시절에 뭔가에 진지하게 몰두했던 적이 있습니까?
  When you were a student, was there anything you got really seriously involved in?
- 지원서에 대학교 때 1년 동안 휴학한 것으로 되어 있는데, 무엇 때문이죠?
  Your application says you were out of school for a year during college. Why was that?

※ 관련 표현 : 학교 생활(p. 839)

17) be involved in ~ : ~에 (깊이) 관련되다, 말려들다
18) thesis : 논제, 제목; (학교의) 작문; 학위 논문, 논문

기 타

- 이것으로 인터뷰는 끝났습니다.
  That concludes our interview.
  This wraps up interview. [19]
- 솔직하게 답변해 주셔서 감사합니다.
  I appreciate your being frank.
- 수일 내로 확답을 드리겠습니다.
  You'll be hearing a definite yes or no from us within a few days.
- 수일 내로 결과를 알려 드리겠습니다.
  We'll let you know our decision within a few days.
- 그의 채용 여부는 2 · 3일 내로 결정될 겁니다.
  In a few days his employment will be decided upon.
- 검토를 한 후 결정되는 대로 즉시 전화를 드리겠습니다.
  We'll think it over and call you as soon as we make our decision.
- 자격증명서를 보여 주시겠어요?
  Would you show me your credentials. [20]
- 학교에서 발급한 취업인정서를 가지고 계십니까?
  Do you have a work permit from school?
- 저희는 그 직위에 적임자를 찾고 있는 중입니다.
  We're looking for somebody to fill the position.
- 나가시는 길에 다음 사람을 들여보내 주세요.
  Send the next applicant in on your way out.
- 당신의 지망을 충분히 고려하겠습니다.
  We'll certainly consider your application.
- 당신과 어떻게 연락을 취할 수 있죠?
  How can we get in touch with you?
- 어떻게 결과를 연락드릴 수 있을까요?
  How can we contact you about our decision?
- 채용이 되더라도 의무적인 건 아닙니다.
  There is no obligation after placement.
- 채용이 되면 이사를 할 수 있습니까?
  Can you relocate if you're hired by us?
- 채용이 된 후에 이 제안을 거절하셔도 됩니다.
  You may reject the offer after placement.
- 이 회사에 대해서 알고 계시는 것이 있으면 말씀해 주세요.

19) wrap up : (일 · 회의 등을) 마치다, 끝내다
20) credential : (대사, 공사 등에 수여하는) 신임장 ; 자격증명서 ; 성적증명서

Tell me what you know about our company.

피면접인 문의

- 뭐 좀 물어 봐도 되겠습니까?
  May I ask you something?
- 면접 결과는 언제쯤 알 수 있습니까?
  When can I get the results of the interview?
- 면접결과는 어떻게 알 수 있습니까?
  How can I know the results of the interview?
- 면접결과를 알려면 전화를 해야 합니까?
  Should I call back for the results of the interview?
- 연봉이 얼마나 되겠습니까?
  What will be my annual income?
- 그 일자리에 대해서 어떤 종류의 임금이 제공되고 있습니까?
  What kind of wage is being offered for the job?
- 초봉은 70만원 정도면 좋겠습니다.
  I'd like to start around at 700,000 won per month.
- 초봉은 얼마나 됩니까?
  What's the starting salary?
- 월 급여는 얼마나 됩니까?
  What'll be my monthly wage?
- 보너스 제도는 어떻게 되어 있습니까?
  What is your policy on bonuses?
- 보너스는 얼마나 됩니까?
  May I ask how much the bonuses are?
- 보너스는 줍니까?
  Does your company give bonuses?
- 급료 외에 특별 혜택 같은 것이 있습니까?
  Do you have any fringe benefits?
- 직원 복지제도에는 어떤 것이 있습니까?
  What kind of employee benefits do you have? [21)]
- 의료보험 혜택을 제공합니까?
  Do you provide medical insurance?
- 그 일자리에는 여러 가지 혜택이 많은가요?
  Does the job have many benefits?
- 1년에 휴가는 며칠 정도 됩니까?

21) **benefit** : 이익, 개인 또는 집단의 행복[복지]에 이어지는 이익 / **profit** : 물질적 또는 금전상의 이익 / **advantage** : 유리한 입장 지위에 있음으로써 생기는 이익

How many days do I get for annual vacation?

• 유급 휴가가 있습니까?
Is there paid vacation?

• 그럼, 연락을 기다리겠습니다.
Well, I look forward to hearing from you.

• 근무시간은 어떻게 됩니까?
What hours would I work?

• 시간 외 근무는 얼마나 자주 해야 합니까?
How often do I have to work overtime?

• 승진은 얼마나 자주 시켜줍니까?
How often do you give promotions?

• 여성이 결혼하면 사직하기를 권고합니까?
Do you advise your women employees to stop working when they get married?

• 여직원도 승진할 기회가 많이 있습니까?
Are there opportunities for women to be promoted?

• 경험이 있는 지원자에게 우선권을 주나요?
Do you give priority to experienced applicants? [22)]

• 교장선생님께서 써준 추천서를 가지고 있습니다.
I have a recommendation letter from the headmaster.

• 그게 제가 찾고 있던 직업이라고 생각합니다.
I think it sounds like what I'm looking for.

• 초과 근무를 자주 해야 합니까?
Would I have to work overtime often?

• 토요일에 일을 합니까?
May I ask if there would be any Saturday work?

• 해외에서 근무할 수 있는 기회가 있습니까?
Would there be any opportunities to work abroad?

• 회사 방침을 좀 봐도 되겠습니까?
May I see your written company policy?

• 신입 사원에 대한 연수 계획이 있습니까?
Do you have an orientation program for new employees?

• 연수 기간은 얼마나 됩니까?
How long is the training?

• 노조에 의무적으로 가입해야 합니까?
Do I have to join the labor union?

22) priority : (중요도 · 긴급도에서의) 상위, 우위; 상석, 상좌; ((법)) 우선권, 선취권

면접 결과

A: Hey, John! Have you finished the exam?
B : Yes, I have. Whew!
A: Was it hard?
B : Well, yes. It was pretty hard.
A: Did you pass?
B : I don't know. The interviewer didn't tell me.
A: What questions did he ask?
B : First he asked me what my hobbies were.
A: That was pretty easy, wasn't it?

A : 이봐, 존! 시험 끝났니?
B : 응, 끝났어. 휴!
A : 어려웠어?
B : 글쎄, 꽤 어려웠어.
A : 합격했니?
B : 모르겠어. 면접관이 얘기를 안 해 줬거든.
A : 면접관이 무슨 질문을 했었니?
B : 맨 먼저 내 취미가 뭐냐고 물었어.
A : 그건 아주 쉬웠겠구나.

합 격

• 면접은 어땠어요?
How did your interview go?
• 해 냈어요! / 이봐, 나 시험에 합격했어요.
I made it! / Hey! I passed.
• 나 드디어 취직했어요. / 저는 과분한 직업을 얻었어요.
I got a job at last. / I got a hot job.
• 어떻게 새 직장을 구하셨어요?
How did you find your new job?

불합격

• 나이 제한에 걸렸어요.
I don't meet their age limit. / I'm over the age limit.
• 아직 소식이 없어요.
No response yet. [23)]

23) 취직 시험을 치르고 난 후 결과를 통보 받지 못했을 때

• 그들로부터 아무런 소식도 못 들었어요.
I haven't heard anything at all from them.

명언 한 마디

There are three ingredients in the good life :
learning, earning and yearning.

훌륭한 삶에는 세가지 요소가 있다.
즉 배우는 일, 돈 버는 일, 무엇인가 하고싶은 일.

- Christopher Morley -

2 업무를 처리할 때

직장에서는 일의 부탁, 업무 진행상태 확인, 서류 작업 등 수많은 일들을 처리한다. 이러한 업무처리를 할 때 쓰이는 기본적인 표현에는 "Could you lend me a hand?(저 좀 도와주시겠어요?)" / "How's your〔the〕 report coming along?(그 보고서 어떻게 돼 가고 있죠?)" / "Would you sign here?(여기에 서명을 해 주시겠습니까?)" 등이 있다.

기본대화

A : Mr. Miller, how is your report coming along?
B : Good.
A : How close are you to finishing?
B : I'd say I'm about 40% done.
A : Can you finish it by 10 o'clock on Friday?
B : I don't think so. I'll need at least two more days.
A : It has to be done in time for Friday's meeting. [1)]
B : OK. I'll get it done at the latest by Thursday. [2)]

A : 밀러씨, 그 보고서 어떻게 돼 가고 있죠?
B : 잘 돼 가고 있습니다.
A : 끝나려면 얼마나 멀었죠?
B : 대략 40% 정도 끝났습니다.
A : 금요일 오전 10시까지 끝낼 수 있겠어요?
B : 아니오. 앞으로 최소한 2일 이상은 필요합니다.
A : 금요일 회의에 맞추어 끝내야 해요.
B : 알겠습니다. 늦어도 목요일까지는 끝내겠습니다.

일을 부탁할 때

• 제 대신 업무를 맡아 주시겠어요?
Could you take my place? / Could you sub for me?
Would you fill in for me? [3)]

• 이 서류 좀 타이핑 해 주시겠어요?
Could you type these documents?

---

1) in time for ~ : ~에 맞추어
2) at (the) least : (보통 수사 앞에) 적어도; 하다 못해
3) fill in for sb : 아무를 대리〔대역〕하다

- 당신이 해야 할 일이 좀 있어요.
  I have some work for you to do.
- 심부름 좀 해 주겠어요?
  Could you go on an errand for me? [4)]
- 지금 무슨 일을 하고 계세요?
  What are you working on?

할 일이 많을 때

- 오늘은 아주 바빠요. / (바빠서) 정신이 없어요.
  I'm very busy today. / I'm out of my mind.
- 너무 바빠서 그걸 할 시간이 없어요.
  I'm so busy that I don't have time to do it.
- 밀린 일이 많아요.
  I have a lot of work to catch up on.
- 책상 위에 일거리가 쌓여 있어요.
  The work is piling up on my desk. [5)]
- 아직 해야 할 일이 산더미처럼 있어요.
  I still have thousands of things to do.
- 할 일이 많아요. / 손을 뗄 겨를이 없이 바빠요.
  I've got a lot to do. / My hands are full.
- 외근하고 왔더니 책상 위에 서류더미가 산처럼 쌓여 있어요.
  I get back from an outside job and there's a whole stack of papers on my desk. [6)]
- 일이 산더미처럼 밀려 있어요.
  There's a good deal of work left undone.
  There is a heap of work in arrears. [7)]
- 저는 일이 밀려 있습니다.
  I'm behind in my work.
- 저는 많은 일에 시달리고 있습니다.
  I'm under a lot of pressure at work.
- 평일에는 늘 바빠요.
  I'm always busy on weekdays.
- 할 일이 많아서 무엇부터 손을 대야할 지 모르겠어요.

---

4) errand : 심부름 (가기) / go〔run〕 (on) errand : 심부름 가다 / fool's〔gawk's〕 errand : 쓸데없는 심부름 / send sb on an errand : 아무를 심부름 보내다
5) pile up : 쌓이다 / pile : 쌓아 올린 더미; 퇴적, 산더미; 쌓아 올리다; 쌓이다
6) a stack of : 산더미같이 많은
7) arrears : (복수형) 지체, 밀림; 지불 잔금, 연체금

I have too many things to do. I don't know where to begin.

- 한숨 돌릴 틈도 없이 바빠요.
  I'm too busy to find time to breath.
- 뭘 해야 할 지를 모르겠어요.
  I don't know what to do.
- 왜 그렇게 일이 밀렸습니까?
  Why are you so far behind in your work? [8]

일을 시작할 때

- 시작합시다.
  Let's start. [9] / Here we go! [10] / Well, let's do it.
- 어느 것을 먼저 할까요? / 금방 할게요.
  Which shall I begin with? / I'll do it soon.
- 2시까지 끝내기 위해서는 지금 일을 착수해야할 것 같습니다.
  We should set about the work in order to finish it by 2 o'clock. [11]
- 그 서류가 없으면 일을 시작할 수가 없어요.
  I can't start my work without the document.
- 자, 소매를 걷어붙이고 본격적으로 일을 시작합시다.
  Now, let's roll up our sleeves and get to work.
- 좌우간 그것에 대한 준비를 해 둡시다.
  In any case, Let's make preparations for it.
- 처음부터 다시 합시다.
  Let's make a new start.
- 회의실 탁자 위에서 그 일을 합시다.
  Let's work on the table in the conference room.
- 이 문제를 어떻게 시작해야 할지를 모르겠어요.
  I don't know how to start on it.

일의 진행상태 확인

일의 진척도

- 그 건은 어떻게 되고 있어요?

---

8) be behind in one's work : (일이) 처져〔밀려〕 있다.
9) get the ball rolling = get rolling : 시작〔개시〕하다
10) 퀴즈 프로그램 등에서 첫 번째 category의 화면을 열면서 사회자가 이렇게 얘기하는 것을 볼 수 있다.
11) set about ~ : ~에 착수하다, ~을 시작하다

How does that matter stand now?

- 그게 얼마나 있으면 끝날까요? / 그게 언제 되죠?
  How soon will it be over? / When will it be done〔ready〕?
- 최종 마무리는 언제 끝낼 수 있습니까?
  When will you get through with the finishing touches? 12)
- 그 보고서 끝내려면 얼마나 더 걸립니까?
  How much longer will it take for you to finish the report?
- 그건 이미 처리〔조치〕했어요.
  I've taken care of that. 13)
- 아직 반도 안 끝났어요. / 그 일들은 대략 70% 정도 끝났어요.
  It's not half done yet. / I'd say they're about 70% done.
- 그 일은 (아직) 하고 있는 중이에요. / 이제 막 시작했을 뿐이에요.〈속어〉
  I'm working on it. / I've just scratched the surface 14)
- 그걸 지금 타이프 치도록 맡겨 놓았어요.
  I'm having it typed right now.
- 그 일이 언제 끝날지 모르겠어요.
  I don't know when the work is going to be over.
- 일이 계획보다 앞서고 있습니다.
  I'm ahead of where I'm supposed to be.
- 좋아요. 거의 끝냈어요. / 2 페이지 남았어요.
  Fine. I'm almost finished. / I've two more pages to go.
- 이 보고서를 금요일까지는 끝내겠습니다.
  I'll be done with this report by Friday.
  I'll be through with this report by Friday.
  I'll have this report done by Friday.
  I'll have to get this report finished by Friday.
- 그 일을 빨리 끝낼게요.〈속어〉
  I'll finish this work (as) quick as a wink. 15)
- 빨리 해 치우겠습니다.
  I'll make short work of it. 16)
- 계획보다 늦었어요. / 일이 아직 안 끝났어요.
  We're behind schedule. / The work is not yet finished.
- 일이 끝나려면 아직 멀었어요.
  Their work is still far from being finished.

---

12) get through with ~ : ~을 끝내다 / finishing touches : 마무리
13) take care of ~ : ~을 돌보다; 소중히 하다; 처리하다
14) scratch the surface : (핵심은 건드리지 않고) 겉만 만지다
15) (as) quick as a wink = as quick as greased lightning : 잽싸게, 신속하게 / wink : 눈의 깜박거림, 윙크
16) make short work of ~ : ~을 속히 해 치우다

확인 감독

- 다시 한번 확인해 주시겠습니까?
  Would you double-check, please? [17]
- 그가 일을 제대로 했는지 퇴근 전에 확인해 보세요.
  Please check that he's done the work properly before he leaves.
- 그가 하기로 되어있는 일을 제대로 하는지 모르겠군요.
  I wonder if he's doing his work like he's supposed to. [18]
- 그 사람들 일 처리를 어떻게 하고 있는지 점검해 보세요.
  Please check to see how they are doing with their work.
- 어서 가서 그들이 하는 일을 확인해 보세요.
  Please go ahead and check up on their work. [19]

일을 재촉할 때

A: I'll give you twenty-four hours to finish it.
B: But, ...
A: Stop talking and start right now!
B: Yes, sir.

A : 그 일을 끝내는 데 24시간을 주겠다.
B : 하지만, ...
A : 잔소리 말고 당장 시작해!
B : 알겠습니다.

- 그 일을 어서 끝냅시다.
  Let's get it over with. [20]
- 그 일을 오늘 업무종료 때까지 끝내라는 지시를 받았습니다.
  I was told to finish the job by COB today. [21]
- 늦어도 수요일까지는 그것이 필요합니다.
  I have to have it no later than Wednesday. [22]
- 마감 시간에 맞춰야 해요.
  You must meet the deadline. [23]

---

17) double-check : 재확인하다
18) like one be supposed to : 예상된 대로, 정해진 대로
19) check up on ~ : ~에 대해서 확인〔점검〕하다, 조사하다
20) get over with ~ : ~을 끝내다
21) COB〔the close of the business〕 : 업무 종료
22) no later than ~ : 늦어도 ~까지는(not later than) / sooner or later : 곧(soon) / the sooner the better : 빠를수록 좋다 / as soon as possible (one can): 가능한 한 빨리
23) deadline : 넘지 못할 선, 사선(죄수가 넘으면 총살당하는 선); 원고 마감시간, 최종 기한

- 시장조사 결과를 오늘 업무종료시까지 내 책상 위에 갖다 놓으세요.
  You should put the marketing survey results on my desk by COB.
- 내일까지 이 보고서를 끝내세요.
  You need to get this report out by tomorrow.
- 그 일을 반드시 업무종료 전에 끝내세요.
  See (to it) that the work is done before COB.
- 어떻게 해서라도 그 일을 5시까지는 끝내세요.〈속어〉
  Finish up the work by five o'clock by hook or crook. [24)]
- 급한 일을 우선 처리하세요.
  Take care of the urgent things first.
- 마감일이 얼마 남지 않았어요.
  The due date is not far off.
- 시간이 별로 남지 않았어요.
  There's not much time left.
- 그걸 내일까지 끝내 주셨으면 합니다.
  I want you to finish it by tomorrow.
- 잽싸게 그 일을 끝마치세요.〈속어〉
  Finish up the work by leaps and bounds. [25)]
- 이 일을 가능한 한 빨리 끝냅시다.
  Let's get through with this work as soon as we can.
- 그것을 즉시 하도록 그 사람에게 말했습니다.
  I told him to do it immediately.
- 일 손 하나라도 아쉬워요.
  Every bit of help counts. [26)]

시간이 더 필요할 때

- 10분만 더 주시겠습니까?
  Would you give me another ten minutes?
- 제 시간에 끝낼 수 없을 것 같아요.
  I'm afraid I won't be able to get it done on time. [27)]
- 시간이 나면 그것을 하겠습니다.
  I'll do that when I get time.

24) by hook or crook : 어떻게 해서든지 / hook : 갈고리 / crook : 구부러진 갈고리
25) by leaps and bounds : 껑충껑충 뛰듯이 빨리, 잽싸게
26) 직역 : 한 조각의 도움도 중요하다.
27) get it done : (일 등을) 끝내다

일의 기한

- 그걸 언제 해 놓을까요?
  When would you like it finished?
  When do you want it done?
- 과장님이 우리 마감 기한을 1주일이나 앞당기셨어요.
  The director has moved up our deadline by one week.
- 마감일이 언제죠?
  When is the deadline〔due date〕?
  When is it due?
- 그게〔보고서가〕 언제까지 필요하십니까?
  When do you need it〔the report〕 by?
- 그 일을 월요일 오전에 가장 우선적으로 처리하겠습니다.
  I'll take care of it first thing Monday morning.
- 그 일을 마치려면 사람이 충분하지 않아요.
  We don't have enough people to get the job done.
- 기한에 대해서는 13조 5항에 기재되어 있어요.
  The time limit is given in Item 13, Clause 5.

일의 책임자

- 그 일은 당신이 맡으세요.
  You take care of that matter.
- 제가 알아서 하겠습니다.
  I'll figure it out. / I'll think of something myself.
- 그 일은 제가 하겠습니다.
  Let me do it, please / I'll take care of it.
- 제가 당신 대리 근무를 해 드리겠습니다.
  I'll pinch-hit for you. [28)]
- 아, 그 정도는 제가 처리할 수 있어요. / 제 일은 제가 처리할 수 있어요.
  Oh! I can handle that. / I can manage my affairs.
- 그가 돌아올 때까지 제가 대신 일을 맡고 있습니다.
  I'm taking care of his work until he returns.
- 저는 그 일에서 이미 손을 뗐어요.〈속어〉
  I've already copped out on the matter. [29)]
- 이 일은 전적으로 당신의 재량에 맡기겠습니다.
  I leave the matter entirely to your arrangement.

---

28) pinch-hit : ((야구)) 대타자로 나서다; 대역을 맡아 하다
29) copped out on ～ : ～(일 · 약속 등)에서 손을 떼다; 책임을 회피하다

- 저는 이런 일에는 익숙하지 못해요.
  I'm unaccustomed to this kind of business.
- 저에게 맡기고 편히 쉬세요.
  Leave it to me, and take it easy.
- 그 사람은 열심히 일하고 있어요.
  He's working like a horse〔slave〕. [30)]
- 그 사람은 일 중독자 같아요.
  I think he is a real workaholic. [31)]
- 그 사람은 항상 수수방관하는 사람이에요.
  He's always sitting on his hands. [32)]
- 아무에게나 시키세요.
  Let George do it. [33)]
- 그 일은 당신이 생각하는 만큼 어렵지 않아요.
  The work is not as difficult as you think.
- 일을 어중간하게 하는 건 내 방법이 아니야.
  It isn't my way to do things by halves. [34)]

휴식을 할 때

- 잠깐 점심 먹고 일합시다.
  Let's have a lunch break. [35)]
- 한숨 돌리고 시작합시다.
  Let's have a little rest, and start again.
- 한숨 돌립시다!〔잠깐 쉽시다〕!
  Let's get a minute's breathing!
  Let's take a breather. [36)]
- 잠깐 쉬고 있는 중이에요.
  I'm on break. [37)]

기 타

- 이왕 그 일을 시작했으니 끝내도록 해 보세요.
  Now that you have started the job, try to finish it.

---

30) work like a horse〔slave〕 : 열심히 일하다, 노예처럼 (뼈빠지게) 일하다
31) workaholic : 일에 중독된 사람, 일벌레
32) sit on one's hands : 박수를 치지 않다, 수수방관하다, 적절한 대책을 세우지 않다, 찬사〔열의〕를 보이지 않다
33) George : 남자 이름
34) by halves : 어중간하게, 불안하게
35) 한참 일을 하다가 점심 먹기 위해서 좀 쉬자고 할 때
36) take〔have〕 a breather : 잠깐 쉬다
37) break : (일, 수업 등의) 잠깐의 휴식

- 일을 그르치지 마세요.〈속어〉
  Don't throw out the baby with the bath water. 38)
- 처리 기간은 보통 얼마나 됩니까?
  What's your normal turnaround time? 39)
- 그걸 할 필요가 없었어요. (그래서 안 했어요.)
  I didn't need to do it.
- 형식적인 절차는 생략합시다.〈속어〉
  Let's cut the red tape. 40)
- 그걸 인사부에 갖다 줘라.
  Send it over to personnel department.

활용어휘

- 아무에게 일을 시키다 : put sb to work 41)
- 마감일 : due date / deadline
- 일에 착수하다 : begin〔set〕 to work
- 작업 교대 : work shift
- 작업 시간 : working hours
- 작업 중에 : while at work
- 작업화(作業靴) : work shoes
- 작업모 : fatigue cap
- 작업실 : workroom
- 직무를 소홀히 하다 : neglect one's duty
- 철야 작업 : all-night work
- 하다가 만 일 : work left unfinished
- 힘든 일 : hard work / difficult task
- 경과보고 : report on proceedings
- 일거리 : a piece of work
- 일 처리가 빠른 사람 : quick worker
- 작업 능률 : operation efficiency
- 작업 조건 : working condition
- 작업 진척도 : the rate of progress
- 작업량 : amount of work
- 작업복 : working clothes
- 작업장 : workshop 42)
- 신속하게 처리하다 : speed up
- 최우선 과제 : immediate priority
- 현저한 진척 : marked progress

일의 결과

- 그것의 결과가 어떻습니까?
  How is it working out?
- 바쁜 일정에도 불구하고, 모든 것이 아무런 문제없이 진행됐습니다.
  Despite the tight schedule, everything went like clockwork. 43)
- 모든 것이 순조롭게 진행됐습니다.
  Everything flowed smoothly.
  Everything carried out without a hitch. 44)
- 끝났다! 아, 정말 긴〔지루한〕 날이었어요.

38) 직역 : 아기를 목욕물과 함께 버리지 마라. → 귀한 것을 나쁜 것과 함께 버리지 마라. → 일을 그르치지 마라.
39) turnaround time : 일 처리의 소요 시간(원래 뜻은 '배가 항구에 들어가 짐을 싣고 다시 출항할 때까지 걸리는 기간'을 의미한다.)
40) cut the red tape : 준공식 등에서 테이프를 절단하다 → 형식적인 절차를 밟다
41) ~을 아무의 재량에 맡기다 : leave ~ to sb's arrangement
42) '토의식 실무회의'라는 의미도 있음
43) clockwork : 시계〔태엽〕장치, / like clock : 규칙적으로, 정확히, 자동적으로
44) hitch : 엉킴, 걸림, 지체, 고장; 걸어 매다, (말뚝에) 잡아 매다(= tether)

It's done! Oh, it's been a long day.

- 드디어 끝났어요. / 휴! 이제 끝났다!
  It's finally over. / Whew! I'm glad that's over (with)! [45)]
- 생각했던 것보다 일이 쉬웠어요.
  The work was easier than I had expected.
- 남자 세 명이 달려들어 일을 하루만에 끝냈어요.
  The three men grappled with the work, and finished it up in a day. [46)]
- 그 일 마치는 데 4일이나 걸렸어요.
  It took me no less than four days to finish the work.

> A: How long did it take?
> B : The job took four times longer than planned.
>
> A : 얼마나 걸렸습니까?
> B : 그 일이 계획보다 4배나 더 걸렸어요.

- 제가 한 일이 마음에 드십니까?
  Are you satisfied with my work?
- 우리는 무척 열심히 했기 때문에 예상보다 훨씬 더 빨리 끝냈어요.
  We worked so hard that we finished it much earlier than we expected.
- 하루 종일 앉아 있었더니 엉덩이가 아파요.
  I've been sitting all day. My rear end's getting sore. [47)]
- 3개월 정도 더 남았으니까, 그 일을 천천히 해도 되요.
  As there are about three more months, we can take our time on the job.

정보가 필요할 때

> A: I'll need more information before I can make a presentation of the project.
> B : I understand. If you could come to our office in Atlanta, I think you could get all the information you need.
>
> A : 그 프로젝트 설명회를 하려면 더 많은 정보가 필요할 건데요
> B : 알아요. 애틀랜타에 있는 저희 사무실로 오신다면, 당신이 필요로 하는 모든 정보를 얻을 수 있을 겁니다.

45) 지겨운 일 등을 끝마쳐서 한시름 놓게 됐을 때
46) grapple : 잡다, 꽉 쥐다; 파악하다; 해치우기 위해〔해결하려고 / 이기려고〕 노력하다(grapple with) / come to grapples with sb : 아무와 맞잡고 싸우다, 격투하다
47) ~ be getting sore = have a pain in ~ : ~가 아프다

통보 · 회답

- 제가 알려 드리겠습니다.
  I'll let you know. [48)]
- 조속한 회답을 바랍니다.
  It requires your answer at the earliest convenience.
- 오늘 중으로 연락해 주시면 됩니다.
  All you've got to do is get in touch with me by today. [49)]
- 다시 연락 드리겠습니다.
  You'll be hearing from me again.
- 될 수 있는 한 빨리 내게 알려 주세요.
  Send me word as soon as possible.
- 내일까지 답변을 드리겠습니다.
  You shall have an answer by tomorrow.
- 내일까지 확답을 드리겠습니다.
  I'll give you a definite answer by tomorrow.
- 토요일에 연락을 드리겠습니다.
  I'll be in touch with you on Saturday.
- 그 취지를 그에게 전하겠습니다.
  I will tell him to that effect. [50)]
- 결과를 아는 대로 알려 드리겠습니다.
  As soon as I know the result, I'll let you know.
- 가능한 한 빨리 저에게 알려 주시겠습니까?
  Would you let me know as soon as possible?
- 가부간에 곧 좀 알려 주세요.
  Please let me know soon whether it is yes or no.
- 제 요구에 대해 조속히 회답을 주시면 감사하겠습니다.
  I'll be very happy, if you answer my request soon.
- 그 건에 대해서 저한테 계속 연락주세요.
  Keep me posted about the matter.
- 그것을 즉시 당신 사장님께 전해 드리세요.
  Pass it on to your boss right away. [51)]
- 그만두고 싶을 때는 일주일 전에 알려 주세요.
  Let me know a week in advance when you want to quit.
- 그만두려면 2주 전에 통고해 주세요.

---

48) 발음 : [아일 렛츄 노우]
49) All you've got to do is ～ : 당신이 해야할 모든 것은 ～이다 → ～하기만 하면 된다.
50) effect : 효과, 영향, 효험 / (the나 that와 함께) 취지, 의미(purport / meaning)
51) pass ～ on to sb : 아무에게 ～을 알리다〔전하다〕

If〔In case〕you want to quit, give me two week's notice.

- 난 분명히 당신에게 그 애기를 했습니다.
  I must have told you about it.
- 누구한테 말씀하셨죠?
  Who did you talk to?
- 모든 게 완결되면 전화를 드리겠습니다.
  I'll phone you when everything is set.
- 모든 게 완결되면 알려 드리겠습니다.
  When all is said and done, I'll let you know. 52)
- 정보를 입수하는 대로 저한테 알려 주세요.
  Get back with me upon getting the information.
- 송금이 들어오면 알려 드리겠습니다.
  I'll notify you when the remittance comes in. 53)
- 조속한 회신을 고대합니다.
  I'm looking forward to your earliest reply.
- 좀 더 일찍 말씀해 주시지 그랬어요.
  Why didn't you tell me sooner? 54)
- 한 시간 후에 회답을 드리겠습니다.
  I will give you my answer in an hour.

활용어휘

- 경과 보고 : report on proceedings
- 기정 사실 : established fact
- 영사기 : film projector
- 직언가 : (plain) spoken man
- 플립〔도해용〕 차트 : flip chart
- 관련 사항 : related matters〔facts〕
- 사보〔회보〕 : newsletter
- 중간 보고 : interim report
- 최종 보고 : final report
- 최신 정보 : up-to-the-minute information

서류 작업

A: Who do you think wrote this paper?
B: Mr. Castro.
A: Wrong. You're way off the base. I did it myself.

A: 이 보고서 누가 작성한 것 같으세요?
B: 카스트로씨요.
A: 틀렸어요. 전혀 아니에요. 내가 직접 했어요. 55)

52) When all is said and done : 모든 일이 끝났을 때〔해결됐을 때〕
53) notify : ~에게 통보〔통지〕하다 / remittance : 송금
54) 직역 : 왜 좀 더 일찍 말씀해 주시지 않으셨어요?
55) off the base : 야구의 base에서 아주 떨어진 → ((구어)) 정답과는 아주 거리가 먼

- 이거 글씨가 엉망이군. 뭔지 알 수가 없군요.
  It's a terrible handwriting! I can hardly make it out. [56)]
- 누가 내 서류를 엉망으로 만들었죠?〈속어〉
  Who botched my paper up? [57)]

서류 관리

A: What did you file the documents under?
B : It's filed under "M" for meeting.

A : 그 서류들을 어디에 철해 두셨죠?
B :그건 "Meeting"의 "M" 항목에 철해져 있어요.

- 그걸 회색 파일 캐비닛 안에 있는 "회의" 항목에 철해 두세요.
  File it under "Meeting" in the gray filing cabinet.
- 그 서류들을 철해 두셨어요?
  Have you filed the documents?
- 그 파일들을 당신 책상 위에 올려놓겠습니다.
  I'll put the files on your desk.
- 판매보고서가 어디에 철해 있죠?
  Where is the sales report filed? [58)]
- 이 서류들을 어디에 철해 두어야 합니까?
  Where should I file these documents?
- 이 서류들을 클립으로 묶어 주세요.
  Please clip these papers together.
- 서류를 정돈해 두세요. / 이걸 회의철에 철해 두세요.
  Put your papers in order. / Put this in the meeting file.
- 누가 파일 관리를 담당하고 있죠?
  Who's in charge of maintaining the files?
- 누가 파일을 관리하죠?
  Who maintains the file?

기 타

- 프린트하든지, 타자로 쳐 주십시오. / 필기체로 쓰지 마십시오.
  Print or type, please. [59)] / Don't write in cursive, please. [60)]

---

56) make out : 이해하다; 알아 보다; (보아서) 분간하다
57) botch up : ~을 엉망으로 만들다
58) file : (항목별로) 철하다, 철하여 정리보관하다
59) 서류 양식에 이런 표현들이 쓰여져 있는 것을 흔히 볼 수 있다
60) cursive : 흘림 글씨, 초서(체); (인쇄의) 필기체 활자

- 한 페이지가 빠져 있어요.

  A page is missing. / There is a page missing.
- 정성스럽게 쓰세요, 아무렇게나 쓰지 마시고요.

  Write neatly, not just any (old) how. [61]
- 제 이름을 잘못 썼군요.

  You spelled my name wrong.
- 점선 부분을 떼어 내시오.

  Tear on the perforated line. [62]
- 그걸 수첩에 적어 놓으세요.

  Mark it on your calendar.
- 잊어버리지 않도록 메모해 두세요.

  Jot it down so as not to forget. [63]
- 이것이 당신의 서명임을 인정하는가요?

  Do you acknowledge this signature?
- 난필이라 읽는 데 애먹었어요.

  I found it hard to read the scrawl. [64]
- 그 사람은 글씨를 잘 써요.

  He's got good handwriting.
- 그걸 기록해 두세요. / 내가 말한 것을 기록해 두세요.

  Take it down. / Take down what I'm saying. [65]
- 잊지 말고 그걸 노트에 기록해 두세요.

  Don't forget to put it down in your notebook.
- 편지를 쓸 때, 타이프를 합니까 아니면 손으로 직접 씁니까?

  Do you type your letters, or handwrite them?
- 25페이지에 계속

  CONTINUED ON PAGE 25.
- 30 페이지 참조 / 35조 7항 참조

  SEE PAGE 30 / REFER TO ARTICLE 35, PARAGRAPH 7
- 뒷면에 계속

  OVER / PLEASE TURN OVER
- 뒷면을 보시오.

  SEE BACK PAGE / SEE THE REVERSE SIDE
- 앞 페이지에서 계속

  CONTINUED FROM THE PREVIOUS PAGE

---

61) any (old) how : 아무렇게나, 제멋대로
62) perforate : 구멍을 내다; 뚫다; 구멍이 난, 바늘구멍이 있는
63) jot it down : 메모하다, 적어 두다 / jot : 간단히 몇 자 적어 두다
64) scrawl : (서투른 글씨로) 갈겨쓴 필적
65) take down : 적어 놓다

활용어휘

- 고무 도장 : rubber stamp
- 관인(官印) : official seal
- 교정을 본 원고지 : foul proof
- 그래프 용지 : plotting〔squared〕 paper
- 내부〔사내〕 공문 : internal memo
- 동그라미 : circle
- 마름모꼴 무늬 : diaper pattern
- 맨 윗서랍 : top drawer 67)
- 메모 용지철 : scribbling block〔pad〕
- 문진 : paperweight
- 미결 서류함 : pending tray / in-tray
- 비고(備考) : notes / remarks
- 사무용품 캐비닛 : supply cabinet
- 사인(社印) : common seal
- 소계(小計) : subtotal
- 손가락 표시〔☞〕 : fistnote
- 연말 보고서 : year-end report
- 원본〔사본〕 : original〔copy〕
- 의문부호〔물음표〕 : question mark
- 인감 도장 : one's registered seal
- 일련 번호 : serial〔running〕 number
- 전후 참조 : cross reference
- 접수서류 보관함 : in box 68)
- 중복 부호〔〃〕 : ditto mark〔sign〕
- 직역 : literal translation
- 책상에서 하는 일 : desk work
- 칸막이 가구 : room divider
- 파지(破紙) : scrap paper
- 필기체 : running hand
- 마침표 : period
- 감탄 부호(!) : exclamation mark〔point〕
- 콜론(:) : colon
- 대시(–) : dash
- 종이 조각〔쪽지〕 : a scrap of paper
- 공인 등본 : office copy 66)
- 괘선 없는 백지 : plain paper
- 구두점 : punctuation mark
- 기안자 : drafter
- 대각선 : diagonal line
- 띄어쓰기 : spacing words
- 맞춤법 : spelling system
- 메모 용지 : scratch paper
- 메모장 : note pad
- 미결 서류철 : pending file
- 별표〔*〕 : asterisk
- 사무용품 벽장 : (office) supplies closet
- 사용 설명서 : manuals / instructions
- 서류 가방 : briefcase
- 속기록 : stenographic record
- 알파벳순으로 : in alphabetical order
- 요약 : sum-up
- 위약 조항 : penalty clause
- 이중 장부 : double bookkeeping
- 일련 번호 : serial number
- 재생 용지 : recycled paper
- 점선 : dotted line
- 종이 집게〔클립〕 : paper clip
- 증거 서류 : documentary evidence
- 진술서 : statement
- 최신 정보 : update
- 파일〔서류철〕 : file
- 필기〔적어둠〕 : note-taking
- 괄호 : parenthesis
- 인용 부호(" ") : quotation mark
- 슬래시(/) : slash / solidus(사선)
- 콤마(,) : comma
- 대문자〔소문자〕 : capital〔small〕 letter

상사에게 보고할 때

상사의 사무실에 들어갈 때

A: Sir, Mr. Kim. May I come in, please? 69)

66) 관공서에서 작성해서 인증한 문서, 공문서
67) 중간 서랍 : middle drawer / 아랫 서랍 : bottom drawer
68) 발송 서류 보관함 : out box / 미결 서류 보관함 : hold box
69) 상급자의 사무실 안으로 들어가기 전에 양해를 구할 때

B : Sure. Come on in.

A : 미스터 김입니다. 들어가도 되겠습니까?
B : 그래. 어서 들어오게나.

보고할 때

• 제가 방금 작성한 보고서를 검토하시겠어요?
Do you want to take a look at the report I've just finished?

A: This part here is too confusing.
And most of your sentences are much too long.
Rewrite it, and get it back to me.
B : When do you want it?
A: Can you do it three o'clock?
B : Three o'clock? I'll try.

A : 이 부분이 명쾌하지 않군요.
그리고 문장이 전반적으로 너무 길어요. 다시 써서 가져오세요.
B : 언제 필요하십니까?
A : 3시까지 할 수 있겠어요?
B : 3시요? 해 보겠습니다.

• 당신 상관을 건너뛰지 마시오.〈속어〉
Don't go over your supervisor's head. 70)
• (보고) 계통을 거쳐야 합니다.
You'll need to go through channels.
• 이 보고서에 부족한 점이 많을 겁니다.
I think this paper leaves much to be desired. 71)
• 우선 그 서류 좀 봅시다.
First of all let's look over the papers.
• 이 보고서 몇 페이지가 빠져 있어요.
A few pages of this report are missing.
• 몇 군데 잘못된 곳을 제외하고는 잘된 번역이에요.
The translation is good except for a few mistakes.
• 소수점 찍는 것을 잊지 마세요.
Don't forget the decimal point.
• 대충 훑어 봤어요.

70) go over sb's head : 아무를 건너뛰다 / go over : 건너다, 넘다
71) leave much〔nothing〕 to be desired : 미진〔부족〕한 점이 많다〔전혀 없다〕

I gave it the once-over. [72)]

- 또 오타를 냈군요.
  You made another typo. [73)]
- 우선 읽어봐야겠어요.
  I have to read it first.
- 좀 더 자리에 있어라. 할 얘기가 있으니까.
  Stay put for a few more moments. I have something to tell you. [74)]

결재를 받을 때

A: Should I sign right here? (여기에 서명을 해야 합니까?) B : That's the place. (바로 그 곳입니다.)

- 여기에 서명을 해 주시겠습니까? / 이 라인에 서명해 주십시오.
  Would you sign here please? / Please sign this line.
- 이것 좀 서명해 주시겠습니까?
  Would you sign this, please?
- 서명해 주세요.
  Please sign your name. / Your signature, please.
- 여기에 도장을 찍어 주세요.
  Please put your seal here.
- 이 라인에 이니셜을 기입해 주십시오. / 바로 여기에 서명해 주십시오.
  Please put your initials here. / I need you to sign right here.
- 밀러씨, 여기에 서명하십시오.〈속어〉
  Mr. Miller, your John Hancock, please.
  Mr. Miller, I need your John Hancock, please.
- 서명하기 전에 한번 검토해 봐야겠어요.
  Let me take a look at it first before I sign it.

사인(signature)에 대하여

'sign' 은 '서명하다' 라는 동사이고, 이름을 서명한 것이 'signature' 이다. '서명' 을 의미하는 단어에는 두 가지가 있다. 'signature' 는 '사무적인 냄새' 가 많이 풍기는 단어이고, autograph는 '기념' 의 의미가 강한 단어다. 따라서 유명 연예인에게 사인을 해 달라고 할 때는 "Can I have your autograph?" 라고 한다. 그리고 'John Hancock' 도

72) give ~ the once - over : ~을 대충 훑어보다 / once - over : 대강 훑어보기〔조사하기〕
73) typo = typographical error : 오타(誤打)
74) stay put : 제자리에 머무르다, 그대로 있다

'자필서명'을 의미하는 단어인데, 이 사람은 원래 미국 정치가로서 미국 독립선언의 첫 서명자로 독립투사들 중 가장 크고 굵직하게 자기 이름을 사인했다고 해서 일상 용어가 된 것이다.

기 타

- 저는 일을 절대 집에 가지고 가지 않아요.
  I never take work home with me.
- 괜찮으시다면 제 방에서 일을 하세요.
  You can do your work in my office if you want.
- 다음 할 일이 뭐죠?
  What's next to do?
- 당신이 할 수 없는 일을 나한테 시키지 마세요!
  Don't make me do what you can't do!
- 당신이 할 수 없는 일이라면 나도 못해요.
  If you can't do it, neither can I.
- 모든 일에는 한계가 있는 법이에요.
  There is a limit to everything.
- 문제는 어떻게 하느냐 하는 거예요.
  The question is how to do it.
- 숙취 때문에 일을 할 수가 없어요.
  I can't do my work with this hangover.
- 아무리 계산을 해도 안 맞아요.
  No matter how many times I go over the figures, they just don't come out right.

3 사무기기를 이용할 때

직장에서 업무를 처리하면서 거의 매일 복사기(copying machine), 컴퓨터(computer), 팩스(fax machine) 등의 사무기기를 사용한다. 이런 종류의 사무기기를 사용하는 데 있어서 기본적인 표현을 익혀 두면 미국인과 함께 일을 하는 사람들이나 팩스 등으로 일을 처리하는 직위에 있는 사람들에게 있어서 매우 유용할 것이다. 사무기기가 고장났을 때는 "The copying machine doesn't work.(복사기가 고장났어요.)" 또는 "The copying machine is out of work."라고 한다. 아래 대화는 복사를 부탁하는 상황이다.

기 본 대 화

A : I'd like three copies of these documents.
B : How many pages are there?
A : Twenty-three.
Well, I'd like them printed on both sides.
B : All right, sir.

A : 이 서류를 3부 복사하고 싶은데요.
B : 몇 페이지죠?
A : 23페이지입니다.
그런데 양면으로 복사를 해 주세요.
B : 알았어요.

복사기

복사기를 사용할 때

A: May I use this copying machine?
B : Sure. Be my guest.

A :이 복사기를 사용해도 됩니까?
B :그럼요. 어서 쓰세요.

- 첫 번째 있는 복사기를 사용하세요.
  Go ahead and use the first copying machine.
- 양면복사를 할 수 있습니까?
  Can I make copies on both sides?
- 한 장 복사하는 데 얼마죠?
  How much is it per page?

- 종이를 어떤 식으로 넣어야 되죠?
  Which way should I put the paper in?
- 복사기를 사용한 후에는, 원래대로 맞춰 놓으세요.
  After you use the copier, please put it back on the original settings.
- 저자의 복사 승인서를 가지고 계신가요?
  Do you have a copyright?

복사 부탁

A: Can you make a copy of this form?
B : No, the copier is out of order.

A : 이 서류 하나 복사해 주겠어요?
B : 안되는데요. 복사기가 고장났어요.

- 몇 장이나 복사할 건가요?
  How many copies are you going to make?
- 복사를 몇 부 할까요?
  How many copies shall I do?
- 2부를 복사했어요.
  I made two copies.
- 이 페이지를 80%로 축소해 주시겠어요?
  Could you please reduce this page to 80 percent?

복사기 이상

- 복사기에 용지가 떨어졌어요.
  The copying machine is out of paper.
- 종이가 걸렸어요. / 복사기에 종이가 걸렸어요.
  It's jammed. / The copier has a paper jam.
- 복사기에 걸린 종이를 제거하는 방법 좀 가르쳐 주시겠어요?
  Could you show me how to unjam this copier?
- 이 복사기 때문에 그러는데 좀 도와 주시겠어요?
  Would you mind giving me a hand with this copier?
- 종이 2장이 한꺼번에 들어가 버렸어요.
  Two pieces of paper went in together.
- 한 페이지가 빠졌어요.
  The machine skipped a page.

복사 상태가 안 좋을 때

- 가운데 부분에 줄이 생기는데요.
  There is a line in the middle.
- 글씨가 너무 옅어요〔진해요〕. / 복사된 게 흐린데요.
  The print is too light〔dark〕. / This copy is blurry. [1)]
- 사본이 원본과 다른데요.
  The copy does not correspond with the original. [2)]
- 복사가 잘못된 게 몇 장 있어요.
  I have some bad copies.

기 타

- 그건 저작권법에 위배됩니다.
  It's copyright infringement. [3)]
- 금일 오후에 찾아가세요.
  Pick it up this afternoon.
- 이것 좀 철해 주시겠어요?
  Could you bind this? [4)]

컴퓨터

A: What are you doing now?
B : We've got a new computer system.
I'm entering all our patient records.
A: That looks like a lot of typing for you.
B : Yes, it is. But I have a feeling this computer is going to make my work a lot easier.

A : 지금 무얼 하세요?
B : 새 컴퓨터를 한 대 샀는데, 우리 환자들의 기록내용을 입력하고 있어요.
A : 타이핑할 것이 많은 것 같군요.
B : 그래요. 하지만 이 컴퓨터 때문에 훨씬 쉽게 일을 처리할 수 있을 것 같아요.

파일 찾기

1) blurry : 흐릿흐릿한; 더러워진
2) correspond : 일치하다(correspond with); 교신〔서신 왕래〕하다
3) 저자의 승인 없이 복사를 하면 저작권에 위배된다는 의미 / infringement : 위배, 침해
4) 서류를 여러 장 복사한 후에 함께 철해 달라고 부탁할 때

- 컴퓨터 화면에 월간 판매보고서를 불러내 보세요.
  Call up the monthly sales reports.
- 파일 이름이 뭐죠?
  What's the file name? / What's the file called?
- 파일 이름을 뭐라고 지정했죠?
  What did you name the file?
  What have you filed it under?
- 어느 디스크에 저장해 두셨죠?
  Which disk did you save it on?
- 그 파일이 디스크 어느 곳에도 없어요.
  The file is nowhere on the disk.

데이터 손실

- 데이터가 다 없어졌어요.
  All the data has disappeared.
- 데이터를 다 잃어버린 것 같아요.
  It seems I've lost all my data.
- 오늘 오전에 정전이 되는 바람에 모든 자료를 다 잃어버렸어요.
  I lost everything this morning when the power went out.
- 아이고, 맙소사! 데이터를 몽땅 지워버렸어요.
  Oh'my God! I cleared all my data.
- 그래서 데이터를 자주 저장해 두라고 했잖아요.
  That's why I told you to store〔save〕 the data often.
- 기계에는 한계가 있는 거예요.
  All machines have their limits.
- 인쇄는 해 두었어요?
  Have you printed it out yet?

인 쇄

- 인쇄를 해 봅시다. / 이 서류를 인쇄해야 해요.
  Let's print out. / I need to print this document.
- 이 프린터의 "ON" 스위치가 어디 있죠?
  Where's the "ON" button for this printer?
- 이제 훌륭하게 인쇄가 되는군요.
  Say, it's printing beautifully now. [5)]
- 인쇄가 매우 느리군요.

5) say : 여보세요, 잠깐만, 어머

It doesn't print very fast.

- 전원 스위치가 어디에 있죠?
  Where is the on/off switch?

기 타

- 이 디스켓이 뭔가 잘못됐어요.
  Something is wrong with this disk.
- 확실하지 않은 키는 누르지 마세요.
  Don't hit any keys you're not sure about.
- 컴퓨터를 가지고 계세요?
  Do you own a computer?
- 어떤 종류의 컴퓨터를 가지고 계십니까?
  What type of computer do you have?
- 그건 평범한 컴퓨터가 아니에요.
  It's not a run-of-the-mill computer. [6)]
- 당신 컴퓨터 이렇게 작동하는 거 맞아요?
  Is this the right way to start your computer?
- 매뉴얼〔안내서〕를 직접 읽어 보세요.
  Why don't you read the manual for yourself?
- 이 디스크 용량이 얼마나 남아 있죠?
  How much space is left on this disk?
- 이 디스크가 못 쓰게 됐어요.
  This disk is bad.
- 윈도우 95를 잘 아세요?
  Are you familiar with Windows '95?
- 이 소프트웨어의 사용법을 아세요?
  Do you know how to use this software?
- 컴퓨터에 대해서 잘 아세요?
  Do you know a lot about the computer system?
- 이 시스템은 너무 복잡하군요.
  This system is too complicated for me.
- 이 워드프로세서 정말 마음에 들어요.
  I really love this word processors.
- 이 자료를 컴퓨터에 입력해 주세요.
  Please input this data into the computer.
- 컴퓨터의 도움을 많이 받았어요.

---

6) run-of-the-mill = mill-run : 보통의, 평범한; 선별되지 않은

The computer helped me a lot.

- 정말 빨리 배우시는군요.
  You're a quick learner.
- 이 파일을 하드 드라이브와 플로피 디스크에 저장해 두세요.
  You should save〔store〕 this file on the hard drive and on a floppy disk.
- 파워 포인트를 아직 설치하지 않으셨어요?
  Have you loaded Power Point software yet?
- 하루 종일 컴퓨터 화면을 보고 있으니까 정말 눈이 아파요.
  Staring at a computer screen all day really makes my eyes hurt.
- 오늘 하루 종일 이 컴퓨터에 앉아 있었어요.
  I've been sitting at this computer today.
- 인터넷에 어떻게 접속하죠?
  How do I get on the internet?

Silicon Valley란?

실리콘 밸리는 미국의 컴퓨터 산업의 중심지역으로 북캘리포니아에 위치한 아름다운 곳으로 유명한 지역의 이름이다. 실리콘이란 컴퓨터 칩을 만드는 데 사용되는 것으로 이 단어를 따서 지역 이름을 지었다. 현재 수백 개의 크고 작은 컴퓨터 회사가 위치해 있고 컴퓨터 공학도들이 그곳에 거주한다.

팩 스

팩스 번호 확인

A: Do you have a fax machine? (팩스를 가지고 계십니까?)
B : Yes. (네.)
A: What's your fax number? (팩스 번호가 어떻게 됩니까?)
B : It's 723-5023. (723-5023번입니다.)

- 당신 팩스 번호를 알 수 있을까요?
  Can I have your fax number?

팩스 송수신

- 전문을 팩스로 보내 주시겠어요?
  Would you like to fax your message?
- 전문을 팩스로 보내 주세요.

Why don't you send your message by fax?

• 그 서류를 팩스로 보내 주세요.
Please send the documents by fax.

• 팩스로 계속 연락 드리겠습니다.
I'll keep you informed by fax.

• 당신에게 막 팩스를 보내려는 참이에요.
I'm just going to send a fax to you.

• 그 서류를 지금 바로 팩스로 보내겠습니다.
I'll fax the documents to you right now.

송수신 확인

A: Didn't you send that fax yet? (그 팩스 아직 안 보내셨어요?)
B : Yes, I did already. (아니오, 벌써 보냈는데요.)

• 당신 팩스가 아직 도착하지 않았어요.
Your fax didn't come through yet.

• 당신 팩스를 아직 받지 못했어요.
I haven't received your fax yet.

• 시티뱅크에서 아직 아무런 팩스도 안 왔어요?
Has any fax from city bank come in yet?

• 이거 당신한테 온 거예요?
Is this for you? [7)]

• 제가 보낸 팩스에 대해서 얘기를 나누고 싶습니다.
I'd like to discuss the fax I sent you.
I have something to discuss with you in regards to my fax.

수신 상태가 나쁠 때

A: I got your fax. Two pages are missing.
B : I'm sorry. I think there's something wrong with our machine. Which pages are missing?
A: The second and fifth page.
B : All right. I'll send the missing pages.

A : 보내신 팩스를 받았는데, 두 페이지가 없습니다.
B : 미안합니다. 저희 복사기에 문제가 있나 봅니다.

7) 수신자가 적혀 있지 않은 팩스 한 통이 도착했는데, 내용으로 보아 상대방의 것이라고 생각되어 이 팩스를 건네주면서 할 수 있는 표현

어느 페이지가 빠져 있습니까?
A : 2페이지와 5페이지입니다.
B : 알겠습니다. 없는 페이지를 다시 보내겠습니다.

- 보내신 팩스를 읽을 수가 없군요.
  I cannot read your fax.
- 다시 보내 주시겠습니까?
  Would you mind send it again?
- 내용을 알아볼 수가 없어요. 글씨가 일그러져 있어요.
  I can't make out what it says. The print is too distorted.
- 글씨가 흐려서 읽을 수가 없어요.
  I can't make out what it says. The print is too light.
- 끝이 잘렸어요. / 읽기가 어렵군요.
  The lines are cut off. / It's hard to read.
- 보내주신 팩스가 선명하게 나오지 않았습니다.
  Your fax didn't come out clearly.

기 타

- 로비씨가 당신이 이 보고서를 해리스씨에게 팩스를 보냈으면 하던데요.
  Mr. Robbie wants to fax this report to Mr. Harris.

4 회 의

직장생활에서 회의(meeting 또는 conference)는 여러 사람들의 의견(opinion)을 수렴하여 중요한 안건(agenda)을 결정하거나, 필요한 정보를 전파하는 수단으로서 업무 처리를 위한 기본적인 수단으로 활용된다. 따라서 우리는 크고 작은 회의를 직접 주관하거나 회의에 참석하는 경우가 많다. 회의에서 언급되는 주된 표현들은 그 회의의 주제와 관련된 것들이므로 회의 안건에 대한 내용은 사전에 회의자료를 획득하여 숙지하고 자신이 제안한 의견을 미리 정리해 두는 것이 필요하다. 여기에서는 회의와 관련된 기본적인 표현들만 다루고 있다.

기 본 대 화

A : Mr. Thomas, have you heard of the sales analysis meeting for next week?
B : No, I haven't yet.
When will the meeting be held?
A : It'll be held at 3:00 next Friday afternoon.
B : Who'll be supervising the meeting?
A : I heard that our president will preside over it in person this time.
B : Really? Well, we have to prepare for it thoroughly.

A : 토마스씨, 다음 주 영업분석회의에 대해서 들으셨어요?
B : 아니오, 못 들었는데요. 회의가 언제 있는데요?
A : 다음 주 금요일 오후 3시에 있어요.
B : 이번에는 누가 회의를 진행하죠?
A : 이번에는 사장님이 직접 주관하신다고 들었어요.
B : 그래요? 그럼 철저히 준비해야겠군요.

일정 확인

회의 시간

- 회의 시간이 언제죠?
  What time is the meeting?
- 내일 오전 10시에 회의가 있어요.
  We're having a meeting at 10:00 tomorrow.
- 회의는 2월 24일 10시에 2층 회의실에서 있어요.

The meeting will be at 10 o'clock on 24 February in the conference room on the second floor.

- 회의 날짜는 5월 10일로 정해졌어요.
  May 10th was selected as the day for the meeting.
- 회의는 내일로 예정되어 있어요.
  The meeting is scheduled for tomorrow.
- 회의가 몇 시에 시작됩니까?
  What time does the meeting start?
- 회의가 몇 시에 끝나죠?
  When is the meeting going to be finished?
- 회의 시간이 얼마나 됩니까?
  How long will the meeting last?

회의 장소

- 회의가 어디에서 개최됩니까?
  Where is the meeting to be held?
- 회의실이 어디에 있습니까?
  Where is the conference room?

회의 주제

- 그 회의의 주제가 뭐죠?
  What's the agenda for the meeting?
- 회의는 무엇에 대한 거죠?
  What's the meeting going to be about?

회의 주관 · 진행

- 회의 주관자가 누구죠?
  Who is the supervisor [manager] of the meeting?
- 오늘 오후 회의는 누가 주관하는 거죠?
  Who's in charge this afternoon's meeting?
- 이 부장님이 회의를 주재해요.
  Director Lee will preside over the meeting.
- 이번회의 진행을 누가 하죠?
  Who'll be running the meeting this time?

기 타

- 오늘 회의 일정표 하나 주시겠어요?

Can I have a copy of the schedule for today's meeting?

• 내일 직원회의에서 무슨 얘기를 해야할지 모르겠어요.

I don't know what to say at the staff call tomorrow.

• 악천후 때문에 그 회의가 취소됐습니다.

The meeting was called off because of bad weather.

A: Will you be able to make the meeting?
B : No, I have another appointment.
A : 내일 회의에 참석할 수 있어요? [1)]
B : 아니오. 다른 약속이 있거든요.

• 미안하지만, 저는 회의에 참석하지 못할 거예요.

I'm sorry, but I won't be able to make it to the meeting. [2)]

• 저는 회의에 참석할 수 없습니다.

I can't get into the meeting.

A: Do you know why a meeting has been called on such a short notice?
B : I have no idea.
A : 왜 그렇게 갑자기 회의가 소집됐는지 아세요?
B : 모르겠는데요.

• 윽, 또 회의야? 죽겠구만〔골치 아프군〕!

Yuck, another meeting? What a pain!

A: Who should we send to the meeting in the headquarters?
B : Let's send Mr. Miller. He knows the subject best.
A : 본사회의에 누구를 보낼까요?
B : 밀러씨를 보냅시다. 그가 그 주제를 가장 잘 알고 있어요.

• 나는 내일 그를 그 회의에 참석케 할 예정입니다.

I'm going to have him participate in the meeting tomorrow.

회의 준비

• 모든 게 준비됐습니다.

Everything is ready〔all set〕.

• 그 방을 회의에 쓰게 준비해 두세요.

1) make the meeting : 회의에 오다〔참석하다〕
2) make it to ~ : ~에 참석하다〔도착하다〕

Make the room ready for the meeting.

- 회의에 의자가 몇 개나 필요하죠?
  How many chairs should we get for the conference?
- 여러 가지가 준비중에 있습니다.
  The preparations are under way. [3)]
- 당신은 준비를 철저히 하신 것 같군요.
  You sound very organized. [4)]
- 발표할 준비를 다 하셨습니까?
  Are you prepared for your presentation?
- 회의실이 너무 좁군요.
  The conference is too small.

A: Has Mr. Miller come yet? (밀러씨 아직 안 오셨어요?) B : No, he hasn't come yet. (네, 아직 안 오셨습니다.)

- 회의에 늦어서 미안합니다.
  I am sorry, I'm late for the meeting.

회의 진행

자료 분배 · 회수

- 그걸(회의 자료를) 나누어 주세요.
  Hand them out, please. / Pass〔Give〕 them out, please.
- 각 개인에게 한 부씩 드리세요.
  Give one copy to each person.
- 자료를 거둬 주세요.
  Collect them, please. / Gather them, please.

시 작

- 주목해 주십시오.
  May I have your attention, please? / Attention, please!
- 여러분, 자리에 모두 앉아 주십시오.
  Please take your seat, everybody.
- 이제 모두들 모였으니, 회의를 시작합시다.
  Now that everyone is here. We can start the meeting.
- 회의를 시작하겠습니다.
  I'd like to get things started.

3) under way : 진행중인; 항해중인
4) 회의 준비 등을 잘 계획한 사람에게 칭찬의 말로 할 수 있는 표현

I'd like to open the meeting now.

- 모두 오셨습니까? 회의를 시작할까요?
  Is everybody here? Can we begin the meeting now?
- 회의 목적에 부응하기 위해 최선을 다하겠으니, 여러분의 협조를 바랍니다.
  I'll do my very best to see that the goals of this session are met with cooperation from you all.
- 개회를 선언합니다.
  The chair calls convention to order. [5)]
  Let the convention〔meeting〕 be called to order.
- 그럼 회의를 시작하겠습니다.
  Now I call the session to order.

토 론

- 본론으로 들어갑시다.
  Let's get down to the business. [6)]
- 회의 안건은 다음과 같습니다.
  Here's what's on the agenda. [7)]
- 첫 번째 의제는 부진한 판매실적 결과입니다.
  The first thing on the agenda is our poor sales results.
- 그럼 대한항공측의 제안설명을 듣도록 하겠습니다.
  Now I'll have the KAL representatives explain their proposal.
- 밀러씨, 발언하세요.
  The Chair recognizes Mr. Miller. [8)]
- 또 발언할 대표 있습니까?
  Are there any other delegates seeking recognition?
- 다음 주제로 넘어갈까요?
  Shall we go on to the next item on the agenda?
- 자, 이제 불량품 문제로 넘어 갑시다.
  Now, let's move on the defective products problem. [9)]
- 교대로〔순서대로〕 얘기합시다.
  Let's speak in turn〔order〕.
- 바로 요점만 말씀드리겠습니다.
  I'll get right to the point.

---

5) convention : 집회; 대표자 대회; 연차〔정기〕 총회 / session : 회의, 회합
6) get down to business : 본론으로 들어가다
7) 차트나 슬라이드 등에 제시된 의제를 설명하면서
8) 직역 : 의장은 밀러씨를 알아본다.
9) come up with ~ : ~을 생각해 내다

- 그 건은 지난 번 회의 때 나왔어요.
  The matter came up at the last meeting.
- 이 문제를 해결할 수 있는 분이 계세요?
  Has anyone come up with a solution to this problem?
- 계속 진행하세요.
  Go ahead, please.
- 화제를 바꾸지 마세요.
  Don't change the subject.
- 다음은 누구 차례죠?
  Whose turn is it next? / Who's next?
- 당신 차례입니다.
  It's your time to go. / It's your turn. / You're up.
- 의장!
  Mr. Speaker!
- 지방 방송 끄세요.〔당신들끼리 떠들지 마세요〕
  Don't talk among yourselves.
- 이건 기록하지 마십시오.
  This is off the record. [10)]
- 발언할 기회를 주셔서 감사합니다.
  Thank you for the opportunity.

질 문

- 질문 있습니다. / 질문을 해도 될까요?
  I have a question. / Can I ask you a question?
- 또 다른 것 알고 싶은 것 있습니까? / 여기〔지금〕까지 질문 없으십니까?
  What else do you want to know? / Any questions so far?
- 제가 아는 건 그게 전부입니다.
  That's all I know about it.

❖ 질문 관련 세부 표현 : 질문과 답변(p. 75)

기 타

- 이런 토의는 무의미해요.
  This discussion is not doing any good.
  This discussion is meaningless.
- 이런 토의는 좀 무의미한 것 같아요.

10) off the record : (이것은) 비공식적인〔발표해서는 안 될〕 이야기다

I'm afraid this discussion is a bit pointless. [11)]

- 의장의 진행 솜씨가 서툴군요.
  The chairman is not very well organized.
- 이 회의는 참 따분〔지루〕하군요!〈속어〉
  This meeting is dragging on! [12)]
- 의자들을 이쪽으로 끌고 오세요.
  Pull up the chairs here, please.
- 제 자리 좀 만들어 주시겠어요?
  Could you please clear out a spot for me?
  Could you please make room for me?

의사 결정

제 안

- 제가 한 말씀드리겠습니다.
  I'll give a short address. / I'll say a few words.
  I'll tell you this.
- 한 가지 제안이 있습니다.
  I have a suggestion.

자신의 견해를 밝힐 때

- 저는 이렇게 생각합니다. / 저는 다른 의견을 가지고 있습니다.
  Here's what I think. / I have another idea.
- 제 견해는 다음과 같습니다. / 제 의견은 이렇습니다.
  The way I look at it is as follows. / My opinion is this.

상대의 견해를 물을 때

- 당신의 생각은 어떻습니까?
  What's your idea?
- 당신은 이 계획에 대해 어떻게 생각하십니까?
  What do you think of this plan?
- 여러분 모두 그의 제안에 찬성하십니까?
  Are you all in favor of his proposal?
- 당신은 누구 편입니까? / 당신은 그것에 찬성합니까, 반대합니까?

---

11) pointless : 무의미한; 뾰족한 끝이 없는, 무딘

12) drag : 끌다; (발 · 꼬리 등을) 질질 끌다; 질질 오래 끌리다/ drag on : 지루하게 계속하다, 질질 오래 끌다 / drag one's feet〔heels〕 = drag oneself along : 발을 질질 끌며 걷다; ((속어)) 일부러 늑장 부리다〔꾸물거리다〕 / drag one' s brains : 머리를 짜내다

Whose side are you on? / Are you for or against it?

- 이것에〔이 의견에〕 반대 의견을 가진 분은 안 계십니까?
  Do you have anything to say against this?
- 여기에 추가할 사항이 있습니까?
  Does anyone have anything else to add to this?

찬 성

- 동의합니다. / 당신 의견에 동의합니다.
  I agree with you. / I agree with〔to〕 your opinion. [13)]
- 저 역시 거기에 전적으로 찬성합니다.
  I'm all for it, too.
- 그 점에 대해서는 동의합니다.
  I agree with you on that point.
- 저도 그렇게 생각합니다. / 재청합니다〔지지합니다〕.
  I think so, too. / I second the motion. [14)]
- 우리는 그 대회규칙 개정을 동의합니다.
  We motion that convention rule be amended. [15)]

반 대

- 그 계획에 반대합니다. / 저는 당신 말에 동의하지 않습니다.
  I'm against the plan. / I don't agree with what you said.
- 당신 의견을 지지할 수 없습니다.
  I can't support your opinion.

표 결

- 표결에 붙이겠습니다.
  We'll take a vote on it. / We'll put it to the vote. [16)]
- 본 건에 대한 최종 결정은 다수결로 하겠습니다.
  Final decision on this matter will be made by majority.
- 찬성하는 분은 손을 들어 주십시오.
  All those in favor, raise your hands, please.

---

13) agree with ~(주로 사람 또는 일) = agree to ~(주로 일) : ~에 동의하다 / 'agree with' 가 가장 일반적으로 쓰인다.
14) motion : 운동, (기계의) 작동; (복수형) 동작, 활동, 몸짓, 손짓; 동의; 제의(의회 등) / second : (동의·결의에) 찬성하다, 재청(再請)하다
15) amend : (행실 등을) 고치다; (의안 등을) 수정하다
16) put ~ to the vote : ~을 표결에 붙이다 / put a question〔bill〕 to the vote : 문제〔의안〕을 표결에 붙이다 / spoiled vote : 무효 투표 / vote of confidence〔nonconfidence / censure〕 : 신임〔불신임〕 투표

Let those in favor show your hands.

- 반대하는 분은 손을 들어 주십시오.
  All those who object, raise your hands, please.
- 가부 동수인 경우, 의장이 결정합니다.
  In case of a tie, the president will decide the issue.
- 결론은 다음 회의에서 내리도록 하겠습니다.
  A conclusion will be reached at the next meeting.
- 이 동의안을 찬성하는 분들은 "예"라고 대답하시오.
  All those in favor of the motion, say "Aye". [17]
- 반대하는 분들은 "아니오"라고 대답하시오.
  All those oppose, say "Nay".
- 찬성 수가 많으므로 동의안이 통과되었습니다.
  The ayes have it
- 예산안은 95대 80으로 가결되었습니다.
  The budget was passed by 95 to 80.
- 이 제안에 찬성하는 분 없습니까? / 재청(再請) 있습니까?
  Who'll second the motion? / Is there a second?

❖ 의사 결정 관련 세부 표현 : 의견(p. 491) / 화술(p. 937)

휴 식

- 10분 쉬었다 합시다.
  Let's take a ten minute break.
  Let's take a break for ten minutes.
- 점심 먹고 합시다.
  Let's have a lunch break.

회의를 마치면서

- 오늘 회의는 이것으로 마치겠습니다.
  Today's meeting is over〔adjourned〕 now. [18]
- 함께 해 주셔서 감사합니다.
  We appreciate you being with us.
- 오늘 많은 것을 토의했습니다.
  We've talked about a great variety of things today.
  We've discussed many things today.
- 짧은 시간에 여러 가지 일들을 논의한 것 같습니다.
  I feel that we've covered a lot of ground in short time.

17) aye[아이] : yes의 고어(古語) / nay[네이] : no의 고어(古語), 문어(文語)
18) adjourn : 휴회〔산회 · 폐회〕하다

- 구체적인 사항은 다음 회의 때 검토하도록 하겠습니다.
  We'll get into the specifics at the next meeting
- 다음 회의 때까지 이 건에 대해 검토해 주시기 바랍니다.
  Please think over this matter before the next meeting. [19)]
- 회의가 끝난 후 커피가 나오겠습니다.
  Following the meeting, coffee will be served.
- 오늘은 산회할 것을 제안합니다.
  I suggest we adjourn for the day.
- 오늘은 많은 건을 처리했습니다.
  We've covered a lot of things today.
- 오늘은 생각했던 것보다 많은 것을 처리했습니다.
  We've got a lot more done that we thought.
- 나머지는 다음 회의에서 처리합시다.
  We can leave what's left for the next meeting.

회의 결과

> A: How did the meeting go? (회의가 어땠어요?))
> B : Everything worked out well. (모든 게 다 잘 됐어요.)

- 회의 결과가 어떻게 됐어요?
  How did the meeting turn out? [20)]
- 어제 회의에서 무슨 내용이 있었어요?
  What happened at the meeting yesterday?
- 그 회의에서 얻은 건 아무것도 없어요.
  We got nothing out of the meeting.
- 그 회의는 여느 때와 다름없이 지루했어요.
  The meeting was boring as usual.
- 누가 개회사를 했죠?
  Who gave the opening address? [21)]
- 아무런 결론도 내지 못했어요〔어떠한 결론에도 도달하지 못했어요〕.
  We haven't reached any conclusions.
- 결정된 것은 아무것도 없어요.
  We haven't decided anything.
  Nothing at all was decided at the meeting.
- 그 회의의 진행은 엉망이었어요.
  The conference was very badly organized.
- 회의는 대성공이었어요.

19) get into the specifics : 구체적인 사항의 검토로 들어가다
20) turn out : 결국 ~임이 드러나다, (결과) ~이 되다
21) opening address : 개회사 / closing address : 폐회사

The meeting was a great success.

• 생산적인 회의였어요.
That was a productive meeting.

• 60명이나 참석했었어요.
There were no fewer than sixty people present.

• 이사회에서 그 제안을 부결시켰어요.
The board of directors turned down the proposal.

• 협상이 결렬됐어요.
The negotiations broke down〔fell through〕. [22)]

• 회의는 예정된 시간보다 2시간이나 더 걸렸어요.
The meeting took two hours more than it was supposed to.

• 그 사람의 발표는 이해하기가 쉬웠어요.
His presentation was easy to follow.

• 그는 그 회의에서 망신을 당했어요.
He was humiliated at the meeting. [23)]

• 그는 한국을 대표해서 회의에 참석했어요.
He represented Korea at the conference.

• 말이 안 나왔어요.〈속어〉
I stuck my foot in my mouth. / I was tongue-tied. [24)]

활용어휘

• 개회사 : opening address
• 거수 투표 : voting by a show of hands
• 공개토론회 : forum [25)]
• 공동 관심사 : matters of mutual concern
• 과반수 : shoestring majority
• 만장일치 투표 : solid vote
• 미결 문제〔안건〕: open question
• 비밀 회의 : chamber council
• 실무진 : working group
• 전 회원 투표 : membership-wide vote
• 정기 총회 : regular general meeting
• 좌석표 : place card
• 창립 총회 : inaugural general meeting
• 특별위원회 : adhocracy〈속어〉
• 참가자 : participant
• 준비자 : organizer
• 결선 투표 : ballotage
• 기조 연설 : keynote address
• 공동 결의 : joint resolution
• 공동 선언 : joint declaration
• 다수결 원칙 : majority rule
• 무기명 비밀투표 : ballot
• 반대 투표자 : blackballer
• 실무 회의 : workshop
• 정족수 : quorum
• 정례회 : ordinary meeting
• 좌담회 : round-table talk
• 주관자 : superintendent
• 총회 : general meeting
• 폐회사 : closing address
• 발표자 : presenter
• 전시장 : exhibition room

22) negotiation : (종종 복수형) 교섭, 협상 / break down : (반항 · 교섭 · 계획 등이) 실패하다 / fall through : 실패로 끝나다, 수포로 돌아가다
23) humiliate : 굴욕감을 느끼게 하다, 창피를 주다, ~의 자존심을 상하게 하다
24) tongue-tied : (당황해서) 말문이 막힌; 말을 하지 않는; 혀가 짧은
25) 공개토론 참석자들 : panel of speakers / panelist

5 방문객을 맞이할 때

직장에서 자신을 찾아 온 외국인 내방객을 맞이하는 경우는 비서나 자신의 직원이 먼저 손님을 맞이하여 안내를 하는 경우가 있고, 자신이 직접 내방객을 맞이하는 두 가지 경우가 있을 수 있다. 비서가 손님을 맞이할 때는 먼저 **"Good morning."** 또는 **"Good afternoon."** 이라고 인사를 한 후 **"I'm Mr. Miller's secretary.**(저는 밀러씨의 비서입니다.)"라고 자기 소개를 한다. 안으로 모실 때는 **"Won't you go right in?**(들어가시죠.)"라고 말하고, 안내를 할 때는 **"I'll show the way. Would you come this way, please?**(제가 안내해 드리겠습니다. 이쪽으로 오시죠.)"라고 한다. 아래 대화는 약속된 방문객을 비서가 맞이하는 상황이다.

기 본 대 화

A : Good morning. Is this Mr. Nelson's office?
B : Yes, it is. Are you Mr. Son from ABC Company?
A : Yes, I am.
B : Hi, Mr. Son. We've been expecting you.
I'm Miss Wallace, Mr. Nelson's secretary.
I'll tell the president you're here.

A : 안녕하세요. 여기가 넬슨씨 사무실입니까?
B : 그런데요. ABC 회사에서 오신 손 선생님이신가요?
A : 네. 그렇습니다.
B : 안녕하세요, 손 선생님. 기다리고 있었습니다.
저는 넬슨씨의 비서인 월리스양입니다.
선생님께서 오셨다고 사장님께 말씀드리겠습니다.

비서실 손님맞이

기다리게 할 때

• 여기서 잠시 기다려 주시겠습니까?
Would you please wait for a moment?
Would you mind waiting for a moment?

• 여기에 앉으셔서 잠깐 기다리세요.
Please have a seat here and wait for a while.

• 당신이 오셨다고 그분에게 말씀드리겠습니다.
I'll let him know you're here. / I'll tell him you're here.

• 그분이 곧 나오실 겁니다.

He'll be out in a moment.
He'll be with you in a moment.

- 그분이 곧 오실 겁니다.
He'll be coming in a minute. / He'll be here soon.
- 아, 밀러씨가 저기 오십니다.
Oh, here comes Mr. Miller.

커피를 대접할 때

A: Would you like to have some coffee?
B : Yes, please.

A : 커피 좀 드시겠어요?
B : 네.

- 기다리시는 동안 커피 한 잔 하시겠습니까?
Would you like a cup of coffee while you're waiting?
- 차〔커피〕 여기 있습니다.
Here's your tea〔coffee〕.

약속되지 않은 방문객

A: Excuse me. May I see Mr. Nelson?
B : Let me see if he's available. Just a moment, please.
A: Well, may I have your name, please?
B : I'm Mr. Son from ABC Company.

A : 실례합니다. 넬슨씨를 뵐 수 있을까요?
B : 만나실 수 있는지 알아보겠습니다. 잠깐 기다리세요.
A : 그런데, 성함이 어떻게 되십니까?
B : ABC 회사에서 온 미스터 손입니다.

- 그분과 약속은 하셨습니까?
Do you have an appointment with him?
Did you make an appointment with him?

A: I don't have an appointment with him, but I really want to meet him.
B : Well, I can sandwich you in around three.

A : 그분과 약속은 안 했지만, 꼭 만나고 싶습니다.
B : 그럼, 3시쯤 시간을 내 드리겠습니다.

방문객의 신분 확인

- 성함이 어떻게 되십니까?
  May I have your name, please?
- 어느 회사에서 오셨습니까?
  What company are you from?
- 회사 이름이 어떻게 됩니까?
  May I have your company's name, please?
- 선생님의 명함을 주시겠습니까?
  May I have your business card, please?

면담 가능 여부 확인

- 그분이 시간이 있는지 알아보겠습니다.
  I'll see if he's free.
- 그분이 지금 당신을 만나실 수 있는지 확인해 보겠습니다.
  I'll check if he can meet with you now.

만날 형편이 아닐 때

- 미안합니다만, 그분은 지금 만날 형편이 못 됩니다.
  I' m sorry, but he's not available.
- 미안합니다만, 그분은 지금 무척 바쁘십니다.
  I' m sorry, but he's very busy right now.
- 그분은 지금 다른 손님과 함께 계십니다. / 그분은 다른 분과 계십니다.
  He has another visitor now. / He's with somebody.
- 그분은 곧 회의에 들어가셔야 합니다.
  He'll have to be in a meeting in a moment.
- 그분을 지금 만나실 수 없습니다.
  You can't see him now.
- 나중에 다시 와 주시겠습니까?
  Would you come back later?

부재중일 때

- 그분은 지금 안 계십니다. / 그분은 지금 외출중입니다.
  He's not in at the moment. / He's out at the moment.
- 그분은 지금 회의중입니다.
  He's in a meeting now.
- 지금 중요한 회의중입니다.
  We have a very important meeting at the moment.

A: He has just stepped out on urgent business.
B : Well, I don't mind waiting.
A : 그분이 급한 일로 잠깐 나가셨습니다.
B : 그럼, 기다리겠습니다.

- 그분은 조금 전에 회장실로 호출되어 갔습니다.
  He was called to the president's office a little while ago.
- 그분은 언제 돌아오실지 확실히는 모르겠습니다.
  I'm not sure when he'll be back.

용건을 물을 때

- 뭘 도와 드릴까요? / 무슨 일로 오셨습니까?
  May I help you? / What can I do for you?
- 실례지만 무슨 용건으로 오셨습니까?
  May I ask the nature of your business?
  May I ask what your business is?
- 누구를 만나시려는 거죠?
  Who would you like to see?

A: I'll check his whereabouts. [1)]
B : Don't bother yourself, Miss.
I just stopped by to say hello.
A : 그분의 행방을 알아보겠습니다.
B : 아가씨, 일부러 그럴 필요 없어요.
그저 잠깐 인사나 하러 들렀을 뿐이니까요.

상사에게 보고

- 그분 들어오시라고 할까요? / 제가 그분을 안내해서 들어가겠습니다.
  Shall I ask him in? / Let me show him in.
- 과장님, 김 선생님이 찾아 오셨습니다.
  Sir, here's Mr. Kim to see you.
- 어떤 젊은 여자 분이 찾아 오셨습니다.
  A young woman stopped by to see you.

방문객 안내

- 제가 안내해 드리겠습니다. / 저를 따라 오시겠어요?

---
1) whereabouts : 소재, 행방; 어디쯤에

I'll show you the way. / Will you come with me?

- 이쪽으로 오시죠.
  Would you come this way, please? / This way, please.
- 들어가셔도 됩니다.
  You may go right in.
- 굳이 노크를 하지 마세요. 그냥 곧바로 들어가세요.
  Don't bother to knock. Just go right in.

기 타

- 그분을 잘 모시세요.
  Unroll the carpet for him. [2)]
- 밀러라는 사람이 저를 찾으면, 그분을 저한테 안내해 주세요.
  If a Mr. Miller asks for me, please show him where I'm at.
- 누구세요? / 문 밖에 누가 왔어요. 제가 나가 볼까요?
  Who is it? [3)]/ There's the door. May I get that?
- 벨소리가 들리는데요. 가서 누군지 보세요.
  I hear the bell ring. Go and see who it is.
- 제가 문에 나가 볼까요?
  Shall I answer the door? [4)]/ Should I get the door?
- 초인종 소리가 났어요.
  There goes the bell! / There's the door bell ringing.

손님 접견

- 들어오시라고 하세요.
  Let him in.
- 안으로 들어오시죠. / 어서 들어오세요.
  Will you step inside? / Come right in, please.
- (오래) 기다리게 해서 죄송합니다.
  I'm sorry to have kept you waiting.

인사 나누기

A: Oh, Mr. Nelson, how have you been these days?

2) 직역 : 그분을 위해서 카펫을 펴라. → 극진한 손님을 모실 때는 카펫을 까는 데서 유래된 표현 / roll out the red carpet for sb : 아무를 정중하게 모시다〔준비하다〕
3) 사무실〔집〕 안에 있는 사람이 밖에서 노크하는 소리를 듣고 누구냐고 물을 때 / 전화에서는 옆 사람이 나한테 전화 왔다고 하면 내가 "(전화 건 사람이) 누구죠?"라고 물을 때 쓴다.
4) 문 밖에 누가 왔을 때

B : I've been fine, thank you. How about you, Mr. Son?
A: Great, too. Nice to meet you again.
B : Same here.
I'm sorry I'm late. The plane was delayed.
A : That's OK. Have a seat, please.
I' ll phone for some coffee.
B : Thank you.

A : 오, 넬슨씨 그동안 어떻게 지내셨습니까?
B : 덕분에 잘 지냈습니다. 당신은요, 손 선생님?
A : 저 역시 잘 지냈습니다. 다시 만나서 반갑습니다.
B : 동감입니다. 그런데 늦어서 미안합니다. 비행기가 연착됐거든요.
A : 별 말씀을. 앉으세요. 커피 좀 가져오라고 할게요.
B : 감사합니다.

- 안 오셔도 됐을 텐데. 바쁘신 분이.
  You didn't have to drop by. You have a busy schedule.
- 실은 잘 오셨습니다.
  Actually, I'm glad you come.
- 오기 전에 전화를 했어야 했는데요.
  I shouldn't called you before coming.
- 오늘 당신이 올 거라고는 예상 못 했어요.
  I wasn't expecting you today.

용 건

- 저한테 무슨 볼일이 있습니까?
  What do you want with me?
  What do you want me for?
- 무슨 일로 오셨습니까?
  What did you come for?

대화중 자리를 뜰 때

- 실례 좀 하겠습니다.
  May I be excused?
- 죄송합니다만, 11시에 다른 약속이 있습니다.
  I'm sorry, but I have another appointment at 11:00.

기 타

A: Did you have any trouble finding my office?
B : Not a bit.
A : 제 사무실을 찾는 데 힘들지 않으셨어요?
B : 조금도 힘들지 않았어요.

- 사무실에 표지판이 붙어 있지 않아서, 찾는 데 고생했어요.
  Since the office had no sign, I had a lot of trouble finding it.
- 마침 잘 오셨군요.
  You came [have come] at just the right moment.
- 마침 좋은 때에 오셨군요.
  You came [have come] just in time.
- 우리 사무실엔 처음이시죠.
  You haven't seen our office.
- 먼길을 오시느라 수고가 많으셨습니다.
  Thank you for taking the trouble to come all this distance.
- 한국에는 무슨 일로 오셨습니까?
  What brought [brings] you to Korea?

만나고 싶지 않을 때

- 그 사람 그냥 돌려보내세요.
  Just show him the door. [5]
- 그 사람 쫓아 버려!
  Away with him!

5) show sb the door : 아무를 문으로 안내하다; (화난 표정으로 말할 경우에는) 아무를 나가라고 하다, 집 밖으로 내쫓다

6 사무실을 방문할 때

외국인의 사무실을 방문하고자 할 때는 먼저 상대방의 사정을 물어서 사전에 약속을 해야 한다. 아무리 친한 사이라도 약속을 하지 않고 사무실에 불쑥 찾아 가는 것은 실례가 된다. 따라서, 방문 약속은 충분한 시간을 두고 여유 있게 하도록 한다. 비서와 약속을 할 때는 자신의 신분(이름, 회사명, 부서명, 직위 등)과 용건, 만나고자 하는 시간과 면회 소요시간 등을 분명하게 밝힌다. 그리고 관련 없는 사람을 동행하여 방문하는 것은 바람직하지 않지만, 동행자가 있을 경우에는 **"I'll call on you with my colleague, Mr. Miller."** 라고 사전에 알려 준다. 아래 대화는 비서를 통해서 방문 약속을 하는 상황이다.

기 본 대 화

A : Hughes Company. May I help you?
B : Yes. This is Mr. Park.
Is Dr. Miller available tomorrow?
A : Hold on, please. Let me check his calendar.
Oh, I see he has 30 minutes at 10:30 a.m.
B : Could I come at 10:30?
A : Sure. I'll put you down for that time.
B : Thank you.

A : 휴즈 회사입니다. 뭘 도와 드릴까요?
B : 네, 저는 미스터 박이라고 합니다.
밀러 박사께서 내일 시간이 있으신지요?
A : 잠깐 기다리세요. 그분의 스케줄을 확인해보겠습니다.
아, 그분이 오전 10시 30분에 30분 정도 시간이 있습니다.
B : 10:30에 들러도 되겠습니까?
A : 네, 그러세요. 그 시간에 선생님이 오시는 것으로 적어 놓겠습니다.
B : 감사합니다.

방문 약속

비서를 통해서 약속할 때

- 내일 10시에 밀러 박사님과 약속을 하고 싶습니다.
  I'd like to schedule an appointment with Dr. Miller.
- 그분의 스케줄이 꽉차 있으니, 반드시 제 시간에 오십시오.

He has a full schedule. So be sure to make it on time.

- 그분은 오후 내내 바쁠 것 같습니다.
  I'm afraid he's busy all afternoon.
- 그분이 다음에 약속 가능한 게 언제죠?
  When is his next available appointment?
- 그분이 아직 안 돌아오셨습니까? / 그분이 몇 시에 들어옵니까?
  Isn't he back yet? / What time will he be in?
- 그분이 지금 시간이 있는지 여쭤 봐 주시겠어요?
  Could you ask him if he's free now?
- 그분을 만나고 싶으면 지금 만나세요.
  If you want to see him, do it now.
- 그분은 앞으로 2주일 후면 돌아옵니다.
  He shall be back in another two weeks.
- 내일은 오후 내내 그분의 스케줄이 비어 있습니다.
  His schedule is open all afternoon tomorrow.
- 제가 내일 방문하겠다고 그분에게 일러주세요.
  Remind him that I'll come tomorrow.

상대와 직접 약속할 때

A: Hi, Mr. Miller! How are you?
B : Fine, thank you. And yourself?
A: Good. Listen, can I see you sometime today?
B : Well, today is not convenient.
Could you come over tomorrow at 5:00?
A: I'm afraid tomorrow's a bad day for me.
How about this Friday?
B : Okay. Well then, where shall we meet?
A: Any place that' s convenient for you will be all right.
You name the place.
B : How about the lobby lounge at our company?
A: OK. That'll fine.

A : 안녕하세요. 밀러씨. 어떻게 지내세요?
B : 덕분에 잘 지냅니다. 당신은 어떻게 지내세요?
A : 저도 잘 지냅니다. 다름이 아니라, 오늘 좀 만날 수 있을까요?
B : 음, 오늘은 좀 곤란한데요. 내일 5시에 이쪽으로 올 수 있으세요?
A : 내일은 제가 곤란한데요. 이번 주 금요일은 어떻습니까?
B : 좋습니다. 그러면, 어디에서 만나죠?
A : 당신에게 편리한 곳이면 저는 어디라도 좋습니다.

당신이 장소를 말씀해 보세요.
B : 우리 회사의 로비 휴게실이 어떻습니까?
A : 좋습니다. 그게 좋겠군요.

만날 형편이 안 될 때

- 오늘은 좀 안 좋군요.
  Today isn't good. / Today is not convenient.
  Today is a bad day.
- 오늘은 매우 바쁩니다. / 오늘은 불가능합니다.
  I'm tied up today. / Today's out of the question.
- 오늘은 시간이 없습니다.
  I don't have any time today.
- 오늘은 잠시도 자리를 비울 수가 없어요.
  I'm going to have to stick to my desk today.
- 근무 중에는 자리를 비울 수가 없어요.
  I can't get away today.
- 좀 더 일찍 연락을 주셨더라면, 제가 다른 약속을 안 했을텐데요.
  If you had contacted me earlier, I wouldn't have made another appointment.

방문 시간

- 몇 시쯤 오시겠습니까?
  When do you want to come?

A: When are you coming? (언제 오시겠습니까?)
B : I'll be there〔over〕 by 9. (9시 이전에 거기에 도착할게요.)

- 몇 시쯤 오시겠습니까? / 2시는 어떻습니까?
  When can I expect you? / How does two o'clock sound to you?
- 그분이 저를 몇 시에 오라고 하시던가요?
  What time does he want me to come?
- 언제까지 거기에 도착하면 됩니까?
  What time should I be there?
- 5분내에 내려갈게요.
  I'll be downstairs in five minutes.
- 제가 몇 시에 가면 좋을까요?
  What time would you like me to come?

- 지금 들러서 만나 뵐 수 있을까요?
  Could I drop over and see you now?
- 지금 올 거예요? / 지금 그쪽으로 찾아 가도 될까요?
  Are you coming now? / May I come over now?
- 그 시간이면 제 일정에도 잘 맞습니다.
  I can work that into my schedule just fine. [1)]
  That fits into my schedule.
- 그 시간이면 좋겠어요.
  That'll do.
- 제가 저녁에 도착하면 되겠어요?
  Would it suit you if I arrived in the evening?
- 아무때나 오세요.
  You are welcome at any time. / Come any time you please.
- 언제고 오시고 싶은 때 오세요.
  Please come any time you like.
- 언제라도 좋으니, 저한테 찾아 오세요.
  Come and see me, no matter when.
- 곧 갑니다.
  I'm coming right away.

방문하겠다고 할 때

- 들러서 잠깐 뵈도 될까요?
  May I drop in and see you for a moment?
- 내일 오전에 당신 사무실에 들르겠습니다.
  I'll drop by your office tomorrow morning? [2)]
- 여기서 곧장 그곳으로 가겠습니다.
  I'll come there straight from here? [3)]
- 원하시면 언제든지 당신 사무실로 찾아 가서 뵙겠습니다.
  I'd be happy to come down to your office anytime.
- 제가 몇 시에 들르면 가장 좋겠습니까?
  What's the best time to drop in?
- 언제든지 기꺼이 당신 사무실에 들르겠습니다.
  I'd be glad to drop by your office anytime.
- 원하신다면 언제든지 당신 사무실에 들를게요.
  Anytime (if) you need me, I'll drop by your office.

---

1) work ~ into ‥‥ : (노력을 통하여) ~을 ‥‥에 포함시키다
2) drop by = drop over = drop in = come by = come over = come down to = stop off at : (잠깐) 들르다
3) come straight = make a beeline(직선으로 날아가다) : 곧장 가다

- 제가 그쪽으로 갈까요? / 당장 그리로 갈게요, 괜찮죠?
  Can I come over? / I'll be right over, okay?
- 시간이 나게 되면, 당신 사무실에 들를게요.
  When I'm free, I'll drop by your office. [4)]
- 퇴근길에 당신 사무실에 들를게요.
  I'll stop by your office on my way home.
- 내일 당신을 방문하겠습니다.
  I'll call on you tomorrow.
- 내일 아침 일찍 거기로 갈게요.
  I'll be there bright and early tomorrow. [5)]
- 늦어도 3시까지는 그곳에 도착할게요.
  I'll be there by three o'clock at the latest. [6)]
- 가서 뵙겠습니다. / 다음 주 수요일에 찾아 뵙겠습니다.
  I'll come and see you. / I'll see you on next Wednesday.

기 타

- 6000번 빌딩까지 와서 위치를 물어 보세요.
  Go to building 6,000 and ask for directions.
- 혼자 찾아 오실 수 있겠습니까?
  Can you get here by yourself?
- 택시를 타고 삼각지까지 오셔서 전화하세요. 그러면 제가 모시러 가겠습니다.
  Please take a taxi to Samgakji and call me from there.
  Then I'll come to pick you up.
- 혼자서 제 사무실을 찾을 수 있겠어요?
  Can you find my office on your own?

❖ 약속 관련 추가 표현 : 약속을 정할 때(p. 470)

회사 정문에서

A: Hello. May I help you?
B : I'm here to visit Mr. Miller. He's expecting me.
A: Let me call him for you. Who should I say is calling?
B : Mr. Park. ("A" calls the Mr. Miller.)
A: Mr. Miller! You have a visitor, Mr. Park.

---

4) When I'm leisure = When the time allows = During my free time = as soon as I get a free time : 시간이 나는 대로
5) bright and early : 아침 일찍
6) at the latest : 늦어도

C: Tell him to stay right where he is.
I'll come down to meet him.
A: (To Mr. Park) He'll be right down.
Have a seat here, please.

A : 안녕하세요. 뭘 도와 드릴까요?
B : 밀러씨를 만나러 왔습니다. 그분이 저를 기다리고 있거든요.
A : 그분에게 전화를 걸어 보겠습니다. 누가 찾아 오셨다고 할까요?
B : 미스터 박입니다.("A"가 밀러씨에게 전화를 건다.)
A : 밀러씨! 박 선생이란 손님이 찾아 오셨습니다.
C : 거기에 계시라고 하세요. 금방 내려갈 테니까요.
A : (박 선생에게) 그분이 금방 내려오실 겁니다. 여기 앉으세요.

사무실의 위치를 찾을 때

A: Excuse me. Where is Mr. Miller's office?
B : It's on the fifth floor.

A : 실례합니다. 밀러씨의 사무실이 어디입니까?
B : 5층에 있습니다.

위치를 가르쳐 줄 때

- 복도 끝에 있습니다. / 여기서 4번째 방입니다.
  It's at the end of the hall. / It's the fourth door from here.
- 엘리베이터를 타고 11층으로 올라 가셔서 물어 보세요.
  Please take the elevator to eleventh floor, and ask someone.
- 복도를 따라 죽 가시면 우측에 514호실이 보일 겁니다.
  Go straight down the hall and you'll find it, room number 514 on your right.
- 계단을 이용하여 3층으로 올라가세요.
  Please walk up the stairs to the third floor.

안내를 해줄 때

- 제가 안내해 드리겠습니다. / 제가 모셔다 드리겠습니다.
  I'll show you the way. / I'll take you there.
- 이쪽으로 오시겠어요?
  Would you please come this way?
- 제가 그분 사무실로 안내해 드리겠습니다. 이쪽으로 오시죠.
  I'll show you to his office. This way, please.

비서실에서

A: Good afternoon. My name is Robert Johnson.
B : Good afternoon, Mr. Johnson. What can I do for you?
A: I have an appointment with Mr. Park.
B : Ah, yes. Mr. Johnson. Three thirty.
A: That's right. Sorry, I'm late.
B : That's all right. Will you follow me, please?
A: Thank you.

A : 안녕하세요. 제 이름은 로버트 존슨입니다.
B : 안녕하세요. 존슨씨. 무슨 일로 오셨습니까?
A : 박 선생님과 약속을 하고 왔습니다.
B : 아, 그래요. 존슨씨. 3시 30분이군요.
A : 맞습니다. 늦어서 미안합니다.
B : 천만에요. 저를 따라 오세요.
A : 감사합니다

약속된 시간

A: What time is your appointment?
B : I have an appointment at eleven o'clock.
A : 몇 시에 약속을 하셨습니까?
B : 11시에 약속을 하고 왔습니다.

- 2시에 그분과 약속이 되어 있어서 왔습니다.
  I'm here for a 2:00 appointment with him.
- 제가 늦지 않았는지 모르겠군요.
  I hope I'm not late.

용 건

- 밀러씨를 만나러 왔습니다.
  I'm here to see Mr. Miller. / I'd like to see Mr. Miller.
- 윌슨씨가 당신한테 가 보라고 했습니다.
  Mr. Wilson sent me to you.
- 회장님을 대신해서 제가 뵈러 왔습니다.
  I came here to see you in place of the president.
- 제가 여기에 왔었다고 전해 주세요.
  Please tell him I was here.

- 제가 왔다고 그분에게 알려 주시겠어요?
  Could you let him know I'm here?

인사 방문

A: Did you come over here just to say goodbye?
B : Yeah, I did. I hope I'm not disturbing you.
A: Not at all. I'm pleased you're here. Sit down, please.
B : Thank you.

A : 그저 인사하려고 여기까지 오셨어요?
B : 네, 방해가 안 되는지 모르겠군요.
A : 전혀 아니에요. 여기까지 와 주셔서 기쁩니다. 앉으세요.
B : 감사합니다.

- 지나가는 길에 그냥 들렀습니다.
  I was just passing by.
- 그냥 지나는 길에 인사나 하려고 들렀어요.
  I just want to peek my head in and say hello to you. 7)
- 당신이 오라고 해서 왔을 뿐입니다.
  I came just because you asked me to come.
- 당신을 만나서 이야기도 할 겸 해서 왔습니다.
  I have come with a double purpose of seeing you and talking with you.
- 여기 온 김에 인사나 드릴까 하고 들렀습니다.
  I happened to be here and I thought I'd drop by and say hello to you.
- 벌써 찾아 뵈어야 했었는데. (그러지 못해서 죄송합니다.)
  I should have called on you long ago.
- 찾아 뵐 틈이 없었습니다.
  I've had no time to call on you.
- 당신이 올 것 같은 예감이 들었어요.
  I had a hunch that you would come.
- 제 문제를 도와 달라고 이렇게 불쑥 찾아 왔습니다.
  I just barged in here ready to dump my problems right into your lap. 8)

---

7) peek one's head in : 지나가다 잠시 들르다
8) barge in : 난입하다, 침입하다 / dump one' s problem into sb' s lap : 자신의 문제를 아무의 무릎에 쏟아 놓다 → 문제 해결을 도와 달라고 요청하다

헤어지면서

A: I have to go now. It was nice talking.
B : The same for me, too. Have a good day.
A: Thank you.

A : 이만 가봐야겠습니다. 즐거운 대화였습니다.
B : 저도 마찬가지입니다. 즐거운 시간 보내세요.
A : 감사합니다.

- 뵙게 돼서 즐거웠습니다.
  It's been nice meeting.
- 즐거운 시간 보내세요. / 안녕히 계세요〔가세요〕.
  Have a good time. / Goodbye.
- 지나가는 기회가 있으면 한번 들르세요.
  When you happen to pass by, drop in and see us.
- 틈날 때 놀러 오세요.
  Come and see me when you have time.
- 우리 사무실에 한번 놀러 오세요.
  Come and look us up sometime.
  Drop〔stop〕 by〔in〕 my office sometime.
- 일간 다시 한번 들르겠습니다.
  I'll drop by one〔some〕 of these days again.
- 서울에 오시거든 저한테 들르세요.
  Look me up when you are in Seoul.
- 근처에 오시면 꼭 들러주세요.
  When you're in the neighborhood, please stop by to see me.
- 이곳에 오시게 되면 들르세요.
  If you are happen to come this way, please drop in.
- 나중에 커피 마시러 들르세요.
  Why don't you come over for coffee later?
- 다음에 시내에 오시면 저한테 들르세요.
  Come and see me next time you're in town.
- 이쪽으로 나오는 길이 있으면, 꼭 우리 사무실에 한번 들르세요.
  When you are out our way, be sure and look us up.
- 여기 오시는 기회가 있으면, 꼭 한번 들러 주세요.
  When you are in town again, be sure and look us up.

※ 헤어질 때 추가 표현 : 작별 인사(p. 731, 739, 751)

기 타

- 이크! 사무실을 잘못 들어왔군!
  Whoops! (I entered the) wrong room.
- 사무실에 아무도 없어요.
  Nobody is in the office.
- 그대로 계십시오〔하던 일을 계속 하세요〕.
  Don't disturb yourself. [9)]
- 직원의 안내를 받을 것
  ESCORT REQUIRED
- 허가 없이 출입을 금함
  OFF LIMITS TO UNAUTHORIZED PERSONS

명언 한 마디

Genius is nothing
but a great aptitude for patience.

천재란 인내에 대한 위대한 자질 이외에는 아무것도 아니다.

- George-Louis de Buffon(1707-1788) -

9) 다른 사람의 사무실 안에 들어갔을 때, 상대가 하던 일을 멈추고 일어서려고 할 때

7 기타(조퇴, 결근, 퇴근, 휴가)

이 절에서는 직장생활을 하면서 휴가를 얻고자 할 때, 급여 인상을 요구할 때, 결근이나 조퇴를 할 때, 퇴근을 할 때, 사직을 할 때, 야유회(picnic) 등 직장 업무와 직접 관계는 없지만 일상적으로 일어나는 일들에 대한 표현을 다루었다. 아래 대화는 상사에게 휴가를 부탁하는 상황이다.

기 본 대 화

A : I'd like to discuss something with you.
B : All right. What do you have in mind?
A : I'd like to take ten days leave starting next Monday.
B : Well, this is very short notice.
A : I'm sorry, sir. I suddenly have a chance to travel overseas with my wife.
B : Really? Well, who is going to take your place? [1)]
A : I didn't have much time to find someone to take my place.
B : Mr. Park, I know you always work very hard. It is short notice, but I'll give you ten days leave.
A : I appreciate it very much, sir.

A : 상의 드릴 게 있습니다.
B : 좋아, 무슨 얘기를 하려고 하는 거지?
A : 다음 주 월요일부터 10일간 휴가를 얻고 싶습니다.
B : 음, 이건 너무 갑작스런 통보잖아.
A : 죄송합니다. 갑자기 아내와 해외여행을 갈 기회가 생겼습니다.
B : 그래? 그런데, 누가 자네 일을 대신할 거지?
A : 시간이 없어서 제 대신 일할 사람을 찾지 못했습니다.
B : 미스터 박, 자네는 항상 열심히 일하는 걸 알고 있네. 갑작스런 통보이지만, 자네에게 10일 간의 휴가를 주겠네.
A : 정말 고맙습니다, 과장님.

1) take the place of sb : 아무를 대신하다, 대리하다

급여 인상을 요구할 때

- 급여를 올려 주셨으면 합니다.
  I'd like to ask for a raise.
- 언제 봉급을 올려주시겠습니까?
  When are you going to give me a raise?
- 우리 봉급은 언제 오릅니까?
  When do we get a raise?
- 월급을 올려 달라고 요구했다가 거절당했어요.
  I asked for a raise but got turned down.
- 내년 1월 1일부로 봉급을 올려주겠습니다.
  I'll give you a raise, as of January 1 next year.
- 노조가 20%의 임금인상을 요구하고 있어요.
  The labor union is demanding a 20% pay raise.
- 당신 급여를 주당 40달러로 올려 주겠소.
  I'll increase your wage to $40 a week.
- 월 2,000달러의 월급에 동의했어요.
  I agreed to a salary of $2,000 a month.
- 초과 근무수당만 준다면, 얼마든지 오랫동안 있겠습니다.
  I'll stay as long as you pay me overtime.

지각했을 때

A: I'm sorry. I'm late.
B : What's your excuse for being late?
A: I got up late. I missed the bus.
B : Try and watch it in the future.

A : 죄송합니다. 늦어서.
B : 늦은 이유가 뭔가?
A : 늦잠을 자서 버스를 놓쳤습니다.
B : 앞으로는 주의하게나.

- 왜 늦었는가?
  Why are you late?
- 이유가 뭔가?
  What's the reason?
- 지각하게 된 납득할 만한 이유를 말해 보게나.
  Give me a good reason why you're late.
- 출근이 늦어서 죄송합니다.

I'm sorry I'm late for work.

• 다시는 늦지 않겠습니다.
I won't be late again.

• 시계가 울리지 않는 바람에 8시가 되어서야 깼어요.
My alarm clock didn'go off and I didn't wake up until eight o'clock.

• 만일 또 다시 지각하면, 당신 월급에서 얼마를 공제하겠소.
If you come in late again, I'm afraid I'll take it out of your pay.

출근이 늦겠다고 통보할 때〈전화상으로〉

• 제가 늦을 것 같습니다.
I'm afraid I'll be coming in late.

• 저 10시쯤 출근하겠습니다.
I'll be in around ten o'clock.

기 타

• 휴! 아슬아슬하게 들어 왔군.
Whew! I'm just in time.

• 그는 늘 지각해요.
He's always behind time.
He's always coming late for work.

• 지각한 적은 없습니까?
Haven't you ever been late for work?

조퇴할 때

• 조퇴를 해야겠습니다.
I'd like to leave early.

• 지금 조퇴해도 될까요?
May I take the rest of the day off?

• 개인 사정으로 하루를 쉬어야겠습니다.
I'd like to take a day off for personal reasons. [2)]

2) 근무 등을 쉬고 싶을 때나 조퇴를 하고자 할 때는 "take〔have〕 ~〔시간 · 기간〕 off"의 표현을 활용한다. 예를 들면, "I'd like to take tomorrow off.(내일 쉬고 싶습니다.)", "May I have this afternoon off?(오늘 오후에 쉬어도 될까요?)" 식으로 표현한다.

결근할 때

A: I have a bad cold, so please excuse me from work today.
B : No problem. I hope you'll get well soon.
Take as much rest as you need.
A: Thank you for your deep concern.
I'll get back to work as soon as I can.

A : 독감이 걸려서, 오늘 결근을 해야겠습니다.
B : 괜찮네. 빨리 회복되길 바라겠네. 필요하면 얼마든지 쉬게나.
A : 걱정해 주셔서 감사합니다. 가능한 한 빨리 출근하겠습니다.

- 그는 무단결근을 했어요.
  He took a day off without notice.
- 그는 부득이 결석했어요.
  He was unavoidably absent.

A: Mr. Miller's been out for three days.
What's the problem?
B : He has a bad case of the flu.

A : 밀러씨가 삼일째 출근을 안 하고 있는데, 무슨 일이죠?
B : 아주 지독한 독감에 걸렸어요.

퇴근할 때

A: Is everything finished? (일 다 끝났어요?)
B : I think so. (그런 것 같아요.)
A: Let's call it a day, then. (그럼, 이만 퇴근합시다.)

- 하느님 감사합니다. 금요일입니다.
  Thank God it's Friday. [3)]
- 오늘은 그만 하시고 퇴근하는 게 어때요?
  Why don't you go home for the day?
- 5시군요, 퇴근시간입니다.
  It's 5:00, quitting time.
- 이만 끝냅시다!
  Let's finish up! / Let's wrap it up here!
- 저 지금 퇴근합니다.

3) 속어로 첫 글자(initial)를 따서 "TGIF!"라고 한다. 이 표현은 미국인들이 금요일 오후가 되면 주말 휴일이 시작되기 때문에 즐거움을 나타내는 표현으로 쓰인다.

I'm leaving for the day. / I'm taking off for the day.

• 오늘은 정각 5시에 퇴근을 해야겠어요.
I'll leave at exactly five o'clock.

A: Should I lock the door? (문을 잠글까요?)
B : Leave the door open. (열어 두세요.) [4]

• 언제 퇴근하십니까?
When do you get off?

• 벌써 퇴근하십니까?
Are you leaving already?

• 저는 아직 일을 못 끝냈어요.
I haven't finished my work yet.

• 아직은 도저히 퇴근할 수가 없어요.
I can't leave the office just yet. [5]

• 오늘은 꽤 일찍 퇴근하시는군요.
You're knocking off pretty early today. [6]

• 오늘은 일찍 퇴근해도 되겠습니까?
May I leave a little earlier than usual today?
Do you mind if I go home early today?
Can I be excused a little early today?

• 이 서류들을 캐비닛 속에 넣고 잠글까요?
Shall I lock up this papers in the cabinet?

야유회를 갈 때

A: We're planning an office picnic this Saturday.
Would you like to join us?
B : Yes, I'd be glad to.
A: Well, who is in charge of that?
B : Our manager.
A: Are we going to have John in with us on this plan?
B : No, we aren't. He's out.
A: How are we going to go?
B : We hired a bus.

A : 이번 주 토요일에 피크닉을 가려고 하는데, 함께 가시겠어요?

4) 의미상으로는 "Don' t lock the door.(문을 잠그지 마세요)"와 같은 뜻이다.
5) just yet : (부정어와 함께) 도저히 (~않다)
6) knock off : 퇴근하다

B : 네. 그러죠.
A : 그런데, 누가 주관하죠?
B : 과장님께서요.
A : 이 계획에 존도 함께 하는 거죠?
B : 아니오. 그는 빠질 거예요.
A : 어떻게 갈 거죠?
B : 버스 한 대를 빌렸어요.

• 우리와 동참하셔도 됩니다.
You welcome to join us.
• 우리끼리 갑시다.
Let us go by ourselves.
• 저도 같이 갈게요.
Let me go with you.

날 짜

A: Have you decided on a date for the picnic?
B : It'll be on May 17th.
A : 피크닉 날짜를 정하셨어요?
B : 5월 17일에 있을 겁니다.

• 그 계획은 보류되었어요.
The plan was on the shelf.
• 다른 사람들 형편에 맞게 계획을 세우세요.
You should fit your plans to suit others.

준비 품목

A: Do I need anything?
B : The first thing (you need) is a sleeping bag for you.
And, you (might) need an extra set of warm clothes.
A : 필요한 것이 있나요[준비해야 될 게 있나요]?
B : 우선 당신이 쓸 침낭이 필요하고,
그리고 여벌로 따뜻한 옷이 필요할 거예요.

• 편안한 신발을 가지고 오세요.
You should take a pair of comfortable shoes.

기 타

• 피크닉 때 재미있었어요?
Did you have fun at the picnic?

• 유쾌한 하루를 보냈어요.
We made a day of it.

휴 가

• 오늘은 제가 쉬는 날입니다.
Today's my day off. / This is my day off.

• 당신 오늘 쉬는 날이에요?
Is this your day off?

• 이번 여름에 휴가계획 있어요?
Are you taking vacation this summer?

• 제가 8월 10일부터 17일까지 자리를 비울 겁니다.
I'm away from August 10th to August 17th.

사직할 때

• 일을 제대로 하든지 사표 내든지 하시오.〈속어〉
Shape up or ship out!

• 회장직을 사임하겠습니다.
I'll bow out of the presidency. 7)

명언 한 마디

I don't think anybody yet has invented a pastime that's as much fun, or keeps you as young, as a good job.

나는 좋은 직장을 가지는 것 만큼 재미있고 젊음을 유지할 수 있는 오락을 아직 아무도 발명해 내지 못했다고 생각한다.

- Frederick Hudson Ecker -

7) bow out of ~ : ~을 사임하다, 사직하다

ENGLISH CONVERSATION DICTIONARY

CHAPTER 15

직장(Ⅱ) : 비즈니스

- 외국 손님 공항 마중
- 회사 안내 및 소개
- 상담과 계약
- 주문과 결제

Ⅰ 외국 손님 공항 마중

외국인과의 원활한 비즈니스(business)를 위해서는 우선 비즈니스 그 자체와 관련된 일들을 잘 처리해야 하겠지만, 그들을 맞이하는 자세 또한 대단히 중요하다. 방한(訪韓)하는 외국 손님을 공항에서부터 따뜻하게 영접했을 때 그들은 정말 고마워 할 것이다. 따라서 외국 손님이 오는 비행기편과 시간을 사전에 확인하여 공항으로 마중을 나가 영접을 하고, 또한 그들이 한국에 체류하는 동안 묵을 호텔을 잡아 두는 것은 비즈니스의 기본이다. 아래 대화는 공항에서 방한하는 외국 손님을 영접하는 상황이다.

기 본 대 화

A : Excuse me, but are you Mr. Shelton?
B : Yes, I am.
A : How do you do, Mr. Shelton?
I'm Mr. Park of the ABC Company.
B : How do you do, Mr. Park?
I'm glad to meet you.
A : The pleasure's mine.

A : 실례하지만, 쉘톤씨입니까?
B : 네, 그렇습니다.
A : 처음 뵙겠습니다. 쉘톤씨.
저는 ABC회사의 미스터 박입니다.
B : 처음 뵙겠습니다. 박 선생님. 만나서 반갑습니다.
A : 저 역시 만나 뵙게 돼서 반갑습니다.

공항에서

- 실례합니다만, 혹시 쉘톤씨 아닙니까?
  Excuse me, but would you perhaps be Mr. Shelton?
- 한국에 오신 것을 환영합니다, 쉘톤씨.
  Welcome to Korea, Mr. Shelton.
- 쉘톤씨이시죠?
  Mr. Shelton, I presume?
- 실례합니다. 쉘톤씨이시죠.
  Excuse me. You must be Mr. Shelton.
- 아, 쉘톤씨, 당신 만나기를 기다렸습니다.
  Oh, Mr. Shelton, I've been looking forward to meeting you.

Mr. Shelton, THE ELITE COMPANY WELCOMES YOU TO KOREA

(엘리트 회사는 쉘톤씨의 한국 방문을 환영합니다.)

– 환영 카드 –

여행 상태

A: How was your flight? (비행기 여행은 어땠습니까?)
B : Fine, but I'm a little tired. (좋았지만, 조금 피곤합니다.)

- 비행기 여행은 쾌적했습니까?
  Did you have a pleasant〔good〕 flight?
- 즐거웠습니다.
  It was pleasant.
- 아주 즐거운 여행이었습니다.
  I enjoyed it thoroughly.

짐을 운반할 때

A: Let me take your bag for you.
B : No, thank you. I can manage.

A : 가방을 제가 들어드리겠습니다.
B : 고맙지만 됐습니다. 제가 들수 있어요.

- 여행 가방을 제가 들어 드리겠습니다.
  Let me help with your suitcase. [1)]
- 짐꾼을 불러 드릴까요?
  Shall I have a porter help you? [2)]

호텔 예약 여부 확인

A: Did you make a hotel reservation for tonight?
B : Yes, I've booked (a room) in the Capital Hotel.

A: 오늘밤 묵을 호텔을 예약하셨습니까?
B : 네. 캐피털 호텔에 방을 예약해 두었습니다.

- 저희가 캐피털 호텔에 선생님 방을 준비해 두었습니다.
  We've arranged for your room at the Capital Hotel.

---

1) suitcase : 여행 가방(보통 옷 한 벌을 넣을 만한 크기)
2) porter : 운반인, 짐꾼(carrier); (철도역, 공항 등의) 포터, 구내 운반인(redcap)

차로 안내할 때

- 차를 대기 시켜 놓았습니다. 이쪽으로 오시죠.
  There's a car waiting for you.
- 제가 호텔까지 차로 모시겠습니다.
  Let me give you a ride to a hotel.
- 여기서 기다려 주십시오. 차를 가지고 오겠습니다.
  Please wait here. I'll (go) get my car.

차에 탑승할 때

- 뒷좌석에 타세요.
  Please get in the back.
- 짐을 트렁크에 넣어 드리겠습니다.
  Let me put your luggage in the trunk.

공항에서 호텔까지(차 안에서)

- 한국에는 처음 오시는 겁니까?
  Is this your first visit to Korea?

> A: How far is it to the Capital Hotel?
> B : It's about 4 miles.
> We'll get there in ten minutes or so.
>
> A : 캐피털 호텔까지는 얼마나 멉니까?
> B : 4마일 정도 됩니다. 10분쯤 후에는 그곳에 도착할 겁니다.

상대의 말을 이해하지 못했을 때

- 다시 말씀해 주시겠습니까?
  I beg your pardon? / Pardon me? / Say it again.
- 영어를 잘 못해서 그러는데, 좀 더 천천히 말씀해 주시겠습니까?
  I'm a beginner at English. Would you please speak a little more slowly?
- 무슨 말씀인지 이해를 못했습니다.
  I didn't catch what you said.

호텔에서

도착하다

- 다 왔습니다. 쉘튼씨.
  Here we are, Mr. Shelton.

- 여기가 캐피털 호텔입니다.
  This is the Capital Hotel.
- 호텔 로비에서 커피나 마시면서 잠시 쉬죠?
  Why don't we take a coffee break in the lobby?

호텔 로비에서

- 선생님을 위해서 준비해 둔 일정표입니다.
  Here's a schedule we've prepared for you.
- 저희 부서의 미스터 김이 돌봐 드릴 겁니다.
  Mr. Kim from our department will take care of you.
- 스케줄에 대해서 얘기 좀 나눌까요?
  Shall we discuss the schedule?
- 내일은 몇 시에 모시러 올까요?
  What time shall we come and get you tomorrow?
- 내일 오전 9시에 모시러 오겠습니다.
  We'll pick you up at 9:00 a.m. tomorrow.

❖ 호텔 방 안내 관련 표현 : 체크인(p. 382, 384)

호텔에서 헤어질 때

- 즐거운 시간 보내십시오.
  Have a nice time.
- 안녕히 주무십시오.
  Good night.
- 내일 뵙겠습니다.
  See you tomorrow.

❖ 추가 표현 : 작별 인사(p. 20, 816, 824, 838) / 헤어질 때(p. 10, 766, 837)

다음날 호텔에서 다시 만났을 때

A: Good morning, Mr. Shelton.
   Did you sleep well last night?
B : Yes, I slept very well.

A : 안녕하십니까, 쉘톤씨. 간밤에 잘 주무셨습니까?
B : 네, 아주 잘 잤습니다.

- 가실 준비는 되셨습니까?
  Are you ready to go?
- 로비에서 기다리고 있겠습니다. / 천천히 준비하세요.
  I'm expecting you in the lobby. / Take your time.

2 회사 안내 및 소개

외국인이 회사에 도착하면 "Welcome to our company, Mr. Shelton. (저희 회사 방문을 환영합니다, 쉘톤씨.)"라고 환영 인사를 하고 나서 회사 직원 및 담당자 등을 간단히 소개한다. 이어서 영화나 슬라이드를 통해서 혹은 구두로 회사에 관한 전반적인 소개를 하고, 회사 내부 시설 및 전시장(show room) 등을 견학하도록 안내한다.

※ 손님 안내시 추가 표현 : 방문객을 맞이할 때(p. 751)

기 본 대 화

A : Mr. Song, I know your company's one of the largest manufacturers of semiconductors in this country.
May I ask a bit more about your sales figures?
B : Sure. Go ahead.
A : What's your market share?
B : It was seventy-five percent last year.
On top of that, we hit a high in sales. [1]
Actually we've never had a year like that.
A : Oh, that's really something.

A : 송 선생님, 귀사는 이 나라에서 당신 회사가 가장 큰 반도체 제조업체라고 알고 있는데요.
판매 현황에 대해서 좀 더 물어 봐도 될까요?
B : 그래요. 어서 말씀하세요.
A : 귀사의 시장 점유율은 얼마나 됩니까?
B : 작년에 75%였습니다. 게다가 판매에서도 최고를 기록했어요.
사실 그런 해가 없었거든요.
A : 오, 정말 대단하군요.

회사 도착

- 다 왔습니다. 여기가 저희 본사입니다.
  Here we are. This is our head office.
- 저희 회사〔본사〕 방문을 환영합니다.
  Welcome to our company〔head office〕!

1) on (the) top of ～ : ～의 위〔상부〕에; ～에 더하여 / the top of a mountain : 산꼭대기 / the top of the market : 최고 가격

직원 소개

- 이 분은 저희 회사 박찬호 사장입니다.
  This is Mr. Chan-ho Park, our president.
- 저희 직원들을 소개하겠습니다.
  Let me introduce some company employees to you.
- 그가 그 일을 담당하고 있습니다.
  He's in charge of that business.
- 그는 이 분야에 많은 경험과 지식을 가지고 있습니다.
  He has a lot of experience and knowledge in this field.

※ 소개 관련 세부 표현 : 초면 인사(p. 5)

회사 소개

- 저희 회사에 관한 20분짜리 영화를 보여 드리겠습니다.
  We'll show you a 20 minute film about our company.
- 회사의 개요에 관한 팸플릿입니다.
  Here's a pamphlet which briefly describes our company. [2)]

회사의 역사

A: When was your company founded?
B : It was established in 1965.

A : 귀사는 언제 창립되었습니까?
B : 1965년에 설립되었습니다.

규 모

A: How big is your company?
B : It's tops in trading volume and profits.

A : 회사의 규모가 얼마나 됩니까?
B : 거래량과 수익성에서 최고입니다.

- 저희는 한국에서 가장 큰 신발 제조 회사입니다.
  We're the largest shoes manufacturer in Korea.

A: What's your market share?
B : We now have 45% of the market in semiconductors.

A : 시장 점유율이 얼마나 됩니까?
B : 현재 반도체 시장에서 45%를 점유하고 있습니다.

2) describe : 묘사하다, 말로 설명하다

지 점

A: How many branches do you have? [3]
B : We have a total of 55 branches.

A : 지점을 몇 개나 가지고 있습니까?
B : 총 55개를 가지고 있습니다.

- 미국과 일본에 20개의 지점을 가지고 있습니다.
  We have twenty branches in the U.S.A. and in Japan.
- 서비스센터는 몇 개나 가지고 있습니까?
  How many service centers do you have?

매출액 · 회사 능력

A: What's the total amount of your annual sales?
B : For the fiscal year 1996, it was $800 million dollars. [4]

A : 귀사의 연간 매출액은 얼마입니까?
B : 1996년도에는 8억 달러였습니다.

- 귀사의 판매망에 대해서 말씀해 주시겠습니까?
  Could you tell me about your sales network?
- 저희 회사는 작년에 연간 수출액이 100만 달러를 넘었습니다.
  Our company surpassed a million dollars in annual exports last year.
- 저희 회사는 판매 회사로서 평판이 좋습니다.
  Our company has a good reputation as a dealer.
- 저희 회사는 프린터 시장을 석권하고 있어요.
  Our company has cornered the printer market.
- 저희 회사는 내년에 신형 스포츠카로 시장에 뛰어들 계획입니다.
  Our company is entering the market with the new model of sports car next year.

A: What are your main objectives?
B : We want to target the younger market.

A : 당신들의 주 대상층은 누구입니까?
B : 우리는 더 젊은층을 시장목표로 하려고 합니다.

재정 · 투자

- 귀사의 재정 상태는 어떻습니까?
  How is the financial standing of your company?

3) branch : 지점, 지부; 부분, 분과; 지류, 지선; 가지
4) fiscal year : 회계 년도

- 귀사는 재무구조가 튼튼합니까?
  Is your company solvent?[5)]
- 자본 조달은 어떻게 합니까?
  How is this company capitalized?
- 귀사의 해외 투자는 어떻습니까?
  What is the foreign investment in your company?

취급 제품

A: What are your main products?
B : We produce all kinds of consumer electronics.

A : 주요 상품들은 무엇입니까?
B : 모든 종류의 가전 제품을 생산하고 있습니다.

- 저희는 가구를 전문으로 하고 있습니다.
  We specialize in furniture.[6)]
- 저희는 주방용품을 취급합니다.
  We handle kitchen appliances.
- 저희는 주로 자동차 부품을 판매하고 있습니다.
  We sell primarily automotive parts.
- 저희 회사는 작년에 최신형 노트북 컴퓨터를 시장에 내 놓았습니다.
  Our company came out with an up-to-the-minute notebook computer last year.

종업원

A: How many employees do you have in your company?
B : We have about 750 in all.[7)]

A : 귀사는 종업원이 몇 명입니까?
B : 총 750명 정도입니다.

주 식

A: When did your company go public?
B : We went public in 1985.

A : 귀사는 언제 공개했습니까?
B : 1985년에 공개했습니다.

5) solvent : 지불 능력이 있는; 용해력이 있는, 녹이는
6) specialize in ~ : ~을 전문으로 하다
7) in all : 전부 해서, 합계 …

시설 안내

- 안내해 드리겠습니다. 이쪽으로 오시죠.
  I'll show you around. This way, please.
- 공장을 안내해 드리겠습니다.
  I'll show you around the factory.
  I'll give you a tour of the plant.
- 작업 공정의 과정을 보여 드리겠습니다.
  I'd like to show you our operations in progress.

명언 한 마디

All good things which exist are the fruits of originality.

현존하는 모든 훌륭한 것들은 독창력의 결실이다.

- John Stuart Mill(1806~1873) -

3 상담과 계약

외국 바이어(buyer)와의 거래에서 가장 큰 비중을 차지하는 부분이 상담과 계약 체결이다. 따라서 상담 내용과 계약서를 사전에 작성해 두고 상대방의 예상 질문에 대한 답변 내용도 철저히 준비해 두는 것이 필요하다. 또한 자신의 의사 표현을 분명히 하고 상대방의 의견을 거절할 때는 자존심이 상하지 않도록 정중한 태도를 갖춰야 한다.

기 본 대 화

A : Mr. Cho, I understand your company puts out the best when it comes to microchips. [1)]

B : Thank you for saying so.
In fact, nobody beats us in this field.

A : That's great. We're interested in a technical tie-up with your company.

B : What type of arrangement do you have in mind?

A : We can discuss that in detail later on.
First of all, I'd like to see the latest model you developed.

B : Sure. Here's our brochure and sample of the item.

A : 조 선생님, 마이크로 칩에 관한 한 귀사가 최고의 제품을 만들어 내는 걸로 알고 있는데요.

B : 그렇게 말씀해 주시니 감사합니다.
사실, 이 부문에 있어서는 저희를 능가할 회사가 없습니다.

A : 대단하군요. 저희는 귀사와의 기술 제휴에 관심이 있습니다.

B : 어떤 종류의 협정을 구상하고 계신가요?

A : 그 문제는 나중에 자세히 논의를 하죠.
우선 귀사가 막 개발한 최신 모델을 보고 싶습니다.

B : 그러죠. 팸플릿과 견본이 여기 있습니다.

---

1) when it comes to ～ : ～에 관한 한

상담시 기본 표현

동 의

• 동감입니다. / 그 점에 대해서는 동의합니다.
I agree with you. / I'm in agreement up to that point.
• 원칙적으로는 동의합니다. / 좋은 생각입니다.
I agree with you in principle. / That's good idea.

반 대

• 죄송하지만, 당신 의견에는 동의하지 않습니다.
I'm sorry, but I don't agree with you.
• 저는 그렇게 생각하지 않습니다. / 저는 그것에 반대입니다.
I don't think so, / I'm against it.

수 락

• 당신의 제안을 받아 들이겠습니다.
I'd like to accept your proposal.
• 당신 제안을 기꺼이 받아 들이겠습니다.
I'd love to accept your proposal.

거 절

• 유감스럽지만, 그 제안을 받아들일 수 없습니다.
I'm afraid I can't accept the offer.
• 유감스럽지만, 이 거래에는 응할 수 없습니다.
I'm afraid I can't carry out this transaction for you. [2)]

상대의 견해를 물을 때

• 이 계약 조건에 대해서 어떻게 생각하십니까?
What do you think about the terms of this contract?
• 이 계획에 대해서 무슨 의견이 있으신지요?
Do you have any comments on this project?

추가적인 설명

• 좀 더 자세히 설명해 주시겠습니까?
Could you explain it in more detail?
• 좀 명쾌하게〔알기 쉽게〕 설명해 주시겠습니까?
Could you put it more clearly for me?

---

2) transaction : (보통 the와 함께) 처리, 취급; (종종 복수형) 업무, 거래, 매매

- 좀 더 구체적으로 말씀해 주시겠습니까?
  Could you be more specific? [3)]

결정권

- 저에게는 결정권이 없습니다.
  The decision is not mine.
- 이 건에 대해서는 저는 결정권이 없습니다.
  I don't have the authority to decide on this matter.
- 먼저 제 상사에게 물어보겠습니다.
  Let me have a word with my boss first.

❖ 의견 관련 추가 표현 : 의견(p. 491) / 회의(p. 740)

상담 시작

- 자, 시작하실까요? / 어디서부터 시작할까요?
  Now, shall we begin? / Where should we begin?
- 본론으로 들어갑시다.
  Why don't we get down to business? [4)]

제품 소개

신제품

- 저희 회사 신제품을 소개해 드리겠습니다.
  I'd like to introduce a new company product.
- 저희의 최신 제품을 보여 드리겠습니다.
  I'd like to show you our latest product.
- 저희가 신제품을 개발했는데, 보시겠습니까?
  We've developed a new product. Would you like to see it?
- 신제품을 보여 드리겠습니다.
  I'll show you a brand-new product.
- 이것이 저희 회사의 최신 제품입니다.
  This is our latest〔newest〕 product.
- 저희 제품도 시험 삼아 써 보시겠습니까?
  Would you like to try out our products, too?
- 저희 제품의 성능을 어떻게 생각하십니까?
  What do you think of the performance of our products?

---

3) specific : 분명히 나타난, 명확한; 구체적인; 특정한
4) get down to business : 일에 착수하다

- 요즘에는 이런 제품이 잘 팔립니다.
  Recently this kind of product has been selling well.

견본과 설명 책자

- 제품에 대한 시범을 봤으면 합니다.
  We'll need product demonstrations.
- 카탈로그를 보여 드릴까요?
  Would you like for me to show you our catalog?
- 견본을 볼 수 있을까요? / 팸플릿 여기 있습니다.
  Can I see some samples? / Here are our pamphlets.

제품의 우수성

- 저희 제품은 당신이 원하는 모든 특성을 다 갖추고 있습니다.
  Our product has all the features you need.
- 이 기계를 사용하시면, 1년 안에 본전을 찾을 겁니다.
  Using this machine you'll get your money's worth in a year.
- 이 제품은 같은 종류에서 가장 강력한 엔진을 장착하고 있습니다.
  This has the most powerful engine in its class.
- 이 제품은 다른 제품에 비해 조작이 용이합니다.
  Compared with other products, this product is easier to operate. [5)]
- 이 제품은 미국에서 수요가 많습니다.
  There's plenty of demand for this product in America.
- 이 제품은 벌써 많은 주문을 받았습니다.
  We've already had big demand for this product.
- 이 제품은 수요가 대단히 많습니다.
  This product is in a great demand.
- 이 제품은 에너지 사용 면에서 매우 절약적입니다.
  This product is very economical in its use of energy. [6)]
- 이 제품은 연료비를 대폭 절감해 줄 겁니다.
  This product will allow you to cut fuel costs drastically.
- 이 제품은 우리의 최신 기술을 상징합니다.
  This product represents our latest technology.
- 이 제품은 지금 사용하고 계시는 것보다 훨씬 더 작고, 편리합니다.
  This product is much smaller and more convenient than the one you're now using.

5) (as) compared with〔to〕 ~ : ~과 비교해서
6) economical : 경제적인, 절약이 되는(saving); 낭비하지 않고 검약을 중시하는 / thrifty : 돈이나 물건의 사용이 알뜰한 / frugal : 절약하는, 간소한, 소박한 ; 검소한((식사 등))

- 이 제품은 지금 사용하고 계시는 것의 모든 특징을 다 갖추고 있으면서도, 20% 쌉니다.
  This product contains all the features of the one you're now using, but it's 20% cheaper.
- 유지비 또한 상당히 싸게 먹힙니다.
  You can also save considerably on maintenance costs.
- 이 제품은 품질 면〔모든 면〕에서 최고입니다.
  This product is the best in quality〔in every respect〕.
- 이것은 최신 기술로 만든 제품입니다.
  This is a cutting edge product. [7)]
- 이것이 최근에 나온 소형차입니다.
  This is the compact car that came out recently. [8)]
- 이 제품을 사용하시면, 생산성을 50% 증대시켜 줄 겁니다.
  Using this product will give you a 50% increase in production.
- 이 제품을 자신 있게 권합니다.
  I strongly recommend this product.
- 이 제품의 가장 큰 특징은 고품질과 초소형이라는 점입니다.
  The most special feature of this product is that it's of very high quality and of very small size.
- 이 제품의 주요 장점 중의 하나는 에너지를 절약하도록 만들어진 겁니다.
  One of the major advantages of this product is that it's designed to conserve energy.
- 이 제품의 특징 중의 하나는 사용하기가 편리하다는 것입니다.
  One of the special features of this product is that it's convenient to use.
- 이 제품이 마음에 드실 겁니다.
  I think you will like this product.
- 이건 틀림없이 마음에 드실 겁니다.
  I'm sure you'll be pleased with this.
- 저희 제품은 국제 시장에서도 경쟁력을 갖고 있습니다.
  Our products are competitive in the international markets.
- 그 우유는 30대 이상의 여성들에게 좋은 반응을 얻고 있습니다.
  The milk is being received well by women over 30 years old.
- 저희 제품은 성능면에서는 최고입니다.
  Our product is the best as far as performance is concerned.

---

7) cutting edge : 최첨단, 최선두
8) compact car : 소형차

- 저희 제품은 품질 면에서 다른 외국 상품보다 뛰어납니다.
  Our products are better than those of foreign make in quality.
- 저희 제품은 지금 가지고 계신 것보다 많은 장점을 가지고 있습니다.
  Our product has many advantages over the one you now have. [9)]

사후 서비스

보증기간

A: How long is the warranty?
B : We'll give you a full warranty on this product for 3 years.

A : 보증 기간은 얼마나 됩니까?
B : 이 제품은 3년간 완전 보증이 됩니다.

- 이 제품은 3년간의 보증을 받을 수 있습니다.
  You can receive a 3 year guarantee with this product.
- 이 제품은 5년간 보증해 드립니다.
  We'll guarantee this product for 5 years. [10)]

서비스

A: How about the after service?
B : Regardless of the cause of the trouble, repairs are guaranteed within 3 days.

A : 사후 서비스는 어떻게 하고 있습니까?
B : 고장 원인에 관계없이, 3일 이내 수리를 보장합니다.

- 무슨 문제가 발생하면, 신속하게 처리해 드리겠습니다.
  If any trouble arises, we'll take care of it promptly.
- 보증 기간 내의 모든 수리는 무료입니다.
  Within the warranty period, all repairs are free.
- 보증기간 중의 모든 서비스는 무료입니다.
  There's no charge for all services during the warranty period.
- 저희는 완벽한 서비스를 제공하고 있습니다.
  We provide full〔after-sales〕service.

9) 여기서 over는 'more than' 의 의미를 갖는다.
10) guarantee = warranty : 보증, 보증서

• 저희는 서비스에 만전을 기하고 있습니다.
You can count on us for complete maintenance service.

가격 협상

• 당신과〔당신회사와〕 거래하고 싶습니다.
I want your business.
• 저희의 거래 조건에 대해서 설명 드리겠습니다.
Let me explain our terms and conditions of business.
• 최대한 좋은 조건으로 해 드리겠습니다.
We'll offer you the best possible terms.
• 그 사람들이 얼마를 내겠다고 하든, 난 1만 달러를 더 내겠소.
Whatever they're paying, I'll pay 10,000 more dollars.

가격을 물을 때

A: What's the price? (가격이 어떻게 됩니까?)
B : It's $150 per unit. (한 개당 150달러입니다.)

• 가격은 주문량에 따라 다릅니다.
The price depends on the quantity of your order.

할인 요구

A: That's too high.
Could you give me a little more discount?
B : I'm afraid we cannot make any further discount.

A : 너무 비싸군요. 조금만 할인해 주시겠습니까?
B : 죄송합니다만, 더 이상 할인은 곤란합니다.

• 가격을 좀 낮춰 주시겠습니까? / 한 개에 140달러가 어떻겠습니까?
Could you lower the price? / How about $140 per unit?
• 110달러 이상은 지불할 수 없습니다.
We can't go any higher than $110.
• 어떻게 좀 안 될까요?
Couldn't something be worked out?

할인 수락

• 대량 구매를 하시면 할인해 드립니다.
We can give you a discount on a volume purchase.
• 5%를 할인해 드리겠습니다.
We'll make a five percent discount.

- 개당 10달러까지 할인해 드릴 수 있습니다.
  We can bring the price down to $10 per unit.

할인 거부

- 가격은 더 이상 타협할 여지가 없습니다.
  There is no room to negotiate the price.
- 저희 가격은 타 회사에 비해 5%나 쌉니다.
  Our price is 5% lower than that of other makers.
- 안 됩니다. 지금 저희 회사는 적자를 보고 있습니다.
  No way. We're losing money as it is.
- 원가로 드리는 겁니다. / 110달러가 저희가 드릴 수 있는 한계입니다.
  We're selling at cost. / $110 is our best offer.
- 현 상황에서는 이것이 저희가 제시할 수 있는 최선의 가격입니다.
  I'm afraid that these are the best price that we can give you at present.
- 저희보다 싼 가격으로 해 주는 데는 없을 겁니다.
  You cannot find another company who will give you cheaper prices than ours.

기 타

- 가격에 대해선 의견의 일치를 봤군요. / 가격은 언제든지 협상할 수 있습니다.
  We're in agreement on price. / Prices are always negotiable.

지불 조건

A: What are the terms of payment?
B: We ask for a 20% down payment.
The remaining balance is to be divided in 36 equal payments to be made monthly.

A : 지불 조건은 어떻게 됩니까?
B : 먼저 20% 계약금을 지불하시고, 잔금은 36개월 분할로 지불하시면 됩니다.

- 지불 조건은 어떻게 됩니까?
  What are your terms? [11]
  What kind of payment terms can you offer?
- 지불 조건에 불만이 있습니다.
  We're not happy with the terms of the payment.

11) 제품을 구입하려고 하는 사람(buyer)과 대금 지불방법을 묻는 표현

• 이건 어떻게 지불하면 됩니까?
How is this to be paid for?

A: When are payments due?
B : We'll send invoices at the end of each month, and you should remit that payment before the end of the following month. [12)]

A : 지불 날짜는 어떻게 됩니까?
B : 매월 말일까지 청구서를 보내 드릴 테니, 그 다음 달 말일 전에 송금하셔야 합니다.

• 대금 지불은 송장 일자로부터 3개월 이내로 해 주십시오.
Payment is due within 3 months of the invoice date.
• 지불은 얼마나 빨리 하실 수 있습니까?
How soon can you arrange for payment?

계약 단계

• 계약에 대해서 얘기를 나눕시다.
Let's talk about the contract.
• 계약에 관한 세부사항을 의논하고 싶습니다.
I'd like to discuss the details of the contract.
• 계약 초안을 작성합시다.
Shall we draw up a draft of the contract?
• 저희가 준비한 계약 초안입니다. 검토해 보십시오.
Here is our draft of the contract. Please review it.

내용 검토 및 수정

• 계약 연장에 관한 조항을 삽입하고 싶습니다.
We'd like to insert an article extending this agreement.
• 계약서에 계약해제 조건도 넣고 싶습니다.
We'd like to write the conditions for terminating this agreement into the contract.
• 그렇게 심도 있게 검토해 주셔서 감사합니다.
Thank you for doing such an in-depth study. [13)]
• 이 조항을 다시 한번 검토해 주시겠습니까?
Could you think over this clause again? [14)]

12) remit : (죄를) 용서하다; (빚 · 형벌을) 면제〔경감〕하다; 송금〔송달〕하다; 인도〔양도〕하다
13) in-depth : 면밀한, 상세한, 철저한
14) clause : ((문법)) 절; 〈조약 · 법률〉 조항, 조목 / clause by clause : 한 조목 한 조목씩 / penalty clause : 벌칙 (조항) / saving clause : 유보 조항, 단서

- 이 조항에 대해 좀 더 논의를 하고 싶습니다.
  We'd like to talk about this clause a little more.
- 계약서에 마음에 안 드신 점이 있습니까?
  Are there any points that you're not satisfied with?
- 아직 동의할 수 없는 점이 두세 가지 있습니다.
  There are a couple of points that we haven't settled on yet. [15)]
- 아직 합의가 안된 점이 뭐죠?
  Which points do we still differ on?
- 어느 일방이 이 계약을 해제하고 싶을 때는 어떻게 하죠?
  What should we do if one party desires to terminate this contract?

계약 체결일자

- 계약서에 서명이 언제 이뤄질 거죠?
  When will the contract be ready to sign?
- 계약에 관한 논의는 언제 만나서 하죠?
  When can we meet to discuss the contract?
- 신속한 답변을 주셨으면 고맙겠습니다.
  We'd appreciate your quick response.

계약 유보

- 검토해 볼 시간을 충분히 주십시오.
  Please allow me enough time to examine it.
- 그런 조건이라면, 받아들일 수 있습니다.
  Under those term, we can accept it.
- 그럼 이 조건이라면 받아들일 수 있습니까?
  Are these terms acceptable to you now?
- 언제쯤 결정을 들을 수 있겠습니까?
  When can we look forward to your decision?
- 이 건에 대해 가능한 한 빨리 답변을 주셨으면 합니다.
  We'd appreciate your answer on this as soon as possible.

계약 체결

- 모든 점에서 합의를 봤군요. / 이 계약서에 서명을 하세요.
  We're in agreement on all points. / Please sign this contract.
- 저희는 계약 조건에 전적으로 만족합니다.
  We're completely satisfied with the terms of the contract.

15) settle on〔upon〕 ~ : ~을 결정하다

- 저희와 거래해 주셔서 감사합니다.
  Thank you for your business with us. [16)]
- 거래가 성공적으로 끝나서 정말 기쁩니다.
  I'm very happy that our business turned out to be successful.
- 협조와 배려에 감사드립니다.
  Thank you for your cooperation and consideration.

기 타

- 1개월 전에 통보해 주시면, 계약은 해제될 수 있습니다.
  With one month's notice the contract can be canceled.
- 계약 기간은 얼마로 할까요?
  How long shall we make the contract for?

명언 한 마디

I want to be the white man's brother,
not his brother-in-law.

나는 백인의 의형제가 아니라 친형제가 되고 싶다.

\- Martin Luther King Jr. -

16) business with sb : 아무와의 거래

4 주문과 결제

외국 바이어(buyer)와 계약을 체결한 후 또는 계약을 체결하지 않은 경우라도 외국인과 비즈니스를 하는데 있어서 제품의 주문(order), 재고(stock) 확인, 선적(shipment), 손해배상 요구(claim), 결제(payment) 등에 필요한 기본적인 영어 표현은 반드시 익혀 두어야 한다. 그렇지 않을 경우 외국 바이어로부터 비즈니스에 대한 전화를 받았을 때 당황스러울 수밖에 없을 것이다. 아래 상황은 외국 바이어로부터 물품을 주문받는 상황이다.

기 본 대 화

A : We'd like to order one of your products.
B : What's the order number?
A : Do you have No. 15?
B : Yes, we have a large stock of the goods. [1]
How about the quantity?
A : We need 5,000.
B : I'm afraid we have only 3,500 of the items in stock.

A : 귀사의 제품을 주문하고 싶습니다.
B : 주문 번호가 어떻게 됩니까?
A : No. 15 있습니까?
B : 네, 그 상품의 재고는 많습니다.
주문량은 얼마나 하시겠습니까?
A : 5,000개가 필요합니다.
B : 미안하지만, 그 상품 재고가 3,500개밖에 없습니다.

주 문

재고량

• 그 상품은 재고가 없습니다.
We're out of stock on the items.
We've got no inventory of that at present.

1) stock : 저장, 비축; 축적; 재고품; (집합적) 가축; 주식; (나무) 줄기 / have〔keep〕 in stock : 재고품이 있다 / out of stock : 매진된, 품절된 / take stock : 재고 조사를 하다
2) inventory : (상품, 재산 등의) 목록, 재고품 목록; 재고품; 재고 조사 / take〔make〕 (an) inventory of ~ : ~의 목록을 작성하다, (재고품 등을) 조사하다

• 재고를 확인해 보겠습니다.
I'll check our stock.

• 그 모델은 더 이상 생산하지 않습니다.
We don't produce the model any longer.

• 현재는 그 주문에 응할 수가 없군요.
I can't fill that order at this time. [2)]

입하 시기

A: How soon will you have a new supply?
B : We expect it to come in around July 13th.

A : 언제쯤 새로 물건을 받습니까?
B : 7월 13일경에 들어올 것 같습니다.

• 이 달 말까지는 새로 공급받을 수 있습니다.
We can get a new supply before the end of this month.

인도 시기

A: When will you be able to deliver my orders? [3)]
B : We'll be able to deliver them in a week.

A : 저의 주문품을 언제 인도하실 수 있습니까?
B : 1주일이면 보내 드릴 수 있습니다.

• 저희가 언제쯤 납품을 받을 수 있을까요?
When can we expect the delivery?

• 언제 배달이 오죠?
When do deliveries come in?

• 우리는 보통 주문을 받은 지 일주일만에 주문품을 보내 드립니다.
We usually fill and ship an order within one week. [4)]

• 이번 주말까지는 배달될 걸로 생각하시면 됩니다.
You can expect it by the end of this week.
You should expect delivery by the end of this week.

• 주문 후에 물품이 도착하는 데는 얼마나 걸립니까?
How long will it take for merchandise to arrive after an order has been placed.

• 제품 인도는 주문 후 1개월이 걸립니다.
Delivery takes a month after we receive your order.

---

2) fill an order : 주문에 응하다
3) deliver : 배달하다, 인도하다, 넘겨주다
4) fill and ship an order : 주문에 응한 후 물건을 보내다

주문 변경

A: I'd like to change my order.
B : What kind of change would you like?
A: I'd like to order No. 12 instead of No. 15.
B : I'm afraid they've been sent already.

A : 주문을 변경하고 싶습니다.
B : 어떻게 변경하고 싶으세요?
A : No. 15 대신에 No. 12를 주문하고 싶습니다.
B : 죄송합니다. 이미 발송이 됐습니다.

클레임

물품 도착 지연

A: I'm calling about the order we placed a month ago. It hasn't arrived yet.
B : We're sorry. I'll check on it and call you back.

A : 한 달 전에 주문한 물품이 아직 도착하지 않아서 전화를 드렸습니다.
B : 죄송합니다. 확인해 보고 다시 전화 드리겠습니다.

- 선적 일자를 확인해 주시겠습니까?
  Would you confirm the shipment date? 5)
- 그 물품들은 7월 13일에 선적됐습니다.
  They were shipped on July 13th.
- 그 물품들은 7월 13일경에 도착할 겁니다.
  They're due to arrive there around July 13th.
- 7월 13일경 발송될 예정입니다.
  They're scheduled to be sent on July 13th.
- 납품이 2주 정도 늦어질 것 같습니다.
  I'm afraid there's going to be a two week delay.
- 선적하는 데 문제가 좀 생겼습니다.
  We've had some problems arranging shipment.

물품 파손

A: The ordered goods were damaged on arrival.
B : We're sorry. How much was damaged?

5) shipment : 선적, 수송, 발송; 선적량 / a port of shipment : 선적항

A: About 50% (of the items were damaged).
B : Could you please send back the damaged goods to us?

A : 주문품이 도착했을 때 파손되어 있었습니다.
B : 죄송합니다. 얼마나 파손됐습니까?
A : 절반 정도가 파손됐습니다.
B : 파손품을 반송해 주시겠습니까?

품질 불량

- 보내신 물건이 견본에 비해 못합니다.
  The goods you sent us are inferior to the sample.
- 상품에 결함이 많더군요.
  We found that the goods have a lot of defects.
- 상품 중에 5% 정도가 불량품입니다.
  About 5% of the items are defective. [6)]
- 귀측에서 주문하신 상품을 보냈습니다.
  We sent the articles that you ordered.

수량 부족

- 주문량보다 수량이 200개가 부족합니다.
  We're 200 units short of my orders.

주문품 착오

A: We received what we didn't order.
B : We're terribly sorry.
We sent the wrong articles by mistake.
We'll send you the correct goods right away.

A : 주문한 물건이 아닌 것을 받았습니다.
B : 대단히 죄송합니다. 실수로 다른 물건을 보냈습니다.
정확한 상품을 즉시 보내 드리겠습니다.

손해배상 협상

- 배상 청구서를 보내겠습니다.
  We'll send you our claim note. [7)]

6) defective : 결함이 있는, 불완전한; 심신 장애자, (특히) 정신 장애자
7) claim : 요구〔청구〕하다 / claim damages : 손해배상을 요구하다 / put〔send〕 in a claim for ~ : ~에 대한 청구권을 제출하다 / stake one's〔out a〕 claim on〔to〕 ~ : ~에 대한 소유권을 주장하다 / lay〔make〕 claim to ~ : ~에 대한 권리〔소유권〕을 주장하다

- 배상청구를 받아들일 수 없습니다.
  We can't accept your claim.
- 저희는 거기에 대한 책임이 없습니다.
  We're not responsible for that. [8)]
- 손해 배상을 해 드리겠습니다.
  We'll compensate for the damage〔loss〕. [9)]

기 타

- 물건에 서명하기 전에 수량을 세어 보세요.
  Count the quantity before signing for shipment.
- 배달을 받으셨다는 서명을 해 주셔야 합니다.
  I need you to sign for this delivery.
- 서명하기 전에 반드시 파손 여부에 관한 모든 걸 확인하세요.
  Be sure to check everything for damage before signing for it.

결 제

신용장 개설

- 가능한 한 빨리 신용장을 개설해 주셨으면 합니다.
  I'd like you to open a letter of credit as soon as possible.
- 다음 주말까지 신용장을 우편으로 보내겠습니다.
  I'll mail the letter of credit to you by next weekend.

결제 요구

- 결제 마감일이 7월 13일입니다.
  The deadline for settlement is July 13th.
- 지불 기한이 20일이나 지났습니다.
  Your account is already 20 days overdue.
- 7월 13일까지 수표를 보내 주셨으면 합니다.
  I'd like you to send your check by July 13th.
- 이 달 말까지는 결제해 드리겠습니다.
  We'll settle our account before the end of the month.
- 곧 지불해 드리겠습니다.
  We'll pay soon.

---
8) be responsible for ～ : ～에 대하여 책임이 있다
9) compensate for ～ : ～에 대하여 갚다, 보상〔배상〕하다

활용어휘

- 최고의 고객 : biggest〔best〕customer
- 대차대조표 : balance sheet
- 손익 계산서 : income statement
- 이월 잔액 : the balance carried over
- 주문 조달 절차 : order fulfillment process
- 재무제표 : financial statement
- 하도급 계약자 : subcontractor
- 회계 고문 : accounting consultant
- 회전 자금 : revolving fund〔capital〕
- 불량품 : reject
- 계약서 : contract note
- 모회사 : parent company
- 손익분기점 : break-even point
- 이월 재고량 : carryover stocks
- 주문서 : order form
- 지불 계정 : accounts payable
- 현지 조사 결과 : survey results
- 회계 장부 : accounting book
- 송장〔보낸 물품 목록〕: invoice
- 판매량 : sales figure

명언 한 마디

To choose time is to save time.

시간을 선택하는 것은 시간을 절약하는 것이다.

- Francis Bacon(1561~1626) -

명언 한 마디

Here men from the planet Earth first set foot upon the moon, july 1969 AD. We came in peace for all mankind.

1969년 7월, 이제 지구에서 온 인간이 최초로 달에 발을 디디노라.
우리는 인류를 대신하여 평화로이 왔노라.

- 최초로 달 표면을 걸어다닌 우주조종사 Neil A. Armstrong(1930~)과
Edwin E. Aldrin(1930~)이 달 표면에 세운 현판 -

ENGLISH CONVERSATION DICTIONARY

CHAPTER 16

초대와 방문

- 자가 초대
- 미국인 가정 방문
- 파티

I 자가 초대

미국인과 어느 정도 친분이 생기면 가정에 초대(invitation)하는 경우가 생긴다. 미국인은 자신을 가정에 초대해 주는 것에 대해 자신을 크게 배려해 주는 것으로 생각하여 매우 영광스럽게 여긴다. 따라서, 미국인과 보다 두터운 친분관계를 쌓기 위해서는 자가 초대가 필수적인 과정이라고 할 수 있다. 초대를 할 때 격식을 갖춰서(formal) 표현할 때는 "I'd like to invite you to my house.(저희 집에 초대를 하고 싶습니다.)" 또는 "I'm wondering if you'd like to go to my place.(저희 집에 가실 수 있으신지요.)"라고 말한다.

기본대화

A : Mr. Killion, are you free this Friday evening?
B : Let me see. What's on your mind?
A : I'd like to invite you to my house for dinner.
B : Sounds good. I'd love to.

A : 킬리언씨, 이번 주 금요일 저녁에 시간 있으세요?
B : 글쎄요. 그런데 무엇 때문에 그러시죠?
A : 저희 집 저녁 식사에 초대하고 싶습니다.
B : 그거 좋군요. 기꺼이 가겠습니다.

초대 제의

상대의 형편을 물을 때

- 이번 주 금요일 오후에 시간 있으세요?
  Are you free this Friday afternoon?
- 이번 주 금요일 저녁에 특별한 계획이 있으세요?
  Do you have any schedule for this Friday evening?
- 언제가 좋으십니까?
  When is a convenient time for you? [1)]
- 내일 저녁에 특별한 계획이 있으세요?
  Do you have any special plans for tomorrow evening?

❈ 약속 관련 추가 표현 : 약속(p. 419, 533)

1) convenient : 편리한; ((구어)) 손쉬운; 간편한; (물건 · 시간 따위가 …에) 형편 좋은 / make it convenient to + 동사원형 : 형편을 보아 ~하다

초대 제의

- 이번 주 금요일에 저희 가족과 함께 식사나 하시죠?
  Would you like to come to have dinner with my family this Friday?
- 이번 주 금요일에 저희 집에 오셔서 저녁 식사나 하시죠?
  Could you come over to my place for dinner this Friday?
- 오늘 저녁 저희 집에 오셔서 술 좀 드시겠어요?
  Would you like to come to my place for some drinks tonight?
- 제 초청을 받아 주시겠습니까?
  Would you care to be my guest?

집들이 초대

A: Would you like to come to my house tonight?
We're having a housewarming party. [2)]
B : I'd be honored to. Thank you.

A : 오늘 저희 집에 오시겠습니까? 집들이를 하거든요.
B : 영광입니다. 감사합니다.

초대 수락

A: Do you feel like going out for dinner tonight?
B : Sure. I'd love to.

A : 오늘 저녁에 식사하러 나가시겠어요?
B : 물론. 그러죠.

- 고맙습니다. 기꺼이 가겠습니다.
  Thank you. I'd like to.
- 기꺼이 가겠습니다.
  I'd love to come. / I'll be glad to come.
- 저를 초대해 주시다니 정말 감사합니다.
  It's very kind of you to invite me.
- 초대해 주셔서 감사합니다.
  Thank you for your invitation.
- 물론이죠. 그거 좋습니다.
  Sure〔OK〕. That's a good〔great〕 idea.

2) housewarming : 집들이

• 물론이죠. / 왜 안 가겠어요?〔물론 가죠.〕
Sure〔OK〕. / Why not?

초대 거절

• 어쨌든 고마워요.
Thank you anyway. / Thank you just the same.
• 초청해 주신 건 고맙습니다만, ...
Thanks for asking me, but ....
• 미안하지만, 안 되겠습니다. / 그 날은 곤란합니다.
I'm sorry. I can't. / That's the bad day for me.
• 미안하지만, 선약이 있습니다.
I'm sorry, but I have a previous engagement.
• 다른 약속이 있습니다.
I have another appointment.

다음 기회로 할 때

• 다음에 가죠.
Maybe later. / Maybe some other time.
• 다음 기회에 할까요?
Would you please give me a rain check?
Can I take a rain check?
• 다음에 언제 다시 초대해 주셨으면 합니다.
I hope you'll ask me again some other time.

손님맞이

현관에서

• 어서 들어오세요.
Please come in. / Come on in, please.
Won't you come in?
• 저희 집에 오신 것을 환영합니다.
Welcome to my home.
• 기다리고 있었습니다.
We've been expecting you.
• 신발을 벗으세요.
Please take off your shoes.
• 신발을 신은 채로 들어오세요.

Please keep your shoes on.

- 여기서 신발을 벗으세요.
  You can leave your shoes here.

거실에서

- 앉으세요.
  Please take a seat. / Please have a seat.
- 여기 앉으시겠어요?〔여기 앉으세요.〕
  Would you like to sit here?
- 코트를 벗으시겠어요?
  Would you like to take off your coat? [3)]
- 상의를 벗고 편히 쉬세요.
  Take off your jacket and make yourself at home.
- 코트 이리 주세요.
  May I take your coat? / Let me take your coat?
- 자세를 편하게 하세요〔편한 자세를 취하세요〕.
  Please make yourself at home.
  Please make yourself comfortable.
  Please relax. / Feel at home, please.
- 다리를 쭉 펴세요.
  Please stretch your legs. [4)]
- 그렇게 앉아 있으면 불편할텐데요.
  It may be a little uncomfortable for you to sit like that.
- 이 방석에 앉으셔서 다리를 이렇게 교차하십시오.
  Sit on this mattress and cross your legs like this. [5)]
- 와 주셔서 감사합니다.
  Thank you for coming.
- 멀리서 와 주셔서 감사합니다.
  Thank you for coming such a distance.
- 제 때에 와 주셔서 고맙습니다.
  I'm glad you made it at the right time.
- 와 주셔서 정말 기쁩니다.
  I'm so glad (that) you could come.
  I'm so glad (that) you could make it.
  It's a pleasure to have you with us.

---

3) take off : (모자 · 구두 등을) 벗다
4) stretch : 잡아늘이다, 잡아당기다; (쭉) 펴다, 내 뻗치다
5) 주인이 양반 다리로 앉으면서 손님에게 권유하는 표현

- 잘 오셨습니다.
  It was so nice of you to come.
- 저희 집을 찾는 데 애먹지 않으셨어요?
  Did you have any trouble finding my place?
- 여기 오시는 데 고생하시지 않으셨어요?
  Did you have any trouble getting here?
- 집 안이 누추해서 죄송합니다.
  Excuse the mess, please. 6)
- 이런 꼴로 (손님을) 맞게 되어 미안합니다.
  Excuse my appearance. 7)
- 집 안에서 신발을 벗는 우리의 관습을 어떻게 생각하십니까?
  What do you think of our custom of removing our shoes in the house?
- 무슨 불편한 점은 없으세요?
  Is there anything that's inconveniencing you?

가족 소개

- 여보, 오늘 저녁 식사를 함께 하려고 톰을 데려 왔어요.
  Honey, I brought Tom home for dinner tonight.
- 제 가족을 소개할게요.
  Let me introduce my family.
- 이 분이 저의 할아버지입니다.
  This is my grandfather.

활용 어휘

- 할머니 : grandmother
- 아버지 : father
- 어머니 : mother
- 아내 : wife
- 아들 : son
- 딸 : daughter
- 형 : elder〔older〕 brother
- 동생 : younger brother

- 아버지는 지금 집에 안 계세요.
  My father isn't home at the moment.

※ 추가 표현 : 초면(소개) 인사(p. 5) / 가족 관계(p. 988)

집 안내

- 저희 집을 보여 드리겠습니다.

---

6) mess : 혼란, 뒤죽박죽, 엉망진창
7) 옷을 제대로 입고 있지 않거나 얼굴을 제대로 단장하지 않는 상태에서 갑자기 손님이 집에 방문했을 때

Let me show you around our house.

- 저희 집 구경 한번 하시겠습니까?
  Would you like to take a look around our house?
- 집이 참 아름답군요.
  You have such a beautiful house.
- 이곳이 제 방입니다. / 이곳이 화장실입니다.
  This is my room. / This is the bathroom.
- 저희는 침실이 2개 있습니다.
  We have two bedrooms.

화장실 안내

외국인이 집 안으로 들어 왔을 때는 집 안에 있는 가족들은 간단히 인사를 하는 정도로 소개하고 집 안에 들어서자 마자 손을 씻도록 유도하여 화장실의 위치를 알려 준다.

음료 대접

- 뭐 좀 마시겠어요?
  Would you like something to drink?
- 마실 것 좀 드릴까요?
  Should I fix you a drink? [8)]
- 마실 것 좀 갖다 드릴게요. / 자, 차를 드세요.
  I'll get you somcthing to drink. / Here's your tea.
- 뭘 드시고 싶으세요?
  What would you like to drink?
- 커피를 드시겠어요, 냉차를 드시겠어요?
  Which would you prefer, coffee or iced tea?

식사 대접

식사 메뉴

A: What's cooking tonight? (오늘 저녁은 뭘 만들 거죠?)
B : Anything you say goes. (당신이 말하는 건 뭐든지요.)

- 우리 오늘 저녁에는 뭘 먹을 거죠〔오늘 저녁 메뉴가 뭐죠〕?
  What are we having for dinner tonight?
- 제 아내가 당신을 위해서 불고기를 준비하고 있어요.
  My wife is making Bulgogi for you.

8) fix : 고정〔고착〕시키다; (시일, 장소 등을) 결정하다; (식사 등을) 마련〔준비〕하다.

식사 권유

A: Help yourself, please. (마음껏 드세요.)[9]
B: Thank you. I will. (감사합니다. 그럴게요.)

- 식사 준비됐어요. 와서 드세요!
  Dinner is ready. Please come and get it!
- 어서 드세요.
  (Why don't you) go ahead and eat?
- 너무 많으면 남기셔도 됩니다〔다 드실 필요는 없어요〕.
  You don't have to finish your plate if it's too much for you.[10]
- 천천히 드세요.
  Take your time eating.
- 필요하신 게 있으면 말씀하세요.
  Let me know if you need anything.
- 드시고 싶은 대로 드세요.
  Enjoy all you want. / Help yourself to as much as you like.
- 드시고 싶은 건 뭐든지 드세요.
  Please help yourself to whatever you'd like.
- 손님에게 억지로 음식을 권하지 마세요.
  You must not press food on your guest.
- 식기 전에 드세요.
  Eat〔Take〕 it before it gets cold.
- 자, 어서 드세요.
  There you are!
- 더 드세요. 음식이 많이 있으니까요.
  Please have seconds.[11] We have plenty of food.
- 이 빵 좀 드세요.
  Try some of this bread, please.
- 이 음식 한번 드셔 보세요.
  Sample this food. / Go ahead and taste this food.
- 접시에 있는 것을 다 안 드셔도 되요.
  Don't push yourself to finish your plate.[12]

---

9) "Help yourself."의 의미 : 커피 대접의 예를 들면, ① 주인이 손님 앞에 커피가 든 주전자, 컵, 크림, 설탕 등을 내 놓으면서 "Help yourself."라고 하면 상대로 하여금 직접 커피를 따라서, 설탕과 크림을 적당히 타서 마시라는 의미 ② 주인이 커피를 잔에다 따라 주고, "Help yourself to the cream and sugar."라고 하면 설탕과 크림은 적당히 넣어서 마시라는 의미 ③ 'made coffee(이미 만들어진 커피)'를 내 놓으면서 "Help yourself."라고 하면 "드십시오."라는 의미가 된다.
10) 직역 : 너무 많으면 당신의 접시를 다 비울 필요가 없다.
11) seconds(복수형) : 더 청해서 먹는 음식; 두 번째로 나오는 요리
12) push sb to ~ : 아무에게 ~하도록 강요하다

• 여보, 식사 준비 다 됐어요. 어서 식탁으로 오세요〔식사하세요〕.
Honey, dinner is ready. Come to the table, please.
• 자 모두들 먹자!〈속어〉
Now, let's dig in! 13)
• 케이크 한 조각 드시겠습니까?
Would you like to have a piece of cake?

요리 상태

• 맛이 어떠세요?
How is it? / How does it taste?
• 밥이 약간 질군요.
The steamed rice is a little sticky. 14)
• 밥이 너무 되군요.
The steamed rice is too dry.

음식을 더 권할 때

A: Would you care for some more food?
B : No, thank you. I've had enough.

A : 음식을 좀 더 드시겠습니까?
B : 아니오. 감사합니다. 저는 충분히〔먹을 만큼〕 먹었습니다.

• 더 드시겠어요?
Care for seconds?
• 더 드세요. / 더 마시세요.
Help yourself to more. / Drink some more, please.
• 밥 좀 더 드시겠습니까?
Would you care for some more steamed rice?
• 좀 더 드시지 그래요?
Why don't you help yourself to some more?
• 빵 한 조각 드시겠습니까?
Would you like to have a slice of bread?
• 더 드실 수 있겠어요?
Can you manage another?
• 서슴지 말고 더 드세요.
Don't hesitate to eat more.
• 충분히 드셨으면, 억지로 드시진 마세요.
Don't force yourself if you had enough.

13) dig in : ((속어)) 먹다
14) sticky : 끈적거리는, 들러붙는, (도로 등이) 질척질척한

- 실컷 드세요.
  Have your fill, please.
- 벌써 다 드셨어요? 이것까지 마저 드세요.
  Are you done already? Please eat this last one up, too.
- 더 안 드시겠어요?
  Aren't you going to eat some more?

음식을 사양할 때

- 배가 부릅니다.
  I'm full. / I'm stuffed. [15)]
- 충분히 먹었습니다.
  I've had enough.
- 저는 그만하면 됐습니다.
  It's good enough for me.
- 이제 배가 불러옵니다.
  I'm getting full.

식사를 마친 후

- 식사 잘 했습니다.
  I enjoyed your meal.
- 멋진 저녁 식사에 감사 드립니다.
  Thank you for the nice dinner.

기 타

- 전부 집에서 만든 겁니다.
  Everything is homemade.
- 이걸 당신을 위해서 특별히 남겨 두었어요.
  I saved this especially for you.
- 더 먹을 수 있을까요?
  Can I have seconds, please?
- 이게 전형적인 한국 식사입니다.
  This is a typical Korean dinner.
- 이것 먹는 방법 좀 가르쳐 주시겠어요?
  Will you show me how to eat this?

※ 음식 이름 관련 어휘 : 식생활(p. 1330)

15) stuffed : (속을) 채운

활용어휘

- 갈다 : grate
- 냉동 저장 : deep freeze
- 담그다〔절이다〕 : pickle
- 얇게 썰다 : slice [18)]
- 찌다 : braise / steep
- 훈제하다 : smoke
- 가공된 재료 : processed material
- 굽다 : bake [16)]
- 냉동하다 : freeze [17)]
- 버무리다 : dress
- 요리법 : recipe [19)]
- 볶음밥 : fried rice
- 밥(증기로 찐) : steamed rice
- 밥(끓여서 익힌) : boiled rice

커피 대접

- 차 한 잔 더 드시겠습니까?
  Do you want another cup of tea?

A: Would you like a cup of coffee? (커피 한 잔 드시겠어요?) B : Yes, I would. Thank you. (네 그러죠. 고맙습니다.)

- 커피 한 잔 드시겠어요?
  Would you care for a cup of coffee?
- 커피 한 잔 주시겠어요?
  Would you make me a cup of coffee?

커피 취향

A: How do you like your coffee? (커피를 어떻게 드시겠습니까?) B : Black, please. (블랙으로 주십시오.)

- 차가운 커피로 드릴까요, 뜨거운 커피로 드릴까요?
  Iced coffee or hot?
- 설탕을 몇 스푼 넣을까요?
  How many spoonfuls of sugar do you want?
- 커피에 뭘 넣으시나요〔넣어서 드시나요〕?
  Do you take anything in your coffee?
- 커피에 설탕을 넣으시나요?
  Do you take sugar in your coffee?
- 프림을 넣어 드릴까요?
  Cream? / With cream?
  Do you want cream (in your coffee)?

16) bake : 가벼운 재료, 빵 · 케이크 따위를 굽는 경우 / roast : 고기를 오븐에 굽는 것 / grill : 석쇠로 고기를 굽는 경우 / broil : 직접 불에 쬐어 굽는 것 / barbecue(바비큐) : 고기 따위를 꼬챙이에 꿉아서 굽는 것
17) ((반의어)) defrost : (냉동식품 등을) 녹이다
18) shred : 조그맣게 썰다 / mash : 으깨다
19) recipe[뤠써피] / a recipe for a cake : 케이크 만드는 (조리)법

- 블랙으로 주세요.
  I'll take my coffee black.
- 저는 플레인으로 주세요.
  I like mine plain. [20]
- 설탕과 프림을 반반씩 넣으세요.
  Mix sugar and cream fifty-fifty. [21]
- 크림을 듬뿍 넣어 주세요.
  With extra cream, please.
- 크림을 많이 넣어 주세요.
  Heavy on the cream, please.
- 설탕은 조금만 넣어 주세요.
  Just a touch of the sugar, please.
- 설탕은 넣지 말고 커피 좀 주세요.
  Can I have some coffee without sugar?
- 있으면, 카페인이 없는 커피로 하겠습니다.
  I'll have decaffeinated (caffeine free) if you have it.
- 설탕(프림)만 넣어 주세요.
  I like mine with sugar (cream).
- 설탕을 조금 넣어서 블랙으로 하겠습니다.
  I like mine black with a pinch of sugar.
- 저는 커피를 달게 해서 마셔요.
  I like my coffee sweet.
- 저는 블랙으로 마셔요.
  I drink it black.
- 저는 아주 진한 커피를 좋아합니다. / 진한 커피가 좋겠어요.
  I like my coffee very strong. / I prefer strong coffee.
- 프림만 넣어 주세요.
  Just cream will be fine. / Just cream.

커피 맛

- 이 커피가 너무 써요.
  This coffee is too bitter.
- 이 커피가 너무 진해요.
  This coffee is too strong.
- 좀 연하군요. 좀 더 진하게 해 주시겠어요?
  It's a bit weak. Could you make it stronger?

---

20) plain : 있는 그대로, 설탕이나 프림을 전혀 넣지 않은
21) fifty-fifty : 50 대 50으로, 반반으로 / go fifty-fifty (on ~) : (~값을) 반반 부담하다

사양할 때

A: I'm going to get some coffee, Mr. Killion.
Would you like some?
B : No, thank you. I'm drinking less coffee these days.
I drink only one cup a day.
A: Yeah, too much coffee isn't good for you.
B : And especially I never drink it at night.
It keeps me awake.
A: I know. It's good to keep it to a minimum.

A : 커피를 갖다 드릴게요. 킬리언씨 좀 드시겠어요?
B : 고맙지만 됐습니다. 요즘 커피를 줄여 마시고 있거든요.
하루에 한 잔만 마셔요.
A : 그래요. 커피를 너무 많이 마시면 좋지 않지요.
B : 특히 밤에는 전혀 안 마셔요.
커피를 마시면 잠이 안 오거든요.
A : 알아요. 최소한의 양을 마시는 건 (건강에) 좋아요.

- 고맙지만 조금 전에 마셨습니다.
No, thanks. I've had some a while go.

기 타

- 이렇게 추운 날씨에는 뜨거운 커피 한 잔이 최고예요.
There's nothing better than a hot cup of coffee in this cold weather.
- 조심하세요. 아직 커피가 아주 뜨거우니까요.
Be careful. The coffee is very hot still.
- 커피가 식습니다.
Your coffee will get cold.
- 커피는 졸음을 방지해 줘요.
Coffee will keep you from getting sleepy.
- 저는 밤에는 좀처럼 커피를 안 마셔요. / 커피를 마시면 잠이 안 와요.
I seldom have coffee at night. / Coffee keeps me awake.
- 저는 커피를 별로 좋아하지 않습니다.
I'm not too crazy about coffee.
- 이 물을 마셔도 괜찮습니까?
Is this water okay to drink?
- 이 차는 잘 우러나요.
The tea draws well.

작별할 때

A: I think I'd better go now. It's almost twelve.
B : Is that really the time?
Time flies when we're enjoying ourselves.
I hope you had a good time.
A: Of course. I've had a really wonderful evening.
Thank you for inviting me.
B : I'm glad you enjoyed yourself.
A: I hope you can join us for dinner next time.
B : Thank you. Take care of yourself.
A: Good bye.

A : 이만 가봐야겠어요. 자정이 다 됐어요.
B : 벌써 시간이 그렇게 됐어요?
재미있게 놀다 보니 시간 가는 줄 몰랐군요.
즐거운 시간이었기를 바랍니다.
A : 물론이죠. 정말 멋진 저녁이었습니다.
초대해 주셔서 감사합니다.
B : 즐거우셨다니 다행이군요.
A : 다음에는 저희 집에서 저녁 식사를 함께 하셨으면 합니다.
B : 고맙습니다. 살펴 가세요.
A : 안녕히 계세요.

가겠다고 할 때

A: Why don't you stay for dinner?
B : Thanks, but I'd better get going.
I have to run a few errands. [22)]

A : 저녁 식사를 하시고 가지 그러세요?
B : 고맙지만, 가봐야 해요. 볼일이 좀 있거든요.

- 죄송하지만 가봐야겠어요.
  I'm afraid I have to leave. / I'm afraid I have to go.
- 이거 죄송한 말씀이지만, 이제 가봐야겠어요.
  I'm sorry to say this, but I've got to go.
- 가봐야겠어요.
  I must go. / I must be leaving.

22) run an errand : 볼일을 보다 / send sb on an errand : 아무를 심부름 보내다

붙잡을 때

A: I must be running now.
B : Already? Stay for lunch, please.
A: Well, if it's not too much bother, I will.
B : No, it's not.

A : 이만 가봐야겠어요.
B : 벌써요? 점심 식사 하시고 가세요.
A : 글쎄, 폐가 안된다면 그러죠.
B : 폐는 무슨 폐예요.

- 벌써요?
  Already? / So soon?
- 지금 가신다는 말씀이세요?
  Do you mean you're going now?
- 계시다가 저녁 드시고 가시지 그래요?
  Would you like to stay for dinner?
- 여기 좀 더 계시지 그러세요?
  Why don't you stay a longer?
  Won't you stay for dinner?
- 굳이 집에 가시겠다면, 말리지는 않겠어요.
  If you insist on going home, I will not stop you.
- 뭘 그렇게 일찍 가시려고요? 9시밖에 안됐어요.
  Why so soon? It's only 9 o'clock.
- 왜 그렇게 일찍 가려고 하세요? 아직 초저녁인데요.
  Why are you leaving so early? The night's still young.
- 좀 계시다 가면 안 되나요?
  Can't you stay a little longer?
  Can't you stick around a little longer? [23)]
- 30분만 더 계시다 가세요.
  Please stay for thirty more minutes.

감사 인사 (손님)

- 저녁 식사 참 맛있었습니다.
  Dinner was very delicious.
- 즐거웠습니다.
  I enjoyed it. / I had a good time.

23) stick around : 머물다

• 환대에 감사드립니다.
Thank you for your hospitality.

화답 인사 (주인)

• 즐거우셨다니 기쁩니다.
I'm glad you enjoyed it.
We're happy you had a good time.
• 오늘밤 재미있었어요?
Did you have fun tonight?
• 오늘 즐거우셨어요?
Did you have a good time today?
• 만나 뵙게 돼서 즐거웠습니다.
It was nice to meet you. / Nice meeting you.
I enjoyed meeting you.
• 와 주셔서 정말 즐거웠습니다.
We really enjoyed your company.
• 와 주셔서 즐거웠습니다.
Pleased to have met you. / I enjoyed having you.
• 와 주신 것 다시 한번 감사드립니다.
Thank you for coming again.
• 자리를 함께 해 주셔서 정말 즐거웠습니다.
We'd enjoyed your company so much.

배웅 인사 (주인)

• 제가 문까지 전송해 드리겠습니다.
Let me follow 〔accompany〕 you to the door.
I'll see myself out. / I'll go to the door with you.
I'll see you to the door.
• 당신 부모님께 안부 전해 주세요.
Please give my regards to your parents.
• 또 꼭 오시기 바랍니다.
I do hope you'll come again.
• 언제 가족을 데리고 방문하세요.
Please bring your family around sometime. [24)]
• 언제 한번 놀러 오세요.
Come and see me one of these days.
Please drop in at my house someday.

---
24) bring sb around : 아무를 데리고 방문하다

- 종종 놀러 오세요.
  Come and see us often.
- 또 만납시다.
  We'll see you again.
- 어두운데 조심해서 가세요.
  Be careful on your way home.
- 살펴 가세요.
  Take care (of yourself). / Take it easy.

차로 바래다줄 때

- 제가 차로 댁까지 모셔다 드릴게요.
  I'll drive you home. / I'll give you a ride home.
- 제가 차로 바래다 드릴까요?
  Can I give you a lift?
- 차로 댁까지 모셔다 드릴까요?
  Would you like me to drive you home?
- 차에 타시겠어요?
  Would you like a ride?

❖ 추가 표현 : 작별 인사(p. 20, 816, 824, 838) / 헤어질 때(p. 10, 766, 837)

2 미국인 가정 방문

미국인의 가정에 초대를 받아 방문을 할 기회를 갖는다면 그들의 문화를 이해하는 데 많은 도움이 될 것이다. 그러나 그런 기회를 갖는 것이 쉽지 않을 것이다. 그러므로 미국인 가정에 초대받았을 때는 주저하지 말고 기꺼이 응하기 바란다. 방문할 때는 조그마한 선물을 준비해 가지고 갈 것을 권한다. 이 절의 표현들은 '자가 초대' 부분과 표현들이 중복되기도 하지만 방문자(visitor)의 입장에서 사용할 수 있는 표현을 중심으로 구성하였다.

기 본 대 화

A : Would you like to come to my house for dinner this Friday?
B : Thanks. I'd like to.
But, how do I get to your home?
A : Don't worry about it. I'll drive you.

A : 이번 주 금요일에 저희 집에 오셔서 저녁식사나 하시죠?
B : 고맙습니다. 기꺼이 가겠습니다.
그런데, 당신 집을 어떻게 가죠?
A : 그건 염려하지 마세요. 제가 태워 드릴게요.

※ 관련 추가 표현 : 자가 초대(p. 804) / 파티(p. 826)

초대를 받았을 때

- 네. 그거 좋겠군요.
  Sure, that sounds good.
- 기대가 되는군요.
  I'm looking forward to it.
- 몇 시까지 가면 될까요?
  What time should I get there?
- 당신 주소가 어떻게 되죠?
  May I have your address?

집 확인

- 여기가 킬리언씨 댁 맞습니까?
  Is this Mr. Killion's residence [home]?
- 킬리언씨 계십니까?

Is Mr. Killion in? / Is Mr. Killion home?

거실에서

- 초대해 주셔서 감사합니다.
  Thank you for inviting me. / Thank you for the invitation.
- 이렇게 갑자기 찾아 올 생각은 아니었는데, 그가 자꾸 우겨서 왔습니다.
  I didn't mean to barge in like this, but he insisted.
- 정말 저를 편하게 해 주시는군요.
  You really make me feel at home.

약속 없이 방문했을 때

A: Sorry for barging in like this. [1)]
Am I interrupting anything?
B : No, not at all. I'm glad you stopped in.

A : 이렇게 불쑥 찾아 와서 죄송합니다.
제가 폐를 끼치는 거죠?
B : 아니오, 천만에요. 이렇게 들러 주셔서 반갑습니다.

- 불시에 찾아 와서 죄송합니다.
  Please forgive me for coming unannounced.

음료수 부탁

- 커피〔물〕 한 잔 주시겠어요?
  May I have a cup of coffee〔a glass of water〕?

집〔방〕 구경

- 집을 구경해도 될까요?
  Would you mind if I take a look around your house?
- 화장실이 어디에 있습니까?
  Where is the bathroom?
- 정원으로 나가실까요?
  Let's go out in the garden, shall we?

집을 칭찬할 때

- 정말 멋진 집이군요. / 좋은 집에서 살고 계시군요.

1) 의역 : 불청객이 와서 미안합니다. / barging in = intruding : 별로 악의 없이 남의 privacy(프라이버시)를 침해하는 행위, 예고 없이 남의 집을 방문하는 행위

It's a really nice house. / You're living in a nice house.

- 멋진 집을 가지고 계시군요. / 가구가 굉장하군요.
  You have a wonderful house. / What a gorgeous furniture!
- 정원이 정말 멋있군요!
  What a wonderful garden!
- 당신 집 안에 있는 모든 것들은 최신형 같군요.
  Everything in your house looks brand-new. [2)]

식탁에서

요리 솜씨 칭찬

A: What's your specialty? (자신 있는 요리가 무엇이죠?)
B : I'm good at cooking Bulgogi. (불고기 요리를 잘 해요.)

- 어디서 배워서 그렇게 요리를 잘 하세요?
  Where did you learn to cook so well?
- 맛있어 보이는군요.
  It looks very good.
- 음, 정말 맛있군요.
  Mmm, it's very delicious. / Mmm, it's excellent.
  Mmm, it's very good.
- 그걸 직접 만드셨습니까? / 요리를 잘 하시는군요.
  Did you make it yourself? / You're a good cook.

요리 방법을 물을 때

A: What are the ingredients? [3)]
B : Rice, onions, meat and so on. I mixed them together.
A: May I try just a little?
B : Sure. If it agree with you, that's great with me.

A : 뭘 넣어서 만드셨어요?
B : 쌀, 양파, 고기, 기타 등등이요. 그것들을 버무렸어요.
A : 맛 좀 봐도 될까요?
B : 그러세요. 당신에게 맞으면, 저도 좋아요.

- 만드는 비법을 좀 가르쳐 주시겠어요?

2) brand-new : 아주 새로운, 신품의; 갓 만들어진(들여온)
3) ingredient : 성분, 원료, 재료; 구성 인자

Would you tell me the recipe? [4)]

- 그건 어떻게 만들죠? / 뭘 넣어서 만드셨어요〔그 안에 뭐가 들어 갔죠〕?
  How do you make it? / What's in it?
- 그것을 만들려면 어떤 재료들이 필요하죠?
  What ingredients do you need to make it?
- 뭔가 빠뜨린 것 같은 맛이에요.
  It tastes like something's missing. [5)]

더 먹고 싶을 때

- 더 먹을 수 있을까요?
  Can I have seconds?

음식 사양

- 배가 부릅니다.
  I'm full. / I'm stuffed.
- 충분히 먹었습니다. / 제 몫보다 더 많이 먹었습니다.
  I've had enough. / I got more than my share.
- 이제 배가 불러옵니다. / 저는 그만하면 됐습니다.
  I'm getting full. / It's good enough for me.
- 저는 지금 다이어트 중입니다.
  I'm on a diet now.

기 타

- 맛있어 보이는군요. / 맛있는 냄새가 나는군요. / 무슨 냄새죠?
  It looks delicious. / It smells good. / What do I smell?
- 이 요리는 뭐죠? / 그걸 어떻게 만들죠?
  What's this dish? / How do you make it?
- 바닷가재 먹는 법 좀 가르쳐 주시겠어요?
  Could you show me how to eat the lobster?
- 뭘 먹어야 할지 모르겠어요.
  I don't know what I want to have.
- 모든 게 맛있게 보여요. / 뭘 먹어 봐야 할지 모르겠어요.
  Everything looks delicious. / I don't know what to try first.

※ 추가 표현 : 식사 대접(p. 809)

4) recipe : 조리법, 요리법; 방법; 비결, 비법
5) 완성된 요리의 맛을 본 후 조미료나 재료를 넣지 않은 것 같은 맛이 날 때

선물을 건넬 때

- 당신에게 드리는 선물입니다.
  Here's a gift for you. / I have a present for you.
- 당신 드릴려고 꽃을 가지고 왔습니다.
  I brought some flowers for you.
- 이거 (당신을 위해서 준비한) 조그마한 선물입니다.
  Here's a little something for you.
- 마음에 드실까 해서 샀습니다. / 마음에 드셨으면 합니다.
  I bought you might like it. / I hope you'll like it.

❖ 선물 관련 추가 표현 : 선물을 주고받을 때(p. 30, 824) / 기념품 가게에서(p. 353)

돌아가고자 할 때

- 이제 가봐야 할 것 같습니다. / 그럼, 가보겠습니다.
  I guess I'd better be on my way. / I'll leave now.
- 저는 급해요. / 급히 가야 되요.
  I'm in a hurry. / I have to rush.
- 너무 오래 있었던 것 같군요. / 11시까지는 집에 도착해야 합니다.
  I'm afraid I stayed too long. / We must be home by eleven.
- 아, 벌써 10시예요? 가봐야겠습니다.
  Oh, is it 10 o'clock already? I must go.
- 어두워지는군요. 돌아가야겠어요.
  It's getting dark. We'd better turn back.
- 이제 가야겠어요. / 이제 일어서는 게 좋을 것 같아요.
  Now I gotta be off. / I'm afraid I'd better be leaving.

작별할 때

감사 인사

- 식사 잘 했습니다. / 저녁 식사 대접에 감사 드립니다.
  I enjoyed your meal. / Thank you for the dinner.
- 정말 훌륭한 식사였습니다. / 식사 정말 잘 했습니다.
  It was a wonderful dinner. / I really enjoyed your meal.
- 아주 즐거운 저녁을 보냈습니다.
  I had a most enjoyable evening.
- 후한 대접을 해 주셔서 감사합니다.
  Thank you for making us very much at home. [6]

---

6) 직역 : 마치 (저희) 집에 있는 것처럼 해 주셔서 감사합니다.

- 언젠가 저희 집에 초대하고 싶습니다.
  I want to invite you to my home sometime.
- 언젠가 한국에 있는 우리 가족을 방문할 수 있기를 바랍니다.
  I hope someday maybe you'll be able to visit my family in Korea.

작별 인사

- 안녕히 계세요. 킬리언씨 부부. / 편히 쉬세요(안녕히 주무세요).
  Good bye, Mr. and Mrs. Killion. / Good night.

명언 한 마디

Intellect is invisible to the man who has none.

지성이란 그것을 갖고 있지 않는 사람에게는 보이지 않는다.

- Arthur Schopenhauer(1788-1860) -

3 파 티

미국인들은 파티를 매우 좋아한다. 그러므로 직장이나 가정에서 여러 가지 형태의 크고 작은 파티를 자주 갖는다. 환영회(reception), 환송회(farewell party), 무도회(ball), 칵테일 파티(cocktail party), 생일 파티(birthday party), 만찬회(dinner party) 등이 그러한 것들이다. 미국인들은 파티의 의미를 단순히 먹고 즐기는 데 두는 것이 아니라, 사교를 위한 모임의 시간으로 생각한다. 파티에서 외국인들과 자연스럽게 어울리기 위해서는 파티에서의 기본 에티켓과 파티에서 필요한 표현들을 익혀 둬야 할 것이다. 초대장에 약방의 감초처럼 등장하는 표현 중에 "RSVP(Regrets only)"란 표현이 있다. 이는 불어의 "Répondez S'il Vous Plaît (please reply)"의 약어로서 "참석 여부를 사전에 통보 바람(불참할 경우에만)." 이란 뜻이다.

기 본 대 화

A : Would you like to go to a party this Friday?
B : Sounds good. What kind of party?
A : It's the reception party for new employees.
B : Where is it?
A : It's at the Seoul Grand Hyatt Hotel.
B : Who's going?
A : All our company employees.

A : 이번 주 금요일에 있을 파티에 가시겠어요?
B : 그거 좋죠. 무슨 파티인데요?
A : 신입사원 환영회예요.
B : 장소가 어디죠?
A : 서울 그랜드 하얏트 호텔이에요.
B : 누가 참석하죠?
A : 우리 회사 전 직원들이에요.

파티 초대

초대 제의

- 파티에 초대하고 싶습니다.
  I'd like to invite you a party.
- 다음 주 금요일에 파티가 있어요.
  We're having a party next Friday.
- 당신을 위한 송별 파티를 열고 싶어요.

We'd like to give a farewell party for you.

- 같이 가시겠어요? / 괜찮으시다면, 오세요.
  Would you like to join me? / You will come, if you like.
- 당신이 와 주셨으면 합니다. / 꼭 오셔야 합니다.
  I'd like to have you come over. / You've got to come.
- 꼭 참석하시길 바랍니다.
  I insist on your being present〔your presence〕. [1]
- 부디 참석해 주시기 바랍니다.
  We request the honor〔pleasure〕 of your company.

파티 성격

- 그 초대 무척 재미있을 것 같은데요.
  Your invitation sounds quite interesting.
- 참 대단한 파티가 될 거예요.
  It's going to be some party.
- 오늘 저녁 6시 모임은 여자들만의 모임이에요.〈속어〉
  There'll be a hen party at six tonight. [2]

파티 시간

A: What time is the party?
B : It's at seven p.m.

A : 파티가 몇 시에 있습니까?
B : 오후 7시에 있어요.

- 파티를 언제 엽니까?
  When are you having the party?
- 파티가 몇 시에 시작되죠?
  When is the party starting?
  What time will you start the party?
- 파티가 몇 시에 끝나죠?
  What time will the party end?
  What time will the party be over?
  What time is the party ending?
- 늦으셔도 상관없어요.
  It doesn't matter if you are late.

1) insist on ～ : ～을 주장하다, 역설하다, 우기다, 강요하다
2) hen party : 여자들만의 모임 / hen : 암탉; ((속어)) 젊은 여자, 계집애 / stag party : 남자들만의 모임 / stag : 수사슴; ((구어)) (무도회 · 연회에) 여자 동반 없이 가는 사람

파티 장소

- 파티를 어디서 열죠?
  Where will you have the party?
- 파티가 어디서 열리죠(파티 장소가 어디입니까)?
  Where will the party be held?

참석 대상

> A: How many are coming for the party?
> B : Just a few good friends.
>
> A : 파티에 몇 사람이나 올 예정인가요?
> B : 친한 친구 몇 명뿐이에요.

- 파티에 몇 분이나 오십니까?
  How many guests are coming to the party?
- 오늘 몇 분이나 올 것 같습니까?
  How many people are you expecting today?
- 누가 거기에 가는데요? / 그 외에 누가 거기에 가죠?
  Who's going to be there? / Who else will be there?
- 몇 명이나 올 거죠?
  How many people will show up?
- 이렇다할 만한 사람은 다 올 거예요.
  Everybody who is anybody at all will be there. [3)]
- 일행을 데려가도 됩니까?
  Can I bring my guests?
- 부인도 함께 오세요. / 부인을 꼭 데리고 오세요.
  Please bring your wife, too. / Be sure to bring your wife.
- 저도 (초대 대상에) 포함돼서 기쁩니다. / 나도 물론 초대되는 거지?
  I'm glad you included me. / And I'm invited, right?

참석 복장

> A: What should I wear? (무슨 옷을 입어야 합니까?)
> B : Dress up formally. (정장을 하세요.)

- 정장을 해야 합니까?
  Should I dress formally?
- 모두 어떤 복장으로 참석하는지요.
  I'm just wondering what everyone will be wearing.

3) anybody : 제법 알려진 사람, 이렇다 하는 사람

- 양복을 입어야 합니까?
  Should I wear a business suit?
- 오늘 저녁에 넥타이를 매야 합니까?
  Do I have to wear a tie tonight?
- 청바지와 운동화 차림으로 가도 되나요?
  Can I go in jean and sneakers?
- 평상복 차림으로 오세요. / 가벼운 차림으로 오세요.
  Just come over in your casual clothes. / Casuals, please.
- 정장을 하세요. / 야회복을 입으세요.
  Black tie, please. / Fancy dress, please.
- 아무거나 편한 걸 입으세요.
  Wear whatever is comfortable.

파티 참석 복장

- white tie / tails / full dress : 남성은 tailcoat(연미복), 여성은 formal evening dress(야회용 예복)를 착용한다.
- black tie / formal : 남성은 tuxedo(턱시도)나 dinner jacket(약식 야회복), 여성은 화려한 dinner dress〔gown〕(약식 야회복)을 착용한다.
- informal : 남성은 한국식 정장(넥타이 착용), 여성은 비교적 멋진 느낌을 주는 원피스, 슈트 또는 한복을 착용한다. 'informal' 이라는 단어에 집착한 나머지 청바지 등을 입어서는 안 된다.

참석 여부를 확인할 때

A: Can you come? (오실 수 있나요?)
B : Let me see, I'll think about it. (글쎄요, 생각해 볼게요.)

- 파티에 참석할 수 있습니까? / 저와 함께 가시겠어요?
  Could you join the party? / Would you care to join me?
- 김 사장님 승진 파티에 가실 건가요?
  Are you going to president Kim's promotion party?
- 낄 거예요, 안 낄 거예요? / 어쨌든 오실 거죠?
  Are you in or not? / You are coming anyway?
- 생각할 시간을 좀 주시겠어요?
  Will you give me some time to think it over?
- 당신 파티에 가도 되나요?
  Mind if I crash your party? [4)]

4) crash : 초대받지 않고 파티 등에 참가하다

파티의 종류

① baby shower : 출산 직전의 임산부나 태어난 갓난아기를 축하하는 여자들만의 파티로써, 가벼운 스낵과 음료수를 준비한다.

② bridal shower : 신부가 될 사람에게 선물을 주기 위한 파티로써, 참석하는 모든 사람은 신부에게 줄 선물을 준비하는데, 선물 안에 반드시 주는 사람의 이름을 적은 카드를 동봉한다. shower(소나기)라고 붙여진 것은 선물이 소나기처럼 쏟아진다는 데서 생긴 말이다.

③ surprise party : 베이비 샤워와 생일 파티의 한 형태이며, 파티의 주인공을 깜짝 놀라게 하도록 계획된 파티

④ pajamas party〔slumber party〕 : 보통 6~17세의 소녀들이 친구 집에서 하룻밤을 지새는 파티

⑤ open house party : 새 집에 이사했을 때 이웃 사람이나 회사 동료를 초대하여 여는 파티

⑥ stag party : 앞으로 결혼할 친구를 축하하는 남성들만의 파티

⑦ pow wow party : 저녁에 집 밖에서 열리는 파티

⑧ picnic party : 가족 단위 또는 직장내의 부서 단위로 옥외에서 행해지는 파티

⑨ costume party : hallowmas 전야(halloween)에 열리는 가장 무도회

참석 여부를 결정하지 못했을 때

- 아직 결정하지 못했어요. / 나중에 알려 드릴게요.
  I haven't decided yet. / I'll let you know later.
- 지금 당장은 확실하지 않지만, 가도록 해 볼게요.
  I'm not sure right now, but I'll try to make it.

초대 응낙

- 그거 아주 좋겠는데요.
  That sounds great. / That would be wonderful.
- 그 아이디어 좋은데. 나도 끼고 싶어.
  I like the idea. I want in. [5)]
- 좋아요. 갈게요.
  Okay, I'm coming. / Good. I'll be there.
- 꼭 갈게요.
  I'll make sure to be there.
- 무슨 일이 있어도, 꼭 갈게요.
  I'm going to be there, rain or shine. [6)]
- 이번에 가실 때 저도 함께 데리고 가 주셔요.
  Take me there this time you go.

5) 야유회, 모임, 어떤 계획 등이 마음에 들어서 끼고 싶다고 말할 때
6) rain or shine : 날씨가 좋든 나쁘든, 비가 오든 볕이 나든; 어떤 일이 있어도

초대 거절

- 유감스럽지만 못 갈 것 같아요.
  I'm afraid I won't be able to come.
- 가고는 싶지만, 갈 수 없을 것 같아요.
  I'd love to, but won't be able to come.
- 저는 다음 주에도 바쁠 거예요.
  I'll be very busy next week, too.
- 정말 가고 싶은데 (갈 수가 없군요)!
  How I wish I could go!
- 가고 싶지만, 시간이 없어요.
  I want to come, but I have no time.
- 미안합니다. 이미 다른 초대를 받았습니다.
  I'm sorry. I already have another invitation.
- 못 갈 것 같아요.
  I'm afraid I can't make it. / I'm afraid I can't be there.
- 당신 생일 파티에 갈 수 없어서 정말 죄송합니다.
  I'm awfully sorry that I can't come to your birthday party.
- 제가 꼭 간다고는 생각하지 마세요.
  Don't plan on me.
- 이번에는 빠지겠어요. / 나는 빼 줘요.
  I will drop out this time. / Count me out. 7)
- 당신이 안 가면, 저도 안 갈 거예요.
  If you don't go, neither will I.
- 이번 파티에 함께 갈 수 없으니, 제 몫까지 즐기세요.
  Since I can't go on this party with you, I want you to be my eyes and ears. 8)

기 타

- 파티에 어떤 음식이라도 가져갈까요?
  Would you like me to bring any food to the party?
- 그냥 몸만 오세요.
  Just bring yourself.
- 마실 것은 각자 가져오는 거예요.

---

7) 모임 등에 참석할 수 없거나, 참석하고 싶지 않을 때
8) 멋진 파티 등에 가고 싶긴 하지만 사정이 있어서 갈 수 없을 때, 자기의 몫까지 재미있게 놀아 달라는 표현 / "I want you to be my eyes and ears."를 직역하면, "당신이 나의 눈과 귀가 되었으면 한다." 이는 "당신이 내 대신 (재미있는 걸) 다 보고 들었으면 한다."라는 의미다.

It's going to be BYOB.[9)]

- 회비가 얼마죠?
  How much is the (membership) fee?
- 누가 올 연말 파티를 준비하고 있죠?
  Who's organizing the year-end party of this year?

파티장에서

입구에서

- 안녕하세요. 어서 들어오세요. / 와 주셔서 감사합니다.
  Hi! Come right in, please. / I'm glad you've come.
- 초대해 주셔서 감사합니다.
  Thank you for your invitation.
  Thank you for inviting me.

> A: I'm not the first, am I?
> B : No, the others are all in the dining room.
>   The food is in there.
>
> A : 제가 제일 먼저 온 건 아니죠?
> B : 네, 다른 사람들은 식당에 있어요.
>   그곳에 음식이 있거든요.

분위기

- 정말 멋진 파티군요! / 멋진 파티군요. 오길 잘 했어요.
  What a great party! / It's a lovely party. I'm glad I came.
- 멋진 파티죠?
  It's a nice party, isn't it?
- 여기 있기가 서먹서먹해요.
  I feel out of place here.
- 이 파티가 저한테는 정말 어색하군요.
  I feel like a fish out of water at this party.[10)]

타인에 대해서 물을 때

> A: Do you know who that guy is?
> B : Which one?

---

9) BYOB : "Bring your own bottle (booze).(술 · 음료수는 각자가 가지고 올 것)"의 줄인 표현
10) like a fish out of water : 물 밖으로 나온 고기와 같은 → 매우 어색한

A: The man wearing glasses in the blue jacket.
B : That's Robert Johnson. He's the one who owns the supermarket.

A : 저 남자가 누구인지 아세요?
B : 어느 분 말이세요?
A : 청색 재킷을 입고 안경 쓴 남자 말이에요.
B : 로버트 존슨이에요. 슈퍼마켓을 경영하지요.

- 저쪽에 청색 재킷을 입은 남자를 아세요?
  Do you know the man with blue jacket over there?
- 저쪽에 뚱뚱한 남자가 누구죠?
  Who's that fat man over there?
- 저쪽에 있는 키가 크고 날씬한 여자를 아세요?
  Do you know the tall slim woman over there?
- 저기 키가 작고 뚱뚱한 남자가 누군지 아십니까?
  Do you know who that short fat man is over there?
- 그 사람 뭐 하는 사람인지 아세요?
  Do you know what he does?
- 그 사람이 뭘 하는 사람이죠〔그 사람 직업이 뭐죠〕?
  What does he do?

A: Is he the one whose wife is a doctor?
B : Yeah, that's right. 〔No, his wife is a writer.〕
A : 저 사람이 자기 아내가 의사라는 사람인가요?
B : 네, 맞아요. 〔아니오, 그 사람 부인은 작가예요.〕

- 그 사람에 대해서 아는 것 있으세요?
  Do you know anything about him?
- 그 사람과는 어떤 사이세요?
  How are you related to him? / What relation is he to you?
- 그를 어떻게 알게 됐어요?
  How did you come to know him?
- 그를 직접 만난 적은 없어요.
  I've never met him face to face. [11)]
- 저 사람이 누군인지 아세요?
  Can you guess who that man is?
- 혹시 저 여자가 누군인지 아세요?
  Do you happen to know who that woman is?
- 그 사람 이름은 알고 있어요. / 그 사람을 한번도 본 적이 없어요.

11) face to face : 마주 보고

I know him by name. / I've never seen him before.

• 그 사람에 대해서 좀 아십니까? / 네. 잘 알아요.

Do you know about him? / Yes. I know well of him.

• 네. 조금 알아요. / 그 사람과 친해요.

Yes. I know a little about him. / I'm in with him.

• 그 사람하고는 만나면 인사나 나눌 정도의 사이입니다.

I have a nodding〔bowing〕 acquaintance with him.

• 그 사람하고는 조금 아는〔절친한〕 사이입니다.

I have a slight〔an intimate〕 acquaintance with him.

• 저도 그 사람을 몰라요.

He is a stranger to me, too.

• 저는 그 사람을 전혀 모릅니다.

I haven't the slightest idea who he is.

• 그런 이름의 사람은 모릅니다.

I don't know anyone by that name.

• 그와는 만나도 말을 건넬 정도의 사이는 아니에요.

I'm not on speaking terms with him.

• 두 사람은 어떤 관계입니까?

What's your relationship?

• 방금 이곳을 지나간 남자가 누구죠?

Who is the man who has just passed here?

• 어느 미스 김을 말하는 거죠, 키 큰 사람말인가요, 작은 사람말인가요?

Which Miss Kim do you mean, the tall one or the short one?

• 저 사람 어디서 본 듯한 얼굴이에요.

I fancy I have seen him somewhere before.

• 어제 당신이 말한 그 여자 말입니까?

You mean the woman you spoke of yesterday?

• 우린 서로 왕래할 만큼 친한 사이는 아니에요.

We are not on visiting terms.

• 이름은 기억이 나는데, 얼굴은 잘 떠오르지 않아요.〈속어〉

The name rings a bell, but I can't place the face. [12]

• 저는 그와 매일 얼굴을 맞대고 일해요.

I work face-to-face with him everyday. [13]

• 저 분이 언젠가 말씀하신 그분인가요?

Is he the person you spoke of the other day?

---

12) ring〔hit〕 a bell : 생각나게 하다

13) face-to-face : 정면으로 마주 보는, 맞서서, 직면하여

A: How did you come to know him?
B : I got to know him while I worked at the IBM corporation.
A : 어떻게 그 사람을 알게 되었습니까?
B : IBM 회사에 근무하고 있는 동안 알게 되었어요.

타인에 대한 얘기

- 그 사람은 언제나 파티의 중심이에요.
  He's always the life of the party.
- 그 사람은 파티의 흥을 깨는 사람이에요. 〈속어〉
  He's a party pooper. [14]
- 그녀는 파티에 어울리는 못하는 여자예요. 〈속어〉
  She is a wallflower. [15]
- 그 사람은 파티를 김새게 하는 사람이에요. 〈속어〉
  He is a wet blanket at every party. [16]
- 그는 정말 분위기를 잘 맞추는 사람이에요. 〈속어〉
  He's a really good sport. [17]

술좌석에서

- 한 잔 드시죠.
  How about a drink?
- 건배! / 우리의 우정을 위하여!
  Cheers! / Here's to our friendship!

❖ 술에 대한 추가 표현 : 술을 마실 때(p. 448)

기 타

- 오늘밤 재미나게 놀아 봅시다. 〈속어〉
  Let's groove tonight. [18] / Let's have a good time tonight.
- 흥청망청 놀아 봅시다. 〈속어〉
  Let's cut loose. [19]
- 이제부터 제가 주도권을 잡겠습니다.
  I'll be running the show now. [20]

---

14) party pooper : ((속어)) 파티의 흥을 깨는 사람
15) wallflower : 무도회에서 상대가 없는 여자
16) wet blanket : 결점을 들추는 사람, 헐뜯는 사람; 다른 사람들의 흥을 깨는 사람
17) good sport : 분위기를 잘 맞추는 사람 / spoil sport : 분위기를 깨뜨리는 사람
18) groove ((구어)) 신나게 놀다, 즐기다
19) cut loose : 가르다; 관계를 끊다; 흥겨워 떠들어대다
20) run〔boss〕 the (whole) show : 쇼를 진행하다 → 지휘하다; 좌지우지하다

댄스장에서

A: Do you want me to teach you folk dancing?
B : Sure.
A: OK. You go like this. One, two, three, four.
B : Forward, side, back. How am I doing?
A: You're great!

A : 제가 포크댄스를 가르쳐 드릴까요?
B : 네.
A : 좋아요. 제가 하는 대로 하세요. 하나, 둘, 셋, 넷.
B : 앞으로, 옆으로, 뒤로.. 어때요?
A : 아주 잘 하십니다.

- 저하고 춤을 추실까요?
  Would you like to dance with me?
- 저는 춤을 출 줄 몰라요.
  I don't know how to dance.
- 제가 춤추는 법을 가르쳐 줄게요.
  I'll teach you how to dance.
- 지금 춤 한번 추실까요?
  May I have this dance?
- 다음 번에 춤 한번 추실까요?
  May I have your next dance?
- 춤추실 생각 있으세요?
  Are you in the mood for dancing?
- 춤을 정말 잘 추시는군요. / 스텝이 가벼우시군요.
  You're a great dancer. / Your steps are very light.
- 저는 블루스는 안 춰요. / 춤추는 것도 좋은 운동이에요.
  I don't like slow dance. / Dancing is a good workout.
- 당신 댄스 파트너가 누구세요?
  Who is your dance partner?
- 저는 방금 추고 들어왔어요.
  I just got done dancing. [21]
- 저는 술이 얼큰하게 취해야 춤을 출 수 있어요.
  I need to get drunk before I can dance.
- 우리 모두 춤을 춥시다.
  Everybody boogie (on) down. [22]

21) 디스코테크 stage에서 방금 춤을 추고 제자리로 돌아오는데 아무가 또 춤을 추자고 할 때
22) boogie (on) down : 춤을 추다, 몸을 흔들다

• 발을 밟아서 죄송합니다.
Excuse me. I stepped on your foot.
Excuse me for stepping on your foot.

헤어질 때

• 먼저 가 보겠습니다.
Please excuse my going first.
Please excuse my leaving earlier.

감사 인사

A: I enjoyed it so much. (아주 즐겁게 보냈습니다.)
B : I'm glad to hear that. (즐거우셨다니 고맙습니다.)

• 정말 멋진 파티였습니다.
It was a wonderful party.
• 파티에서 즐거운 시간을 보냈습니다.
I had a good time at the party.
• 멋진 파티(를 열어 주셔서) 정말 감사합니다.
Thank you very much for the wonderful party.
• 정밀 즐거웠습니다.
I've enjoyed myself thoroughly. / I had such fun.
I really had a lovely time.
I enjoyed myself very much.
I had such a pleasant time.
• 오늘 저녁 정말 재미있었습니다.
I had lots of fun tonight.
• 파티의 순간순간이 정말 재미있었습니다.
I enjoyed every minute of the party.
• 정말 즐겁게 있다가 갑니다.
It's been a real slice of happiness.
• 즐거운 저녁 한 때였습니다.
It was such an enjoyable evening.
• 재미있게 보냈어요.〈속어〉
We had a ball. [23]

23) have a ball : 아주 즐거운 한때를 보내다

화답 인사

- 와 주셔서 즐거웠습니다.
  It's been great〔fun〕 having you.
- 저희야말로 즐거웠습니다.
  The pleasure has been mine.

작별 인사

A: Thank you very much. Good night.
B : Take care.

A : 정말 고마웠습니다. 편히 쉬세요.
B : 안녕히 가세요.

활용어휘

- 가장 무도회 : fancy (dress) ball
- 회비 : membership fee
- 답례 방문 : return visit / dinner call
- 망년회 : year-end party
- 환영 만찬회 : reception dinner
- 신년 파티 : New year's party
- 연회장(호텔 등) : banquet room〔hall〕
- 예방 : courtesy call〔visit〕
- 좌석 명패 : place card
- 참가비 : entry fee
- 초인종을 누르다 : doorbell / call bell
- 친선 방문 : goodwill visit
- 환영식 : welcoming ceremony
- 집들이 : house-warming party
- 회식 : get-together
- 귀가, 귀국 : homecoming
- 다과회 : tea party
- 만찬회 : dinner party
- 방명록 : visitor's〔guest〕 book
- 스태그 라인 : stag line [24)]
- 회원증 : membership card
- 영빈관 : guest house
- 응접실 : reception room [25)]
- 준회원 : associate member
- 초대장 : invitation card
- 친목회 : getacquainted party
- 환영 송별회 : hail and farewell party
- 환영회 : welcome meeting〔party〕
- 송별회 : going-away party
- 조촐한 모임 : small get-together

24) 댄스 파티에 여성을 동반하지 않고 구석에 몰려 있는 남자들
25) parlor : (개인주택의) 응접실 / hospitality suit : (회사 등의) 응접실

E N G L I S H
C O N V E R S A T I O N
D I C T I O N A R Y

CHAPTER 17

- 대학 결정
- 대학 지원
- 기숙사 입주
- 수강 신청과 학점
- 수업 시간에
- 교수 평가
- 과제물
- 시험
- 공부와 성적
- 학비와 장학금
- 도서관에서
- 서점에서
- 문방구점에서
- 자녀를 편입시킬 때
- 기타

1 대학 결정

미국에서 고등학교를 졸업 후 진학할 수 있는 상급학교에는 ① university(4년제 종합대학), ② community college(2년제 대학) ③ career school(6개월~2년제 직업학교) 등 3가지가 있다. ①의 경우 1 · 2학년은 교양과정이고, 3 · 4학년은 전문과정이다. 졸업시 학사학위를 취득하여 'graduate school(university내의 대학원)'이나 'professional school(전문대학원; law school 따위)'에 진학하여 석사 학위를 취득할 수 있다. ②의 경우 졸업 후 4년제 종합대학의 3 · 4학년 과정에 편입할 수 있다.

❖ 그림 참조(p. 841)

기본대화

A : Only two more months to go!
What are you going to do after you graduate?
B : I'm going to go to college in California.
A : Have you decided what you're going to major in?
B : Yeah. I'm planning to study computer engineering.
A : That's a good field.
B : And what about you?
A : My father is going to give me a job in his company.
I'll probably work there about a year, so I can learn the basics.
B : That sounds very practical.

A : 이제 (고등학교 졸업할 날도) 두 달밖에 남지 않아서
그러는데, 졸업 후에 너는 어떻게 할 거니?
B : 캘리포니아에 있는 대학에 진학하려고 해.
A : 전공은 결정했니?
B : 응. 컴퓨터공학을 전공할 계획이야.
A : 좋은 분야구나.
B : 그럼 너는 어떻게 할 거니?
A : 아버지께서 당신 회사에 있는 일자리를 하나 줄거야.
거기서 1년 일하면 기초를 배울 수 있을 거야.
B : 그것 참 실질적이구나.

대학 결정

- 한 동안 쉴 계획이야.
  I'm planning to take it easy for a while.
- 아직 결정하지 못했어.
  I haven't decided yet.
- 아직 확실하지 않아.
  I'm not sure yet. / I'm still not sure.

> A: Which college are you going to apply to?
> B : I haven't decided what colleges I'm applying to.
>
> A: 어느 대학에 지원할 예정이니?
> B : 어느 대학에 지원할 것인지는 아직 결정하지 못했어.

- 어느 대학에 가려고 하세요?
  Which university are you going to enter?
- 집 근처에 있는 대학에 가는 게 어때요?
  Why don't you go to a college near home?

미국의 대학 진학 시스템

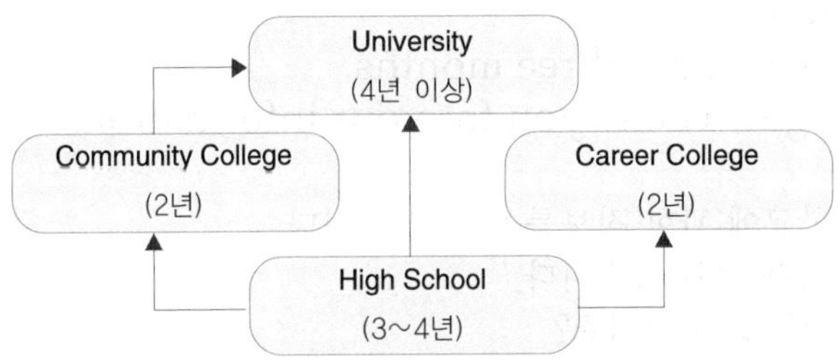

University와 College의 차이

university는 학부 수준의 교육기관과 대학원 및 전문대학원 및 고등 연구기관이 함께 갖추어져 있는 종합대학을 말하며, college는 liberal arts and science college(교양학 대학), junior college(주니어 대학), community college(전문대학) 등을 말한다.

2 대학 지원

미국의 대학 입학은 2가지에 의해서 결정된다. 즉 고등학교 성적과 'SAT〔Scholastic Aptitude Test : 수학능력시험〕'이다. SAT는 언어 수학능력과 수리 수학능력을 측정하며, 영어를 모국어로 하지 않은 학생들은 'TESL〔Test of English as a Second Language : 제2언어로서의 영어 시험〕'을 측정한다.

기 본 대 화

A : I'd like to get information about your university.
B : Here's our brochure.
A : When is the deadline for applications?
B : It's June 30th.
A : What paper work is needed for admission?
B : You can read the pamphlet, it includes all that information.
A : How long will it take to get a certificate of attendance?
B : It'll take about three months.
A : All right. Thank you for your information.

A : 이 대학교에 관한 정보를 알고 싶습니다.
B : 안내 책자 여기 있습니다.
A : 지원 마감일이 언제죠?
B : 6월 30일입니다.
A : 입학에 필요한 서류가 뭐죠?
B : 팸플릿을 읽어 보시면, 다 나와 있습니다.
A : 입학허가서를 받으려면 얼마나 걸리는가요?
B : 3개월 정도 걸립니다.
A : 알겠습니다. 가르쳐 주셔서 감사합니다.

정보 문의

- TOEIC도 봐야 합니까?
  Do I have to take TOEIC? [1)]

1) TOEIC〔Test of English for International Communication〕 : 국제 의사소통을 위한 영어 시험

- 토플은 몇 점이 필요하죠?
  What is the required score for the TOEFL? [2)]
- 졸업을 위한 최저 평점은 얼마입니까?
  What is the minimum G.P.A. requirement? [3)]
- 가을 학기에 시작할 수 있는가요?
  Can I start in fall semester? [4)]
- 입학에 필요한 것이 뭡니까?
  What are the requirements for admission?
- 졸업시험 제도가 있습니까?
  Is there a graduation exam required?
- 그 대학은 경영학 석사과정을 개설하고 있습니까?
  Does the university offer a Masters in Business Administration?
- 외국인 학생을 위한 안내 책자가 있습니까?
  Do you have a manual for foreign students? [5)]
- 장학금을 받을 기회가 많은가요?
  Is there a good chance of getting a scholarship? [6)]
- 2〔4〕학기 제입니다.
  It is a semester〔quarter〕 system.
- LA에는 주립 대학이 몇 개나 있습니까?
  How many state universities are there in L.A.?
- 이 주에 있는 대학들에 대해서 좀 알고 싶습니다.
  I need some information on universities in this state.
- 그 대학의 재학생 수는 25,000명이에요.
  The university has an enrollment of 25,000. [7)]

대학 지원 · 합격

- 4개 대학을 지원했어요.
  I've applied to four universities.
- 이 특수 대학은 입학 방침이 매우 엄격해요.
  This particular college has a very selective admissions policy.

2) TOEFL〔Test(ing) Of English as a Foreign Language〕 : 외국인 영어 시험
3) G.P.A〔Grade Point Average : 평점〕의 등급 구분 : A(4.0), B(3.0), C(2.0), D(1.0), F(0) / 평점에 따른 학생 호칭 : 전과목 A를 받은 학생 : straight A student / 3.85 이상 : summa cum laude[쑤머 쿰 라우디 = highest] / 3.65 이상 : magna cum laude / 3.5 이상 : cum laude(= with praise)
4) semester : 반년간, (미국 · 독일 등에서는 6개월 기간의) 학기
5) manual : 소책자, 안내서, 편람
6) scholarship : (특히 인문학의) 학문; (학문 연구로 얻은) 학식, 박학; 장학금 (제도) / a scholarship association〔society〕 : 장학회, 육영회
7) enrollment : 등록; 입학; 입대; 등록〔재적〕자 수

- 저는 명문 대학을 찾고 있어요.

I'm seeking admission to a prestigious university. [8)]

활용 어휘

- 고교 내신 성적 : high school records
- 등록 절차 : application procedure
- 조건부 입학 : conditional admission
- 유학생 상담교사 : Foreign Student Advisor
- 대학 진학 설명회 : college fair
- 지원료(전형료): application fee
- 입학 등록 : enrollment

美 법과대학원(law school)

'law school'은 3년제 전문 법과대학원으로서 대학 4년을 졸업해야 입학 자격이 주어진다. 학부에는 법학교육 과정이 없다. 사례(case) 중심의 실무교육을 하는 로 스쿨을 졸업하면 각 주의 대법원이 관장하는 변호사 시험(bar examination)에 응시한다. 합격률은 보통 80%선이며, 상위 30%선은 연방 검사 및 주요 법률회사(Law Firm)로 가고, 10~20%는 주(state) 검사 및 기업 변호사로 가며, 나머지는 변호사 개업을 한다. 우리나라에서도 이론 위주의 법학 공부의 취약점을 보완하고 법조인의 자격을 강화하기 위해 세계화추진위원회에서 로 스쿨 제도의 도입을 제기한 바 있으나, 대법원의 반발로 1995년 백지화됐다.

8) prestigious : 이름이 난, 세상에 알려진 / a prestigious school : 명문교, 유명한 학교

3 기숙사 입주

미국에서 유학생활을 하는 경우 3가지의 형태의 숙소가 있다. 홈 스테이(home stay : 미국인 가정에서 거주하는 것), 기숙사(dormitory), 아파트 임대 등이다. 유학 초기에나 처음 유학을 하는 사람일 경우에는 홈 스테이가 가장 적합할 것이다. 미국인들의 생활방식에 쉽게 적응할 수 있고, 더불어 영어 실력도 키울 수 있기 때문다. 기본적으로 숙소 형태를 결정할 때는 입학 지원서를 제출할 때 숙소(housing)란에 희망사항을 기록한다. 학교를 다니면서 숙소를 결정 · 변경할 때는 숙소담당실(Housing Office)에 가서 정보를 구한다.

기본대화

A : Does your school have dormitories?
B : Yes, we have a special dorm for foreign students.
A : Should I sign up for a room in a dorm?[1)]
B : Yes, you should.
A : How soon do I have to sign up?
B : The deadline is the end of this month.
A : All right. Thank you.

A : 이 학교에 기숙사가 있습니까?
B : 네, 외국인 학생을 위한 특별 기숙사가 있습니다.
A : 기숙사를 시용하려면 신칭을 해야 합니까?
B : 네, 신청을 해야 합니다.
A : 언제까지 신청을 해야 합니까?
B : 이번 달 말일이 마감일입니다.
A : 알겠습니다. 감사합니다.

정보 문의

- 학생용 기숙사가 있습니까?
  Are there any dorms for students?
- 기숙사의 한 학기 비용이 얼마죠?
  What is the dorm fee per semester?
- 캠퍼스내의 어느 기숙사가 제일 조용한가요?
  Which dorm is the most quiet on campus?

1) sign up : 계약하다, 신청하다 / dorm = dormitory : 기숙사

- 이 기숙사는 남녀 공용입니까?
  Is this dorm co-ed?[2)]
- 미국 학생과 함께 방을 쓰고 싶은데요.
  I want to share a room with an American student.
- 등록시켜 주세요.
  Sign me up, please.

편의 시설

- 기숙사에 충분한 오락시설이 있나요?
  Are there enough recreation facilities in the dorm?
- 기숙사에 학생용 식당이 있습니까?
  Is there a cafeteria for students in the dorm?
- 기숙사에서 전열기를 사용할 수 있나요?
  Can we use an electric equipment in the dorm?
- 기숙사에서 직접 요리를 할 수 있나요?
  Can we cook our own meals in the dorm?

개방 및 사용 기간

- 방학 동안에도 기숙사에 머무를 수 있는가요?
  Can I stay in the dorm during the vacation, too?
- 방학중에는 방을 비워야 하나요?
  Do we have to vacate the room during vacation?

> A: Is the dorm open all day? (기숙사는 하루종일 개방되는가요?)
> B : No, we close at 1:00 a.m. (아니오, 새벽 1시에 문을 닫습니다.)

- 저는 자취를 해요. / 저는 숙식비로 일주일에 100달러를 지불해요.
  I cook my own meals. / I pay $100 a week for room and board.

활용어휘

- 세 끼의 식사 제공 : full board
- 숙식 : room and board
- 캠퍼스 내 거주 : on campus housing
- 교수 휴게실 : faculty lounge
- 교수 식당 : faculty dining room
- 생활비 : living expenses
- 기숙사 : dorm〔dormitory〕 / hall of residence((英))
- 기숙생 : boarder(통학생은 'day boy' 라고 한다.)
- 하숙집 : boarding house / rooming house((美)) / lodging house((英))
  * pension : 프랑스나 기타 유럽 국가들의 하숙식 호텔
- 기숙 학교 : boarding school(전체 학생을 기숙사에서 수용하는 학교)
  * 상대적인 개념으로 학생들이 집에서 통학하는 학교는 'day school' 이라고 한다.

2) co-ed : 남녀 공학의

4 수강 신청과 학점

수강 신청에 관한 기본적인 표현에는 "Is mathematics available this semester?(수학을 이번 학기에 들을 수 있습니까?)", "When do they offer that subject?(그 과목이 언제 개설됩니까?)", "When's the deadline for choosing classes?(수강신청 마감일이 언제죠?)", "I want to drop chemical engineering.(화학공학 과목을 빼고 싶습니다.)" 등이 있다.

기본대화

A : Will you sign up for business administration next semester?
B : Well, it's still on the drawing board. Is the subject a requirement?
A : Not really. As a matter of fact, I'm think of changing one of my classes next semester.
B : What's on your mind?
A : I'll take English conversation instead of chemical engineering.
B : That's a good idea.

A : 다음 학기에 경영학 수강신청을 할 거니?
B : 글쎄, 아직 구상〔계획〕 중이야. 그게 필수과목이니?
A : 그렇지는 않아. 사실 다음 학기에는 수강 과목 하나를 바꾸고 싶어.
B : 어떻게 할 생각인데?
A : 화학공학 대신에 영어회화 과목을 수강하려고 해.
B : 좋은 생각이야.

수강 신청

- 어떤 과정을 수강하고 싶으세요?
  Which course would you like to take?
- 저쪽 창구에 가서 수강료를 내세요.
  You need to go to the counter over there and pay for the course.
- 시간표를 어디서 구하죠?
  Where can I get the schedule?

- 과목에 대한 안내 책자를 어디서 구할 수 있죠?
  Where can I get a course description booklet? [1)]
- 이 과목을 신청하려면 지도 교수의 승인이 필요합니다.
  You need permission from your academic advisor to take this course.

미국 어학연수 중 수강신청

미국 대학에서 어학 연수(ESL : English as a Second Language)를 받으면서 학부 과정의 수강 신청(Auditing academic classes)을 할 수가 있다. 수강 신청을 하기 위해서는 대학 당국에서 요구하는 영어 능력 수준(level)을 갖추어야 한다. 그리고 수강 신청을 할 때는 반드시 그 과정〔과목〕을 이수 후 학점(credit)이 인정되는지 여부도 확인해야 한다.

변경 · 취소

- 언제 과목을 변경할 수 있죠?
  When can I add or drop courses?
- 학기 도중에 과목을 취소할 수 있습니까?
  May I drop the course during the semester?

기 타

- 그 과목은 마감됐습니다.
  The subject is closed.
- 그 강좌는 수요일 10시부터 12시까지 있어요.
  The course meets on Wednesday from 10:00 to 12:00.
- 그건 선택과목이기 때문에, 이번 학기에 수강할 필요 없어요.
  Because it is optional subject, I don't have to take it this semester.
- 이 과목은 나한테 너무 어려운 것 같아요.
  I think this course is too hard for me.
- 이번 학기에 몇 과목을 수강 신청하셨어요?
  How many courses did you take this semester?
- 지도 교수에게 직접 말씀해 보세요.
  Why don't you talk to your academic advisor?
- 영어회화 과목은 이번 학기에 누가 담당하죠?
  Who's going to teach English conversation this term?
- 후기 등록은 언제죠?
  When is late registration?

1) booklet : 작은 책자(pamphlet)

- 수강 도중에 전공 (과목)을 바꿀 수 있습니까?
  Can I change my major during the course of my studies?
- 전공을 바꾸려면 선택과목을 수강해야 합니까?
  Do I have to take any optional classes if I change my major?
- 특별 강좌는 가을에 시작됩니다.
  The special course commences in (the) fall. [2]

학 점

- 15학점을 수강하고 있습니다.
  I'm taking 15 credits.
- 40학점 중에서 30학점은 영어과에서 취득해야 합니다.
  Out of forty credits, thirty credits must be earned from the English department.
- 매 학기마다 9학점 이상을 취득해야 해요.
  We must take more than nine credits per term.
- 이전에 한국 대학에서 취득한 학점을 전부 인정받을 수 있습니까?
  Are all credits acceptable from my previous university in Korea?
- 졸업을 하려면 3학점이 더 필요해요.
  I need another three credits for graduation.
- 지도 교수가 5학점만 신청하라고 했어요.
  My adviser recommended that I take five credits. [3]
- 학기당 최소한 몇 학점을 신청해야 하나요?
  What are the minimum credit hours to be taken per semester?
- 평점이 2.0 미만인 과목이 3개 이상이면 퇴학을 당할 겁니다.
  If your G.P.A. is less than 2.0 in three or more courses, you'll be expelled.
- 학점당 수강료가 얼마죠?
  How much is it per credit? [4]
- 그는 졸업에 필요한 학점을 따지 못했어요.
  He failed to earn enough credits to graduate.

> A: I hope this course will be interesting.
> B : I think it will be. The professor is very good.

2) commence : 개시하다, 시작하다, 시작되다(begin)
3) adviser : (대학 등의) 지도 교수; 조언자, 충고자
4) credit : 학점

A : 이 과목이 재미있었으면 좋겠어요.
B : 재미있을 거예요. 교수가 아주 훌륭하니까요.

전공 · 학과

A: I hear you're planning to study politics as your major.
B : Right now, I think I want to be a lawyer.
A: Maybe after you graduate, you'll work in the Capitol.
B : Maybe. But I'm just a freshman. I have almost four years left until I get my degree.
A: That's a long time. What happens if you change your mind?
B : Then I change my major and study something else.

A : 정치학을 전공할 계획이라면서!
B : 현재로서는 그래. 법률가가 되고 싶거든.
A : 졸업 후에 국회의사당에서 근무할 수도 있겠구나.
B : 그럴 수도 있지. 하지만 겨우 1학년생이잖아.
학위를 따려면 아직도 거의 4년이나 남았는데.
A : 그래 긴 시간이지. 마음이 바뀌면 어떻게 할 거야?
B : 그때 가서 전공을 바꿔서 다른 분야를 공부해야지.

※ 전공 관련 추가 표현 : 학교(p. 884, 998) / 전공(p. 999)

활용 어휘

- 선택 과목 : optional subject
- 야간반〔강좌〕 : night course
- 특별 청강생 : special student
- 전공 분야 : field of study

학과목의 종류

가정학 : home economics / 경영학 : business administration
경제학 : economics / 고고학 : archaeology / 공학 : engineering
교양학 : liberal arts / 교육학 : education / 농학 : agriculture
문학 : literature / 물리학 : physics / 법학 : law / 사회학 : sociology
생물학 : biology / 수의학 : veterinary
수학 : mathematics / 식물학 : botany / 신문학 : journalism
심리학 : psychology / 약학 : pharmacology / 연극과 : theater
영어 : English / 영화과 : film / 예술학 : creative arts
외국어학 : foreign language / 의학 : medicine / 인류학 : anthropology

인문학 : humanities / 전자공학 : electronics
정치학 : politics / political science
지리학 : geography
지질학 : geology / 철학 : philosophy
체육학 : physical education
치의학 : dentistry / 화학 : chemistry
회계학 : accounting

★ 참고로 대학의 학과는 Department, 학부는 School이라고 한다.
예를 들어 정치학과는 'Department of Politics', 의학부는 'School of Medicine' 이라고 한다.

명언 한 마디

Education makes a people easy to lead, but difficult to drive; easy to govern but impossible to enslave.

교육으로 말미암아 사람들을 쉽게 인도할 수 있지만 강제로 이끌어 가기는 힘들다. 교육이 통치하기 쉽게 만들어 주지만 노예화시키지는 못하게 해준다.

- Lord Brougham(1778~1865)-

5 수업 시간에

회화의 기본은 인사를 나누는 것이다. 시간과 장소에 구애받지 않고 할 수 있는 인사는 "Hi![1] (안녕하세요!)"라는 표현이다. 시간에 따라 "안녕하세요."라는 표현에는 "Good morning.(오전), Good afternoon.(오후), Good evening.(저녁)" 등이 있으며, formal한 경우에는 "Good morning, Mr. Miller.(밀러씨, 안녕하세요!)"처럼 Mr. / Mrs. / Miss 등의 존칭과 이름을 붙여서 인사를 한다.

기 본 대 화

A : How far did we go last time?
B : Page 72, chapter 2.
A : OK. Now open your books to page 73.
Today we'll begin at chapter three.

A : 지난 번에 어디까지 했죠?
B : 제 2장 72페이지까지 했습니다.
A : 그럼 책〔교과서〕 73페이지를 펴세요.
오늘은 제 3장부터 시작하겠습니다.

출 석

- 자, 출석을 부르겠어요.
  Now, let me check attendance.
- 교수님이 내 이름을 부르면 내 대신 '출석' 했다고 대답해 주세요.
  Please answer "Present" when the professor calls my name.
- 너 대신 내가 출석대답을 했어.
  I said "Here" for you.
- 또 한번 결석하면 너는 낙제야.
  If you miss one more class, you're going to fail.
- 수업에 늦으면 어떻게 하죠?
  What if we're late for class?
- 우리 땡땡이 치는 게 어때?〈속어〉
  Why don't we play hooky?[1]

---

1) play hooky : (학교 등을) 빼 먹다

- 학교는 9시에 시작해요.
  School begins at nine.
- 금일은 휴강
  NO CLASS TODAY

수업 진행

- 이건 언어학과 403과목 강의 계획표입니다.
  This is syllabus for Linguistics 403. 2)
- 125페이지를 펴 주세요.
  Please open to 〔at〕 page 125. / Please turn to page 125.
  Open (your book) to page 125.
- 35페이지 위에서 5번째 줄을 보세요.
  Look at the 5th line from the top of page 35.
- 밑에서부터 7번째 줄을 읽으세요. / 아래에서 3번째 줄을 보세요.
  Read line 7th from the bottom. / Find the third line down.
- 페이지를 넘기세요.
  Please turn the page.
- 수업을 한번 빠졌더니 뭐가 뭔지 모르겠어.
  I only missed one class and I'm already out of it.
- 수업이 너무 졸려요.
  A class is too much of snooze. 3)

수리 계산

- 3 플러스 4는 7이에요.
  Three and four make 〔equal〕 seven.
- 8 더하기〔빼기〕 8은 얼마입니까?
  How much is eight plus 〔minus〕 eight?
- 5 곱하기 8은 얼마입니까? / 3 곱하기 4는 12다.
  How much is five times eight? / Three fours are twelve.
- 40 나누기 8은 얼마입니까?
  How much is forty divided by eight?
- 0.1356을 소수 둘째 자리까지 구하면 얼마입니까?
  How much is 0.1356 to two decimal places?
- 0.5 이상의 끝수는 반올림하시오.
  Please raise fractions not lower than 0.5 to a unit.

---

2) syllabus : (강의의) 요강, 개략; 시간표
3) snooze : 선잠, 앉아 졸기, 낮잠

- 1/4은 소수로 얼마인가?
  What's one fourth as a decimal?

주의를 줄 때

- 수업 중에 잡담하지 마세요.
  No talking in class.
- 옆 사람과 잡담하지 마세요.
  Please don't chat with your neighbor.
- 옆 사람과 속삭이지 마세요.
  Don't whisper with your neighbors.[4]
- 강의 중에 졸지 마세요.
  Don't go dozing off in the middle of the lecture. [5]

기 타

- 교과서를 안 가져왔어요.
  I forgot to bring my textbook.
- 그 여자는 항상 강의 내용을 완벽하게 노트해요.
  She always takes perfect notes from a lecture.
- 그녀는 노트를 착실하게 하는 사람이에요.
  She's a diligent note-taker. [6]
- 그 주제에 대해서 잘 준비해 오기 바랍니다.
  Please be well prepared for the subject〔topic〕.
- 그는 선생님에게 반항했어요.
  He set his face against the teacher. [7]
- 그는 지금 수업 준비하느라 바빠요.
  He's busy preparing for class now.
- 그는 항상 강의실 뒷좌석에 앉아요.
  He always takes a seat in the back of the classroom.
- 마지막 수업이 8시에 끝나요.
  My last class gets out at 8:00 p.m. [8]
- 이 수업은 저에게 벅차요.
  This class is too far ahead of me〔beyond me〕.

---

4) whisper : 속삭이다 / whisper in a sb's ears = whisper with sb : 아무와 귀엣말을 하다 / in a whisper : 낮은 목소리로, 가만가만히
5) doze off : 졸다(drowse) / fall〔go off〕 into a doze : (자신도 모르게) 깜박 졸다
6) note-taker : 적어 두는 사람, 필기하는 사람
7) set one's face against sb : 아무에게 단호하게 반항하다
8) get out : 끝나다(finish)

- 재미없는 강의였어요.
  It was a flat lecture.
- 그렇게 쉬운 질문에도 대답을 못하니?
  Can't you even answer such an easy question?
- 확인해서 다음 시간에 알려 줄게요.
  After I find out, I'll let you know at the next class. [9)]

활용어휘

- 학용품 : school supplies
- 교과서 : schoolbook / textbook
- 보충 수업 : make-up class
- 수업이 없는 시간 : float hour〈속어〉
- 어학 연습실 : language laboratory
- 전원 출석 : complete attendance
- 출석률 : percentage of attendance
- 학습 교재 : learning aids
- 부교재 : accompany(ing) workbook
- 3교시에 : at the third period
- 공개 강의 : open class
- 보충 교재 : teaching aids
- 수업 시간표 : class schedule
- 청각 자료 : audiovisual material
- 자습실 : study hall
- 조퇴 : early dismissal
- 출석부 : roll〔attendance〕 book
- 학습 장애 : learning disability

* ((주의)) : 3교시를 third class 라고 쓰면 틀린 표현임

명언 한 마디

Examinations are formidable even to the best prepared,
for the greatest fool may ask more than
the wisest man can answer.

시험이란 예습을 가장 잘 한 사람들에게도 지긋지긋한 일이다.
왜냐하면 아무리 바보라도 가장 똑똑한 사람이
대답할 수 없는문제를 물을 수 있을 테니까.

\- Charles Caleb Colton(1780~1832) -

9) 학생이 질문한 것을 교수가 미처 알고 있지 못했을 때

6 교수 평가

학교생활을 하면서 학생들 사이에서는 교수에 대한 평을 자주 하게 된다. 어떤 교수에 대해서 어떤 사람인가를 물을 때는 "How is the professor?(그 교수 어때요?)"라고 한다. 교수에 대한 평을 할 때는 "The professor is generous in grading.(그 교수는 학점을 잘 줘요.)" / "The professor is a tough grader.(그 교수는 학점을 짜게 줘요.)" / "He's a tough professor.(그분은 깐깐한 교수예요.)"라고 말할 수 있다. 그리고 미국 대학에서는 학생들이 공식적으로 교수에 대한 평가서(Professor's Evaluation Form)를 작성하여 제출한다.

기 본 대 화

A : How are the professor's lectures?
B : His lectures are interesting but he never seems to have a point.
A : How does he assess the students?
B : He grades the thesis by how many pages we write.

A : 그 교수의 강의〔수업〕가 어떠니?
B : 강의가 재미는 있는데, 핵심이 전혀 없는 것 같아.
A : 학생들 성적 평가는 어떻게 매기니?
B : 그분은 논문을 작성한 페이지 수로 성적을 매겨.

교수 평가

- 그 교수는 절대 학생들을 낙제는 안 시켜요.
  The professor never fails students. 1)
- 그 교수는 컴퓨터 분야에서는 권위자예요.
  He is an outstanding figure in the field of computers. 2)
- 그 교수는 학생들에게 굉장히 인기가 있어요.
  The professor's enormously popular with the students.
- 그 교수는 매 학기당 1명씩 F학점을 줘요.
  The professor always flunks one student per semester. 3)
- 그분이 까다로운 교수이긴 하지만, 그분한테서 많은 걸 배웠어요.
  He's a hard professor, but I've learned a lot from him.

---

1) fail : 낙제시키다
2) outstanding : 눈에 띄는, 현저한 / an outstanding figure : 두드러진 인물
3) flunk : 실패하다(fail); (시험 등에) 낙제점을 매기다, 낙제시키다; 실패, 낙제(점)

- 교수 평가서를 작성해 주기 바랍니다.
  Please fill out this Professor's Evaluation Form. 4)
- 그분은 분자생물학을 강의하고 있어요.
  He's giving a series of lectures on molecular biology. 5)
- 그분이 우리에게 음주의 위험성에 대해서 한참 훈계를 해 주셨어요.
  He gave a long lecture on〔about〕the dangers of drink. 6)

강의 평가

- 그 교수의 강의를 듣느라고 정말 지루했어요.
  We were bored with listening to the professor.
- 그분의 강의는 정말 열성이 대단해요.
  His lectures are very enthusiastic. 7)
- 그분의 강의는 정말 지루해요.
  His lectures are boring. 8)

활용 어휘

- 전임 강사 : full-time instructor
- 정교수 : full professor
- 주임 교수 : head professor
- 강사직 : lectureship((英))
- 전임 교사 : full-time teacher
- 조교수 : assistant professor
- 교수직 : professorship
- 강사(학교 외에) : lecturer((美))

교수(professor)의 명칭

많은 국가에서 대학 교수를 professor라고 부른다. 그러니 영국에서는 종합대학(university) 및 단과대학(college) 교수들(university teachers) 중에서 최상위 지위(the highest rank)의 교수를 지칭할 때만 professor라고 하며, 이보다 하위 서열의 교수들의 경우에는 senior lecturer(수석 강사 : 서열이 가장 높음), Reader(강사 : 서열이 중간 정도), lecturer(강사 : 서열이 가장 낮음)라고 부른다. 미국에서는 종합대학(university) 및 단과대학(college)의 교수들 중에서 정식 교원(full member)만을 지칭하며, 여기에는 직급이 높은 순서대로 full professor(정교수), associate professor(부교수), assistant professor(조교수) 등 세 부류로 구분된다. 그리고 기타 학교 교사들(school teachers)은 professor라고 부르지 않는다.

---

4) Professor's Evaluation : 학생들이 교수를 대상으로 평가서를 작성하는 것
5) molecular : 분자로 된, 분자에 의한 / biology : 생물학, 생태학
6) give sb a lecture on〔about〕~ : 아무에게 ~에 대해서 강의하다 / lecture sb on〔about〕~ : 아무의 ~〔행동 따위〕를 심하게 꾸짖다 예 Mrs. Nancy was continually lecturing her children about their behavior.(낸시 부인은 자기 애들의 행동을 심하게 꾸짖었다.)
7) enthusiastic : 열광적인, 열렬한
8) boring : 지루한, 따분한

7 과제물

교수가 과제물을 내줬는데 마감일이 언제까지인지 모를 때는 "When is the due date?(언제까지 제출해야 합니까?)"라고 말하고, 교수가 과제를 너무 많이 내줘서 친구에게 불평을 할 때는 "He assigned too much homework.(과제를 너무 많이 내줬어요.)"라고 한 마디 할 수 있다.

기본대화

A : This is a group project for five people this time.
B : How long does the paper have to be?
A : It has to be ten pages typed-written.
B : When is the paper due?
A : You must hand in your report by next Tuesday.
And you have to make a presentation after you hand in the paper.
Any other questions about the paper?
B : No, sir.

A : 이번 과제는 5명 1개조의 공동(해결) 과제입니다.
B : 분량은 어느 정도로 해야 합니까?
A : 10페이지로 타이핑하세요.
B : 언제까지 제출해야 합니까?
A : 다음 주 수요일까지 제출해야 합니다.
그리고 이번에는 리포트를 제출한 후에 발표를 할 겁니다.
리포트에 관한 또 다른 질문 있어요?
B : 없습니다.

과제를 내줄 때

- 리포트를 작성하기 전에 여러 가지 참고자료를 읽어야 합니다.
  You have to read various articles before writing the paper.
- 보고서에 각주를 달아야 합니다.
  Your paper should be footnoted. [1)]
- 리포트 마감일은 7월 12일입니다.
  The report is due on July 12.

1) footnote : 각주; ~에 각주를 달다

• 좋은 성적을 얻으려면 과제물을 제 때에 제출해야 합니다.
You should turn in your homework on time if you want to get a good grade. 2)

• 연구조사 과제입니까?
Is it a research project?

• 조사 자료를 반드시 첨부해야 합니다.
You should include research data.

• 중간고사는 리포트로 대체하겠습니다.
Instead of a midterm, there will be a paper.

• 이번 과제 문제로 면담을 하고 싶습니다.
For this project, I need to consult with you. 3)

논 문

• 난 아직 (논문) 제목도 선정하지 못했어요.
I haven't even picked a topic yet.

• 1차 초고를 8월말까지 제출하세요.
Hand in the first draft by the end of August. 4)

• 벌써 논문을 쓰기 시작했어요?
Have you already started your thesis?

• 논문 쓰느라고 집중하고 있는데 방해하지 마세요.
Don't interrupt while I'm concentrating on my thesis.

• 논문 작성에는 적절한 제목 선정이 가장 우선적이고 중요한 단계예요.
Choosing a good topic is the first and most important step in thesis writing.

기 타

• 과제물을 돌려 드리겠습니다.
I'm going to return your project.

• 그 교수는 숙제를 많이 내 주는가요?
Does the professor give you a lot of work?

• 내 대신 보고서를 써줄 사람 없어요?
Doesn't anyone want to write my report for me?

• 숙제는 벌서 다 했니?
Have you finished your homework yet?

---

2) turn in : 제출하다(submit : 문어적 표현)
3) consult : (전문가에게) 의견을 묻다; 상담하다; 참고하다
4) draft : 틈새기 바람; 도안; 초고; 초안; ((스포츠)) 신인 선수 선택 제도; 선발하다; 징병하다 / a draft bill : (법안의) 초안 / make out a draft of ~ : ~의 초안을 잡다

• 교수님이 이 보고서는 베꼈다는 걸 아실 거예요.
I guess the professor will know this report is plagiarized. [5]

5) plagiarize : (남의 문장 · 사상 · 도안을) 표절[도용]하다

8 시 험

시험(examination)에 관한 기본적인 표현에는 "I have an exam coming up tomorrow.(저는 내일 시험이 있어요.)", "How was your exam?(시험이 어땠어요?)", "How did your exam go?(시험 어떻게 치렀니?)", "The questions were a lot easier than I expected.(문제가 생각보다 훨씬 쉬웠어요.)", "I did terrible on this test.(이번 시험을 망쳤어요.)" 등이 있다.

기 본 대 화

A : How did you do on your exam?
B : Not very well. The exam was incredibly difficult and I made a lot of mistakes.
In fact, I stayed up all night studying for the test.
A : Gee, you should have studied regularly.
B : Anyway, I feel a load off my mind now that the exam is over.

A : 시험을 어떻게 치렀니?
B : 잘 치르지 못했어.
시험이 너무 어려워서 실수를 많이 했거든.
사실은 어젯밤 시험 공부하느라고 밤을 새웠어.
A : 저런, 공부는 평상시에 해 두어야 하는 거야.
B : 아무튼 시험이 끝나서 마음이 홀가분해.

시험을 보기 전에

시험이 다가오다

- 기말고사가 다가오고 있어요.
  Finals are at hand. [1)] / Finals are coming up.
- 내일 시험을 위해서 공부했어요?
  Have you studied for the test tomorrow?
- 너는 어떻게 시험 전에만 친한 척 하니?
  How come you're only nice to me before exams?

---

1) at hand : 가까이에, 가까운 장래에

- 내일 영어 재시험을 봐야 해요.
  I'll have to take a make-up (exam) in English tomorrow. [2)]
- 이제 시험에 대비해서 공부 좀 해야 될 것 같아요.
  I think I have to hit the books in preparation for the test now. [3)]
- 자신감을 가지고 시험을 치세요.
  Take your examination with confidence.
- 어떻게 잘 될 거예요.
  It will work out all right.
- 그는 항상 시험공부를 벼락치기로 해요.
  He always crams for his exams. [4)]
  He always studies at the last minute.
- 공부하느라 밤을 샜는데, 시험을 망칠까봐 걱정돼요.
  I stayed up all night studying, but I'm afraid I might blow the quiz.
- 시험을 치를 때 어려운 문제는 건너뛰세요.
  You should skip the difficult questions during exam.

출제 유형

- 이번 시험은 논술형입니다.
  This will be an essay test.

활용 어휘

- 사지선다형 : a multiple choice
- 간단한 시험 : a quiz
- 구술 시험 : a oral exam
- 오픈 북 시험 : an open book test
- 논술 시험 : an essay examination (test)
- 집에 가져가서 보는 시험 : a take-home test

- 이 과목은 상대 평가입니까?
  Are you going to grade on a curve in this class? [5)]
- 시험 문제는 전부 객관식입니다.
  Exam questions are all objective.
- 그 교수는 시험 전에 문제를 알려 줘요.
  The professor tells us the questions before the exam.

2) make-up : 재(보충) 시험
3) hit the books : 맹렬히 공부하다
4) cram : (시험 등을 위해서) 벼락공부를 하다; 밀어넣다, 채워넣다; 포식하다
5) grade on a (the) curve : 상대평가로 평점하다 / curve : 곡선; 상대 평가

- 이번 학기 중에 퀴즈 시험을 열번 보는데, 모두 종합성적에 반영하겠습니다.
  You'll have ten quiz tests throughout this term, all of them will count towards your total grade.
- 이번 기말고사는 총 성적의 50%를 차지할 겁니다.
  This final test will count fifty percent of your total grade.
- 이번 시험은 그 동안 배운 중요한 사항들을 망라할 겁니다.
  The final exam will cover the main points of the course.

기 타

- 밀러 박사님이 내일 우리 시험감독을 하실 거야.
  Dr. Miller will proctor our exam tomorrow. [6)]
- 퀴즈 시험은 최종 성적에 몇 퍼센트 반영이 되죠?
  What percentage does this quiz count toward the final grades?
- 일치되는 것끼리 줄을 그으시오.
  Match the lines.

시험 시간에

- 책을 넣으세요.
  Please put your books away.
- 커닝하다 적발되면 퇴장을 당할 겁니다.
  If you get caught cheating during the test, you'll be kicked out of the classroom.
- 이 시험 시간은 50분간입니다.
  You have fifty minutes to take this test.
- 답안지에 수험 번호 쓰는 것을 잊지 않도록 하세요.
  Make sure that you don't forget to write your seat number in your examination paper.
- 시간이 다 됐습니다. 답안지를 제출하세요.
  Time is up. Turn in your papers.
- 연필을 내려놓으세요. / 시간이 모자라는데.
  Put your pencils down. / I'm running out of time.
- 이 문제는 교과서가 있어도 못 풀겠군.
  I can't answer this question even with the textbook.
- 답안을 중앙통로를 통해 전달하세요.
  Please pass your papers to the center aisle.

6) proctor : 시험 감독관; (시험을) 감독하다

- 시험이 끝난 후 답안지〔시험지〕를 제출하세요.
  Hand your papers in at the end of the exam.
- 답안지를 내기 전에 다시 한번 읽어 보세요.
  Read your papers over before you hand it in. [7]

시험을 보고 나서

결과를 물을 때

- 시험 성적이 어떻게 됐어요?
  How did you make out in the exam?
- 시험 잘 봤어요?〈속어〉
  Have you passed the exam with flying colors? [8]
- 시험 본 결과가 어떻게 됐어요?
  How did the test turn out? [9]
- 시험을 본 후 스스로 채점해 보셨어요?
  Did you check your answers yourself after exam?

만족스러울 때

- 100점 만점에 100점이구나. 잘했다!
  One hundred out of one hundred. Well done!
- 잘했어! 너는 만점이다!
  Well done! You scored 100%.
- 중간고사에 그런 문제가 나오리라고 예상했었어요.
  I guessed that the midterm exam would have questions like that. [10]
- 찍은 답이 어쩌다 맞았어요.
  The answer I checked at random turned out to be right. [11]
- 야, 내 예상이 적중했어요.
  Yeah! I guessed correctly.

불만스러울 때

- 이번 시험을 망쳤어요. / 이번 중간고사를 망쳤어요.
  I did terrible on this test. / I flunked this midterms.
- 크게 실수를 했어요.
  I blew it.

---

7) hand in : 제출하다
8) with flying colors : 의기양양하게 깃발을 휘날리는, 큰 성공을 거둔
9) turn out : (결과 등이) 나타나다
10) 자기가 예상했던 문제가 시험에 나온 것을 보고 혼자말로 하는 표현
11) at random : 닥치는 대로, 되는대로

- 첫번째 문제를 못 풀었어요.
  I failed to answer the first question.
- 10번 문제에서 실수를 했어요.
  I slipped up on question number ten. 12)
- 3번 문제를 틀리게 답했어요〔틀렸어요〕.
  I answered the third one wrong.
- 되는대로 답을 찍었어요.
  I just marked the answer sheet randomly.
- 마지막 문제를 이해할 수 없었어요.
  I wasn't able to figure out the last question.

기 타

- 누가 답을 가장 많이 맞추었죠?
  Who's got the most answers right?
- 순전히 운으로 맞췄어요.
  I got that one right by pure luck.
- 시험 성적은 나빴지만, 간신히 합격했어요.
  I didn't do well in the exam, but I got by. 13)
- 어제 갑자기 퀴즈 시험을 봤어요.
  We had a pop quiz today. 14)
- 잘못이 있으면 고치시오. / 틀린 답은 줄을 그어 지우십시오.
  Correct errors, if any. 15) / Cross out the wrong answers.

미국의 교육 제도

① 보육원 과정 : pre-kindergarten(4세) / nursery(3 ~ 4세) / pre-nursery(6월 ~ 3세) / day care center(탁아소) 등이 있다.

② 유치원 과정 : kindergarten(4 ~ 5세)

③ 초 · 중 · 고등학교 과정(6 ~ 17세) : 5-3-4년제(elementary school → middle school → high school), 6-6년제(elementary school → secondary school), 6-2-4년제(elementary school → junior high school → (senior) high school), 8-4년제(elementary school → high school) 등이 있으나, 6-2-4년제가 일반적이다.

④ 대학 과정 : university(4년제 종합대학)에서는 1 · 2학년은 일반 교양과정을, 3 · 4학년은 전문과정을 이수한다. 졸업시 학사 학위를 취득하고 'graduate school'의 석사 과정에 진학하거나 'professional school'에 입학하여 석사 학위를 취득할 수 있다. 그 이후에는 박사 과정에서 진학하여 박사 학위를 취득할 수 있다. 그 외 trade

12) slip up : ((구어)) 틀리다, 잘못하다
13) get by : 통과하다, 그럭저럭 통과하다; 빠져나가다
14) pop〔snap〕quiz : 예고 없는 간단한 테스트
15) 시험 문제의 문항 내용

(career) school(6개월 ~ 2년제 직업학교), liberal arts college, junior college, community college 등의 college(2년제 대학)이 있다. 졸업 후 4년제 대학의 3 · 4 학년 과정에 편입이 가능하다.

⑤ 대학원 과정 : 석사 및 박사 과정이 있는 graduate school(대학원)과 석사 과정을 교육하는 professional school(전문 대학원)이 있다. 전문대학원 중에는 law school(법과 대학원), business school(경영 대학원), medical school(의과 대학원) 등이 대표적이다.

활용어휘

- 답안지 : answer sheet
- 수험 번호 : examinee's number
- 시험 과목 : subject for examination
- 시험 출제자 : examiner
- 실기 시험 : practical exam / skill test
- 주관식 문제 : subjective question
- 합격 최저점 : pass mark
- 졸업 자격시험 : regents competency test [17]
- 합격점 : the passing mark
- 모의 시험 : sham exam〈속어〉
- 시험 감독관 : proctor
- 시험 문제지 : exam paper
- 시험장 감독관 : presiding officer
- 예비 시험 : preliminary exam
- 커닝 페이퍼 : crib (sheet) / cheat sheet
- 합격 · 불합격 평가 : pass-fail [16]

16) 단계별 평가가 아니고, 합격 · 불합격 판정만을 하는 평가 방식
17) 미국의 주(州)에서 고등학생을 대상으로 실시하는 졸업자격시험

9 공부와 성적

미국인 학생에게 공부를 잘 하느냐고 물을 때는 **"How're you doing in school?(**너 공부 잘하니**?)"**라고 말하고, 성적 순위를 말할 때는**"I'm at the top of my class.(**저는 반에서 **1**등이에요**.)"** 또는 **"I'm at the bottom of the class.(**저는 반에서 꼴찌예요**.)"**라고 말할 수 있다.

기 본 대 화

A : How were your grades this term?
B : I got all A^+.
A : Come on, you're kidding?
B : I mean it.
In fact I've really worked hard this semester.
A : Really! You did a good job. Congratulations!
B : I was just kidding.

A : 이번 학기 성적이 어땠니?
B : 전 과목 A^+를 받았어.
A : 이봐, 너 농담하는 거지?
B : 정말이야. 사실 난 이번 학기에 정말 열심히 공부했어.
A : 그래! 정말 잘 했구나. 축하해!
B : 농담으로 해 본 소리야.

공 부

A: Why don't you study? (너 왜 공부 안하니?)
B : I do study. [1] (공부를 왜 안해요, 하고 있어요.)

- 그는 열심히 공부하는 학생이에요.
  He's a hardworking student.
- 어제 새벽 4시까지 공부를 했어요.〈속어〉
  I was burning the midnight oil last night. [2]
- 나는 학위를 따려고 공부하는 중이에요.
  I'm working for my degree.
- 미국에 유학할까 생각 중입니다.
  I'm thinking about studying in America.

1) do : 강조 동사
2) burn〔consume〕 the midnight oil : 밤늦게까지 공부하다〔일하다〕

- 유학을 하고 싶어요.
  I'm anxious to study abroad.
- 제발 공부 좀 해라. / 저는 틈나는 대로 공부를 해요.
  Please crack a book. [3] / I spend every free moment studying.
- 학업에 전념할 수가 없어요.
  I'm unable to concentrate my thoughts upon my academic work.
- 기말고사 때문에 벼락공부를 해야 해요. 〈속어〉
  I have to cram for the finals. [4]
- 저는 항상 예습을 해요.
  I always study to prepare for class.

성 적

성적이 좋다

- 나 A학점을 받았어요.
  I got an A. / I aced.
- 좋은 성적을 받았어요.
  I got a good grade.
- 그는 학교 성적이 아주 좋아요.
  He's doing very well at school.
- 그는 수학에서 꽤 좋은 점수를 받았어요.
  He got a decent grade in math.
- 그는 영어에서 장족의 발전을 했어요.
  He made great strides in English. [5]
- 그는 학업 성적이 좋아요.
  He does well at school. / He's a good scholar.
  He has a fine record at school.
- 당신 학교 성적이 좋아지는 것 같군요.
  You seems to be getting on well at school.
- 우리 딸이 예일 대학을 최고 우등생으로 졸업했어요.
  My daughter graduated summa cum laude from Yale University.
- 그는 다른 사람들보다 월등히 잘 해요.
  He is a cut above the others.

---

3) crack a book : 공부하다, (공부하기 위해) 책을 펴다
4) cram : 벼락공부하다
5) make great〔rapid〕 strides : 장족의 진보를 하다 / stride : 큰 걸음 / strides : 진보

• 그는 3년 동안 내내 수석이었어요.
He has been at the top of his class for three years.

성적이 나쁘다

• 그는 수학에서 낙제당했어요. / 그는 낙제 점수로 학교에서 쫓겨났어요.
He flunked math. / He flunked out of school.

• 그는 우리 반에서 제일 뒤떨어져 있어요.
He's far behind my classmates.

• 그는 자기 반에서 꼴찌로 졸업했어요.
He graduated last in his class.

기 타

• 성적은 그룹별로 평가하겠습니다.
I'll evaluate your grade by group.

• 모든 과목이 합격 불합격으로만 평가돼서는 안 된다고 생각해요.
I don't think all courses should be graded pass or fail.

• 제 성적을 확인해 보고 싶습니다.
I want to find out my grade.

• 최종 성적은 리포트(숙제), 중간고사 2회, 기말고사 등으로 평가하겠습니다.
Your final grade will be based on your papers, two midterms, a final exam.

• 출석은 성적의 10%를 차지합니다.
Attendance accounts for 10% of your grade. [6]

활용어휘

• 2등 졸업생 : salutatorian [7]
• 과외 수업 : extra class
• 낙제생 : failure / plucked student
• 만능 학생 : well-rounded student
• 우등생 : honor student
• 최우수 졸업생 : valedictorian [8]
• 공부벌레 : study grind
• 과외 활동 : extracurricular activity
• 대학 우등생 명단 : dean's list
• 성적(통지)표 : report card
• 졸업 석차 : graduation standing
• 학업 성적 : academic record

6) account for ～ : ～(의 비율을) 차지하다
7) 그의 연설은 salutatory라고 한다.
8) valedictory : 최우수 졸업생이 하는 연설

10 학비와 장학금

'학비 수업료'는 'tuition'이라 하고, '장학금'은 'scholarship'이라고 한다. 학비에 대한 기본적인 표현에는 "How much is tuition for four years?(4년 동안의 학비가 얼마나 됩니까?)", "What is the deadline for a tuition?(학비 납부 마감일이 언제죠?)" 등이 있다.

기 본 대 화

A : I've received a full scholarship to Washington University.
B : Congratulations! That's fantastic!

A : 나 워싱턴 대학에 전액 장학생이 됐어.
B : 축하해! 굉장하구나!

학 비

- MIT에서 2년 공부하려면 비용이 얼마나 듭니까?
  How much would it cost to study at M.I.T.?
- 이 주에 거주하는 사람이라면, 50%을 할인 받을 거예요.
  If you are a resident of this State, you'll get 50% off.
- 저는 등록금을 면제받고 있습니다.
  I'm exempt from paying tuition.
- 제가 연구조교로 일한다면 학점당 얼마를 내야 합니까?
  If I work as a research assistant, how much do I have to pay per credit?
- 학비 대출을 받을 수 있습니까?
  Can I qualify for a student loan?
- 그건 학비를 포함한 건가요?
  Does it include the tuition?
- 저는 형님에게 학비를 의존하고 있어요.
  I depend upon my brother for my school expenses.
- 아르바이트를 알선해 주나요?
  Do they help find part-time jobs?
- 대학 학비가 매년 증가하고 있어요.
  The costs of college get higher every year.
- 제가 대학에 들어갈 당시에는 수업료가 분기당 350달러였어요.
  When I started college, tuition was $350 a quarter.

- 저의 형님이 제 학비를 대고 있어요.
  My brother pays my school expenses.
  My brother helps me with school expenses.
- 저는 학비에 곤란을 받고 있어요.
  I'm hard up for school expenses. [1)]
- 저는 장학금을 얻어 미국에서 공부를 했어요.
  I studied in the United States on a scholarship.

장학금

- 장학금 신청서 제출기간이 언제까지죠?
  When's the deadline for filing an application for a scholarship?
- 장학금 신청했어요?
  Did you apply for a scholarship?
- 저는 장학금을 받고 있습니다. 학술장학금이죠.
  I'm on a scholarship; academic scholarship.
- 장학금은 어떻게 신청하죠?
  How can I apply for a scholarship?
- 장학금을 받으려면 어떤 자격이 필요하죠?
  What are the qualifications for receiving a scholarship?

활용어휘

- 수업료 : school〔tuition〕 fees [2)]
- 장학 기금 : scholarship fund
- 예치금〔보증금〕 : deposit
- 장학 위원회 : scholarship committee
- 장학생 : scholarship / scholar
- 입학금 : entrance〔matriculation〕 fee
- 학자금 원조 : financial aid
- 장학관 : government school inspector
- 육성회 : school board

1) be hard up for ~ : ~〔돈 따위〕에 궁해 있다, 결핍해 있다
2) in-state fee : 해당 주 지역에 거주하는 학생이 내는 수업료 / out-of-state fee : 다른 주(state)에서 온 학생이 내는 수업료

11 도서관에서

도서관(library)에서 책을 대출받으려면 우선 도서관에서 발행한 카드가 필요한데, 이것을 발행 받을 때는 신분증과 주소를 증명할 수 있는 서류를 신청서와 함께 제출한다. 보통 1회 대출 가능한 양은 10~40권까지이며 대출 기한은 2~4주이나, 이는 지역과 도서관에 따라 차이가 있다. 대출 기한을 초과했을 때는 일일 단위로 소정의 벌금을 물어야 한다.

기 본 대 화

A : I'd like to check out books. [1)]
B : Can I see your ID card [student ID]? [2)]
You need to have a library card before I can let you check out the books.
A : Here you are.
How many books can I check out at a time?
B : Up to six books, but they're due in two weeks.
A : I see. Can I renew them by phone?
B : Sure.

A : 책을 대출하고 싶은데요.
B : 신분증〔학생증〕 좀 보여 주시겠습니까?
책을 대출 전에 도서 대출카드를 만드셔야 합니다.
A : 여기 있습니다.
한번에 책을 몇 권이나 대출할 수 있죠?
B : 6권까지이지만, 2주일 이내에 반납하셔야 합니다.
A : 그렇군요. 전화로 반납일을 연기할 수 있어요?
B : 물론이죠.

대출할 때

• 그 책은 대출 중입니다. 6월 26일에 들어옵니다.
It's been checked out. It's due on June 26.

---

1) check out : ① (사실 여부를) 조사하다. 예 We have to check out your credit. ② (제대로 되어 있는지) 검사하다 예 You'd better check out the engine. ③ (호텔에서 투숙을 마치고) 나가다 ④ 죽다(die) ⑤ (책을) 대출하다

2) 미국에서는 도서관에서 책을 대출할 때 신분증 제시를 요구한다. 미국 영화를 보면 FBI에서는 누가 어떤 종류의 책을 대출해 가는 것까지도 체크하여 추후 사건이 발생하거나 특정 인물에 대한 평가시 자료로 활용하기도 한다.

- 그 책을 예약해 드릴까요?
  Do you want us to reserve the book for you?
- 당신의 이름과 연락처를 주세요.
  Give us your name and phone number, please.
- 한번에 3권 이상은 대출할 수가 없습니다.
  You can't check out more than three books at a time.
- 정기 간행물은 대출이 안됩니다.
  You can't check out periodicals. [3)]
- 이 책은 얼마나 오랫동안 대출할 수 있죠?
  How long can I check out this book?
- 책을 늦게 반납하시면, 하루에 1달러씩 벌금을 내셔야 합니다.
  If you return the books late, you have to pay one dollar a day.
- 그 책들은 2주간 대출하실 수 있습니다.
  You can have the books for two weeks.
- 참고도서는 대출할 수 없습니다.
  You can't check out reference books.
- 1 주일간 대출하실 수 있습니다.
  You can check it out for one week.
  You can keep it for a week.
- 신청을 해 놨으니, 내일 다시 와 보세요.
  We already placed the order, please come back tomorrow.
- 책을 얼마나 오래 가시고 있을 수 있습니까?
  How long can the books be kept?
- 책이 반납되는 대로 연락 드리겠습니다.
  We'll let you know as soon as the book is returned.

도서를 찾을 때

- 이 주제에 대한 정보를 어디서 찾을 수 있죠?
  Where can I find some information on this subject?
- 색인 목록을 봅시다.
  Let's look in the catalog.
- 역사에 관한 서가가 어디에 있죠?
  Where can I find the section on history?
- 죄송합니다. 일반 이용객은 서고에 들어갈 수 없습니다.
  I'm sorry. General users aren't allowed into the books area.

3) periodical : 정기 간행의; 정기 간행물

- 열람표를 작성해 주시면 저희가 책을 찾아 드립니다.
  You'll have to fill out a call slip and we'll find the book for you.
- 제가 찾고 있는 책을 찾을 수가 없습니다.
  I can't find the book I'm looking for.
- 컴퓨터로 열람해 보세요?
  Why don't you check with the computer?
- 한국 경제에 관한 자료가 필요합니다.
  I need references on Korean economics.
- 한국사에 관한 참고문헌 목록 좀 주시겠습니까?
  Would you give me a bibliography of Korean history? [4]
- 한번 꺼낸 책을 아무 데나 꽂지 마세요.
  Once you take out a book, don't put it back just anywhere.

기 타

- 그 도서관의 이용자는 1년에 약 10만 명이에요.
  The library is visited annually by about 100,000 persons.
- 도서관에 잠깐 들릅시다.
  Let's stop at the library.
- 도서관에서 그 정보를 얻을 수 있을 겁니다.
  I think you can get the information from the library.
- 바로 이 시간이 되면 도서관이 무척 붐벼요.
  The library gets really crowded right about now. [5]
- 저는 그 책을 다해서 세 번이나 읽었어요.
  I read the book three times in all. [6]
- 제가 참고하고 싶은 책이 도서관에 없어요.
  The book I want to refer to is not in the library.

활용어휘

- 개인 열람실 : cubicle
- 공상과학 소설 : science fiction〔sci-fi〕
- 도서 대출 통지서 : reserve card [7]
- 도서 분류 일람표 : classification schedule
- 독서실 : reading room
- 이동 도서관 : itinerant〔mobile〕 library
- 공립〔공개〕도서관 : public library
- 도서 대출 카드 : book card
- 도서 분류 번호 : class number
- 독서대 : reading desk [8]
- 열람 카드 : call slip
- 장서 목록 : library catalog

4) bibliography : 참고서 목록, 관계 서적 목록
5) right about now : 바로 이때쯤
6) in all : 다해서, 통틀어서
7) 이전에 신청한 책이 대출 가능함을 알리는 통지서
8) 책 · 참고서 따위를 편하게 볼 수 있도록 책상 위의 표면이 경사진 책상

- 참고 도서관 : reference library [9]
- 사서〔도서관원〕 : librarian
- 순회 도서관 : circulating library
- 도서 목록 : catalog of books
- 도서 열람권 : library permit
- 책꽂이 : bookshelf
- 도서관의 책 : library book
- 참고문헌 담당 : reference desk
- 참고 서적 : reference book(사전류)
- 도서관판〔특제판〕 : library edition
- 국립 도서관 : national library
- 자동차 이동도서관 : bookmobile
- 도서관장 : director of a library
- 사서직 : librarianship
- 살아 있는 사전〔아주 박식한 사람〕 : walking library〔dictionary / encyclopedia〕
- 국회 도서관 : the Library of Congress〔L.C.〕((美))
- 국회 도서관 분류법〔번호〕 : Library of Congress classification〔number〕((美))

9) 이곳에서는 책을 대출할 수 없고 열람만 할 수 있는 관내 열람제 도서관

12 서점에서

필요로 하는 책을 구입하는 방법은 통신으로 주문을 하는 경우와 직접 서점에 가서 구입하는 방법 두 가지가 있다. 전화로 주문을 할 때는 **"I'd like to order a book called "The Third Wave."**('제 3의 물결'이라는 책을 주문하고 싶습니다.)"라고 한다. 주문과 관련하여 **'COD〔cash on delivery〕'**라는 표현도 알아두자. 이것은 '배달을 받은 후 대금 지불함'이라는 뜻이다. 서점에서 직접 책을 살 때는 **"I'd like to buy〔I wanted〕 that book called "Power Shift".**('권력의 이동'이라는 책을 사고 싶은데요.)"라고 한다.

기 본 대 화

A : I want that book called Power Shift.
B : I'm sorry, but we're sold out.
A : How soon do you expect it?
B : Please come back the day after tomorrow.
A : Would you hold one for me?
B : Yes, I will.
A : Thank you.

A : '권력 이동' 이라는 책을 사고 싶은데요.
B : 죄송하지만, 다 팔렸습니다.
A : 언제쯤 들어옵니까?
B : 모레 다시 오세요.
A : 제 몫으로 한 권 남겨 두시겠어요?
B : 네. 그렇게 하겠습니다.
A : 고맙습니다.

원하는 책

A: What kind of books are you looking for?
B: I want poetry.

A : 어떤 책을 찾고 계십니까?
B : 시집을 원합니다

- 토익 책을 사려고 합니다. / 8월 16일자 "타임즈"를 찾고 있습니다.
  I need the TOEIC books. / I'm looking for the " Times" dated August 16.
- 골프 배우는 데 필요한 책이 있습니까?
  Do you carry books on how to play golf?

- 이번 달 호 리쿠르트지 있습니까?
  Do you have this month's copy of Recruit? [1)]
- 그 책을 누가 출판했는지 아세요?
  Do you know who publishes the book?

절 판

- 그 책은 절판됐습니다.
  The book's out of print.
  They don't publish the book any more.
- 그 잡지는 5월호로 폐간됐어요.
  The publication of the magazine ceased with the May issue.

책의 위치

A: Where are the books on how to drive?
B : They're on the third aisle to your right.

A : 운전 교범이 어디에 있습니까?
B : 3번째 통로 우측에 있습니다.

- 이 책을 못 찾겠어요.
  I can't seem to find this book.
- 여행 관련 분야가 어디에 있습니까?
  Where is the travel section?

기 타

- 그 책이 언제 나오죠?
  When will the book come out?
- 이 책은 어떤 내용이죠?
  What is the book about?
- 당신이 원하는 책의 이름을 말씀해 주시겠어요?
  Can you give me the title of the book you want?
- 이 책이 새로 나온 '영어회화사전' 입니다.
  This is a new version of "English Conversation Dictionary".
- 이건 베스트셀러 목록에 2개월이나 올라 있는 책입니다.
  This has been on the list of best-selling books for two months now.

1) the latest〔this week's / this month's〕 copy〔edition〕 of ~〔도서잡지 이름〕 : ~의 최신판〔이번주호 / 이번달호〕

- 이 책이 잘 팔리는가요?
  Is this book selling well?

활용 어휘

- 대중 오락잡지 : fan magazine
- 소설 : novel
- 창간호 : first〔initial〕 issue
- 대하 소설 : saga
- 시집 : poetry
- 헌 책방(노점) : bookstall

13 문방구점에서

학교 생활을 하면서 필요한 학습도구를 사기 위해서 문방구점(stationery shop 또는 stationery store)을 자주 들르게 되는데, 문방구류(stationery)를 살 때의 쓰는 표현은 기본적으로 쇼핑할 때 물건을 사는 것과 동일하다. 즉 "~을 사고 싶습니다〔주세요〕."라고 할 때는 "I'd like to buy~." 또는 "I need〔want〕 ~."라고 한다. 참고로 '문방구점 주인'은 'stationer', '각종 필기 도구 및 종이'는 'writing materials', '볼펜'은 'ballpoint pen'이라고 한다.

기 본 대 화

A : May I help you?
B : Yes, I'd like to buy a mechanical pencil.
A : You can choose one.
B : (Pause) I'll take this. How much is it?
A : Two dollars.
B : Here you go.

A : 도와 드릴까요?
B : 네, 샤프 연필을 하나 사고 싶습니다.
A : 골라 보세요.
B : (잠시 후) 이걸로 주세요. 얼마입니까?
A : 2달러입니다.
B : 여기 있습니다.

활용 어휘

- 분도기 : protractor
- 마크펜 : marker
- 색종이 : colored paper
- 수정액 : correction fluid / white out
- 스카치 테이프 : transparent〔Scotch〕tape
- 압정 : thumbtack / drawing pin((英))
- 연필꽂이 : desk pen set
- 인쇄 용지 : printing paper
- 접착 테이프 : sticky tape
- 종이 절단기 : shredder
- 칼라 테이프 : colored tape
- 클립 : paper clip
- 포스트 잇 : postable notes
- 필통 : pencil case
- 호치키스 : stapler
- 계산자 : slide rule
- 만년필 : fountain pen
- 샤프 펜슬 심 : mechanical pencil lead
- 수첩 : pocket notebook
- 스탠드(등) : desk light
- 양면 테이프 : doubled-sided tape
- 연필깎이 : pencil sharpener
- 자 : ruler
- 제도 용지 : drawing paper
- 지우개 : eraser
- 크레파스 : marking crayon
- 펀치기 : hole punch(구멍 뚫는 도구)
- 핀 : map tack
- 형광펜 : highlighter
- 서류 세절기 : paper shredder

14 자녀를 편입시킬 때

미국에 이민을 가거나 장기간 해외근무로 인하여 자녀를 미국 학교에 편입시킬 경우가 있다. 이런 경우에는 먼저 학교 당국에 전화를 걸어서 등록 예약을 하고 약속된 날짜에 학교를 방문하여 절차를 밟는다. 필요한 구비 서류는 자녀의 출생증명서(또는 여권), 영문으로 된 예방접종 증명서, 건강진단서, 전학년 성적증명서 등이다. 아래 대화는 학교에서 편입 절차를 밟는 상황이다.

기 본 대 화

A : I'd like to enroll my daughter in your school.
B : Are you immigrants?
A : Yes. We've moved into this area from Korea last week.
B : Welcome to America!
I'm Mr. Miller, the school secretary.
What's her name?
A : Park Haerin. Park is the family name.
B : Hi, Haerin! What grade were you in?
C : Second.
B : By the way, Mr. Park, did you bring her birth certificate?
A : Yes. Here's her passport.
B : OK. Have a seat, please.
A : Thank you.

A : 이 학교에 제 딸을 입학시키고 싶습니다.
B : 이민 오셨습니까[이민 오신 분인가요]?
A : 네. 지난주에 한국에서 이 지역으로 이사를 왔습니다.
B : 미국에 오신 것을 환영합니다. 저는 학교 직원, 밀러입니다.
딸의 이름이 어떻게 되죠?
A : 박혜린입니다. '박'은 성입니다.
B : 안녕, 혜린이. 몇 학년에 다녔었지?
C : 2학년이요.
B : 그런데, 박 선생님, 출생증명서는 가져 오셨나요?
A : 네. 여기 딸의 여권입니다.
B : 좋습니다. 앉으시죠.
A : 감사합니다.

학교 방문을 예약할 때

A: Lake Washington Elementary School.
May I help you?
B : I'd like to make an appointment to enroll my daughter in your school.
A: May I have your name and address?
B : Mr. Park. I live at 641 New Hampshire Avenue.
A: Can you come in tomorrow afternoon at 3 o'clock?
B : Yes, I can. Where is the administration office located?
A: In the main office. Mr. Miller will be waiting for you.
B : Thank you.

A : 레이크 워싱턴 초등학교입니다.
뭘 도와 드릴까요?
B : 저희 딸의 입학등록을 위해서 약속을 하고 싶습니다.
A : 이름과 주소가 어떻게 되죠?
B : 미스터 박입니다.
뉴햄프셔 가 641번지에 삽니다.
A : 내일 오후 3시에 오실 수 있겠어요?
B : 네. 그런데, 사무실이 어디에 있습니까?
A : 메인 오피스에 있습니다.
밀러씨가 기다리고 있을 겁니다.
B : 감사합니다.

자녀 교육 상담

- 그 애는 영어를 전혀 못합니다.
  He doesn't speak English at all.
- 우리 애가 다른 애들과 잘 어울립니까?
  Does my child get along with others?
- 우리 애가 영어로 제대로 표현을 하는지 모르겠군요.
  I wonder if my child expresses himself well in English.
- 그 애가 언어에 문제가 없는지 모르겠군요.
  I'm wondering if he has any language problems.
- 그 애가 학교에서 공부를 잘하고 있는지 궁금해요.
  I'm wondering if he is doing well in school.
- 그 애가 어떤 과목에 좀 부족합니까?
  What subject does he need to improve in?

• 애 교육에 신경 좀 쓰셔야겠습니다.
You need to pay some attention to your child's education.

15 기 타

이 절에서는 학교의 교무 행정에 관한 사항과 학교에 관한 화제를 간략하게 제시하였다. 교무 행정과 관련된 몇 가지 용어를 알아두자. '성적 증명서'는 'transcript', '졸업증서'는 'diploma', '재학 증명서'는 'proof of enrollment', '입학 시험'은 'entrance examination'라고 한다.

교무 행정실에서

- 성적 증명서를 떼려고 하는데요〔성적증명서가 필요합니다〕.
  I need a copy of my transcript, please. [1)]
- 졸업 증명서를 떼려고 왔습니다.
  I need a certificate of graduation, please.
- 박사과정 지원서 좀 주시겠습니까?
  Could you give me an application form for Ph.D. program?
- 제 영어 성적을 받지 못했습니다〔제 영어 성적이 누락됐습니다〕.
  I didn't get my English grade yet.
- 우리 딸을 시카고의 한 학교로 전학시키려고 합니다.
  I'd like to have my daughter transferred to a school in Chicago.
- 졸업 예정자 명단에 제 이름이 빠져 있습니다.
  My name is not on the list of candidates for graduation.
- 주차권은 어디서 구할 수 있습니까?
  Where can I get a parking permit?
- 추천서도 필요합니까?
  Do I need recommendation letters, too?
- 휴학을 하려면 지도 교수의 동의가 필요합니다.
  You need an approval from your academic adviser to take a leave of absence from school.
- 등록하기 전에 의료보험에 가입해야 합니다.
  You have to take health insurance prior to enrollment.
- 정치학 과목을 신청했는데, 컴퓨터 기록부에 제 이름이 없습니다.
  I signed up for politics, but my name is not on the computer sheet.
- 어느 교수한테 추천을 받으면 가장 좋은 결과를 얻을 수 있을까요?
  Which professor's recommendation letters should I get for the best results?

1) transcript : 성적증명서; 사본; 등본

- 이 서류에 사인 좀 해 주시겠습니까? 고국에 갔다 오려고 합니다.
  Would you give me your signature on this form? Because I need to visit my home country.
- 이민귀화국에 보낼 재학증명서가 필요합니다.
  I need a proof of enrollment to send to Immigration and Naturalization Service. [2]

재학 증명서의 내용

THIS IS TO CERTIFY THAT THIS PERSON IS A STUDENT OF THE INSTITUTION INDICATED. (이 사람은 본교 학생임을 증명함.)

- 입학추천서를 한 장 써 주시겠습니까?
  Could you write me a recommendation letter for admission?

학교에 대한 화제

학 교

- 당신이 다니는 대학은 어떻습니까?
  What is your university like?
- 정말 큰 캠퍼스군요.
  This is a huge campus.
- 이 대학은 전체 학생수가 많아요.
  This university has a large student body.

서 클

- 그 클럽에 가입하면 여자친구를 사귈 수 있어요?
  Can I meet girls if I join the club?
- 우리 아들은 학교 풋볼선수예요.
  My son lettered in football. [3]
- 이 클럽은 인간관계가 건전하지 못해요.
  Relationships in this club are kind of murky. [4]
- 이 클럽에서는 테니스를 거의 쳐볼 겨를이 없어요.
  We hardly ever play tennis in this club.

2) Immigration and Naturalization Service : 이민귀화국(미 법무성 소속)
3) letter : (우수 선수로) 학교의 마크를 받다
4) kind of : 거의, 약간 / murky : 어두운, 음울한

• 풋볼 클럽은 상급생들이 너무 으스대요.
The older guys in the football club are so bossy.

※ 학교 관련 화제 : 학교(p. 885, 998)

활용 어휘

- 96년도 졸업자 : class of '96
- 강당 : lecture hall
- 걸 스카우트 : Girl Scout
- 교복 : school uniform
- 교환 학생 : exchange student 5)
- 남자대학 동창 : alumnus 6)
- 대학교 총장 : university president
- 대학원생 : postgraduate (student)
- 동기생 : classmate
- 동문회 : alumni association
- 동창회 회보 : alumni bulletin
- 부교수 : associate professor
- 사은회 : testimonial dinner
- 양호실 : nurse's office
- 입학 절차 : admission procedure
- 자유 입학(방식) : open enrollment
- 장학관 : school inspector
- 졸업 예정자 : departing senior
- 졸업식 : graduation exercises 7)
- 종강 파티 : class ending party
- 징계 : disciplinary punishment
- 통학생 : day scholar / day student
- 학장 : dean
- 학급 임원 : class officers
- 학생 총수(總數) : student body
- 학위 수여일 : degree day 8)
- 해외 유학 : study abroad
- 학창 시절 : school days
- 학생 회관 : student('s) union 9) / student center
- 학생회 회장 : president of the student body
- 학점 교환제 : cross registration system 10)
- 가정 교사 : private teacher
- 강의실 : lecture room / school room
- 교무실 : school office
- 교원 사무실 : common room
- 남녀 공학 학교 : mixed school
- 입학 정원 : admission quota
- 대학원 : graduate school
- 석사 학위 논문 : a master's thesis
- 동기회 : class reunion
- 동창회 : alumni meeting
- 보이 스카우트 : cub scout / boy scout
- 사각모〔졸업 예복〕 : cap and gown
- 수학 여행 : school excursion
- (남녀공학의) 여대생 : co-ed
- 자모회 : class mothers
- 자취생 : self-boarding student
- 재경 동창생 : alumni in Seoul
- 졸업 증서 : diplomas
- 졸업식사 : commencement address
- 졸업식일 : graduation day
- 총 학생회 : student council
- 퇴학 : withdrawal
- 학교 생활 : school〔college〕life
- 학생 자치위원회 : student council
- 학술 잡지 : scholarly journal
- 학칙 : school regulations
- 방학 : school vacation

5) 학생 교환 제도 (student exchange program)는 어떤 나라의 학생이 다른 나라에서 공부도 하고 가족과 함께 생활하는 것이다. 미국에서는 이 제도가 1900년대 초에 시작되었으며, 교대로 미국의 학생이 외국으로 가서 공부를 하고 생활을 한다.
6) [얼럼너스] → 복수형은 alumni[얼럼나이], 남자대학 동창회 : alumni association / 여자대학 동창 : alumna[얼람너] → 복수형은 alumnae[얼람니이] / 여자대학 동창회 : alumnae association
7) hold the graduation : 졸업식을 거행하다
8) 학위 수여식 : ceremony of conferment of a degree
9) 이곳에는 학생들의 과외활동용 휴게실, 오락실, 클럽실 등이 있음
10) 전입 대학 인정 학점 : advanced credit〔standing〕 → 새로 전입한 대학에서 그 이전 대학에서 취득한 학점을 인정해 주는 것

- 개교기념일 : anniversary of the opening of a school
- 재미 한국인 유학생 : Korean student studying in the U.S.
- 사친회 : PTA〔Parent Teacher Association〕

E N G L I S H
C O N V E R S A T I O N
D I C T I O N A R Y

CHAPTER 18

- 출국(비자) 준비
- 항공편 예약
- 탑승 수속
- 기내에서
- 비행기를 갈아탈 때
- 목적지 공항 도착
- 공항에서 최종 목적지로
- 공항 마중과 전송
- 귀국
- 긴급 상황

I 출국(비자) 준비

미국에 여행을 가기 위해서는 우선 여권(passport)과 비자(visa)를 발급 받아야 한다. 여권 발급은 일반 여권의 경우 서울시 거주자는 서울 시내 4개 구청〔노원, 종로, 서초, 영등포구청〕에서, 광역시 거주자는 시청 여권과에서, 그 외 거주자는 도청 여권과에서 담당한다. 관용 여권의 경우는 외무부 여권 2과에서 담당한다. 비자(visa) 발급은 주한 미국 대사관의 영사과에서 담당하며, 여권과 함께 비자 신청서(Visa Application)를 작성해서 제출하면 된다. 필요시에는 직접 인터뷰를 하는 경우도 있다. 시간이 부족한 경우에는 여권 및 비자 발급을 여행사에 대행시킬 수도 있다.

❖ 여행관련 화제 : 여행(p. 1071)

비자 신청

- 비자를〔비자 연장을〕 신청하려고 합니다.
  I'd like to apply for a visa 〔a visa extension〕.
- 다음 주 수요일에 비자를 찾아가세요.
  Please pick up your visa next Wednesday.
- 비자 신청은 세 번 한 적이 있습니다.
  I have applied for a visa three times.
- 비자 신청은 이번이 처음입니다.
  This is the first time I applied for a visa.
  This is my first visa application.
- 수수료는 15달러를 지불하셔야 합니다.
  You should pay 15 dollars for visa fee.
- 비자 (발급) 수수료는 15달러입니다.
  There is a $15.00 visa fee.
  The visa fee is $15.00.
- 이 양식을 작성해서 사진과 함께 제출해 주십시오.
  Please fill out this form and hand it in with a photo.
- 수요일 3시 이후에는 어느 때라도 비자를 찾아갈 수 있습니다.
  You can pick up your visa anytime after three o'clock Wednesday afternoon.
- 15일 이내로 체류할 거라면 비자는 필요 없습니다.
  There's no need for a visa if you're going to stay for less than 15 days.
- 미국 비자 신청하셨어요?
  Did you apply for a visa for the United States?
  Did you apply for a United States' 〔U.S. 〕 visa?

비자(Visa)에 대한 상식

비자는 우리말로 '입국 사증'이라고 하지만, 비자를 발급 받았다고 해서 미국 입국이 승인된 것은 아니다. 엄밀히 말해서 비자는 입국 허가를 위한 신청서라고 할 수 있다. 따라서 미국 입국의 허가 여부(체류 기간 포함)에 대한 최종 결정은 미국 공항내의 입국심사실(Immigration Office)에서 실시한다. 그리고 비자는 이민용 비자(Immigrant Visa)와 비이민용 비자(Non-immigrant Visa)로 구분된다.

비자 인터뷰

- 몇 가지 질문에 답변해 주시겠습니까?
  Would you mind answering a few questions?

개인 신상

A: When and where were you born?
B : I was born on Sep. 6th, 1963 in Seoul.

A : 언제, 어디서 태어났습니까?
B : 1963년 9월 6일 서울에서 태어났습니다.

- 이름이 어떻게 됩니까?
  What's your name, please?
- 학력에 대해서 말씀해 주시겠어요?
  Could you tell me something about your educational background?
- 현재 어떤 사업을 하고 계십니까?
  What type of business are you in now?
  What do you do now?
- 생년월일이 어떻게 됩니까?
  When were you born?
- 기혼인가요, 미혼인가요?
  Are you married or single?
- 어떤 종류의 전문 자격증이라도 가지고 계십니까?
  Do you have any kind of professional license?

※ 추가 표현 : 개인 신상(p. 889, 988)

여행 목적

A: Could you tell me what is your purpose [what your purpose is] in applying for visa?
B : I'm going on a business trip to L.A.

A : 비자를 신청한 목적이 무엇인지 말씀해 주세요.

B : 사업차 로스앤젤레스에 갑니다.

- 방문 목적이 무엇입니까?
  What's the purpose of your visit?
- 미국에서는 어떤 일을 하실 계획입니까?
  What kind of work do you plan to do in the USA?
  What kind of work will you be doing in the USA?
- 사업상 얼마나 자주 여행을 하십니까?
  How often do you travel on business?
- 어느 대학으로 가십니까?
  What college are you going to?
  What college will you be attending?

여행지

A: Where is your (trip) destination?
B : Washington, D.C.

A : 가시는 목적지가 어디입니까?
B : 워싱턴 D.C.입니다.

- 어디에서 체류하실 겁니까?
  Where are you going to stay?
- 미국에 가 보신 적이 있습니까?
  Have you ever been to the U.S.A?

체류 기간

A: How long do you expect to stay in the USA?
B : One year.

A : 미국에서는 얼마나 체류하실 계획입니까?
B : 1년입니다.

- 미국에서 얼마나 머무를 예정이세요?
  How long will you be in the USA?
  How long will you be staying in the USA?
- 계약 기간은 얼마나 됩니까?
  What is the period of your contract?
  How long is your contract for?

경비 부담

A: Who will pay for your traveling expenses?
B : Our company will pay for all my expenses.

A : 여행 경비는 누가 부담할 겁니까?
B : 회사에서 모두 지불합니다.

- 스폰서는 누구입니까?
  Who is your sponsor?
- 스폰서와 관계는 어떻게 됩니까?
  What is your relationship with your sponsor?

동행자

A: Are you going to travel alone?
B : No. I'm going to travel with my family.

A : 혼자 가십니까?
B : 아니오. 제 가족과 함께 갈 겁니다.

- 미국에 친척이 있습니까?
  Do you have any relatives in the United States?

기 타

- 여권이 언제 만료되죠? / 이 비자는 1년간 유효합니다.
  When will your passport expire? / This visa is good for a year. 1)
- 당신의 비자가 승인되었습니다.
  Your visa has been approved.

비이민용 비자 신청자(Nonimmigrant VISA Application) 작성 항목

① SURNAMES OR FAMILY NAMES(Exactly as in Passport) : 성(여권에 있는 대로)
② FIRST NAME AND MIDDLE NAME : 이름
③ OTHER NAME(Maiden, Religious, Professional, Aliases) : 기타 이름(결혼전의 성명, 종교명, 직업명, 가명)
④ DATE OF BIRTH(Day, Month, Year) : 생년월일(일, 월, 년)
⑤ PASSPORT NUMBER : 여권 번호
⑥ PLACE OF BIRTH(City, Province, Country) : 출생지(시, 도, 국명)
⑦ DATE OF PASSPORT ISSUING : 여권 발행일
⑧ HOME ADDRESS(Include apartment No., street, city, province, and postal zone) : 현주소(아파트 호수, 가, 시, 도, 우편번호)
⑨ NAME AND STREET ADDRESS OF PRESENT EMPLOYER OR

1) be good for ～ : ～ 동안 유효하다 / The return half of the ticket is good for three months.(돌아올 때 쓰는 표는 3개월간 유효하다.)

SCHOOL(Postal box number unacceptable) : 고용주나 학교의 이름과 주소(사서함 번호는 안됨)

⑩ HOME TELEPHONE NO. : 집 전화번호

⑪ BUSINESS TELEPHONE NO.(직장 전화번호)

⑫ SEX(Female, Male) : 성별(남, 여)

⑬ COLOR OF HAIR : 머리카락 색깔

⑭ COLOR OF EYES : 눈 색깔

⑮ COMPLEXION : 피부색

⑯ HEIGHT : 신장

⑰ MARITAL STATUS(Married, Single, Widowed, Divorced, Separated)
: 결혼 상태(기혼, 독신, 미망인, 이혼, 별거)

⑱ MARKS OF IDENTIFICATION : 인상 특징

⑲ NAMES AND RELATIONSHIPS OF PERSONS TRAVELING WITH YOU
: 동행자 성명과 관계

⑳ HAVE YOU EVER APPLIED FOR AN IMMIGRANT OR NONIMMIGRANT U.S. VISA BEFORE?(전에 미국 이민 또는 비이민용 비자를 신청한 적이 있습니까?)

㉑ HAS YOUR U.S. VISA EVER BEEN CANCELLED?(비자가 취소된 적이 있습니까?)

㉒ Bearers of visitors visas may not work or study in the U.S.
(방문자용 비자 소지자는 미국에서 취업이나 공부를 할 수가 없습니다.),
DO YOU INTEND TO WORK IN THE U.S.? If YES, explain.
(미국에서 취업할 의사가 있습니까? 있다면, 설명하시오.)

㉓ DO YOU INTEND TO STUDY IN THE U.S.? If YES, write name and address of school as it appears on form 1-20. (미국에서 공부를 할 의사가 있습니까? 있다면, 입학허가서〔1-20〕에 있는 학교의 이름과 주소를 쓰십시오.)

㉔ WHO WILL FURNISH FINANCIAL SUPPORT, INCLUDING TICKETS?
(누가 항공권을 포함한 재정적 지원을 해줄 것입니까?)

㉕ PRESENT OCCUPATION(If retired, state past occupation)
: 현 직업(퇴직했으면, 과거 직업 기재)

㉖ NAME AND ADDRESS OF SPONSOR OR FIRM IN U.S.A?
(미국에 있는 보증인이나 회사의 이름과 주소)

㉗ ~ ㊱ 생략

2 항공편 예약

해외 여행을 위해서는 가장 중요한 사항은 항공편을 예약하는 것이다. 항공편 예약이나 구입은 항공사나 여행사에 전화를 하거나 직접 방문한다. 예약을 한 후에는 출발 72시간 전에 반드시 예약을 재확인한다. 그렇지 않으면 취소되는 경우가 있기 때문이다.

기본대화

A : Northwest Airlines. May I help you?
B : Yes, I'd like to reserve a seat for a flight to San Francisco.
A : Would that be a round-trip ticket or one-way?
B : Round-trip, please.
A : When would you like to leave?
B : On July 13.
A : Hold on, please. I'll check to see if there's room. (pause) That's fine.
B : Oh, good! What's available?
A : There are two flights, one at 9 a.m. and 2:00 p.m. What time shall I make your reservation for?
B : I'll take the flight at 2 p.m.
A : What class would you like?
B : First class, please.
A : All right. May I have your name and phone number, please?
B : My name is Jong-ho Shin and phone number is 723-5023.
A : Okay. Your reservation is booked for flight 707 to San Francisco on July 13th at 2 p.m. We'll contact you if there are any changes in the flight time.
B : That's all right. Thank you very much.

A : 노스웨스트 항공사입니다. 뭘 도와 드릴까요?
B : 네. 샌프란시스코행 좌석을 예약하고 싶습니다.
A : 왕복 티켓입니까, 편도 티켓입니까?
B : 왕복표로 해 주세요.

A : 언제 떠나시는데요?
B : 7월 13일자 항공편입니다.
A : 잠깐 기다려 주세요. 자리가 있는지 확인해 보겠습니다.
(잠시 후) 있습니다.
B : 아, 다행이군요. 어떤 게 있습니까?
A : 오전 9시와 오후 2시편이 있습니다.
몇 시 비행기로 예약해 드릴까요?
B : 2시 항공편으로 하겠습니다.
A : 어떤 좌석 등급을 원하십니까?
B : 1등석으로 하겠습니다.
A : 알겠습니다. 성명과 전화번호를 말씀해 주시겠습니까?
B : 제 이름은 신종호이고, 전화번호는 723-5023번입니다.
A : 알겠습니다. 손님께서는 7월 13일 오후 2시 샌프란시스코행 707편으로 예약이 됐습니다. 만약 항공편 시간이 변경되면, 손님께 연락을 드리겠습니다.
B : 알겠습니다. 감사합니다.

예약 문의

예약하다

- 7월 13일자 뉴욕행 항공편을 예약하고 싶습니다.
  I'd like to make a reservation to New York on July 13.
  I'd like to book a flight to New York on July 13.
- 6월 2일자 뉴욕행 비행기표를〔좌석을〕 구할 수 있을까요?
  Could I get a ticket〔seat〕 for New York on June 2.
- 그것으로 하겠습니다.
  I'll take that one.[1)]
- 그 비행기로 하겠습니다.
  I'll take that flight.
- 그 편으로 예약해 주시겠어요?
  Could you book me on that flight?

항공편

A: Is that a nonstop flight to New York?
B : No, it flies to New York via Anchorage.

1) 여러 시간대에 있는 항공시간표 중 어느 하나를 결정할 때

A : 그게 뉴욕행 직항편입니까?
B : 아닙니다. 앵커리지를 경유해서 뉴욕으로 갑니다.

- 논스톱편은 몇 시에 있습니까?
  What time do you have nonstop flights?
- 논스톱편이 있습니까? 몇 시에 있습니까?
  Do you have any nonstop flights? What time are they?
- 샌프란시스코를 경유하여 LA로 가고 싶습니다.
  I'd like to fly〔go〕 through San Francisco to L.A.
  I'd like to fly to L.A. via San Francisco.
- 뉴욕으로 가는 직항편이 있습니까?
  Do you have through planes to New York?
  Do you have any direct flights to New York?
- 뉴욕행 야간 항공편으로 어떤 것이 있습니까?
  What night flights are there from here to New York?
- 저녁편은 있습니까?
  Do you have any evening flights?

좌석 매진

- 토요일이나 일요일에 취소되는 좌석이 생기면 전화 드리겠습니다.
  If there is a cancellation for Saturday or Sunday, we'll call you.
- 월요일자 예약은 가능합니다.
  We can book you for Monday.
- 7월 10일 대기자 명단에 올려 주십시오.
  Put me on your waiting list for July 10, please.

운항 간격

- 뉴욕행 비행기는 얼마나 자주 있습니까?
  How often do you have flights to New York?
  How often are there flights to New York?
- 뉴욕행 비행기는 하루에 몇 번 있습니까?
  How many flights do you have to New York a day?
- 첫 비행기가 몇 시에 출발합니까?
  What time does the first flight leave?
- 오전 8시에서 오후 2시 사이에 2시간마다 출발합니다.
  The plane departs every two hours on the hour between 8 a.m. and 2 p.m.

비행 소요 시간

- 비행 시간이 얼마나 됩니까?
  How long does the flight take?
  How many hours is the flight?
- 도착 시간이 어떻게 됩니까?
  What's the arrival time?
- 비행 시간이 몇 시간이 걸립니까?
  How many hours does the flight take?
- 여기서 뉴욕까지 비행 시간이 얼마나 됩니까?
  What's the flight time from here to New York?

요 금

- (비행기) 요금이 얼마죠?
  How much is the flight? / What's the fare?
- 뉴욕까지 항공표가 얼마입니까?
  How much does it cost to fly to New York?
- 어린이 왕복 요금은 얼마입니까?
  How much is it a round-trip ticket for children?
- 요금이 더 싼 티켓이 있습니까?
  Do you have any cheaper tickets?

좌석 등급

- 2등석을 드릴까요, 1등석을 드릴까요?
  Do you want economy class or first class?
- 일반석으로 가시겠습니까?
  Do you want to fly coach? [2)]

비행기표(air ticket)의 좌석 등급(flight class)

비행기표는 요금이 높은 순서로 first class(1등석), business class(2등석), economy class, tourist class 등으로 구분된다. first class, business class는 대부분 open ticket이다. 오픈 티켓이란 비행기편 시간을 필요한 시간으로 변경할 수 있다.

예약 확인 · 변경 · 취소

확 인

A: I'd like to confirm my reservation.
B : May I have your name and flight number?

2) (air) coach = economy class : 일반석 〔보통석〕

A: My name is Ho-jin Jung, and the flight number is Northwest 707.
B : Just a minute, please. Let me check.
You're leaving for San Francisco at 2:00 o'clock p.m. on July 13. Right?
A: Yes.
B : Your reservation is confirmed.
A: Thank you.

A : 예약을 확인하고 싶습니다.
B : 성함과 비행기편 번호를 알려 주시겠어요?
A : 제 이름은 정호진이고, 비행기편 번호는 노스웨스트 707편입니다.
B : 잠깐만 기다리세요. 확인해 보겠습니다.
7월 13일 오후 2시 샌프란시스코로 떠나시는군요. 맞죠?
A : 네.
B : 예약이 확인됐습니다.
A : 감사합니다.

- 예약을 재확인하고 싶습니다.
I'd like to reconfirm my reservation.
- 7월 13일자 뉴욕행 707편 예약을 재확인하고 싶습니다.
I'd like to reconfirm my reservation on Flight 707 to New York on July 13.
- 손님 이름은 명단에 들어 있습니다.
Your name is on the list.
- 손님 좌석은 예약되어 있습니다.
Your seat is reserved.
- 예약이 확인되었습니다.
Your reservation has been confirmed.

A: What reservation are you holding?
B : I've made a reservation for your flight 707 leaving at 2:00 p.m. on July 13 to New York.

A : 어떤 예약을 하셨습니까?
B : 7월 13일 오후 2시 뉴욕행 707항공편을 예약했습니다.

변 경

A: I'd like to change my reservation.
B : May I have your name and flight number?

A: My name is Kyeong-ja, Seo, and the flight number is NW 707 for San Francisco on July 13.
B : Hold on, please. How would you like to change it?
A: I'd like to change it to a flight for July 20.
B : All right.

A : 예약을 변경하고 싶습니다.
B : 성명과 비행기편 번호를 알려 주시겠어요?
A : 제 이름은 서경자이고, 비행편 번호는 7월 13일자 샌프란시스코행 노스웨스트 707편입니다.
B : 잠깐만 기다리세요. 어떻게 바꾸시려고 합니까?
A : 7월 20일자 항공편으로 바꾸고 싶습니다.
B : 알겠습니다.

취 소

- 예약을 취소하고 싶습니다.
  I'd like to cancel my reservation.
- 예약을 취소하려고 전화를 했습니다.
  I'm calling to cancel my reservation.

티켓 구입

A: I'd like to buy a ticket for a flight to New York.
B: Would you like a round-trip ticket?
A: No, I want an one-way ticket, please.
B: Which type of seat do you prefer?
A: A window seat, please.

A : 뉴욕행 항공권을 한 장 구입하고 싶습니다.
B : 왕복 티켓으로 드릴까요?
A : 아니오, 편도 티켓으로 주세요.
B : 어떤 좌석을 원하십니까?
A : 창가쪽 자리로 주십시오.

기 타

- 항공편을 예약하셨어요?
  Have you booked a flight?
- 표는 구하셨어요?
  Have you gotten a ticket yet?

- 직행비행기편을 가지고 있었는데, 그 비행기편의 예약을 취소당했습니다.
  I had a nonstop flight but I got bumped from my flight. [3)]
- 항공편을 예약하셨어요?
  Have you booked a flight?
  Are you booked for the flight?
- 아는 사람 통해서 티켓 좀 얻을 수 없으세요?
  Can't you get a ticket through somebody you know?

※ 여행관련 추가표현 : 여행(p. 1071)

3) bump : 탑승 직전에 예약을 취소하다

3 탑승 수속

공항내 항공사의 카운터에서 항공권(flight ticket)과 여권(passport)을 제시하여 항공기 탑승권(boarding pass)을 교부 받고 수화물을 접수시키는 절차를 탑승 수속(check-in)이라고 한다. 탑승권에는 비행기편 번호(flight number), 좌석 번호(seat number), 탑승구 번호(boarding gate number)가 기재되어 있으며, 탁송 수화물을 접수하면 항공사 직원이 항공권에 수화물표(baggage check)를 붙여 준다. 수화물이 너무 많을 때는 추가 요금을 내야 한다. 탑승 수속은 대개 항공기 출발 1시간 전에 시작하므로 그 이전까지는 공항에 도착해야 한다.

기본대화

A : Is this the right counter to check in for this flight?
B : Yes, it is. Your passport and ticket, please?
A : Here you are.
B : Would you like a window or aisle seat?
A : A window seat, please.
B : How many pieces of baggage do you have?
A : Three.
B : Please put them on this scale.
A : All right.
B : Your baggage exceeds the limit.
The extra charge is 20 dollars.
A : Okay. Here you go.
B : Here's your ticket and boarding pass.
Have a nice trip.

A : 이곳이 항공기 탑승수속을 하는 카운터 맞습니까?
B : 네. 맞습니다. 여권과 항공권을 주시겠습니까?
A : 여기 있습니다.
B : 창쪽 좌석을 원하세요, 통로쪽 좌석을 원하세요?
A : 창쪽 좌석으로 주세요.
B : 짐은 몇 개나 됩니까?
A : 3개입니다.
B : 그 짐을 이 저울에 올려놓으세요.
A : 알겠습니다.
B : 손님의 짐은 한계 초과입니다. 추가 요금은 20달러입니다.
A : 알겠습니다. 여기 있습니다.

B : 티켓과 탑승권 여기 있습니다. 즐거운 여행 보내세요.

탑승 관련 문의

- 탑승 수속은 언제 합니까?
  When should I check in?

수화물

- 부치실 짐이 있으세요?
  Do you have any luggage to check in?
- 수화물을 여기 위에 올려 주시겠어요?
  Can you put your baggage up here?
- (짐이) 이것뿐입니까?
  Is this all you have?
- 어디에 수화물을 맡길 수 있죠〔수화물 보관소가 어디죠〕?
  Where can I check my bags? 1)
- 여기서부터는 짐수레를 사용하실 수 없습니다.
  You have to leave your cart here. 2)
- 이것을 기내로 가지고 들어갈 수 있습니까?
  Can I take it on the plane?
- 가방을 몇 개나 부치시려고 합니까?
  How many bags do you want to check in? 3)
- 이 지점 이후 수레를 가지고 갈 수 없음
  NO CARTS BEYOND THIS POINT

탑승 시간

- 비행기 탑승 시간이 언제입니까?
  When is the boarding time?
- 탑승은 몇 시에 시작합니까?
  What time will we start boarding?

운항 상황

A: Will this flight leave on time?
B : Yes. It is (due) on schedule.

---

1) check : 물표를 받고 (물건 등을) 맡기다
2) cart : 짐마차, 2륜 운반차, 손수레
3) check in bags〔baggages〕 : 가방〔짐〕을 부치다

A : 비행기가 정시에 출발합니까?
B : 네. 예정시간에 출발할 예정입니다.

- 비행기는 예정된 시간에 출발할 겁니다.
  The plane will depart at its regularly scheduled time.
- 비행기는 10:30에 이륙할 겁니다.
  The flight will take off at 10:30.
- 뉴욕에는 몇 시에 도착합니까?
  What time are we arriving in New York?
- 출발 시간 20분 전까지 5번 게이트 입구에 대기하세요.
  Please be present at gate 5 twenty minutes before departure time.

탑승구

- 여기가 5번 게이트로 가는 길입니까?
  Is this the way to gate 5?
- 5번 게이트로 가는 길 좀 가르쳐 주시겠어요?
  Could you direct me to gate 5?
  Could you tell me how can I get to gate 5?

안내 방송

탑승 안내

May I have your attention, please? Northwest Airlines announces the departure of flight number 707 for New York at two o'clock. Flight 707 bound for New York is now boarding. Please proceed to the boarding gate 5.

안내 말씀 드리겠습니다. 노스웨트스 항공 오후 2시 뉴욕행 707편의 출발을 알려 드립니다. 뉴욕행 707편 탑승이 시작되겠습니다. 5번 탑승구로 나와 주시기 바랍니다.

- 마지막 안내 방송입니다.〈마지막 탑승 안내 방송 멘트〉
  (This is the) Last call.
- 이봐, 존. 우리 비행기야. 서둘러!
  Come on, John. That's our flight. Hurry up!

출발 지연

- 노스웨스트 707편이 안개 때문에 1시간 정도 지연되겠습니다.
  Northwest Flight No. 707 will be delayed for about an hour due to fog.
- 노스웨스트 707편이 나쁜 기상관계로 예정 시간보다 출발이 지연됨을 알려 드립니다.
  Northwest Airlines announces Flight No. 707 will be delayed due to bad weather conditions.

보안 검색

A: Please put all carry-on luggage on the conveyor.[4)]
Step right this way, sir.
B : How about this camera?
A: You can give it to me, sir.
It doesn't have to go through the scanner.
A: Would you mind opening your briefcase?
B : No, not at all. There you go.

A : 휴대용 짐을 운반대 위에 올려놓으십시오.
이쪽으로 오십시오
B : 이 카메라는 어떻게 하죠?
A : 그 카메라 저한테 주세요. 그건 스캐너에 검색하지 않아도 됩니다.
A : 서류가방을 열어 주시겠습니까?
B : 물론이죠. 자 여기 있습니다.

공항에서의 탑승수속 절차(security check)

① 탑승권을 교부한 다음 탑승수속을 받는다. 이때 구입한 공항이용권도 함께 제출한다.
② 보안검색(security check)을 받는다. 이때 휴대용 수화물을 운반대(conveyor)에 올려놓고, 개인 소지품을 꺼내서 소형바구니에 담아서 검색요원에게 제시한다.
③ 세관검사대를 통과한다. 이때(출국시)는 여권(passport)만 제시한다.
④ 출국심사를 받는다. 이때 여권, 탑승권, 출국신고서를 제출하면 심사관이 여권과 탑승권에 도장을 찍은후 돌려주고, 출국신고서는 심사관이 접수하여 보관한다.
⑤ 자신이 탑승할 출구(Gate) 앞 대기실에서 대기하거나 면세점 등을 이용한다.
⑥ 이륙 20~30분전 승객 탑승 개시를 알리는 방송을 들은후 Gate를 이용 탑승한다.

4) carry-on (luggage) : 기내 휴대 수화물

비행기를 놓쳤을 때

- 뉴욕행 노스웨스트 707편을 놓쳤습니다.
  I missed Northwest Flight No. 707 to New York.
- 교통 체증 때문에 뉴욕행 노스웨스트 707편을 놓쳤습니다.
  I missed NW Flight No. 707 because of a traffic jam.
- 오늘 가능한 다른 비행기가 있습니까?
  Do you have any other flights available today?

활용어휘

- 국내선 : domestic line
- 대기 승객 : standby passenger [5)]
- 도착시간 게시판 : arrival board
- 민항기 : civil flight
- 보안 구역 : secure area
- 승강구 : passenger door
- 탑승 시간 : boarding time
- 탑승객 명부 : boarding list
- 탑승장 : boarding area
- 이동식 보도 : moving walkway
- 국제선 : international line
- 대형 여객기 : clipper plane
- 민간 항공노선 : commercial air line
- 보안 검사 : security check
- 승강 계단 : boarding ramp
- 승객 대기실 : arrivals lobby
- 탑승 최종 안내방송 : final call
- 탑승수속 카운터 : check-in counter
- 예약을 하고 타지 않는 사람 : no-show

5) 예약 취소로 생긴 좌석을 기다려 타는 손님

4 기내에서

탑승 수속을 마친 후 탑승구(gate)를 따라 이동하여 탑승교(loading bridge)를 지나면 비행기가 대기하고 있는 탑승장(boarding area)에 도착하게 된다. 탑승 사다리(boarding ramp)를 이용하여 비행기에 오르면 비행기 입구에서 승무원(flight attendant)이 환영인사와 함께 승객의 좌석을 안내해 준다.

기 본 대 화

A : (Showing a boarding pass)
Excuse me. Where is my seat?
B : It's over here. It's the window seat.
A : Thank you.

A : (탑승권을 보이면서)
실례지만, 제 자리가 어디입니까?
B : 이쪽입니다. 창문쪽 자리입니다.
A : 고맙습니다.

좌석을 찾을 때

- 탑승권을 보여 주시겠습니까?
  Would you show me your boarding pass?
- 손님 좌석을 찾아 드릴까요?
  May I help you find your seat?
- 13L 좌석은 어디입니까?
  Where is (seat) 13L?
- 저 통로입니다. / 통로 쪽 자리입니다.
  That way, please. / It's an aisle seat.
- 당신 자리는 저 신사 분 옆입니다.
  Your seat is next to that gentleman.

다른 승객이 자기 좌석에 앉아 있을 때

- 실례지만, 제 자리에 앉아 계신 것 같습니다.
  Excuse me, but I think you're sitting in my seat.
- 실례지만, 여긴 제 자리입니다.
  Excuse me, but I'm afraid this is my seat.

좌석을 바꿀 때

- 좌석을 바꿀 수 있을까요?
  Would you mind exchanging seats?
  Would you mind changing your seat with me?
  Could you change seats with me?
- 제 좌석을 바꿀 수 있을까요?〈승무원에게〉
  Can I change seats? / Can I change my seat?
- 이쪽으로 오십시오. 창쪽 빈 좌석이 몇 개 있습니다.
  This way, please. There are a couple of vacant window seats.
- 제 동행인과 함께 앉고 싶습니다.
  I'd like to sit together with my companion. 1)

기내 서비스의 종류

- 유아용품(baby's goods) : 젖병(baby bottle), 유아식(baby food), 기저귀(diaper)
- 우편 관련 : 편지지(letter paper), 봉투(envelope), 관제 엽서(postal card)
- 약품(medicine) : 멀미약(medicine for airsickness), 반창고(bandage)
- 식사, 주류, 음료(foods, alcohols and beverages)
- 기타 : 트럼프(trump)

기 타

- 의자 좀 뒤로 젖혀도 되겠습니까?
  Do you mind if I lean back? 2)
  Do you mind if I put my seat back?
- 안전벨트 매는 법을 가르쳐 주시겠습니까?
  Could you show me how to fasten this seat belt?
- 안쪽으로 들어가도 되겠습니까? / 잠깐 지나갈까요?
  Could I get in? / May I get through? 3)

활용 어휘

- 통로쪽 좌석 : aisle seat
- 안전 벨트 : seat belt
- 고소 공포증 : acrophobia
- 승무원 : crew (member)
- 창가쪽 좌석 : window seat
- 빈 좌석 : vacant seat
- 바로 앞에 : straight ahead
- 칸막이 뒷좌석 : partition seat

1) companion : 동료
2) lean : 기대다; 의지하다; 비스듬하게 기대어 놓다
3) get through : 통과하다

- 기내 휴대품 : carry-ons
- 대형 핸드백(여성용) : tote bag
- 비행기의 오른〔왼〕쪽에 : on the right〔left〕 side of the air plane
- 비행기의 중앙에 : in the center of the air plane [4)]

기내 방송

이륙 직전

Good morning, ladies and gentlemen. We welcome you aboard Northwest Airlines. This flight 707 is now leaving for Los Angeles via Honolulu. Please, put your seat to the upright position, fasten your seat belt, and refrain [5)] from smoking until 'No Smoking'sign is turned off. Thank you.

신사 숙녀 여러분 안녕하십니까? 노스웨스트 항공에 탑승하신 것을 환영합니다. 이 707 여객기는 호놀룰루를 경유하여 로스앤젤레스로 출발할 예정입니다. 좌석을 바로 해 주시고, 안전벨트를 착용해 주십시오. 흡연은 '금연 표시등' 이 꺼질 때까지 삼가시기 바랍니다. 감사합니다.

환영 · 안내

- 대한 항공 탑승을 환영합니다.
  We welcome you aboard Korean Air.
- 자리에 앉아 주십시오.
  Please take your seat.
- 좌석을 바로 해 주시고, 안전벨트를 착용하시기 바랍니다.
  Please put your seat back upright, and fasten your seat belt.

출발 지연

- 나쁜 기상 상태로 예정 시간보다 늦어지고 있음을 알려드립니다.
  I'm sorry to inform you that this flight has been behind schedule due to bad weather conditions. [6)]
- 날씨가 개이는 대로 이륙하겠으니, 자리에 앉아 계시기 바랍니다.
  Please be seated as we're going to take off as soon as the weather clears. [7)]

---

4) ((비교)) 어느 한 좌석의 기내에서의 위치 : 통로쪽에(on the aisle), 가운데(in the middle), 창가에(by the window)
5) refrain from ~ing : ~하는 것을 삼가다
6) behind schedule : 예정보다 늦은
7) take off : 이륙하다

도착 1~2시간 전

We are now flying at an altitude of 14,000 feet and at a ground speed of 600 miles per hour. We expect to arrive in Honolulu in about one hour.

우리는 지금 14,000피트의 고도를 시속 600마일로 비행하고 있습니다. 약 1시간 후에 호놀룰루에 도착할 예정입니다.

경유지 도착

We have just landed at Honolulu International Airport. Passengers continuing on to Los Angeles, please remain on board. This flight will stay on the ground for two hours. Thank you.

방금 호놀룰루 국제공항에 도착하였습니다. 로스앤젤레스로 계속 가시는 승객들께서는 자리에 그대로 계십시오. 이 비행기는 2시간 동안 지상에 머무를 예정입니다. 감사합니다.

목적지 도착

We have just landed at Los Angeles International Airport. Please be sure to take all of your belongings [8] with when you leave the plane. Thank you.

방금 로스앤젤레스 국제공항에 도착하였습니다. 내리실 때는 반드시 소지품을 가지고 내리시기 바랍니다. 감사합니다.

기내 서비스

신문 · 잡지

A: Would you like a (news)paper, sir?
B : Yes. The New York Times, please.
A: I'm afraid we're out of The New York Times.
Would you like a Washington Post?
B : Yes, that's fine.

A : 신문을 보시겠습니까, 손님?
B : 네, 뉴욕 타임즈 부탁합니다.

8) belongings : 소유물, 소지품

A : 죄송하지만, 뉴욕 타임즈는 없는데요.
워싱턴 포스트지를 보시겠습니까?
B : 네, 좋습니다.

- 읽을 것 좀 있습니까?
  Do you have anything to read?
- 잡지 하나 주시겠습니까?
  Can I have a magazine?

활용 어휘

- 영자 신문 : an English newspaper
- 독서등 : reading lamp〔light〕
- 한국 신문 : a Korean newspaper
- 주간 잡지 : a weekly magazine

음료수

- 무엇을 마시겠습니까?
  What would you like (to drink)?
- 뭘 좀 마시겠습니까?
  Would you like to something to drink?
- 실례합니다. 마실 것 좀 주시겠습니까?
  Excuse me. May I have a drink?
- 물 한 잔 주시겠어요?
  May I have a glass of water, please?
- 콜라 한 잔 더 주시겠습니까?
  May I have another coke?

활용 어휘

- 청량 음료수 : soft drink
- 컵 : glass
- 포도주 : wine
- 콜라 : coke
- 음료수 : beverage
- 맥주 : beer
- 위스키 : whisky
- 식후 음료수 : after dinner drinks

식 사

A: Which would you like, beef or chicken?
B : Beef, please.
A : 닭고기와 소고기 중 어느 것을 드시겠습니까?
B : 소고기를 부탁합니다.

- 식사를 다 하신 건가요?
  Have you finished?

• 디저트를 뭘로 하시겠습니까?
What would you like for dessert?

기내에서 면세품 구입

기내에서는 양주, 담배, 향수, 넥타이 등 세계 유명 브랜드 상품들을 면세로 판매하므로 비교적 저렴한 가격으로 구입할 수 있다. 면세 범위는 술은 1병, 담배는 1보루 정도이며 그 이상 구입시에는 세금이 부과된다.

※ 식사 주문에 관한 추가 표현 : 음식을 주문할 때(p. 422)

몸이 편찮을 때

A: What's the matter with you? (어디가 아프세요?)
B : I have a headache. (머리가 아픕니다.)

활용 어휘

• 설사 : a diarrhea
• 열 : a fever
• 복통 : a stomachache
• 치통 : a toothache

• 몸이 아프십니까?
Are you feeling sick?
• 어디 불편하신 데가 있습니까?
Is there something inconveniencing you?
• 몸이 좋지 않습니다.
I don't feel (very) well.
• 체한 데 필요한 약이 있습니까?
Do you have any medicine for an upset stomach?
• 소화제 있습니까?
Do you have something〔any medicine〕to aid digestion?
• 멀미약 좀 주시겠습니까?
Could I have some medicine for nausea?
Could I have some pills for airsickness?
• 약을 갖다 드리겠습니다.
I'll bring you some medicine.
• 구역질이 납니다〔속이 메스꺼워요〕.
I feel nauseated〔nauseous〕. / I feel sick to my stomach.
• 토할 것 같아요.
I feel like vomiting〔throwing up〕.
• 멀미용 봉지를 주시겠습니까?
Could you give me a paper bag〔an airsickness bag〕?

A: How do you feel now? (이제 좀 어떻습니까?)
B : I feel better. (이제 좀 나아졌습니다.)

❖ 몸에 이상이 있을 때 추가 표현 : 병원(p. 271)

영화 감상

- 영화는 언제 상영합니까?
  When do you show the movie?
- 어떤 영화가 상영되고 있습니까? / 무엇이 상영되고 있습니까?
  What movie is showing? / What's showing?

❖ 영화 관련 추가 표현 : 영화 · 연극을 관람할 때(p. 205) / 영화(p.1079) / 연극(p. 1338)

기내 쇼핑

- 담배 있습니까?
  Do you have cigarettes?
- 술 좀 보여 주시겠어요?
  Would you mind showing me your selection of liqueur?
- 다른 것을 보여 주시겠어요?
  Would you show me any others?
  Would you mind showing me any other items available?
- 어떤 브랜드를 원하십니까?
  What brand would you like?
- 이걸로 주세요〔하겠습니다〕. / 얼마입니까?
  I'll take that〔this〕. / How much is it?

활용 어휘

- 넥타이 : tie
- 보석류 : jewerly
- 살 담배 : tobacco
- 칫솔 : toothbrush
- 향수 : perfume
- 만년필 : fountain pen
- 볼펜 : ballpoint pen
- 손목 시계 : wristwatch
- 화장수 : skin lotion
- 화장품 : cosmetic

기 타

A: Excuse me. I don't have a headset.
B : Oh, sorry about that. I'll get you one.

A : 실례합니다. 헤드폰이 없습니다.
B : 오, 미안합니다. 갖다 드리겠습니다.

- 물수건 좀 갖다 주시겠습니까?
  Would you bring me a wet towel?

• 제 가방을 선반 위에 올려 주시겠습니까?
Could you put my bag in the overhead bin? 9)
Would you mind putting my bag in the overhead bin?
• 도움이 필요하시면, 이 호출버튼을 누르세요.
If you need any help, just push this call button.
• 창 가림막을 내려 주시겠습니까?
Could you pull the shade down? 10)
• 담요 좀 갖다 주시겠습니까?
Could you get me a blanket, please?
• 헤드폰이 고장났습니다.
The headphone is out of order.
The headphone doesn't work.
Something is wrong with the headphone.
• 새것으로 즉시 갖다 드리겠습니다.
I'll be right back with a new one.

기 타

입국 · 세관 신고서 작성

• 이 양식을 작성하세요. / 이 입국 신고서를 작성하세요.
Please fill out this form. / Please fill out this landing card.
• 이 세관 신고서를 작성하세요.
Please fill out this customs declaration.
• 이 양식을 작성하는 방법을 가르쳐 주시겠어요?
Could you please show〔tell〕 me how to fill out this form?
• 여기에 뭘 써야 하는지 가르쳐 주시겠습니까?
Could you tell me what I should write here?
• 실수를 했는데〔틀리게 썼는데〕, 카드 한 장 더 주시겠습니까?
I made some mistakes. May I have another card?
• 1만 달러 이상 가지고 계시면 신고하셔야 합니다.
If you have more than 10,000 dollars, you should declare it.

입국, 세관신고서 작성

이륙후 일정한 시간이 지난후 그리고 비행기가 목적지 공항에 가까워지면 입국 수속을 밟을 때 필요한 입국 신고서와 세관 신고서를 승무원이 승객들에게 배부한다. 작성하는 방법을 모를 경우에는 승무원이나 다른 승객에게 도움을 청한다.

---

9) bin : (뚜껑 달린) 큰 상자
10) shade : 그늘; 차양(blind); 양산(parasol); (전등의) 갓; ((구어)) (복수형) 선글라스

금지 사항

- 죄송합니다만, 여기서는 그걸 사용하시면 안 됩니다.
  I'm afraid you can't use that here.
- 죄송합니다만, (라디오 등을) 꺼 주셔야겠습니다.
  I'm sorry, but you'll have to turn it off.

도착 시간을 물을 때

- 예정대로 운항되고 있습니까?
  Are we on schedule?
- 이 비행기는 정시에 도착합니까?
  Will this plane arrive on time?
- 얼마나 지연됩니까?
  How long will it be delayed?
- 예정 시간보다 1시간 늦고 있습니다.
  It's an hour behind schedule.

옆 승객에게 말을 걸 때

- 처음 뵙겠습니다. 저는 김진호입니다.
  How do you do? I'm Jin-ho Kim.
- 만나서 반갑습니다.
  I'm glad to meet you. / Nice to meet you.
- 저는 한국 사람입니다.
  I'm Korean.
- 어디까지 가십니까?
  Where are you flying to?
- 이야기 즐거웠습니다.
  I enjoyed talking with you.
- 만나서 반가웠습니다.
  Nice to have met you.
- 뉴욕에서 즐겁게 보내십시오.
  Hope you'll enjoy your stay in New York.

> A: Why are you going to New York?
> B : I'm on a business trip. 〔This is a business trip.〕
>
> A : 뉴욕에는 무슨 일로 가십니까?
> B : 사업차 방문합니다.

※ 인사 및 화제 관련 추가 표현 : 초면 인사(p. 5) / 화제(p. 988)

활용어휘

- 기장 : captain
- 산소 마스크 : oxygen mask
- 화장실 : lavatory
- (화장실) 비어 있음 : vacant
- 구명 보트〔조끼〕: life raft〔vest〕
- 국제날짜변경선 : international date line
- 목적지 현지시간 : local time at destination
- 긴급사태 발생시 : in the event of emergency
- 사물함(머리 위에 있는) : baggage compartment
- 구명 재킷 : life jacket
- 비상구 : emergency exit
- 화장지 : toilet paper
- (화장실) 사용 중 : occupied
- 남은 비행시간 : remaining flight time
- 도착예정시간 : estimate arrival time

5 비행기를 갈아탈 때

항공기를 갈아타야 할 경우에는 2~3시간 정도의 소요 시간을 잡아 둔다. 갈아타는 요령은 다음과 같다. ① 타고 왔던 비행기에서 내려 갈아타야 할 항공사의 '탑승수속 카운터(check-in counter)'에 가서 항공권을 제시한 후 환승 카드(transit card)를 받는다.[1] ② 대합실 주변에서 탑승시간 전까지 시간을 보낸 후 탑승 안내방송이 나오면 다시 탑승수속을 밟는다. ③ 처음에 맡긴 짐은 자동으로 연결편 항공기로 옮겨지기 때문에 염려할 필요가 없다. ④ 탑승구(gate number)를 미리 확인해 두는 것이 실수할 염려가 없다. ⑤ 비행기를 갈아타지 않고 단지 잠깐 머무르는 경우에는 짐은 그대로 놔두고 귀중품만 가지고 내려서 대합실에서 쇼핑을 즐긴다.

기 본 대 화

A : I'm connecting to Northwest flight 407. [2]
B : May I have your ticket, please?
A : Here you are.
B : (pause) Here's your transit card. [3]
A : What should I do with my checked baggage?
B : It'll be automatically transferred to your next flight.

A : 노스웨스트 407편으로 갈아타려고 합니다.
B : 항공권을 주시겠어요?
A : 여기 있습니다.
B : (잠시 후) 환승 카드 여기 있습니다.
A : 제 탁송 화물은 어떻게 해야 합니까?
B : 그건 자동으로 다음 비행기로 옮겨집니다.

환승 탑승구 위치

A: Where is the gate for the connection flight?
B : Go to gate 13, please.

---

1) 보통 최초 항공권을 예약 또는 구입하는 항공사 카운터에서 연결편 탑승권(boarding pass)을 포함하여 최종목적지 공항까지의 탑승권을 발급해 준다. 그러나 연결편 또는 최종목적지 공항 탑승권을 발급받지 못했을 경우에는 공항내 Check-In Counter 또는 Gate-in Counter에서 발급 받아야 한다.
2) connect : 연결하다〔되다〕, 접속하다〔되다〕; (사람 장소를) 전화로 연결하다 / connect this wire to〔with〕 that : 이 선을 저 선에〔과〕 연결하다 / You're connected.(전화가 연결되었습니다. – 전화 교환원의 말) / a connected account : 앞뒤가 맞는 설명
3) transit card : 환승 카드 / transit passenger : 환승객(비행기를 갈아타는 승객)

A : 접속편 탑승구가 어디입니까?
B : 13번 게이트로 가십시오.

- 환승객 휴게소가 어디에 있습니까?
  Where is the lounge for transit passengers?
- '갈아타는 곳' 이라고 표시된 저 표지판을 따라 가세요.
  Follow that sign marked 'TRANSFER'.

연결편을 놓쳤을 때

- 뉴욕행 연결편을 놓쳤습니다. 어떻게 해야 되죠?
  I missed my connecting flight to New York.
  What should I do?
- 귀측의 비행기가 연착이 돼서 연결편을 놓쳤습니다.
  My flight on your line was delayed and I missed a connecting flight.
- 다음 비행기를 잡아 드리겠습니다.
  We'll put〔get〕 you on the next flight.
- 다음 비행기를 예약해 드리겠습니다.
  We can book you on the next flight.
- 오늘 오후 9시까지 뉴욕에 도착할 수 있을까요?
  Will I be able to arrive in New York by 9:00 p.m. today?
- 저에게 호텔 방을 잡아 주시겠습니까?
  Could you provide a hotel room for me?
- 저에게 숙박시설을 마련해 주셔야 합니다.
  You have to arrange accomodations for me.
- 당신의 호텔 숙박비용 일체를 저희가 부담하겠습니다.
  We'll pay all expenses for you to stay in hotel.

6 목적지 공항 도착

해당국의 입국 공항에 도착하면 'ARRIVAL(도착)'이라고 쓰여진 표지를 따라 나간 후 간단한 입국 절차를 밟게 되는데, 그 순서는 ① 검역(Quarantine), ② 입국 심사(Immigration) 및 수화물 찾기, ③ 세관 검사(Customs)순으로 이뤄진다. 이 3단계 절차 각 머리글자를 따서 입국 절차를 'QIC'라고 한다. 검역은 보통 사람에 대해서는 하지 않고 필요시 예방접종 증명서(yellow card)를 요구한다. 그러나 동물에 대해서는 반드시 실시한다. 입국 절차를 마치면 공항 로비에 도착하게 되는데 마중 나온 사람은 이곳에서 만난다. 그리고 이어서 공항 내에서 환전을 위해서는 은행(bank)이나 환전소(money changer) 등의 편의시설을 이용한다. 아래 대화는 입국 심사를 받는 상황이다.

기 본 대 화

A : May I see your passport, please?
B : Here you are, sir.
A : What's the purpose of your visit?
B : For〔On〕 business.
A : How long are you going to stay in America?
B : Three months.
A : OK. Go ahead and collect your baggage, please. [1)]
B : Thank you.

A : 여권 좀 보여 주시겠습니까?
B : 여기 있습니다.
A : 방문 목적이 무엇입니까?
B : 사업차 방문했습니다.
A : 미국에서는 얼마 동안 체류하십니까?
B : 3개월입니다.
A : 좋습니다. 앞으로 가셔서 수화물을 찾아가세요.
B : 감사합니다.

입국 심사

- 여권을 보여 주십시오.
  Your passport, please.

1) collect : 수집하다, 모으다, (세금 · 집세 등을) 징수하다; (기부금을) 모집하다; ((구어)) (수화물 등을) 가지러 가다, 가져오다 / ((비교)) collect : 어떤 목적으로 선정하여 모으다 / gather : 흩어져 있는 것을 한 곳으로 모으다

방문 목적

- 관광 목적으로 왔습니다.
  (I'm here) On〔For〕 sightseeing.
- 학생〔사업〕 비자로 방문하셨군요.
  I see you have〔are〕 on a student〔business〕 visa.

활용 어휘

- 공부〔연수〕 목적으로 : for〔on〕 study
- 회의 목적으로 : on conference
- 휴가 여행차 : on vacation
- 친구 방문차 : to visit my friend
- 회의에 참석하기 위해 : to attend a meeting
- 입국 심사관 : immigration officer

체류 기간

- 미국에는 얼마나 머무르실 예정입니까?
  How long will you be in the United States?
  How long are you staying in the United States?

체류 장소

- 최종 목적지는 어디입니까?
  What's your final destination?
- 뉴욕에서는 어디에서 체류하십니까?
  Where will you be staying in New York?

기 타

- 동행이 몇 분입니까?
  How many are there in your party?
- 단체 여행을 하시는 건가요?
  Are you traveling in a group?
- 즐거운 여행 보내세요.
  Enjoy your trip. / Have a nice trip.

입국심사 절차

① 여행자는 여권, 입국신고서 Immigration Declaration 또는 Green Card), 세관신고서, 귀국용 비행기표 등을 준비한다. ② 입국심사를 받을 때는 여권과 '입국 카드'를 제출한다. ③ 입국 심사관이 방문 목적, 체류 기간, 체류 장소 등을 질문한다. ④ 심사관이 여권에 도장을 찍어 주고, 입국 카드는 2등분(상단은 "arrival record", 하단은 "departure record"라고 쓰여져 있다.)으로 절취하여 상단부분은 입국시 심사관에 접수시키고 하단부분은 반쪽은 자신의 여권에 첨부하여 방문국을 출국시 심사관에게 제출한다.

수화물을 찾을 때

A: Excuse me. Where is the baggage claim area?
B : It's over there.

A : 실례합니다. 수화물을 찾는 곳이 어디에 있습니까?
B : 저쪽에 있습니다.

- 제 수화물을 어디서 찾을 수 있죠?
  Where can I pick up my baggage?
- 수화물을 찾는 곳이 어디죠?
  Where is the baggage claim area?
- 저게 제 가방인데, 손이 안 닿아요.
  That's my bag over there, and I can't reach it.

수화물에 문제 발생시

- 제 짐을 찾을 수가 없습니다.
  I can't find my baggage.
- 제 짐이 도착하지 않았습니다.
  My baggage hasn't arrived here.
- 제 짐이 여기 없습니다.
  My baggage is not here.
- 제 짐이 파손됐습니다.
  My baggage was damaged.
- 제 짐 찾는 걸 좀 도와 주시겠습니까?
  Could you help me to find my baggage?
- 확인을 해 보겠습니다.
  Let me check on it.
- 제 짐이 도착하질 않았는데요. 누구를 만나 봐야 하죠?
  My baggage didn't arrive. Who should I see about that?
- 수화물표를 보여 주시겠습니까?
  Can I see your baggage claim tag?
- 수화물표를 가지고 계십니까?
  Do you have your baggage check?
- 내용물의 품목을 가지고 계십니까?
  Do you have an itemized list of the contents?
- 걱정하지 마세요. 분실된 수화물의 대부분은 어디선가는 나타나니까요.
  Don't worry. Most lost baggage will turn up somewhere. [2]

2) turn up : (물건이) 우연히 나타나다[발견되다]; 모습을 나타내다; (일이) 뜻밖에 생기다

- 당장 필요로 하시는 것은 보험회사에서 지불을 해 줄 겁니다.
  Your insurance company will pay for the things you need right now.
- 불편을 끼쳐 드려서 정말 죄송합니다.
  I'm terribly sorry about 〔for〕 the inconvenience.
- 다음 비행기편으로 올 겁니다.
  It'll be coming in on the next flight.
- 손님 짐이 어디 있는지 알아냈습니다.
  I've located your baggage.

수화물을 분실하거나 연착했을 때

① 항공권과 수하물표를 가지고 해당 항공사 직원에게 신고한다. ② 수화물 사고보고서(PIR)를 받아서 작성한다.(작성시에는 분실 기간 중의 보증 금액, 발송 가능한 연락처를 필히 기입한다. ③ 항공사에서는 1kg당 20달러 내외의 보상금을 지급해 준다.

활용 어휘

- 수화물을 찾다 : pick up baggage
- 수화물 꼬리표 : baggage tag
- 수화물 찾는 곳 : baggage claim area
- 운반대 : carrousel [3]

세관 검사

A: Do you have anything to declare? [4]
B : No, I have nothing to declare.
A: What are these?
B : They are all personal effects [goods].
A: Will you please open this bag?
B : Certainly.
A: What's in this small bottle?
B : It's my medicine.

A : 신고하실 것이 있습니까?
B : 아니오, 신고할 게 없습니다.
A : 이것들은 뭐죠?
B : 그건 제 개인 물건입니다.
A : 이 가방 좀 열어 주시겠습니까?
B : 그러죠.

3) 공항에서 수화물을 운반하는 회전식 운반대
4) declare : 선언〔포고〕하다; 공표하다(proclaim); 언명〔단언〕하다; (세관에) 신고하다

A : 이 작은 병 안에 있는 건 뭐죠?
B : 제 약입니다.

- 세관 검사를 어디서 합니까?
  Where do I go through customs inspection?

A: Anything to declare? (신고하실 것이 있습니까?)
B : No, nothing. (아니오, 아무것도 없습니다.)

- 이 짐 속의 내용물은 무엇입니까?
  What's the content of this package?
- 개인 소지품뿐입니다.
  I only have my personal effects〔property〕.
- 그건 제 친구에게 줄 선물입니다.
  It's a gift for my friend.

A: Do you have your customs declaration form?
B : I'm sorry. I've lost it.

A : 세관 신고서를 가지고 계십니까?
B : 죄송합니다. 잃어버렸습니다.

- 이 짐들을 보세 창고에 맡겨 두십시오.
  Please keep〔leave〕this baggage in bond. [5)]
- 이게 가지고 계신 것 전부입니까?
  Is this all you have?

관 세

- 이 카메라에 대해서는 관세를 지불하셔야 합니다.
  You have to pay a duty for this camera.
- 면세품목에서는 200달러까지 면세가 됩니다.
  You are entitled to $200 in duty free items.

휴대 금액

A: How much money do you have with you?
B : I have six thousand dollars in traveler's check.

A : 수중에 돈을 얼마나 가지고 계십니까?
B : 여행자 수표로 6천달러를 가지고 있습니다.

5) bond : 묶는〔매는〕 것; (복수형) 속박, 구속; (차용) 증서, 공채; (세관) 보세창고 유치의 / a public bond : 공채 / a treasury bond : (미국의) 재무성에서 발행하는 장기 채권, 국채 / in bond : 보세창고에 유치하여

- 외화는 얼마나 가지고 계십니까?
  How much foreign currency do you have?
- 좋습니다. 가셔도 됩니다.
  All right. You may go now.
- 녹색 통로로 통과하십시오.
  Go through the green channel.
- 세관에 걸렸어요〔세관을 통과하는 데 실패했어요〕.
  I failed to make it through customs.

활용 어휘

- 식물 : plants
- 농산물 : agricultural products
- 관세법 : customs duty
- 통화 신고 : currency declaration
- 휴대용 화장품 상자 : vanity box〔case / bag〕
- 금속 상자 : metal box
- 무기 : weapons
- 마약 : drugs
- 면세품 : tax-free items
- 세관을 통과하다 : clear customs

짐을 운반할 때

- 이 짐〔가방 / 여행가방〕을 운반해 주시겠어요?
  Can you carry this baggage〔bag / suitcase〕?
- 이 가방을 버스 정류장까지 운반해 주시겠어요?
  Can you take this bag to the bus terminal?
- 이 가방을 택시 승강장까지 운반해 주세요.
  Please carry this baggage to the taxi stand.
- 고맙지만, 제가 들 수 있습니다.
  Thank you, but I can carry it myself.

7 공항에서 최종 목적지로

공항에서 시내로 가는 교통 수단에는 공항 전용버스인 **airline's bus**(항공사 버스), **shuttle bus**(셔틀 버스), **limousine**(리무진) 등이 있고, 공항 터미널을 나오면 바로 앞에 버스 승강장이 있다. 택시의 경우 요금이 너무 비싸기 때문에 가능한 한 이용하지 않는 것이 좋다. 택시와 지하철을 적절히 병행하여 활용하는 것도 좋은 방법이 될 수 있다.

기 본 대  화

A : Excuse me.
What's the best way to get to the Hilton Hotel?
B : You can take a taxi.
A : Where can I catch a taxi?
B : There's a taxi stand in front of this building.
A : Thank you.

A : 실례지만, 힐튼 호텔로 가는 가장 좋은 방법이 무엇입니까?
B : 택시를 타십시오.
A : 어디서 택시를 잡을 수 있죠?
B : 이 건물 앞에 택시 승강장이 있습니다.
A : 고맙습니다.

• 이 리무진이 힐튼 호텔로 갑니까?
Does this limousine go to the Hilton Hotel?

A: How can I go to the Hilton Hotel?
B : You can get there by shuttle bus.

A : 힐튼 호텔로 가려면 어떻게 하죠?
B : 셔틀버스를 타시면 거기에 가실 수 있습니다.

※ 교통 수단 이용시 : 교통(p. 219, 1253, 1299)

8 공항 마중과 전송

공항에서 외국 손님을 마중하거나 전송해야 할 경우가 있다. 이런 상황에서 필요한 기본적인 표현에는 "(전화상으로) I'll meet your plane.(제가 공항에 마중 나가겠습니다.)", "I will send someone to meet you at the airport.(공항에 사람을 보내서 선생님을 마중하도록 하겠습니다.)"라고 한다. 그리고 마중 나온 사람에게는 "Thank you very much for coming to see me.(마중을 나와 주셔서 정말 감사합니다.)" 라고 하면 된다.

기 본 대 화

A : Welcome to the United States, Mr. Shin!
B : Hi, Mr. Anderson! I'm glad to see you again.
A : So am I. How was your flight?
B : It was very pleasant.
Thank you very much for coming to the airport in person.
A : It's really nothing.

A : 미국에 오신 것을 환영합니다. 신 선생!
B : 안녕하세요, 앤더슨씨!
다시 만나서 반갑습니다.
A : 저도 그렇습니다. 비행기 여행은 어땠습니까?
B : 아주 즐거웠습니다.
몸소 공항까지 나와 주셔서 정말 감사합니다.
A : 별 말씀을 다 하십니다〔아무것도 아닌데요〕.

마 중

- 미국에 오신 여러분을 진심으로 환영합니다.
  We'd like to extend our hearty welcome to America to all of you.
- 미국에 정말 잘 오셨습니다.
  It's really nice to have you visit America.
- 만나서 반갑습니다, 밀러씨.
  I'm glad to see you, Mr. Miller.
- 저를 기다리는 모양이군요.
  I believe you're waiting for me.
- 5시 비행기에 마중을 나가야 합니다.
  I have a plane to meet〔catch〕at five.

- 제가 짐을 들어 드릴까요?
  Can I carry your luggage? [1)]
- 공항에서 당신을 마중하도록 차를 준비해 두겠습니다.
  I'll arrange for a car to meet you at the airport. [2)]

> A: I'll meet you at the airport.
> B : Don't bother yourself (to meet me at the airport).
>
> A : 제가 공항으로 마중 나가겠습니다.
> B : 일부러 공항까지 마중 나올 건 없어요.

- 오후 3시에 제가 차로 모시러 가겠습니다.
  I'll send a car to pick you up at 3:00 p.m.
- 비행기는 5시에 김포 공항에 도착할 예정입니다.
  The airplane is due in Kimpo Airport at 5:00 p.m.
- 012편은 다른 공항으로 착륙할 것입니다.
  Flight 012 will be diverted to a different airport.

전 송

- 기다리시는 비행기가 언제 도착하죠?
  When does your plane arrive?
- 전송을 해주셔서 정말 감사합니다.
  Thank you very much for coming down to see me off.
- 전송을 나와 주셔서 고맙습니다.
  Thank you for coming to see me off.
  It's very nice of you to see me off.
- 여기 머무는 동안 환대해 주셔서 정말 감사합니다.
  I'm very grateful for your hospitality during my stay here.
- 이제 가서 탑승 수속을 밟아야 하겠습니다.
  I'd better go and check in now.
- 안녕히 계십시오. / 멋진 여행이 되길 바랍니다.
  Good-bye. / I hope you have a nice trip.

활용 어휘

- 승객 명부 : passenger list
- 공항 사용료 : airport usage tax
- 심야 비행편 : red-eye special〈속어〉
- 여객기 : passenger plane
- 항공관제소 : air control center
- 오물 주머니 : disposal bag
- 비행중 기내 상영 영화 : in-flight movie
- 여객 수송 : passenger service
- 운임이 싼 여객기 : skycoach
- 활주로 : flight strip

1) luggage : ((美)) 짐; ((英)) 수화물 / baggage : ((美)) 수화물; ((英)) 짐
2) arrange for ~ : ~을 준비하다, 마련하다

9 귀국

한국으로 귀국할 준비를 위해서는 항공편을 예약 및 재확인하고, 세관 통관시 제시할 수 있도록 현지에서 구입한 물품의 목록 및 금액 등을 미리 기록해 둔다.

항공편 예약 확인

- 예약을 재확인하고 싶습니다.
  I'd like to reconfirm my reservation.
- 내일 오전 10시에 출발하는 서울행 707편을 예약했습니다.
  I've made reservation for your flight 707 leaving tomorrow at 10:00 a.m. to Seoul.
- 손님은 내일 서울행 707편 예약이 되어 있습니다.
  You're booked on our flight 707 to Seoul tomorrow.

❖ 추가 표현 : 항공편 예약(p. 893)

탑승 수속

- 서울행 NW 707편을 타고 싶은데, 이곳이 5번 탑승구 맞습니까?
  I'd like to board NW Flight 707 to Seoul.
  Is this the way to gate 5?

❖ 추가 표현 : 탑승 수속(p. 900)

기내에서

❖ 관련 표현 : 기내에서(p. 905)

비행기를 갈아탈 때

❖ 관련 표현 : 비행기를 갈아탈 때(p. 915)

한국 도착

한국 공항에 도착하면 검역(Quarantine), 입국 심사(Immigration), 세관 통관(Customs) 순으로 입국 절차를 마치면 해외 여행은 끝난다.

10 긴급 상황

이 절에서는 해외 여행시 여권(passport), 여행자 수표(traveler's check), 귀중품(valuables) 등을 분실하였을 때, 그리고 강도(robber)를 만났을 때, 자동차 사고(car accident)가 났을 때, 응급 환자가 발생하였을 때 등 해외 여행시 또는 일상생활을 하면서 발생할 수 있는 긴급 사태(emergencies)에 대한 대응 요령과 그에 따른 영어표현을 망라하였다.

여권 분실

여권을 분실했을 경우 곧바로 경찰에 신고하여 '분실 증명 확인서'를 받은 다음, 한국 대사관이나 영사관에 가서 분실 신고하고 임시 여권을 발급 받아야 한다. 그러나 다른 사람으로 하여금 한국 대사관에 연락을 부탁할 때는 "Would you please contact the Korean Embassy for me?(한국 대사관에 연락을 해 주시겠습니까?)"라고 말한다.

대사관 위치를 찾을 때

A: Excuse me.
Could you tell me the way to the Korean Embassy?
B : Sure. It's right over there. You see the Korean flag?
A: Thank you.

A : 실례지만, 한국 대사관 가는 길을 가르쳐 주시겠습니까?
B : 네. 바로 저기에 있습니다. 한국 국기가 보이시죠?
A : 감사합니다.

❖ 길을 묻는 세부 표현 : 길을 묻거나 안내할 때(p. 105)

대사관에서

A: May I help you?
B : Yes. I lost my passport. I'd like to have it reissued.
A: When and where did you lose it?
B : I think I lost it in the bus this afternoon.
A: Please fill out this form.

A : 뭘 도와 드릴까요?
B : 네. 여권을 분실했는데, 재발급받고 싶습니다.
A : 언제 어디서 분실했습니까?
B : 오늘 오후에 버스 안에서 잃어버린 것 같습니다.
A : 이 양식을 작성해 주십시오.

- 새로 발급 받고 싶습니다.
  I need a new one.

찾는 시기

A: When will it be ready?
B : You can pick it up next Monday.

A : 언제 됩니까?
B : 다음 주 월요일에 찾아가세요.

- 재발행은 2주 후에 됩니다.
  It'll be reissued two weeks from now.

활용 어휘
- 한국 대사관 : the Korean Embassy
- 한국 영사관 : the Korean Consulate
- 임시 여권 : a temporary passport

귀중품 분실

귀중품을 분실하거나 도난당했을 때는 가까운 경찰서에 직접 가서 신고를 하거나 전화를 걸어서 신고한다. 전철역이나 버스 터미널일 경우에는 Lost and Found(분실 습득물 보관소)에 가서 신고를 한다.

분실 신고

A: May I help you?
B : Yes. I lost my suitcase.
A: When and where did you lose it?
B : On the bus, that I took at about 9:00 yesterday from the International Airport.
A: Can you describe the contents of your suitcase, please?
B : All my valuables were in it.
A: All right. Please fill out this form.
We'll contact you as soon as we find it.

A : 뭘 도와 드릴까요?
B : 네. 여행가방을 분실했습니다.
A : 언제 어디서 분실했습니까?
B : 어제 9시경에 국제 공항에서 타고 왔던 버스에서 (잃어버렸습니다).
A : 여행 가방의 내용물이 뭔지 말씀해 주십시오.
B : 제 귀중품이 모두 들어 있었습니다.
A : 알겠습니다. 이 양식을 작성해 주시겠습니까? 찾는 대로 연락 드리겠습니다.

분실하다

- 지갑을 분실했습니다. / 경찰에 신고는 하셨어요?
  I lost my wallet. / Have you called the police?
- 제 가방이 안 보입니다.
  I can't find my bag.
- 지하철에 카메라를 두고 내렸습니다.
  I left my camera in〔on〕 the subway.
- 제 가방이 없어졌습니다.
  My bag is missing. / My bag is gone.

분실 시기

A: When did you notice your bag was missing?
B : I realized it this morning.

A : 가방이 분실된 것을 언제 아셨습니까?
B : 오늘 아침에 알았습니다.

내용물

A: What was in your wallet?
B : I had my passport, money and checks in it.

A : 지갑 안에 무엇이 들어 있었습니까?
B : 여권과 돈 그리고 수표가 들어 있습니다.

- 어떤 가방입니까?
  What kind of bag is it?

분실물을 찾았을 때

A: Have you found my bag?
B : Yes, ma'am. I found it in the subway.
A: Thank you very much.

A : 제 가방을 찾으셨습니까?
B : 네, 부인, 지하철 안에서 찾았습니다.
A : 정말 감사합니다.

- 가방을 찾으러 왔습니다.
  I came to pick up my bag.
- 언제 찾으러 가면 됩니까?〈전화상으로〉
  When can I go and get it?

여행자 수표 분실

여행자 수표(traveler's check 또는 약칭으로 T/C)를 분실하여 재발행을 받을 경우에는 경찰서에서 발급한 "도난 증명서 사본(a copy of theft report)" 또는 "분실 증명서 사본(a copy of loss report)"이 반드시 필요하다. 분실을 했을 때는 우선 경찰서에 신고하고(신고 요령은 "귀중품을 분실했을 때"를 참조) 그리고 나서 가까운 발행 은행 지점에 가서 재발행을 신청한다.

분실 신고(은행에서)

A: I lost my traveler's checks.
B : Had you signed the checks?
A: Yes, I did.
B : How about the counter signature?[1)]
A: No, they were not countersigned.
B : May I have the purchase agreement?
A: Here you go.
B : (pause) We've confirmed everything and we'll reissue.

A : 여행자 수표를 분실했습니다.
B : 거기에 (주)서명을 하셨습니까?
A : 네, 했습니다.
B : 부서명은요?
A : 부서명은 안 되어 있습니다.
B : 구입 계약서를 주시겠습니까?
A : 여기 있습니다.
B : (잠시후) 모든 걸 확인했으니, 다시 발행해 드리겠습니다.

• 여행자 수표 분실 신고를 하고 싶습니다.
I'd like to report the loss of my traveler's checks.

강도를 만났을 때

미국의 치안은 우리 나라만큼 안전하지 못하다. 대낮에 강도가 한인 슈퍼마켓에 침입해서 총으로 주인을 쏘아 죽이고 돈을 빼앗아 간 사건을 매스컴을 통해서 모두 알고 있다. 거리에서도 마찬가지다. 혼자서 후미진 밤길을 가는 것은 대단히 위험하다.

---

1) 수표 사용 관련 용어 : purchase agreement(구입 계약서 : 여행자 수표를 구입할 때 구입일, 구입 장소, 구입 금액 등이 적힌 일종의 발행 증명서) / the signature of holder〔주서명(主署名) : 수표에 자신의 1차적인 서명을 하는 부분으로 구입 직후 서명을 한다.〕 / counter's signature〔부서명(副署名) : 2차적으로 사용자의 서명을 하는 부분으로 서명은 주 서명과 동일해야 한다.〕 * 유의해야 할 점은 주서명과 부서명이 모두 되어 있거나, 모두 안 되어 있을 경우에는 현금과 똑같은 효력을 가진다는 사실이다.

강도를 만나면 돈을 빼앗기기 마련인데 이를 대비하여 수중에 많은 현금을 가지고 다녀서는 안 된다.

강도의 위협

- 움직이지마!
  Freeze! / Don't move! / Hold it! / Stop!
- 손 들엇! / 소리 지르지 마!
  Stick'em up! [2] / Don't scream!
- 소리 지르지 마!
  Don't scream!
- 엎드려!
  Hit the ground! / Get down!
  Put your face on the ground!
- 돈〔지갑〕 내 놔!
  Give me your money〔wallet〕!
- 이것밖에 없어요.
  I don't have any more. / That's all I have.

도움을 청할 때

- 도둑이야! / 도둑이야! 잡아라!
  Thief! / He's a robber! Stop him!
- 도와 주세요!
  Help!
- 저 놈 잡아라!
  Catch him! / Get him! / Stop that man!
- 경찰을 불러 주세요.
  Please call the police.

신고할 때(경찰서에서)

A: I had my wallet stolen.
B : When was it stolen?
A: About 20 minutes ago.
B : Please tell me what happened.
A: A man pickpocketed it while I was walking down the street. [3]

2) Stick'em = stick them〔them = your hands〕 → 강도가 가게 주인에게 권총을 겨누면서 하는 말
3) pickpocket : 소매치기 (사람); 소매치기하다

B : Could you please describe his appearance? [4]
A: He was short, fat and had curly hair.

A : 제 지갑을 도난당했습니다.
B : 언제 도난당했습니까?
A : 20분 전쯤에요.
B : 상황을〔어떻게 된 건지〕 말씀해 주세요.
A : 거리를 걷고 있는데, 한 남자가 소매치기를 했습니다.
B : 그 남자의 인상 착의를 설명해 주시겠어요?
A : 키가 작고 뚱뚱하며 곱슬머리를 하고 있었습니다.

- 도난을 당했습니다.
  I've been robbed. / I got robbed!
- 가방을 도둑 맞았습니다.
  I had my bag stolen. / My bag was stolen.
- 지하철에서 소매치기를 당했습니다.
  I got pickpocketed in the subway.
  My pocket was picked in the subway. [5]
- 제 진술을 수정하고 싶습니다.
  I want to amend my statement.

활용 어휘

- 목격자 : an eyewitness
- 총 : a gun
- 무기 : a weapon
- 도난 신고서 (사본) : a copy of theft report
- 인종 : race(백인 : White / 흑인 : Afro-American / American Negro)

교통사고 발생

자동차 사고가 났을 때 가벼운 접촉 사고의 경우에는 큰 문제가 없지만, 정면 충돌이나 부상을 당하는 등 큰 사고가 났을 때는 경찰과 '응급구조본부(Emergency)' 에 동시에 연락을 해야 한다. 전화로 연락할 때는 미국 전역 어디에서나 다이얼 911을 돌리면 된다.

부상자를 돌볼 때

A: Are you okay?
B : Ouch! [6] I'm afraid I broke my left arm.
A: Let me take a look. Does it hurt very much?

---

4) appearance : 출현; 외관, 생김새, (사람의) 풍채; (복수형) 형세, 상황, 정세
5) pick : 쪼다, 쿡쿡 찌르다; (꽃 · 과일 등을) 따다, 뜯다, 꺾다; 골라잡다(choose); (물건을) 소매치기하다 / pick and choose : 고르고 고르다, 엄선하다
6) ouch[아우취] : 아플 때 소리지르는 의성어

B : If I try to make it move, it hurts terribly.
A: Don't move. Stay put.
I'll call the police and an ambulance.

A : 괜찮으세요? 어디가 아프세요?
B : 아아! 왼쪽 팔이 부러진 것 같아요.
A : 어디 한번 봐요. 많이 아프세요?
B : 움직이려고 하면 무척 아파요.
A : 움직이지 말고 그대로 계세요. 제가 경찰과 앰뷸런스를 부를게요.

상대방을 꾸중할 때

- 당신 미치기라도 한 것 아니에요?
  Are you crazy or something?
- 당신이 좀 더 조심을 했어야지!
  You should have been more careful!
- 정보만 교환하고 이 문제를 보험회사에서 처리하도록 합시다.
  Why don't we just exchange information and let our insurance companies take care of this?
- 눈을 어디다 두고 다니는 거요?
  Where are your eyes? / Are you blind?

경찰에 신고할 때

- 자동차 사고를 신고하려고 합니다.
  I'd like to report a car accident.
- 자동차 사고를 당했습니다.
  We've had a car accident. / We got into a car accident.
- 정면충돌 사고를 당했습니다.
  I've been involved in a head-on collision.
- 제 친구가 의식을 잃었습니다.
  My friend fell unconscious.
- 다친 사람이 있습니다.
  Someone's been hurt.
- 여기 부상자가 있습니다.
  There's an injured person here.
- 제 친구가 차에 치여서 머리에서 피가 납니다.
  My friend was hit by a car. He's bleeding from the head.
- 어떤 트럭이 뒤에서 내 차를 들이받고 도주했습니다.
  A truck hit my car from behind and left the scene without stopping.

- 우리는 뺑소니 운전사의 희생자였습니다.
  We were victims of a hit-and-run driver. [7]

경찰 현장 조사

- 상황을 설명해 주시죠.
  Tell me the situation, please.
- 몇 시쯤 사고가 발생했습니까?
  Around what time did it happen?
- 사고현장의 목격자로서 자세히 설명해 주십시요.
  You were a witness to the accident, so please recall the details.
- 뺑소니 차량의 번호를 기억하십니까?
  Do you remember the license number of the hit and run car?
- 그건 사실이 아닙니다.
  That's not true.
- 이 남자가 사고를 목격했습니다.
  This man witnessed the accident.

상대의 과실일 때

- 그건 제 과실이 아니었습니다.
  It wasn't my fault.
- 저로서는 잘못한 게 없습니다.
  There is no negligence on my part. [8]
- 이 꼬마가 우리 차에 뛰어 들었습니다.
  This boy ran into our car.
- 이 사람이 교통신호를 무시했습니다.
  This man ignored the traffic signal. [9]
- 그 사람이 급정차를 했습니다.
  He stopped too suddenly. / His car made a sudden stop.
- 그 사람 차가 제 차를 들이받았습니다.
  His car ran into my car.
- 그 사람 차가 제 차 측면을 들이받았습니다.
  His car hit mine broadside.

---

7) hit-and-run : ((야구)) 히탠드런〔치고 달리기〕; 전격적인; 사람을 치고 달아나는 / a hit-and-run accident : 뺑소니 자동차 사고
8) negligence : 태만; ((법)) (부주의로 인한) 과실; 자유 분방
9) ignore : 무시하다; 모르는 체하다; ((법)) (대배심이) 증거 불충분으로 불기소하다

• 그 사람은 사고 났을 때 술에 취해 있었습니다.
He was drunk when the accident happened.

• 그 사람 차가 제 차 옆을 들이받으면서 지나갔습니다.
His car sideswiped my car. [10)]

자기의 과실일 때

• 죄송합니다. 그건 제 잘못입니다.
I'm sorry. [11)] It's my fault.

교통 법규를 위반했을 때

A: Can I see your license, ma'am?
B : Please have a heart, officer.
A: You were exceeding the speed limit.
B : Please! I'll be careful from now on.
A: (Pause) Here is a traffic ticket.

A : 아주머니, 면허증을 보여 주시겠어요?
B : 한번 봐주세요, 경찰관 아저씨.
A : 당신은 제한속도를 초과하셨습니다.
B : 제발 한번 봐주세요. 이제부터는 조심할게요.
A : (잠시 후) 교통법규 위반티켓입니다.

• 당신은 적색 신호등을 무시하셨습니다.
You ran a red light.

교통법규 위반으로 경찰의 검색을 받을 때 주의사항(특히 야간)

① 경찰에 지시에 의거 일단 차를 길옆에 정지시킨다.
② 경찰이 내리라고 말하기 전까지는 움직이지 말고 차안에서 핸들을 잡은 상태로 대기한다.
③ 신분증을 꺼내기 위해서 호주머니에 손을 넣을 경우 경찰은 운전자가 총이나 흉기를 꺼내는 것으로 오인하여 공격적인 태도를 보이면서, 총을 쏘려는 자세를 취한다.
④ 차량번호를 조회한 후 경찰이 차 밖으로 나오라고 지시할 때 차에서 나온 후 국제운전면허증 및 보험증을 제시한다.
⑤ 신분 확인 후 경찰의 지시에 따른다.
※ 야간에 교통법규를 위반 후 경찰의 지시에 응하지 않고 섣불리 도망을 가거나 불필요한 동작을 취할 경우 총격을 당할 수 있기 때문에 각별한 주의가 요망된다.

10) sideswipe : (자동차가) 스치기; 옆을 스치다; 스치듯 충돌하다; ((구어)) 간접적 비난
11) ((주의)) "I'm sorry."라고 말하면 자신의 과실을 인정하는 것을 의미하기 때문에, 자기 과실이 확실히 인정될 때만 "I'm sorry."라고 말할 것.

활용 어휘		
	• 보험증권 : insurance policy	• 신분증 : identification (ID)
	• 일단정지 표지판 : stop sign	• 시속 130마일(로) : 130 miles an hour
	• 3중 추돌사고 : a three-car pileup	

응급환자 발생

응급환자 발생시 가능한 범위 내에서 환자에 대한 응급조치를 실시하고 동시에 가장 가까운 전화를 이용하여 911에 신고한다. 신고할 때는 환자의 상태를 간략하게 설명하고 환자가 위치하고 있는 정확한 장소와 전화번호를 반드시 알려 준다.

사고 현장에서

- 앰뷸런스를 좀 불러 주시겠습니까?
  Could you call an ambulance for me?
- 의사 좀 불러 주시겠습니까?
  Would you please call a doctor for me?
- 의사 선생님께서 곧 당신을 진찰 하실 겁니다.
  The doctor will examine you in a minute.
- 저를 병원으로 좀 데려다 주시겠습니까?
  Please take me to the hospital.
- 저와 함께 병원에 좀 같이 가 주시겠습니까?
  Could you come to the hospital with me?

911 신고

A: 911 Emergency. May I help you?
B : This is an emergency, my friend broke his leg.
Please send an ambulance right now.
A: Where did the accident take place? [12)]
B : Soccer field on 9th street.
A: OK. We'll send an ambulance right away.

A : 911 응급구조대입니다. 뭘 도와 드릴까요?
B : 네. 응급상황입니다. 제 친구 다리가 부러졌습니다.
지금 구급차를 보내 주십시오.
A : 어디에서 사고가 났습니까?
B : 9번가에 있는 축구 경기장입니다.
A : 알겠습니다. 즉시 구급차를 보내 드리겠습니다.

12) take place : (사건 등이) 일어나다 ; (행사 등이) 개최되다.

E N G L I S H
C O N V E R S A T I O N
D I C T I O N A R Y

CHAPTER

- 대화의 기회를 만들 때
- 맞장구를 칠 때
- 찬성(동의)할 때
- 반대할 때
- 이해를 확인할 때
- 오해했을 때
- 농담할 때
- 얘기를 재촉할 때
- 사실을 말할 때
- 정보나 소식을 전할 때
- 비밀을 얘기할 때
- 화제를 바꿀 때
- 얘기를 들어달라고 할 때
- 말문이 막힐 때
- 대화를 마치면서
- 기타

Ⅰ 대화의 기회를 만들 때

상대방과 대화의 기회를 마련하는 방법에는 크게 두 가지의 경우가 있을 수 있다. 먼저 ① 임의의 어떤 상대방에게 대화를 나누고 싶다는 자기 의사를 밝히는 경우이고, 또 하나는 ② 2인 이상이 얘기를 나누고 있는 상황에서 그 중 어느 특정인과 얘기를 나누기 위해서 대화에 끼어드는 경우다. ①의 경우에는 "Can I have a word with you?(이야기 좀 할 수 있을까요?)", "I need to tell you something.(말씀드릴 게 좀 있는데요.)", "Could you spare a moment?(잠깐 시간 좀 내 주시겠습니까?)"라고 말하고, ②의 경우에는 "May I interrupt you?(말씀하시는 데 잠깐 실례해도 될까요?)", 보다 간단한 표현으로는 "Excuse me.(실례합니다.)"라고 말하면 된다.

기 본 대 화

A : Mr. Garrison, can I have a word with you?
B : Sure. What do you have on your mind?
A : I wish to discuss a private matter with you.

A : 게리슨씨, 얘기 좀 나눌 수 있을까요?
B : 그럼요. 무슨 얘기를 하고 싶으신데요?
A : 당신과 사적인 얘기를 나누고 싶습니다.

최초 대화의 기회를 만들 때

- 이야기 좀 할 수 있을까요?
  Can I have a word with you? [1)]
  May I tell you something?
- 말씀드릴 게 좀 있습니다.
  I need to tell you something. / Let me tell you something.
- 잠깐 시간 좀 내 주시겠습니까? / 시간 좀 있으세요?
  Could you spare a moment? / Do you have a minute?
- 얘기할 것이 있는데요. / 당신과 얘기를 나누고 싶습니다.
  I tell you what. [2)] / I want to talk to you.

잠깐 이야기를 나누고 싶습니다.
I'd like to have a word with you.

- 당신 사장과 면담을 하고 싶습니다.
  I'd like to have a meeting with your boss.

1) have a word with sb : 아무와 얘기를 나누다
2) 대화 도중에 "있잖아요?"라고 말할 때 쓰기도 한다.

I'd like to meet and talk with your boss.

- 당신에게 할 얘기가 좀 있습니다.
  I have something to tell you.
  I've got to tell you something.
  I want to say something to you.
- 잠깐 할 얘기가 좀 있습니다.
  I've got something quick to tell you.
- 잠깐 얘기 좀 할까요?
  Do you have a second? [3)]
- 커피숍에 들어가서 잠깐 잡담이나 하죠?〈속어〉
  How about going to a coffee shop and just chewing the fat for a moment? [4)]
- 할 얘기가 좀 있습니다.
  I want to speak to you for a moment.
  Just a word with you.
- 자네 잠깐 앉게나, 하고 싶은 얘기가 좀 있네.
  You sit down for a second. There's a few things I want to say.
- 잠시만 얘기하면 됩니다〔간단하게 얘기할게요〕.
  I'll tell it to you fast.

❖ 추가 표현 : 약속을 정할 때(p. 470)

say; tell; talk; speak의 용법

① say : 일반적인 뜻의 '말하다', 명사절〔that~〕을 가질 수 있다.
　예 What did you say? He said (to me) that he saw my brother.

② tell : (사실 의견 등을) '말하다'
　* 'tell me that ~' 또는 'tell a story' 형태로 쓰인다.
　예 Tell me your name.
　예 Tell me how to get to city hall.
　예 He told me that he had been to America.

③ talk : 비공식적인(informal) 일상 회화에서 '말하다' → 소수 사람들간의 대화
　He talks too much. / What are you talking about?
　예 He was talking to〔with〕 his friend.

④ speak : 말을 하다, 연설을 하다
　예 This baby cannot speak yet. / Are you good at speaking in public?

---

3) 직역 : 틈〔시간〕 좀 있으세요?
4) chew the fat〔rag〕 : 잡담하다, 재재거리다

대화 도중에 말을 걸 때

- 실례합니다. / 말씀하시는 데 잠깐 실례를 해도 될까요?
  Excuse me. / May I interrupt you?
- 말씀 도중에 끼여들어서 미안합니다만, ...
  Sorry to interrupt, but ....
  Forgive me for interrupting, but ....
- 잠시 얘기 좀 할 수 있을까요?
  Can I talk to you for a minute?
- 말씀 도중에 죄송합니다만, 잠시 말씀 좀 나눌 수 있을까요?
  Excuse my interruption, but can I have a quick word with you?
- 저에게 말씀하시는 겁니까?
  Are you speaking to me?
- 말하는 도중이니까 끼여들지 마세요.
  Stop interrupting me while I'm talking.

대화의 용건을 밝힐 때

- 개인적으로 대화를 나누고 싶습니다.
  I'd like to talk with you privately.
- 무슨 얘기를 하고 싶으세요?
  What do you have on your mind?

> A: What do you want to discuss?
> B : I wish to discuss something personal.
> A : 무슨 얘기를 하고 싶으세요?
> B : 사적인 것을 얘기했으면 합니다.

- 당신과 개인적인 문제를 의논했으면 합니다.
  I wish to discuss a private matter with you.
- 제가 도와 드릴 게 있나요?
  Is there anything I can do for you?
- 무슨 말을 하려는 거죠?
  What are you trying to say?
  What are you driving〔getting〕 at?

> A: Do you want to talk to me about anything?
> B : No, nothing.
> A : 나한테 뭔가 얘기하고 싶으세요?
> B : 아니오, 아무것도 없어요.

• 무슨 말을 하고 싶으신 거죠?
What would you like to say?

A: Mr. Miller, can I talk with you?
B : Sure. What's the problem?
A : 밀러씨, 저와 얘기 좀 할 수 있을까요?
B : 물론이죠. 무슨 일이죠?

• 실례지만, 저는 지금 얘기중입니다.
Excuse me, I'm speaking now.

명언 한 마디

Little deeds of kindness, little words of love,
help to make earth happy, like the heaven above.

작은 행동의 친절, 한 마디 말의 사랑은
지상을 천국처럼 만들어 준다.

- Julia A. Fletcher Carney -

2 맞장구를 칠 때

대화는 상대가 있기 마련이다. 그러므로 대화는 상대와 호흡을 맞추면서 해야 한다. 부드럽고 유창한 대화를 위해서는 상대의 말에 적절하게 맞장구를 쳐주어야 한다. 맞장구를 칠 때 자주 쓰이는 표현에는 "**Really**(그래요?)", "**I see**.(알겠어요.)", "**That's right**.(맞아요.)", "**Oh, I see**.(아, 알겠어요.)", "**Got it**.(알겠습니다. / 알았어요.)", "**I agree**.(동감이에요.)" 등이 있다.

기 본 대 화

A : I heard Mr. Wilson was promoted to president.
B : Really? That's good. He deserves it.
A : He's a hard worker with talent and leadership ability.
B : That's right.

A : 윌슨씨가 사장으로 승진을 하셨대요.
B : 그래요? 그거 잘됐군요. 그분은 그럴 만한 자격이 있어요.
A : 그분은 능력과 통솔력을 지닌 노력파예요.
B : 맞아요.

맞장구를 칠 때

- 그래요? / 예, 그렇고 말고요.
  Is that so? / Yes, indeed.
- 알겠어요.
  I see. / I understand.
- 바로 그거예요. / 그거 좋군요.
  That's it. / That's good.
- 아, 그러세요? / 아, 그러셨어요?
  Oh, do you? / Oh, you did? [1)]
- 어서 말씀하세요.
  Go ahead.
- 설마!
  Not really! / You don't say so!
- 아, 그러니까 생각이 나는군요.
  Oh, that reminds me. / Now that you mention it.

---

1) 상대방이 과거형으로 어떤 말을 했을 때 동조 맞장구칠 때

3 찬성(동의)할 때

상대의 의견에 동의하거나 찬성할 때 쓰이는 기본적인 표현에는 "I agree (with you).(동의합니다.)", "I think so, too.(저도 그렇게 생각합니다.)", "I thought so, too.(저도 그렇게 생각했어요.)", "I agree completely.(전적으로 동의합니다.)", "You've said a mouthful there!(지당하신 말씀입니다.)" 등이 있다.

기  대 화

A : If you ask me, the movie was too violent.
B : I think so, too.

A : 제 생각에는 그 영화는 너무 폭력적이었어요.
B : 저도 그렇게 생각해요.

찬성(동의)할 때

- 당신에게 동의합니다. / 그 계획에 찬성합니다.
  I'm with you. / I agree with the plan.
- 그것에 찬성합니다.
  I'm in favor of it. / I'm for it.
- 당신 말이 맞습니다. / 옳으신 말씀입니다.
  You're right. / You can say that again. [1]
- 동감입니다.
  I feel the same way. / I hear you loud and clear. [2]
- 찬성합니다(당신 의견을 받아들이겠습니다). 〈속어〉
  I'll buy that. [3]
- 그 점에 대해서는 저도 동감입니다.
  I'm with you on that. [4] / I agree with you on that. [5]
  I'll go along with you on that.

A: (Is it a) Deal? [6] (동의합니까?)
B: Yes, (it's a) Deal. (네. 동의합니다.)

1) 직역 : 당신은 다시 그렇게 말해도 좋다. → 당신 말이 옳다는 뜻
2) ((비교)) I hear you. = I hear what you're saying. : 당신 말 알아듣겠으나 (동감할 수 없다.)
3) "그걸 선택하겠습니다."라는 뜻도 된다. / buy : 사다; ((속어)) 받아들이다; 믿다
4) be with sb : 아무와 동감이다
5) agree with sb : 아무와 동감이다
6) deal : 거래, 부정 거래 / ((구어)) 취급, 처리, 대우

- 알았어요. 당신 말이 맞습니다. / 당신 논점에 동의합니다.
  OK, OK. Point taken. / I agree with your point. [7]
- 이의가 없습니다.
  There is no objection on my part. [8]
- 저는 괜찮습니다.
  I don't mind. / It's all right with me.
  I don't care. / It's O.K. with me.
- 같은 생각입니다.
  That makes two of us.
- 맞아요. 바로 그 점이 내가 여기서 밝히고자〔지적하고자〕하는 바입니다.
  You're right, that's exactly what I'm here to figure out 〔point out〕.
- 그 제의를 받아들이는 것에 동의했어요.
  I agree to accept the offer.
- 제가 설득당했습니다.〈속어〉 / 당신 좋을 대로 하세요.
  I'm sold. [9] / Whatever you say.
- 당신의 추측이 제 생각과 같군요.〈속어〉
  Your guess is as good as mine.
- 됐어! / 좋소!〔알았소!〕
  Fair enough! [10] / (That's) agreed.

> A: I like this hair style. (저는 이 헤어스타일이 좋아요.)
> B : Me, too 〔So do I〕 [11] (저도 그래요.)

자신의 의사를 분명히 밝힌다.

상대의 말에 동의하지 않을 때는 "I don't agree with you."라고 자기의 의사를 확실히 표시해야 한다. 이것은 결코 실례가 되지 않으며, 오히려 적당히 "OK, OK" 해놓고 나중에 난처한 입장에 처할 수 있기 때문이다. 그리고, 이해가 안 되는 것은 몇 번이고 물어서 확인한다.

부분적으로 동의할 때

> A: I think they should raise the driving age.
> B : Congress is planning on doing that.

7) 직역 : 나는 당신의 취지를 받아들인다. / point : 요점, 강조점, 논점
8) on sb's part : 아무로서는, 아무 쪽에서는
9) sell : ((구어)) ~에게 (아이디어 등을) 팔다; 선전하다; 설득하다
10) 어떤 제안에 대하여 동의하는 표현
11) 부정문에 대한 동의를 할 때는 "Me, neither. / Neither do I."를 쓴다.

A: Don't you think 23 should be the minimum age?
B : The answer is yes and no.

A : 저는 운전 연령을 높여야 한다고 생각해요.
B : 국회에서 추진 중에 있어요.
A : 최소 연령이 23세가 되어야 된다고 생각지 않으세요?
B : 그렇다고 할 수도 있고, 그렇지 않다고 할 수도 있죠.

- 당신 말에 일리가 있습니다.
  You've got a point there.
- 그렇게 생각할 수도 있죠.
  You can think like that. / You can think that way.
- 그렇게 말할 수도 있겠죠.
  You could say that.
- 아마 당신 말이 맞을 거예요.
  Perhaps you're right. / You're probably right.
- 당신 말이 옳은 것 같아요. / 당신 말이 옳을 수도 있죠.
  I think〔guess〕 you're right. / You could be right.
- 유감스럽지만, 찬성입니다.
  I hate to say it, but I agree.
- 경우에 따라서는 옳을 수도 있어요.
  It may be right in some cases.
- 그거 괜찮은데요.
  That's not bad.
- 그런가 봐요. / 그럴 수도 있겠죠.
  I suppose so. / (It's) possible. [12)]
- 그럴지도 모르지요.
  Could be (so). / Maybe (so).
- 그럴 거예요. / 항상 그렇지는 않아요.
  I think〔guess〕 so. / Not always.
- 그럴 수도 있고 그렇지 않을 수도 있어요.
  Maybe, maybe not. / Yes and no.
- 그렇게 말씀하신다면 (하는 수 없죠.)
  If you say so.

전적으로 동의할 때

A: We're going to take a ski tour this weekend.
   Can you join us?

12) 상당히 약한 동의를 나타냄

B : Of course.

A : 이번 주말에 스키 여행을 가려고 하는데. 함께 가겠어요?
B : 물론이죠.

- 전적으로 동감입니다.
  I couldn't agree with you more. [13)]
  I agree entirely with you. / I should say so.
- 당신 말씀에 전적으로 동의합니다.
  I agree strongly with what you said.
- 그것에 전적으로 찬성합니다. / 전적으로 당신 의견에 찬성입니다.
  I'm all for it. / I'm all for you.
- 지당하신 말씀입니다.
  You said it.
- 물론이죠.
  Sure. / Of course. / What do you think? [14)]
- 정말 그렇습니다. / 옳습니다!
  Exactly. / Affirmative!
- 확실합니다〔틀림없습니다〕. / 정확합니다!
  Positive. / Correct!
- 그렇고 말고요 (그 이상이죠).
  Absolutely. [15)] / You're telling me. / I'll say.
- 동감입니다.
  I feel the same way.
- 당신 제안에 100% 동의합니다.
  I agree with your suggestions a hundred percent.
- 당신만 준비되면, 저는 언제라도 좋습니다.
  I'm ready whenever you are.
- 당신의 모든 의견에 찬성합니다.
  I agree with you in all your views〔opinions〕.
- 당신이 뭘 하든, 나는 당신 편이에요.
  Whatever you do, I'm with you.
- 당연합니다. / 지당하신 말씀입니다!
  Is the Pope Catholic? [16)] / You're the doctor!
- 무슨 말씀이든지 제겐 다 좋습니다.
  Whatever you say is fine with me.

---

13) 직역 : 나는 당신과 이 이상 동감일 수가 없다.
14) 직역 : 당신이라면 어떤 생각일까? → 너무나 당연한 질문을 하자, 대답할 기분이 아닐 때 빈정거리면서 하는 말, 냉정하고 공격적인 발언이 될 수 있기 때문에 주의할 것.
15) 상당히 과장된 말이기 때문에 감정을 그대로 내 놓은 듯한 인상을 주는 표현
16) 직역 : 로마 교황이 카톨릭교이죠? → 당연한 거 아니에요? / Pope : 로마 교황

- 어떤 것이라도 상관없습니다. / 저로서는 어느 쪽이든 좋아요(다 똑같아요).
  Anything will do. / It's all the same to me.
- 왜 아니겠어(왜 안 하겠어)?
  Why not? 17)
- 의심할 여지가 없습니다. / 전혀 문제없습니다.
  No doubt about it. / No question about it.
- 당신도 내 생각과 같으세요?
  Are you thinking what I'm thinking?

A: It seems that history repeats itself. (역사는 반복하는 것 같아요.)
B : So the saying goes. (그렇게들 말하죠.)

'Yes'의 대용 표현

A: How about going to a movie this afternoon?
B : All right.
A : 오늘 오후에 영화 보러 가는 게 어때?
B : 좋아.

- 네! (알겠습니다)!
  Yup![얍] 18)
- 네(그래요). / 좋습니다.
  Yeah[야-] 19) / Fine.
- 맞습니다. / 알았어요(좋아요).
  (That's) Right. / All right. 20)
- 알겠어.〈속어〉
  Ten - Four. 21) / Roger! 22)

얘기가 통할 때

- 우리는 서로 통하는군요.〈속어〉
  We're on the same wavelength. 23)
  We're talking the same language. / We're in synch. 24)

17) "그래, 맞아!" 라는 뜻의 반어적 표현
18) 남성들 (특히 카우보이) 또는 남성적인 성격을 가진 여성들이 웃음기를 띄면서 사용한다. 예 You gotta go then, don't you?(그러면 어차피 가야겠지, 그렇지?) → @ Yup!(네, 알겠습니다!)
19) 친한 사이에서 간단하게 맞장구칠 때 사용, 윗사람에게는 사용하지 않는 것이 좋다.
20) "O.K."보다 조금 딱딱한 표현
21) 아마추어 무선사들 간에 즐겨 사용하는 표현
22) 특히 군인들 사이에서 무전기를 사용할 때 "O.K."의 대용으로 많이 사용한다.
23) 직역 : 우리는 똑같은 파장 위에 있다. → 통신(대화)을 하려면 파장이 동일해야 하는 데서 유래된 표현 / wavelength : 파장; ((구어)) (개인의) 사고 방식 / on the same wavelength as ~ : ~와 같은 생각인
24) be in synch : 통하다, 동조하다

- 당신과는 말이 통하는군요.

  You're talking my language.

명언 한 마디

That this nation, under God, shall have a new birth of freedom; and that government of the people, by the people, and for the people, shall not perish from the earth.

이 나라는 하나님의 보호하에 새로운 자유가 탄생케 되리라. 그리고 인민의 정치, 인민에 의한 정치, 인민을 위한 정치는 이 땅에서 멸망하지 않게 되리라.

- Abraham Lincoln(1809~1865) : 미국 16대 대통령 -

■1863년 Gettisberg에서 한 유명한 연설중의 한토막 "shall"은 말하는 사람의 의지를 나타내는 것으로 '~하겠다' 라는 뜻.

4 반대할 때

상대의 의견에 반대하거나 동의하지 않을 때 쓰는 기본적인 표현에는 "I don't think so.(저는 그렇게 생각하지 않아요.)", "I don't believe so.(저는 그렇게 믿지 않아요.)", "I'm against it.(저는 그것에 반대합니다.)", "I can't agree to the plan.(그 계획에 찬성할 수 없어요.)" 등이 있다. 그리고 동의할 수 없다는 것을 간접적으로 표현할 때는 "I'm sorry.〔(~을 해줄 수 없어서) 미안합니다.〕"라고 말한다.

기 본 대 화

A : I think police shows are bad.
They're too violent and set a bad example for children.
B : I don't think so. I think they can help to reduce all kinds of social crimes.

A : 경찰 쇼 프로는 좋지 않은 것 같아요.
너무 폭력적이어서 어린이들에게 나쁜 본보기가 되거든요.
B : 저는 그렇게 생각하지 않아요.
저는 그 프로가 각종 사회범죄들을 줄이는 데 도움이 될 수 있다고 생각하거든요.

반대할 때

A: I think the commercials are too childish.
B : I don't think so.

A : 그 광고는 너무 유치한 것 같아요.
B : 저는 그렇게 생각하지 않습니다.

- 그것에 반대합니다. / 그 계획에는 반대합니다.
  I'm against it. / I'm opposed to the plan.
- 미안하지만 그렇지 않아요. / 유감스럽지만, 아닙니다〔안 됩니다〕.
  Sorry, but I disagree. / I'm afraid not.
- 유감이지만 당신에게 동의할 수 없습니다.
  I'm afraid I can't agree with you.
- 당신이 틀린 것 같아요.
  I'm afraid you're wrong. / I'm afraid you're mistaken.
  I think you might be mistaken.

• 그건 옳은 것 같지 않군요〔그건 사실이 아닌 것 같아요〕.
I'm afraid it's not true. / I doubt if it's true.

• 그렇게〔동의〕 하고 싶지만, 안 되겠어요.
I'd like to say 'yes', but I'm afraid I can't.

• 그건 찬성할 수 없어요. 〈속어〉
It's no deal!

• 제가 동의하지 않으면 어떻게 되죠?
What if I say no? / What if I don't agree?

• 모르겠는데요.
I don't know about that.

> A: I like this watch. (이 시계가 마음에 들어요.)
> B : You do? I like that one. (그러세요? 저는 저게 마음에 드는데요?)

• 동기는 좋지만, ...
You mean well, but .... / Your intentions are good, but ...

> A: I don't like it at all. (저건 전혀 마음에 안 들어요.)
> B : You don't? I really love it. (그래요? 저는 정말 마음에 드는데요.)

부분적인 반대

> A: Could you lend me some money?
> B : Sorry.
>
> A : 돈 좀 빌려주시겠어요?
> B : 미안합니다. (빌려줄 수 없어서.)

• 저라면 그렇게 말하지 않겠어요.
I wouldn't say that.

• (거의) 아니에요.
Hardly. [1)]

• 당신 의견에 찬성할 수 있었으면 좋겠어요.
I wish I could agree with you.

• 저는 그렇게 하고 싶지 않아요.
I don't feel right about doing it.

• 그런 점에서는 당신에게 동의하지 않습니다.
I don't agree with you there.

• 그렇지 않아요. / 그렇지도 않습니다.
Not so. [2)] / Not exactly.

---

1) A : Did you get promoted?(당신 승진했어요?) → B : Hardly.(어떻게 내가 승진하겠어요. 전혀 아니에요.)
2) 어떤 일에 대하여 자기 변명을 하고 싶을 때

- 그다지 동의하기 어렵네요.
  I'm not sure if I agree.
- 사실은 그렇지 않아요.
  Actually, no. / Not really.
- 반드시 그렇지만은 않습니다.
  Not necessarily so.
- 아마 아닐 거예요〔아마 안 될 것 같아요〕.
  Maybe not.
- 글쎄요〔그렇지 않을 거예요〕. / 제가 아는 바로는 아니에요.
  I doubt it. / Not if I know it!
- 말씀은 참 쉽게 하십니다만, 그게 그렇게 간단하지 않아요.
  You make it sound so easy, but it's not quite that simple.

우회적으로 반대할 때

- 저는 모릅니다. / 죄송합니다 (그렇게 할 수 없습니다).
  I don't know. [3] / Sorry. [4]

전적으로 반대할 때

A: Why don't you make up with him? [5]
B : There's no way I can do that.

A : 그 사람과 화해하지 그래요?
B : 절대로 그렇게는 못해요.

- 그건 절대 반대합니다.
  I'm absolutely〔completely〕 against it.
- 당신 말에 찬성할 수 없습니다.
  I can't agree with your remarks.
- 절대 안 되요!
  No way! / Never. [6] / Shit, no!〈속어〉 / Like hell!〈속어〉
- 안 된다면 안 되는 거야, 알겠어?
  No means no, understand? [7]
- 저는 그렇게 할 수 없습니다. / 그건 당신 생각이죠.
  I can't do that. / That's what you think.

3) 실제는 어떤 내용에 대해서 알고 있지만 대답하고 싶지 않을 때, 본심은 부정적이거나 동의하고 싶지 않을 때
4) 사과 · 거절의 의미가 동시에 내포된 표현
5) make up with sb : 아무와 화해하다
6) 자신이 책임을 질 수 있을 때 쓰고, 가볍게 말할 때는 피하는 게 좋다
7) 집요한 질문이나 부탁 등에 기분이 상해서 조금은 감정적이 되어 부정할 때

- 절대 그렇지 않아요.
  Absolutely not so. [8] / By no means. / Not in the least.
- 이번엔 안 돼! / 내 눈에 흙이 들어가기 전에는 안 돼!
  Not this time! / Over my dead body! [9]
- 그건 말도 안되는 소리예요.
  It's out of the question.
- 그 점에 대해선 어떤 말도 하고 싶지 않아요.
  I don't want to make any comments on it.
- 그런 건 생각조차 해 본 적이 없어요.
  I haven't even thought about it!
- 묻지도 마세요. / 알아서 뭐해?
  Don't ask. [10] / Who wants to know? [11]
- 꿈 같은 얘기야. / 그러는 게 어디 있어?
  Dream on. [12] / Says who? [13]
- 어림도 없는 소리예요!
  Not likely! / Not on your life! / Far from it!
- 제가 몇 번이나 말해야 알아 듣겠어요? 대답은 "No"라고요!
  How many times must I tell you? The answer is No!
- 저는 안 가요. 절대로!
  I'm not going. Period! [14]

'No'의 대용 표현

> A: Are you going to marry her? (그 여자하고 결혼할 거니?)
> B : Nope. [15] (아니.)

- 아닙니다. / 아니오.
  Negative. [16] / Naaa[나-]. [17]
- 아, 안 되요, 안 돼! / 어! 그러면 안 되는데!
  Oh, no, no! / Uh-Uh[어 어]! [18]

---

8) 단호히 거절 · 부정할 때
9) 직역 : 내 시체를 넘어서 가라.
10) 대답하기도 싫을 정도일 때
11) 직역 : 누가 알고 싶어하겠어? → 아무도 알고 싶어하지 않을 거다.
12) 직역 : 꿈이나 계속 꾸게나. → 상대가 현실과 거리가 먼 얘기를 할 때, 이에 대해서 부정적인 반대하는 태도를 취할 때
13) 직역 : 누가 그래?
14) period : (이야기의 끝을 강조하여) (이상) 끝; 이상이다.
15) No를 조금 장난스럽게 말할 때
16) 반의어는 Affirmative
17) [나 -] : 입을 크게 벌리면서 발음한다. / "Uh-Uh."보다 좀 더 장난기 있는 표현
18) [어 어] : 앞의 '어'는 약간 높고 강하게, 뒤의 '어'는 낮고 약하게 발음한다.

얘기가 안 통할 때

- 얘기가 안 통하는군요.
We're on different wavelength. [19]

19) 서로 다른 파장에 있다. → 통신에서 파장이 다르면 통화를 할 수 없다. → 의사 소통이 안되다 / **wavelength** : ((구어)) 개인의 사고방식

5 이해를 확인할 때

자신이 한 말을 상대가 이해했는지를 물을 때는 "Do you understand it?, You see that?, Do you get it? (이해하시겠어요?)" 또는 "See?(알겠어?)"[1] / Get it?(알겠어? / 이해되니?)" / "(You) Got it?(알겠어?)"라고 말한다. 상대가 한 말을 이해했을 때는 "I understand you.(이해했어요.)"라고 하고, 이해하지 못했을 때는 "I don't understand.(이해가 안 되는데요.)"라고 하며, 되물을 때는 "Pardon me?(다시 말씀해 주시겠어요?)"라고 한다.

기 본 대 화

A : Do you understand that, John?
B : I don't understand. Tell me again.
And make it simple.

A : 그것을 이해하겠니, 존?
B : 이해가 안 되는데. 다시 얘기를 해줘.
쉽게 말이야.

이해했는지를 물을 때

- 제(가 한) 말을 이해하시겠어요?
  Do you understand what I mean?
  Do you understand what I'm saying?
  Do you know [see] what I mean?
  Did I make myself clear? / Do you get me?
- 지금까지 제가 한 얘기를 이해하시겠어요?
  Do you follow me? / Are you following me?
- 지금까지 제가 한 얘기를 듣고 계세요?
  Are you with me so far?
- 무슨 뜻인지 이해하시겠어요?
  Do you understand the meaning?
- 이해했어요?
  Get the point? / Is the picture clear to you?
- 이 시를 이해하시겠습니까?
  Can you make sense of this poem? [2]

1) 상대방에게 뭔가를 설명해 주고 나서
2) make sense : 이치에 닿다, 뜻이 통하다 / make sense of ~ : ~을 이해하다

이해했을 때

- 아, 무슨 말씀인지 알겠습니다.
  Oh! I see what you mean.
- 이해했어요.
  I understand. / (I) got you.
- 아, 알겠습니다.
  Got it. / Oh, I've got it. / I get it.
- 아, 알겠어요.
  Oh, I see. 3)
- 아, 이제야 알 만하군요!〔그러면 그렇지!〕 / 무슨 뜻인지 알겠어요.
  It figures! / I took the hint.
- 알겠군요.
  I get the picture.
- 당신이 그렇게 말하는 것도 무리는 아니에요.
  You may as well say so.
- 말씀하신 취지〔요점〕를 알겠습니다.
  You've made your point. 4) / I see your point.
- 이해가 되는군요.
  It makes sense to me. 5)
- 알아요, 당신 마음을 읽고 있잖아요.
  I can tell. I read your mind.
- 당신 얼굴에 훤히 쓰여 있어요.
  It's written all over your face.
  I can read you like a book.
  Your face is like an open book.
- 알았다!〔됐다!〕
  Eureka〔유리커〕! 6)
- 와, 그러니까 감이 잡히는군요.
  Wow, that really tells a story.
- 저를 이해하려고 해 주셔서 감사합니다.
  Thank you for trying to understand me.
- 이해할 만하군요.
  That's understandable. / That makes sense.

---

3) "I see."와 "I know."의 차이 : ① "I see."는 상대가 한 말〔지시〕에 대해서 '알겠어요.'라는 뜻이고, ② "I know."는 "이미 알고 있어요."라는 의미다.
4) 현재 완료형을 써서 직역하면 "당신은 당신의 요점을 다 말했습니다.(그러니 더 이상 말할 필요 없습니다.)"라는 의미가 된다.
5) 상대방의 이야기 줄거리를 확실히 이해했을 때
6) 아르키메데스가 왕관의 금의 순도 측정법을 발견했을 때 지른 소리

- 당신의 입장을 이해합니다.
  I understand your position.
- 당신의 어려운 처지〔어려운 처지에 있다는 걸〕를 이해합니다.
  I understand you must be in a difficult position.
  I understand your difficult situation.
- 알았어요. 그만 하면 됐어요.
  I see, that's good enough.
- 당신도 아시게 될 겁니다.
  You'll see. / You will come to understand it.
- 시간이 지나면 알게 될 겁니다.
  Time will tell.

이해가 안 될 때

A: Hey, John. Who are you talking to?
B : I'm talking to myself.

A : 이봐, 존. 지금 누구에게 하는 얘기야?
B : 나 혼자말을 하고 있는 거야.

- 이해가 안 됩니다.
  I don't understand. / I don't get it.
- 미안합니다. 하신 말씀을 알아듣지 못했습니다.
  I'm sorry. I didn't catch your words. [7)]
- 무슨 말을 하는지 모르겠어요.
  I don't follow you. / It's all Greek to me. [8)]
  I don't know what you are talking about.
  It's beyond me. / You've lost me (there).
- 당신 말씀을 이해할 수 없습니다.
  I couldn't make out what you mean. [9)]
- 이해하기 어렵군요.
  It's tough to figure.
- 이해를 잘못 하셨군요.
  You jumped to the wrong conclusion.
- 하시는 말씀의 요점을 모르겠습니다.
  I cannot see the point of what you're saying.
- 당신 말은 이치에 맞지 않군요.
  What you say doesn't make sense.

7) words : 말, 이야기, 담화
8) 직역 : 그건 나에게 모두 그리이스말이다. → 너무 생소하다. → 전혀 이해가 안 된다.
9) make out : 이해하다

You're not making any sense.
- 그건 전혀 이해가 안 되는 말이군요.

That doesn't make sense at all.
- 당신 말씀의 요점을 파악하지 못했습니다.

I missed the point of your words. 10)
- 당신의 요점을 충분히 이해하지 못하겠습니다.

I don't quite understand your point. 11)
- 도무지 감이 잡히질 않습니다.

I can't get the hang of it. 12)
- 말씀하시는 게 무슨 말인 지를 모르겠어요.

I don't〔can't〕 make out what you say. 13)
- 무슨 말인지 전혀 모르겠어요〔너무 혼동이 되군요〕.

You're confusing me too much.
- 그걸 전혀 이해할 수가 없군요.

I can't make heads or tails of it. 14)
- 그건 이해가 안 되군요.

It's out of my depth. 15)
- 내가 무슨 얘기를 하고 있는지 모르겠어요.

I don't know what I'm talking about. 16)

착각〔혼동〕했을 때

- 제가 혼동이 되는군요.

I'm confused.
- 아, 제가 혼동을 했어요.

Oh, I was mixed up. 17)
- 혼동을 하셨군요.

You're lost. / You're confused. / You're messed up. 18)
- 틀림없이 착각을 하셨군요.

You must be dreaming.
- 완전히 착각하셨군요.〈속어〉

---

10) miss the point of ～ : ～의 요점을 이해하지 못하다
11) point : 요점
12) get the hang of it : 이해하다; 요령을 터득하다
13) make out : 이해하다, 판별하다
14) make neither heads nor tails of it : 머리인지 꼬리인지 모르겠다 → 뭐가 뭔지 전혀 모르겠다 → 전혀 이해가 안된다
15) out of sb's depth = beyond depth : 아무에게 이해〔역량〕가 미치지 못하는
16) 자기가 말을 하면서도 무슨 말을 하고 있는지 모를 때
17) mix up : 잘 섞다; 혼란시키다; 혼동하다, 착각하다
18) mess up : 뒤죽박죽으로 만들다

You've got a hold of the wrong end of the stick. [19]

- 저는 오늘을 금요일로 생각했습니다.
  I thought today was Friday.

쉽게 말해 달라고 할 때

- 무슨 말씀인지 잘 모르겠습니다. 좀 쉬운 말로 해 주시겠습니까?
  I don't follow you very well. Would you mind using simpler words?
- 좀 더 천천히 말씀해 주시겠어요?
  Could you speak more slowly?
- 혼동이 돼서 그러는데, 좀 쉬운 말로 다시 말씀해 주세요.
  That's confusing. Please say [put] it again in plain language. [20]

되물을 때

- 뭐라고요?
  Excuse me? [21] / Pardon me? / Sorry?
- 뭐라고?
  What? [22] / Come again! / Say again!
- 다시 말씀해 주시겠어요?
  (I) Beg your pardon? [23] / Would you repeat that?
  Would you please repeat that what you said?
- 다시 한번 말씀해 주세요.
  Please say that again. / Say it one more time.
- 뭐라고 했지? / 방금 뭐라고 말씀하셨죠?
  You said what? / What did you say just now?

> A: What did you say? (뭐라고 말씀하셨죠?)
> B: Sorry. I wasn't talking to you. (미안해요. 당신에게 말한 게 아니에요.)
> I was just thinking out loud. [24] (그냥 혼자말을 한 거예요.)

---

19) got [have] a hold of the wrong end of the stick : 오해[착각]하다
20) put it : 말하다 / put it bluntly : 솔직하게 말하다, 직선적으로 말하다 / put it another way : 바꿔[알기 쉽게] 말하다
21) 상대방의 말을 잘 알아듣지 못했을 때의 표현
22) What? / Come again! / Say again! 등은 동료나 아랫사람에게 하는 격식이 떨어지는 표현이므로 사용할 때 주의하기 바란다.
23) I beg your pardon? : 문장의 끝을 올려 말한다. / ((비교)) "I beg your pardon." 처럼 평서문으로 끝부분을 내려서 말하면 "용서해 주세요."라는 의미가 된다.
24) think out loud : 혼자말을 하다

무슨 뜻인지를 물을 때

- 그게 무슨 뜻이죠?
  What do you mean? [25)] / What does that mean?

25) 상대방이 이치에 맞지 않는 얘기를 할 때 퉁명스럽게 이 표현을 쓰면 "무슨 소리예요?"라는 뜻이 된다.

6 오해했을 때

자신이 한 말을 상대가 오해했을 때는 "You are mistaken.(잘못 생각하고 있군요.)", "That's a misunderstanding.(그건 오해예요.)", "You must have misunderstood me.(제 말을 오해하신 게 틀림없군요.)," "Nothing personal.(개인적인 감정이 있어서 그런 게 아닙니다.)", "Don't get me wrong.(오해하지 마세요.)"라고 말한다.

기 본 대 화

A : Did you hear that Mr. Clinton was fired for taking part in the strike?
B : Yes, I did.
But I think he should be rehired.
A : Do you think his behavior was right, then?
B : Don't get me wrong.
I'm against such violent behavior during a strike, too. But he was just a follower.

A : 클린턴씨가 파업에 참가했다고 해서 해고됐다는 소식 들으셨어요?
B : 네. 하지만 저는 그가 복직돼야 한다고 생각해요.
A : 그럼, 당신은 그의 행동이 옳았다고 생각하세요?
B : 제 말을 오해하지 마세요.
저도 파업시 그런 폭력행위를 하는 것에는 반대해요.
그렇지만 그는 단순히 추종자에 불과했거든요.

오해라고 말할 때

- 그건 당신의 오해예요.
  That's a misunderstanding on your part.
  You've got it (all) wrong.
- 저를 오해하고 계시는군요.
  You're hearing me wrong.
  You are taking me the wrong way.

오해하지 말라고 할 때

- 오해하지 마세요.
  Don't take it the wrong way.
  Don't misunderstand me.
  Don't get me wrong. [1)]
- 조금도 오해가 없기를 바랍니다.
  I don't want there to be any misunderstanding.
- 제가 한 얘기를 언짢게 여기지 마세요.
  Don't feel bad about what I said.
- 나는 당신 개인을 두고 말한 것이 아니었어요.
  I didn't mean anything personal.
- 나쁜 뜻으로 말한 것이 아니니, 나쁘게 생각하지 마세요.
  I had nothing bad in mind. Don't get me wrong.
- 당신에게 개인적으로 유감이 있어서 그런 것으로 받아들이지 마세요.
  Don't take it personally. [2)]
- 제 말은 그런 뜻이 아니었어요.
  That was not what I mean.
- 나쁘게 받아들이지 마세요. 악의는 없었어요.
  Please don't take it the wrong way. I meant no harm.

기 타

- 우리 사이에 뭔가 오해가 있었던 것 같아요.
  There must be some misunderstanding between us.
- 편견 없이 들어 주세요.
  Give me a fair hearing.
- 오해가 없도록 확실히 해 두고 싶습니다.
  I want to be sure there will be no misunderstandings.
- 무슨 뜻으로 하시는 말씀인지 알겠지만, 전혀 그런 게 아니에요.
  I know what you are thinking, but it isn't that way at all.

---

1) get sb wrong : 아무를 오해하다
2) 직역 : 그것을 사적으로 받아들이지 마라.

7 농담할 때

상대에게 심각한 얘기를 하고 나서 농담이라고 말할 때는 "I was just kidding.(농담으로 해 본 소리예요.)"라 하고, 상대방이 농담을 할 때는 "You're kidding.(농담하시는군요.)", 농담하지 말라고 할 때는 "No kidding.(농담하지 마세요.)", 농담이 아니라고 할 때는 "I'm serious. / I mean it.(진담이에요.)"라고 말한다.

기 본 대 화

A : I'm getting married next week.
B : You can't be serious!

A : 나 다음 주에 결혼해.
B : 농담으로 하는 얘기지?

농담이라고 말할 때

- 그냥 농담으로 해 본 말이에요.
  I'm just kidding around. / It's all done in fun. 1)
  I said it just for fun.
- 그저 장난으로 그랬어요.
  I did it just for fun. / I did so for kicks. 2)
- 그걸 진담으로 받아들이지 마세요.
  Don't take it seriously.
- 그냥 웃어 넘기세요.
  Just laugh it off. / Take it in good humor. 3)
- 화내지 마세요. 농담으로 한 얘기였어요.
  Don't get angry. I said it just for fun.

농담이라고 생각될 때

- 농담이겠죠〔당신 농담하시는군요〕.
  You must be joking. / Tell me you're kidding.
  You gotta be kidding. / You're not serious.
- 농담하는 거죠?
  You're pulling my leg, aren't you?

1) in fun : 농담으로, 장난 삼아
2) for kicks : 반 재미 삼아; 스릴(thrill)을 맛보려고
3) 제 3자가 상대에게 실언 · 실수 등을 했을 때, 상대에게 대꾸〔대응〕하지 말라고 할 때

You're putting me on, aren't you?

• 설마 농담이겠지!
You don't say!

• 설마 진담은 아니겠죠? / 정말이야?
Don't tell me you are serious. / No shit?〈속어〉

농담하지 말라고 할 때

• 농담 그만 하세요!
You don't mean it! / Stop kidding me!
Stop shitting on me.

• 농담은 집어 치워요.
None of your jokes! / Quit your kidding!
Stop joking!

• 놀리지〔장난치지〕 마세요!
Don't try to be funny. / Don't kid me.
Don't make fun of me.

• 농담할 기분이 아니에요.
I'm in no mood for jokes.

• 그런 농담은 그만하고, 진지한 얘기를 합시다.
I have had enough of such jokes. Let's talk sense.

농담이 지나칠 때

• 농담이 너무 지나치군요.
You carry your joke (a little) too far.
You're talking your joke too far.

• 농담을 해서는 안 될 때가 있는 거예요.
There are times when joking is not permissible.

• 당신 농담이 좀 저속하군요.
Your jokes was a little off-color. [4]

• 농담을 너무 심하게 하지 마세요.
Don't carry a joke too far.

농담이 아닐 때

• 놀리지 마세요. 저는 심각해요.
Don't mock〔tease〕 me. I'm (trying to be) serious. [5]

---

4) off-color : 저속한
5) mock : 조롱하다, 비웃다 / tease : (짓궂게) 괴롭히다, 희롱하다, 조롱하다

- 농담하는 거 아니에요.
  I'm not pulling your leg. 〈속어〉 / I'm not fooling around.
- 농담하지 마세요. 이건 웃어넘길 일이 아니에요.
  Be serious! This is hardly a joking matter.
- 그건 웃을 일이 아니에요.
  It's not a laughing matter. / It's no joking matter.
- 장난하려는 게 아니에요. 난 심각해요.
  I'm not trying to be funny. I'm serious.

진담일 때

- 정말 그렇다니까요! / 진담이에요.
  I'll say. / I mean it.
- 진지하세요.
  You should keep a straight face. [6)]
  You shouldn't be laughing.

기 타

- 제발 나 좀 그만 웃기세요.
  Don't make me laugh, please.
- 이제 그만 웃기세요. / 웃기지 마〔제발 그만 좀 웃겨〕!
  Stop making me laugh. / That's a laugh.
- 뭐가 그렇게 우스우세요?
  What makes you laugh? / What's so funny about that?
- 당신은 괜히 법석을 떠는군요.
  You're just making a fuss!
- 그녀는 농담을 받아넘길 줄 몰라요.
  She doesn't know how to take a joke. [7)]
- 그는 5분마다 한번씩 농담을 해요.
  He cracks a joke every five minutes. [8)]
- 그는 잘 웃기는〔재미있는〕 사람이에요. / 그는 유머 감각이 뛰어나요.
  He is a funny man. / He has a great sense of humor.
- 당신은 정말 재미있는 사람이군요! / 저는 허튼소리를 하는 사람이 아니에요.
  You're a great joker! / I'm no kidder.
- 이 농담을 심각하게 받아들이지 마세요. / 치 – , 그건 한물 간 농담이잖아요.
  Don't take this joke seriously. / Gee, that's an old joke.

6) keep a straight face = keep one's face straight : (일부러) 웃지 않다, 정색을 하다
7) take a joke : 농담을 받아들이다〔넘기다〕
8) crack a joke : 농담을 하다

8 얘기를 재촉할 때

상대가 말을 하다가 잠시 멈추었을 때는 "Please go ahead.(계속 말씀하세요.)", 상대방이 먼저 얘기하도록 양보할 때는 "You speak first, please. 또는 After you, please.(먼저 말씀하세요.)"라고 한다.

기 본 대 화

A : May I go on?
B : Yes, please go on with your story.

A : 얘기를 계속해도 되겠습니까?
B : 네, 얘기를 계속 하세요.

얘기를 재촉할 때

- 하던 얘기 마저 끝내세요.
  Why don't you finish your sentence?
- 빨리 말씀하세요.
  Tell me quick. / Tell me at once.
- 이유를 말해 보세요. / 제발 말해 주세요.
  Tell me why. / Do tell me. [1]
- 할 말이 있으면 하세요.
  Say your say. / Tell me what you have to say.
- 하고 싶은 말을 하세요.
  Say what you want to say.
- 주저하지 말고 말씀하세요.
  Don't hesitate. Speak out.
- 말해 보세요!〈속어〉
  Shoot! [2] / You tell me.
- 누가 그러던가요?
  Who let you in on it? [3] / Who told you about that?
- 누가 그랬는지 얘기해 보세요.
  Tell me who has said so. / Tell me who said that.
- 그래서 (어떻게 됐는지) 더 얘기해 주세요.

1) 강조의 do
2) "제기랄! / 빌어먹을!(Shit!) / 맙소사!"라는 뜻으로도 쓰인다.
3) let in on : 알리다, 일러주다

So, tell me more.

- 그래서 당신은 뭐라고 했습니까?
  And what did you say?
- 내게 무슨 말을 하려는 거죠?
  Tell me what?
- 들으면 들을 수록 흥미가 더해지는데요.
  The more I hear, the more interested I become.
- 무슨 일이죠? 왜 말을 못하죠?〈속어〉
  What's the matter? Cat got your tongue? [4)]

간단히 말할 때

- 간단히 말해!
  Cut it short! / Make it quick!
- 바로 요점을 말하세요.
  Get right down to business.
- 본론을 말씀하세요.
  Just tell me your point.
- 시간이 없어서 모든 걸 얘기할 수는 없어요.
  I have no time to tell you everything.
- 요점을 말씀드리자면, ...
  Coming to the point, ...
- 빙빙 둘러대지 말고 결론을 말하세요.
  Don't beat around the bush; get to the point.
  Skip the details and give me the bottom line.

4) 직역 : 고양이가 네 혀를 가져가기라도 했니? → 왜 말을 못하는 거니?

9 사실을 말할 때

상대가 뭔가를 숨기면서 얘기를 할 때는 "You have something on your mind, don't you?(당신 마음 속에 뭔가를 꿍하고 있는 거죠?)", "Give it to me straight.(저한테 솔직하게 말해 보세요.)"라고 하고, 사실대로 얘기할 때는 "I'll speak frankly.(솔직히 말씀드리겠습니다.)" 또는 "I'll spill it out.[1] (탁 터놓고 얘기하겠습니다.) "라고 말한다. 그리고 사실대로 얘기를 하고 난 후에는 "That's about it. [2] (그게 전부입니다.)"라고 말한다.

기 본 대 화

A : Come on! Don't beat around the bush any more.
Tell it like it is.
B : All right. I'll let it all hang out. [3]

A : 자, 이제 더 이상 변죽만 울리지 말고
솔직히 말하세요.
B : 좋아요. 솔직히 털어놓겠습니다.

사실대로 말하라고 할 때

- 솔직하게 말해 보세요.
  Speak frankly. / Talk straight. / Tell it like it is.
  Speak your mind. / Please talk turkey. / Come off it! [4]
- 자초지종을 말해 주세요.
  Tell me the whole story.
- 터놓고 얘기해 봅시다.
  Let's have a heart-to-heart talk. [5]
  Let's have an honest talk.
- 솔직히 말해 보시죠.
  Why don't you give it to me straight?
- 모든 걸 숨김없이 털어놓고 얘기해 보세요. 〈속어〉
  Put your cards on the table. [6]
- 나한테 자세히 설명해 주세요.〈속어〉

1) spill : 엎지르다; (비밀 등을) 폭로하다 / spit it out : (닫힌) 말문을 열다
2) "할 말을 다 했습니다."라는 뜻 / spell it out : 일일이 다 말하다
3) let it all hang out : ((구어)) 숨기지〔감추지〕 않다, 솔직하게 (모든 것을) 말하다; 자기가 좋아하는 것을 하다
4) come off it : 거짓말〔속이 훤히 들여다보이는 말〕을 그만두다, 쓸데없는 말을 그만두다
5) heart-to-heart : 솔직한, 숨김없는
6) put〔lay〕 (all) one's cards on the table : 계획을 공개하다

Please give me a blow-by-blow account. [7)]

- 저에게 허심탄회하게 얘기해 보세요.
  Feel free to talk to me, please.
- 당신한테 무슨 일이 있었는지 그대로 말해 보세요.
  Tell me word for word what happened to you.
- 모든 얘기를 들어야겠어요. 숨기지 말고 말하세요.
  We must have the whole story. Don't hold anything back.
- 흉금을 터놓고 솔직하게 얘기를 합시다.
  Please get it off your chest.
- 그걸 상세히 말해 주세요. / 모든 것을 다 말해 주세요.
  Go over it in details. / Talk about every aspect of it.
- 그 사실에 대해서 모두 털어놓으세요.
  Will you make a clean breast of the fact?

> A: Why are you hesitating? Come out with it.
> B : I shouldn't tell you now.
>
> A : 왜 망설이죠? 털어놓으세요.
> B : 지금은 말할 형편이 아니에요〔지금은 말해서는 안 되요〕.

사실대로 말할 때

- 더 이상 말할 것이 없어요.
  I have nothing further to say.
- 뭐라고 딱 꼬집어서 말할 수는 없어요.
  I just can't pinpoint it. / I just can't put my finger on it.
- 아무 것도 숨기는 게 없어요. / 솔직하게 얘기했어요.
  I have nothing to hide. / I gave you my honest opinion.
- 액면 그대로 받아들이겠습니다.
  Let me get this straight.
- 당신에게 솔직하게 얘기하고 있어요.
  I'm being very honest with you. [8)]
- 당신한테 감추는 것 하나도 없어요.
  I keep nothing from you.
- 사실이라니까요〔사실을 얘기하고 있는 거예요〕.
  I'm telling you it's true.
- 솔직하게 고백하는 게 좋을 겁니다.
  You'd better make a clean breast of it. [9)]

---

7) blow-by-blow : 하나하나 차례대로 보고하는, 매우 상세한
8) be honest with sb : 아무에게 솔직하게 말하다
9) make a clean breast of ~ : ~을 죄다 털어놓다, ~을 모두 고백하다

- 솔직하게 말씀드리죠.
  I'll talk to you plainly. / I won't mince any words. [10)]
  I'll lay it on the line. [11)]
- 탁 터놓고 말씀드리겠습니다.
  I'll bring it out. / I'll have it out. [12)]
  I'll let it out.
- 이상하게 들릴지 모르지만 사실이에요. / 이제야 제대로 말씀하시는군요.
  Strange but true. / You're talking!
- 자 모두 다 털어놓으세요. / 이제 더 할 말이 없어요.
  Give it to me straight. / I have nothing further to say.
- 솔직히 말하자면, ...
  Frankly speaking, ...
- 하고 싶은 말은 하고 나니, 속이 시원해요.
  Now that I have had my say, I feel much better.
- 그것에 대해서 툭 까놓고 말씀드리겠습니다.〈속어〉
  I'll make no bones about it. [13)]
- 당신 양심에 맡기겠습니다.
  I leave it to your conscience.
- 이것만은 사실입니다.
  This much is true. [14)] / This is the case. [15)]
- 고백할 게 있습니다.
  I have a confession to make. [16)]
- 이번에는 진심이에요. / 정말이에요.
  I mean business this time. [17)] / I'm telling you.

믿어 달라고 할 때

- 저를 믿으세요.
  Trust me. / Believe me. / You can bank on me. [18)] 〈속어〉
  You can take my words to the bank.

---

10) not mince one's words = not mince matters : 꾸미지 않고 솔직히 말하다
11) lay it on the line : 솔직히 말하다
12) have out : 내놓다
13) make no bones about〔of〕 ~ : ~을 솔직히 인정하다, ~을 숨기지 않다
14) 앞에서 한 말 또는 뒤에서 할 말을 강조할 때 쓰는 표현
15) the case : 사실, 진상 / That's not the case.(사실은 그렇지 않아요.)
16) confession : 고백, 자인, 자백 / confession of faith : 신앙 고백 / confession and avoidancee : ((법)) 승인 및 이의(고소 사실을 일단 승인하고 동시에 그것을 무효로 하기 위해서 다른 사실을 주장하는 항변) : make a confession: 자백하다, 참회하다 / particular〔sacramental / auricular〕 confession : (신부에게 하는) 비밀 고백
17) mean business : 진정이다, 정말이다
18) bank on sb : 아무를 믿다〔확신하다〕; 아무에게 의지하다

- 제 말을 믿으세요. / 그 건에 관해서는 저를 믿으세요.
  Take my word. [19] / You can count on me for that matter.
- 그 사람의 말은 믿어도 괜찮아요.
  You may take him at his word.
- 저는 한번 한다면 꼭 하는 사람이에요.
  When I say I'll do it, I mean business. [20]
- 제 말을 믿든 말든 마음대로 하세요.
  Believe it or leave it. / Take it or leave it.
- 당신 말을 믿겠습니다.
  I'll take your word for it.

거짓말을 할 때

- 이 거짓말쟁이! / 자신을 속이지 마세요.
  You liar, you! / Don't kid yourself. [21]
- 내가 속았어요.
  I got taken. / I was had. / I was taken.
- 그건 새빨간 거짓말이에요.
  That's an absolute lie.
- 그걸 은폐하지 마세요.
  Don't cover it up. / Don't hide it.
- 됐어요. (말할 수 없는 이유를 알겠어요.)
  Fair enough!
- 나한테 숨기지 마세요. / 다 알고 있어요.
  Don't hide anything from me. / I know better.
- 진실을 회피하려고 하지 마세요.
  Stop trying to avoid telling the truth.
- 거짓말 잘 하시네요. / 당신 수작에는 안 넘어가요!
  You're a good〔perfect〕 liar. [22] / None of your games!
- 당신은 정말 거짓말쟁이군요.
  You're a real storyteller. [23]
- 나를 속이려 하지 마세요.〈속어〉
  Don't try to do a snow job on me. [24]

---

19) take one's word : 아무의 말을 믿다
20) 직역 : 내가 무엇을 하겠다고 하면 그것은 내가 진정으로 하는 말이다.
21) kid oneself : 자신을 속이다〔놀리다〕
22) 우리말의 '잘'이라는 말을 영어로 표현할 때는 'well'을 쓰는 것보다는 〈good + 명사〉 형태를 사용하면 훨씬 영어다운 표현이 된다. 예 Take〔Have〕 a good look.(잘 보세요.)
23) storyteller : 만담〔야담〕가, 이야기를 잘하는 사람; ((구어)) 거짓말쟁이(liar)
24) do a snow job on sb : 아무를 속이다 / snow job : 교묘한 말로 속이기, 거짓말

Don't try to pull a fast one on me. [25)]

- 난 그런 약속은 하지 않았어요[그건 약속과 다른데요].
  I didn't bargain for that.
- 내가 속을 것처럼 보이세요?
  Do you see any green in my eyes? [26)]
- 그것을 도저히 믿을 수가 없어요.
  I cannot bring myself to believe it.
- 그런 얘기는 좀 믿기 어려운데요.
  That sounds a little far-fetched to me. [27)]
- 저한테 시치미 떼지 마세요. 사실을 알고 있으니까요.
  Don't play innocent with me. I know the facts.
- 누가 그걸 믿겠어요? / 네 속임수에는 안 넘어가.
  Who would believe it? / None of your tricks with me.
- 다시는 안 속아요.
  Once bitten, twice shy, you know. [28)]
- 당신의 말을 행동으로 보여 주세요.
  Put your money where your mouth is.
- 두 번 다시 그런 수에는 안 넘어가요.
  I won't have the same trick played on me again.
- 행동으로 보여주기 전에는 당신 말을 안 믿어요.
  I won't believe you 'till you put your money where your mouth is.
- 절대로 당신을 믿지 않을 겁니다.
  I'll believe you when hell freezes over. [29)]
- 진실은 언젠가는 드러나는 거예요.
  (The) truth will come out. / Truth will out.

---

25) pull a fast one on sb : ((속어)) 아무를 속이다
26) see green in sb's eyes : (속이기 쉬우리라고) 아무를 얕보다
27) far-fetched : 억지로 갖다[둘러] 댄, 억지인, 무리한; 부자연한; 당치 않은
28) 직역 : 한번 물리면 두 번 조심한다. → 한번 속으면[화를 당하면] 다시는 속지 않는다[화를 당하지 않는다].
29) 직역 : 지옥이 영원히 얼어붙을 때 너를 믿을 것이다. → 지옥은 유황(硫黃)불이 영원히 꺼지지 않는 뜨거운 곳으로 묘사된다. 따라서 "지옥이 얼어붙을 때"란 "절대로 ~않다[아니다]", '영원히', '무한정한 기간 동안'이라는 의미를 나타낸다.

10 정보나 소식을 전할 때

상대방에게 어떤 정보나 소식을 전달할 때는 "**I have a good news for you.**(당신에게 좋은 소식이 있어요.)"라고 하고, 어떤 소식에 대해서 들었는지를 물을 때는 "**Have you heard the news about Hwang Jang-yup's request for political asylum in Korea?**(황장엽의 한국 망명 요청 소식을 들으셨어요?)"와 같은 형태로 표현하고, 소문으로 어떤 소식을 들었을 때는 "**Rumor has it (that) Jean's getting married again.**(진이 재혼한다는 소문이 있어요.)", 어떤 소식을 처음 접했을 때는 "**That's news to me.**(그거 금시초문인데요.)"라고 말한다.

기 본 대 화

A : I'll let you in on a secret. [1)]
B : A secret! What is it?
A : There is a rumor that Miss Lee is expecting a baby.
B : (That's) Impossible!
Don't pay attention to rumors.

A : 당신에게 비밀 하나 알려 줄게요.
B : 비밀이라고요! 그게 뭐죠?
A : 미스 리가 임신했다는 소문이 있어요.
B : 그럴 리가 있을라고요!
소문에 신경 쓰지 마세요.

정보나 소식을 전달할 때

- 당신에게 좋은〔안 좋은〕소식이 있어요.
  I have good〔bad〕 news for you.
- 당신을 깜짝 놀래줄 일이 있어요.
  I have a surprise for you.
- 인사 이동에 대해서 들은 것 있어요?
  Have you heard anything about any personnel changes?
- 요즘 뭐 그럴듯한 얘기들은 것 없어요?
  Have you heard anything good〔juicy〕 lately? [2)]
- 요즘은 색다른 사건이 없어요.
  Things have been quite normal these days.

1) let sb in on : ((구어)) 아무에게 (비밀을) 누설하다, 알리다, 폭로하다
2) anything good = any good gossip

- 어제 시내에서 은행 강도가 있었다는 것을 뉴스에서 들었어요.
  I heard on the news that there was a bank robbery downtown yesterday.
- 어제 시내에서 은행 강도가 있었다는 것을 신문에서 읽었어요.
  I read in the paper that there was a bank robbery downtown yesterday.
- 신문에 "Howard"가 파산을 선고 했다고 났던데요.
  The paper says Howard declared bankruptcy.

정보의 출처

A: Who told you that? (누가 그런 말을 하던가요?)
B : A little bird told me. [3] (비밀 정보를 통해서 들었어요.)

- 어디서 그런 애기를 들었어요?
  Where did you hear that (from)?
- 존슨이 간단히 말해 줬어요.
  Johnson briefly mentioned it.
- "Rosa"가 그러는데, 우리 회사가 앞으로 큰 성공을 거둘 수 있다는 거예요.
  According to Rosa, our company could become an enormous success.
- 소문을 통해서 들었어요.
  I heard it through the grapevine. [4]
- 신문에서 그걸 봤어요.
  I saw that in the newspaper.

이미 알고 있을 때

A: How did you find that out? (그걸 어떻게 알아냈습니까?)
B : It was a hunch. [5] (눈치이지요.)

- 그 소식〔비밀〕은 누구나 알고 있어요.
  The news〔secret〕 is public knowledge.
  Everyone knows the news〔secret〕.
- 그건 들은 지 오래예요. / 그건 처음부터 알고 있었어요.
  That is no news to me. / I have known it all along.
- 그건 세상 사람들이 다 알고 있어요.

---

3) 정보의 출처를 밝히고 싶지 않을 때 "어떤 작은 새가 내게 말했어요."라고 비유적으로 표현할 때 쓰는 말이다.
4) grapevine : 포도 넝쿨〔나무〕 / the grapevine : 소문; 비밀 정보; 허보
5) "I knew it in my bones."도 같은 의미다.

All the world knows that.

- 경험에 의해서 알죠.〈속어〉
  I know it by the seat of my pants. [6)]
- 무슨 일이 일어났는지 알고 있어요.
  I have a lead on what happened. [7)]
- 저는 내부 사정을 잘 알고 있어요.
  I'm in the know. [8)]
- 저는 이미 그걸 훤히 알고 있어요.
  I already know it backwards and forwards. [9)]
- 어제서야 그걸 들었어요.
  I heard it only yesterday.
- 저도 그렇게 들었습니다.
  That's what I heard, too.

금시초문일 때

- 그런 일은 아직까지 들어본 적이 없어요.
  I've never heard of such a thing. [10)]
- 그거 금시초문인데요.
  That information is new to me.
  That's quite a news to me.
  That's something new to me.
- 지금까지 그 일에 대해선 전혀 몰랐어요.
  Until now I knew nothing about it.
- 그건 들어본 일조차 없어요.
  I had never even heard of it.
- (그 일에 대해선) 까마득히 모르고 있습니다.
  I'm completely in the dark. / I don't know at all.
  I don't have a clue.

정보가 믿기 어려울 때

A: Did you know Mr. Johnson is running around with his secretary? [11)]

6) by the seat of one's pants : 경험에 의해서, (경험에서 얻은) 육감에 의해서
7) have a lead〔clue〕 on ~ : ~에 대해서 잘 알고 있다
8) be in the know : (내부 사정 · 기밀 등을) 잘 알고 있다 / know : 지식(information)
9) know ~ backwards and forwards : ~을 앞뒤로 모두 알다, 훤히〔완전히〕 알다
10) hear of ~ : ~에 관한 소식을 듣다
11) run around with sb : 아무〔바람직하지 않는 사람〕와 사귀다

B : Don't get any silly ideas.
Nothing is going on between them.

A : 존슨씨가 자기 여비서와 바람피운다는 거 알고 있어요?
B : 바보 같은 소리 믿지 마세요. 그들은 아무런 일 없어요.

• 확실해요? / 농담하지 마세요!
Are you sure? / No kidding!
• 그게 사실인가요? / 아니, 그게 사실이에요?
Are you telling the truth? / No. Is it true?
• 믿을 수 없는 얘기군요. / 정말 뜻밖의 얘기군요!
It is an incredible story. / What a revelation!
• 아마 믿기는 어렵겠지만, 그건 사실이에요.
You probably won't believe it, but it is so.
• 그건 유감스럽게도 모두 사실이에요.
It is all too true.
• 사실〔정말〕이에요!
It's true! / Really!
• 사실인지 아닌지 모르는 일이에요.
You never can tell. [12)]

기 타

• 그 여자에 관해 많은 말들이 나돌더군요.
A lot of stories are going around behind her back.
• 그 도시가 지진피해를 입었다는 사실을 아셨나요?
Did you know the city suffered an earthquake?
• 얘기를 하자면 길어요.
It's a long story.
• 미리 알려줘서 고마워요.
Thanks for the warning.
• 그는 말을 장황하게 늘어놓았어요.
He talked on and on. / He talked for hours.

12) 잘 알지도 못하면서 소문만 듣고 그럴싸하게 말하는 사람에게 해 줄 수 있는 말

11 비밀을 얘기할 때

상대방에게 비밀스런 얘기를 할 때는 서두에 "This is strictly between us.(이건 우리 둘 사이만의 얘기예요.)"라고 하고 비밀을 얘기하고 나서 그 비밀을 지켜 달라고 말할 때는 "Keep it a secret.(그것을 비밀로 해 두세요.)" 또는 "Keep it to yourself.(혼자만 알고 계세요.)"라고 말한다.

기 본 대 화

A : John, I tell you what.
This is only between you and me.
I heard Mr. Miller will be fired soon.
B : It can't be true.
A : It's true. A little bird told me.
You must not tell anybody. OK?
B : All right. My lips are sealed. [1)]

A : 존, 있잖아, 이건 너와 나 사이니까 하는 말인데,
밀러씨가 곧 해고될 거라고 들었어.
B : 그럴 리가 없어.
A : 사실이야. 비밀 정보를 통해서 들었어.
아무에게도 얘기하면 안 되. 알았어?
B : 그래, 입을 꼭 봉하고 있을게.

비밀을 말할 때

- 남들이 우리 얘기를 들으면 안 되요.
  I don't want anybody to hear us.
- 미안하지만, 당신에게 그걸 알려 줄 수 없어요.
  I'm sorry, but I can't share that with you. [2)]

비밀로 해 두라고 할 때

- 그걸 비밀로 해 두세요.
  Put a lid on it. [3)] 〈속어〉

1) 직역 : 내 입술은 봉해졌다.
2) 직역 : 미안하지만, 그것을 당신과 함께 공유할 수 없다.
3) 직역 : 그것에 뚜껑을 닫아 주세요. → 폭로하지 마세요. / lid : 뚜껑 / put the〔a〕 lid on ~ : ~을 감추다, ~을 비밀로 해 두다

- 내가 얘기한 것에 대해 비밀을 지켜 주세요.
  Please keep quiet about what I talked to you. [4]
- 비밀을 누설하지 마세요.
  Don't tell secrets.
  Don't spill the beans? [5] 〈속어〉
  Don't let the cat out of the bag. [6] 〈속어〉
- 아무한테도 말하면 안 되요.
  You must not tell anybody.
- 아무한테도 말하지 않겠다고 약속해 주세요.
  Give me your word that you won't tell anyone.
  Promise me that you won't tell anyone.
- 이건 비밀을 요합니다.
  This must be kept secret.
- 누구한테도 말을 해선 안 되요.
  Say nothing to no one.
- 저는 아무 얘기도 안했어요.
  I didn't say anything.
- 저는 가만히 있었어요.
  I kept quiet.
- 내가 뭐 모르고 있는 얘기가 있는가요?
  Did I miss something here?

---

4) keep quiet about ~ : ~에 대해 비밀을 지키다
5) spill the beans : 콩을 쏟는다 → ((속어)) 비밀을 누설하다
6) let the cat out of the bag : 고양이를 주머니 밖으로 내보내다 → 비밀을 누설하다

12 화제를 바꿀 때

재미가 없거나 관심이 없는 얘기가 계속될 경우 화제를 바꾸고 싶을 것이다. 이럴 때는 "Let's change the subject.(화제를 바꿉시다.)", "Let's talk about something else.(뭔가 다른 얘기를 합시다.)"라고 말하고, 중요한 얘기를 하고 있는데 상대방이 화제를 바꾸려고 하면 "Don't change the subject.(화제를 바꾸지 마세요.)"라고 한다.

기 본 대 화

A : That story is not interesting.
Let's talk about something else.
B : OK. Do you have any news or anything?
A : Yes, I have. Rumor has it that Mr. Kim has accepted bribes. [1)]
B : That sounds inviting. [2)]

A : 그 얘기는 재미가 없군요. 뭔가 다른 얘기를 합시다.
B : 좋아요. 특별한 얘기거리가 있어요?
A : 네. 김씨가 뇌물을 받았다는 소문이 있어요.
B : 그거 귀가 솔깃해지는 얘기군요.

화제를 바꿀 때

- 그런데.
  By the way.
- 주제로 되돌아가 말씀드리자면, ...
  Coming back to the subject, ...
- 화제가 좀 다른 얘기입니다만, 그 여자가 곧 결혼할 거래요.
  Changing the subject, I heard she is going to get married soon.
- 그 이야기는 그만 둡시다.〈속어〉
  Let's drop the subject.

화제를 바꾸지 말라고 할 때

- 화제를 바꾸지 마세요.〈속어〉

1) bribe : 뇌물 / accept〔take〕 a bribe : 뇌물을 받다
2) "That's a tempting offer."도 같은 뜻이다. / inviting : 유혹하는, 사람을 끄는(tempting)

Don't change the channel〔subject〕. [3]

기 타

• 테니스에 관해서라면, 그는 지치지도 않고 몇 시간을 계속해서 얘기하곤 해요.
When it comes to tennis, he would talk hours without getting tired. [4]

• 교육에 대해서라면 얘기가 다르죠.
It's different when it comes to education.

• 그건 다른 이야기잖아요.
That's another question〔story〕.

말을 수정할 때

A: When did the accident happen?
B : It happened last Monday, I mean last Tuesday.

A : 그 사고가 언제 일어났죠?
B : 지난 월요일, 아니, 지난 화요일에 일어났어요.

• 제 생일은 9월 3일, 아니, 9월 6일입니다.
My birthday is September 3rd, I mean, September 6th. [5]

말을 취소할 때

• 제가 한 말을 취소하겠습니다.
I'll take back my words.

---

3) change the channel : 대화 도중에 다른 주제로 말을 바꾸다
4) when it comes to ~ : ~에 관한 한; (화제 등이) ~에 이르면
5) 'I mean' 의 여러 가지 뜻 : ① '의미하다' 의 뜻 예 A : What do you mean by that?(그게 무슨 뜻이죠?) → B : I mean I love you.(내 말은 너를 사랑한다는 말이야.) ② '강조' 의 뜻 예 A : Are you going to marry John?(너 존하고 결혼할 거니?) → B : No. I want to marry you. I mean you!(아니. 난 너하고 결혼하고 싶어. 너 말이야!) ③ '진심으로 말하다' 의 뜻 예 A : You gotta be kidding.(농담이겠지.) → B : No, I' m not. I mean it.(농담이 아니야. 진정이야.) ④ 말하는 도중에 단어나 숫자 등을 틀리게 말하여 다시 수정하고자 할 때 예 위의 본문 표현 참조

13 얘기를 들어달라고 할 때

대화 도중에 상대를 자신에게 주목시키고자 할 때는 "Listen!(들어봐! / 이봐!)"라고 하고, 자신의 얘기를 다 듣지도 않고 상대방이 자신의 주장을 하려고 할 때는 "Please, hear me out.(제 말을 끝까지 들어 보세요.)."라고 하고, 잘 들으라고 할 때는 "Listen to me carefully.(제 말을 잘 들어 보세요.)"라고 말한다. 위 문장에서 'me'는 '나에게'란 뜻이 아니고, '내 말(my words)'이란 뜻이다.

기본대화

A : Listen, John! Hear me out.
B : I'm all ears. 1) What are you driving at?
A : Well, I've got straight A's.
B : (That's) Great! 2)

A : 이봐, 존! 내 말을 끝까지 들어봐.
B : 열심히 듣고 있어. 무슨 얘기를 하려고 하는 거야?
A : 음, 나 전부 A학점을 받았어.
B : (그거) 굉장하구나.

- 내가 말할 때는 내 눈을 똑바로 쳐다보게나.
  Look me in the eye when I'm talking to you.
- 내 눈을 쳐다보고 말하게나.
  Look at me in the eye and say that.
- 나를 보고 내 말을 잘 들으세요.
  Look at me and listen to me carefully.
- 귀를 기울여 들어 주시기 바랍니다.〈속어〉
  Please have your ears to the ground. 3)
- 주의해서 들으세요!
  Please listen carefully.
  Please prick up your ears. 4) 〈속어〉

---

1) be all ears : ((구어)) 열심히 귀를 기울이다 / bend sb's ear : 아무에게 진저리나도록 지껄여 대다, 오랫동안 이야기하다 / go in (at) one ear and out (at) the other : 한쪽 귀로 듣고 한쪽 귀로 흘려 버리다 / be up to one's ears in ～〔work · debt · problems etc.〕: (일 · 빚 · 문제 등이) 무척 많다 / easy on the ear : ((구어)) 듣기 좋은 / send sb off〔away〕with a flea in sb's ear : 듣기 싫은 말을 하여 아무를 쫓아 버리다 / lend an ear : 귀를 기울여 듣다, 귀담아 듣다
2) 자기 성적을 뽐내면서 말하는 친구에게 "So what?(그래서 어쨌다는 거야?)"라고 쏘아 붙일 수도 있다.
3) have one's ears to the ground : 귀를 기울여 듣다
4) prick (up) one's ears : 아무의 말을 열심히 듣다 / prick : 따끔하게 찌르다; (귀를) 쫑긋 세우다

14 말문이 막힐 때

상대방과 한참 얘기를 하는 도중에 걸려오는 전화를 받고 나서 자신이 어디까지 얘기했는지를 모를 때는 "**Where was I?** 또는 **What was I saying?**(제가 어디까지 얘기했었죠?)"라고 말한다.

기 본 대 화

A : Mr. Stevenson, where was I?
B : You were talking about your moving to New York.
A : Oh, yes. Now I remember.
B : So, you mean you lived there for five years?

A : 스티븐슨씨, 제가 어디까지 얘기했었죠?
B : 뉴욕으로 이사갔다는 얘기를 하고 있었습니다.
A : 아, 그래요. 이제 기억이 나는군요.
B : 그러니까, 거기서 5년 동안 사셨단 말이죠?

말문이 막힐 때

- 음〔뭐랄까?〕
  Well... / Let's (me) see.
- 글쎄, 제 말은 ....
  Well, what I mean ....
- 실은 ...
  As a matter of fact, ... / In fact, ...
- 저, 제 말의 취지는 ~입니다.
  Well, what I mean is ~.
- 그걸 어떻게 얘기해야 될까요?
  How can I say it?

어디까지 얘기했는지 물을 때

- 제가 어디까지 얘기했죠?
  Where was I?
- 우리가 어디까지 얘기했죠?
  Where were we?

서두를 꺼낼 때

- 있잖아요,
  I tell you what,
- 있잖아요〔알다시피〕 ....
  You know, ...
- 있잖아? 나 그 여자하고 약혼했어요.
  You know what? [1] I'm engaged to her. [2]
- 있잖아요? (들어 봐.) 우리 말 빨리하기 하자.
  I'll tell you what, let's play a tongue-twister game. [3]
- 첫마디를 어떻게 꺼내야 할지 모르겠어요.
  I don't know how to broach (the subject). [4]
- 제가 무슨 말을 하길 바라세요?
  What do you expect me to say?

잠시 주저할 때

- 생각 좀 해 보고요. / 뭐라고 말해야 할까요?
  Let me think. / What should I say?
- 음, 그걸 어떻게 말해야 할까요?
  Well, how should I say it? / Well, how should I put it?
- 적절한 말이 생각나지 않군요.
  I cannot find the proper expression〔the right words〕.
- 말하자면,
  I would say, [5]
- 그 일을 음..., 일주일이면 할 수 있을 거예요.
  You should be able to finish it, say, in one week. [6]

기 타

- 분위기 좀 살려 봅시다.〈속어〉
  Let's break the ice. [7]
- 일종의 그런 거죠, 뭐.
  Kind of. / Sort of.

---

1) 말을 꺼내기 전에 상대방의 주의를 끌기 위한 표현
2) engage : 약속하다; 약혼시키다; 고용하다
3) 모두가 침묵하고 있는 상황에서 분위기를 고조시키고자 할 때 / tongue-twister : 혀가 잘 돌아가지 않는 어구
4) broach : (얘기를) 끄집어내다, 발의하다
5) 완곡하게 자신의 의견을 말할 때
6) say : "저..., 음..."하면서 머뭇거리는 표현
7) 모두가 침묵하고 있는 분위기를 대화의 분위기로 만들어 보고자 할 때 / break the ice : (초대면 따위의) 딱딱한 분위기를 깨다, 이야기를 꺼내다

15 대화를 마치면서

자신이 하고자 하는 얘기를 다 마쳤을 때는 "I'm finished.(이상입니다.)"라고 말하고, 시간을 내준 것에 감사를 할 때는 "Thank your for your time.(시간을 내주셔서 감사합니다.)", 이야기가 즐거웠다고 할 때는 "It was nice talking to you.(이야기 즐겁게 나누었습니다.)"라고 인사를 한다.

기 본 대 화

A : Thank you for your time.
B : For you, I always have time.

A : 시간을 내주셔서 감사합니다.
B : 당신을 위해서는, 항상 시간이 있어요.

얘기를 마칠 때

- 끝으로 한 마디 더 하겠습니다.
  In conclusion, I'd like to say one more thing.
- 여보세요! 제 얘기가 아직 안 끝났어요.
  Please! I'm not done yet!
- 이상입니다.
  I'm finished. [1)]
- 저는 할 말을 다 했습니다.
  I have had my say.
- 더 하실 말씀 있으세요?
  Have you anything further to say?

감사의 인사

- 저를 만날 시간을 내 주셔서 감사합니다.
  I'm glad you had time to see me.
- 이야기 즐거웠습니다.
  I enjoyed talking to you.
- 얘기 즐겁게 나누었습니다.
  It's been nice to talking to you.

1) 자기가 하고자 하는 말을 다하고 나서

16 기 타

- 당신 얘기를 하고 있는 거예요.
  I'm talking about you.
- 그건 당신이 한 얘기와 다르잖아요. 〈속어〉
  That's not along the same line as what you said. [1]
- 그게 당신이 말하고자 했던 건가요?
  Is that what you wanted to say?
- 그것에 대해서는 듣고 싶지 않아요.
  I don't want to hear about it.
- 그런 말씀은 하실 필요 없어요.
  You don't have to say that.
- 그런 식으로 말씀하시면 그렇겠죠.
  Since you put it that way, I sort of agree with you.
- 그렇다면 얘기가 다르잖아요.
  That makes a difference.
- 그 말을 듣고 보니, ...
  Now that you mentioned it, ...
- 그 말을 에누리해서 듣겠습니다.
  I'll take that with a grain of salt. [2]
- 그 사람에 대해서는 질리도록 들었어요.
  That's enough of him.
- 그에게 할 말이 있으면 면전에서 하세요.
  If you've got something to tell him, tell it to him directly 〔to his face〕. [3]
- 얘기를 꺼내면 길어져요.
  It's going to be a long story.
- 이런 것〔말〕 본〔들어본〕 적이 있어요?
  Did you ever see 〔hear〕 the like?
- 재미있는 얘기거리 없어요?
  Do you have an interesting conversation piece? [4]
  Isn't there something else interesting to talk about?
- 왜 그런 말씀을 하는 거죠?
  Why do you say that?

---

1) along the same line : 같은 주제에 속한
2) 직역 : 소금 한 알을 쳐서 듣겠다. → (신빙성 따위가 없어서) 에누리해서 듣겠다
3) to sb's face : 아무를 맞대놓고, 아무의 눈앞에서
4) conversation piece : 얘기거리

- 일반적으로 사람들이 뭐라고 하는지 아실 거예요.
  You know what they say.
- 그 사람과 그 문제에 대해서 한 시간 동안 얘기를 나누었어요.
  I talked with him on that matter for an hour.
- 저는 그것에 대해서 얘기할 만큼 했어요.
  I've done enough talking about it.
- 그는 남의 말의 요지를 잘 파악해요.
  He's good at getting the gist of what other people say. [5]
- 그는 천한 말씨를 써요. / 그는 권위 있게 말을 해요.
  His language is filthy. [6] / He speaks with authority.
- 그의 말에는 함축성이 있어요.
  What he says is full of other implications.

간단하고 짧은 표현의 위력

대화를 하다 보면 한두 개의 단어로 완전한 의사 표현을 할 수 있다. 예를 들면 전철 안에서 복잡한 사람들 사이를 헤치고 내리려고 할 때 "길 좀 비켜 주세요."를 영어로 어떻게 표현할까? "길 비켜주세요"라는 표현을 직역해서 말하려고 하다 보면 이미 말할 기회는 사라진다. 이때는 간단히 "Excuse me.(실례합니다.)"라고 한다. 즉, 대화 중에 문법을 적용하여 장황한 표현을 쓰려고 하다보면 상대는 이미 다른 말을 하고 있거나 자신도 다음 말을 할 준비를 하기 때문에 대화가 되지 않는다. 따라서 외국인과 대화를 할 때는 가장 쉽고 짧은 표현을 사용하는 것이 대화를 계속할 수 있는 요령이다.

- 당신은 말솜씨가 좋군요.
  You have a way with words. [7] / You are a smooth talker.
- 사람들은 ~라고들 하죠.
  Myth has it that ~. [8]
- 저 여자 참 말하기 좋아하는군요!
  What a talker that woman is!
- 그녀가 너무 빨리 말을 계속해서 저는 말할 틈조차 없었어요. 〈속어〉
  She talked so fast I couldn't even get a word in edgewise. [9]
- 그는 그것에 대해서 한 마디도 안 했어요.
  He didn't say a word about it.
- 그는 몹시 말을 더듬어요. / 그녀는 수다쟁이에요.
  He has a terrible stutter. / She's a gossip.

---

5) the gist : 요점, 요지, 골자
6) filthy : 불결한, 더러운, 추잡한
7) have a way with ~ : ~을 잘 다루다
8) myth : 신화; 전설; (근거 없는) 사회적 통념〔미신〕
9) get a word in edgeways : (기회를 보아) 한마디하다, 말참견하다

- 그는 모든 걸 아는 듯이 말을 해요.
  He speaks as if he knew everything.
- 그는 언제나 요령 있게 말해요.
  He always speaks to the point〔purpose〕. [10)]
- 저는 그 사람의 말투가 싫어요.
  I don't like the way he talks.
- 그에게 말해 봤자 소용이 없어요. 들으려고 하지 않으니까요.
  It's no use telling him that. He just won't listen.
- 그 여자 하는 말은 그럴듯해요. / 그 사람의 이야기는 넌더리가 나요.
  She sounds plausible. [11)] / I'm sick of his talk.
- 그와 얘기할 기회가 별로 없었어요.
  I didn't have much chance to talk to him.
- 그와 오랫동안 한담을 나누었어요.
  I had a long chat with him.
- 저는 낯선 사람들과는 얘기를 많이 안 해요.
  I don't talk too much with strangers.
- 누가 말을 해도, 그는 결코 들으려고 하지 않을 거예요.
  No matter who talks to him, he'll never listen.
- 어디를 가든지 영어를 하니까 의사소통에는 어려움이 없더군요.
  I had no difficulty at all making myself understood in English wherever I went. [12)]
- 우리는 서로에게 의중을 털어놓았어요.
  We bared our hearts to each other. [13)]

활용어휘

- 애매한 소리 : doubletalk [14)]
- 말이 많은 사람 : chatterbox / gossip
- 말하자면 : quote unquote
- 수화(手話) : sign language
- 아주 심한 사투리 : thick dialect
- 언어 장애 : speech defect〔disorder〕
- 엄밀히 말하자면 : strictly speaking
- 유머 작가 : humorous writer
- 표준어 : standard language
- 환담(歡談) : pleasant talk
- 동시 통역사 : simultaneous interpreter
- 말이 없는 : quiet / taciturn
- 미국의 표준 영어 : President's English
- 시사 영어 : current English
- 언어 교정 : speech correction
- 언어장애 교정소 : speech clinic
- 잡담〔한담〕 : small talk
- 일상 용어 : household word
- 허풍〔터무니없는 얘기〕 : fishing story
- 말씨가 부드러운 : soft-spoken

---

10) to the point : 적절히, 딱 들어맞게 / to the purpose : 적절히, 요령 있게
11) plausible : 그럴듯한
12) 영어를 꽤나 잘하는 사람이 세계 여러 나라 여행을 다녀와서 자기 영어 실력을 뽐냄
13) bare one's heart : 의중을 털어놓다
14) 앞뒤가 안 맞는 얘기 / 애매모호한 소리

ENGLISH CONVERSATION DICTIONARY

CHAPTER 20

- 개인 신상
- 외모와 복장
- 성격
- 직장
- 사업
- 날씨와 계절
- 여가와 취미
- 스포츠
- 건강
- 타인 평가

Ⅰ 개인 신상

상대방과 초면 인사를 한 후 가장 먼저 화제로 삼는 것은 개인 신상에 관한 내용이 될 것이다. 직업(job), 가족(family), 학교(school), 고향(hometown) 등이 그 기본이다. 그러나 처음부터 끝까지 상대방의 개인 신상에 관해서만 묻는다면 상대방은 조사라도 받는 기분이 들지 모른다. 이런 경우 상대방으로부터 "I'm afraid you're getting too personal.(남의 사생활에 너무 파고드는 것 같습니다.)", "Don't ask personal questions.(신상에 관한 질문은 하지 마세요.)"라는 얘기를 들을 수도 있다. 그러므로 간단한 사항만 묻고 화제를 바꾸는 것이 좋을 것이다. 개인 신상에 관한 화제 중에서도 가족관계를 묻는 것이 가장 기본적일 것이다. 아래 대화는 가족 관계에 관해서 얘기를 나누는 상황이다.

기 본 대 화

A : How many children do you have?
B : I have three children, a boy and two girls.
A : How old are they?
B : The oldest is eight.
The second is five, and the youngest is three.
A : What grade is your son in?
B : He's in the first grade of elementary school. 1)

A : 자녀가 몇 명입니까?
B : 셋이 있는데, 아들 하나, 딸 둘입니다.
A : 몇 살이죠?
B : 제일 큰애가 8살이고, 둘째 애는 5살,
그리고 제일 작은애가 3살입니다.
A : 아들은 몇 학년입니까?
B : 초등학교 1학년입니다.

가족 관계

A: Could you tell me about your family?
B : My wife and I have a daughter, Haerin.

A : 가족에 대해서 말씀해 주시겠어요?
B : 아내와, 딸 혜린이가 있습니다.

1) "He's a first grader."라고 해도 같은 뜻이다.

가족의 수

A: How many people are there in your family?
B : There are five in my family.

A : 가족은 몇 분이나 됩니까?
B : 우리 식구는 다섯 명입니다.

- 우리는 대가족입니다.
  We have a large family.
- 저는 대가족과 함께 살고 있습니다.
  I live with an extended family.

부모님에 대하여

A: Do you live with your parents?
B : No, I live with just my mother.
I lost my father early in my life.

A : 부모님과 함께 사세요?
B : 아니오. 어머니하고만 함께 삽니다.
아버지는 어려서 여의었습니다.

- 저희 부친은 제가 초등학교를 졸업하던 날 돌아가셨어요.
  My father passed away on the day (when) I graduated from elementary school.
- 부모님 그리고 할아버지와 함께 살고 있어요.
  I live with my parents and my grandfather.

A: How large〔big〕 is your family?
B : Four. My wife, a son, a daughter and myself.

A : 가족이 얼마나 됩니까?
B : 넷입니다. 제 아내와 아들, 딸, 그리고 저까지요.

자녀 관계

A: How many children do you have?
B : I have a boy and a girl.
He is four years old, and she's two.

A : 아이들은 몇이나 됩니까?
B : 아들 하나와 딸 하나가 있는데, 아들은 4살이고, 딸은 2살입니다.

- 4살된 아들 하나가 있습니다.
  I have a four-year old son.
- 딸이 둘 있는데, 하나는 가수이고, 또 하나는 배우예요.
  I have two daughters : one is a singer, the other is an actress.
- 저희는 아이가 없습니다.
  We have no children. / We don't have any children.
- 저희는 아이를 가질 생각입니다.
  We're thinking of having children.

형제자매

A: How many brothers and sisters do you have?
B : I have no brothers.

A : 형제가 몇 분이세요?
B : 형제가 없습니다.

- 저는 독자입니다. / 형 한 명만 있고 누이는 없습니다.
  I'm an only child. / I have a brother but no sisters.
- 형은 저보다 세 살이 많아요.
  My brother is three years older than I am.
- 형제들은 모두 세 살 터울이에요.
  The brothers are spaced three years apart.

A: Are you the eldest son in your family? (장남입니까?)
B : No, I'm the youngest (son). (아니오. 막내입니다.)

활용 어휘

- 외동딸 : the only girl
- 둘째 : the second oldest
- 맏딸 : the eldest daughter
- 독자 : the only son

가족 사진

A: Do you have any children?
B : I have three. Two boys and a girl.
Would you like to see a picture?
A: Oh, how cute! Now, who's this?
B : This is Haerin, my oldest. She's six years old.

A : 자녀가 있으세요?
B : 셋이 있는데, 아들 둘, 딸 하나입니다. 사진을 보시겠어요?
A : 오, 정말 귀엽군요! 이 애가 누구죠?
B : 이 애는 제 큰딸 혜린입니다. 6살이죠.

• 이건 저희 가족 사진입니다.
This is a photo of our family.
• 저희 두 딸, 블리스와 월리스입니다.
Here are our two daughters, Bliss and Wallace.

가족과의 생활

• 가족들이 무척 그리워져요.
I feel homesick for my family.
I really miss my family.
• 떨어져 있으면 더 그리워지는 거예요.
Someone becomes more desirable when you're miles apart.
You miss each other when you're far apart.
• 우리 가족은 매우 화목해요.
We are a very harmonious family. 2)
Perfect peace reigns in our family.
• 주말에는 늘 가족과 함께 보내요.
I always spend time with my family on weekends.
• 저는 애들에게 무척 엄격해요.
I'm very strict with my children. 3)
• 애들과 보낼 시간이 거의 없어요.
I don't have much time to spend with my children.

활용 어휘

• 6촌 : second cousin
• 가정 환경 : home surroundings
• 남조카 : nephew(여조카는 niece)
• 서울 토박이 : Seoul native
• 시아버지[장인] : father-in-law 4)
• 족보 : family tree
• 증조부 : great-grandfather
• 가장[세대주] : householder
• 조부모 : grandparents
• 본적 : permanent address
• 수양아들[딸] : foster son [daughter]
• 의붓아버지 : stepfather 5)
• 할아버지 : grandfather
• 직계 존속 : lineal ascendant

2) harmonious : 조화된; ((음악)) 화성의; 협화음의; 사이가 좋은, 화목한(peaceable)
3) strict : 엄한, 엄격한 / in the strict sense : 엄밀히 말하면
4) 처가[시가] 식구들을 호칭할 때는 '-in-law'를 붙이는데, 이것은 법적으로 맺어진 관계이기 때문이다. 형부[매형]는 brother-in-law, 시동생[누이]은 brother[sister]-in-law라고 한다.
5) '의붓-'을 표현할 때는 'step-'를 쓴다. / 계모 : stepmother, 의붓아들 : stepson

- 출생 증명서 : birth certificate
- 편친 가정 : single parent family
- 핵가족 : nuclear family
- 호적 : family register
- 출생지 : birth place
- 할머니 : grandmother / granny
- 향수병 : homesickness / nostalgia

나이와 생일

나이를 물을 때

A: How old are you? (몇 살이세요?)
B : (I'm) 35 (years old). (서른 다섯 살입니다.)

- 연세를 여쭤 봐도 될까요?
  May I ask how old you are? / Do you mind if I ask your age?
- 나이가 어떻게 되십니까?
  What's your age?
- 연세가 어떻게 되는지 말씀해 주시겠습니까?
  Do you mind telling me how old you are?
- 40세에 가깝습니다.
  I'm pushing 40. [6]
- 새해가 되면 저는 한 살을 더 먹어요.
  I'll be a year old when the New Year arrives.
- 저와 동갑이군요.
  You're my age.
- 우린 동갑이에요.
  We're of an age. / We're the same age as me.
- 저보다 3살 위〔아래〕시군요.
  You're three years older〔younger〕 than I.

생 일

A: What date is your birthday?
B: It's September 6th. When's yours?
A: August 27th.
B : Oh, our birthdays are close.

6) 지금은 39세이지만, 곧 40세가 될 시점에 있다는 뜻 / 나이를 말하는 방법에는 I'll be forty on my next birthday.(돌아오는 생일에 40세가 됩니다.) / I'm on the shady side of fifty.(벌써 50 고개를 넘었습니다.) / I'm thirty something.(서른 살쯤 되었습니다.) / I'm 33, going on 34.(서른 세살인데, 곧 34세가 됩니다.) / I'm only pushing〔nearing〕 35.(이제 겨우 35세에 가까워지고 있을 뿐입니다.) / I'm in early〔lately〕 forties.(40대 초반〔후반〕입니다.) / I'm just twenty years old.(갓 스물입니다.) / I'm going to turn thirty next month.(다음 달이면 30세가 됩니다.) 등 다양한 표현들이 있다.

A : 생일이 언제입니까?
B : 9월 6일입니다. 당신은요?
A : 8월 27일입니다.
B: 오, 우린 생일이 비슷하군요.

- 생일이 언제입니까?
What's your date of birth? / When is your birthday?

생년월일

A: When were you born?
B : I was born on September 6, 1963.
A : 언제 태어났습니까?
B : 1963년 9월 6일에 출생했습니다.

띠(별자리)

A: What sign are you? [7]
B : I'm Scorpio. [8]
A : 당신은 별자리가 뭐죠?
B : 전갈자리입니다.

- 저는 토끼띠입니다.
I was born in the year of the Rabbit. 〈동양식표현〉

출생 시기에 따른 별자리(sign)

① Aries(양자리) : 3.21 ~ 4.19
② Taurus(황소자리) : 4.20 ~ 5.20
③ Gemini(쌍둥이자리) : 5.21 ~ 6.20
④ Cancer(게자리) : 6.21 ~ 7.22
⑤ Leo(사자자리) : 7.23 ~ 8.22
⑥ Virgo(처녀자리) : 8.23 ~ 9.22
⑦ Libra(천칭자리) : 9.23 ~ 10.22
⑧ Scorpio(전갈자리) : 10.23 ~ 11.21
⑨ Sagittarius(궁수자리) : 11.22 ~ 12.21
⑩ Capricorn(염소자리) : 12.22~ 1.19
⑪ Aquarius(물병자리) : 1.20 ~ 2.18
⑫ Pisces(물고기자리) : 2.19 ~ 3.20

나이와 외모

A: How old do I look?

7) sign : 별자리(star sign / astrological sign) → 1년 중 12개 구분의 하나로서, 서양인들은 자신의 생년월일에 따라 12개의 별자리 중 어느 하나에 해당되기 마련이다.
8) Scorpio : 전갈자리, 천갈궁 / scorpion : 전갈

B : I'd say you're about 30 or so.
A: You are wrong. I'm in my forties.
B : Really? You look young for your age.

A : 제가 몇 살 같아 보입니까?
B : 대략 30세 안팎 같습니다.
A : 틀렸어요. 40대입니다.
B : 그래요? 나이보다 젊어 보이시군요.

• 제가 몇 살이라고 생각하세요? / 제가 몇 살인지 알아맞춰 보세요.
How old do you think I am? / Guess how old I am.
• 그의 외모로 판단해서 몇 살이라고 생각하세요?
Judging by his appearance, how old would you say he is?
• 나이보다 더 젊어〔늙어〕 보이시군요.
You look younger〔older〕 for your age.

기 타

• 그분은 고령이에요. / 그 여자는 34살이나 35살쯤 될 겁니다.
He is advanced in years. [9]/ She could pass for 34 or 35.
• 그가 몇 살이나 됐을까요?
I wonder how old he might be.

결혼 관계

결혼 여부를 물을 때

A: Are you married? (결혼하셨습니까?)
B : No, I'm not. (안 했습니다.)

• 독신입니다.
I'm single. / I'm available now. [10]
• 별거중입니다.
I'm separated.
• 이혼했습니다. / 홀아비〔과부〕입니다.
I'm divorced. / I'm widowed.
• 그 여자는 3년 전에 남편과 이혼했어요.
She was divorced from her husband three years ago.
• 우리 이혼합시다. 〈속어〉
Let's go to Reno. [11]

9) advanced : 고령인
10) 「I'm looking for a mate.(짝을 찾고 있습니다.)」, 「I'm in the market(저는 시장에 내 놓아져 있습니다.)」 표현처럼 간접적으로 미혼이라는 사실을 나타낼 수도 있다.
11) Reno : 리노(미국 Nevada주의 도시명 : 이혼 재판으로 유명함 / go to Reno : 이혼하다

결혼 기간

A: How long have you been married?
B : (I've been married) For fifteen years.

A : 결혼한 지 얼마나 됐습니까?
B : 15년 됐습니다.

• 언제 결혼을 하셨습니까?
When did you get married?

A: Have you been married long? (결혼한 지 오래되셨어요?)
B : I just got married. (갓 결혼했습니다.)

• 신혼부부이시군요.
You're a brand new couple. / You're newly married.

• 우리는 처음 만난 지 6개월 만에 결혼했어요.
We got married 6 months after we first met.

결혼 계획

A: When are you going to get married?
B: I'm going to get married next year.

A : 언제 결혼할 계획입니까?
B : 내년에 하려고 합니다.

• 아직 결정을 안 했습니다.
I haven't decided yet.

A: At what age are you planning to get married?
B : I hope to get married in my late twenties.

A : 언제 결혼할 계획입니까?
B : 20대 후반에 하고 싶어요.

• 밀러씨와는 언제 결혼하실 거죠?
When are you going to marry Mr. Miller?

• 우리는 다음 달에 결혼할 겁니다.〈속어〉
We're going to tie the knot sometime next month. [12)]

• 결혼 비용을 위해서 열심히 저축하고 있어요.
I'm saving money for the wedding.

• 당신도 결혼해서 자리잡을 시기가 된 것 같군요.
I guess it's time for you to settle down.

12) tie the knot : 인연〔연분〕을 맺다 → 결혼을 하다

A: When are you going to get married?
B : I'm going to get married next year.
A : 언제 결혼할 계획입니까?
B : 내년에 하려고 합니다.

결혼 상대

- 누구 생각해 둔 사람 있어요?
  Do you have anyone in mind?
- 아직 적당한 남편감〔아내감〕을 만나지 못했어요.〈속어〉
  I haven't met a Mr.〔Miss〕 Right yet. 13)
- 행운의 (결혼) 상대 여자〔남자〕가 누구죠?
  Who is the lucky woman〔man〕?
- 왜 두 사람을 결혼시키지 않습니까?
  Why don't you let them get married?
- 제가 선택한 사람과 결혼할 거예요.
  I'll marry a man of my own choice.
- 이상적인 남성을 찾기란 쉬운 일이 아니에요.
  It's not easy to find Prince Charming. 14)
- 그 여자와 결혼하기를 그렇게도 원하세요?
  Do you want to marry her that bad?
- 그녀는 연하의 사람과 결혼했어요.〈속어〉
  She robbed the cradle. 15)
- 그가 누구와 결혼했죠? / 그 사람은 좋은 결혼상대였어요.
  Who did he marry? / He was a good catch. 16)
- 그들은 강제 결혼을 했대요.〈속어〉
  I heard they had a shotgun wedding. 17)
- 당신을 내 아내로 선택해서 정말 다행이에요〔기뻐요〕.
  I'm really glad I chose you as my wife.
- 그녀는 평생을 독신으로 보냈어요.
  She remained unmarried〔single〕 all her life. 18)

기 타

- 저는 꿈에 그리던 여자와 결혼을 했어요.

13) Mr.〔Miss〕 Right : ((구어)) 남편〔아내〕 되기에 알맞은 사람, 남편〔아내〕감인 사람
14) Prince Charming : 신데렐라와 결혼하는 왕자의 이름〔이상적인 신랑감〕
15) rob the cradle : 요람을 강탈하다 → 훨씬 나이 어린 상대와 결혼하다〔사랑하다〕
16) catch : 얻고 싶은 사람〔것〕 / a good catch : 좋은 결혼 상대자 / a great catch : 인기 있는 사람 / ((구어)) (사람을 걸리게 하는) 올가미, 함정, 책략
17) shotgun wedding〔marriage〕 : 임신하여 어쩔 수 없이 하는 결혼
18) all one's life : 평생 동안

I'm married to the woman of my dreams.

- 저 여자가 존의 전 처예요. / 그는 바람을 피우고 있어요.
  She is John's ex. [19] / He's having an affairs. [20]
- 저 부부는 의가 나빠요.
  That husband and wife do not mix well.
- 그녀는 나에게 너무 과분해요.
  She is too good for me.
- 우리 결혼 생활은 재미가 없어졌어요.
  Our marriage has gone stale. [21]
- 그 사람이 우리를 중매한 사람이에요.
  He was our matchmaker. [22]
- 그들이 결혼한다고 들었어요.
  I hear they are tying the knot. [23]

결혼식장에서

- 행복한 결혼생활을 하시기 바래요.
  I hope you'll have a very happy marriage.
- 행복하길 바래요.
  We hope you have a happy life.
  I wish you all the best.
- 신혼여행은 어디로 가실 겁니까?
  Where are you going on your honeymoon? [24]
- 이런 아름다운 신부를 발견하다니 당신은 참 복이 많은 사람이군요.
  You are very lucky to find such a lovely bride.
- 두 분은 정말 멋있는데요. / 두 분은 잘 어울리는군요.
  You both look very nice. / You make a good match.
- 존이 결혼 피로연의 사회를 봤어요.
  John emceed the wedding reception.
- 신부가 정말 아름답군요!
  What a beautiful bride she is!
- 그들은 아주 딴판이군요.
  They're total opposites.

19) ex = ex-wife 또는 ex-husband / ex- : '전의', '그전의' 의미를 나타내는 접두어
20) have an affairs with ~ : ~와 정사〔관계〕를 가지다
21) stale : 싱싱하지 못한, 김빠진
22) matchmaker : 결혼 중매인(go-between), 중매서기를 좋아하는 사람
23) tie the knot : 매듭을 묶다;, 연분을 맺다, 결혼하다(= marry)
24) honeymoon : 신혼 여행 기간; 신혼 여행을 가다; ((비유)) 밀월 기간〔시대〕

학 교

출신 학교

A: What school did you graduate from?
B : I graduated from the Korea Military Academy.

A : 어느 학교를 졸업하셨습니까?
B : 육사를 졸업했습니다.

- 저는 서울대학생입니다.
  I'm a student at Seoul National University.
- 저는 서울대학교 졸업생입니다.
  I'm a Seoul National University graduate〔alumnus〕.
  I'm a graduate of Seoul National University.
- 우리는 같은 학교를 다녔습니다〔우리는 동문입니다〕.
  We attended the same school.

선·후배 관계

- 우리는 학교를 같이 다녔습니다〔우리는 동기생입니다〕.
  We went to school together.
- 그는 저희 학교의 선배입니다.
  He is ahead of me in school.
- 학창 시절에 그 사람과 방을 같이 썼어요.
  I shared a room with him during our school days.
- 저보다 3년 선배〔후배〕이시군요.
  You're three years ahead〔behind〕 me.

재학중인 학교

A: Where do you go to school?
B : I go to Washington State University.

A : 어느 학교를 다니십니까?
B : 워싱턴 주립대학을 다닙니다.

- 어느 학교〔대학〕에 다니십니까?
  What school〔college〕 do you study at?

A: Which college are you attending?
B : I attend Seoul National University.

A : 어느 학교에 다니십니까?
B : 서울대학교에 재학중입니다.

• 지금 고등학교에 다닙니다.
I'm in high school.

학 년

A:What year are you in? (몇 학년이세요?) [25]
B : I'm a senior. (대학교 4학년생입니다.)

학년(생)을 나타내는 표현

• 초등학교 ☞ 1학년 : first grade(r) / 2학년 : second grade(r) / 3학년 : third grade(r) / 4학년 : fourth grade(r) / 5학년 : fifth grade(r) / 6학년 : sixth grade(r)
• 중학교 ☞ 7학년 : seventh grade(r) / 8학년 : eighth grade(r) / 9학년 : ninth grade(r)
• 고등학교 ☞ 10학년 : tenth grade(r) / 11학년 eleventh grade(r) / 12학년 : twelfth grade(r)
• 대학교 ☞ 1학년 : freshman / 2학년 : sophomore / 3학년 : junior / 4학년 : senior

전 공

A: What did you major〔minor〕in at college?
B : I majored〔minored〕in political science.

A : 대학교 때 무엇을 전공〔부전공〕했습니까?
B : 정치학을 전공〔부전공〕했습니다.

• 대학교 때 전공이 무엇이었습니까?
What was your major at college?
• 정치학을 전공했습니다.
I specialized in political science.

학 위

A: What degree do you have?
B : I have a M.A. in political science.

A : 어떤 학위를 가지고 계십니까?
B : 정치학 석사학위를 가지고 있습니다.

25) 대학생에게 몇 학년이냐고 물을 때 쓰는 표현이다. 초 · 중 · 고등학생에게 학년을 묻고 답할 때는 "A : What grade are you in?(몇 학년이니?) B : I'm in eight grade.(8학년입니다.)" 식으로 표현한다.

• 워싱턴 대학에서 철학 박사학위를 받았습니다.
I received a Ph.D. degree at Washington University.

학위(degree)의 종류

B.A. (bachelor of arts): 문학사 / B.S. (bachelor of science): 이학사 / M.A. (master of arts): 문학 석사 / M.S. (master of science) : 이학 석사 / M.B.A (master of business administration) : 경영학 석사 / Ph.D. (doctor of philosophy) : 철학 박사

학창 시절

A: Were you involved in any club activities in college?
B : Yes. I was a member of the tennis club.
A : 대학교 때 클럽 활동을 했습니까?
B : 네. 테니스클럽 회원이었습니다.

기 타

• 그는 고학으로 대학을 졸업했어요.
He worked his way through college. [26]
He earns his way through college.

• 그는 대학에서 퇴학당했어요.
He was kicked out of the university.

• 그는 대학을 중퇴했어요. 〈속어〉
He's a college dropout. [27]

• 저희 학교는 남녀공학입니다.
My school is coeducational (co-ed).

부부 사이

애처가

• 저는 애처가예요.
I'm a devoted husband. [28]

• 당신 아내에게 잘 대해 주세요.
Be nice to your wife.

• 내 아내는 이 세상에서 가장 사랑스러운 사람이에요.
My wife is the dearest person in the whole world.

26) work through college : 고학으로 대학을 나오다
27) dropout : 중퇴자, 기성사회로부터의 탈락자
28) devoted : 애정이 깊은, 헌신적인

공처가

- 저는 아내에게 쥐여살아요〔공처가예요〕.〈속어〉
  I'm henpecked. 29)
  I'm tied to my wife's apron-strings. 30)
  My wife has me under her thumb. 31)
- 그 여자는 자기 집에서 왕초노릇을 해요.
  She wears the pants in the house. 32)
- 그녀는 남편을 쥐고 흔들어요.
  She bosses her husband around.
- 바가지 긁지 마세요.
  Don't be a nag! 33)

결혼 기념일(anniversary)의 종류

주년	명칭	뜻	주년	명칭	뜻
1주년	paper wedding	종이혼	13주년	lace wedding	레이스혼
2주년	cotton wedding	목면혼	14주년	ivory wedding	상아혼
3주년	leather wedding	가죽혼	15주년	crystal wedding	수정혼
4주년	linen〔silk〕 wedding	마혼	20주년	china wedding	자기혼
5주년	wood wedding	나무혼	25주년	sliver wedding	은혼
6주년	iron wedding	철혼	30주년	pearl wedding	진주혼
7주년	wool〔copper〕 wedding	모피혼〔구리혼〕	35주년	coral wedding	산호혼
8주년	bronze wedding	청동혼	40주년	ruby wedding	홍옥혼
9주년	pottery wedding	도기혼	45주년	sapphire wedding	청옥혼
10주년	tin〔aluminum〕 wedding	주석혼	50주년	gold wedding	금혼
11주년	steel wedding	강철혼	55주년	emerald wedding	에메랄드혼
12주년	silk wedding	비단혼	60〔75〕주년	diamond wedding	다이아몬드혼

활용 어휘

- 강제 결혼 : forced wedding
- 결혼 반지 : wedding band〔ring〕
- 결혼 생활 : married life
- 결혼 자금 : marriage fund
- 결혼 증명서 : marriage certificate
- 결혼 축가 : nuptial song
- 결혼 무효소송 : nullity suit
- 결혼 상담소 : marriage bureau
- 결혼 선물 : wedding present〔gift〕
- 결혼 적령(기) : marriageable age
- 결혼 지참금 : marriage portion
- 결혼 축사 : wedding congratulations

29) henpeck : (남편을) 쥐고 흔들다
30) be tied to one's wife's apron-strings : 아내의 앞치마 끈에 묶이다 → 아내에게 쥐여살다
31) under one's thumb : (아무의) 손에 쥐여서, (아무가) 시키는 대로 하는
32) wear the pants : ((구어)) (아내가) 남편을 깔고 뭉개다, 내주장하다 / pants : 바지
33) nag : 바가지긁다; 바가지를 긁는 여자

- 결혼 피로연 : wedding reception
- 결혼상담소 : matrimonial agency
- 결혼 허가증 : marriage license
- 교회 결혼 : regular marriage
- 길일(吉日) : Korean auspicious day
- 노처녀 : old maid
- 맞선 : interview with a view marriage
- 미혼모 : single mother
- 혼수품 목록 : bridal registry
- 색종이 : confetti [35)]
- 신랑의 들러리 : groomsman [36)]
- 신부 피로연 : shower party
- 신부의 들러리 : bridesmaid [38)]
- 신혼 여행 : honeymoon
- 신혼여행 드레스 : going-away dress
- 약혼 반지 : engagement ring
- 약혼자〈남자〉 : fiance
- 연애 결혼 : love-marriage
- 예비 신부 : bride-to-be
- 옛 애인 : old flame
- 위자료 : alimony [39)]
- 이혼 소송 : divorce suit〔proceedings〕
- 이혼한 남자 : grass widower
- 재산을 노리는 구혼자 : fortune hunter
- 재혼자 : digamist
- 주례 : officiator [40)]
- 중매인 : go-between
- 키스 마크 : passion mark / hickey
- 혼수 제도 : dowry system [41)]
- 결혼기념일 : wedding anniversary
- 결혼식 : wedding ceremony
- 과부 : widow(홀아비는 widower)
- 권태기 : stage of weariness
- 내조(內助) : wife's help
- 동성(同性) 결혼 : same sex marriage
- 독신 여성 : feme sole((법))
- 비밀 결혼 : clandestine marriage
- 사진 결혼 : picture marriage [34)]
- 신랑 : bridegroom〔groom〕
- 신부 : bride
- 신부를 돕는 여자 : maid of honor [37)]
- 신부의 혼수상자 : hope chest
- 신혼 부부 : newly-married couple
- 안내인(예식장에서) : usher
- 약혼 예물 : betrothal gifts
- 약혼녀〈여자〉 : fiancee
- 열애(熱愛) : passionate love
- 예식장 : wedding hall
- 원고(이혼 청구시) : petitioner
- 유부녀 : feme covert
- 약혼식 : engagement ceremony
- 임부복(姙婦服) : maternity outfit
- 재혼 : remarriage
- 정략 결혼 : expedient marriage
- 중년 부인 : a middle-aged woman
- 천생연분 : perfect match
- 혼기(婚期) : marriageable age

거주지

사는 곳

A: Where do you live? (어디에서 사세요?)
B: I live in San Francisco. (샌프란시스코에서 삽니다.)

- 본적지가 어디세요?

34) 사진만 보고 결혼을 결정하는 것
35) 결혼식이나 축제일에 잘게 잘라서 뿌리는 색종이
36) 그 중 대표자는 'best man' 이라고 한다.
37) 기혼 여성이 맡은 경우에는 'matron of honor' 라고 한다
38) 대표자는 'matron of honor' 라고 하며, 반드시 기혼자다.
39) (이별 후 또는 별거중에 남편이 아내에게 주는) 부양금; 별거 수당
40) 주례가 목사일 경우에는 'officiating pastor' 라고 한다.
41) dowry : (신부의) 결혼 지참금

What's your permanent address?

• 여기서 먼 곳에 살고 계세요?

Do you live far from here?

• 서울 교외에서 살고 있어요.

I live in the suburbs of Seoul.

A: Where are you living now? (어디에서 살고 계세요?)
B : I'm living near here. (이 근처에서 살고 있습니다.)

거주 기간

A: How long have you lived there? (그곳에서 얼마나 사셨어요?)
B : I've lived there for ten years. (10년 동안 살았습니다.)

주거 형태

A: Do you live in an apartment or in a house?
B : I live in a small apartment.

A : 아파트에서 사세요, 단독주택에서 사세요?
B : 조그마한 아파트에서 살고 있어요.

• 그게 당신 소유의 집입니까, 세낸 건가요?

Do you own it, or rent it?

• 저는 월 20만원에 세들었어요.

I rented a room at 200,000 wons a month.

• 저는 하숙을 하고 있어요.

I live in lodgings〔a lodging house〕.

주 소

A: Could I have your address?
B : Yes, I live at 1501 Kapiolani Blvd.
A: Is that in Honolulu?
B : Yes, that's right.

A : 주소를 알 수 있을까요?
B : 네, 카피올라니가(街) 1501번지에서 삽니다.
A : 호놀룰루에 있습니까?
B : 네, 맞습니다.

• 주소가 어떻게 됩니까?

What's your address?

주거 환경

A: How's your living conditions〔surroundings〕?
B : My house's located close to the station and it's comfortable to live in.

A : 주거 환경은 어떻습니까?
B : 저희 집은 역 근처에 있기 때문에 살기에 편해요.

- 저희 집은 환경이 좋은 곳에 있습니다.
  My house is located in good environment.
- 로스앤젤레스는 살기에 형편없는 곳이에요.
  Los Angeles is a terrible place to live!
- 저희 집 주변은 시끄러워요.
  My neighborhood is noisy.

연락처

A: What's〔Could I have〕 your telephone number?
B : It's 723-5023.

A : 전화번호가 어떻게 되죠?
B : 723-5023번입니다.

고향과 출신지

고 향

A: Where are you from? (고향이 어디세요?)
B : I'm from Seoul. (서울입니다.)

- 고향을 떠난 지 몇 년이나 되셨어요?
  How many years has been it since you left your home?
- 그 사람과 저는 동향이에요.
  He comes from the same province as me.
  He comes from my province.

국 적

A: What's your nationality?
B : I'm a Korean by birth but an American by citizenship.

A : 국적이 어디십니까?
B : 태생은 한국이지만, 국적은 미국입니다.

- 저는 귀화한 미국인입니다.
  I'm a naturalized American.
- 미국 본토 태생의 미국인입니다.
  I'm a native-born American. / I'm native to America.

A: Where did you come from? (어디에서 오셨습니까?)
B : I came from Korea. (한국에서 왔습니다.)

자란 곳

A: Where did you grow up? (어디에서 자라셨어요?)
B : I grew up in Seoul. (서울에서 자랐어요.)

- 태어나서 자란 곳이 어디입니까?
  Where were you born and raised?
- 서울 토박이입니다〔서울에서 태어나서 서울에서 자랐습니다〕.
  I was born and bred in Seoul.
- 저는 서울 촌놈이에요.
  I'm a Seoul rustic. [42)]

기 타

- 고향이 그립습니다.
  I miss my hometown. / I long for my hometown.
  I feel homesick. / I have a great longing for home.

신 체

키

A: How tall are you? (키가 얼마나 되세요?)
B : I'm five feet three inches (tall). (5피트 3인치입니다.)

- 키가 얼마입니까?
  What's your height?
- 키가 큰 편이군요.
  You're rather tall.

체 중

A: How much do you weigh? (체중이 얼마입니까?)

42) rustic : 시골뜨기, 촌놈, (특히) 농부

B : I weigh a hundred forty. (140 파운드입니다.)

- 최근에〔요즘〕 체중이 좀 늘었어요.
  I've gained some weight recently.
  I've put on a little weight these days.
- 허리가 굵어질까 봐 조심하고 있어요.
  I'm trying to watch my waist line.
- 허리 살을 좀 빼려고 합니다.
  I'm trying to make my waist slim.
- 요즘 체중을 좀 줄였어요.
  I've lost some weight these days.
- 체중을 2파운드 줄였어요.
  I've lost two pounds.
- 체중을 120파운드까지 줄였어요.
  I've slimmed down to 120 pounds.
- 다이어트 안 하고 살 빼는 방법을 알고 있습니까?
  Do you have any ideas how to lose weight without dieting?
- 그 많은 몸무게를 어떻게 줄이셨습니까?
  How did you lose all that weight?
- 운동을 많이 했어요.
  I did a lot of exercise.
- 늦은 밤에 먹고싶은 충동을 뿌리쳐야 했어요.
  I had to resist the temptation to eat late at night.
- 이제 다시는 체중이 늘어나지 않도록 해야겠어요.
  Now, I'd better not gain weight back.
- 5kg을 줄였더니 완전히 다른 모습이에요.
  I lost five kilograms and I look totally different.

❖ 외모에 관한 추가 표현 : 외모(p. 1008, 1124)

종 교

- 신의 존재를 믿으세요?
  Do you believe in God?
- 미신을 믿으세요?
  Are you superstitious? [43)]
- 저는 기독교 신자입니다.
  I'm a Christian.
- 저는 천주교 신자입니다〔저는 천주교를 믿습니다〕.

43) superstitious : 미신의, 미신에 사로잡힌

I believe in Catholicism.

- 저는 불교신자입니다.
  I'm a Buddhist. / I profess Buddhism.
- 우리 회사 직원의 대다수는 기독교인이에요.
  The majority of our company employees are Christians. 44)
- 무슨 종교를 믿습니까?
  What religion do you profess? 45)
- 당신은 종파가 뭡니까?
  Which denomination are you in? 46)
- 그는 성직자〔목사 / 신부〕예요.
  He's is a minister〔pastor / priest〕.
- 그는 신앙심이 매우 깊어요.
  He is very religious.
- 그들은 서로 종교가 달라요.
  They are followers of different faiths.
- 저는 신의 존재를 안 믿어요.
  I don't believe in God. 47)
- 저희는 종교에서 위안을 찾아요.
  We seek solace〔consolation〕 in religion. 48)
- 당신에게 하느님의 축복이 있기를! / 하느님 그를 도와 주소서!
  God bless you! / God help him!

활용어휘

- 감사의 기도 : a prayer of gratitude
- 대성당 : cathedral
- 성모 (마리아) : Holy Mother
- 수도원 : convent / monastery
- 십일조 납부〔징수〕 : tithing
- 전도〔포교〕 : mission
- 주 하느님 : the lord God
- 성가대 지휘자 : choirmaster
- 기도문 : psalmbook
- 대주교 : archbishop
- 세례명 : baptismal name
- 신학교 : divinity school
- 복음 : the gospel(복음서 : Gospel)
- 종교 의식 : religious ceremony
- 찬송가 : hymn / anthem

44) majority의 용법 : ① '대다수'라는 의미로 사용시 불가산 명사로서, 관사 a나 the를 붙인다. ② 단수 또는 복수 취급이 가능하다. : The〔A〕 majority of the people like(s) him. ③ '과반수'라는 의미로 사용할 때는 반드시 관사 a를 붙인다 : A majority voted for the plan.(과반수가 그 계획에 찬성표를 던졌다.) ④ '차이 · 우위' 의 의미 → a small〔large〕 majority : 근소한〔많은〕 차이 / a majority of 2,000 : 2,000표의 차이 ⑤ '다수당 · 다수파'라는 의미도 있다. ((비교)) minority는 ③의 용법을 제외하고 majority의 용법과 동일하다.
45) profess : 신앙하다, (종교를) 믿다
46) denomination : 종파
47) ((비교)) I believe you. = I believe what you say.(저는 당신의 말을 믿어요) / believe in : (신의 존재 등을)믿다 / believe : (누가 한 말을) 믿다
48) solace : 위안(consolation)

2 외모와 복장

외모를 화제로 삼을 때는 솔직하게 표현하는 것도 좋지만 상대방의 기분을 상하게 하는 말을 해서는 안 될 것이다. 그러므로 상대방의 외모가 멋지고 예쁠 경우에는 "You have beautiful eyes.(눈이 아름다우시군요.)", "You're very handsome.(멋있게 생기셨군요.– 남자에게)", "You're very beautiful.(아름다우시군요. – 여성에게)"라고 칭찬해 준다. 옷입는 스타일이 멋있을 때는 "I like your style.(옷 스타일이 마음에 드는군요.)"라고 한마디 해주면 상대방은 기뻐할 것이다.

기 본 대 화

A : I don't really like these clothes.
B : What nonsense! You look just fine.
A : I don't think I look very well.
Well, how about this new tie?
B : The tie goes very well with your suit.

A : 이 옷이 정말 마음에 안 들어요.
B : 그게 무슨 말이세요? 보기 좋은데요.
A : 보기가 좋지 않는 것 같아요.
음, 새로 산 이 넥타이 어때요?
B : 넥타이가 양복에 아주 잘 어울리는군요.

외 모

외모 칭찬

- 오늘은 멋져 보이시는군요. / 우아하시군요.
  You look great today. / You are very elegant.
- 눈이 예쁘시군요.
  You have beautiful eyes. 1)
- 미남이시군요. / 아름다우시군요.
  You are handsome. / You are beautiful.
- 건강해 보이십니다. / 어떻게 그렇게 건강을 잘 유지하세요?
  You are in fine shape. / How do you keep fit? 2)

---

1) "~(신체의 어느 부분)이 예쁘시군요."라고 말할 때는 "You have + 형용사 + 신체부위." 형태로 표현한다. 예 You have very good teeth.(이가 예쁘군요.), You have a slim waist.(허리가 날씬하시군요.), You have beautiful hair.(머릿결이 고우시군요.)
2) fit : 건강 상태가 좋은, 컨디션이 좋은

- 너 예쁘구나〔귀엽구나〕.
  You are cute. / You look pretty. [3]
- 어머, 멋있군요!〈속어〉
  Oh, that's cool!
- 뺨에 행운의 보조개가 있군요.
  You have a lucky dimple in your cheek. [4]
- 햇빛에 그을려서 보기가 좋은데요.
  You look great with that suntan.
- 몸매가 날씬하시군요. / 정말 매력적이시군요.
  You have good shape〔figure〕. / You are really attractive.
- 보기 좋게 탔군요. / 어디서 그렇게 (햇볕에) 멋지게 태우셨어요?
  You have a great tan. / Where did you get such a nice tan?
- 무척 젊어 보이시군요. / 곱게 늙으셨군요.
  You look so young. / You've aged gracefully.
- 당신의 얼굴에는 건강한 윤기가 흐르군요.
  You have a healthy glow on the face. [5]
- 정정해 보이십니다.〈속어〉
  You seem to fit as a fiddle. [6]
- 체격이 좋으십니다. / 체격이 크시군요.
  You are well-built. / You have a large frame.
  What a hunk you are! [7]〈속어〉
- 정말 예쁘시군요.〈속어〉
  You're as pretty as a picture. [8]
- 야, 정말 날씬해지셨군요.
  Wow, you've really slimmed down.
- 어떻게 그렇게 예쁜 몸매를 유지하세요?
  How do you keep in such good shape?
- 와! 그 여자 정말 멋진데요!
  Wow, she's a baby! [9] / Wow, she looks super.
- 지금까지 본 것 중에서 제일 예뻐요.
  Never prettier. [10]
- 당신 정말 멋져요. / 당신은 정말 멋있어 보여요.〈속어〉

---

3) ((주의)) 남성이 여성에게 하는 말로서, 이 표현을 남자가 남자에게 하면 동성 연애자로 오해받을 수도 있다.
4) dimple : 보조개; 움푹 들어간 곳; 잔물결; 보조개를 짓다
5) glow : 백열(광), 적열(광); (얼굴의) 홍조, (피부의) 윤기; 정열
6) fit as a fiddle : 바이올린 같이 유연하다
7) hunk : 큰 덩어리
8) (as) pretty as a picture : 매우 아름다운
9) 너무 귀엽고 예쁜 여자를 두고 하는 말
10) 직역 : (지금보다) 더 예쁜 적이 없었다.

You're out of sight. [11] / You look like a million bucks. [12]

A: Hi, John. You look very nice. (안녕 존. 정말 멋있군.)
B : Well, I had my ears lowered. [13] (음, 이발을 했거든.)

❖ 외모에 관한 추가 표현 : 외모(p. 1008, 1124)

닮은 점

A: Do you look more like your father or your mother?
B : I think I look more like my father.

A : 아버지를 더 닮았어요, 어머니를 더 닮았어요?
B : 아버지를 더 많이 닮은 것 같아요.

- 저는 아버지를 닮았어요.
  I resemble my father. / I take after my father.
- 저는 아버지를 쏙 빼 닮았어요.〈속어〉
  I'm a carbon of copy my father. [14]
- 당신은 어머니를 훨씬 더 많이 닮으셨군요.
  You look much more like your mother.
- 당신은 그분들 중 어느 쪽도 안 닮은 것 같아요.
  I don't think you look like either of them.

헤어스타일

A: You changed your hair style, didn't you?
B : Yes, I wanted to try something different.

A : 머리 모양을 바꾸셨군요.
B : 네. 뭔가 변화를 주고 싶었어요.

- 그녀는 금발로 염색했어요.
  She dyed her hair blond.

화 장

- 좋은 향수를 바르셨군요.
  You're wearing nice perfume.
- 지금 뿌린 향수는 뭐죠?
  What's that perfume you're wearing? [15]

11) out of sight ((구어)) 멋있는, 훌륭한
12) look〔feel〕 like a million dollars〔bucks〕 : (사람이) 매우 멋있게 보이다 / buck : ((속어)) 1달러
13) 이발을 해서 귀가 내려온 것처럼 보이는 데서 유래된 관용 표현
14) a carbon of copy(먹지로 베낀 것) = a dead ringer = a ditto(복사본) = a double = the picture : 닮은꼴
15) wear : (옷을) 입다, (모자 · 가발을) 쓰다, (안경을) 끼다, (어떤 수염을) 하고 있다, (화장 · 향수를) 바르다 등 몸에 걸치는 것을 표현할 때 wear를 쓴다.

- 향수를 너무 많이 뿌렸군요.
  You're wearing too much perfume.
  You have way too much perfume on. [16)]
- 화장이 너무 진하군요.
  You're wearing too much make-up.
- 얼굴 좀 매만져야겠어요.〈속어〉 / 가서 화장 좀 고치고 올게요.
  I have to put on my face. / I'll go and powder my nose.
- 그 매니큐어 좀 지울 수 없어요?
  Can't you take off your nail polish?
- 그 여자는 화장을 안 했어요.
  She isn't wearing any make-up.
- 여자들은 화장만 지우면 누가 누구인지 모르겠어요.
  I can't tell who's who when the women take off their make-up.
- 저는 화장을 엷게 해요.
  I put on a little make-up. [17)]
- 화장을 너무 지나치게 하지 마세요.
  Don't wear too much make-up.
- 화장이 좀 진한 거 아니에요?
  Your make-up is a little heavy, isn't it?
- 하루에 거울을 몇 번이나 들여다보세요?
  How many times do you look in the mirror?

활용어휘

- 가짜 속눈썹 : false eyelash
- 마스카라 : mascara
- 속눈썹 파마 : eyelash curler
- 햇볕 차단 (크림) : sun block
- 애교점 : beauty spot [18)]
- 얼굴 마사지 : facial
- 눈썹 연필 : eyebrow pencil
- 화장 도구 셋 : dresser set

기 타

- 주름이 많이 생겼어요. 나이는 속일 수 없어요.
  I have many wrinkles. My age is telling on me.

16) way는 "too much"의 강조어로서 '아주, 매우' 라는 의미임.
17) 'make up' 의 여러 가지 의미 : ① make-up (test) : 보충 시험, make up the loss(손실을 보충하다) ② put on make-up = have make-up on : 화장하다 ③ fight and make up : 싸우고 화해하다 ④ make it up to sb : 아무에게 화해하는 마음으로 어떤 행동을 하다 ⑤ Seven people make up the committee.(7명이 위원회를 구성하고 있다.) ⑥ It was not a true story. I made it up.(그건 사실이 아니야. 내가 지어낸 얘기야.) ⑦ In some departments, girls make up the majority.(어떤 과에서는 여학생들이 과반수를 차지하고 있다.)
18) (멋으로 붙이는) 검은 점(patch), 검은 사마귀

• 당신은 올챙이배처럼 불룩 튀어나왔군요.
You have a pot belly.
• 그녀는 콘택트렌즈를 끼고 있어요.
She is wearing contact lenses. [19)]
• 그녀는 코 성형수술을 했어요.
She had a nose job. [20)]
• 성형수술이 그 여자에게 자신감을 갖게 했어요.
The plastic surgery brought her self-confidence.
• 그녀는 예전에는 통통했는데, 지금은 날씬해요.
She used to be chubby but she's so slim. [21)]

복 장

옷 입는 스타일

A: What style of clothing do you like to wear? [22)]
B : I like to wear fancy clothes.

A : 어떤 스타일의 옷을 입는 걸 좋아하세요?
B : 화려한 옷을 입는 것을 좋아합니다.

• 저는 항상 멋지게 옷을 입어요.
I dress so sharp all the time.
I dress fashionably all the time.
• 저는 늘 이 옷을 입어요.
I'm always in these clothes.
• 늘 이 옷을 입고 싶었어요.
I always wanted to wear these clothes.
• 저는 패션에 매우 민감해요.
I'm extremely sensitive to fashion.
• 내 스타일대로 옷을 입습니다.
I have my own style.
I try to project my own look〔style〕.

A: What kind of clothing do you wear to work?
B : I usually wear casual clothes (to work). [23)]

19) 영어로 "콘택트 렌즈"를 줄여서 쓸 때는 "lenses"라고 하지 않고 "contacts"라고 쓴다.
20) have a nose job〔bob〕 : 코 성형수술을 하다
21) chubby : 토실토실 살찐, (얼굴이) 통통한 / slim : 날씬한
22) clothing : (집합적) 의류 / clothes : 옷, 의복 / dress : 옷, 의복 / cloth : 천, 헝겊
23) "I dress casual for work."도 같은 뜻이다.

A : 직장에 갈 때는 어떤 옷을 입고 갑니까?
B : 보통 캐주얼을 입고 갑니다.

복장에 대한 관심

- 저는 복장에 대해 신경을 안 씁니다.
  I'm carefree about how I dress.
- 저는 항상 남다르게 보이려고 합니다.
  I'm trying to look different.
- 좋은 인상을 주려고 항상 옷을 잘 차려 입습니다.
  I always dress well to make a good impression.
- 옷치장에 돈을 많이 씁니다.
  I spend a great deal of money on clothing.
- 비싼 옷을 사 입을 여유가 없습니다.
  I can't afford to wear expensive clothes.

복장 칭찬

A: Do I look all right?
B : That dress really looks good on you.
A : 괜찮아 보입니까?
B : 그 옷이 당신한테 정말 잘 어울리는군요.

- 괜찮아 보입니까?
  Do I look fashionable? / Do I look good?
- 훌륭해요〔좋아요〕.
  I like it. / I love it.
- 정말 멋지군요!
  What a beauty! / How beautiful! / Gorgeous!
- 매혹적이군요! / 정말 근사한데요.
  Charming! / You're really pretty〔beautiful〕.
- 누구에게 잘 보이려고 하세요?
  Who are you trying to please? [24)]
- 당신의 옷차림이 마음에 들어요.
  I like your style.
- 당신은 패션에 대한 안목이 있으시군요.
  You have an eye for fashion. [25)]
- 그 코트가 당신한테 잘 어울리는군요.
  That coat looks good on you. / That coat suits you nicely.

24) please sb : 아무를 만족시키다, 아무를 기쁘게 하다
25) have an eye for ～ : ～을 보는 눈이 있다

That coat becomes you well.
You look very nice in your coat.

- 옷이 딱 맞군요. / 당신의 새 옷이 잘 맞는군요.
It fits you perfectly. / Your new dress fits well.
- 그 넥타이와 양복이 잘 어울리는군요.
That tie goes very well with your suit.
- 모자가 예뻐요! / 아주 멋진 넥타이를 매고 계시는군요.
That's the nice hat! / You're wearing a very fashionable tie.
- 아주 멋쟁이시군요. / 정말 멋있군요.
You're very stylish. / You're with it. [26)]
- 안경을 쓰시니까 더 보기 좋은데요.
You look better with glasses.
- 옷에 대한 센스가 있으시군요. / 옷을 잘 입으시군요.
You have a good taste in clothes. / You're a good dresser.
- 옷 입는 감각이 아주 좋으시군요.
You're very fashionable.
- 옷차림이 야한데요(화려한데요). / 오늘 정말 아름다운 옷차림을 했군요.
The design is loud. / You're in your Sunday clothes today.
- 늘 맵시 있게 옷을 입군요. / 모델처럼 옷을 입으시는군요.
You're always smartly dressed. / Your dress like a model.
- 옷차림이 얌전하군요.
You are neatly dressed.
- 바지가 멋진데요. 새로 산 거예요?
Your trousers look nice. Are they new?
- 당신은 뭘 입어도 항상 정말 매력적으로 보여요.
No matter what you wear, you always look very charming.
- 멋진 반지를 끼고 계시는군요.
You're wearing a nice ring.
- 새 셔츠를 입으니까 보기가 좋군요.
You look nice in your new shirt.
- 야! 이거 새롭군요!
This is a change! [27)] / What a change!
- 와! 어디 선보러 가세요?
Wow, cutting ribbons somewhere? [28)]

26) 시대를 앞서간다는 의미 내포 → 멋있는 유행 옷을 입은 사람에게 칭찬하는 표현
27) 새로운 옷을 입고 나타난 친구를 봤을 때
28) 직역 : 와! 어디 리본 끊으러 가니? → 테이프 끊으러 갈 때(준공식 등 굉장한 행사로 인한 테이프 절단) 좋은 옷을 입고 가기 때문에, 평소에는 안 그러다가 어느 날 갑자기 잔뜩 멋을 내고 나타났을 때

옷에 대한 평가

- 이 모자가 저한테 어떻습니까?
  How does this hat look on me?
- 내 옷 어때요?
  What do you think of my outfit? [29)]
- 굉장하게 차려입었군요.
  You're all dressed up.
- 초록색은 당신한테 잘 어울리는 색깔이군요.
  Green is a very becoming color on you.
- 말끔하게 차려 입은 특별한 이유라도 있어요?
  Do you have a good reason for being all dressed up?

※ 추가 표현 : 외모와 복장 – 기본 대화(p. 1008)

복장에 이상이 있을 때

- 당신 바지 지퍼가 열렸군요.〈속어〉 / 당신 넥타이가 조금 비뚤어졌어요.
  Your fly is open. [30)] / Your tie is a little crooked. [31)]
- 팬티스타킹에 올이 나갔어요.
  I have a run in my pantyhose. [32)]
- 당신 바지에 흙이 묻었어요.
  Your pants are spattered with mud. [33)]
- 당신 속옷이 뒤집어져 있군요.
  Your underwear is inside out. [34)]
- 양말을 뒤집어 신었군요.
  You're wearing your socks inside out.
- 제 넥타이가 똑바로 됐어요?
  Is my tie straight?
- 등뒤의 지퍼가 열렸어요.
  Your back zipper is open. / Your back is unzipped.
- 모자를 거꾸로 쓰셨군요.
  You're wearing your cap backwards.
- 셔츠가 밖으로 나왔어요. 셔츠 집어넣으세요.
  Your shirt is untucked. Tuck it in. [35)]
- 당신 신발 끈이 풀어졌어요.

29) outfit : 의상 한 벌; (여행 등의) 채비, 용품; 장사도구
30) fly : 남자 바지의 중요한 부분인 바지의 앞자락, 단추 가리개
31) crooked : 비뚤어진, 기울어진, 구부러진
32) run : (스타킹 등의) 올의 풀림
33) spatter : (물, 진탕으로) 튀기다, 끼얹어 더럽히다
34) inside out : 뒤집어진, 안쪽과 뒤쪽이 뒤바뀐
35) tuck : (자락 소매를) 걷어올리다; 감싸다, 덮다; (밀어 쑤셔) 넣다

Your shoelace has come undone.

- 단추 한 개가 떨어졌어요. [36]

  I lost a button / A button fell off.
- 등 지퍼 좀 올려〔내려〕 주세요. / 후크 좀 채워 주세요.

  Zip〔Unzip〕 me, please. / Please hook me up. [37]
- 당신 바지가 좀 구겨졌어요.

  Your trousers have gotten quite wrinkled. [38]

기 타

- 이 양복 기성복이에요, 맞춤옷이에요?

  Is this suit ready-made or custom-tailored?
- 네가 좀 더 단정했으면 좋겠어.

  I wish you were a little bit tidier.
- 모자를 푹 눌러 쓰지 마라.

  Don't pull your hat over your eyes.
- 그건 유행이 지난 거예요.

  That's old hat.
- 그녀의 옷은 시대에 뒤떨어진 것이에요.

  Her dress is extremely behind the times.
- 뭘 입어야 하지?

  What should I wear?
- 양말 벗기가 너무 귀찮아요.

  It's too bothersome to take off my socks.
- 올 여름에는 뭐가 유행하게 될지 모르는 거예요.

  We never know what will be in (vogue) this summer. [39]
- 옷을 입으세요!

  Put your clothes on. [40]
- 우리 애들은 옷을 잘 갈아입지 않아요.

  My children don't change clothes very often.
- 입을 게 아무것도 없어요.

  I don't have anything to wear. / I have nothing to wear.
- 제 청바지 색이 바랬어요.

  My blue jeans (are) faded. [41]

---

36) A button is coming loose.(단추 한 개가 떨어지려고 해요.) / Fasten your button.(단추를 채우세요.) 라는 표현들도 익혀 둡시다.
37) hook : 갈고리, 훅 / hooks and eyes : (옷의) 가봉용 핀 / hook and eye : 훅단추
38) wrinkle : 주름살을 지게 하다, 주름잡다; 주름살이 지다, 구겨지다
39) in : ((구어)) 상류사회의; 유행의; 인기 있는 / vogue : (대)유행 / in vogue : 유행하는
40) 'wear'와 'put on'의 차이 : wear는 몸에 입고 있거나 걸치고 있는 '상태'를 나타내며, put on은 '(옷을) 입다, (신발을) 신다'는 '동작'을 의미한다. 예 She wears blue jacket.(그녀는 청색 재킷을 입고 있다.), Put on your shoes.(신발을 신으세요.)
41) fade : (색 · 빛깔이) 바래다, 시들다; 색을 바래게 하다; 시들게 하다

• 당신은 사각팬티를 입습니까, 삼각팬티를 입습니까?
Do you wear boxer shorts or briefs? [42)]

활용어휘

• 골무 : thimble
• 다리미 : flatiron
• 똑딱단추 : snap fastener / snapper
• 마스크 : face guard [43)]
• 명찰(의복 등의) : name tape
• 모자 외투 걸이 : coatrack
• 바느질 : needlework
• 복장 검사 : dress inspection
• 서랍장 : chest of drawers
• 수예 : needlework
• 옷장 : wardrobe
• 머리띠 : hair ribbon
• 꼰 실 : twist yarns
• 다리미판 : ironing board
• 뜨개질 : stitchery
• 명찰 : nameplate
• 명찰〔이름표〕 : name tag
• 무릎받이 : kneepad
• 바늘 : needle
• 사복 : plain clothes
• 소매 단추 : cuff button
• 약장(略章) : miniature decoration
• 헌옷〔물림옷〕 : hand-me-downs [44)]

※ 옷 관련 어휘 : 옷 가게에서(p. 358)

42) boxer shorts : (남자용) 통이 넓은 팬티 / briefs : 가랑이가 짧고 꽉 끼는 팬츠 팬티
43) 미식 축구, 펜싱 선수 및 용접공 등이 착용하는 안면 마스크(mouth covering)
44) hand-me-down : 기성복의, 헌옷의, (보통 복수형) 물림옷, 기성복, 헌 옷 / 영국에서는 'reach-me-down' 이라고 한다.

3 성 격

분류하는 기준에 따라 다르겠지만, 사람의 성격은 크게 내성적인 성격과 외향적인 성격으로 구분된다. 상대방의 성격을 물을 때는 **"Are you an extrovert or introvert?**(당신의 성격은 외향적이세요, 내성적이세요?)"라고 말하고, 상대방이 매우 적극적이고 활동적인 성격일 때는 **"You're very active.**(매우 활동적이시군요.)"라고 말한다.

기   화

A : What kind of personality do you think you have?
B : I think I'm an introvert. [1)]
A : You make friends easily, don't you?
B : Not really. Actually I'm not really sociable.
A : But from what I've seen, you seem very active.
B : It's kind of you to say so.

A : 자신을 어떤 성격의 소유자라고 생각하십니까?
B : 내성적이라고 생각합니다.
A : 친구를 쉽게 사귀세요?
B : 그렇지도 않아요. 실은 별로 사교적이지 못하거든요.
A : 제가 본 바로는, 매우 활동적인 것 같은데요.
B : 그렇게 말씀해 주시니 고맙습니다.

성격 타입

- 낙천적인 편입니다.
  I'm sort of an optimist. / I tend to be optimistic.
- 당신은 리드하는 편입니까, 추종하는 편입니까?
  Are you more of a follower or leader?
- 당신의 장점이 뭡니까?
  What are your merits [strong points / strengths]?
- 당신의 약점이 뭡니까?
  What are your weaknesses [faults]?
- 다른 사람들이 저를 내성적인 사람이라고 합니다.
  Others would say that I'm a shy person. [2)]

---

1) introvert : 내성적인; 내성적인 사람 / extrovert : 외향적인; 외향적인 사람
2) shy : 수줍은, 조심성 있는, ((구어)) 부족한(shy of)

성격 칭찬

- 참 친절하시군요.
  How kind of you! / That's very nice of you.
- 당신은 유머 감각이 좋으시군요.
  You have a good sense of humor.
- 당신은 재미있는 사람이군요.
  You are interesting.
- 당신은 정말 한국적인 여성이시군요.
  You're a very Korean women.
- 당신은 정말 신사군요.
  You're quite a gentleman.
- 당신은 정말 좋은 분이에요.
  You're really nice guy.
- 저는 당신 같은 사람이 좋아요.
  You are my kind of man.
- 당신은 정말 너그러우시군요.
  You're a bighearted person〔a heart of gold〕. [3]
- 무척 적극적이시군요.
  You're so active.
- 정말 상냥하시군요.
  You are so sweet.
- 참 검소하시군요.
  You're very thrifty. [4]
- 참 부지런하시군요. 〈속어〉
  You're an early bird, aren't you? [5]

❖ 성격에 관한 세부 표현 : 성격(p. 1018, 1112)

활용 어휘

- 사교적인 : outgoing
- 보수적인 : reserved
- 낙천적인 : optimistic
- 섬세한 : sensitive
- 조심성이 없는 : careless
- 내성적인 : introvert / inward-looking
- 외향적인 : outward-looking
- 다정한 : friendly
- 소극적인 : withdrawn
- 명랑한 : cheerful

3) bighearted : 관대한; 친절한 / a heart of gold : 아름다운 마음씨(를 가진 사람)
4) thrifty : 검약하는, 아끼는; 번영하는; 무성한
5) early bird : (아침에) 일찍 일어나는 사람

4 직 장

대부분의 사람들은 인생의 절반은 직장에서 생활한다. 그러므로 상대와 대화를 나눌 때는 기본적으로 그 사람의 직업을 묻게 된다. 직업이 무엇인지를 물을 때는 **"What do you do?**(직업이 무엇입니까?)" 또는 **"What kind of job do you have?**(어떤 직업을 가지고 계십니까?)"라고 말하고, 직위를 물을 때는 **"What is your job title?**(직위가 어떻게 되십니까?)" 라고 말한다.

기본대화

A : What do you do?
B : I'm a computer analyst.
A : How long have you worked there?
B : Yes, I've been there more than five years.
A : Do you like your job?
B : Yes, I do. I'm cut out for the job.

A : 직업이 무엇입니까?
B : 컴퓨터 분석가입니다.
A : 거기서 근무하신 지는 얼마나 됐습니까?
B : 네, 5년 이상 됐습니다.
A : 하시는 일은 마음에 드십니까?
B : 그럼요. 저는 그 일에 딱 맞거든요.

직업을 물을 때

- 직업이 무엇입니까?
  What do you do for a living? / What's your occupation?
  What's your job?
- 어떤 직종을 가지고 계십니까?
  What kind of job do you have?
- 어떤 일을 하고 계십니까?
  What type of work do you do?
- 어떤 일에 종사하고 계십니까?
  What's your line? / What business are you in?
  What line of work are you in?
- 실례지만 지금 어떤 일을 하고 계십니까?
  What do you do, if I may ask?

- 저는 공무원입니다.

  I work for the government. / I'm in the government service.
- 저는 자영업자입니다.

  I'm self-employed.
- 저는 큰 회사에서 일하고 있습니다. / 저는 봉급생활자입니다.

  I work for a large company. / I'm a salaried worker. [1)]
- 저는 지금 실업자입니다.

  I'm unemployed right now.

활용어휘

- 경리 : a bookkeeper
- 고철상 : a scrap merchant
- 공무원 : a public officer〔servant〕
- 막노동꾼 : a ditchdigger
- 변호사 : a lawyer
- 사무직 근로자 : a white-collar worker
- 세탁업 : a cleaning business
- 안경사 : an optician
- 언론인 : a journalist
- 운송업자 : a shipper
- 학생 : a student
- 회계 감사관 : an auditor
- 변호사 : a lawyer
- 은행장 : a bank president
- 간호사 : a nurse
- 점원 : a salesclerk
- 고물상 : a secondhand dealer
- 공무원 : a government employee
- 기계 기사 : a mechanical engineer
- 목수 : a carpenter
- 사무원 : an office worker
- 육체 노동직 근로자 : a blue-collar worker
- 실내장식가 : an interior designer
- 양재사 : a dressmaker
- 용접공 : a welder
- 자유 직업인 : a freelancer worker
- 교도소 직원 : a prison guard
- 건축가 : an architect
- 주부 : a homemaker
- 주방장 : a chef
- 정비사 : a mechanic
- 인쇄공〔인쇄업자〕 : a printer

- 부업으로 웨이터를 하고 있습니다.〈속어〉

  I moonlight as a waiter. [2)]
- 주유소에서 아르바이트를 하고 있습니다.

  I work part-time at a gas station.

A: What do you do? (직업이 무엇입니까?)
B : I'm a policeman. (경찰관 입니다.)
A: Really? (그래요?)
B : You don't like that type. (그런 타입 같지 않은데요.)

- 저는 구멍가게를 경영합니다. / 저는 현역에 복무중입니다.

  I run a small shop. / I'm in the service.
- 군에서 제대한 지 얼마 안됐어요.

  I'm fresh out of the army. / I just got out of the army.

1) 봉급 생활자를 'salary man' 이라고 하는 표현은 틀린 표현이다.
2) moonlight : (밤에) 부업을 하다

- 사무직에 종사하고 있습니다. / 육체노동 근로직에 종사하고 있습니다.
  I have a white-collar job. / I have a blue-collar job.
- 저는 컴퓨터 소프트웨어 작업을 하는 연구팀을 관리하고 있습니다.
  I run the research team working on the computer software.
- KBS TV 방송국의 아나운서입니다.
  I'm an announcer for KBS TV station.
- 부업으로 보험 세일을 하고 있습니다.
  I sell insurance on the side.

구 직

A: Did you get a job right after college?
B : Yes, I started working right away.

A : 대학 졸업 후에 바로 직장을 구하셨어요?
B : 네. 곧바로 일을 시작했습니다.

- 그는 뒷구멍으로 취직했어요.
  He got in by〔through〕the back door. [3)]

실 직

A: Where do you work?
B : I'm unemployed.
A: Are you?
B : Yes. Only last week I worked two jobs,but now I'm out of work now.
A: That's too bad. Are you looking for a job?
B : Yes. I had two interviews yesterday, but they all turned me down.

A : 어디서 일하십니까?
B : 실업자입니다.
A : 그러세요?
B : 네. 지난주까지만 해도 두 가지 일을 했는데, 지금은 실업자입니다.
A : 안됐군요. 일자리는 알아보고 계신가요?
B : 네. 어제 두 군데서 면접을 봤는데, 모두 딱지맞았습니다.

- 저는 실직한 지 꽤 오래됐습니다.
  I have been out of work for quite some time.

3) back door : 뒷문, 뒷구멍 / 비밀〔부정〕 수단

회 사

A: What kind of company do you work for?
B : I work for a trading company.
A : 어떤 종류의 회사에 다닙니까?
B : 무역 회사에 다닙니다.

• 직원이 몇 명이나 됩니까?
How many employees do you have?

A: What company are you with? (어느 회사에서 근무하십니까?)
B : I'm with city bank. (시티 뱅크에서 근무합니다.)

• 당신 밑에서 몇 명이나 일하고 있습니까?
How many people work under you?
• 아직도 같은 직장에서 근무하십니까?
Do you still work at the same place?

부 서

A: Where do you work? (어디서 근무하십니까?)
B : I work at the personnel department. (인사부에서 근무합니다.)

• 당신이 근무하고 있는 부서는 평판이 좋아요.
The department where you work has a good reputation.

A: What department do you work in?
B : I work in the sales department.
A: Are you new to this company?
B : Yes, I started last month.

A : 어느 부서에서 근무하십니까?
B : 영업부에서 근무하고 있습니다.
A : 이 회사에 새로 오셨어요?
B : 네, 지난달부터 다녔어요.

활용어휘

• 경리부 : accounting department
• 마켓팅부 : marketing department
• 홍보부 : public relations department
• 총무부 : general affairs department
• A/S부 : service department
• 연구개발부 : research and development department
• 인사부 : personnel department
• 영업부 : sales department
• 기획부 : planning department
• 경리부 : finance department
• 비서실 : secretarial section

직 책

A: What's your job title? (직책이 무엇입니까?)
B : I'm the personnel manager. (인사부장입니다.)

• 저는 영업부장입니다.
I'm in charge of the sales department.
• 직위가 어떻게 되십니까?
What position do you hold?
• 부하 직원은 몇 명이나 됩니까?
How many people work for you?
How many people are under your supervision?

A: How long have you been in your present position?
B : I've been there for two years.
A : 현재 직책에는 얼마나 계셨습니까?
B : 2년 됐습니다.

• 사장은 그를 팀장으로 임명했어요〔그는 사장에 의해서 팀장에 임명되었어요〕.
He's been appointed team leader by the president.
• 그는 사장〔회장〕으로서 실권이 없어요.
He has no real authority as president〔chairman〕.

활용어휘

• 고위 간부 : senior officer
• 부사장 : executive vice-president
• 사장 : president
• 상사〔부장〕 : supervisor
• 속기 타이피스트 : stenographer
• 이사 : board member
• 임시직원 : temp (temporary)
• 전무〔이사〕 : managing〔executive〕 director
• 판매 사원 : sales clerk
• 과장 : section head〔chief〕
• 부장 : department head〔chief〕
• 상무〔전무〕 : managing director
• 서류정리 계원 : file clerk
• 신입 사원 : new employee
• 임시직 : temporary position
• 후임자 : replacement
• 중역 : executive
• 전임자 : predecessor

업 무

A: What do you do there exactly?
B : I'm a secretary.
A : 정확히 거기서 하는 일이 무엇입니까?
B : 비서입니다.

• 그 회사에서 무슨 일을 하십니까?

What do you do at the company?
What's your job in your company?

- 거기서 어떤 종류의 일을 하십니까?
  What kind of work do you do there?
- 어떤 일을 관리하십니까? / 어떤 일을 맡고 있습니까?
  What do you manage? / What are you in charge of?
- 제 직업은 우연히도 대학에서 전공했던 것과 일치해요.
  My occupation happens to be what my major was in college.

재직 기간

다른 회사 직원과의 대화

A: How long have you worked there?
B : I've put in more than five years.

A : 거기서 근무하신 지는 얼마나 됐습니까?
B : 5년 이상 됐습니다.

- 회사에는 언제 입사했습니까?
  When did you join your company?

같은 회사 직원과의 대화

A: When did you join the company?
B : In 1994.
A: Did you and Thomas begin working at the same time?
B : No. I started a year before he did.

A : 이 회사에 언제 입사하셨어요?
B : 1994년예요.
A : 토마스와 같은 시기에 일하기 시작하셨어요?
B : 아니오. 제가 토마스보다 1년 먼저 시작했어요

- 여기서 근무하신 지 오래됐습니까?
  Have you worked here long?
- 이 회사에서 근무하신 지 얼마나 됐습니까?
  How long have you been with this company?
- 오늘이 첫 출근하는 날입니다. / 저는 아직 신인입니다.
  It's my first day. / I'm the new kid on the block.
- 금년 신입사원들은 형편없어요.

The newcomers are pathetic this year. [4]

근무 시간

일일 근무 시간

A: What are the work hours in your company?
B : They are 8 to 5 on weekdays and 8 to noon on Saturdays.

A : 당신 회사에서는 근무시간이 어떻게 됩니까?
B : 평일에는 8시부터 5시까지, 토요일에는 8시부터 정오까지입니다.

• (하루) 근무 시간이 어떻게 됩니까?
What are your hours of work?
From when to when do you work?

• 정규 근무 시간이 어떻게 됩니까?
What are the regular work hours?

• 저희 회사는 주 5일제 근무입니다.
Our company has a five-day (work) week.

• 저희는 격주로 토요일에는 쉽니다.
We get every other Saturday off.

야 근

A: How often do you work overtime?
B : I usually work overtime about four days a month.

A : 특근은 얼마나 자주 합니까?
B : 보통 한 달에 4일 정도 야근을 해요.

• 한 달에 몇 번은 야근을 해요.
I have night duty [night shift] several times a month.

• 오늘밤에도 야근을 해야 해요.
I have to work overtime tonight again.

• 오늘도 밤늦게까지 남아서 일을 해야 해요.
Today I have to stay late at work again.

• 야근이 너무 많아서 애들을 거의 볼 수가 없어요.
I work so much overtime that I hardly ever see my children.

• 저는 최소한 한 달에 7번은 자정 이후에 퇴근해요.
I get home after midnight at least seven times a month.

4) pathetic : 감성적인; 애처로운; (딱할 정도로) 서투른, 형편없는

기 타

- 얼마나 자주 교대합니까?
  How often do you change shifts?
- 저는 교대근무를 하기 때문에 규칙적인 잠을 자지 못해요.
  I do shift work so I don't sleep regularly.
- 저희는 8시간 단위로 교대근무를 합니다.
  We work in eight-hour shifts.
- 저는 9시 출근하고 5시에 퇴근하는 직업을 가지고 있어요.
  I have a nine-to-five job. [5)]
- 내일은 쉬어요.
  I'll be off tomorrow. / I'll take tomorrow off.
  Tomorrow is my day off.
- 저는 일주일에 이틀을 쉽니다.
  I have two days off a week.
- 식목일에 출근하십니까?
  Are you working on Arbor Day?
- 당신 회사에서는 점심시간이 몇 시죠?
  What time is lunch at your company?

> A: What shift do you work? (무슨 조 근무입니까?)
> B: I work the night shift. (야간조로 근무합니다.)

- 저는 오늘밤 야근이에요. / 저는 야간 근무조입니다.
  I'm on duty tonight. / I'm on night duty.
- 저는 오후 근무조입니다.
  I'm on afternoons. / I'm on the second shift.
- 정식 직원으로 일을 합니다. / 시간급으로 일을 합니다.
  I work full-time. / I work part-time.

보 수

월 수입

> A: How much is your monthly salary? [6)]
> B: I'm sorry, but I don't like to discuss my salary.
>
> A: 한 달 봉급이 얼마나 됩니까?
> B: 미안하지만, 봉급 얘기는 하고 싶지 않습니다.

---

5) nine-to-five job : 오전 9시에 출근해서 오후 5시에 퇴근하는 직업
6) salary : 봉급 / an annual salary : 연봉 / draw one's salary : 봉급을 받다

• 당신의 현재 봉급을 여쭤봐도 되겠습니까?
May I ask what your current salary is?
• 당신 회사는 초봉이 얼마입니까?
What's the starting salary in your company?
• 한 달에 얼마나 버세요?
How much do you earn a month?
• 월 실 수령액이 얼마예요?
How much do you take home each month?
What's your take-home pay each month? [7)]
• 봉급이 얼마나 됩니까?
How much do you get paid?

연 봉

A: What's your yearly salary? (연봉이 얼마나 됩니까?)
B : I earn $35,000 a year. (연봉 35,000달러입니다.)

• 1년에 30,000달러를 받습니다. / 1년에 30,000달러를 법니다.
I'm paid $30,000 a year. / I make $30,000 a year.

급여 체계

A: How do you get paid? (급여를 어떤 식으로 받으세요?)
B : I'm paid every month. (월급으로 받습니다.)

• 시간급으로 받습니다. / 1년에 6번의 보너스를 받습니다.
I'm paid by the hour. / I get six bonuses a year.

A: When is your payday? (봉급날이 언제입니까?)
B : It's the 10th of every month. (매월 10일입니다.)

• 오늘이 월급날이에요.
Today is payday.
• 월급날이 다가오는군요.
Payday is around the corner. [8)] / Payday is just about here.

급여에 만족할 때

A: Are you satisfied with your current salary?
B : I think it's reasonable.

7) take-home pay : 공제 금액을 제외하고 실제 집으로 가져가는 봉급
8) (a)round the corner : 임박한; 모퉁이를 도는 곳에

A : 현재의 봉급에 만족하십니까?
B : 적당한 것 같아요.

• 제 봉급은 제 친구들보다 많아요.
My salary is more than my friend's.
• 제 봉급은 많아요.
My salary is generous.
• 우리 회사는 보너스가 후해요〔저는 회사에서 많은 보너스를 받아요〕.
I get a bigger bonus at my company.
I receive a generous bonus at my company.
• 봉급은 별로 많이 받지 않지만, 혜택〔수당〕이 아주 많아요.
I don't get paid very well, but I receive excellent benefits.
• 저는 상당한 봉급을 받아요.
I get a good salary.
I receive a respectable salary.

급여에 불만일 때

• 제 급여에 불만이에요.
I'm not satisfied with my salary.
• 제 급여는 쥐꼬리만해요.〈속어〉
My salary's chicken feed. [9)]
• 일하는 시간에 비하면 매우 낮아요.
It's very low for my work hours.
• 제 아내 회사의 월급이 제 회사보다 많아요.
My wife's company pays better than mine.
• 제 급료는 충분하지 않아요.
My salary is not sufficient.

기 타

• 봉급 명세서 받으셨어요?
Did you receive the statement itemizing your pay?
• 이달 봉급이 얼마나 될 것 같아요?
How much of salary can you expect this month?
• 그들은 비용 절감을 위해서 임금을 동결했어요.
They put a freeze on the payroll to reduce expenses.

9) chicken feed : 병아리 먹이 → 아주 적은 양 / feed : 먹이(를 주다); (연료를) 공급하다

활용어휘

- 봉급 : salary / pay / wage
- 근무지 수당 : service area allowance
- 급료 외 혜택 : fringe benefits
- 급여지급 부서 : payroll office
- 능률급 : efficiency wages
- 능률제 승급 : merit increase〔raise〕
- 맞벌이 부부 : two-paycheck couple
- 무보수 근무 : unrequited service
- 봉급 외 수익 : private means
- 부양 수당 : family allowance
- 비상 초과근무 수당 : callback pay
- 생활비 : the cost of living
- 성과급 : piece rate [10)]
- 봉급 수표 : paycheck [11)]
- 초과근무 수당 : overtime pay(ment)
- 출근 수당 : call-in pay [12)]
- 퇴직금〔수당〕 : retirement pay
- 후생복지 급여 : fringe benefit
- 가족 수당 : family allowance
- 근속 수당 : long service allowance
- 급여 명세서 : pay slip
- 기아 임금 : starvation wages
- 능률제 보너스 : merit bonus
- 맞벌이 가정 : two-income family
- 명목 임금 : money wages
- 별거 수당 : separation allowance
- 부양 가족 : dependent family
- 부양자 : bread winner / sustainer
- 생활 보조비 : maintenance allowance
- (최저)생활유지 임금 : subsistence wage
- 시간 외 근무수당 : overtime payment
- 인상폭 : pay hike
- 총 수입 : gross income
- 퇴직 연금 : retired pension〔pay〕
- 특별 근무수당 : special duty allowance
- 해외 근무 수당 : overseas service allowance

승 진

A: Who do you think will receive the promotion?
B : I think Mr. Miller has the best chance.

A : 당신은 누가 승진할 거라고 생각하세요?
B : 밀러씨가 가장 가능성이 큰 것 같아요.

- 내년에는 승진하시기 바랍니다.
  I hope you will be promoted next year.
- 올해는 승진할 것 같으세요?
  Do you think you'll get a promotion this year?
- 저 부장으로 승진했어요.
  I was promoted to a manager.
- 당신 회사는 직원평가를 얼마나 자주 실시합니까?
  How often does your company do employee evaluations?
- 우리 회사에서는 승진하기가 어려워요.
  It's hard to move up in our company. [13)]
- 당신은 틀림없이 승진할 겁니다.〈속어〉
  You've got it in the bag. [14)]

10) 일한 분량〔성과〕에 따라 보수를 주는 것
11) 미국은 월급을 수표로 지급한다.
12) 일이 없음을 미리 통보 받지 못하고 출근하는 사람에게 주는 수당
13) move up : 승진하다; 승진시키다
14) in the bag : 성공〔승리〕가 확실한 예 We're sure to win, the match is in the bag.(우리는 틀림없이 이겨요, 게임은 승리가 확실해요.) / have it in the bag : 틀림없이 ~을 이루다〔얻다〕

- 그가 어떻게 그렇게 빨리 과장이 됐죠?
  How did he become a manager so quickly?
- 그는 부장에서 국장으로 승진했어요.
  He has been promoted from manager to director.
- 그는 박 사장하고 연줄이 있어요.
  He has connections with president Park.
- 결국은 연줄이 중요해요.
  After all, connections matter.
- 세상은 연줄로 돌아가는 거예요.
  The world runs on connections.
- 그에게는 강력한 후원자가〔좋은 빽이〕 있어요.
  He has a powerful supporter〔good backing〕.
- 그의 승진은 이례적이었어요.
  His promotion was unusual.
- 승진은 성적에 달렸어요.
  Promotion goes by merit.
- 언제 부장이 되셨어요?
  When did you become manager?
- 자네를 지배인으로 승진시켜 주겠네.
  I'll promote you to manager.

활용 어휘

- 승진 시험 : promotion examination
- 연공 서열제 : seniority system
- 인사 기록 : personnel record
- 실적 평가 : performance review
- 인사 고과 : performance〔merit〕 rating

만족도

A: How do you like your job?
B : I really like my job. I'm cut out for this job.
A : 하는 일이 어떠세요?
B : 하는 일이 정말로 마음에 들어요. 이 일에 딱 맞거든요.

- 저는 현재의 일에 만족하고 있어요.
  I'm satisfied with my current job.

A: Do you like your job? (하시는 일이 마음에 드십니까?)
B : No, my job is too monotonous. (아니오, 일이 너무 단조로워요.)

- 저도 그런 직업을 가졌으면 좋겠어요.
  I wish I had a job like that.

- 매일 똑같은 일을 하는 것에 이미 진저리났어요.
  I'm already tired of doing the same thing every day.
- 저는 하루 종일 안에 틀어박혀서, 긴 시간 동안 일을 해야 해요.
  I'm stuck inside all day, and I have to work long hours.

전 근

- 내년에 해외로 전근될 것 같아요.
  It looks like I'll get transferred overseas next year.
- 뉴욕에 전근되리라고는 꿈에도 생각을 못했어요.
  New York is the last place I'd have expected to be transferred to.
- 해외 전근을 요청할까 생각중입니다.
  I'm thinking about requesting a transfer to an overseas assignment.

출 장

횟 수

A: How often do you go on business trips?
B : Usually two to three times a month.

A : 출장은 얼마나 자주 가십니까?
B : 보통 한 달에 두세 번 갑니다.

기 간

A: How long do your business trips last?
B : Usually ten days.

A : 출장 기간은 얼마나 됩니까?
B : 보통 10일 정도입니다.

장 소

A: Where do you usually travel on business trips?
B : To America and Japan.

A : 출장은 주로 어디로 가십니까?
B : 미국과 일본으로 갑니다.

통 근

통근 수단

A: How do you get to work? (어떻게 출근하세요?)
B : I drive my own car. (제 차를 운전해서 갑니다.)

- 어떻게 출근하세요? / 제 차를 타고 출근해요.
  How do you get to work? / I take my car to work.
- 이웃 사람과 차를 같이 타고 다닙니다.
  I carpool with my neighbors.
- 걸어서 출근해요. / 자전거로 출근해요.
  I walk to work. / I ride a bike to work.
- 버스를 탑니다. / 대개 지하철을 이용해서 출근해요.
  I take the bus. / I usually take the subway to work.
- 대중 교통을 이용해서 출근해요.
  I use public transportation to get to work.

통근 소요 시간

A: How long does it take you to commute?
B : It takes about thirty minutes.

A : 통근하는 데 시간이 얼마나 걸리세요?
B : 30분 정도 걸려요.

- 출근하는 데 시간이 얼마나 걸리세요?
  How long does it take you to get to work?
- 얼마나 멀리서 통근하십니까?
  How far do you commute?
- 이사한 이후로 출퇴근 시간이 두 배가 됐어요.
  My commuting time has doubled since I moved.
- 자동차로 5분밖에 안 걸리는 통근거리입니다.
  It's only a five minute (daily) commute by car.

출 근

- 몇 시까지 출근해야 합니까?
  What time do you have to be at work by?
- 몇 시까지 출근합니까?
  What time do you report to work?
- 몇 시에 출근하십니까?

What time do you clock〔punch〕 in? [15]

• 대개 아침 몇 시에 집에서 나갑니까?
What time do you usually leave home in the morning?
• 사무실이 아주 편리한 곳에 위치해 있어요.
My office is conveniently located.
• 매일 통근하는 데는 전혀 문제가 없어요.
The daily commute is no problem.
• 사무실이 집에서 가까워요.
The office is near to my house.
• 저는 대개 일찍 사무실에 도착해요.
I usually arrive at the office early.

지각 · 결근

• 그는 늘 지각해요.
He's always behind time.
He's always coming late for work.
• 그는 무단결근을 했어요.
He took a day off without notice.
• 그는 부득이 결석했어요.
He was unavoidably absent.
• 지각한 적은 없습니까?
Haven't you ever been late for work?

퇴 근

A: What time do you usually get off work?
B : I go home for the day at around seven o'clock.

A : 보통 몇 시에 퇴근하세요?
B : 7시경에 퇴근합니다.

• 몇 시에 퇴근하십니까?
What time do you punch out? / What time are you done?
What time do you finish?

휴 가

A: How many vacation days do you have?
B : I get 23 days a year.

15) clock in : 출근 카드를 찍다 / punch in〔out〕 : 출근〔퇴근〕카드(time recorder / time clock)에 시각을 찍고 출근〔퇴근〕하다

A : 휴가는 며칠이나 됩니까?
B : 연간 23일을 받습니다.

- 당신 회사에서는 매월 개인 시간을〔월차를〕 주는가요?
  Does your company give you some personal days each month?
- 당신 회사에서는 병가를 며칠이나 받습니까?
  How many sick days do you get at your company?
- 휴가 기간은 얼마나 됩니까?
  How long does your vacation last?
  How long is your vacation?
- 저는 다음 주에 4일 간의 연휴를 갖게 되요.
  I'm going to have four straight days off next week. [16]
- 다음 주에 이틀 정도 휴가를 얻고 싶습니다.
  I want to take a couple of days off next week.
- 저는 다음 주에 휴가를 갑니다.
  I go on vacation next week.
- 당신 휴가는 언제 시작되죠?
  When does your vacation start?
- 휴가 언제 떠나세요?
  When are you leaving for your vacation?
- 너무 바빠서 휴가를 가질 여유가 없어요.
  I'm too busy to take holidays.
- 서는 내일부터 휴가예요.
  My vacation begins tomorrow.
- 휴가 계획을 세우셨어요?
  Have you planned your vacation yet?
- 휴가 신청서를 내셨어요?
  Did you send in your application for vacation time?
- 휴가 얘기가 났으니 말인데, 휴가 언제 가세요?
  Speaking of vacations, when's yours?

활용 어휘

- 무보수 휴가 : leave of absence
- 안식 휴가 : sabbatical year [17]
- 위로〔특별〕 휴가 : compassion leave
- 병가 : medical leave / sick day
- 안정 휴가 : rest and relaxation
- 유급 휴가 : paid vacation

16) go on vacation : 휴가를 가다
17) 7년마다 대학 교수에게 주는 1년간의 유급휴가 / sabbatical : 안식의, 휴가의

정 년

A: What's the age of retirement in your company?
A: It depends on the grade.
For example, I'm due to retire next year.

A : 당신 회사에는 정년이 몇 살입니까?
B : 그건 계급에 따릅니다. 제 경우에는, 내년에 정년입니다.

- 정년이 몇 살입니까?
  What's the age for mandatory retirement?
- 그 직업의 정년은 62세입니다.
  The retirement age in that job is 62.
- 군인의 정년은 63세입니다.
  Soldiers retire at 63.

직장 상사

상사 확인

A: Who do you work for? [18] (누구 밑에서 일을 하십니까?)
B : I work for Mr. Miller. (밀러씨 밑에서 일합니다.)

- 상사가 누구입니까? / 밀러씨 밑에서 일합니다.
  Who is your boss? / I work under Mr. Miller.

상사와의 관계

A: How is your relationship with your boss?
B : I'm getting along well with him.

A : 당신 상사와의 관계는 어떻습니까?
B : 잘 지내고 있습니다.

- 당신 상사와는 사이가 어떠세요?
  How do you stand with your boss?
- 제 상사를 두려워합니다. / 저는 제 상사가 싫습니다.
  I'm afraid of my boss. / I hate my boss.
- 저는 제 상사를 존경합니다.
  I respect my boss.
- 우리 사장님이 마음에 들어요. 우리는 죽이 잘 맞거든요.

18) 직역 : 누구를 위해서 일을 합니까?

I like my boss. We're hitting it off great. [19]

- 우리는 공통점이 많아요.
  We have a lot in common.

상사에 대한 평

- 그분은 매우 관대합니다. / 그는 잔소리가 심해요.
  He's very generous. / He nags too much.
- 그분은 저희들의 요구를 귀담아 들으려고 애를 써요.
  He always tries to listen to our requests.
- 그분은 정말 으스대요.
  He's really bossy.

활용 어휘

- 이해심이 많은 : understanding
- 성미가 까다로운 : ill-tempered
- 강압적인 : controlling
- 자기중심적인 : self-centered
- (하찮은 일에) 야단법석을 떠는 : fussy
- 지나친 요구를 하는 : demanding

※ 상사에 대한 평 관련 추가 표현 : 타인 평가(p. 1111)

사직 · 전직 · 퇴직

사 직

A: What's all this about resigning?
A: I'm emigrating to the United States next month.

A : 도대체 왜 사직하셨어요? [20]
B : 다음달에 미국으로 이민을 가거든요.

- 그가 사직서를 제출했다는 소식 들으셨어요?
  Did you hear that he handed in his letter of resignation?
- 그는 사직을 강요당하여 그만두었어요.
  He has been forced out of his job.
- 그는 사직했다는 소문이 있어요.
  The story goes that he resigned his post.
- 그는 프리랜서로 일하기 위해 정규직을 버렸어요.
  He gave up his regular job in order to freelance.
- 기대할 게 아무것도 없어요.
  I have nothing to look forward to. [21]

19) hit it off : ((구어)) 사이좋게 지내다, 잘 어울려 지내다, 성미가 맞다
20) all this : 도대체
21) 현재의 직장에서는 장래성이 거의 없을 때

- 그만두기로 결심했어요. / 더 이상 (사직을) 미룰 수 없어요.
I've decide to quit my job. / I can't put it off any more.
- 더 좋은 일자리를 찾을 때까지 현 직장에 그대로 머물러 있으세요.
Hang on to your present job until you find a better one. [22)]
- 당신이 사직한다는 게 정말이세요?
Are you serious about resigning?
- 새롭게 출발할 수 있다면 좋겠어요.
I wish I could make a fresh start.
- 앞일을 생각하면 지금 그만둘 일이 아니네요.
It's not right time to quit your job, if you think about your future.
- 이 일에는 안 맞는가 봐요.
Maybe I'm not suited to this business.
- 직장을 그만두고 결혼한다고?
(Are you) Going to quit and get married?
- 그런 인간한테 혹사 당하긴 싫어요.〈속어〉
I don't like being ordered around by that joker. [23)]
- 무슨 까닭으로 사직하셨어요?
What is your reason for resigning?
- 제 일에 재미가 없어요.
I have no interest in my business.
- 이 일에는 선천적으로 맞지 않아요.〈속어〉
I'm not cut out for this work. [24)]

전 직

- 새로운 직업이 마음에 드세요?
How do you like your new job?
- 지금 일을 그만두고 좀 더 좋은 직장으로 옮기려고 합니다.
I'm going to leave my job for a better one.
- 기회를 봐서 개인사업이나 해야겠어요.
I'll take a chance and start my own business.
- 저는 12월 중순에 이 회사를 떠날 거예요.
I'll leave this company in the middle of December. [25)]

---

22) hang on ~ : ~에 매달리다, 붙들려 있다
23) order around〔about〕: 마구 부리다(boss around) / joker : ((속어)) 사람, 놈
24) cut out for ~ = fitted for ~ = capable of ~ : (특별한 직업이나 활동에 필요한) 자질〔소질〕이 있는
예 He wasn't cut out for military service.(그는 군 복무에 적합하지 않았다.)
25) in the middle of : ~의 한가운데, ~하는 중에〈시간적 개념〉/ in the center of ~ : ~의 중앙에〈공간적 개념〉

- 그 회사는 이직률이 매우 높아요.
  The company has a high (rate of) turnover. [26]
- 당신 직장을 옮기셨다면서요.
  I heard you're changing jobs.
- 미스터 김이 대우 그룹에 스카웃됐어요.
  Mr. Kim has been scouted by Daewoo Group.

퇴 직

- 언제 퇴직하십니까? / 저는 퇴직을 했습니다.
  When are you going to retire? / I'm retired.
- 퇴직하면 무얼 하실 거예요?
  What are you going to do when you retire?

실직 · 해고

A: What would you do if you were fired?
B : I could find another job.

A : 해고당하면 어떻게 하실건가요?
B : 다른 직업을 찾아야죠.

실 직

- 저는 지금 놀고 있습니다.
  I'm out of a job now.
- 저는 5개월째 무직 상태입니다.
  I've been out of work for five months.
- 실업보험을 받는 방법에 대해서 아세요?
  Do you know how to get unemployment insurance?

해 고

- 그는 해고됐어요.
  He was 〔got〕 fired. / He got the ax. [27]
- 작년에 많은 직원들이 해고됐어요.
  Many employees were laid off last year.
  Many employees were paid off last year.

---

26) turnover : 이직률, 전직률
27) get the ax : 참수당하다 / 해고당하다 / ax : 도끼

기 타

- 가족을 먹여 살리려면 열심히 일해야죠.
  I've got to keep my nose to the grindstone to support my family. [28)]
- 우리는 맞벌이 부부입니다.
  Both of us bring home the bacon. [29)]
- 집안에서 돈벌이를 하는 사람이 누구입니까?〈속어〉
  Who brings home the bacon in your family? [30)]
  Who is the bread winner in your family? [31)]

---

28) keep〔have / hold / put〕 one's nose to the grindstone : 끊임없이 부리다; 쉬지 않고 일하다
29) bacon : 미국의 주요 아침식사 / 맞벌이 부부 : two-paycheck couple
30) bring home the groceries〔the bacon〕 : 집으로 식료품〔베이컨〕을 가져오다 → 밥벌이를 하다(여기서 groceries와 bacon은 각각 '식료품', '베이컨'이라는 낱말 자체의 뜻만을 의미하는 것이 아니라, 식(食)을 의미하는 넓은 개념이다.)
31) bread winner : 빵을 얻어오는 사람〔밥벌이를 하는 사람〕, (가족을 먹여 살리는) 일손

5 사 업

사업을 하는 사람들이 만나면 사업에 관한 화제가 주를 이룬다. 즉 이런 사람들을 두고 우리는 "Whenever those two meet it is always shop talk.(두 사람은 만날 때마다 장사 얘기를 한다.)"라고 말할 수 있다. 사업하는 사람을 만났을 때는 "How is your business?(사업이 어떻습니까?)"라는 인사가 기본이라고 할 수 있다.

기 본 대 화

A : How is your business doing?
B : It's been very slow lately, so it couldn't be worse. [1] I wonder when this recession will end.
A : Don't worry too much. Once this recession is over, business will recover very soon.
B : I hope so.

A : 사업은 잘 돼 갑니까?
B : 요즘 경기가 아주 안 좋아서, 최악의 상태입니다.
이 불경기가 언제나 끝날지 모르겠어요.
A : 너무 걱정하지 마세요.
일단 이 불경기가 끝나면, 곧 회복될 겁니다.
B : 그랬으면 좋겠어요..

사업 형편

- 새로 시작한 사업은 어떠세요?
  How's your new business coming?
- 이 불경기에 사업 잘 돼 갑니까?
  How's your business doing in this recession?

형편이 좋다

- 점점 잘 되고 있어요. / 사업이 잘 됩니다.
  Picking up, picking up. / My business is brisk. [2]
- 돈을 엄청나게 벌고 있어요.
  I'm making money hand over fist. [3]

---

1) 직역 : 더 이상 나빠질 수 없다. / ((비교)) It couldn' t be better.(더 이상 좋아질 수 없다. → 최상의 상태다.)
2) brisk : 활발한, (사업 등이) 번창하는 / ((반의어)) dull : 활기가 없는, 침체된
3) hand over fist〔hand〕 : 두 손으로 번갈아; 성큼 성큼; 자꾸 자꾸 (벌다)

- 이제 (사업하는) 요령을 터득했어요.
  I know the ropes. [4)]

형편이 안 좋다

- 사업이 잘 안됩니다. / 죽을 지경입니다.
  My business is dull. / I'm on the ropes. [5)]
- 우리는 요즘 심한 적자에 허덕이고 있습니다.
  We've been suffering heavy losses these days.
- 저도 포기 직전입니다.〈속어〉
  I'm about to throw in the towel, too. [6)]
- 최근에 적자를 보고 있습니다.
  We've been in the red lately.
- 얼마를 손해보셨습니까?
  How much did you lose?
- 늘 어렵습니다.
  I'm in trouble all the time
- 지금 몇 년째 사업이 잘 안되고 있어요.
  My business has been weak〔slack〕 for a few years now.
- 저는 그 투자로 5만 달러를 잃었어요.
  That investment set me back $50,000. [7)]
- 그는 재정적인 곤란을 겪고 있어요.
  He's having financial troubles.
- 그는 쫄딱 망했어요. / 그는 하강일로에 있어요.〈속어〉
  He lost his shirt. [8)] / He took a nose dive. [9)]
- 그는 사업에 관한 한 아주 어려움을 겪고 있어요.
  He is on the ropes as far as his business is concerned.
- 이번 달에는 300만원의 적자를 봤어요.
  I'm three million won in the hole this month. [10)]
- 적자를 보고 있습니다. / 장사가 안되서 큰일 났어요.
  I'm in the hole. / My business is in trouble.
- 파산하지 않으려고 안간힘을 쓰고 있습니다.

---

4) know the ropes : (많은 경험을 토대로 일의 모든 사항을) 알다 / ropes : 요령, 비결
5) on the ropes : (권투장의) 링 줄을 붙잡은, 링에 몰린 / ((속어)) 궁지에 몰린, 난처해진, 모든 것이 끝장난
6) throw in the towel : 권투선수가 수건을 던지다; 패배를 자인하다.
7) set person back : 손해보다, 비용이 들다 예 This car cost me $22,000.(이 차를 사는 데 2만 2천달러가 들었다.)
8) lose one's shirt : 셔츠까지도 잃어버리다 → 알거지가 되다
9) take a nose dive : 비행기의 기수(機首)가 급강하하다. → 비행기가 착륙시 기수를 위로 향하고 착륙해야 안전한데, 일단 기수가 아래로 향하게 되면, 괌(Guam) 비행기 추락 사고 때처럼 다시 상승하기가 어려워 사고 위험이 있다. 따라서 이 표현은 일상회화에서 '일이 잘 되지 않고 하강일로에 있다.' 라는 의미로 쓰인다.
10) in the hole : 적자인, 적자 상태인; 궁핍한

I'm doing my best to keep my head above water. [11)]

도산 · 폐업

- 저는 사업에 자신이 없어서 그만두었어요.
  I chickened out on my new venture. [12)]
- 저는 2년 전에 폐업했어요.
  I went out of business two years ago.
- 저는 사업으로 돈을 많이 벌었습니다.
  I made good money in my business.
- 저는 사업체 문을 닫았어요. / 사업에 실패해서 문을 닫았어요.
  My business had folded. / I've gone out of business.
- 우리 회사가 파산했어요.
  Our company went bankrupt. [13)]

기 타

- 그럭저럭 버텨 나가고 있습니다. / 그저 현상유지나 하고 있습니다.
  (I'm) just getting by. / I'm just spinning my wheels.
- 나는 장사머리가 없어요.〈속어〉
  I have a poor head for business.
- 한 사업에 전 재산을 걸지 마세요.〈속어〉
  Don't put〔have〕 all your eggs in one basket. [14)]
- 당신은 너무 일찍 자축하고 있어요.〈속어〉
  You're popping the champagne too soon. [15)]
- 그 거래에서 운 좋게도 본전은 했어요.
  I was lucky to break even on the deal. [16)]
- 그건 한달 이내에 본전을 뽑아요.
  It pays for itself within a month.

---

11) keep one' s head above water : 물에 빠지지 않고 있다; 빚지지 않고〔실패 않고 / 죽지 않고〕있다. / keep one' s head above ground : 살아 있다.
12) chicken out : 무서워서 손을 떼다, 주눅이 들어 그만두다
13) go bankrupt : 파산하다
14) 직역 : 한 바구니에 계란을 모두 넣지 마라. → 모든 기회를 단 한번의 모험에 걸어서 위험을 자초하지 마라.(즉, 계란을 한 바구니에 담았을 경우, 부주의에 의해서 다 깨진다면 큰 손해를 볼 수 있다는 데서 유래된 관용 표현)
15) pop the champagne : (축하를 위해서) 샴페인을 터뜨리다 / 상대방이 단시간에 많은 돈을 벌어 사치와 낭비를 일삼는 데 대한 비판의 말 / ((참고)) pop the question : 청혼하다 예 Hasn't Bill popped the question yet?(빌이 아직 청혼을 안 했니?)
16) be lucky to ~ : 운 좋게도 ~하다 / break even : (장사 · 노름 등에서) 득실이 없게 되다 / break-even point : 손익분기점

6 날씨와 계절

날씨는 가장 좋은 화제다. 국가 정상들도 회의를 시작하기 전에 날씨를 화제로 잠깐 얘기를 나누는 것이 관례화 되어 있다. 날씨를 표현하는 방법은 날씨의 유형만큼이나 다양하기 때문에, 그때의 날씨에 따라 적절하고 멋진 표현을 할 수 있도록 평상시에 익혀 두자. 날씨를 나타내는 가장 기본적인 표현은 **"It's a nice day today, isn't it?**(오늘 날씨가 좋군요, 그렇죠?)"라고 말하면 **"Yes, it is.**(그렇군요.)" 또는 **"Yes, it sure is.**(네, 정말 그렇군요.)"라고 응대한다.

기 본 대 화

A : It's very hot, isn't it?
B : It certainly is. This is the worst heat wave I can remember.
A : Actually it's not so much the heat. It's the humidity. We wouldn't feel it so much if it were drier.
B : Yes, that thundershower we had yesterday afternoon just made it worse.
A : Well, the weatherman says it'll be cooler next week.
B : I hope he's right.

A : 날씨가 무척 덥군요. 그렇죠?
B : 맞아요. 제 기억 중에 가장 무더운 날씨예요.
A : 실제로는 그렇게 더운 날씨는 아니에요. 습도 때문이에요. 건조한 날씨라면, 더위를 그렇게 많이 느끼지 못할 거예요.
B : 그래요. 어제 오후에 내린 소나기가 날씨를 더욱 나쁘게 만들었어요.
A : 글쎄, 기상통보관이 다음 주에는 서늘해질 거라고 했어요.
B : 그의 말이 맞았으면 좋겠어요.

날씨를 물을 때

A: What's the weather like today? (오늘 날씨 어때요?)
B: It's very cold. (정말 춥군요.)

• 오늘 날씨 어때요?
How's the weather today?

내일 날씨

A: How will the weather be tomorrow? (내일 날씨가 어떨까요?)
B : It's supposed to snow. (눈이 올 것 같아요.)

특정 지역의 날씨

A: What's the weather like in Seoul?
B : It's very mild. In a way, it's similar to San Francisco.

A : 서울의 날씨가 어떻습니까?
B : 매우 온화해요. 어떤 면에서는 샌프란시스코와 비슷합니다.

상대방의 거주지 날씨

A: I hear you have good weather there.
B : The weather is like fall in Korea

A : 거기는 날씨가 좋다고 들었는데요.
B : 네, 한국의 가을 날씨와 같아요.

- 그쪽은 날씨가 어때요? 서울은 정말 뜨거운 날씨인데요.
  What's the weather like on your side? It's a real scorcher in Seoul. [1)]
- 이쪽도 똑같아요. 찌는 듯이 더워요.
  Same here. It's sweltering hot. [2)]

날씨가 좋을 때

A: Isn't it the wonderful day? (날씨가 참 좋죠?)
B : Yes, it's perfect. (네, 구름 한 점 없이 맑군요.)

- 오늘은 날씨가 화창하군요.
  It's a beautiful day today.
- 이런 좋은 날씨에는 정말 밖에 나가고싶어요.
  It's so tempting to go out on such a fine day.
- 날씨가 정말 좋군요!
  What a beautiful day! / What a nice day!
- 오늘은 날씨가 좋군요, 그렇죠?
  (It's) A nice day today, isn't it?

---

1) a scorcher : 몹시 뜨거운 것; ((구어)) 타는 듯이 더운 날(sizzler)
2) sweltering : 찌는 듯이, 무더운

부가 의문문이란?

상대에게 동의를 구하거나 가벼운 질문을 할 때, "--(긍정문), --(단축 부정)? 또는 --(부정문), --(단축 긍정)?" 형태로 표현된 의문문을 부가 의문문이라고 한다. 이때 콤마 뒤에 오는 표현의 시제와 주어는 콤마 앞의 시제와 주어에 일치해야 한다. 예) You're a soldier, aren't you?(당신 군인이군요, 그렇죠?) You haven't met Mr. Miller, have you?(밀러씨와 인사 안 나누셨죠?) You skipped your breakfast, didn't you?(아침 식사를 거르셨군요, 그렇죠?)

- 이런 좋은 날씨가 오래 갈 것 같지 않아요.
  I'm afraid this fine weather will not hold.
- 이런 날씨가 오래 계속 되었으면 해요.
  I hope this weather lasts much longer.
- 하늘에 구름 한 점이 없군요.
  There are no clouds in the sky.
- 테니스 하기에 딱 좋은 날씨에요.
  It's a perfect day for a tennis.

활용어휘

- 날씨가 좋은 : nice / sunny
- 따뜻한 : warm
- 온화한 : mild
- 일광욕실 : sun parlor
- 서늘한 : cool
- 쾌적한 : pleasant
- 일광욕 : sunbath

날씨가 나쁠 때

- 험악한 날씨죠?
  (It's a) Nasty day, isn't it?
  (It's) Nasty weather, isn't it?
- 지독한 날씨죠?
  (It's) Terrible〔Awful〕 weather, isn't it?
- 종잡을 수 없는 날씨군요!
  What mixed weather!
- 날씨가 참 이상하군요.
  It's a funny weather. [3)]
- 아주 고약한 날씨군요.〈속어〉
  It's beast of a day.
- 날씨가 나쁘면 헬리콥터가 뜰 수 없어요.

3) funny : ((구어)) 이상한, 별난, 기묘한(queer / odd)

If the weather's bad, the helicopter can't fly.

- 내일은 날씨가 개였으면 좋겠어요.
  I hope it'll clear up tomorrow.
- 날씨가 정말 우중충하군요. 〈속어〉
  It's lovely weather for ducks. [4)]
- 이렇게 지독한 날씨를 본 적 있어요?
  Have you ever seen such weather?

비가 올 때

비가 올 것 같다

- 비가 와요. / 비가 내리기 시작해요.
  It's rainy. / It's starting to rain.
- 비가 올 것 같아요.
  It looks like it's going to rain. / It's likely to rain.
- 밖을 보니 비가 올 것 같아요. / 비가 왔으면 좋겠어요.
  It looks like rain out. / I wish it would rain.
- 오늘 비가 내릴 거라고 들었어요.
  I heard it's supposed to rain today.
- 내일 소나기가 오면 어떻게 하죠?
  What if it pours tomorrow? [5)]
- 오늘 오후에 비가 올 것 같습니까?
  Do you think it will rain this afternoon?

비가 내리다

- 빗방울이 떨어지기 시작해요.
  It's beginning to sprinkle. [6)]

A: Is it raining out?
B : Look at my clothes, they're soaked.

A : 밖에 비가 오는가요?
B : 제 옷을 보세요, 흠뻑 젖었잖아요.

- 밖에 아직도 억수같이 비가 오고 있어요.
  It's still raining cats and dogs out there. [7)]

---

4) lovely〔fine〕 day〔weather〕 for (young) ducks : 우중충한 날〔날씨〕, 비오는 날〔날씨〕(오리 새끼들에게 좋은 날씨)
5) pour : 따르다, 붓다; 넘쳐흐르다; 억수같이 퍼붓다; ((구어)) 호우
6) sprinkle : (액체 등에) (흩) 뿌리다, 끼얹다; 비가 후두두 오다; (꽃 등에) 물을 주다 / a brief sprinkle : 잠깐 동안 내린 비 / sprinkle a lawn : 잔디에 물을 주다
7) It rain cats and dogs. : 비가 억수 같이 쏟아지다.

A: Hey! Raindrops are falling!
B : Yeah, it's raining.
Good thing I brought along my umbrella. [8)]

A : 어! 이거 빗방울이 떨어지는데!
B : 그래, 비가 오는군. 우산을 가져오길 잘했군.

- 밖에 비가 퍼붓고 있어요. / 밖에 비가 엄청나게 내리고 있어요.
It's pouring outside. / It's raining heavily outside.
- 비가 오락가락하군요.
It is raining on and off. / It rains by fits and starts. [9)]
It rains off and on.
- 이슬비가 내리고 있어요.
It is drizzling. / It's sprinkling.

A: John, come stand by the window!
B : This is quite a storm.

A : 존, 창가로 와 봐!
B : 이건 굉장한 폭풍우인데.

비를 맞다

- 비를 맞으셨군요. / 흠뻑 젖었어요.
You got all wet. / I'm soaked to the bones.
- 여기 오는 도중에 소나기를 만났어요.
I was caught in a rain shower on the way here.
- 비가 오기 시작하는군요. 저기 나무 아래로 몸을 피합시다.
It's starting to rain. Let's take cover under that tree over there. [10)]

비가 그치다

A: Has it stopped raining?
B : Just about. But it's still drizzling a little.

A : 비가 그쳤어요?
B : 거의 그쳤는데, 아직 이슬비가 약간 내리고 있어요.

- 비가 그쳤어요. / 비가 그쳤으면 좋겠어요.
It has stopped raining. / I hope the rain stops.
- 비가 그칠 때까지 기다립시다.

8) bring along : 가져오다; 기르다
9) by fits and starts : 이따금, 생각난 듯이; 발잘적으로
10) take cover : (지형 지물을 이용하여) 숨다〔피신하다〕, (적의 포화 등으로부터) 몸을 지키다

Let's wait till the rain stops.

장 마

- 이번 비는 이틀째 계속 내리고 있어요.
  This time it's been raining for two days.
- 3일 동안 연속해서 비가 내렸어요.
  It rained for three days consecutively.
  It rained three consecutive days.
  It rained for three days in a row. [11]
- 이 놈의 비 지긋지긋하군요. / 무슨 비가 이렇게 오는지!
  Blame this rain! / How it rains!
- 작년 이때쯤에도 비가 심하게 왔었어요.
  It rained hard about this time last year, too.

우 산

- 잊지말고 우산 가지고 가세요.
  Don't forget to take an umbrella.
- 비가 올 것 같으니 우산을 가지고 가세요.
  Since it looks like raining, take your umbrella.
- 우산은 휴대품 보관소에 맡겨 주십시오.
  Check your umbrella at the cloakroom, please. [12]
- 우산이 삐져나와 있어요.
  Your umbrella is sticking out sideways. [13]
- 우산 좀 치우세요!
  Keep your umbrella away from me!

기 타

A: It just better not rain today.
B : Oh, yes, today is your office picnic.

A : 오늘 제발 비가 오지 말아야 하는데!
B : 아, 그래, 오늘이 너의 사무실 피크닉 날이구나!

- 비가 새요.
  The rain seeping in. [14]
- 비가 오건 안 오건, 내일 파티를 열 거예요.
  Whether or not it rains, I'm giving a party tomorrow.

11) in a row = back to back = straight = running = on end : 연달아, 계속해서
12) cloakroom : (호텔 · 극장 · 역 등의) 휴대품 (임시) 보관소; ((美)) checkroom
13) stick out : 두드러지다; 튀어나와 있다
14) seep : (액체가) 스며 나오다, 뚝뚝 떨어지다, 새다

활용어휘

- 강우량 : precipitation
- 지나가는 소나기 : passing shower
- 단비 : fruitful showers
- 비올 확률 : chance of rain
- 폭우 : downpour
- 홍수 : flooding
- 홍수 피해 지역 : flooded districts
- 수재민 : flood victim
- 우의〔비옷〕 : raincoat
- 저기압 : atmospheric depression
- 강우전선 : rain front
- 뇌우 : thunderstorm
- 대규모 홍수 : massive flood
- 집중 호우 : localized torrential downpour
- 폭풍우 : rain storm
- 홍수 경보 : flood warning
- 가뭄 : drought
- 우량계 : hyetometer / ombrometer
- 장마철〔우기〕 : rainy season

더울 때

- 정말 덥군요. / 날이 덥군요, 그렇죠?
  It's terribly hot. / It's a hot day, isn't it?
- 푹푹 찌는군요!
  What a scorcher〔sizzler〕!
- 후덥지근한 방이군! 에어컨이 켜 있는지요.
  What a stuffy room! I wonder if the air-conditioner is on.
- 오늘도 덥겠어요.
  We're going to have another hot day.
- 오늘도 푹푹 찔 거예요.
  It's going to be scorcher〔sizzler〕 today.
- 요즘 날씨가 무덥군요.
  We're having heat wave now. [15)]
- 이 안은 무척 덥군요.
  It sure is hot in here. [16)]
- 이렇게 더울 땐 아무것도 하고 싶지 않아요.
  When it's this hot, I don't want to do anything.
- 너무 뜨거워요.〈속어〉
  It's (as) hot as hell. [17)]
- 열파가 살인적이군요. / 더워 죽겠어요.〈속어〉
  The heat wave is murder. / I'm dying of the heat.
- 이 더위는 정말 견딜 수가 없군요.
  I can't stand this heat. / The heat is unbearable.

15) heat wave : 무더위
16) sure : 강조의 부사
17) (as) hot as hell : 너무도 뜨거운

- 땀으로 흠뻑 젖었군요. / 얼굴에 땀 좀 닦으세요.
  You're drenched with sweat. / Wipe the sweat off your face.
- 에어컨 좀 세게〔약하게〕 틀어 주시겠어요?
  Could you turn up〔down〕 the air conditioner?
- 너무 더워서 아무 일도 못하겠어요.
  It's too hot to do anything.
- 문제는 더위가 아니라, 습도예요.
  It's not the heat. It's the humidity.
- 땀이 몹시 나는군요.
  I'm doing a lot of perspiring.
- 이제 날씨가 시원해질 때가 됐군요.
  It's about time the weather started cooling off.

활용어휘

- 덥고 건조한 : hot and dry
- 덥고 후덥지근한 : hot and humid
- 삼복 더위 : midsummer heat
- 열대야 : tropical night
- 불쾌지수 : uncomfortable index / discomfort index
- 찌는 듯이 더운 날 : roasting hot day
- 몹시 더운 : muggy
- 습기 : moisture
- 열파 : heat wave

추울 때

A: It's really cold today, isn't it?
B : Yes, it sure is. The Han River has frozen over.

A : 오늘은 정말 춥군요, 그렇죠?
B : 네, 정말 그렇군요. 한강이 얼었어요.

- 추위가 살을 에는 듯해요. / 몸이 얼어붙는군요.
  It is biting cold. / I'm freezing.
- 오늘은 정말 춥군요?
  How cold it is today!
- 오늘 아침은 영하 15도였어요.
  We had a temperature of minus 15 this morning.
- 이런 호된 추위는 처음이에요.
  I have never experienced such a severe cold before.
- 안으로 들어갑시다. 몸이 어는 것 같아요.
  Let's go in. I'm freezing.
- 아직도 추워요. 온도를 올리세요.
  It's still cold in here! Turn the heat up.

- 몸이 따뜻하게 옷을 두텁게 입으세요.
  Bundle (yourself) up, please. [18]
- 날씨가 점점 추워지고 있어요.
  It's getting colder and colder.
- 찬바람이 안 들어오게 하세요.
  Keep out cold air.
- 문 닫으세요. 바람 들어와요.
  Close the door. There's the draft. [19]

> A: I thought it was supposed to get warmer today.
> B : I thought so, too.
>
> A : 어휴, 추워! 오늘은 따뜻해질 줄 알았는데.
> B : 저도 그렇게 생각했어요.

활용어휘

- (이동식) 난로 : space heater
- 결빙기〔혹한기〕 : freeze-up
- (벽) 난로 : fireplace [21]
- 남반구 : Southern Hemisphere
- 방한구 : protection against the cold
- 방한화 : winter shoes / arctics
- 살을 에는 듯한 : nippy
- 쌀쌀한 : chilly
- 월동 계획 : winterization plan
- 중앙 난방식 : central heating system
- 한랭전선 : cold front
- 따뜻한 날씨 : Indian summer [20]
- 고드름 : icicle
- 난방 장치 : heating system
- 동장군 : General Winter / Jack Frost
- 방한모 : winter cap
- 불가위 : fire tongs
- 소형 전열기 : space heater
- 영하의 기온 : sub-zero temperature
- 월동 대책 : measures for winterization
- 증기 난방 : steam heating
- 꽃샘 추위 : lingering cold weather

눈이 올 때

- 눈이 올 것 같은 날씨예요.
  It looks like snow.
- 눈이 펑펑 쏟아져요.
  The snow falls fast. / It snows hard and fast.
- 10년만에 가장 큰 눈이군요.
  It's the heaviest snowfall in ten years.
- 평생 이렇게 눈이 많이 내리는 건 처음 봐요.

18) bundle sb up : (날씨가 추워서) 아무에게 옷을 따뜻하게 입히다
19) draft : 문틈 같은 좁은 통로를 통해 들어오는 바람
20) 겨울이 되기 직전에 나타나는 봄날 같이 화창하고 따뜻한 날씨로서, 늦가을 또는 초겨울 무렵에 나타나는 바람이 없고 아지랑이가 끼는 날씨(미국 중부나 동부에서 10월이나 11월 초에 1회 이상 나타나며, 보통 1-2주간 계속된다.)
21) 벽난로의 장식 선반 : mantel, mantelpiece, mantelshelf

I've never seen so much snow in my whole life.

• 매년 이때쯤이면 눈이 내리기 시작해요.
It always begins to snow at this time of year.

• 눈보다는 비오는 게 낫겠어요.
I'd rather have rain than snow, I think.

• 어제 서울에는 탁구공 크기만한 우박이 내렸어요.
We got hail the size of ping-pong balls yesterday in Seoul.

• 이곳은 눈이 자주 와요.
It often snows here.

• 함박눈이 내려요.
It snows in large flakes. [22)]

적설량

A: How deep is the snow there?
B : We had a snowfall of ten inches.

A : 거기는 눈이 얼마나 쌓였어요?
B : 여기는 눈이 10인치나 왔어요.

활용어휘

• 강설량 : snowfall
• 눈사람 : snowman
• 눈송이 : snowflake
• 싸락눈 : granular snow
• 제설 도구〔차량〕 : snow plow〔car〕
• 눈보라 : snowstorm
• 눈사태 : snowslide
• 눈치는 삽 : snow-shovel
• 제설 작업 : snow removing work

기 온

A: What's the temperature now?
B : I'd say it's about 30 degrees centigrade.

A : 지금 기온이 어떻게 되죠?
B : 섭씨 30도 정도 되는 것 같아요.

• 그건 섭씨 온도예요, 화씨 온도예요?
Is that in Celsius or Fahrenheit?

• 대구에서는 수은주가 35℃까지 올라갔어요.
The mercury got up to upper 35℃ in Taegu.

• 무더운 7, 8월에는 기온이 35℃까지 올라가요.
The temperature climbs as high as 35 degrees Celsius

22) flake : 얇은 조각, (눈 · 구름 · 깃털 등의) 한 조각; fall in flakes : (눈이) 펄펄 내리다

during the sizzling month of July and August. [23)]

• 오늘 아침 최저 기온이 영하 12도였어요.
The low temperature was twelve below zero this morning.

• 오늘 오후 기온이 102〔70〕도까지 올라가서 최고〔최저〕 신기록을 세웠어요.
We set a new record high〔low〕 this afternoon when temperatures reached 102〔70〕 degrees. [24)]

• 지금은 영상 2도예요.
It's two degrees above zero right now.

• 대구는 어제 오후 기온이 99°F에 달해서 전국에서 가장 더운 곳이었어요.
Taegu was the hottest spot in the nation with an afternoon temperature reaching 99°F.

• 서울은 어제 최고 기온이 96°F에 달했어요.
Seoul reached a high of 96°F yesterday.

활용어휘

• 백엽상 : instrument shelter [25)]
• 실내 온도 : room temperature
• 온도계 : thermometer
• 최적 온도 : optimum temperature
• 수은(주) : mercury
• 온도〔기온〕 : temp〔temperature〕
• 풍속 체감 지수 : windchill (factor)
• 화씨 50~53도 : low 50s [26)]

바람이 불 때

A: Is it still windy outside? (밖에 아직도 바람이 부는가요?)
B: No, it's quieted down. (아니오, 잔잔해졌어요.)

• 바람이 참 심하게 부는군요! / 바람이 어느 방향으로 불고 있죠?
How it blows! / Which way is the wind blowing?

• 바람이 칼날처럼 매섭군요. / 바람이 잤어요.
This wind is like a knife. / The wind has faded.

• 바람이 잠잠해지고 있어요.
The wind's calming down. / The wind is dying down now.

강 풍

A: The weatherman says a typhoon is coming.
B: When will it get here?
A: The reports says it could be in two days.

---

23) 35℃ = 약 95°F / 섭씨 온도와 화씨온도의 관계 : C= 5/9(F-32) / 86°F = 30℃
24) set a new record high〔low〕 : 최고〔최저〕 신기록을 수립하다
25) 기온, 습도, 기압 등을 측정하기 위하여 만들어진 상자
26) middle 50s : 화씨 54~56도 / high 50s : 화씨 57~59도

B : I hope it'll turn in another direction. [27]

A : 기상통보관이 태풍이 올 거라고 하더군요.
B : 언제 여기 온데요?
A : 예보에 의하면, 이틀 후에 온다는군요.
B : 방향을 바꾸었으면 좋겠어요.

폭풍(storm)의 종류

① hurricane(폭풍) : 서인도 제도에서 발생하는 열대성 저기압 폭풍
② tornado(대선풍 / 회오리 바람) : 서아프리카와 미시시피강 유역 지방에서 발생하며 무서운 파괴력을 가지고 있다.
③ typhoon(태풍) : 태평양 서부에서 발생하여 북상하는 폭풍
④ cyclone(선풍) : 인도양 등에서 발생하는 열대성 저기압〔폭풍〕

- 폭풍이 농작물에 큰 손해를 입혔어요.
  The storm did great damage to the crops.
- 태풍 피해는 부산이 가장 심했어요.
  Pusan suffered most from the typhoon.
- 폭풍이 곧 잠잠해질 거예요.〈속어〉
  The storm will blow over soon. [28]
- 오늘 폭풍주의보가 내렸어요.
  There's a storm warning out for today.
- 곧 태풍이 불 것 같은데요.
  It looks as if there will be a storm soon.
- 돌풍으로 군용 헬기 한 대가 추락했어요.
  A wind gust caused a military helicopter to crash. [29]
- 폭풍이 가라앉을 때까지 기다리자!
  Let's wait for the storm to abate!

활용어휘

- (강풍을 동반한) 뇌성 : thunder storm
- 강풍 : strong wind
- 계절풍 : periodic wind
- 태풍 경보 : typhoon warning
- 태풍의 눈 : eyewall [30]
- 풍향계 : weather vane / weathercock
- 해일 경보 : tidal〔earthquake sea〕wave warning / tsunami warning
- 극동풍 : polar easterly
- 강풍 주의보 : strong-wind warning
- 남서풍 : southwester
- 태풍 주의보 : typhoon alert〔watch〕
- 편서풍 : (prevailing) westerlies

27) turn in : (방향을 바꾸어) 들어가다; 들르다; 안으로 굽다〔구부리다〕
28) blow over : (폭풍이) 지나가다, 바람이 자다, 가라앉다 / (위기 · 풍문이) 무사히 지나가다
29) cause ~ to + · ·(원형동사) : ~으로 하여금 · ·하게 하다
30) ((기상)) 태풍의 눈 주위에 있는 구름의 벽(wall cloud)

안개가 낄 때

A: That was a thick fog this morning.
B : Yeah, we couldn't see anything in front of us.
A : 오늘 아침엔 안개가 짙게 깔렸어요.
B : 그래요, 앞에 있는 것이 아무것도 안 보였어요.

- 안개 때문에 아무것도 안 보여요.
  I can't see anything because of the fog.
- 안개가 곧 걷힐 거예요.
  The fog will soon lift.

일기 예보

예보 내용 묻기

A: What did the weatherman say today?
B : He said it would be warmer.
A :기상통보관이 오늘 뭐라고 했어요?
B :더 따뜻해질 거라고 했어요.

- 주말 일기 예보가 어떻습니까?
  What's the weather forecast for the weekend?

A: Has snow been forecast for this afternoon?
B : Yes, but they expect only ten centimeters.
A :오늘 오후에 눈이 온다고 했나요?
B :네. 하지만 예상 적설량이 10cm이래요.

일기 예보 확인

A: Check the weather report. (일기 예보를 확인해 보세요.)
B : I did. (확인했어요.)
A: What did it say? (어떻다고 하던가요?)
B : It's going to rain again. (또 비가 온데요.)

예보 내용 전달

- 기상통보관이 금요일은 날씨가 서늘해질 것이라고 하던데요.
  The weatherman says it'll be cooler on Friday.
- 신문 보도에 의하면, 장마가 곧 시작된다고 합니다.

Newspaper reports say that the rainy season is near.

- 일기 예보에 의하면, 강한 태풍이 우리 쪽으로 다가오고 있데요.
  According to the weather forecast, a strong typhoon is coming〔moving〕 our way.
- 일기 예보에서 오늘밤 강한 소나기가 내린다고 했어요.
  The weather report predicted heavy showers for tonight.
- 일기 예보에서는 비올 확률이 80%라고 하더군요.
  The weather report says there's 80% chance of rain.
- 텔레비전 기상통보관에 의하면, 오늘 오후에는 맑겠답니다.
  According to the television weatherman, it's going to be a sunny day this afternoon.

일기 예보의 신뢰성

- 일기 예보는 정말 믿을 수가 없어요.
  We can't really trust the weather forecast.
- 일기 예보가 또 틀렸군요.
  The weatherman was wrong again.

일기 예보 방송

- 기상 주의보입니다.
  This is a weather advisory. [31)]
- 오늘밤 많은〔적은〕비를 동반한 강한〔약한〕바람이 예상됩니다.
  Expect strong〔weak〕 winds tonight with heavy〔light〕 rains.
- 애틀랜타 전 지역에 폭풍경보가 발효중입니다.
  There's a storm warning in effect for all of Atlanta.
- 태풍이 시속 20km 속도로 북동쪽으로 이동하고 있습니다.
  The typhoon is moving northeast at a speed of 20 kmph.
- 태풍이 오후 4시 현재, 오끼나와 남쪽 300km 지점에 위치하고 있습니다.
  The typhoon is located 300km south of Okinawa as of 4 p.m.
- 오늘 날씨는 부분적으로 구름이 끼겠습니다.
  The skies will be partly cloudy today.
- 대체로 흐리고 가끔 소나기가 오겠습니다.
  It is cloudy with occasional showers.
- 주말 동안에는 맑은 하늘이 예상됩니다.
  Clear skies are expected for the weekend.
- 내일 오후까지는 장마전선이 이 지역까지 이동해 오겠습니다.
  By tomorrow afternoon, a rainy front will have moved into

31) 기상통보관의 기상 주의보에 대한 방송 시작 멘트

our area.

- 내일 최저 기온은 50도로 예상됩니다.
  You can expect a low of 50 degrees tomorrow.
- 내일은 오늘보다 5 내지 6도 더 추워지겠습니다.
  Tomorrow will be 5 or 6 degrees colder than today.
- 밤과 이른 아침의 기온이 전국적으로 75°F에서 86°F가 될 것으로 예상됩니다.
  Night and early morning temperatures are predicted to be between 75°F and 86°F throughout most of the nation.
- 야간 최저 기온은 50도가 되겠습니다.
  We'll have an overnight low of 50 degrees.
- 오늘 최고 기온은 82도, 최저 기온은 50도가 되겠습니다.
  Today, the high will be 82 degrees and the low, 50 degrees.
- 오늘밤에는 수은주가 영하로 떨어질 것으로 예상됩니다.
  You can expect the mercury to drop below zero tonight.
- 오후에는 최고 85도까지 올라가겠습니다.
  We'll reach a high of 85 degrees in the afternoon.
- 오늘밤에 진눈깨비가 올 가능성이 있으니 세심한 주의를 바랍니다.
  There's a chance of freezing drizzle tonight, so be very careful.
- 오늘 오후에 10인치가 더 내리겠습니다.
  We're supposed to get ten more inches tonight.
- 일부 지역에는 아침 안개가 짙게 끼겠습니다.
  Morning fog will roll in some areas.[32)]
- 파고는 대부분의 해안에 걸쳐서 1 내지 2m에 이르겠습니다.
  Waves will be from 1.0 to 2.0 meters high along most coasts.

Snow Belt / Sun Belt

미국은 면적이 대단히 넓은 국가여서 지역에 따라 날씨 형태도 다르다. 'snow belt'란 겨울에 춥고 많은 눈이 내리는 (북부) 지역을 말하고, 'sun belt'란 겨울에도 날씨가 온화하고 거의 눈이 내리지 않는 (남부) 지역을 일컫는 말이다.

계 절

- 어느 계절을 가장 좋아합니까?
  Which season do you like best? / What's your favorite season?
- 봄이 한창이군요.

32) roll in : 많이 모이다(들어가다)

It's the bloom of spring.

- 한여름이군요.
  It's the height of summer.
- 추위를 보니, 한겨울이군요.
  Judging the cold, we're deep〔well〕 in winter.
- 엄동설한이군요.
  It's the dead of winter.

봄

> A: We sure had a long, cold winter in Korea.
> B : I know, and I really appreciate spring.
> A : 정말 길고 추운 한국의 겨울이었습니다.
> B : 그래요, 그래서는 정말 봄이 고마와요.

- 어느덧 봄이 왔어요.
  Spring slipped up on us unawares.
  The spring has stolen over〔on〕 us. [33)]
- 꽃들이 여기저기 만발한 걸 보니, 완연한 봄이군요.
  With flowers blooming all around, we're deep into spring.
- 바람이 참 따뜻하게 느껴지군요.
  The breeze feels so warm.
- 앙상한 나뭇가지에 꽃들이 피는 걸 보니 정말 아름답군요.
  It's so wonderful to see flower bloom those bare branches.
- 봄날씨가 되니 참 좋군요.
  It's nice to have some spring weather.
- 일년 내내 봄날이라면 좋겠어요.
  I wish spring lasted all year!
- 벚꽃이 만발해 있군요.
  The cherry blossoms are in full (bloom).
- 다음주에는 벚꽃이 다 져버릴 거예요.
  Next week the cherry blossoms will be gone.
- 모든 나뭇잎에 새 잎이 돋아나고 있어요.
  All the trees are putting out new leaves. [34)]
- 벚꽃은 4월 중순이 한창이에요.
  The cherry blossoms are best in the middle of April.
- 봄에 어떤 꽃이 제일 먼저 피죠?
  Which flower blooms earliest in spring?

33) steal over〔on〕 sb : (졸음 · 감정 따위가) 모르는 사이에 덮치다
34) put out : (싹, 잎, 풀 따위가) 내밀다

• 싹이 돋아났어요.
The buds come out all green.
• 아직은 꽃망울이에요.
They are still in bud.

여 름

A: July and August in Korea are so hot.
B : I don't mind. I love summer.
A : 한국의 7월과 8월은 무척 더워요.
B : 상관없어요, 저는 여름을 좋아하거든요.

• 한여름이군요.
It's the height of Summer. [35)]
• 저는 더위에 민감해요(더위를 잘 타요).
I'm very sensitive to heat.
• 저는 복더위가 무척 싫어요. / 저는 더위를 잘 못 참아요.
I hate these dog days. / I can't stand the heat very well.
• 여름이 왔어요. / 더 이상 그렇게 덥지는 않을 거예요.
Summer is here. / It's not so hot anymore.
• 7월에는 비가 많이 와요.
We have a lot of rain in July.
• 장마철은 저를 우울하게 만들어요.
The rainy season is getting me down.
• 정말 더위는 이제부터예요.
The hottest season is yet to come.

가 을

• 저 푸른 하늘을 보세요.
Look at that blue sky.
• 국화는 지금 한창이에요.
The chrysanthemums are at their best (in full bloom).
• 나뭇잎들이 벌써 다 떨어졌군요!
All the leaves have already fallen! .
• 나뭇잎들이 모두 물들고 있어요.
All the leaves are changing color.
• 나뭇잎들이 무척 아름답군요. / 저 울긋불긋한 잎(단풍잎)들을 보세요.
The leaves are so pretty. / Look at those reds and yellows.
• 날씨가 참 서늘하군요. / 요즘 점점 서늘해지고 있어요.
It's so nice and cool. / It's getting cooler these days.

35) the peak of spring : 봄의 절정 / the thick of fall : 가을의 절정 / the dead of winter : 한겨울

겨 울

A: Is winter always this cold in Korea?
B : It's usually very cold.

A : 한국의 겨울은 항상 이렇게 춥습니까?
B : 대개 매우 춥지요.

- 겨울이 다가오는 것 같아요.
  I think winter is on its way.
- 겨울치고는 이상하게 따뜻해요.
  It's unusually warm for a winter day.
- 올 겨울의 한파는 전례가 없었어요.
  This winter's cold snap is quite unprecedented. 36)
- 올 겨울은 예년에 없이 춥군요.
  This winter is severer than usual〔unusually cold〕.
- 오늘 도로가 빙판이 돼서 차를 집에 놔두고 왔어요.
  The icy condition of the roads had me leave my car home today.
- 이곳에 겨울이 시작되면, 추위를 견디기가 어려울 거예요.
  When winter sets in here, you won't be able to stand the cold. 37)
- 진눈깨비 때문에 도로상태가 아주 위험해요.
  Freezing rain have made road conditions hazardous. 38)
- 추위가 풀렸어요.
  The cold has decreased in severity.
- 겨울은 다 갔어요. / 올 겨울은 참 오래 가는군요.
  Winter is gone. / The winter is lingering. 39)
- 저는 겨울에도 내의를 안 입어요.
  Even in the winter, I don't wear long johns. 40)
- 추위도 한풀 꺾인 것 같아요.
  The cold seems to have decreased in severity.

기 타

- 그건 날씨에 달려 있죠.
  That depends on the weather.

36) cold snap : 갑자기 엄습하는 한파
37) set in : 시작하다(begin); 일어나다(arise); 유행하다
38) freezing rain : 땅에 닿으면 얼어붙는 비 / freezing drizzle : 결빙성 진눈깨비
39) linger : 남아 있다, (떠나지 않고) 꾸물거리다; (겨울, 눈, 의심 등이) 좀처럼 사라지지 않다.
40) long johns : ((구어)) (손목 발목까지 덮는) 겨울에 입는 긴 내복류〔속옷〕

- 공기가 건조하군요.
  The air is dry.
- 바람이 들어오게 문 좀 열어라.
  Open the window to let in air.
- 달이 떠 있어요.
  There is a moon in the sky.
- 하늘에 무지개가 떠 있어요.
  A rainbow hangs in the sky.

활용어휘

- 기상 관측 기구 : sounding balloon
- 기상대 : weather service〔station〕
- 기상청 : Meteorological Office
- 기압 배치 (상황) : weather system
- 기후 : climate
- 만조 : high tide
- 방파제 : sea bank / seawall
- 상승 기류 : ascending air current
- 아열대 기후 : subtropical climate
- 월식(月蝕) : lunar eclipse
- 자외선 : ultraviolet radiation
- 제트 기류 : jet stream
- 차광막 : shade(등화관제를 위한)
- 천체 : heavenly bodies
- 기상 위성 : weather satellite
- 기상도 : weather chart
- 기압 : atmospheric(al) pressure [41)]
- 기압계 : barometer
- 등압선 : isobaric line / isobar (line)
- 밀물 : flood tide
- 사시사철 : at all seasons of the year
- 썰물 : ebb tide / outgoing tide
- 온난전선 : warm front
- 일식(日蝕) : solar eclipse
- 적도 : equator
- 직사광선 : direct ray of light
- 천둥 : thunder
- 해양(성) 기후 : maritime climate

일기 예보 도표(weather forecast map)

41) atmospheric(al) : 대기의, 공기의, 대기에 의한

7 여가와 취미

사람들은 여가(spare time)를 이용하여 자신이 관심(interest)을 가지고 있는 분야에 시간과 노력 그리고 돈을 투자한다. 그러므로 누구나 자신이 가지고 있는 취미(hobby)가 있기 마련이다. 상대방의 관심 분야에 대한 것을 화제로 삼으면 대화가 부드러워질 것이다. 여가를 어떻게 활용하는지를 물을 때는 "What do you do in your spare time?(여가를 어떻게 보내십니까?)"라고 말하고, 취미가 무엇인지를 물을 때는 "What is your hobby?"라고 말한다.

기 본 대 화

A : What do you do for relaxation on weekends?
B : Usually I stay home, and spend the whole weekend just lazing around. [1)]
A : What do you do to kill time at home?
B : I just sit back and watch TV.

A : 주말에 여가를 어떻게 보내세요?
B : 대개 집에 있으면서, 주말 내내 빈둥거리면서 보내요.
A : 집에서는 시간을 어떻게 보내십니까?
B : 그저 느긋하게 앉아서 TV나 보지요.

여가 활용 방법

- 여가에 무얼 하십니까?
  What do you do in your spare time?
  What do you do with your free time?
- 여가를 어떻게 보내세요?
  How do you spend your leisure time?
  How do you fill your leisure?
- 기분전환으로 무엇을 하세요?
  What do you do for relaxation? / What do you do for fun?
- 일과 후 여가시간에 무얼 하십니까?
  What do you do when you have time off?
- 저는 매우 바빠서, 여가를 즐길 만한 시간이 별로 없어요.
  I'm very busy. I don't get much leisure time.
- 매주 일요일에는 거의 외출을 합니다.

1) laze around〔about / away〕: 빈들 빈들 지내다

I go nearly out every Sunday.

- 힘든 일과 후에 기분을 풀기 위해 무엇을 하세요?
  What do you do to unwind after a hard day's work?
- 힘든 일과 후에 휴식을 취하기 위해 무엇을 하세요?
  What do you do for relaxation after a hard day's work?
- 쉬는 날에는 보통 무엇을 하십니까?
  What do you usually do on your day off?
- 주 중에서 좋아하는 요일이 언제입니까?
  What's your favorite day of the week?
- 저는 쉬는 날하루종일 TV만 봐요.
  On my day off, I just watch TV all day.
- 저는 일종의 집안 귀신이에요.
  I'm sort of a homebody. [2)]

A: What do you usually do on weekend?
B : I pass the time watching TV on weekends.

A : 주말에는 주로 무엇을 합니까?
B : 주말에는 TV를 보면서 시간을 보냅니다.

휴일 계획

A : Do you have any plans for the weekend?
B : Not really. How about you?
A : I'm just going to a movie with my wife.
B : Well, have a nice weekend. Goodbye.

A : 주말에 무슨 계획이 있으세요?
B : 없어요. 당신은요?
A : 아내하고 영화 구경이나 갈 거예요.
B : 즐거운 주말 보내세요. 안녕히 가세요.

계획을 묻다

- 이번 3일간 주말휴가에 특별한 계획이라도 있습니까?
  Do you have any plans for this three-day weekend?
- 이번 주말4일 동안에 뭘 하실 겁니까?
  What are you going to do over the four-day weekend?
- 휴일에 무얼 하실 겁니까?
  What are you going to do for the holiday?

2) homebody : 집에 틀어 박혀 있는 것〔사람〕, 외출하기 싫어하는 사람(stay at home) / couch potatoes : ((속어)) TV 앞에서 사는 사람〔텔레비전 중독자〕

What are your plans for the holiday?

- 내일 뭘 할 계획이세요?
  What plans have you made for tomorrow?
- 이번 연휴에 가족들을 만날 계획입니다.
  I'm planning to get together with my family on this long weekend.
- 주말엔 가족과 함께 보내려고 합니다.
  I'm going to spend time with my family on the weekend.
- 아무 곳에도 갈 계획이 없어요.
  I have no plans to go anywhere.
- 그저 집에 있을 겁니다.
  I'm just staying at home.
- 그냥 집에서 쉬려고 합니다.
  I'm just going to relax at home.
- 어제는 잠만 잤어요.
  All I did yesterday was sleep.
- 어디에 여행이라도 갈까 해요.
  I figure I'll take a trip somewhere.

기 타

- 누구는 간밤에 즐거운 시간을 보낸 모양이군.
  Somebody had a good time last night.
- 지난 주말에 뭘 하셨어요?
  What did you do over the weekends?
- 내가 즐길 수 있는 날은 주말뿐이에요.
  Weekends are the only days I have to enjoy myself.

활용 어휘

- 미니 공원 : pocket park [3]
- 연휴 : long weekend
- 피서객 : vacationer
- 비치 파라솔 : beach umbrella
- 옥내 사격 연습장 : shooting gallery
- 휴양지 : recreational resort

취미를 물을 때

A: What is your hobby? (취미가 뭡니까?)
B : I go in for stamp collecting. [4] (우표 수집을 좋아합니다.)

- 취미가 뭐죠? / 무엇에 흥미가 있으세요?

3) 고층 빌딩 사이에 있는 조그마한 공원
4) go in for = get into ~(취미 등) : 좋아하다, 열중하다; ~을 즐기다(enjoy)

What are your hobbies? / What are you interested in?

• 특별한 취미가 있습니까?
Do you have any particular hobbies?

A: I hear you like golf. (골프를 좋아하신다고 들었는데요.)
B : Yes, I do. I really love golf. (네, 골프를 아주 좋아합니다.)

• 제 취미는 음악 감상입니다.
My hobby is listening to music.

• 독서가 유일한 즐거움이에요.
Reading is my only pleasure.

• 매일 일기를 씁니다.
I keep a diary everyday.

• 골프에는 전혀 관심이 없습니다.
I have no interest in golf.

• 저의 취미는 다양해요〔저는 다양한 취미를 가지고 있어요〕.
My interests are varied.

• 새로운 취미생활을 해 보세요.
Why don't you pick up a new hobby?

• 제 삶에 변화가 필요해요.
I need a change in my life.

• 테니스 하는 것을 즐겨요.〈속어〉
I get a kick out of playing tennis. [5)]

A: Is that for a hobby or for making money?
B : I do that just for a hobby.
A : 취미로 그걸 하세요, 돈을 벌기 위해서 하세요?
B : 단지 취미로 할뿐입니다.

활용 어휘

• 골동품 수집광 : antique addict
• 우표 수집광 : stamp buff [6)]
• 우표 수집가〔연구가〕: philatelist

취미와 관련된 기본 문형

• 좋아하는 것을 물을 때

· 어떤 종류의 ~을 가장 좋아합니까?
What kind of ~ do you like best?

· 어떤 종류의 ~을 좋아합니까?

5) get a kick out of ~: ~을 즐기다; ~에서 짜릿한 흥분을 맛보다
6) buff : ((美 구어)) 팬, 광(狂)

What kind of ～ do you like? / What's your favorite kind of ～?
· 좋아하는 ～은 무엇입니까? What's your favorite ～?
· 무슨 ～에 관심이 있습니까? Are you interested in any ～?
· ～하는 것을 좋아하세요? Do you like + 명사〔동명사〕?
· ～하는 것을 좋아하세요? Do you like to + 동사원형 ～?

• 좋아하는 것을 말할 때

· 저는 ～을 좋아합니다. I like〔love〕 ～. / I have a preference for ～.
· 저는 ～하는 것을 좋아합니다.
I like to + 〔동사원형〕 ～. / I like〔enjoy〕 ～ing ～. / I prefer ～.
· 저는 모든 종류의 ～을 좋아합니다. I like almost kinds of ～.
· 저는 ～에 관심이 많습니다. I'm (much) interested in ～.
· 제가 가장 좋아하는 ～은 –입니다. My favorite ～ is –.
· 저는 ～중에서 –을 가장 좋아합니다. I like – best of all ～.
· A보다는 B를 좋아합니다. I prefer B to A. / I like B better than A.
· ～하는 것이 제 취미입니다. ～ is my hobby.

• 좋아하는 정도

· 저는 ～을 아주 좋아합니다. I'm very fond of ～.
· 저는 ～을 미칠 정도로 좋아합니다. I'm really crazy about ～.
· 저는 ～에 몰두해 있습니다. I'm soaked in ～.
· 저는 ～에 미쳤습니다. I got hooked on ～.

• 좋아하지 않다

· 저는 ～을 좋아하지 않습니다.
I don't like ～. / I don't care for ～. / I'm not fond of ～.
· ～은 별로 좋아하지 않습니다. I'm not very keen on ～.

• 소질이 있다〔잘한다〕

· 저는 ～에 소질이 있습니다. I have a good hand in ～.
· 저는 ～을 잘 합니다. I'm a good ～. 예 I'm a good singer.

• 소질이 없다〔못한다〕

· 저는 ～에는 재능이 없습니다. I have no talent in ～.
· 저는 ～ 대해서는 잘 모릅니다. I don't know about ～.
· 저는 ～을 못합니다. I'm not good at ～.
I' m a poor ～. 예 I'm a poor singer.(저는 노래를 잘 못해요.)
I have a poor hand in ～.
예 I have a poor hand in playing tennis.(저는 테니스에는 소질이 없어요.)
· 저는 한 가지 못하는 게 있어요.
There is one thing I'm not good at.

텔레비전 시청

시청 시간

A: Do you watch TV often?
B : Yes, I watch TV about three hours a day.
A : 텔레비전을 자주 보세요?
B : 네, 매일 3시간씩 봅니다.

- 내 딸은 아침에 일어나자마자 텔레비전을 켜요.
  My daughter flicks on the TV as soon as she gets up in the morning. [7]

좋아하는 프로그램

A: What kind of TV program do you like?
B : I like watching the news.
A : 어떤 텔레비전 프로그램을 좋아하십니까?
B : 뉴스 보는 걸 좋아합니다.

- 어떤 프로그램을 가장 좋아하십니까? / 연속극을 좋아합니다.
  Which program do you enjoy most? / I enjoy soap operas.
- 저는 연속극의 고정 시청자예요. / 저는 연속극 팬이에요.
  I'm a regular soap opera viewer. / I'm a soap opera fan.

프로그램 방영 계획

A: There's a good documentary on AFKN tonight at nine.
B : I don't go in for documentaries.
I usually watch movies starting at that time.
A : 오늘밤 9시에 AFKN에서 좋은 다큐멘터리 프로가 방영돼요.
B : 저는 다큐멘터리를 별로 안 좋아해요.
보통 그 시간에 시작하는 영화를 보거든요.

- 오늘 프로가 뭐죠〔오늘 무엇이 방영되죠〕? / 그게 언제 방송되죠?
  What's on today? / When is it on?
- 그것을 텔레비전으로 중계하나요? / 그게 텔레비전으로 중계될까요?
  Are they televising it? / Will it be televised?
- 오늘밤 텔레비전에는 재미있는 게 하나도 없어요.
  There's nothing interesting on TV tonight.

7) flick on〔off〕 : (스위치 등을) 탁 켜다〔끄다〕

- 오늘밤에 그 경기가 텔레비전에 방영됩니까?
  Is the game on TV tonight?

텔레비전을 시청하면서

- 지금 텔레비전에서 무엇이 방영되고 있죠?
  What's on TV?
- 텔레비전을 보시겠어요? / 텔레비전 좀 켜 주시겠어요?
  Would you like to watch TV? / Could you turn on TV?
- 소리를 줄여 주세요. / 소리 좀 높여 주세요.
  Please turn down the volume. / Please turn it up a little.
- 다른 채널로 돌려도 될까요?
  Would you mind if I turn to another channel?
- 다음 프로가 뭐죠? / 뉴스 다음 프로가 뭐죠?
  What's on next? / What follows the news?

> A: John, come here and look at this. (존, 이리 와서 이것 좀 봐.)
> B : What are you watching? (뭘 보고 있는데?)
> A: Variety show. (버라이어티 쇼야.)

- 이 경기는 실황 중계인가요?
  Is this game live?

텔레비전 시청시 기본 표현

- 채널을 고정해 주십시오.
  Stick around. / Hang around. [8] / Stay with us.
- 채널을 다른 곳으로 돌리지 마세요.
  Don't change the channel.
- 채널을 MBC에 맞춰 주세요.
  Change the channel to MBC, please.
  Put on MBC, please. / Tune into MBC, please.
- 톰 미니타이어가 더 자세히 보도해 드리겠습니다.
  Tom Minitier reports the further details.
- 톰 미니타이어가 취재했습니다.
  Tom Minitier has the story.
- 함께해 주셔서 감사합니다.
  Thank you for (your) joining us. [9]

---

8) 직역 : 다른 데 가지 말고(돌리지 말고)그대로 있어 달라. / hang around (about) : 들러붙다; 배회하다; 근방에 있다 / stick around (about) : ((구어)) 가까이에 있다; 옆에서 떠나지 않고 기다리다
9) 텔레비전 방송에서 어떤 프로그램을 끝내면서 진행자가 시청자들에게 "시청해 주셔서 감사합니다." 라고 하는 감사의 인사말

- 오늘밤 저희 프로그램에 나와 주셔서 감사합니다.
  Thank you for being on our program tonight.
- 안녕하십니까? 헤드라인 뉴스를 전해 드리겠습니다.
  Good evening. This is the Headline News.
- 이어서 더욱 많은 소식들이 있으니, 함께 하시기 바랍니다.
  Coming up more news, so please stick around. 10)

텔레비전 이상

- 텔레비전이 고장났어요. / 텔레비전 상태가 안 좋군요.
  The TV doesn't work. / The TV isn't working well.
- 화면이 선명하지 않아요. / 화면이 지지직거려요.
  The picture isn't clear. / There's snow.
- 소리가 안 나와요.
  There's no sound.
- 우리 텔레비전이 잘 안 나와요〔수신이 잘 안되요〕.
  I can't get a good picture (on my TV set).
- 화면이 안 나와요. / 화면 초점이 잘 안 맞아요.
  There's no picture. / The picture is out of focus.

기 타

- 텔레비전을 켜놓고 계신가요?
  Are you TV on? 11)
- 나 내일 매스컴 탈거야.
  I'll go on the air tomorrow.
- 리모콘이 어디 있죠?
  Where's the remote control?

A: What's the screen size? (화면 크기가 얼마나 되죠?) B : It has a 24 screen. (24인치입니다.)

- 전에 텔레비전에 출연해 본 적 있으세요?
  Have you ever been on TV before? 12)
- 방송 중
  ON AIR

---

10) 어떤 프로그램의 방송 도중 광고 시간에 들어가면서 사회자가 시청자에게 채널을 고정하고 본 프로그램을 계속 시청해 달라는 말
11) 전화 통화중에 수화기에서 상대측의 텔레비전 방송 소리가 들려 올 때
12) ((참고)) 전치사와 함께 쓰는 경우 radio에는 정관사 the를 붙이지만, television〔TV〕에는 the를 생략해도 된다. 예 Listen to the radio.(라디오를 들어 보세요.) / I saw the Olympics on (the) television.(올림픽 경기를 텔레비전으로 보았다.)

어떤 프로그램을 봤는지를 물을 때

A: Did you catch the game last night?
B : No, I missed it.
A : 어젯밤에 그 경기를 보셨어요?
B : 아니오, 못 봤어요.

- 최근에 텔레비전에서 좋은 영화라도 보셨습니까?
  Have you seen any good movies on TV lately?
- 재방송을 봤어요.
  I watched a rerun.
- TV에서 그걸 보았어요. / 그건 굉장했어요.
  I saw it on TV. / It was fantastic!

활용 어휘

- 시청률 : rating
- 고정 시청자 : regular viewer
- 건설적인 비판 : constructive criticism
- 설문조사 : poll
- 요점 : bottom line
- 열성 시청자 : devoted viewer

여 행

관심의 정도

- 저는 여행하는 걸 좋아합니다.
  I enjoy traveling. / I like taking trips.
- 하이킹을 좋아합니다. / 숲속에서 산책하는 걸 좋아합니다.
  I like hiking. / I love to walk in the woods.
- 도회지를 빠져나가는 걸 좋아합니다.
  I enjoy getting away from the city.
- 얼마나 자주 교외로 나가십니까?
  How often do you get away from the city?
- 여행할 때는 캐주얼 복장이 가장 편해요.
  Casual wear is most comfortable for traveling.
- 여행할 때 대개 뭘 입고 가세요?
  What do you usually wear when you travel?

여행 경험

A: Have you ever traveled overseas?
B : Yes, I've been to the United States twice.

A : 해외 여행을 가신 적이 있으세요?
B : 네. 미국에 두 번 간 적이 있습니다.

• 해외에 나가 본 적이 없습니다. / 해외 여행은 이번이 처음입니다.
I've never been overseas. / This is my first trip overseas.
• 한 달 동안 유럽을 두루 여행했어요.
I traveled all over Europe for a month. [13)]
• 선박〔자건거〕 여행을 하신 적이 있습니까?
Have you ever gone on a cruise〔a cycling trip〕?
• 이번이 한국에 처음 오신 겁니까?
Is this your first trip to Korea?

A: How long did you stay there? (그곳에 얼마나 계셨습니까?)
B : I stayed〔was〕 there for two years. (2년간 있었습니다.)

• 얼마 동안이나 가 계셨습니까?
How long have you been gone?
• 1990년부터 1991년까지 있었습니다.
I stayed〔was〕 there from 1990 to 1991.
I stayed〔was〕 there between '90 to '91.
• 얼마동안이나 가 계셨습니까?
How long have you been gone?

A: Where did you go on vacation? (어디로 휴가를 가셨어요?)
B : To a resort. (유원지로요.)

여행 희망

A: Where are you taking your summer vacation?
B : I'm thinking of going to southeast Asia.
A : 여름 휴가를 어디서 보낼 겁니까?
B : 동남아에 갈까 생각중입니다.

• 다음 주부터 휴가를 갑니다.
I'm going on leave beginning next week.
• 언젠가 세계 일주를 하고 싶어요.
I want to go around the world someday.
• 스위스에 가고 싶어요.
I'm interested in going to Switzerland.

13) travel all over ~ : ~을 두루 여행하다 / travel round : 돌아다니며 여행하다

여행 소감

A: Hi, Mr. Miller. When did you get back from Japan?
B : The day before yesterday.
A: How was it?
B : I only visited Tokyo and Kyoto, but I had a great time.
A: Which city did you like?
B : I think Kyoto is prettier. It's a very historic city, and has a lot of beautiful old temples.
A: And how was Tokyo?
B : It's very crowded, but more exciting.
It has a lot of cheap stores. It has better shopping.
A: Sounds fantastic. I want to see it some other time.

A : 안녕하세요. 밀러씨. 일본에서는 언제 돌아오셨어요?
B : 그제요.
A : 여행이 어땠어요?
B : 동경과 교토 두 군데밖에 못 가봤지만, 정말 재미있었어요.
A : 어느 도시가 더 좋았어요?
B : 교토가 더 좋았던 것 같아요. 교토는 역사가 매우 깊은 곳으로, 멋진 옛 사찰들이 많았어요.
A : 동경은 어땠어요?
B : 매우 복잡하긴 했지만, 더 흥미진진했어요. 그곳은 값싼 가게들이 많아서 쇼핑하기엔 더 좋았어요.
A : 굉장하군요. 저도 언젠가 구경하고 싶군요.

- 여행이 어땠어요? / 여행은 즐거우셨습니까?
  How was your trip? / Did you have a good trip?
- 어느 도시가 가장 흥미진진했어요?
  Which city was the most exciting?
- 로스앤젤레스에서 매우 즐거운 시간을 보냈어요.
  I had a wonderful time in L.A.
- 지난주에 뉴욕에서 서울로 돌아왔습니다.
  I came back to Seoul from New York last week.
- 제 개인부담으로 여행을 했어요.
  I traveled at my own expense.
- 여행은 개인당 120달러가 들었어요.
  The trip cost $120 per person.
- 시차증을 느끼지 않으십니까?

Aren't you feeling jet lag? [14)]

- 시차를 회복하는 데 이틀 정도 걸렸어요.
  It took a couple of days to recover from jet lag.
- 이렇게 일찍 돌아오실 줄은 몰랐는데.
  I didn't expect you back so soon.

기 타

A: How long will you be gone this time?
B : I won't be away for very long.

A : 이번에는 얼마동안 오래 가 계실 건가요?
B : 별로 오래 가 있지 않을 겁니다.

- 미국에는 얼마나 계실 겁니까?
  How long are you going to stay in the United States?
- 누가 마중 나오는가요?
  Is someone meeting you?
- 언제 미국으로 떠나십니까?
  When are you leaving for the United States?
- 뉴욕으로 언제 떠나신다고 하셨죠?
  When did you say you were leaving for New York?
- 한국에는 언제 오셨습니까?
  When did you come to Korea?
- 업무차〔휴가차〕 이곳에 오셨나요?
  Are you here on business〔for vacation〕?
- 한국 체류가 즐거우신가요?
  Are you enjoying your stay in Korea?

독 서

독서 취향

A: What kind of books do you like to read?
B : I usually read romance novels.

A : 어떤 책을 즐겨 읽으십니까?
B : 주로 애정 소설을 읽습니다.

14) jet lag : 제트기 시대와 함께 비교적 단시간에 시차가 크게 다른 지역으로 비행이 가능해져서 주야가 바뀌는 24시간 리듬이 어긋남을 말함. 이로 인해 새로운 피로, 졸립증 등의 증후군에 시달리는 사람이 늘고 있다. 이는 제 3의 피로라 불리기도 한다. 휴식 · 수면 이외에 아직 이를 극복할 방법은 없다.

• 저는 손에 잡히는 대로 다 읽습니다.
I read everything I can get my hands on.

활용 어휘
• 탐정 소설 : detective stories
• 책갈피 : bookmark
• 대중 문학 : popular literature
• 연재 소설 : serialized novel

독서량

A: How many books do you read a month?
B : I read about five novels (a month).

A : 한 달에 책을 몇 권 정도 읽습니까?
B : (한 달에) 소설 5권 정도 읽습니다.

• 책을 많이 읽으십니까? / 저는 책벌레입니다.
Do you read a lot? / I'm a bookworm.

• 당신은 대단한 독서가이군요.
You're a great〔keen / avid〕reader. [15)]

• 제 집에는 2,000권 정도의 책이 있습니다.
I have about 2,000 books in my house.

읽은 책에 대한 얘기

A: Have you read "Father"?
B : No. What kind of book is it?
A: It's a novel selling like hot cakes in Korea. [16)]

A : "아버지"라는 책을 읽어 보셨어요?
B : 아니오. 무슨 책인데요?
A : 지금 한국에서 불티나게 팔리는 소설이에요.

• 그 책을 처음부터 끝까지 다 읽었어요.
I read the book from cover to cover.

• 그 책을 읽고 얻는 바가 굉장히 많았어요.
I profited〔benefited〕enormously from reading the book.

• 내 평생에 이렇게 재미있는 책은 읽어본 적이 없어요.
I've never read a more exciting book than this in my life.

• 이 책은 읽어보니 무척 재미있었어요.
I found this book very interesting.

15) avid : 열심인; 탐욕스러운, 욕심 많은
16) hot cake : 불티나게 팔리는 상품

- 이 책은 재미없어요. / 이 책은 지루해요.
  This book is dull reading. / This book bores me.
- 한번〔대강〕 훑어 봤어요.
  I gave it the once-over. [17)]
- (그 책의) 저자가 누구죠? / 내용이 어떤 거죠? / 줄거리가 어떤 거죠?
  Who is it by? / What is it about? / What is the plot?

기 타

- 어두운 곳에서 책을 읽는 것은 눈에 나빠요.
  Reading in a poor light is bad for the eyes.
- 오늘이 "Recruit"지 발매〔발간〕일이에요.
  Recruit will be put on the market today.
- 오늘 "Recruit"지 최근호가 나올 거예요.
  The latest issue of Recruit is coming out today. [18)]
- 이 책은 3부로 되어 있어요.
  This book is made up of three parts.
- 그 영어회화 사전에 대한 판권은 박양우씨가 가지고 있어요.
  Mr. Park, Yang-woo holds〔owns〕 the copyright on the English Conversation Dictionary.
- 그의 소설은 한때 꽤 인기가 있었어요.
  At one time his novels attained great popularity.
- 그 책을 다 읽으셨어요?
  Have you read the book through〔from cover to cover〕?
- 그 책을 다 읽었으면 돌려주시겠습니까?
  Will you return the book to me when you've finished reading it?
- 요즘 베스트셀러가 뭐죠?
  What's the current bestseller?
- 다음 호가 곧 나올 거예요.
  The next number will be out soon.
- 인세는 10%입니다.
  Royalties are 10 percent.
- (이 책을) 제 아내에게 바칩니다.
  DEDICATED TO MY WIFE
- 1997년 초판 발행 / 1998년 7쇄
  FIRST PUBLISHED 1997 / SEVENTH REPRINTING 1998

---

17) once-over : 대강 훑어 보기; 대강 조사하기 / give ~ once-over : ~을 한번 훑어보다; 대강 조사하다
18) come out : (책 · 잡지 등이) 출간〔발매〕되다

신문과 잡지

구독 신문

A: Which paper do you read?
B : I have a subscription to the Korea Herald.

A : 무슨 신문을 보십니까?
B : 코리아 헤럴드를 구독하고 있습니다.

- 어떤 신문을 받아 보십니까? / 저는 신문을 안 (받아) 봅니다.
  Which kind of paper do you get? / I don't get a paper.
- 그 신문이 제일 많이 나가요.
  That newspaper has the largest circulation. [19)]
- 편견에 치우치지 않아서 그 신문을 좋아해요.
  I like that newspaper because it's not opinionated.
- "데일리 뉴스"는 사실만을 보도하는 것으로 정평이 나 있어요.
  The Daily News has a reputation for the facts only.
- 코리아 헤럴드를 구독한 지 얼마나 됐습니까?
  How long have you subscribed to the Korea Herald?
- 코리아 헤럴드의 일일 발행 부수는 약 20만 부입니다.
  The Korea Herald has a daily circulation of around 200,000.
- 헤럴드를 구독하려면 어떻게 해야되죠?
  How can I get a subscription to the Herald? [20)]

기사 내용

A: Does the paper have anything interesting?
B : Just the usual things.

A : 신문에 재미나는 기사라도 나왔어요?
B : 항상 똑같죠〔특별한 것 없어요〕.

- O-157 세균에 의한 식중독에 관한 기사를 읽어 보셨어요?
  Did you read an article on the food poisoning by O-157 bacteria?
- 신문에 무슨 재미있는 기사라도 나와 있는가요?
  Is there any interesting news in the paper?
- 오늘 신문을 보셨어요?
  Have you seen today's paper?

---

19) circulation : 발행 부수; 보급〔판매〕부수; (도서의) 대출 부수 / have a large〔small / limited〕 circulation : 발행 부수가 많다〔적다〕
20) get a subscription to ~ : ~을 구독하다

- 오늘자 신문 사설을 읽어 보셨어요?
  Did you read the editorial in today's paper?
- 그 기사는 일면에 났었어요.
  The story was on the front page.
- 그 사건은 대서특필됐어요.
  Particular mention was made of that event.
- "파일게이트"가 아침 워싱턴 포스트지에 대서특필됐어요.
  "Filegate" made the headlines in the Washington Post. [21)]
- 어느 신문에 나왔었죠? / 그 기사를 제가 오려 두었어요.
  What paper did it come out in? / I cut out the article.
- 그 보도가 온 나라에 큰 파문을 일으켰어요.
  The news created a stir in the country.
- 신문 기사를 너무 믿지 마세요.
  Don't put too much confidence in what the newspaper says.
- 오늘 신문에 대화재에 대한 기사가 있었어요.
  There's an article about the big fire in today's paper.
- 그 사람이 신문에 났더군요.
  He was in the newspaper.

관심 분야

> A: When you get your paper, which page do you read first?
> B : I read the sports section first.
>
> A : 신문을 받으면, 어느 면을 먼저 읽으세요?
> B : 스포츠면을 먼저 읽습니다.

- 저는 기사 제목들만 봐요.
  I read only the headlines.
- 1면을 훑어본 뒤에, 사설을 읽기 시작해요.
  After I glance at the front page I start reading the editorials.

기 타

- 그건 좋은 기사거리군요.
  It makes good copy. [22)]
- 정치면을 확인해 보세요.
  Check the paper's political (section).

---

21) make the headlines : 표제로 대서특필되다
22) make good copy : 좋은 기사 거리가 되다

영 화

관심의 정도

A: Do you go to the movies very often?
B : Yes, I go to the movies every weekend.
A : 영화를 자주 보러 가십니까?
B : 네, 주말마다 영화를 보러 갑니다.

- 영화는 얼마나 자주 보러 다니세요?
  How often do you go to the movies?
- 저는 거의 영화를 보러 가지 않아요.
  I rarely go to the movies.
- 영화 구경을 좋아하세요?〈속어〉 / 저는 영화광입니다.
  Are you a theatergoer? [23] / I'm a film buff.
- "스피드" (영화)를 보셨어요?
  Have you seen "Speed" yet?
- 그 영화를 텔레비전에서 봤어요.
  I saw that movie on TV.
- 가장 최근에 영화를 본 게 언제입니까?
  When is the last time you went to the movies?
- 최근에 좋은 영화라도 보셨습니까?
  Have you seen any good movies lately?

좋아하는 영화

A: What kind of movies do you like? (어떤 영화를 좋아하세요?)
B : I like action movies. (액션 영화를 좋아합니다.)

- 어떤 종류의 영화를 즐겨 보십니까?
  What kind of films do you enjoy watching?

활용어휘

- 코미디 영화 : comedies
- 공상과학 영화 : SF〔science-fiction〕 movies
- 추리 영화 : mysteries
- 모험 영화 : adventure movies
- 공포 영화 : horror movies
- 만화 영화 : cartoons
- 탐정 영화 : detective movies
- 서부 영화 : Western

23) theatergoer : 극장에 자주 가는 사람

좋아하는 배우

A: Who do you like best among movie stars?
B : I like James Dean. His acting is great.

A : 영화 배우 중에서 누구를 가장 좋아하세요?
B : 제임스 딘을 좋아합니다. 연기가 훌륭하거든요.

활용어휘

- 1급 배우 : A-list actor
- 조연 배우 : supporting actor
- 주연 여배우 : leading actress (lady)
- 흥행의 거물 : box office heavyweight
- 최고 수준의 배우 : top-caliber actor
- 주역보다 더 인기 있는 조연 배우 : scene-stealer [24)]

※ 영화를 관람할 때 : 영화 · 연극을 관람할 때(p. 205)

극장 표지

- 6세 미만 무료 입장
  ADMISSION FREE FOR CHILDREN UNDER SIX
- 성인 전용
  ADULTS ONLY
- 연소자 입장 금지
  NO ADMITTANCE TO CHILDREN / NO MINORS
- 입장 무료
  ADMISSION FREE / ENTRANCE IS GRATIS [25)]
- 입장권 지참자만 입장
  ADMISSION BY TICKET
- 학생에 한해서 입장을 허가함
  ADMISSION TO STUDENTS ONLY

기 타

- 그녀는 무대 공포증을 가지고 있어요.
  She gets stage fright.
- 그는 새 연극에서 주연을 했어요.
  He starred in the new play.
- 그의 작품은 대부분 졸작이에요.
  Most of his works are rubbish. [26)]
- 그 영화는 그 당시 히트작품이었어요.
  That movie was a big box hit at that time.

---
24) steal the scene : 주역을 앞질러 관객의 눈길을 한 몸에 모으다
25) gratis : 무료로, 공짜로
26) rubbish : 쓰레기, 폐물, 소용없는 것

- 무대에서 대사를 잊어버렸어요.
  I forgot my lines on stage. [27]
- 비디오 테이프를 얼마나 자주 빌려 보세요?
  How often do you rent video tapes?
- 이런 시디롬을 어디서 구했어요?
  Where did you get this CD-ROM?
- 저 비디오 가게는 하룻밤 대여료를 2천원이나 받아요.
  They charge 2,000 won a night at that video store.
- (비디오) 한 편에 2,000원입니다.
  Two thousand won per tape.

음 악

취 향

A: What kind of music do you like? (어떤 음악을 좋아하세요?)
B : I like popular songs. (팝송을 좋아합니다.)

활용 어휘

- 고전 음악 : classical songs
- 대중 음악 : popular music
- 전통 음악 : traditional music
- 재즈 : jazz
- 록 음악 : rock music
- 한국 고유 음악 : Korean native music

- 어떤 종류의 음악을 들으세요?
  What kind of music do you listen to?
- 전 음악 없이는 못 살아요.
  I live on music. [28]

가 수

A: Who is your favorite singer?
B : I'm a great fan of Michael Jackson.

A : 좋아하는 가수가 누구예요?
B : 마이클 잭슨의 열렬한 팬입니다.

악 기

A: Do you play any musical instruments?
B : Yes, I can play the guitar a little.

27) lines : 대사(臺詞) / forget one's lines : 대사를 잊다
28) live on ~ : (~으로) 생계를 잇다, 살아가다

A : 악기를 연주할 줄 아십니까?
B : 네, 기타를 좀 칠 줄 압니다.

• 피아노 레슨을 받고 있습니다.
I'm taking piano lessons.

A: How long have you played the guitar?
B : (I've been played it) For ten years.
A : 기타를 친 지는 얼마나 됐습니까?
B : 10년 됐습니다.

• (피아노) 음 높이가 안 맞아요.
You're off key.

노래 실력

• 저는 노래를 못해요. / 저는 노래를 정말 못해요.
I'm poor at singing. / I'm a terrible singer.
• 저는 음악에는 조예가 없습니다.
I don't have a very good ear for music.
• 저는 음치입니다.
I'm tone-deaf. [29] / I can't carry a tune (in a bucket). [30]
• 그 여자는 노래를 잘해요. / 그 여자는 음악에 조예가 깊어요.
She sings like a bird. / She has an ear for music. [31]
• 그녀는 악보 없이도 연주〔노래〕할 수 있어요.
She can play 〔sing〕 by ear. [32]

노래를 부를 때

A: Could you sing a song? (노래 한 곡 불러 주시겠어요?)
B : I'll pass on this time. [33] (이번에는 그냥 넘어 가죠.)

• 노래 좀 들려 주시겠습니까?
Will you favor us with a song?
• 당신이 자진해서 먼저 한 곡 부르세요.
You'd better volunteer for the first song. [34]

29) tone-deaf : 음치의
30) carry a tune : 정확하게 노래 부르다, 가락이 맞다 / tune : 곡조; (노래 · 음률의) 가락, 장단; 조화; 협조 / turn a tune : 한 곡 부르다〔연주하다〕/ in〔out of〕 tune with ~ : ~과 장단이 맞는〔틀리는〕; 조화가 되는〔안되는〕/ the tune the (old) cow died of : 불쾌한 음의 연속; 매우 지루한 음악
31) have an〔no〕 ear for ~ : ~(음악 등) 에 조예가 있다〔없다〕
32) play〔sing〕 by ear : 귀로 연주〔노래〕하다 → 악보 없이 연주〔노래〕하다
33) 어떤 모임에서 사회자가 그 모임의 최고 선임자에게 노래 한 곡을 부탁하자, 이를 가볍게 거절하고자 할 때 쓰는 표현, 같은 표현으로 "I'll skip it." / "I'd rather not." / "Not for me." 등을 쓸 수 있다
34) volunteer : 자원자; 자진해서 하다

- 술을 안 마시면 노래부를 마음이 안 생겨요.
  I can't bring myself to sing unless I've had a drink. [35)]
- 이어서 김군의 독창이 있겠습니다.
  As the next item on the program we have the vocal solo by Mr. Kim.
- 저는 청중이 없으면 노래를 못 불러요.
  I can't sing when there's no one around to listen.
- 저하고 같이 노래부를 사람 없으세요?
  Does anyone want to sing a duet with me?
- 제가 먼저 한 곡 부르겠습니다.
  I'll go ahead and sing the first song.
- 먼저 목소리 좀 가다듬어야겠어요.
  I should clear my throat first.
- 귀 막으세요. 제 목소리가 안 좋으니까요.
  Please plug your ears, because I have a poor voice.
- 그 음악은 제 취향에 맞지 않아요.
  That music is not to my taste.
- 그 노래는 내가 부르려고 하던 참이었어요.
  That's the song I was just about to sing.
- 그는 음도 제대로 못 맞춰요.
  He's not even singing in the right key. [36)]
- 악기를 다룰 줄 아세요?
  Do you play any musical instruments?
- 언제까지 계속 부를 작정이세요?
  How long are you going to keep singing?
- 우리 과장님은 다른 사람에게 노래 부를 기회를 주려고 하지 않아요.
  My boss won't let anyone else sing.
- 저 녀석은 마이크를 한번 잡았다 하면, 놓을 줄 몰라요.
  Once he starts to sing, he never lets go off the microphone. [37)]
- 이봐, 당신만 그렇게 계속 노래를 부르지 마세요.
  You shouldn't keep on singing so much.
- 당신이 그렇게 노래를 잘 할 줄 몰랐어요.
  I didn't know you could sing so well.
- 그 노래를 들으니, 그리운 옛 추억이 생각나는군요.
  That song brings back fond memories. [38)]

---

35) bring oneself to ～ : ～할 마음이 생기다
36) key : 음조; (피아노, 오르간 등의) 건(鍵)
37) go off ～ : ～을 그만두다, 중지하다
38) bring back ～ : ～을 생각나게 하다; ～을 도로 찾다

녹 음

• 오늘밤 연주회를 녹음하실 건가요?
Are you going to record tonight's concert?
• 이 원고를 테이프에 녹음 좀 해 주시겠어요?
Would you please record this script on tape?
• 이 장비〔녹음기〕 아직 녹음 중인가요?
Is the machine still recording?

기 타

• 그 노래는 대중의 인기를 얻었어요.
The song caught on with the public. [39)]
• 연주 잘 하셨어요!
Well played!
• 작곡〔작사〕해 본 적 있어요?
Have you ever done any composing〔writing〕?

rock-and-roll

1950년대 미국에서 시작된 음악의 형태로서 야외 공연장에서 공연된다. 필 헤일리, 엘비스 프레슬리와 같은 가수들과 그룹 "King of Rock-and-Roll"이 음악을 녹음해서 전 세계에 대중화 시켰다.흑인의 리듬과 블루스를 모방하고 country, western 음악을 섞어 만들었다.열광적으로 몸을 흔드는 식으로 춤을 추는 데서 'rock and roll' 이라 이름 붙였고 그것을 줄여 '로큰롤(ROCK'N'ROLL)' 이라 한다.

미 술

관심과 취향

• 저는 그림 그리기를 좋아합니다. / 미술 작품 감상을 좋아합니다.
I like painting. / I enjoy looking at art collections.
• 저는 조각을 합니다. / 저는 유화를 그립니다.
I do sculpturing. / I paint with oils.
• 저는 수채화를 즐깁니다.
I enjoy watercolors.
• 저는 수채화를 그립니다.
I paint water color paintings. / I do watercolors.
• 그림 그리기는 저에게 대단한 만족을 주지요.\
Painting gives me great satisfaction.

39) catch on with sb : 아무에게 인기를 얻다

- 저는 미술 전람회에는 다 참석하려고 합니다.
  I try to attend all the art exhibitions.
- 미술관에 자주 갑니다.
  I often go to art galleries.
- 어떻게 그림을 그리게 되셨습니까?
  How did you start painting?
- 정물화보다는 초상화를 더 좋아합니다.
  I like portraits better than stills.
- (연필) 데생은 기본이에요.
  Pencil drawing is basic.
- 그림을 그릴 때 특별히 좋아하는 소재가 있으세요?
  Is there any particular subject that you like to paint?
- 그림을 팔아 보신 적이 있으세요?
  Did you ever sell your paintings?
- 명성이나 돈을 위해서 한 것은 아닙니다.
  I don't do it for fame or money.

작품을 감상할 때

- 이 그림을 한번 보세요. / 그것은 누구 작품이죠?
  Just look at this picture. / Who is it by?
- 이 그림이 정말 좋은데요. 누가 그린 거죠?
  I really like this picture. Who painted it?
- 정말 아름다운 작품이군요! / 그림을 상당히 잘 그리시는군요.
  What a beautiful piece of work! / You draw fairly well.
- 당신이 그린 그림을 액자에 넣어 둘 거예요.
  I'm going to have your picture framed.
- 이 그림이 뭐가 그렇게 좋은가요?
  What makes this painting so good?
- 이 그림이 원작(原作)인지를 구별하기가 힘들군요.
  It's hard to tell if this picture is a original.
- 이것에 필적할 만한 그림은 없어요.
  No painting can compete with this one.
- 이런 작품을 완성하려면 얼마나 많은 시간을 들여야 되죠?
  How much time do you have to spend in order to finish something like this?
- 저 그림은 너무 노골적이에요.
  The picture is too suggestive. [40)]

40) suggestive : 암시적인; 생각나게 하는; (정욕을) 유발시키는, 외설한

• 저희 집에 있는 그림들은 모두 제가 그린 것들입니다.
All the pictures in my house were done by me.

등 산

A: Have you ever climbed a mountain?
B : I've been up on Mt. Jiri a couple of times.
A : 등반해 보신 적이 있으세요?
B : 지리산을 몇 번 등반했었습니다.

• 6월말경에 설악산을 등반할까 생각 중이에요.
I'm thinking of climbing Mt. Seorak toward the end of June.
• 등산을 위해서는 어떤 장비를 갖추어야 하죠?
What kind of equipment do you have to have for the climb?
• 산 정상을 오르고 난 후의 기분은 말로 표현할 수가 없어요.
The feeling after getting to the top of the mountain is beyond words.
• 산 정상까지 올라가는 건 무척 힘드는 일이었어요.
It was a hard strain to reach the mountain top.
• 안전하고 쉬운 코스를 찾읍시다.
Let's find the safe easy course.
• 암벽등반을 해 본 적이 있습니까?
Have you ever climbed the rocks?
• 완만한 경사를 올라가는 데도 숨이 차요.
I pant for breath even when going up a gentle slope.
• 우리는 산 정상에 올랐어요.
We topped the mountain.
• 저는 가파른 산에 오르는 것을 좋아해요.
I like climbing steep mountains.

활용어휘

• 등산 : mountain climbing
• 등산용 지팡이 : alpenstock [41)]
• 산 정상 : mountaintop
• 텐트용 쐐기 : tent peg
• 암벽 등반 : rock-climbing
• 등산 장비 : mountain climbing equipment
• 등산용 배낭 : knapsack
• 등산화 : mountain climbing shoes
• 쇄빙 도끼 : ice ax(e)
• 2인용 소형 천막 : shelter half

41) (끄트머리에 쇠붙이를 끼운) 등산용 지팡이

낚 시

A: Do you like fishing? (낚시를 좋아하세요?)
B : Yes, I enjoy sea fishing. (네, 바다낚시를 좋아합니다.)

• 민물낚시를 좋아합니다. / 주말마다 낚시를 갑니다.
I like freshwater fishing. / I go fishing every weekend.

• 바다낚시를 가 본 적이 있습니까?
Have you ever been to the ocean to fish?

• 대개 어디로 낚시를 하러 가십니까?
Where do you usually go fishing?

A: What kind of bait do you use to catch fishes?
B : I always use live〔fake〕 bait.

A : 고기를 잡는데 어떤 미끼를 사용하세요?
B : 항상 살아있는〔모조〕 미끼를 사용합니다.

• 미국에서는 낚시가 어느 정도 인기가 있습니까?
How popular is fishing in the U.S.A.?

• 저희는 낚시 면허증 없이는 낚시를 할 수가 없어요.
We can't fish without a fishing license.

• 낚시는 인기 있는 레저활동이에요.
Fishing is a popular leisure activity.

낚시 량

A: How many pounds of fish can you catch in a day?
B : On a good day, I might catch up to three pounds.

A : 하루에 고기를 몇 파운드나 잡으세요?
B : 좋은 날에는〔잘 잡히는 날에는〕 3파운드까지 잡기도 해요.

• 13인치짜리 고기 한 마리를 잡았어요.
I caught a thirteen-inch fish.

• 2.5파운드짜리 잉어 한 마리를 잡았어요.
I caught a 2.5 pound carp.

• 고기 좀 잡으셨어요? / 물고기가 입질조차 안 해요.
Did you catch any fish? / The fish just aren't biting.

• 물고기를 잡아서 직접 요리하시나요?
Do you cook yourself after you catch fishes?

• 물고기를 지치도록 하세요.

Play a fish. 42)

• 여긴 전혀 입질을 안 해요. / 하나도 못 잡았어요.

Nothing is biting here. 43)/ I didn't catch anything.

• 이 강은 고기가 잘 낚여요. / 이 강에는 고기가 많아요.

This river fishes well. 44) / Fish abound in this river.

• 저봐요, 큰 물고기죠?

That's a big fish for you. 45)

활용어휘

- 낚시 (바늘) : fishhook
- 낚시 미끼용 지렁이 : fishing worm
- 낚싯대 : fishing pole 46)
- 낚싯줄 : fishing line / fishline
- 배스〈농어류〉 : bass
- 목줄 : snell 47)
- 미끼 상자 : bait can
- 작살 : fishgig / fish spear
- 고기 그물 : fishing net
- 낚시 도구 : (fishing) gear〔tackle〕
- 낚시터 : fishing place
- 낚싯봉 : sinker
- 눈이 빨간 고기 : redeye
- 매운탕 : fish〔pepper-pot〕soup
- 미끼 : bait / decoy
- 민물 낚시 : freshwater fishing
- 잡어 : rough fish
- 찌 : float

수 집

A: What do you collect? (무엇을 수집하세요?)
B : I collect commemorative stamps. (기념우표를 수집하고 있어요.)
A: How many have you collected? (얼마나 수집하셨어요?)
B : I've collected 50 so far. (지금까지 50장을 수집했습니다.)

• 저는 골동품 수집을 좋아합니다.

I like collecting antiques.

• 저는 칼을 수집하는 데 흥미가 있어요.

I'm interested in collecting knifes.

• 진기한〔희한한〕칼들을 꽤 많이 모았어요.

I have a fairly large collection of rare knifes.

42) play : 〈낚시바늘에 걸린〉 (물고기를) 지칠 때까지 놀려 주다 / play a fish : (낚시에 걸린) 물고기를 (지칠 때까지) 헤엄치도록 하다
43) 직역 : 이곳은 아무것도 물지 않는다 / bite : (물고기가) 미끼를 물다
44) fish : 물고기; 낚시를 하다; (강 등에서) 물고기가 낚이다 / a fish out of water : 물을 떠난 물고〔자기 분야가 아니기 때문에 실력 발휘를 못하는 사람〕/ feed the fishes : 물고기 밥이 되다; 익사하다 / land one's fish : 잡은 물고기를 끌어올리다; 마음먹은 목적물을 손에 넣다 / fish out〔up〕~ : ~에서 물고기를 모조리 잡다 / have other fish to fry : ((구어)) 해야 할 다른 중요한 일이 있다 / a big fish in a little pond : ((구어)) 우물안 개구리 / make fish of one and flesh〔fowl〕of another : 차별대우하다
45) That's ~ for you. : (상대의 주의를 환기시켜) 저기 봐요, ~ 이죠?
46) 릴낚시용 낚싯대는 fishing rod이라고 한다.
47) 낚싯줄의 맨 끝부분에 낚시바늘이 직접 매달려 있는 질기고 가는 줄

애완 동물

- 무슨 종입니까? / 그건 진돗개입니다.
  What breed is it? / It's a Jindo dog.
- 저는 애완 동물하곤 전혀 운이 닿지 않아요.
  I don't have any luck with any pets. [48)]
- 저는 개를 데리고 산책하는 걸 좋아해요.
  I enjoy going for a stroll with my dog.
- 암컷인지 수컷인지 모르겠어요.
  I can't tell its sex.
- 정말 귀여운 개군요!
  What a pretty doggie! [49)] / What a love of a dog!
- 저는 집에서 여러 가지 애완 동물을 길러요.
  I have various pets in my house.
- 이거 수놈인가요, 암놈인가요?
  Is this a he or she? / Is this male or female?
- 당신 개는 오줌똥을 가릴 줄 아는가요?
  Is your dog housebroken? [50)]
- 이 개는 순종입니까 잡종입니까?
  Is this dog a purebred or a mutt? [51)]
- 우리 고양이 불임수술을 시키려고 해요.
  I want my cat neutered〔spayed〕. [52)]

놀이와 게임

- (동전의) 앞면으로 할까요, 뒷면으로 할까요?
  Heads or tails?
- 제비뽑기로 결정합시다.
  Let's draw lots.
- 누가 먼저 할지 제비뽑기로 합시다.
  Let's draw to see who goes first.
- 동전을 던져 결정합시다.
  Let's flip for it. / Let's flip the coin! [53)]
  Let's toss (up) a coin!

48) 애완 동물을 기르는 도중에 항상 죽거나 병들거나 할 때
49) doggie : 강아지
50) housebroken : (개 고양이 등이) 집에 길들여진
51) purebred : 순혈종(의 동물) / mutt : ((속어)) 개; (특히) 잡종개, 똥개(mongrel / cur)
52) neuter = spay : ~의 난소를 제거하다
53) 동전을 위로 던져서 게임 시작의 우선 순위 등을 결정할 때 / flip : (동전 등을 위로) 휙 던져 올리다

- 먼저 너부터 시작해!
  Begin with you No. 1.
- 자, 시작합니다.
  Here it goes. [54)]
- 좋아, 네가 이겼다.
  Okay, you win!
- 자, 내가 졌다!
  Oh, I give up!
- 우리 교대로 합시다. 당신부터 하세요.
  We'll take turns. You first.
- 누구 차례죠?
  Who is next? / Whose move is it? / Whose turn is it?
- 수수께끼 하나 낼게요.
  Let me ask a riddle.
- 우리 스무고개놀이 하자!
  Let's play twenty questions. / Let's play twenty questions!
- 원형으로 앉아 주세요.
  Please sit in a circle.
- 자, 장기자랑을 하겠습니다.
  Now, we'll have a talent show.
- 저는 내기는 절대 안 해요.
  I never bet.

54) 게임 등을 시작하면서

8 스포츠

미국인들은 스포츠에 대한 관심이 매우 높다. 미식축구 결승전이 TV로 방영되는 시간에는 많은 사람들이 미식축구 결승전(Super Bowl)을 시청한다. 스포츠를 화제로 삼을 때 기본적인 표현에는 **"Do you like play sports?**(운동하는 걸 좋아하세요?)", **"What sports are you into?**(무슨 운동에 관심이 있으세요?)", **"What sports do you play?**(어떤 운동을 하세요?)", **"I enjoy golfing.**(저는 골프 치는 걸 좋아합니다.)" / **"I don't have time to exercise.**(저는 운동할 시간이 없습니다.)" 등이 있다. 아래는 볼링에 관한 대화를 나누는 상황이다.

기본대화

A : What's your favorite sport?
B : (I like) Bowling.
A : What's your average?
B : I bowl 160 now.
A : That's great.
B : I've been bowling for ten years.
A : I envy you.
I'm not interested in any sports at all.

A : 좋아하는 스포츠가 무엇입니까?
B : 볼링을 좋아합니다.
A : 에버리지〔평균 점수〕가 얼마죠?
B : 현재 160입니다.
A : 아주 잘 하시는군요.
B : 10년간 볼링을 쳐 왔거든요.
A : 당신이 부럽군요. 저는 스포츠에 전혀 관심이 없어요.

- 그밖에 어떤 스포츠를〔운동을〕 하십니까?
  What other sports〔exercise〕 do you play〔get〕?
- 그 경기를 직접 관전하셨어요, 아니면 TV에서 시청하셨어요?
  Did you see the game live〔in person〕 or did you watch it on TV?

❖ 스포츠를 관전할 때 : 스포츠를 관전할 때(p. 216)

골 프

실 력

A: What's your handi(cap)? (핸디가 얼마입니까?)
B : I'm fifteen. (15입니다.)

• 골프를 얼마 치십니까?〈속어〉
What do you shoot?
• 쉰 살이 되기 전에 80 이하를 칠 생각입니다.
I resolve to break 80 before I turn 50.
• 그가 "홀인원"을 했어요.
He got a hole in one.
• 요즘 골프를 배우느라 정신이 없어요.
I'm excited about learning golf these days.

골프 실력 관련 용어

① 파(par) : (뒷 페이지의 표에 제시된) 기준 타수
② 버어디(birdie) : par보다 한번 덜 쳐서 'hole in' 하는 것
③ 보오기(bogey) : par보다 한번 더 쳐서 'hole in' 하는 것
④ 더블 보기(double bogey) : par보다 두 번 더 쳐서 'hole in' 하는 것
⑤ 이글(eagle) : par보다 두 번 적게 쳐서 'hole in' 하는 것
⑥ 홀인원(hole in one) : 단 한번에 쳐서 'hole in' 하는 것
⑦ 홀인(hole in) : 골프 공을 쳐서 구멍(hole) 속에 넣는 것
⑧ 핸디캡(handicap) : 자신의 평균 타수에서 기준 타수를 뺀 숫자, 예를 들어 자신의 평균 타수(average)가 90타라면, 핸디캡은 18〔90−72〕이다. 따라서 핸디캡이 적을수록 골프를 잘 치는 사람이다.

골프장에서

A: I'd like to play a round this afternoon.
B : What's the greens fee?
A : 오늘 오후에 골프를 치고 싶어요.
B : 골프 치는데 얼마죠?

• 첫 타구 시간이 언제죠?
When is tee time?
• 그린에 공을 올리지 못하겠어요.

I can't get the ball on the green.

- 나인 홀을 친 다음에 쉽시다.
  Let's take a break after the ninth hole.
- 멋진 샷이었어요!
  Nice shot!
- 어떻게 하면 똑바로 칠 수 있죠?
  How can I hit the ball straight?
- 공을 연못으로 쳐버렸어요.
  I hit the ball into the pond.
- 왜 공이 계속 휘는 거죠?
  Why does the ball keep slicing?
- 연습할 때는 똑바로 잘 치는데, 게임에서는 안되요.
  I can hit the ball straight during practice, but not during the game.
- 오늘 오후에 나인 홀을 칩시다.
  Let's get in nine holes this afternoon.
- 우린 18홀을 쳤어요.
  We played 18 holes.

코스별 홀(hole)의 종류와 타수

구 분	홀의 개수	기준 타수	총 타수
short hole	4	3	12(4×3)
middle hole	10	4	40(4×10)
long hole	4	5	20(4×5)
계	18	12	72타

활용어휘

- (골프장의) 페어 웨이 : fairway [1]
- 골프 채 : golf club
- 골프 회원권 : golf membership
- 그린 : (putting) green [2]
- 스타이미 : stymie [4]
- 티 샷 : tee shot [5]
- 모래 웅덩이 : sand trap / bunker((英))
- 메이저대회에서의 우승 : winning a major tournament
- 골프 연습장 : driving range
- 골프 코스 : golf course
- 골프장용 손수레 : golf cart
- 로스트 볼 : lost ball [3]
- 장애 연못 : water hazard
- 홀에 세우는 깃대 : flagstick
- 러프 : the rough [6]

1) tee와 green 사이의 잔디 구역
2) 홀 주변의 아주 짧고 단정하게 깎아놓은 원형의 잔디밭
3) 타구한 공을 찾을 수 없을 때 그 잃어버린 공을 말한다.
4) (green 위에서) 타자의 공과 홀의 직선상에 상대방의 볼이 가로놓인 상태
5) 골프에서 각 hole을 시작할 때 tee(공을 올려놓는 자리)에 올려 놓고 치는 것
6) rough : 거친, 울퉁불퉁한; 가공하지 않은; ((골프)) the rough : 긴 풀 등이 있는 황무지

야 구

야구를 관전하면서

A: What inning is it? (지금이 몇 회죠?)
B : It's the top 〔bottom〕 of the fifth inning. (5회초〔말〕이에요.)

- 지금 만루예요.
  The bases is loaded 〔full〕.
- 심판은 그에게 아웃을 선언했어요.
  The umpire called him out. [7)]
- 그가 안타 한 개만 치면, 완전히 역전할 수 있을 텐데.
  If he'd only gotten a hit, it would've turned the whole game around. [8)]
- 그가 잡았어요! / 정말 멋진 캐취군요!
  He's got it! / What a super catch!
- 왜 투수를 바꾸려하지 않죠?
  Why aren't they changing pitchers?
- 이봐, 안타를 쳐!
  Come on, get a hit!
- 해태가 무사만루의 기회를 놓쳤어요.
  Haitai team slipped on a big chance of victory with no outs and the bases loaded.

선수 평가

- 다저스 팀의 투수가 거의 무안타를 기록할 뻔했어요.
  It was almost a no-hitter for the Dodger's pitcher.
- 그는 어제 완투를 했어요.
  He went 〔lasted〕 the distance yesterday. [9)]
  He went the route yesterday. [10)]
- 선동렬은 예리한 커브공을 던져요.
  Seon Dong-ryol pitches sharp breaking curve-balls.
- 그는 4번 타자예요. / 그는 1루수예요.
  He's batting number 4 in the lineup. / He plays first base.
- 그는 방망이조차 휘두르지 못 했어요. / 그는 홈런 30개를 날렸어요.

---

7) call : ~의 판정을 내리다
8) turn around : 흐름을 바꾸다, 일변시키다
9) go〔last〕 the distance : 완투하다, 끝까지 해내다
10) go the route : 완투(完投)하다

He didn't swing the bat. / He hit thirty homers.

- 그 선수의 타율이 어떻게 되죠?
  What is the player's batting average?
- 그는 오늘 5타수 3안타를 쳤어요.
  He made three hits in five at bats today.
- 그는 장외 홈런을 날렸어요.
  He hit an out-of-the-park homer.
- 해태에서 누가 최고 타자죠?
  Who is the best hitter on the Haitai team?
- 그의 지난 시즌의 타율은 3할 5푼 4리였어요.
  His batting average last season was .354.

활용어휘

- 1번 타자 : head off
- 2군 : ((美)) farm team
- 가장 훌륭한 투수 : ace hurler
- 견제구 : feint ball
- 다음 타자 : on-deck batter
- 덕아웃 : dugout
- 땅볼 아웃되다 : ground out
- 마지막 회 : last inning
- 만루를 만들다 : load the bases
- 사사구〔포볼〕 : walk / base on balls
- 선발 투수 : starting pitcher / starter
- 수위 타자 : leading hitter
- 승리 타점 : gamewinningRBI 11)
- 완투 투수 : thoroughgoing pitcher
- 장외 홈런 : out-of-the-park homer
- 장타자〔강타자〕 : fence buster
- 주심 : plate〔chief〕 umpire 12)
- 직선 타구 : line drive
- 타격상 : batting award
- 타자석 : batter's box
- 투수판 : pitcher's plate
- 플라이 아웃 : fly out 13)
- 홈런 : round-tripper
- 2개의 단타 : two single
- 2군 리그 운영제 : farm system
- 강타자 : heavy batter / slugger
- 구원 투수 : relief pitcher
- 홈런 타자 : circuit slugger〈속어〉
- 뒷 그물 : back stop
- 런닝 홈런 : inside-the-park home run
- 만루 홈런 : grandslam
- 방어율 : earned run average〔ERA〕
- 삼진 탈취왕 : strikeout champion
- 속구 투수 : fast-ball pitcher
- 승리 투수 : winning pitcher
- 악송구 : wild ball
- 임시 선발 투수 : spot starter
- 장타율 : slugging average
- 좌우 양손타자 : switch hitter
- 지명 대타자 : designated hitter
- 타격 부진 : poor batting
- 타격전 : batting duel
- 희생 플라이 : sacrifice fly
- 투 아웃 상태에서 : with two down
- 수비 : fielding / defense
- 공격 : attack
- 3점 홈런을 치다 : hit three-run homer
- 시즌 62호 홈런 : 62nd homer of the season
- 승부를 결정짓는 홈런을 치다 : hit the game-winning home run
- 한 시즌 최다 홈런 : the most home runs in a season

11) RBI〔rbi〕: run(s) batted in : 타점
12) 선심은 line umpire / 누심은 base umpire
13) 멀리 높게 친 공을 잡아 아웃시키는 것을 말하며, 짧은 거리에 높게 친 공을 아웃시키는 것은 'pop up'이라고 한다.

- 3년 연속 50개 이상 홈런 : 50 or more home run's in the consecutive three seasons
- 역사에 길이 남을 홈런 : a homer that will be remembered throughout history

테니스

실 력

- 테니스 잘 치세요?
  Are you good at tennis?
- 테니스 레슨을 받은 적이 있으세요?
  Have you ever taken tennis lessons?
- 저는 테니스 클럽에 가입해 있어요. / 저는 그 테니스 클럽 회원이에요.
  I belong to a tennis club. / I'm a part of the tennis club.
- 저는 백핸드가 형편없어요. / 저는 백핸드로는 못 쳐요.
  My backhand is clumsy. / I can't hit backhands.
- 요즘엔 테니스를 많이 안 치지만, 전에는 많이 쳤어요.
  I don't play tennis much these days, but I used to.

테니스장에서

- 지금 경기를 (시작)하실까요?
  Shall we play now?

A: How many sets should we play? (몇 세트 경기를 할까요?)
B : Let's have a game of three sets. (3세트로 한 게임 합시다.)

- 서브는 토스로 결정합시다.
  Let's toss for serve.
- 저희와 함께 게임을 하실까요?
  Will you join us for a game?
- 같이 게임 하시겠어요?
  Do you want to play with me?
- 연습 시합은 그만하고 정식으로 합시다.
  Let's stop the practice game and do the thing in style.
- 복식 게임을 합시다. / 복식 게임을 하고 싶은데요.
  Let's play a game of doubles. / I want to play doubles.
- 테니스 칠 파트너가 필요한데요.
  I need a partner to play tennis with.

A: I've lost count of the score. What is it?
B : Thirty-fifteen, I'm ahead.

A : 점수를 세는 걸 까먹었어요. 몇 대 몇이죠?
B : 30대 15로 내가 이기고 있어요.

• 파이팅〔잘했어〕!
Gimme five!

우리가 손을 마주치면서 "Fighting!" 하는 영어 표현

"Slap〔Slip〕 me five!" / "Give〔Slip〕 me (some) skin!" : 이 두 표현은 같은 뜻으로서 테니스 복식 경기 등에서 자기 파트너가 멋진 샷으로 점수를 땄을 때 두 사람이 손을 마주치면서 하는 표현이다. 손을 머리 위에서 마주치면서 말할 때는 "High five!" 하고, 허리 밑에서 손을 마주치면서 말할 때는 "Low five!"라고 한다. / gimme = "give me"의 줄임말 / Give me five.(직역 : 다섯 손가락을 나에게 주라.)

• 이봐, 네 서브가 너무 빨라. 좀 약하게 해, 알았어?
Hey, your serve is too fast. Take it easy, okay?
• 그게 아웃이라니, 그럴 리가 있나?
I can't believe you called that out.
• 그게 왜 아웃이죠?
Why did you call that out?
• 누가 서브할 차례죠?
Who's turn to serve?
• 어떻게 그렇게 실력이 느셨어요?
How did you get so good?
• 정말 빠르군요. / 잘 치시는군요.
You're as fast as a rabbit. / You're a good player.
• 당신 백핸드는 정말 멋지군요!
Your backhand is very wicked. [14)]

기 타

• 3시에 테니스 코트에서 만날까요?
Shall we meet at the tennis court at 3:00?
• 오후 3시에 테니스 코트를 예약하고 싶습니다.
I'd like to reserve a tennis court for 3:00 p.m..
• 코트를 빌리는 데 얼마죠?
How much is it to rent the court?
• 우린 테니스 다섯 게임을 쳤어요.
We played five games of tennis.

14) wicked : ((속어)) 멋진, 훌륭한(excellent)

• 이 캠프 안에 실내 테니스장이 있습니까?
Is there an indoor tennis court in this camp?

활용 어휘
• 단식 결승전 : singles final
• 복식 전문가 : doubles specialist
• 혼합 복식 : mixed doubles
• 복식 경기 : doubles match
• 테니스 대회 : tennis tournament

수 영

실 력

A: Can you swim well?
B : No, I'm a beer bottle in the water.
A : 수영 잘 하십니까?
B : 아니오. 물 속에서는 맥주병이에요.

• 얼마나 멀리 수영을 할 수 있습니까?
How far can you swim?

영 법

A: What stroke do you usually use?
B : I like the back stroke.
A : 평소에 어떤 영법으로 수영을 하십니까?
B : 배영을 즐깁니다.

• 주로 어떤 형으로 수영을 하십니까?
What's your usual swimming style?

활용 어휘
• 자유형 : freestyle
• 횡영(橫泳) : sidestroke
• 배영 : backstroke
• 평영 : breast stroke
• 접영 : butterfly stroke

수영장에서

A: What do you think of my swimming?
B : Well, pretty good. Not bad for an amateur.
A : 내 수영 솜씨 어때요?
B : 음, 꽤 잘하는데요. 아마추어치고는 괜찮은데요.

- 귀에 물이 들어갔어요.
  I got water in my ear.
- 사람들이 너무 많아서 수영도 못 하겠어요.
  There are so many people, I can't even swim.
- 생각보다 물이 따뜻해요.
  It's warmer than I thought.
- 수영하기 전에 준비운동을 해야 해요.
  You have to warm up before you go swimming.

활용어휘

- 물갈퀴〔오리발〕 : flippers
- 수영 (경기)대회 : swimming gala
- 수영장 : swimming pool
- 안내 로프 : guide rope
- 서서 헤엄치기 : treading water
- 수영 레인 : swimming lane
- 수구(水球) : water polo

스 키

경 험

- 스키를 타 본 적이 없어요.
  I've never went skiing.
- 스키를 일단 타게 되면, 그만두질 못할 거예요.
  Once you try skiing, you're hooked. [15]
- 스키를 타 본 지가 5년이나 됐습니다.
  Five years have passed since I skied last.
  I haven't been skiing in five years.
  I haven't skied for the past five years.
  It's(It has) been five years since I skied last.

실 력

A: Do you enjoy skiing? (스키타는 걸 즐겨하세요?)
B : Yes, but I'm not very good. [16] (좋아하지만, 잘 못해요.)

스키장에서

- 굉장한 실력인데!
  What a great skier!

15) be hooked on skiing : 스키 타는 것에 매료되다
16) "Yes, but I'm poor at it.(좋아하지만, 서툴러요.)"라고 할 수도 있다.

- 그 옷을 입고 있으니까, 스키를 잘 타는 사람처럼 보이군요.
  You look like a good skier with that outfit on.
- 숙소로 돌아갑시다.
  Let's go back to the lodge.
- 밤에 스키 타는 게 재미있어요.
  It's fun skiing at night.
- 밤에 스키탈 때는 아무리 주의를 기울여도 지나치지 않아요.
  You cannot be too careful skiing at night.
- 빌린 스키가 조금 큰〔작은〕 것 같은데요.
  These rental ski boots are a little large〔small〕 for me.
- 이 사람들이 모두 리프트를 기다리고 있는 거예요?
  Are all these people waiting for the lift?
- 스키장에는 예쁜 아가씨들이 많군요.
  There are a lot of good-looking girls at the ski resort.
- 어떡하지? 꼭대기까지 올라오긴 했는데, 막상 내려가려고 하니 무서워요.
  What do I do? I made it up to the top, but now I'm afraid to go down.
- 어떻게 이 많은 사람들을 이 안으로 밀어 넣는 거죠?
  How do you pack so many people in here? 17)
- 어떻게 멈추죠? / 엉덩이가 닿도록 넘어지세요.
  Tell me how to stop. / Just fall on your rear end. 18)
- 엉덩이가 아파요.
  My rear end still hurts.
- 이런, 멈출 수가 없어요. 도와 주세요. 부딪치겠어요.
  I can't stop. Help! I'm going to crash.
- 저 좀 일으켜 주시겠어요? / 또 넘어졌군요.
  Could you help me up? / You fell again.
- 저 사람들 정말 스키를 잘 타는군요.
  Those people ski so well.

활용어휘

- 활강(滑降) 경기 : downhill
- 도약대 : takeoff platform
- 스키장 : ski resort
- 스키 연습장 : ski slope
- 대회전 경기 : giant slalom
- 활강 선수 : downhiller
- 스키 활주로 : ski run
- 알파인 복합경기 : Alpine combined
- 지그재그 강하 : traverse
- 회전 경기 : slalom

17) 안내 직원이 리프트 카(ski lift)에 너무 많은 사람들을 태우려고 할 때
18) 스키를 타는 도중 멈추는 동작을 가르쳐 줄 때

점수와 승패

경기 예상

A: Who do you think will win the Korean Series?
B : I think it's a toss-up. [19)]

A : 코리안 시리즈에서 누가 이길 것 같습니까?
B : 예측하기 어렵군요.

- 어느 팀이 이길 것 같습니까?
  Which team looks like it will win?
- 근소한 차이로 해태가 이길 거예요.
  Haitai will win by a narrow majority, I feel〔think〕.
- 구기 경기는 완전히 끝날 때까지는 끝난 게 아니에요.
  A ball game is not over until it is over.

진행 상황

A: What's the score? (점수가 어떻게 됐어요?)
B : It's 58 to 30. (58 대 30이에요)

- 누가 이기고 있죠?
  Who's winning?

A: Hi, John. How's the game?
B : Oh, hi, Smith. It's a good game.
And, our team is winning three to nothing.

A : 안녕, 존. 경기가 어떻게 되가고 있니?
B : 오, 안녕, 스미스. 멋진 경기야. 우리 팀이 3:0으로 이기고 있어.

- 우리 팀이 아직 앞서고 있어요.
  Our team's still ahead of the game.
- 첫 세트는 그가 6대 0으로 이겼어요.
  He won the first set 6-0. [20)]
- 어느 팀을 응원하고 계세요?
  What team are you rooting for? [21)]
- 그 경기는 무승부 후에 연장전에 들어갔어요.
  The game went into overtime after a tie.

---

19) 직역 : 동전을 던지는 것과 같지요.
20) 스포츠의 득점에서 0(zero)를 뜻하는 어휘 : 테니스에서는 love, 야구에서는 nothing, 축구나 럭비에서는 nil이라고 한다.
21) root for ~ : ~〔출전 · 선수 등을〕을 성원하다

경기 결과

A: How did the boxing match turn out?
B : It was a draw. [22)]

A : 그 복싱경기 결과가 어떻게 됐어요?
B : 무승부였어요.

- 그 경기 결과가 어떻게 됐죠? / 그가 얼마 차이로 이겼습니까?
  How did the game turn out? / How much did he win by?
- 다저스와 자이언츠의 더블헤더가 어떻게 됐죠?
  What about the Dodgers - Giants double header?
- 어느 편이 이겼어요? / 그 경기 누가 이겼죠?
  Which side won? / Who won the game?

이기다

- 우리 팀이 2대 1로 이겼어요.
  The score was two to one in favor of our team.
  The score was two to one in our favor.
- 경기에서 Y대가 S대를 3대 1로 이겼어요.
  In the game Y University beat S University by 3 to 1.
- 그는 자기 상대를 6대 0으로 참패시켰어요.
  He clobbered his opponent 6:0. [23)]
- 길영아가 인도네시아의 티무어를 15대 4로 물리쳤어요.
  Gil Young-ah defeated Timur of Indonesia 15-4.
- 해태가 6대 3으로 이겼어요.
  The Haitai Tigers won the game six to three.
- 다저스가 자이언츠를 3대 0으로 완봉승을 거두었어요.
  The Dodgers shut out the Giants 3 to 0.
- 우리 팀이 부전승을 했어요.
  Our team won by default. [24)] / Our team drew a bye. [25)]
- 그라프가 6대 4로 역전승을 했어요.
  Graph came from behind and won 6 to 4.
- 황영조 선수가 앞서가던 일본 선수에게 역전승을 거두었어요.
  Hwang Young-jo came from behind and beat the Japanese runner to win the race.
- 그가 3연속 우승을 차지했어요.

22) **draw** : 비김, 무승부(tie)
23) **clobber** : 사정없이 (여러 차례) 치다, 때려눕히다, 적을 해치우다
24) **default** : 불출장, 기권
25) **drew a bye** : 부전승을 얻다

He has won the championship for three years running.

• 해태가 삼성을 간신히 이겼어요.
The Haitai Tigers edged out the Samsung Lions. [26)]

• 10회전에서 존슨이 토마스에게 판정승을 거두었어요.
In a 10 round bout Johnson won by decision over Thomas. [27)]

• 그는 준결승전에 진출했어요.
He went on to the semifinals.

• 우리는 패배직전에서 승리했어요.
We snatched victory from the jaws of defeat.

• 한국은 사실상 결승에 진출했어요.
Korea has virtually advanced to the final.

패하다

• 해태 타이거스가 3대 6으로 졌어요.
Haitai Tigers lost the game three to six.

무승부

• 경기는 3대 3 동점으로 끝났어요.
The game ended in a tie three to three.

• 그 경기는 3대 3으로 비겼어요.
The score was tied, three to three.

• 그 경기는 무승부로 끝났어요.
The game ended in a tie. / The game was tied.

• 그 경기는 연장전을 했으나 비겼어요.
The match went into extra innings and ended in a draw.

• 그들은 각각 1승 1패를 했어요. / 그들은 비겼어요.
They split. / They are even steven. [28)]

진출, 탈락, 기권

• 그 사람이 결승전에 진출했어요. / 모니카가 준준결승전에서 탈락했어요.
He played in the finals. / Monica fell in quarterfinals.

• 그는 부상 때문에 결승전에 출전하지 못했어요.
An injury prevented him from competing in the final race.

• 그는 지금 탈락 위기에 처해 있어요.
He's in danger of elimination now.

• 그는 경기에 참가할 자격을 잃었어요.

---

26) edge out ~ : ~에 간신히 이기다
27) bout : (권투 등의) 한판 승부 / have a bout with sb : 아무와 한판 승부를 겨루다
28) even steven : 대등한, 동점인, 비긴

He was disqualified from taking part in the competition. 29)

- 그가 무슨 종목에 출전했었죠?
  What events was he in?
- 그가 거의 경기를 포기할 것 같은데요.
  Most likely he'll throw〔toss〕 in the towel. 30)
- 그녀가 테니스 결승전에 기권을 했어요.
  She bowed out the tennis final. 31)
- 그는 기권하기로 했어요.
  He decided to scratch. 32)

메 달

- 한국은 메달을 몇 개나 땄죠?
  How many medals did the Koreans win?
- 한국은 메달 순위에서 7위를 차지하고 있어요.
  Korea is ranked seventh in the medal rankings.
- 미국은 하루동안 4개의 금메달을 획득해서 총 24개가 되었어요.
  Americans had four gold medals for the day and 24 in all.
- 프랑스가 금메달 13개를 확보했고, 중국이 11개로 그 뒤를 따르고 있어요.
  France had 13 gold medals, followed by China with 11.

기 타

- 경기는 상당한 고전이었어요.
  The game was close and tough.
- 손에 땀을 쥐고〔숨을 죽이고〕경기를 구경했어요.
  I watched the game breathlessly.
  I watched the game with breathless suspense.
- 경기는 시종 일방적이었어요.
  The game was onesided from start to finish.
- 그건 미리 짜고 하는 시합이었어요.
  It's a got-up match. 33)
- 타이거 우즈는 골프의 역사에 새로운 한 페이지를 장식했어요.
  Tiger Woods added a new page to the history of golf.
- 해태 타이거스는 LG 트윈스팀을 상대할 거예요.
  Haitai Tigers will be playing with the LG Twins.

29) disqualify : ((스포츠)) 출전 자격을 박탈하다
30) throw in the towel : 패배를 인정하다
31) bow out : ~을 사임〔기권〕하다
32) scratch : (선수 · 경주마 등이) 출전을 그만두다, 기권하다
33) got-up match : 미리 짜고 하는 시합

활용어휘

- 1점을 얻다 : score a run
- 5판 3승의 : best-of-five
- 결승전 출장 선수 : finalists
- 결정구 : kill shot / winning shot [34]
- 대 접전의 결승 : grandstand finish
- 메달 순위 : medal standings
- 설욕전 : return match〔game〕
- 연속 우승자 : repeat champion
- 연패 : losing streak
- 예선 : preliminary〔trial〕 heats
- 우승기 : challenge flag
- 접전 : needle〔close〕 match〔game〕
- 치열한 각축전 : fierce seesaw〔contest〕
- 타이 기록 : record-tying [35]
- 2연승 : daily double〈속어〉
- 강력한 우승 후보 : solid favorite
- 결정골 : game-winner
- 골 득실 차 : goal difference
- 득점 기록원 : scorekeeper/ scorer
- 부전승 : win by default
- 역전승 : come-from-behind win
- 연승 : straight win/winning streak
- 예선 (경기) : qualifying game
- 예선전 : preliminary round play
- 우승팀 : winning team
- 총 금메달 수 : overall gold medals
- 친선 경기 : goodwill match
- 승리 타점 : game-winning RBI

체 조

- 양발은 벌리고 양팔을 옆구리에 대세요.
  Put your feet apart and your arms at your sides.
- 왼쪽으로 굽히고 10까지 세세요.
  Bend to the left and count to 10.
- 똑바로 서세요.
  Stand up straight.
- 양팔을 내리세요.
  Put your arms down.
- 양발을 모으세요.
  Put your feet together.
- 양손을 허리 뒤에 붙이세요.
  Put your hands behind your back.
- 두 손을 맞잡으세요.
  Hold your hands together.

기 록

- 기록은 깨지기 마련이에요.
  Records are made to be broken.

34) 테니스 등에서 상대가 받을 수 없도록 친 공
35) tying : 'tie(동점이 되다)' 의 현재분사형

9 건강

"천하를 얻고도 건강을 잃으면 아무런 소용이 없다."는 말이 있듯이 건강은 인간에게 가장 소중한 것이다. 따라서 모든 사람들은 건강에 많은 관심을 가지고 있기 때문에 좋은 화제가 될 수 있다. 건강에 관한 기본적인 표현에는 "How do you keep yourself fit?(어떻게 건강을 유지하세요?)", "I exercise regularly.(규칙적으로 운동을 합니다.)", "You don't look very well. What's the matter?(안색이 매우 안 좋아 보이는데, 무슨 일이세요?)" 등을 쓸 수 있다. 아래 대화는 상대의 컨디션이 안 좋아 보일 때 대화를 나누는 상황이다.

기 본 대 화

A : You don't look well. What's the matter with you?
B : I feel tired and run down.
A : Oh, that's too bad. Maybe you have the flu.
B : Could be. I ache all over.
A : I have an aspirin. Would you like one?
B : Yes, please.
A : Hope you feel better soon.
B : Thanks a lot.

A : 안색이 안 좋아 보이군요. 어디 아프세요?
B : 피곤하고 기운이 없어요.
A : 안됐군요. 독감에 걸렸나 보군요.
B : 그런가 봐요. 몸살이 나거든요.
A : 저한테 아스피린이 하나 있는데, 드시겠어요?
B : 네, 주세요.
A : 빨리 나아지길 바랍니다.
B : 고마워요.

건강 유지

A: What do you do to stay healthy?
B: I go jogging everyday.
A: 건강을 유지하기 위해서 무엇을 하세요?
B: 매일 조깅을 합니다.

• 건강을 유지하기 위해서 무엇을 하십니까?
What do you do to keep in shape?

- 저는 일주일에 두 번씩 에어로빅 강습을 받아요.
  I take an aerobic class twice a week.
- 운동 많이 하십니까?
  Do you get much exercise?
- 저는 일주일에 세 번씩 체육관에서 운동을 합니다.
  I work out in a gym three times a week.
- 아침 일찍 조깅하는 걸 습관으로 하고 있습니다.
  I make it a rule to jog early in the morning. 1)
- 저는 매일 1마일씩 달리기를 해요. / 그래서 그렇게 건강하시군요.
  I do a mile run every day. / No wonder you're so fit. 2)
- 몸을 단련하기 위해서 매일 운동을 해요.
  I work out everyday to beef my body up. 3)
- 당신도 운동을 시작해야겠군요.
  You ought to start working out. 4)
- 조깅이 몸〔건강〕에 좋아요.
  Jogging does you good. / Jogging is good for your health.
- 헬스 클럽에 나갈까 생각중입니다.
  I'm thinking about joining a health club.
- 요즘도 아침 운동을 계속하십니까?
  Are you still keeping up with your morning exercise?
- 운동 좀 하셔야겠습니다. / 저는 매일 1시간씩 운동을 해요.
  You need exercise. / I work out for an hour everyday.
- 사람은 일도 중요하지만 휴식도 취해야 하는 거예요. 〈속어〉
  All work and no play makes Jack a dull boy. 5)

자신의 건강 상태

좋을 때

- 저는 건강상태가 좋아요.
  I'm in good health. 6) / I'm in the pink of health. 7)
- 저는 건강 상태가 아주 좋아요.
  I'm in a fairly good shape. / My health is quite good.
- 저는 아파 본 적이 없어요.

---

1) make it a rule to + 동사 원형 : ~하는 것을 상례로 하다, 늘 ~하곤 하다
2) fit : ((구어)) 좋은 건상 상태인
3) beef up : 강화하다, 증강하다 / 도살하다
4) work out = do exercise : 운동하다
5) 직역 : 일만하고 놀지 않으면 사람(Jack)을 둔한 젊은이로 만든다.
6) in good health : 건강한
7) in the pink of health〔condition〕 : 아주 건강한 상태인(peak condition)

I've never had any trouble with my health.

- 컨디션이 최상이에요. / 지금 컨디션〔기분〕이 좋아요.
  I'm in the best condition. / I'm in a good mood now.
- 어느 때보다도 기분이 산뜻해요〔어느 때보다도 젊어진 것 같아요〕.
  I feel younger than ever.

좋지 않을 때

- 저는 건강 상태가 좋지 않아요. / 몸이 허약해진 것 같아요.
  My health is poor. / I'm in bad health.
- 저는 건강 상태가 별로 안 좋아요.
  My health is not so good. / I feel weak.
- 기운이 없어요. / 오늘은 몹시 피곤해요.
  I'm not feeling well. / I'm way tired today. [8)]
- 녹초가 됐어요.
  I'm tired out. [9)] / I'm worn out. / I'm burnt out. [10)]
  I really feel dragged out. [11)] / I'm dog tired.
  I'm tuckered out. [12)]
- 몸에 이상이 있는 것 같아요.
  Something must be wrong with me.
- 몸의 상태가 별로 안 좋아요.
  I don't feel very well. / I'm a little out of shape. [13)]
- 오늘 아침에는 몸이 무거워요.
  I'm feeling sluggish this morning. [14)]
- 오늘은 컨디션이 별로 안 좋아요.
  I'm not feeling up to par today. [15)]
- 요즘에는 뭘 하더라도 피곤해요.
  Recently, I feel tired no matter what I do. [16)]
- 요즘은 쉽게 피로해져요.
  I easily get tired these days.
  I become tired very quickly these days.
- 지쳤어요. / 컨디션이 아주 안 좋아요.
  I'm exhausted. / I feel terrible.

---

8) way : ((美 구어)) 몹시, 아주, 굉장히, 훨씬; 멀리
9) be tired out : 녹초가 되다
10) burnt out : 지친, 녹초가 된
11) dragged out : 기진맥진한, 녹초가 된
12) be tuckered out : ((구어)) 지칠대로 지치다
13) out of shape : 원래의 모양을 잃은 → 몸이 쇠약한
14) sluggish : 기능이 둔한〔활발하지 못한〕 / 느린, 완만한
15) par : 정상 상태 / not up to par = feel below〔under〕 par : 건강 상태가 좋지 않은, 건강이 정상이 아닌
16) no matter what ~ : ~하는 것에 상관없이, ~을 하더라도

- 오늘 몸의 상태가 안 좋아요.〈속어〉
  I'm under the weather today. [17]
- 갑자기 몸무게가 늘기 시작했어요. / 저는 너무 뚱뚱해요.
  I've suddenly started to gain weight. / I'm too heavy.
- 갑자기 몸무게가 줄었습니다.
  I have suddenly lost weight.
- 계단을 오르니까 숨이 찹니다.
  I'm out of breath from climbing the stairs.

※ 몸의 상태가 좋지 않을 때 : 병원(p. 271)

상대의 컨디션이 안 좋아 보일 때

- 무슨 일이었어요?
  What's happened?
- 오늘 아침 왜 그렇게 피곤해 보이세요?
  Why do you look so tired this morning?
- 아프세요? / 무슨 안 좋은 일이 있으세요?
  Are you sick [ill]? / Anything wrong?
- 어쩌다가 다치셨어요?
  How did you hurt it?
- 아프다니 안됐네요. 건강 조심하세요.
  I'm sorry you're ill. Well, take care.
- 어디가 아프세요? / 어디 편찮으십니까?
  Where does it hurt? / Is there anything wrong with you?
- 뭐[약] 좀 드셨어요?
  Have you taken anything for it?
- 집에 가서 쉬어라. / 며칠 쉬시지 그래요.
  Go home and relax. / Why don't you take a few days off?
- 휴식 좀 취하셔야겠네요.
  You'd better get some rest.
- 열도 많군요. 약은 드셨어요?
  You have a high fever, too. Did you take anything for it?
- 악화되기 전에 진찰을 받아보세요.
  You should go see a doctor before it gets worse.
- 창백해 보이시군요. 괜찮으세요?
  You look a little pale. Are you OK?
- 아스피린을 먹어봤지만, 효과가 전혀 없었어요.

17) under the weather : ((구어)) 몸이 불편한; 기분이 언짢은

I've already tried aspirin. But it didn't do any good.

- 요즘 독감이 유행하고 있어요. 몸조심하세요.
  There's a bad flu going around. Take care.
- 오늘 좀 수척해 보이네요.
  You seems to be a little peaked today. [18]
- 무리하지 마세요.
  You shouldn't strain yourself. [19]
- 왜 그렇게 토라졌어요?
  What makes you so sulky? [20]

기 타

A: (After sneezing) Excuse me. ((재채기 후) 실례했습니다.)
B : God bless you. (신의 축복이 있기를). [21]
A: Thank you. (감사합니다.)

---

18) peaked : (병 따위로) 수척한, 야윈
19) strain : (너무 써서) 상하게 하다, 무리를 하다; 긴장시키다
20) sulky : 샐쭉한, 부루퉁한, 기분이 언짢은, 잘 토라지는
21) 감기를 치료하기 어려웠던 시대에서는 감기에 걸리면 죽는 경우도 많았기 때문에 감기에 걸린 사람에게 "God bless you."라고 말하면 신의 축복을 통해서 빨리 나으라는 의미를 내포하고 있으며, 매우 일상적인 표현으로 사용되고 있다.

10 타인 평가

사람들은 다른 사람에 대해서 얘기하기를 좋아한다. 따라서 제 3자의 능력, 성격, 외모, 신뢰성, 대인관계 등에 대한 사항을 화제로 삼는 경우가 있다. 어떤 사람에 대한 됨됨이나 성격을 묻고자 할 때는 **"What do you think of Mr. Miller?**(밀러씨에 대해서 어떻게 생각하세요?)", **"What kind of a person is he?**(그 사람은 어떤 사람입니까?)"라고 말한다.

기 본 대 화

A : I heard you have a new manager in your department.
B : Yeah, he started working last month.
But he is nothing like what we expected.
A : What is he like?
B : He's very particular about even trivial things.
A : He has a personal problem, I guess.
B : Right.

A : 당신 과장님이 새로 오셨다면서요.
B : 네, 지난달에 일을 시작했어요.
그런데 우리가 기대했던 사람과는 전혀 달라요.
A : 그 사람 어떤 사람인데요?
B : 사소한 일에도 매우 까다로운 사람이에요.
A : 그 사람 신상에 문제가 있는 것 같은데요.
B : 맞아요.

타인에 대한 관심

- 우리 회사에 새로 입사한 Herron을 아세요?
  Do you know Herron, the new person in our company?
- 그 사람은 어땠던가요? / 그는 어떠한 기질의 사람인가요?
  How did you like him? / What sort of a man is he?
- 그의 장기는 무엇이죠?
  What is his speciality?
- 그 사람이 어떤 사람인지 말해 주시겠어요?
  Can you tell me what he is like?
- 그 사람에 대해서 말씀 좀 해 주시겠어요?

Could you give me some information about him?

- 그 사람한테서 어떤 인상을 받으셨습니까?
  What impression did you get from him?
- 그 사람의 첫인상이 어땠어요?
  How did he strike you?
- 사람에게는 제각기 장점과 단점이 있어요.
  Each man has his merits and faults.
- 겉모습만 가지고 사람을 판단하지 마세요.
  You can't judge a book by its cover. 1)
- 사람은 누구나 결점을 가지고 있어요.
  Every man has his fault(s). / Everybody has their faults.
- 자신의 기준으로 남을 평가하지 마세요.
  Don't measure others by your own standard.
- 저는 그의 사람됨을 속속들이 알고 있어요.
  I have his measure to an inch.
- 완벽한 사람은 없어요.
  Nobody is perfect.

성 격

호평하다

- 그는 이해심이 많은 남자예요.
  He is an understanding man.

활용어휘

- 교양 있는 남자 : an educated man
- 천하태평인 사람 : an easygoing fellow
- 대쪽 같은 남자 : a straightforward man
- 의지가 강한 사람 : a strong-minded person
- 성격이 원만한 : a good spot
- 남자다운 남자 : a real man
- 가정적인 남자 : a family man
- 성격이 좋은 사람 : a regular guy

- 그녀는 독립심이 강해요.
  She is taking good care of herself.
  She is very independent. 2)

1) 직역 : 표지를 보고 그 책을 판단할 수는 없다.
2) 타인에 대한 평가를 할 때 '정도'를 나타내는 부사를 활용하여 표현하면 훨씬 살아 있는 영어 표현을 할 수 있다. 이러한 부사에는 really(정말로), very(매우), pretty(꽤, 상당히), fairly(꽤) 등이 있다.

활용어휘

- 순진한 : naive
- 이해심이 많은 : understanding
- 검소한 : plain
- 의지가 강한 : strong-willed
- 엄격한: strict
- 관대한 : generous
- 실용적인 : practical
- 정이 깊은 : loving
- 순진한 : innocent
- 마음이 고운 : tenderhearted
- 공손한 : polite
- 자부심이 강한 : conceited
- 복종심이 강한 : obedient
- 용감한 : brave

- 그 여자는 매우 침착해요.〈속어〉
  She is as cool as a cucumber. [3)]
- 그녀는 남에게 지기를 싫어하는 성격의 여자예요.
  She is a woman of spirit.
- 그녀는 뚜렷한 철학〔인생관〕을 가지고 있어요. / 그는 배짱이 두둑해요.
  She has her own philosophy. / He's got a lot of guts. [4)]
- 그는 주관이 뚜렷한 사람이에요.
  He is his own man. [5)]
- 그녀는 아내로서 더할 나위 없어요〔그녀는 완벽한 아내예요〕.
  She is a perfect wife.
- 그는 끈질긴 사람이에요.
  He's no quitter. [6)]
- 그는 남에게 인정이 많아요.
  He's merciful to others.
- 그는 분별력이 있는 남자예요.
  He's a man who knows the difference.
- 그는 분별이 있어요.
  He knows what's what.
- 그는 소신 있게 말할 (수 있는) 사람이에요.
  He is a person who would call a spade a spade. [7)]
- 그는 아주 치밀해요.
  He is on the ball. [8)]
- 그는 여성들에게 인기가 있어요.
  He's a favorite with the ladies.
- 그는 평판이 좋은 사람이에요.
  He's a man of good reputation.

---

3) as cool as a cucumber : 냉정한, 태연자약한 / cucumber : 오이
4) guts : ((구어)) 용기; 근성
5) be one's own man : 주관이 뚜렷한 사람
6) quitter : 쉬 포기〔체념〕하는 사람
7) call a spade a spade : 직언을 하다, 사실대로 까놓고 말하다; (직역 : 스페이드를 스페이드라고 칭하다)
8) on the ball : 빈틈없는, 잘 아는, 유능한

- 그는 원래가 친절해요.
  He is kind by nature.
- 그는 항상 열심히 일해요. / 매우 정직〔성실〕해요.
  He's on the job. [9] / He's very down to earth. [10]
- 그는 항상 활동적이에요. / 그는 인상이 강한 인물이에요.〈속어〉
  He is always on the go. / He is such a hot shit. [11]
- 그는 까다로운 사람이 아니에요.
  He's not hard to please.
- 그녀는 정말 순진해요.〈속어〉
  She's as innocent as a lamb. [12]
- 그는 매우 결단력이 있는 사람이에요.〈속어〉
  He has plenty of sand. [13]

악평하다

- 그는 대화를 하기가 (참) 어려운 사람이에요. / 그는 정말 고집이 세요.
  He's (really) hard to talk to. / He's really stubborn.

활용어휘

- 인색한 : cheap
- 공격적인 : aggressive
- 거만한 : arrogant
- 고지식한 : stupidly honest
- 소심한 : timid
- 깐깐한 : tough
- 매우 뻐기는 : as proud as a peacock
- 말이 많은 : bigmouthed
- 매우 난폭한 : as violent as Satan
- 바보스러운 : stupid
- 성을 잘 내는 : cross
- 이중인격을 가진 : two-faced
- 인정이 없는 : inconsiderate
- 자만심이 강한 : conceited
- 지나치게 나약한 : namby-pamby
- 탐욕스런 : greedy
- 잘 속는 : gullible
- 게으른 : idle
- 고집이 센 : hard-nosed / stubborn
- 까다로운 : picky
- 낯가죽이 두꺼운 : cheeky
- 따분한 : boring
- 매우 거만한 : as quick as a peacock.
- 매우 뻔뻔스러운 : as bold as brass [14]
- 난폭한 : violent
- 얌체 같은 : slick
- 분별없는 : reckless
- 자기중심적인 : self-centered
- 적응력이 부족한 : maladapted

- 그는 속이 좁은 남자예요.
  He's a small-minded man

9) on the job : 일에 종사하고 있는 (동안에) / ((속어)) 바쁘게 일하는, 부지런히 일하는
10) down to earth : 정직한, 솔직한
11) hot shit : 감동적인, 인상적인
12) as innocent as a lamb : 매우 순진한
13) have plenty of sand : 매우 용기〔결단력〕이 있다
14) brass : ((구어)) 뻔뻔스러움, 철면피

• 그는 생각이 좁아요.
He has a one-track mind. / He's narrow minded.
He has narrow views. / He lacks versatility.

활용어휘

• 말썽꾸러기 : a black sheep〈속어〉
• 공짜를 좋아하는 사람 : a free loader
• 남의 약점만 잡는 사람 : a fault finder
• 바보 : a goof / a silly-billy [15]
• 생각이 자주 바뀌는 사람 : a flip-flopper
• 아첨꾼 : an apple polisher
• 졸장부 : a mouse〈속어〉
• 겁쟁이 : a chicken〈속어〉
• 까다로운 상사 : a demanding boss
• 수줍어하는 : shy
• 빈대〔식객〕 : a parasite
• 허풍쟁이 : a big-headed person
• 이중 인격자 : a double crosser
• 수다쟁이 : a big mouth〈속어〉
• 흥을 깨는 사람 : a spoiled brat [16]
• 시시한 사람 : a small fry [17] / a petty person
• 속이 꽉 막힌 사람 : a closed-minded person
• 성미가 까다로운 사람 : a particular〔fastidious〕 person
• 남의 이름을 팔아 잘난 체하는 사람 : a name dropper
• 항상 말썽인 사람 : a constant troublemaker
• 소심한 사람 : a chicken-livered guy [18] / a narrow-minded person

• 그는 결단력이 없어요. / 그는 융통성이 없어요.
He lacks decision. / He has one-track mind. [19]
• 그 여자의 성격은 무미건조해요.
Her personality is very cut and dried. [20]
• 그 여자는 여자다운 데가 없어요.
She is not very feminine. [21]
• 제인이라는 그 여자 왠지 느낌이 안 좋아요.
I have a bad feeling about that Jane.
• 그는 자신의 이익만 생각하고 있어요.
He's looking out for number one. [22]
He's concerned about himself.
He has his own interests at heart.
• 그는 자랑만 하고 다녀요.
He is a show-off. [23]

15) silly-billy : 바보, 어리석은 사람
16) brat : 개구쟁이, 선머슴
17) 하찮은 사람〔물건〕; 똘마니; 송사리; 어린아이
18) livered : ~한 기질을 가진
19) one-track : ((구어)) 하나밖에 모르는, 융통성이 없는
20) cut and dried : (계획 · 일 · 등이) 미리 계획된, 미리 결정된; 틀에 박힌; 활기 없는; 평범한; 무미건조한
21) feminine : 여자의, 여성의; 여성다운(womanly)
22) number one : 제1호〔번〕, 제1인자; 자기(oneself); 제1의, 일류의, 최고의
23) show-off : ((구어)) 자랑꾼

- 그는 정신이 약간 이상해요.〈속어〉 / 그는 머리가 좀 돌았어요.〈속어〉
  He's a bit crazy. / He's a little touched in the head. [24]
- 그녀는 이랬다저랬다하는 성격이에요.〈속어〉
  Her personality blows hot and cold. [25]
- 그는 다혈질의 성격을 가지고 있어요. / 참 별난 사람 다 보겠군!
  He has a lot of temper. / What a specimen! [26]
- 그는 꽤나 시끄러운 사람이에요.
  He keeps jabbering on and on. [27]
- 그는 너무 건방져요.〈속어〉 / 그는 오만해졌어요.〈속어〉
  He's so stuck up. [28] / He is bloated with pride. [29]
- 그는 놀고먹는 사람이에요.〈속어〉
  He is out on the tiles. [30]
- 그는 누구에게나 굽실거리는 사람이에요.
  He has a please-all policy.
- 그는 눈치봐 가면서 일을 해요〔그는 상황에 따라서 행동해요〕.
  He acts according to the situation.
- 그는 머리가〔정신이〕좀 이상해요.
  He has (got) a screw loose somewhere or other. [31]
- 그는 사람을 얕보는 버릇이 있어요.
  He has a way of looking down on people.
- 그는 양심 같은 건 아랑곳하지 않아요.
  He put his conscience in his pocket. [32]
- 그는 윗사람에게 굽실거려요.
  He cringes to his superiors. [33]
- 그는 변덕스러워요. / 그의 태도는 종잡을 수가 없어요.
  He blows hot and cold. / His attitude is slick. [34]
- 그는 집에 틀어박혀 밖에 나오지 않는 타입이에요.
  He is a stay-at-home sort of chap. [35]
- 아마 그 여자가 미쳤나 봐요.〈속어〉

---

24) touched in the head : 머리가 돈
25) blow hot and cold : (칭찬했다 비난했다 하여) 주책〔주견〕이 없다, 변덕스럽다
26) specimen : 견본; ((구어)) 별난〔기이한〕 사람
27) jabber : 재잘거리다 / on and on : 계속해서, 반복해서
28) stuck up : 거만한
29) bloated : 거만한, 부푼, 너무 살찐
30) be out on the tiles : 놀러 다니다, 방탕하다
31) a screw loose : ((구어)) 나사〔못〕하나가 빠졌음〔풀렸음〕; (머리가) 좀 이상한
32) 직역 : 그는 양심을 자기의 호주머니에 넣고 다닌다.
33) cringe to sb : 아무에게 알랑〔굽실〕거리다
34) slick : 매끈매끈한; 미끄러운; 능숙한; 교묘한; 교활한
35) stay-at-home : ((구어)) 집에만 틀어박혀 있는, 외출을 싫어하는

Maybe she has bats in her belfry. [36)]

• 당신 평판이 땅에 떨어졌어요.
Your name is mud. [37)]

• 그녀는 대하기가 까다로워요.
She is hard to please.

기 타

• 그는 뭐든지 다 아는 것처럼 말을 해요.
He talks like he knows everything.

• 그녀는 깐깐한 여자예요.〈속어〉 / 그는 괴짜예요.〈속어〉
She's a pretty tough cookie. [38)] / He's a flake. [39)]

• 겉모양만으로 사람을 판단하지 마세요.
Don't judge a man by his appearance〔looks〕.

• 그녀는 그렇게 나쁘지 않아요. / 그는 말은 거칠어도 본심은 안 그래요.
She's not that bad. / His bark is worse than his bite. [40)]

• 그는 놀기를 좋아하는 사람이에요.
He's a pleasure-seeker. [41)]

• 그는 불규칙적으로 행동을 해요.
He does things by fits and starts. [42)]

• 그는 아직 어려요.
He has milk on his chin. [43)] / He's wet behind the ears. [44)]

• 배짱 한번 좋군〔강심장이군〕!
Such nerve! / What chutzpa(h)! [45)] / What a nerve!

• 그는 직선적으로 말을 해요.
He's direct in talking.

능 력

유능하다

• 감히 그에게는 대들 사람이 없어요.

---

36) has bats in her belfry : 종각 안에 박쥐가 있다 → 종각에 머리를 들이받은 박쥐가 죽어 있다 → ((구어)) 머리가 이상해져 있다 / belfry : 종각(bell tower)
37) 직역 : 당신 평판은 진흙 속에 있다.
38) cookie : 매력적인 여자, 귀여운 여자
39) flake : 얇은 조각; ((속어)) 괴짜, 매우 특이한 개성을 가진 사람〔선수〕
40) 'bark(개 짖는 소리)'를 '말(言)'로 비유하고, 'bite(물어뜯기)'를 '행동'으로 비유하여 의역하면, "그의 행동보다는 그의 거친 말이 더 나쁘다."라는 의미가 된다.
41) pleasure-seeker : 쾌락을 추구하는 사람 / 행락객
42) by fits (and starts) : 불규칙적으로; 발작적으로; 이따금, 생각난 듯이
43) 직역 : 그는 턱에 우유가 묻어 있어요.
44) 직역 : 그는 귀 뒤가 젖어 있다. → 귀에 피도 안 말랐다.
45) chutzpah : 뻔뻔스러움, 철면피

No one dare lift a finger against him.

> A: What makes him so good?
> B : He's smart, you can learn a lot from him.
> A : 무엇 때문에 그 사람이 그렇게 좋은 거죠?
> B : 그는 영리해서, 그 사람에게 배울 점이 많을 거예요.

- 그 여자는 간호사로 적격이에요.
  She is cut out to be a nurse. [46)]
- 그 일은 그의 능력으로는 할 수가 없어요.
  The task exceeds his ability.
- 그 학생은 운동 뿐만 아니라 공부도 잘 해요.
  That student is a fine scholar as well as a good athlete.
- 그는 그 일에 적임이에요.
  He is well〔fully〕 qualified for the work.
- 그가 그렇게 능력 있는 줄은 몰랐어요.
  I didn't know he had it in him. [47)]
- 그녀는 그 방면에 소질이 있어요.
  She has a talent for that field.
- 그녀는 이 분야에서는 누구에게도 안 뒤져요.
  She is second to none in this field. [48)]
- 그녀는 테니스도 어지간히 해요.
  She is not half bad at tennis. [49)]
- 그녀는 피아노 연주에 소질이 있어요.
  She has a knack for playing the piano. [50)]
- 그녀는 피아노 연주에 재능이 있어요.
  She's gifted at playing the piano. [51)]
- 그녀는 한국에서 최고의 영어 강사 중의 한 사람이에요.
  She is one of the top-notch English lecturers in Korea. [52)]
- 아무도 그녀의 요리솜씨를 따라갈 수가 없어요.
  No one can match her cooking.
- 그녀의 요리솜씨는 정평이 나 있어요.
  She has won a great reputation in the art of cooking.

---

46) cut out to be ～ = be cut out for ～ : ～ (특정 직업이나 활동에 필요한) 자질〔소질〕이 있는
47) have it in sb : 아무에게 능력〔실력〕이 있다.
48) second to none : 아무〔어느 것〕 못지 않는, 제 1의
49) not half : 조금도 ～아닌 / not half bad : 조금도 나쁘지 않은, 매우 좋은 예 Actually the party wasn't half bad.(사실 그 파티는 매우 좋았어요.)
50) has a knack for ～ : ～에 소질이 있다 / knack : 재빠른 솜씨, 기교, 요령, 비결
51) gifted : 타고난 재능이 있는 / be gifted in〔at〕 ～ : ～에 (타고난) 재능이 있다
52) top-notch : 일류의, 최고의

• 그는 그 문제〔주제〕에 정통해 있어요.
He is familiar with the subject.
• 그는 우리 부서에서 중요한 인물이에요.
He's something in our department. 53)
• 그는 그런 일이 몸에 밴 사람이에요.
He is an old hand at such work.
• 그는 꽤가 많은 젊은이예요.
He has an old head on young shoulders. 54)
• 그는 남들이 알아주는 사람이에요. / 그는 대단한 학자예요.
He's somebody. 55) / He is some scholar. 56)
• 그는 도구를 다루는 손재주가 있어요.
He is very handy with tools.
• 그는 똑똑한 이상이에요. / 그는 만사에 빈틈이 없어요.
He's smart and then some. 57) / He's smart in all things.
• 그는 말주변이 좋아요. / 그는 매우 재치가 있어요.
He has a way with words. 58) / He is very witty.

활용어휘

• 매우 교활한 : as sly as a fox〈속어〉
• 다재다능한 : multi-talented
• 모든 면에서 우수한 : well-rounded
• 영리한 : clever / smart
• 재능이 있는 : talented
• 초능력 소유자 : psychic power
• 재치가 있는 : quick-witted
• 똑똑한 : bright
• 세계적 인물 : a world figure
• 유능한 : capable
• 지적인 : intelligent

• 그는 머리가 참 좋은 아이에요.
He's such a bright boy.

활용어휘

• 유망한 젊은이 : a promising young man
• 머리가 좋은 사람 : a real egghead〈속어〉
• 빈틈없는 사람 : an eagle-eyed man
• 선견지명이 있는 사람 : a long head
• 굉장히 유명한 사람 : a toast of the town〈속어〉
• 대단한 사람 : a tough cookie
• 전문가 : a specialist / an expert
• 대단한 여성 : a some lady

53) something : 대단한 인물〔물건〕
54) have an old head on young shoulders : 젊은 어깨에 나이 든 머리를 가지고 있다. → 어깨〔육체〕를 보니 젊은이인데, 머리〔생각〕은 나이든 (사람의) 머리〔지혜〕를 가지고 있다. 즉 "젊은이답지 않게 분별이 있다."라는 뜻이다.
55) somebody : 상당한〔대단한〕 사람
56) some : 대단한, 굉장한
57) and then some : 그 이상 (더), 그 위에 훨씬 더 (많이)
58) have a way with ~ : ~을 다룰 줄 알다, 요령이 있다

- 그녀는 항상 무슨 일이 일어나고 있는지를 알아 차려요.
  She knows what's going on all the time.
- 그는 장래가 촉망되는 사람이에요.
  He has good prospects.
- 그는 이력이 화려한 사람이에요.
  He has a good track record.
- 그는 많은 장점을 가지고 있어요.
  He has a lot of going for him. [59)]
- 그는 모든 스포츠를 다 잘해요.
  He is good at all sports. [60)]
- 그는 백발백중의 명사수예요〔그는 결코 과녁을 놓치지 않는다〕.
  He never misses the mark.
- 그는 사업에 일가견이 있어요. / 그는 수학에 있어서는 천재예요.
  He has an eye for business. / He's a genius in math.
- 그는 어느 모로 보나 당신만큼은 영리해요.
  He's every bit as smart as you. [61)]
- 그는 영어 회화 수준이 훨씬 나아졌어요.
  He made good progress in his English conversation class.
- 그는 우리 회사에서 가장 우수한 사람이에요.〈속어〉
  He's the cream of the crop in our company. [62)]
- 그는 우리 사무실의 보배예요.
  He is a jewel in our office.
- 그는 이론에는 강하지만, 실기에는 약해요.
  He is long on theory, but short on practice.
- 그는 자기를 상당한 사람이라고 생각해요.
  He thinks he is something. [63)]
- 그는 우리 회사에서 화제의 대상이에요.
  He has all the attention in our company.
- 그는 전성기에 있어요. / 그는 앞서가는 사람이에요.
  He's at his best. [64)]/ He is ahead of his time.
- 그는 정치가의 소질이 있어요.
  He has the makings of a politician. [65)]
- 그는 차를 고치는 데 손재주가 있어요.

---

59) has a lot of going for sb : 아무에게 많은 장점이 있다
60) 그는 만능 스포츠맨이에요.
61) every bit : 어느 모로 보나
62) the cream of the crop : 가장 좋은 사람〔것〕; 정선된 사람〔것〕; 정수
63) something : 잘난 사람; 중요한 인물; 훌륭한 사람; 대단한 사람
64) at one's best : 최고의 상태인, 전성기인
65) have the makings of ~: ~의 소질이 있다

He's really handy when it comes to fixing cars. 66)

- 그는 컴퓨터 문서 작성〔편집〕에는 숙련자예요.
  He's an old hand at computer wordprocessing. 67)
- 그는 한국사에 정통해 있어요.
  He's really up on Korean history. 68)
- 저는 그를 패튼 장군만큼이나 높이 평가해요.
  I rate him as high as General Patton.
- 그는 영어와 한국어를 매우 잘 해요.
  He can speak both English and Korean very well.
- 그는 희극 배우로서 독보적인 존재예요.
  As a comedian he is without peers. 69)
- 당신은 그 사람과 비교가 안 되요.
  You don't stack up very well against him. 70)
- 어린이들은 외국어를 빨리 배워요.
  Children pick up a foreign language quickly. 71)
- 여기 영어를 할 줄 아는 사람 있어요?
  Can someone here speak English?
- 연습을 하면 요령을 알게 될 거예요.
  Practice will give you the knack of it. 72)
- 그는 기타의 대가예요. 〈속어〉
  He's the gran(d)daddy of guitar. 73)
- 그는 나보다 훨씬 뛰어난 사람이에요. 〈속어〉
  He's head and shoulders above me. 74)
- 그는 정말 능력 있는 사람이에요.
  He really has a lot on the ball. 75)
- 내가 그 사람의 콧대를 꺾어 놨어요.
  I cut him down to size. 76) / I put him in his place.
- 뛰는 놈 위에 나는 놈이 있어요.
  There is no limit to those above us.

---

66) when it comes to ～ : ～에 관해서는〔관한 한〕
67) have an old hand at ～ : ～에 있어서 오래된 손을 가지고 있다 → ～에는 숙련자다
68) be up on〔in〕～ : ((구어)) ～에 정통하다
69) be without peers : 필적할 만한 것이 없다, 비길 데 없다 / peer : 동료; 대등한 사람
70) stack up against〔with〕 sb : 아무에게 필적하다, 아무한테 못지 않다
71) pick up : (기술 · 지식 · 언어 등을) 받아들이다, 습득하다
72) get the knack〔hang〕 of it : 요령을 터득하다, 요령이 생기다
73) gran(d)daddy : 대가, 제 일인자
74) have head and shoulders above sb : 아무보다 위에 머리와 어깨가 (올라가) 있다 → 훨씬 월등하다
75) have a lot〔something〕 on the ball : ((구어)) 유능하다, 수완이 있다, 재능이 있다.
76) cut sb down to size : (과대평가된 사람 · 능력 · 문제 등을) 그에 상응한 수준에까지 내리다; 아무의 콧대를 꺾다

무능하다

- 내 독일어는 녹이 슬었어요. / 제 솜씨가 좀 무뎌진 것 같아요.<속어>
  My German is rusty. [77] / I think I've lost my touch. [78]
- 제 생각으로는, 그는 능력이 없어요.<속어>
  I don't think he can cut the mustard. [79]
- 그는 돌대가리예요. / 그는 무식해요.
  He has no brains. / He doesn't know chalk from cheese. [80]
- 그는 보잘것없는 사람이에요.
  He's a nobody. [81]

활용어휘

- 가망이 없는 사람 : a dead duck [82]
- 돌대가리 : an airhead
- 자만에 빠진 사람 : a swellhead in my life
- 한물 간 사람 : a history [83]
- 나쁜 놈 : a so-and-so<속어>
- 생각〔지각〕 없는 : empty-headed
- 촌뜨기 : a hick

- 저는 숫자에 약해요. / 그는 운동에는 서툴러요.
  I'm not good with figures. / He's not much of an athlete.
- 그에게는 내세울 만한 재주가 없어요.
  He has no talent to speak of.
- 그는 일자무식이에요. / 그는 읽지도 못하고 쓰지도 못해요.
  He is a know-nothing. [84] / He cannot read or write.
- 그는 영어로 의사소통을 잘 못해요.
  He can't express himself very well in English.
- 그 사람의 영어는 형편없어요. / 그는 영어를 전혀 못 해요.
  He speaks terrible English. / He can't speak English at all.
- 그는 코앞에 닥칠 일도 알지 못해요.<속어>
  He can't see beyond the end of his nose.
- 그러고 보니, 그도 앞날이 멀지 않았군요.<속어>
  Come to think of it, he looks like he got one foot in the grave. [85]

---

77) rusty : 녹슨; (쓰지 않아) 무디어진
78) 운동이나 연주 등을 오랜만에 연주했을 때 잘 안 되거나 실수 등을 했을 때
79) cut the mustard : ((속어)) 기대에 부응하다〔달하다〕; 규준〔목표〕에 이르다
80) 직역 : 치즈와 분유를 구별 못한다.
81) nobody : 보잘것없는 사람
82) dead-duck = sitting duck : ((구어)) 가망 없는 사람〔것〕
83) history : 과거지사, 끝난 사람〔것〕
84) know-nothing : 아무 것도 모르는 사람; 문맹자
85) get one foot in the grave : 무덤 속에 한 발을 들여놓다 → 갈 날이 멀지 않다, (명성 수명 등이) 거의 끝나다

- 당신 정말 소질이 없군요.
  You're no good at all. / You're not skilled at all.
- 그 여자는 상식이 부족해요.
  She is lacking common sense.
- 그녀는 이제 한물 갔지만, 완전히 끝난 것은 아니에요.
  She's a bit over the hill, but (she's) not a has-been yet. [86)]
- 그는 시대에 뒤떨어진 사람이에요.
  He's a back number.
- 그는 전혀 쓸모 없는 인간이에요. / 그는 완전히 전락하고 말았어요.
  He's good for nothing. / He is down and out.
- 그의 머리는 텅텅 비었어요〔돌대가리예요〕.
  He has his garret unfurnished. [87)]

기 타

- 그 사람 일하는 건 별 볼일 없는데, 운동하나는 잘해요.
  He's not much of a worker but he sure is an athlete.
- 그는 리더 타입이 아니에요.
  He's not the leader type.
- 그 사람을 한번 시험해 봅시다.
  Let's put him to a test. [88)]
- 그 일은 제 힘에 부치는 일입니다. / 그것에 곧 익숙해질 겁니다.
  The job is beyond my ability. / You'll soon get used to it.
- 그녀는 완전히 쇠퇴했어요.〈속어〉 / 그는 죽은 거나 다름없어요.〈속어〉
  She is as dead as a dodo. [89)] / He is as good as dead.
- 그는 무엇이든지 아는 것처럼 행동해요.
  He acts like he know all the answer. [90)]
- 그는 박사 학위까지는 아니더라도 석사학위는 딸 거예요.
  He'll get his M.A. if not Ph.D.
- 그는 항상 부모의 원조에 의지해요.
  He always turns to his parents for help. [91)]
- 그는 공직에서 퇴직한 이후로 사회적 신분을 잃었어요.
  He has come down in the world since he retired from

86) over the hill : 고개를 넘어선; ((비유)) 내리막길인, 더 이상 젊지 않은 예 Kathleen thinks she's over the hill, but she's only 40.(캐들린이 자신이 내리막길이라고 생각하지만, 그녀는 겨우 40세에 불과하다.) / has-been : 한창때가 지난 사람, 과거의 사람
87) garret : 다락방; ((속어)) 머리 / have one's garret unfurnished : 머릿속이 텅 비다
88) put ~ to a test : ~을 시험하다, 시련에 부딪히다
89) dodo : 도도〔17세기말에 멸종된 오리만한 크기의 날지 못한 새〕 / as dead as a dodo = as dead as a doornail : 완전히 죽은〔쇠퇴한〕; 작동하지 않는
90) know all the answer : 모든 답변하다 → 모든 것을〔무엇이든지〕 알다
91) turn to ~ : ~에게 의지하다; ~을 구하러 가다 / turn to a friend for help : 친구에게 원조를 구하다

government service. [92]

• 뭘 잘 하세요〔잘 하시는 게 뭐예요〕?
What are you good at? [93]

• 성공은〔성공 여부는〕 당신의 능력에 달려 있어요.
The success depends on your ability.

• 이 일은 그에게 무리인 것 같아요.
I think this work is too much for him.

외 모

A: Have you ever seen Mr. Johnson's wife?
B : Not yet. Why?
A: She is very beautiful and elegant.
B : What does she look like?
A: She is an attractive woman with a slim waist and legs, black hair and brown eyes.
B : Really? As they say, every man for his own trade.

A : 존슨씨 부인을 본 적이 있으세요?
B : 아니오, 왜요?
A : 그 여자는 정말 아름답고 우아해요.
B : 어떻게 생겼는데요?
A : 날씬한 허리와 다리에 검은색 머리, 그리고 갈색 눈을 가진 매력적인 여자예요.
B : 그래요? "사람은 제각기 전문이 있다."는 말이 있잖아요.

• 그 사람 실물은 어땠던가요?
How did he look in real life?

호평하다

• 그는 여자들에게 굉장히 인기가 좋아요.
He's very popular with women.

• 그녀는 인기를 독차지했어요.
She stole the show. / She was the center of attention.
All eyes were focused on her.

• 그 사람은 생김새가 참 인상적이어요.
His appearance is really impressive.

• 그는 굵은 목소리를 갖고 있어요.

92) come〔go〕 down in the world : 사회적 신분을 잃다
93) be good at ~ : ~을 잘하다

He's got a deep voice.

- 그는 혈색이 좋아요. / 그는 풍채가 당당해요.
  He has high color. / He is stout. [94)]
- 그는 건강하게 보여요.
  He looks healthy.
- 그 여자는 곡선미가 끝내줘요.
  She is really curvaceous. [95)]

활용 어휘

- 관능적인 : funky〈속어〉
- 몸매가 잘 빠진 : well-proportioned
- 섹시한 : sexy
- 작고 맵시 있는 : petite
- 귀여운 : sweet
- 그림처럼 예쁜 : as pretty as a picture
- 몸차림이 단정한 : well-groomed
- 육체미가 있는 : stacked
- 풍만한 : well-stacked

- 그 여자는 지금까지 본 여자 중에서 최고예요.
  She is the best thing since sliced bread. [96)]
- 그 여자는 항상 깔끔하고 신선해 보여요.
  She always looks neat and fresh.
- 그녀는 다리가 날씬해요. / 그녀는 아주 품위가 있어요.
  She has slim legs. [97)] / She has a lot of style.

활용 어휘

- 예쁜 미소 : a sweet smile
- 달콤한 목소리 : a sweet voice
- 귀엽고 조그마한 얼굴 : a sweet little face
- 잘 빠진 다리 : good-looking legs

- 그녀는 몸매가 가냘픈 여자예요.
  She is a woman with a slender figure.
- 그녀는 가냘픈 체격이에요.
  She is slightly built.
- 그녀의 용모는 사람들 눈에 띄어요.
  Her appearance catches everyone's eyes. [98)]
- 그는 항상 깔끔해 보여요.
  He always looks tidy. [99)]

94) stout : 풍채가 당당한
95) curvaceous : ((구어)) (여성의 몸이) 곡선미가 있는; 성적 매력이 있는; 육체미가 있는
96) since sliced bread : 빵을 썰어 본 이래 → 머리에 털 난 이후
97) 외모에 대한 표현을 할 때 "그녀는 눈이 예쁘다."라는 표현을 "Her eyes are beautiful."라고 해도 되지만 "She has beautiful eyes.(그녀는 아름다운 눈을 가지고 있다.)"라는 식으로 표현하는 것이 영어적인 표현 방법이다.
98) catch sb's eye(s) : 아무의 눈을 끌다; (사람이) 눈에 띄다
99) tidy : 단정한, 말쑥한

• 나의 아내는 20대처럼 예쁘게 꾸며 입어요.
My wife gets herself dolled up like she was in her twenties. [100)]

• 그는 몸은 작지만 정말 다부져요.
He's small but he sure has spunk. [101)]

• 잘생긴 것은 집안의 전통이에요.
Good looks run in the family. [102)]

• 저 아가씨 좀 봐. 정말 미인인데.
Get a load of that girl. She's an eyeful.

• 그 여자는 아주 섹시해요. / 그 여자 아주 멋있군요. 끝내주는 군!
She has a sexy look. / She is gorgeous. Period! [103)]

• 그 여자는 정말 미인이에요.〈속어〉
She is something special.

활용어휘

- 절세 미인 : a raving beauty
- 어여쁜 소녀 : a peach〈속어〉
- 귀여운 여자 : a cookie〈속어〉
- 귀염둥이 여자 : a cutie pie〈속어〉
- 관능적인 여자 : a tomato〈속어〉
- 매력 있는 여자 : a fox〈속어〉
- 여걸 : an Amazon〈속어〉
- 여장부 : a Dragon Lady〈속어〉
- 영계 : a chick
- 매력 있는 아가씨 : a knockout〈속어〉
- 인상이 좋은 사람 : a pussycat〈속어〉
- 체격이 좋은 : well-built
- 매우 귀염성 있는 여자 : a gorgeous hot chick〈속어〉

• 그 여자는 저한테 정말 매력적인 여자예요.〈속어〉
She turns me on.

• 그녀는 다리가 참 날씬해요.〈속어〉
She is all legs. [104)]

악평하다

• 그녀는 정말 매력 없는 여자예요.〈속어〉
She's a wallflower. [105)]

활용어휘

- 못생긴 여자 : a dog〈속어〉
- 매력 없는 여자 : a lemon〈속어〉
- 머리가 나쁜 금발 미인 : a dumb-blonde〈속어〉

100) doll up : 예쁘게 차려입다
101) spunk : ((구어)) 용기, 기력; 노여움, 성화
102) run in the family : 가족 속에서 흐른다 → 집안의 혈통에 흐른다, 집안의 전통이다
103) Period! = That's that! = That's it!
104) 직역 : 그녀는 온통 다리뿐이다. → 그만큼 다리가 잘 빠졌다는 의미
105) wallflower : ((속어)) 무도회에서 상대가 없는 젊은 여자 → 매력 · 인기없는 여자

- 그 사람은 피골이 상접해 있어요.〈속어〉
  He was all skin and bones. 106)
- 그 여자는 앞가슴이 없어요.〈속어〉
  She is flat. / She is as flat as a pancake. 107)
- 그는 완전히 대머리예요.〈속어〉
  He's bald as a billiard ball. 108)
- 당신 살이 쪘군요. / 당신 배에 군살이 쪘군요.
  You put on weight. / You have love-handles. 109)
- 너 살 좀 빼야겠어요.
  You need to lose weight.
- 그는 정말 초라해 보여요.〈속어〉
  He really looks down-at-the-heels. 110)
- 그 녀석의 인상이 마음에 안 들어요.
  I do not like his looks.
- 그 여자는 못생겼어요. / 그 여자 얼굴이 진짜 못생겼어요.
  She is plain. 111)/ She has a sad face.
- 그 여자 얼굴은 주근깨 투성이에요.
  She has a freckled face.
- 그 여자는 화장 안 하면 못 봐주겠어요.
  She is a sight without her make-up. 112)
- 그 여자는 정말 역겨워요. / 그 여자를 보면 토할 것 같아요.
  She turns me off. 113) / She makes me barf.
- 그 여자의 다리는 굵고 못생겼어요.〈속어〉
  She has piano legs. 114)
- 그녀는 자유분방형으로 생겼어요.
  She has got a bad case of the uglies. 115)
- 그의 눈은 실눈이에요.〈속어〉
  He has two narrow slits for eyes.
- 너 너무 뚱뚱해졌구나.
  You've gained too much weight.
- 네 옆에 있으면, 누구나 멋있게 보일 거야.

---

106) 직역 : 그 사람은 피부와 뼈뿐이다. / skin and bones : 뼈와 가죽(만 남은 사람)
107) as flat as a pancake : (팬케이크처럼) 납작한, 평평한
108) bald as a billiard ball : 당구공처럼 벗어진 → 완전 대머리인
109) love-handle : ((구어)) 아랫배의 군살
110) down-at(-the-)heel(s) : ((구어)) 구두 뒤축이 닳아빠진; 초라한; 가난한
111) plain : (여자가) 예쁘지 않은, 못생긴
112) sight : ((구어)) (불쾌한 이상한) 꼴불견; 웃음거리; 구경거리
113) turn sb off : ((美 속어)) 아무에게 흥미를 잃게 하다; 흥미를 잃다
114) piano legs : 굵고 못 생긴 다리
115) ugly : 못생긴 (여자)

Next to you, anybody would look good. [116)]

- 그녀의 아름다움은 외모뿐이에요.
  Her beauty is only skin-deep. [117)]

활용어휘

- 납작코의 : flat-nosed
- 땅딸막한 : heavyset
- 뚱뚱한 : fat
- 못생긴 : homely〔ugly〕
- 포동포동한 : plump
- 추한〔못생긴〕 : ugly
- 사팔뜨기의 : squint
- 비만인 : overweight
- 올챙이배 : potbelly

머리 모양

A: What color is her hair? (그 여자 머리색깔이 뭐죠?)
B : It's blond. (금발이에요.)

- 그녀는 긴 머리를 하고 있어요.
  She wears her hair long.
- 그녀는 빨간 곱슬머리에 키가 상당히 커요.
  She's fairly tall with curly red hair.

A: What's her hair like? (그 여자 머리카락이 어떻죠?)
B : It's long〔curly〕. (길어요. / 곱슬곱슬해요.)

- 그는 백발이 성성해요.
  He has gray hair. [118)]

기 타

- 그 사람은 용모가 날카로워요.
  He has a sharp feature.
- 그 여자는 나이보다 늙어 보여요. / 그 여자는 중년 부인티가 나요.
  She looks old for her age. / She has middle-age spread.
- 저는 근육형의 여자는 싫어요.
  I don't like macho women. [119)]
- 저는 외모에 자신이 없어요.
  I have a hang-up about my looks. [120)]

---

116) 너무나 못생겨서 그보다 못생긴 사람이 없을 거라는 비난의 말
117) skin-deep : (얇은) 피부 두께의 깊이인 → 피상적인
118) ((비교)) He has gray hairs.(그는 흰머리가 많다.) → 속칭 "그는 새치가 많다."
119) macho : 남성적인; 씩씩한
120) hang-up : 콤플렉스, 고민거리; (심리적) 저항; 괘념; 곤란

- 체중 좀 줄이셔야겠군요.
  You should slim down.
- 허리둘레에 필요 이상의 지방이 생겼어요.
  I've got a couple of spare tires around my waist.
- 그 여자는 까만 눈을 가지고 있어요.
  She has dark eyes. [121)]
- 그 여자는 갈비씨예요.〈속어〉 / 그 여자는 나이에 비해서 몸집이 작아요.
  She is a bag of bones. / She is small for her age.
- 나이는 숨길 수 없군요.
  Your age is showing.
- 그 여자는 코가 유난히 커요.
  She is all nose. [122)]
- 그 여자는 눈이 굉장히 커요. / 그 여자의 눈동자 색깔이 뭐죠?
  She has ox eyes. [123)] / What color are her eyes?
- 그 여자는 한때(는) 미인이었던 같아요.
  She seems to have been a beautiful lady at one time.
- 그 여자의 손은 고된 일로 거칠어요.
  Her hand are rough with hard work.
- 그녀가 아름다운 것은 사실이지만, 그다지 세련되지는 않았어요.
  It's true she's pretty, but she isn't very sophisticated.
- 그녀는 날씬한 몸매를 가진 소녀예요.
  She is a slimly built girl.
- 그는 힘이 무척 세요.〈속어〉
  He's strong as an ox. [124)]

활용 어휘

- 각선미 : beautiful shape of legs
- 곱추등 : ricket / humpback
- 굳은 살 : dead skin
- 눈까풀 : eyelid
- 단발머리 소녀 : bobbed girl
- 백발 노인 : white-haired old person
- 땅딸막한 뚱뚱보 : five-by-five〈속어〉
- 문신 : tattooing / tattoo
- 사시안(斜視眼) : squint eye
- 선천성 기형 : congenital malformation
- 거울(유리) : looking glass
- 광대뼈 : yoke bone
- 기미 주근깨 : liver spot and freckles
- 눈썹 : eyebrow
- 속눈썹 : eyelash
- 흰머리 : gray hair [125)]
- 뚱뚱한 : overweight / obese / fat
- 미인 대회 여왕 : beauty queen
- 들창코 : pug nose / snub nose [126)]
- 가슴이 풍만한 여자 : sweater girl

121) ((비교)) black eyes : 멍든 눈
122) 직역 : 그는 온통 코뿐이다. → 유달리 코가 큰 여자를 두고 하는 표현
123) ox eye : 큰 눈; 황소 눈
124) (as) strong as an ox : 무척 힘이 센
125) ((주의)) 흰머리를 'white hair' 라고 하지 않는다.
126) pug : 발발이의 일종 / snub : 들창코의

• 잔주름 : fine wrinkles (lines)
• 팔자 걸음 : measured step
• 대머리 : bald coot / baldhead / skinhead

신뢰성

신뢰성이 있다

• 그는 거짓말할 사람이 아니에요. / 그는 매우 신용이 있어요.
He is not a man to tell a lie. / He is very trustworthy.
• 그 사람이면 마음놓고 일을 맡겨도 돼요.
You may trust him to do the work for you.
• 그는 매우 신용이 있는 사람이에요.
He's got good credit.
• 그의 약속은 충분히 믿을 수 있어요.
His word is as good as his bond. [127)]
• 그의 정직함은 제가 보증해요.
I assure you of his honesty.
• 저는 그를 매우 신임하고 있어요.
I have a lot of trust in him.
• 그는 거짓말을 못하는 기질입니다. / 그는 믿을 만한 사람이에요.
He's above telling a lie. / He is quite a reliable person.
• 그는 약속을 어길 그런 사람이 아니에요.
He's not the kind of person who cops out. [128)]
• 그는 정말 정직해요.
He's really on the level. [129)] 〈속어〉

신뢰성이 없다

• 그는 신용이 좋지 못해요.
He has a poor credit rating. / He has bad credit.
• 그 사람이 뭐가 그렇게 나쁘죠?
What makes him so bad?
• 난 그 사람을 안 믿어요. / 그는 속이 시커먼 사람이에요.
I don't believe him. / He has a dark side.

127) 직역 : 그의 약속은 보증수표나 마찬가지다.
128) cop out : ((구어)) (일 · 약속 등에서) 손을 떼다, (약속 따위를) 취소하다, 버리다 / cop out on (of) ~ : ~에 대한 책임을 회피하다
129) on the level : 정직한; 공정한; 솔직히 말해서

활용어휘

- 사기꾼 : a cheat
- 위선자 : a hypocrite
- 정직한 : honest
- 철저한 방관자 : an out-and-out outsider
- 무엇이든지 의심하는 사람 : a doubting Thomas〈속어〉
- 말만 앞세우는 사람 : an armchair general [130)]

- 그 사람의 말을 믿어도 될까요?
  Can I take his word?
- 그 상인은 우리를 속였어요.〈속어〉
  The dealer handed us a lemon. [131)]
- 그들이 우리를 속였어요.
  They played a trick on us.
- 그 고백은 거짓이에요.〈속어〉
  The confession is a phony. [132)]
- 그 사람은 자기 꾀에 넘어갔어요.
  He outfoxed himself. [133)]
- 그 사람 신용은 완전히 떨어졌어요.〈속어〉
  His name is mud. [134)]
- 그가 나를 속였어요.
  He pulled the wool over my eyes. [135)]
- 그가 말하는 걸 그대로 받아들이지 마세요.
  Don't swallow what he says. [136)]
- 그가 당신을 속이고 있는 거예요.
  He's leading you on. [137)]
- 그 사람이 새빨간 거짓말을 하고 있는 거예요.〈속어〉
  He's lying through his teeth. [138)]
- 그건 그 녀석이 곧잘 쓰는 수법이에요. / 그는 언제나 그래요.
  That's his usual trick. / That's the way he is.
- 그는 거짓말하는 걸 예사로 여겨요.
  He makes no scruple about telling lies. [139)]
- 그는 믿을 만한 사람이 아니에요.

---

130) armchair general : 안락 의자에 앉아 있는 장군 → 즉 실제 경험이 없으면서 이론적으로만 아는 체하는 사람
131) handed sb a lemon : (거래 따위에서) 아무를 속이다, 사기치다
132) phony : 거짓 핑계
133) outfox oneself = outsmart oneself : (음모 등을 꾀하다가) 제 꾀에 넘어가다
134) mud : 진흙, 진창
135) pull〔draw〕 the wool over sb's eyes : 아무의 눈 위로 모직물을 끌어당기다 → 아무의 눈을 속이다
136) swallow : 마시다, (남이 하는 말을) 곧이곧대로 듣다〔받아들이다〕
137) lead sb on : 아무를 속이다
138) 직역 : 그는 이빨 사이로 거짓말을 하고 있다.
139) scruple : 주저, 망설임

He is not a man to be trusted.

- 그는 작년에 나한테 500달러를 사취했어요.
  He bilked me out of $500 last year. 140)
- 나는 교활한 외판원에게 사기를 당했어요.
  I was done in by that foxy salesman. 141)
- 배신자가 되지 마세요.
  Don't be a two-timer. 142)
- 아무도 저를 속일 수 없어요.
  No one can pull anything over on me. 143)
- 우리는 그의 정체를 밝혀야 합니다.〈속어〉
  We have to blow his cover. 144)
- 저는 그 문제에 대해서 의혹을 없애야 해요.〈속어〉
  I have to clear the air on the matter. 145)
- 그는 허풍이 세요. / 그는 항상 떠벌려요.
  He talks big. / He always blows his own horn. 146)
- 그는 말뿐이에요.
  He's just saying that. / He's all mouth and trousers. 147)
- 그는 말만 그럴싸하게 하는 사람이에요.
  He's all going and no dinner. 148)
- 그는 말이 많아요〔그는 수다쟁이예요〕.
  He has a big mouth. / He's loudmouthed.
  He is talkative.
- 그는 일구이언(一口二言)하는 사람이에요.
  He speaks with a forked tongue. 149)
- 그는 입만 앞세우고 행동은 하지 않는 사람이에요.
  He is all talk and no action.
- 그는 소문을 잘 내요.
  He is spreading rumors. / He is spilling the beans. 150)
- 그는 남의 얘기를 소문내기 좋아해요.
  He is a gossip monger. 151)

---

140) bilk : (채권자를) 속이다; (외상값 · 빚 등을) 떼어먹다; 사기치다
141) do in : 속이다, 사기치다
142) two-timer : ((美 속어)) (애정을) 배신하는 사람; 배반자; 부정(不貞)한 사람
143) pull ~ over on sb : 아무에게 ~을 속이다
144) blow sb's cover : 아무의 정체를 밝히다
145) clear the air : 의혹 등을 일소하다 / 공기를 맑게 하다
146) blows one's own horn〔trumpet〕: ((구어)) 자화자찬하다(sing one's own praise); 허풍을 떨다
147) be all mouth (and trousers) : 말뿐이다, 허풍만 떨다
148) 직역 : 그는 그럴싸한데, 실제로는 저녁 한 끼도 안 사는 사람이다.
149) speak with a forked tongue : 일구이언(一口二言)하다
150) spill the beans〔soup / works〕 : 비밀을 누설하다(spill it)
151) gossip〔news〕 monger : 소문내기 좋아하는 사람; 수다쟁이

활용어휘

- 거짓말쟁이 : liar
- 그럴듯한 거짓말 : plausible lie
- 사기꾼 : swindler / cheater
- 선의의 거짓말 : white lie
- 터무니없는 거짓말 : whooping lie
- 교묘한 말재주(로 속이기) : sleight-of-mouth [152)]
- 거짓말 탐지기 : lie detector
- 뻔뻔스런 거짓말 : barefaced lie
- 새빨간 거짓말 : blazing lie / loud lie
- 얼버무리기를 잘하는 사람 : put-on artist
- 터무니없는 소문 : lying rumor

대인 관계

원만하다

- 그는 사교적이에요. / 그 사람은 발이 넓어요.
  He is outgoing. / He's been around.
- 그는 누구와도 잘 어울리는 사람이에요.
  He is a good mixer. [153)]
- 그 사람은 그녀를 마음대로 조종할 수 있어요.
  He can twist her around his fingers. [154)]
- 그 사람하고 일하면 재미있을 거예요.
  Working with him should be stimulating. [155)]
- 그 여자는 남자 아이들과 잘 어울려요.
  She mixes well with boys.
- 그녀는 다른 사람들에게 항상 잘 해줘요.
  She always falls all over others. [156)]
- 그는 모두에게 귀염을 받고 있어요.
  He is loved by all.
- 그는 자기 상사와 잘 통해요. / 그는 상사의 귀염을 받고 있어요.
  He stands well with his boss. / He's a favorite with his boss.
- 그들은 서로 사이좋게 지내요.
  They hit it off with each other. [157)]
- 당신은 내 마음에 꼭 드는 사람이에요.
  You're a man after my own heart. [158)]
- 당신은 사람을 잘 다루시는군요.
  You are dexterous in handling men, aren't you?

---

152) sleight : 교묘함; 숙련; 속임수; 술책
153) mixer : 교제가, 사교자 / a good〔bad〕 mixer : 사교술이 좋은〔없는〕 사람
154) twist sb around one's fingers : 자신의 손가락 둘레에서 아무를 비틀다 → 아무를 마음대로 조종하다
155) stimulating : 자극하는; 활기를 띠게 하는; 격려하는
156) fall all over sb : 아무에게 친절하게 잘 해주다; 아무에게 잘 보이려고 아부하다
157) hit it off (with sb) : (아무와) 사이좋게 지내다
158) after one's own heart : 마음에 맞는

• 두 사람은 아주 친한 사이에요.
They are hand in glove with each other.
• 우리는 통하는 데가 있는 것 같군요.
I think we have very good chemistry between us. 159)
• 저는 그와 친한 사이예요.
I'm on friendly terms with him. 160)

활용 어휘
• 분위기가 있는 : moody
• 사교적인 : outgoing
• 사려가 깊은 : considerate
• 협력적인 : supportive
• 우호적인 : friendly

원만하지 못하다

A: Have you settled the problem with him?
B : Not yet. I'm going to see him now.
A : 그 사람과의 문제를 잘 해결했어요?
B : 아직 못했어요. 이제 그 사람을 만나러 가려고 해요.

• 그 사람은 보기만 해도 구역질이 나요.
The sight of him makes me sick.
• 그는 많은 적을 가지고 있어요.
He has (got) a myriad of enemies. 161)
• 그들은 사이가 좋지 않아요.
They do not get along well with each other.
• 그는 나에게 너무나 냉담했어요.
He was very cold with me.
• 그 사람과는 동석하고 싶지 않아요.
I don't like to be in his company.
• 그 사람과 사귀지 마세요.
Don't hang around with him. 162)
• 그 사람을 만나지 않도록 하세요〔그 사람의 눈 밖에서 벗어나세요〕.
Keep yourself out of his sight.
• 그 사람에게 원한을 품지 마세요.
Don't stop bearing a grudge against him. 163)

159) chemistry : 마음이 통하는 것
160) be on friendly terms with sb : 아무와 친하다
161) a myriad of = a lot of : 많은, 무수한
162) hang around (with sb) : 배회하다; (아무와 함께) 시간을 보내다
163) bear a grudge against sb : 아무에게 원한을 품다 / grudge : 원한(을 품다), 악감

- 그들은 대화에서 나를 따돌렸어요
  They left me out of their conversation.
- 그는 접근하기 힘든 사람이에요. / 그는 사귀기 힘들어요.
  He's a difficult man to approach. / He's hard to get close to.
- 그는 별로 달갑지 않는 사람이에요. / 그 사람과는 함께 가고 싶지 않아요.
  He's bad news. [164] / I don't care to go with him.
- 그는 나를 배신했어요.〈속어〉
  He turned a cold shoulder to me. [165]
- 그는 남과 어울리지 않아요.
  He doesn't mix with others. / He keeps to himself.
- 그들과는 교제하고 싶지 않아요.
  I don't care to associate with them.
- 그런 사람과는 가까이하지 마세요.
  Keep away from such company.
- 그런 사람은 가까이하지 않는 게 좋아요.
  You'd better keep such a man at a distance. [166]
- 그 사람 일로 귀찮은〔괴로운〕게 많아요.
  There's a lot that bothers me about him.
- 나는 그가 몹시 싫어요.〈속어〉
  I avoid him like the plague. [167] / I hate his guts. [168]
- 나는 그의 미움을 샀어요.
  I got on his bad side. [169]
- 가장 싫어하는 사람이 누구세요?〈속어〉
  Who is your shit list? [170] / Who is in your doghouse? [171]
- 우리는 푸대접을 받았어요.〈속어〉
  We got a raw deal. [172]

---

164) bad news : 나쁜 소식; ((구어)) 골치 아픈 문제, 난처한 일; ((속어)) 골치 아픈 녀석
165) turn a cold shoulder to ～ : ～를 무시하다, 푸대접하다
166) at a distance : 떨어져서, 거리를 두고
167) avoid ～〔사람 · 물건〕 like the plague : ～을 (전염병처럼) 기피하다, 몹시 싫어하며 피하다 / plague : 전염병, ((구어)) 성가신 사람, 골칫거리 / the plague : 페스트
168) hate sb's guts : 아무를 몹시 싫어하다
169) get on sb's bad side : 아무의 미움을 사다
170) shit list : 가장 싫어하는 사람; 골치 아픈 패거리의 리스트
171) in the doghouse : ((구어)) 인기가 떨어진, 따돌림을 받는
172) have〔get〕 a raw deal : 푸대접을 받다; 가혹한 짓을 당하다

활용어휘

- 교제비 : social entertainment expenses
- 말괄량이〔왈가닥〕 : Tom boy
- 사교계의 꽃 : the belle of society [173)]
- 사교술 : social tactics / art of association
- 이웃과 잘 사귀는 사람 : good neighbor
- 활동 무대 : staging area
- 수줍어하는 : shy
- 어중이 떠중이〔모든 사람〕 : Tom, Dick and Harry
- 대인 관계 : interpersonal relations
- 사교계 : the fashionable world
- 사교계 명사 : socialite
- 세대 차이 : generation gap
- 주소록 : address book
- 으스대는 : bossy

예의범절

예절이 바르다

- 그는 상식이 있는 사람이에요.
  He has a good head on his shoulders.
- 그는 정말 예의가 바라요.
  He has such good manners. / He is well-mannered.
- 의식이 족해야 예절을 안다.
  It is hard for an empty sack to stand straight.
  Well fed, well bred.

무례하다

- 그 애는 자기 부모만 없으면 제 멋대로 굴어요.
  He runs wild whenever his parents are out. [174)]
- 그녀는 상급자에게 얘기하는 방법을 몰라요.
  She simply hasn't learned how to talk to her superiors.
- 그는 말버릇이 없어요.
  He doesn't know how to talk.
- 그는 인사할 줄도 몰라요.
  He doesn't know how to meet people properly.
- 그는 한마디 인사도 없이 떠났어요.
  He left us without a single word of greeting.
- 남의 얼굴을 빤히 쳐다보는 것은 실례예요.
  It is rude to stare others in the face.
- 당신은 상사에 대한 태도를 모르는군요.
  You don't know how to behave in front of your boss.
- 상사에게 그런 식으로 말하지 마세요.

173) belle[벨] : ((불어)) 미인
174) run wild : (아이 등이) 제 멋대로 굴다; 난폭해지다; 방목되다

Don't talk to your boss like that. [175]

- 어른 앞에서 그렇게 말하는 것은 당돌한 짓이에요.
  It is rude of you to talk like that to your elders.
- 그는 어른한테 인사도 할 줄 모르는 괘씸한 놈이에요.
  He is an insolent fellow who doesn't know how to greet his elders properly.
- 장애인을 보고 웃는 건 점잖지 못해요.
  It's not decent to laugh at a handicapped person.

기 타

- 당신은 예의도 없어요?
  Where are your manners? [176]
- 친한 사이에도 예의가 있어야 해요.
  There should be courtesy even among intimates.
- 격식 차릴 필요 없어요.
  No need to stand on ceremony. / Don't be so formal.
  Don't be so uptight.
- 왜 지배인에게 그렇게 모욕을 주었어요?
  Why did you insult the mananger like that?

175) Don't ever ～ 〈 Never 〈 Don't you ever ～ : 절대 ～하지 마라. → 우측 표현일수록 강한 표현이다.
176) 직역 : 너의 예의는 (도대체) 어디에 있느냐?

ENGLISH CONVERSATION DICTIONARY

부 록

I 어휘별 가나다순 표현

제1장에서 제20장까지를 여러 가지 상황으로 구분하여 중요한 표현들을 정리하였으나, 주요 상황에는 포함시키기는 곤란하고 사용빈도는 높은 어휘중심의 표현들을 가나다순으로 엮음으로써 모든 상황, 모든 분야의 표현들을 포함할 수 있도록 하였다.

가능과 불가능

가능하다

A: Do you think I can pass the driving test?
B : Why not? 1)

A : 제가 운전시험에 합격할 수 있다고 생각하세요?
B : 왜 안 되겠어요?

- 그거야 있을 수 있는 일이에요.
  It's just one of those things. 2)
- 그는 꼭 성공할 것 같아요.
  It's highly 〔very〕 likely that he will succeed.
- 그런 일이 일어날 수도 있지 않겠어요?
  It could happen, couldn't it?
- 글쎄요, 그걸 배제할 수는 없죠.
  Well, we can't rule it out. 3)
- 우리가 성공할 가능성이 어느 정도죠?
  What's our chance of succeeding?
  What are the chances that we shall succeed?
- 아직 다소의 희망이 있어요.
  There is yet some hope.
- 여보, 정말 운전하실 수 있겠어요?
  Do you feel up to driving, honey? 4)

가능성이 반반이다

- 가능성은 반반입니다.
  It could go either way. / The odds are even. 5)

1) "안 될 이유가 없다." → 합격할 수 있다.
2) "어쩔 수 없는 일이지 뭐."란 뜻
3) rule ~ out : ~을 배제하다
4) feel up to ~ : ~을 할 수가 있다
5) odds : 가능성, 확률 / even : 대등한

The chances are fifty-fifty. [6]

• 성공할 가능성은 반반입니다.

There is an even chance of success.

불가능하다

A: I want to kiss you. (당신하고 키스하고 싶어요.) B: You don't have a prayer. [7] (안 되요.)

• 그건 불가능해요. / 그건 가능성이 희박한 일이에요

It is impossible. / It's going to be a long shot. [8]

• 그건 상상하기 어려운 거예요〔있을 수 없는 일이에요〕.

That's hard to imagine.

• 그랬으면 얼마나 좋겠어요?

That will be the day. [9]

• 해가 서쪽에서 뜨면 몰라도 (절대로) 안 될걸요. [10]

He will when hell freezes over.

• 가망이 없습니다. / 전혀 불가능한 일이에요.〈속어〉

Chances are slim. / Pig will fly. [11]

• 그들이 이길 가능성은 없어졌어요.〈속어〉

Their chance to win went up in smoke. [12]

• 누구나 두 가지 일을 동시에 할 수는 없어요.

No one can do two things at once. [13]

• 당신에겐 이제 기회가 없어요. / 이제 다 끝났어요.

Your chance is up. / The game is over〔up〕. [14]

• 전혀 가망이 없습니다.

Not a chance〔prayer〕.

• 그런 일은 일어날 것 같지 않은데요.

That's not likely to happen.

• 너 먹는 꼴을 보니까, 체중 줄일 가망은 거의 없구나.

The way you eat, you have a fat chance of losing any weight. [15]

---

6) fifty–fifty : 반반(의)
7) not have a prayer : 성공할 가능성이 없다
8) a long shot : 대단한〔가능성이 희박한〕 시도 / (경마에서) 승산이 없는 말
9) 그런 날이 올까? 즉, 그런 일을 절대 없을 거야.(=It will never happen.)
10) 직역 : 지옥이 얼어붙을 때나 그럴 것이다.
11) 직역 : 돼지가 날겠다. → 전혀 불가능한 일이다.
12) go up in smoke : (집 등이) 소실되다 / (희망 · 계획 등이) 연기처럼 사라지다
13) at once : 즉시(immediately / without delay); 동시에(simultaneously)
14) 어떤 계획이 실패〔실수〕로 끝났을 때 체념〔아쉬움〕을 나타낼 때; 또는 경쟁을 하던 두 사람 중 한 사람이 상대에게 게임은 끝났으니 더 이상 헛수고하지 말라고 할 때 쓰인다.
15) fat chance = slim chance : 가능성이 거의 없는 것

- 그 법안이 통과될 가능성은 없어요.
There's no way that bill will pass.
There's no possibility that bill will pass.
- 그가 시험에 합격할 가능성은 거의 없어요.
He hasn't got the ghost of a chance of passing the exam. 16)
- 그녀가 자동차 면허시험에 합격한다는 건 전혀 가능성이 없어요.〈속어〉
She has a snowball's chance in hell of passing the driver's license examination. 17)

기 타

- 그가 유리한 입장에 있다고 생각해요.
I think he has the inside track. 18)

결 과

- 결국 그는 사장으로 승진했어요.
After all, he got promoted to president.
- 그것이 불행을 야기한 결정적 행동이었어요.
That was the last straw. 19)
- 노력한 보람이 있었어요.
My efforts were rewarded. / My hard work paid off.
My effort bore fruits.
- 그게 저한테는 굉장한 효과가 있었어요.
It's done wonders for me.
- 좋은 결과가 나올 지도 몰라요.
You may be onto something.
- 저는 그 결과에 만족합니다.
I'm gratified with〔at〕the result.
- 지금은 결과를 기다리는 수밖에 없어요.
For the moment, all we can do is to wait for the results.

---

16) ghost : 유령; 조금; 근소 / the ghost of a chance : 지극히 적은 가능성
17) have a snowball's chance in hell : 전혀 가능성이 없다
18) inside track : 유리한 입장 → 달리기 경주를 할 때 안쪽 트랙에서 있는 사람이 유리하다는 점에서 유래된 표현
19) the last straw : (지금까지 견딘 무거운 부담을 버틸 수 없게 되는) 마지막으로 추가된 작은 부담 / 직역 : 그것이 마지막 지푸라기였다. → 새끼줄이 끊어질 때 지푸라기가 하나씩 하나씩 끊어지다가 마지막 지푸라기 마저 툭 끊어지는 모습을 상상해 보면 비유하는 내용의 의미를 이해할 수 있다. 예를 들어, 어느 보사부 장관이 ① 평상시에도 물의를 일으키는 발언을 가끔 하는 편이었는데, 어느 날 ② 중학생에게도 콘돔 사용법을 가르쳐야 한다고 발언한 적이 있으며, 그후 ③ AIDS 예방을 위해서 학생들에게 masturbation을 가르쳐야 한다고 발언하자, 국민 여론이 들끓어 대통령은 결국 그를 해임시켰다. 이 예(例)에서는 ③의 발언을 'the last straw' 에 비유할 수 있다.

- 당신은 너무 지나친 기대를 하고 있군요.
  You are expecting too much.
- 그러면 그렇지. (아니 땐 굴뚝에 연기 날까?)
  That explains it.
- 예상대로 되지 않았어요.
  It didn't go as planned.
  It didn't work out as well as expected.

경기 (호경기 · 불경기)

경기가 좋다

- 한국 경제가 점점 좋아지고 있어요.
  The Korean economy is getting better. [20]

불경기

- 모두가 불경기의 압박을 받고 있습니다.
  Everyone is feeling the pinch of the recession.
- 국내 시장이 여전히 침체되어 있어요.
  The domestic market is still depressed
- 모든 게 예전 같지는 않아요.
  Nothing is quite the same.
- 반도체 값이 최저 시세가 됐어요. 〈속어〉
  The price of semiconductors bottomed out. [21]
- 요즘 물가가 천정부지로 오르고 있어요.
  Prices are skyrocketing these days.
- 제 사업체가 불경기로 큰 타격을 받았어요.
  My business has been hit hard by the recession.
- 요즘 국가 경제가 말이 아니에요. 〈속어〉
  The national economy has bogged down. [22]
- 불경기 때문에 죽을 지경입니다.
  This recession is killing me. / This recession is murder.
- 서울은 물가가 매우 비싸요.
  Prices are very high in Seoul. [23]

20) getting better = picking up = on the mend = improving : 좋아지고 있는
21) bottom out : (가격 등이) 최저 시세가 되다
22) bog down : 수렁에 빠지다; 꼼짝못하다 / bog : 늪, 수렁; 수렁에 빠지다(빠뜨리다)
23) price를 주어로 하여 '비싸다 · 싸다'를 표현할 때는 'high low'를 쓴다. ((비교)) Things are expensive (cheap). (물건들이 비싸다(싸다)).

경 쟁

- 그는 제 적수가 못 돼요.
  He's no match for me.
- 먹느냐 먹히느냐 하는 세상이에요.〈속어〉
  It's a dog-eat-dog world (out there). [24]
- 3대 주요 경쟁자가 막상막하예요.
  The three major contenders are in a dead heat. [25]
- 경쟁이 치열해요. / 그는 간신히 이겼어요.〈속어〉
  Competition is intense. / He won by a whisker. [26]
- 그건 막상막하였어요.〈속어〉
  It is nip and tuck. [27] / It is diamond cut diamond. [28]
- 그들은 우리와 수준이 달라요.
  They're in a different league from us. [29]
- 그들은 앞서거니 뒤서거니 달리고 있어요.〈속어〉
  They're running neck and neck. [30]
- 야구에 관해서는 우리 학교가 최고예요.
  Our school is number one in terms of baseball.

경 험

A: Have you tried parachuting?
B : Yes, I've done it four times.
A: When?
B : While I was in school.
A: What was it like? Weren't you scared?
B : I was a little bit terrified, but I loved it.

A : 낙하산을 타 본 적이 있으세요?
B : 네. 네 번 타 봤어요.
A : 언제요?
B : 학창시절에요.
A : 어땠어요? 안 무서웠어요?
B : 조금 무섭기는 했지만, 재미있었어요.

---

24) dog-eat-dog : 동족상잔(의 경쟁)
25) dead heat : 무승부
26) whisker : 구렛나루(주로 복수형) / a whisker : 얼마 안되는 거리, 간발의 차
27) nip and tuck : (경마에서) 나란히; (경기 등에서) 접전인, 막상막하인(neck and neck)
28) 직역 : 다이아몬드가 다이아몬드를 자르다.
29) league : 연맹, 동맹; 리그 / (동질의) 그룹, 조, 부류, 단위 / be in a different league from ～ = not be in the same league as ～ : ～보다 훨씬 나은〔못한〕(be much better〔worse〕 than someone or something else
30) (대선 후보들에 대한 국민 지지도 등이) 앞서거니 뒤서거니 혼전을 보일 때

- 대공원에는 얼마나 자주 가 보셨습니까?
  How often have you been to the Grand Park?
- 저는 이런 일에는 경험이 없어요.
  I have had no experience in this kind of work.
- 경험이 제일이에요.
  Experience is a good teacher.
- 거기에 한두 번 간 적이 있어요.
  I've been there once or twice.
- 젊었을 때 그 곳에 갔었어요.
  I went there when I was young.
- 그런 일은 한번도 해 본 적이 없어요.
  I have never done such a thing.
- 예전에 한번 차사고를 당한 적이 있어요.
  I've been in a car accident once before.
- 저도 같은 경험을 했어요.
  I had the same experience. / I've been there.

A: I used to climb a mountain every weekend.
B : Why did you stop mountain climbing?
A: I didn't have time to do it.

A : 예전에는 주말마다 등산을 하곤 했어요.
B : 왜 등산을 그만두셨습니까?
A : 시간이 없어서요.

곤경과 문제

난관에 처하다

- 거 정말 난제군요. / 혼이 났어요!
  That's the killer. / I had a tough time!
- 그 사람 문제로 골치가 아파요.
  I have a headache on his matter.
- 그건 문제 해결에 도움이 안될 거예요.
  That won't help to solve the question.
- 그것 정말 골칫거리군요. / 그것 참 고통스러운 난제군요.
  That's a real headache. / That's like pulling teeth.
- 그게 문제입니다.
  That's the question〔problem〕.
- 그는 그의 과장에게 코가 꿰였어요.

He was under his boss's hand〔thumb〕.
He was under the control of his boss.

- 그는 지금 사면초가예요.
He has the world against him now.
- 제가 얼마나 곤란한 처지에 처해있는지 당신은 모를 거예요.
You don't understand what a difficult position I'm in.
- 당신 체면이 말이 아니군요.
You are in the doghouse. [31)]
- 당신은 스스로 곤란한 처지를 만드는군요.
You're driving yourself into a corner. [32)]
- 말하기는 쉽지만, 실천하기는 어려워요.
That's easier said than done. [33)]
- 우리는 곤란한 상황에 처해 있어요.
We're in a tough situation.
- 모든 것이 우리에게 불리해요.
We have all the cards stacked against us. [34)]
- 우리는 아직 고비를 벗어나지 못했어요.
We're not out of the hard times yet.
- 우리는 위험한 처지에 놓여 있어요.
We are on the brink of disaster. [35)]
- 우리는 파산지경에 이르렀어요.
We're on the point of going bankrupt. [36)]
- 이제 와서는 어쩔 수가 없어요.
It can't be helped now.
- 저는 곤경에 처해 있어요.
I'm in a jam〔fix〕. [37)] / I'm in trouble.
I'm really in stuck. [38)] / I'm left in the lurch now. [39)]
I'm stuck between a rock and hard place.

---

31) in the doghouse : ((구어)) 체면을 잃은; 인기가 떨어진
32) drive〔force〕 sb into a corner : 아무를 궁지에 몰아넣다 예 The president is likely to be forced into a corner over his latest plans for welfare spending.(사장은 최근 복지사업 지출계획 때문에 궁지에 몰릴 것 같다.) / tight corner : 매우 어려운 처지
33) 의역 : 그게 어디 말처럼 쉬운가요?
34) have the cards stacked against sb : 아무에게 불리하게 쌓여진 카드들을 가지고 있다 → 아무에게 매우 불리하다 / 여기서 against는 '~에(게) 불리하게' 라는 의미로 쓰였다. / ((비교)) have (all) cards in one's hands : 유리한 처지에 있다.
35) brink : 가장자리; 아슬아슬한 순간(verge) / on the brink of ~ : 금방 ~할 것 같은; ~하기 직전에 있는 / stand shivering on the brink : 결정적인 고비에서 망설이고 있다
36) on the point of ~ : 바야흐로 ~하려고 하는; ~하는 순간에
37) jam : ((구어)) 곤란, 궁지
38) in〔out of〕 stuck : 곤경에 빠진〔곤경에서 벗어난〕
39) leave sb in the lurch : 아무〔곤경에 빠진 사람〕을 내버려두다 / lurch : 곤경

I'm in a hot spot now. [40] / I'm in hot water. [41]

- 저는 진퇴양난에 처해 있어요.
  I'm in a dilemma〔bind〕.
- 저는 (선택의) 기로에 서 있어요.
  I'm at the crossroads. [42]
- 큰 문제가 생겼어요. / 이거 정말 큰일났군요!
  We're in big trouble. / The fat's in the fire! [43]
- 저를 궁지에 몰아 넣지 마세요.
  Don't drive me into a corner. [44]
- 우리는 아직 고비를 벗어나지 못했어요.
  We're not out of the woods yet. [45]
- 저로서는 해결하기 어려운 문제가 하나 있어요.
  I have a hang-up that is hard for me to overcome. [46]
- 그건 불가항력의 일이었어요.
  That was an act of God. [47]
- 꼭 바늘방석에 앉은 것 같군요.〈속어〉
  It's a shooting gallery in here, I'm the pigeon. [48]

난관을 해결하다

- 그 문제가 드디어 해결되었어요.
  The problem is finally settled.
- 그 훈련 과정이 힘들었지만, 해 냈어요.
  The training course was hard, but I managed to pull through. [49]
- 그는 구사일생했어요.
  He had a narrow escape. [50]
- 문제들이 완전히 해결되었어요.
  The problems are now completely solved.

---

40) hot spot : ((구어)) (정치 군사적) 분쟁 지역; (문제 싸움 등이) 일어날 가능성이 있는 지역
41) hot water : ((구어)) (자초한) 곤경, 곤란, 걱정거리
42) crossroad : 교차로, 갈림길; (행동 선택의) 기로 / stand〔be〕 at the crossroads : 기로〔갈림길〕에 서다 / crossroad(s) store : ((美)) 사거리의 가게(마을 사람들이 모여서 잡담을 하는 잡화점 따위)
43) 직역 : 기름이 불 속으로 들어갔다.
44) drive sb into a corner : 아무를 궁지에 몰아넣다
45) out of woods : ((구어)) 숲속을 벗어난; 위험을 면한, 곤란을 벗어난
46) hang-up : 고민거리
47) act of God : 하느님의 행위 → 불가항력(act of Providence), 천재(天災)
48) 직역 : 여기는 사격 연습장이고, 나는 비둘기다. → 사격 연습장에는 비둘기를 표적으로 놓아두고, 이 비둘기가 기계장치에 의해 위로 튀어 오르면 그것을 맞추도록 되어 있다. 이런 위치에 있는 비둘기의 심정을 비유해서 표현한 말이다.
49) pull through : 난국을 이겨내다〔견뎌내다〕
50) have a narrow escape〔shave / squeak〕 : 구사일생하다

- 우리는 이 어려운 상황을 극복해야만 해요.
  We have to get over this difficult situation. 51)
- 위험한 고비는 넘겼어요.
  We've turned the corner. 52)
- 한국 경제가 가장 어려운 고비는 넘겼다고 생각합니다.
  I think Korean economy is over the hump. 53)
- 그가 그 난제를 해결할 수 있을 거예요.〈속어〉
  I think he can skate on thin ice. 54)
- 서광이 비치기 시작하군요.
  We're beginning to see daylight. 55)

기 타

- 그건 저한테 너무 벅찼어요. / 비지땀을 뺐어요.
  It was too much for me. / I really sweated it out! 56)
- 사태를 어떻게 수습할 계획이세요?
  How are you planning to pick up the pieces? 57)
- 당신을 곤란하게 하고 싶지 않아요.
  I don't want you to get into trouble. 58)

광 고

구인 · 구직 광고

- 사람 구함. 무경험자 환영
  HELP WANTED / EXPERIENCE NOT NECESSARY

상품 광고

- 가정용〔사무실용 / 캠핑용〕
  FOR HOME〔FOR OFFICE / FOR CAMPING〕
- 견본 무료 증정
  FREE SAMPLES
- 공급 물량이 제한됨. 오늘 전화하기 바람

---

51) get over : 극복하다
52) turn the corner : (병 · 경기 등이) 고비를 넘다
53) over the hump : ((구어)) 고비를 넘긴, 위기를 벗어난; 반 이상 마친
54) skate on〔over〕thin ice : 미묘한〔어려운〕 문제를 다루다; 아슬아슬한 짓을 하다 / be on thin ice : ((구어)) 살얼음을 밟다; 위험한〔불안한〕상태에 있다
55) see daylight : 완성〔해결〕의 서광이 비치다, 전망이 보이다; 이해하다
56) sweat it out : ((구어)) 격렬한 운동을 하다; 불쾌한 일을 끝까지 참다
57) pick up the pieces : 조각들을 접합하다 → 사태를 수습하다
58) get into trouble : 말썽이 나다; 처벌당하다; 꾸지람을 듣다; ((구어)) 임신시키다

SUPPLIES ARE LIMITED. SO CALL TODAY

- 타 제품과 비교가 안 됨
  DARE TO COMPARE
- 더 많은 정보를 원하시면, 총지배인에게 편지 바람
  FOR MORE INFORMATION WRITE TO GENERAL MANAGER
- 무료 상품 목록를 원하시면 전화하기 바람
  CALL FOR A FREE CATALOGUE
- 배달 기간은 1일이 소요됨
  ALLOW A DAY FOR DELIVERY
- 속달 배달 가능
  EXPRESS DELIVERY AVAILABLE
- 아래 전화번호로 연락 바람
  CONTACT US AT THE FOLLOWING TELEPHONE NUMBER
- 어디든지 배달해 줌
  SHIP ANYWHERE
- 최고 50%까지 할인
  SAVE UP TO 50%
- 정가의 1/3 할인
  ONE-THIRD OFF THE REGULAR PRICE
- 이틀 이내에 무료 배달
  FREE SHIPPING WITHIN TWO DAYS
- 최저가 보장
  LOWEST PRICE GUARANTEED

회사 · 가게 광고

- 24시간 연중 무휴
  24 HRS EVERYDAY
- 40분 내에 작업현장에 도착할 수 있음
  USUALLY ON THE JOB WITHIN 40 MINUTES
- 신속하게 처리해 드림
  NOBODY BEATS OUR TIME
- 주간 723-5123, 야간 774-2312로 전화 바람
  CALL DAYS 723-5123 OR EVES 774-2321 [59)]

---

59) eve = evening : 밤, 저녁

기 타

- TV에 광고를 내는 게 어때요?
  Why don't you run an ad on TV? 60)
- 광고 시간이 얼마나 되죠?
  How long does an ad run?
- 신문에 광고를 내세요.
  Put an ad in a newspaper.
- 우리는 일간신문에 광고를 냅니다.
  We put an ad in the daily paper. 61)

활용어휘

- 광고 : advertisement
- 광고 문구 : CM〔commercial message〕
- 광고 쪽지〔포스터〕 : show bill〔card〕
- 광고문안 작성자 : copywriter
- 광고비 : outlay for advertisement
- 광고탑 : ad tower
- 기사형 광고 : editorial advertising
- 기업 광고 : institutional advertisement
- 동작에 의한 개그 : sight gag
- 삽입 광고 : spot 63)
- 옥상 광고 : sky sign
- 옥외 광고판 : outdoor billboard
- 현수막 : hanging banner〔placard〕
- 광고 대리업자 : publicity agent
- 광고 방송〔시간〕 : commercial
- 광고 포스터 : ad poster
- 광고방송 시간 : advertising spots
- 광고업자 : adman
- 기사식 광고 : reading notice
- 기업 광고 : corporate advertising
- 동시 녹음 : synchronous recording
- 사전 사후 조사 : pre-to-post 62)
- 양면 광고 : double-spread
- 옥외 광고 : outdoor advertising
- 좌우 양면 광고 : double truck
- 전단 : flyer

구 분

- 뭐가 뭔지 분간을 못하겠어요.
  I cannot tell which is which.
- 양자를 구별하기가 어렵다는 걸 알았어요.
  We found it difficult to distinguish one from the other. 64)
- 외관만으로 미국인과 영국인을 구별하는 것은 어려워요.
  It's hard to tell an American from an Englishman just by their looks.

60) run an ad on TV : TV에 광고를 내다
61) put an ad : 광고를 내다(run an ad)
62) 광고를 보기 전과 본 뒤의 변화를 측정하는 것
63) 프로그램 진행 도중에 내 보내는 간단한 광고방송(우리 나라에서는 시행 안되고 있음)
64) distinguish A from B : A와 B를 구별하다

국가와 민족

A: What's the national flower of Korea?
B : The rose of Sharon, or Mugunghwa in Korean.

A : 한국의 국화는 무엇입니까?
B : 샤론 장미 또는 한국말로는 무궁화입니다.

- 일본의 수도가 어디죠?
  What is the capital of Japan? 65)
- 한국의 인구는 얼마나 됩니까?
  What's the population of South Korea?
- 한국은 얼마나 큽니까?
  How big is Korea?
- 다음 달에 인구조사가 있을 겁니다.
  There'll be a nose count next month. 66)
- 옳건 그르건, 내 조국은 내 조국이에요.
  Our〔My〕 country, right or wrong.
- 인종 차별을 하지 마세요.
  Cut that racial discrimination out. 67)
- 일본인들은 모방을 잘하는 사람이에요.
  The Japanese are excellent copycats. 68)

규정과 규칙

A: Can't you bend your rules for once?
B : I'm sorry, sir, but I have to go by the book.

A : 한번쯤 규칙을 융통성 있게 적용하면 안되겠습니까?
B : 죄송합니다만, 저는 원칙대로 해야 합니다.

- 미안합니다만, 그건 규정에 위반됩니다.
  I'm sorry, but it's against regulations.
- 규정대로 하는 것이 좋을 겁니다.
  You'd better follow〔go by〕 the regulation. 69)
- 우리는 규칙을 따라야 합니다.

---

65) ((주의)) "일본의 수도가 어디죠?"라고 말할 때 "Where is the capital of Japan?"이라고 하지 않는다. 즉, 의문사 where를 쓰는 것이 아니라 what을 쓴다.
66) nose count = head count ((구어)) 인원수 세기, 인구 조사
67) cut out : 그만두다, 잘라내다, 제거하다
68) copycat : ((구어)) (맹목적) 모방자, 남의 모방만 하는 사람 ; (학교에서 남의 것을) 베끼는 아이 / copycat crime〔killing〕: 모방 범죄〔살인〕
69) go by : ~으로〔~을 기준으로〕판단하다

We have to go by the book. [70]

- 규칙을 어기지 마세요. / 어디까지나 그건 규칙이에요.
  Don't violate the rules. / As far as it goes, it's a rule.
- 이 규칙이 적용되지 않는 몇 가지 경우가 있습니다.
  There are some cases where the rule doesn't hold true.
- 융통성을 부릴 수도 있어요.
  I can make an exception.
- 운전면허증 취득을 위한 최저 연령이 몇 살이죠?
  What's the lower age limit for a driver's license?
- 그 사람은 특별한 경우예요. / 그 사람은 예외입니다.
  He is a special case. / He is an exception.

기억과 암기

기억〔생각〕나다

- '파리' 란 말을 들을 때마다, 에펠탑이 생각나요.
  Whenever I hear about Paris, I think of the Eiffel Tower.
- 그러니까 생각나군요.
  That reminds me.
- 어쩐지 어디서 많이 들어본 이름이다 했지.
  That's why I recognize the name.
- 어디서 많이 들어본 것 같은데요.
  That sounds familiar.
- 그렇게 말씀하시니까, 생각이 나는군요.
  Now that you put it that way, I remember. [71]
  Now (that) you mention it, I remember.
- 아, 상기시켜 줘서 고마워요.
  Oh, thank you for reminding me of it.
- 그게 아직도 귀에 쟁쟁해요. / 그건 잊을래야 잊을 수가 없어요.
  It still rings in my ears. / It haunts my memory. [72]

기억〔생각〕이 안 나다

A: What's your license plate number?
B : I can't think of it offhand. [73]

---

70) go by the book〔numbers〕 : 규칙을 따르다
71) put it : 말하다
72) haunt : (생각 등이) 늘 따라 다니다
73) offhand : 즉석에서; 사전에 준비 없이; 아무렇게나, 되는대로

A : 당신 자동차 번호가 어떻게 되죠?
B : 지금 당장은 생각이 안 나요.

- 생각이 날듯말듯하면서도 막상 말이 안 나와요.
  It's on the tip of my tongue, but I can't say it. [74)]
- 오늘이 우리 결혼기념일이라는 걸 잊었어요?
  Don't you remember that today is the anniversary of our wedding day?
- 저는 잘 잊어 먹어요〔건망증이 심해요〕.
  I'm very forgetful.
- 쓰고 싶은 말이 머리에 떠오르질 않아요.
  I can't think of the word I want to use.
- 도저히 기억이 안 나요.〈속어〉
  I keep drawing a blank. [75)]
- 이 영어 단어에 해당하는 우리말이 생각이 안 나요.
  I cannot find a Korean equivalent for this English word.
- 적당한 말이 생각이 안 나요.
  I can't think of the right word.
- 제 기억을 좀 되살려 주세요.
  Refresh my memory, please. [76)]

기억력

- 그는 기억력이 컴퓨터 같아요.
  He has a computerlike memory.
- 저는 기억력이 좋아요. / 저는 기억력이 안 좋아요.
  I have a good memory. / I have a poor memory.
- 당신 기억력은 어떻게 된 거예요?
  What happened to your memory? [77)]

깜박 잊다

- 뭔가 잊고 계시는 것 없어요?
  Aren't you forgetting something?
- 도서관에 가방을 놔두고 왔어요.

---

74) on〔at〕the tip of one's tongue : 하마터면 말이 나올 뻔한; 말이 입 끝에서 뱅뱅 돌 뿐 생각이 안 나는 / tip : 끝, 첨단 / tongue : 혀
75) draw a blank : 공백만 그리다 → 생각〔기억〕이 떠오르지 않다
76) 기억이 잘 나지 않는 사항에 대해서 자신이 기억을 되살릴 수 있도록 그와 관련된 얘기를 해 달라고 할 때 / refresh : 상쾌하게 하다; 원기를 회복시키다; (기억 등을) 새롭게 하다(renew) / refresh one's memory : 기억을 새롭게 하다
77) 상대방의 기억력이 매우 나쁠 때 비난조의 말

I left my bag behind in the library.

- 뭔가 잊고 있는 느낌인데, 그게 뭔지 정확히 모르겠어요.
  I have a feeling that I'm forgetting something but I don't know exactly what.
- 미안해요, 그만 깜박 잊어버렸어요.
  Sorry, I forgot. / Sorry, it slipped my mind. [78)]
- 생각해 보니, 깜박 잊고 테니스 라켓을 안 가져 왔어요.
  Come to think of it, I forgot to bring my tennis racket.
- 하마터면 그걸 잊을 뻔했어요.
  I'd almost forgotten that.
- 어떤 때는 우리집 전화번호도 잊어버려요.
  Sometimes I even forget my own phone number.
- 건망증이 점점 더 심해지는 것 같아요.
  I'm afraid I'm getting more and more absent-minded. [79)]

기 타

- 그걸 기억해 두세요. / 잊지 말고 기억해 두세요.〈속어〉
  Put your mind to it! / Keep a〔your〕memory green. [80)]
- 그걸 메모해 둘게요.
  I'll make a note of it. / I'll jot it down. [81)]
- 애국가 가사를 다 외울 줄 아세요?
  Do you know the words of the National Anthem by heart? [82)]
- 다음에 여기 올 때는 꼭 그것을 가지고 오세요.
  The next time you come here, be sure to bring it.
- 그걸 생각해 보니, ...
  When I think of it, ...

기 회

- 다시는 이런 기회를 얻지 못할 거예요〔다시는 이런 기회가 없을 거예요〕.
  You'll never get a chance like this again.
- 시기를 놓치지 마세요.
  Strike while the iron is hot. [83)]
- 이 황금 같은 기회를 놓치지 마세요.

---

78) slip one's mind〔memory〕 : 잊어버리다
79) absent-minded : 방심상태의; 멍하고〔얼빠진 상태에〕있는
80) keep a memory green〔alive〕: 잊지 않고 기억해 두다
81) 간단히 몇 자 적어두다, 메모하다
82) know〔learn / say〕 ~ by heart : ~을 암기하다
82) 직역 : 쇠는 달궈졌을 때 두들겨라.

Don't miss [let go] this golden opportunity.

- 이건 일생에 한번 있는 기회예요.
  This is a once in a lifetime chance. [84)]
- 좋은 기회를 놓치셨군요.
  You missed out on a good chance.
- 그런 좋은 기회를 놓치다니!
  What an opportunity you missed!
- 그냥 지나치기엔 너무 좋은 기회예요.
  That's too good an opportunity to pass up.
- 그건 당신에게 고관들과 어울릴 수 있는기회가 될 겁니다.
  It'll give you a chance to rub elbow with high-rankers. [85)]
- 나한테는 결코 그런 기회가 오지 않을 거예요.
  Such opportunities never come to me.
- 기회를 놓치지 마세요.〈속어〉
  Don't let the opportunity slip. [86)]
- 기회를 최대한 이용하셔야 합니다.
  You must make the most of your opportunity.
- 때는 바로 지금이에요.
  Now is the time.
- 똑같은 불행이 똑같은 사람에게 두 번 닥치지는 않아요.
  No lightening strikes (the same spot) twice. [87)]
- 좋은 기회를 놓쳐버렸습니다.
  I just missed the boat. [88)]

내기를 걸다

- 저는 이만기에게 돈을 걸겠어요. / 저는 완벽한 승산이 있습니다.
  My money is on Lee Man-gi. / I hold all the cards. [89)]
- 이번에는 무슨 내기를 할까요?
  What are we going to play for this time?
- 누가 경기를 이기는지 내기를 합시다.
  Let's bet on who's going to win the game.

---

84) ((참고)) the chance of a lifetime : 일생에 다시 없을 좋은 기회 / the main chance : 절호의 기회; 사리[이익]를 도모할 기회 / a chance in a thousand : 천재일우의 기회
85) rub elbow with sb : 아무와 팔을 대다[스치다] → 아무와 어울리다
86) let slip : 풀어주다; 놓치다; (비밀 등을) 무심코 누설하다
87) 직역 : 번개[벼락]은 (똑같은 지점을) 두 번 때리지 않는다.
88) missed the boat[bus] : ((구어)) 좋은 기회를 놓치다
89) hold all the cards : 완전히 지배하다

노 력

A: Shall we make our move, or do you prefer to sit and wait?
B : I think it's time to make a move. 90)

A : 어떤 수단을 써 볼까요, 아니면 그냥 앉아서 기다릴까요?
B : 어떤 조치를 취할 때인 것 같아요

노력하다

A: I'll try my best. (최선을 다해 보겠습니다.)
B : I believe you will. (그렇게 알고 있겠습니다.)

- 어떻게 해 보도록 할게요.
  I'll see what I can do.
- 저에 대한 기대가 어긋나지 않도록 하겠습니다.
  I'll do what is expected of me.
- 그만큼의 노력은 나도 했어요.
  I have given that much effort, too.
- 저는 24시간 밤낮으로 일을 했어요.
  I worked round the clock. 91)
- 저는 밤낮으로 영어공부를 해요.
  I study English day and night.
- 그는 시험에 합격하기 위해서 대단한 노력을 했어요.〈속어〉
  He busted a gut to pass the exam. 92)
- 그는 승진하기 위해서 전력을 기울이고 있어요.〈속어〉
  He is buckling down in order to get promoted. 93)
- 꾸준히 참고 견디세요.
  Bide your time. 94)
- 백방으로 노력을 해 봤어요.〈속어〉
  I moved heaven and earth. 95)

애를 쓰다

- 그것 때문에 애를 쓰진 마세요.
  Don't bother yourself about that.

---

90) make a move : 떠나다; 움직이다; 행동하다, 수단을 취하다
91) (a)round the clock : 24시간 계속으로, 끊임없이, 주야로, 쉬지 않고
92) bust a gut to + 동사원형 : ((속어)) ~하기 위해서 대단한 노력을 하다
93) buckle down to ~ : ~에 전력을 기울이다
94) bide one's time : 꾸준히 참고 견디다, 때를 기다리다
95) move heaven and earth : 하늘과 땅을 돌아다니다 → 백방으로 노력하다

• 지나치게 공들이지 마세요.
Don't elaborate. [96]

담 배

담배를 권하다

A: Would you like a cigarette? (담배 한 대 피우시겠어요?)
B : Sure, thanks. [97] (그러죠, 고맙습니다.)

• 담배 한 대 피우시겠어요?
Would you like to have〔smoke〕 a pipe? [98]
• 담배 한 대 태우시죠.
Have a cigarette.

흡연량

A: How many packs a day? (하루에 몇 갑 피우세요?)
B : About one pack. (한 갑 정도 피웁니다.)

• 담배 피는 습관을 버린다는 건 정말 힘들어요.
It's very hard to kick the habit of smoking〔smoking habit〕. [99]
• 담배 피우세요? / 저는 담배를 안 피웁니다.
Do you smoke? / I don't smoke.
• 담배를 줄이는 게 어때요?
Why don't you cut down on your smoking?
• 저는 담배 없이는 하루도 못 삽니다.
I can't live without cigarettes.
• 저는 줄담배를 피웁니다.
I'm a chain smoker.
• 담배 피우는 데 한 달에 얼마나 쓰세요?
How much do you spend on cigarettes each month?

담배를 피우려고 할 때

A: Pardon me, but where can we sit to have a smoke?
B : Sorry to say, but smoking is not permitted on the

96) elaborate : 갈고 닦다; 상세히 말하다, 부연하다
97) 담배를 피우지 않을 때는 "No thanks, I don't smoke.(고맙지만, 담배를 피우지 않습니다.)"라고 대답하면 된다.
98) a pipe : (담배) 파이프; (담배의) 한 대
99) kick the habit of ～ing = break off a habit of ～ing : ～하는 습관을 버리다

premises. [100)]

A : 미안하지만, 어디 앉아서 담배를 피울 수 있습니까?
B : 미안하지만, 이 구내에서는 흡연이 허용되지 않습니다.

- 담배 좀 피워도 되겠습니까?
  Would you mind if I smoke? / (Is it) Okay if I smoke?
- 여기서 담배를 피워도 됩니까?
  Can I smoke here?
- 나한테 신경 쓰지 말고, 담배 피우세요.
  Don't mind me. You may smoke. [101)]
- 담배 생각이 간절하군요.
  I'm dying for a smoke〔cigarette〕. [102)]
- 담배 좀 피워야겠어요. 담배를 안 피면 생각이 안 나거든요.
  I have to smoke. I can't think without smoking.

재떨이를 부탁하다

- 웨이터, 재떨이 좀 갖다 주시겠어요?
  Waiter, could you bring me an ashtray?
- 재떨이 좀 주시겠어요?
  Can〔May〕 I have an ashtray?

담배를 끊다

A: I'm sorry, honey.
I'll quit smoking after I finish this pack.
B : That'll be the day. [103)]

A : 미안해 여보, 이거 한 갑 피우고 나서 담배 끊을게.
B : 그랬으면 오죽 좋겠어요.

- 저는 담배를 끊었어요. / 작년에 담배를 끊었습니다.
  I stopped smoking. / I gave up smoking last year.
- 담배를 끊었더니 바로 체중이 늘어나기 시작했어요.
  Right after I gave up smoking, I started to gain weight.
- 담배를 끊으려고 노력했지만, 실패했어요.
  I've tried to quit smoking, but failed.

100) premise : 전제 / premises(복수형) : 전술한 말; ((법)) 기술사항; 토지; 구내(構內)
101) 자신이 부하 직원의 사무실에 들어서자 담배를 피우고 있던 부하 직원이 몸을 추스르면서 담배를 끄려고 할 때
102) be dying for ～ : ～하고 싶어 죽겠다, 몹시 ～하고 싶다
103) That'll be the day. : ((구어)) 그렇게 된다면야, 설마 (그럴 수 있을까?); 그런 것은 (도저히) 있을 수 없다.

A: How long has it been since you quit?
B : I haven't had a cigarette in ten years.

A : 담배를 끊은 지가 얼마나 됐습니까?
B : 10년째 담배를 안 피고 있습니다.

- 10년 동안 담배를 안 피고 있어요.
  I haven't smoked in ten years.
- 술과 담배는 조금만 하면 해롭지 않아요.
  A little liquor or tobacco will do you no harm.
- 담배를 끊으려고 노력하는 중이에요.
  I'm trying to give up smoking.

금연 구역

A: This is the nonsmoking section.
There is a smoking section in the back.
B : Oh, I see.

A : 이곳은 금연구역입니다. 흡연구역은 뒤쪽에 있습니다.
B : 네, 알겠습니다.

- 사무실 안에서는 절대로 담배를 피우지 않겠습니다.
  I'll never smoke in the office.
- 담배 좀 꺼 주시겠어요?
  Could you please put out your cigarette?
- 담배 좀 안 피울 수 없을까요?
  Would you mind not smoking, please?
- 담배 때문에 눈이 따가워요.
  My eyes smart from the smoke. [104)]
  My eyes are irritated from the smoke. [105)]
- 연기 때문에 눈물이 나와요.
  My eyes are tearing〔waterly〕 from the smoke.
- 담배를 삼가주십시오.
  Please refrain from smoking.
- 담배를 피시려면 밖으로 나가셔야 합니다.
  I'm afraid you'll have to go outside if you want to smoke.
- 흡연은 환자에게 아주 해로워요.

104) smart : 아리다, 따끔따끔 쓰리다
105) irritate : 짜증나게〔초조하게〕 하다; 화나게 하다; ((생리)) 자극하다; 염증을 일으키다

Smoking is very bad for the patient.

• 여기는 금연 장소입니다.
No smoking here, please. / Smoking is not allowed here.

• 이 안에서는 담배를 못 피우게 되어 있습니다.
You're not allowed to smoke in here.

• 이곳은 금연 사무실입니다.
This is a non-smoking office.

담배를 빌릴 때

A: Can I bum a cigarette? (담배 하나 빌릴 수 있을까요?) [106]
B : Sure. (물론이죠.)

불을 빌릴 때

A: May I trouble you for a lighter? (불 좀 빌릴까요?)
B : Sure. (물론이죠.)

• 불 가지고 있어요? / 불 좀 빌릴 수 있을까요?
Have you got a light? [107] / Can I get a light from you?

• 실례지만, 라이터 가지고 계세요?
Excuse me, do you have a lighter?

A: May I have a light? (담배 불 좀 빌릴 수 있을까요?)
B : Here. ((옆 사람에게 라이터를 켜 주면서) 여기 있습니다.)

• 제가 (담배) 불을 붙여 드리겠습니다.
Let me light your cigarette for you.

기 타

• 간접 흡연은 건강에 매우 해로워요.
Secondhand smoking is a big health hazard.

• 저는 파이프 담배를 피워요.
I smoke a pipe.

• 담배꽁초를 함부로 버리지 마십시오.
Please don't litter with your cigarette butts. [108]

• 담배를 끄지 않은 채로 재떨이에 놔두지 마세요.
Would you stop leaving your cigarettes burning in the

106) bum : ((속어)) 갚을 생각 없이 빌리다; 졸라 빼앗다
107) light : 담뱃불을 붙이기 위한 성냥(match)이나 라이터(lighter)
108) litter with ~ : ~으로 어지르다

ashtray?

- 당신 셔츠에서 담배연기 냄새가 나요.
  Your shirts smell like cigarette smoke.
- 당신한테서 담배 냄새가 나요.
  You smell like cigarettes.
- 방 안에 담배 연기가 꽉 찼군요.
  The smoke is so thick in the room.

활용어휘

- (열차 등의) 끽연실 : smoking compartment
- 직접 마시는 연기 : mainstream smoke
- 골초 : heavy〔chain〕 smoker
- 과도 흡연자 : heavy〔chain〕smoker
- 담배 한 보루 : a carton of cigarette
- 담배꽁초 : cigarette butt〔stub〕
- 담배를 적게 피우는 사람 : light smoker
- 박하 담배 : mentholated cigarette
- 비흡연자 : nonsmoker
- (연기를) 들이마시다 : inhale
- 간접 흡연 : second hand smoking
- 금연 건물 : smoke-free building
- 담배 필터 : filter tip
- 담뱃갑 : pack of cigarettes
- 성냥 : matches
- 담배연기 없는 : smokeproof
- 부드러운 담배곽 : soft pack
- 뻐끔뻐끔 담배를 피우다 : puff

대 가

- 우리는 고생한 보람이 있었어요. / 노력한 만큼의 보람이 있었어요.
  We have not suffered in vain. / It was worth the effort.
- 남에게 친절하게 대하면, 그 대가가 있게 마련이에요.
  It pays to be kind to others.
- 당신은 나중에 후회할 겁니다.
  You will repent for it later〔in the future〕.
- 당신은 상〔벌〕을 받아 마땅해요.
  It serves you right.
- 그가 결국 감옥에 갔다고? 그래도 싸지.
  He ended up in jail? That's exactly what he deserves.
- 당신은 당신의 실수에 대해 대가를 치러야 합니다.
  You have to pay for your mistakes.
- 많은 고위 공무원들이 뇌물을 받고, 그 결과로 벌을 받았어요.
  A lot of high-ranking government officials took bribes and had to face the music. [109)]
- 자업자득이에요.
  Serves you right! / Thank yourself for that.
  You must drink as you have brewed. [110)]

109) face the music : 저지른 일에 대한 결과를 용감하게 감수하다, 마땅히 벌을 받다
110) 직역 : 당신이 술을 만든 대로 마셔야 한다. / brew : 양조하다

- 좋은 일을 해 주면 보답 받기 마련이에요.
  One good turn deserves another.

돈과 재산

> A: Guess what. I won a trip to Hawaii.
> B : Wow! You really hit the jackpot. 111)
>
> A : 있잖아, 나 (공짜로) 하와이 여행하게 됐어.
> B : 와! 너 횡재했구나.

돈 거래

> A: Could you loan me some money?
> B : Sorry but I'm clean [dead] broke myself. 112)
>
> A : 돈 좀 빌려줄 수 있어요?
> B : 미안하지만 나도 무일푼이에요.

- 지금 돈을 얼마나 갖고 계십니까?
  How much money do you have now?
- 제게 돈을 갚으세요.
  You've got to pay me back.
- 요즈음 돈이 없어요[주머니 사정이 안 좋아요].
  I'm a little short these days.
  I'm a little bit low on dough these days. 113)
- 비용은 얼마든지 낼게요. / 비용은 제가 부담할게요.
  I will go to any expense. / The expense falls on me. 114)
- 돈 걱정은 하지 마세요[돈은 문제가 안되요].
  Money is no object.
- 그는 돈을 떼먹는 사람이 아니에요.
  He isn't a deadbeat. 115)
- 그 사람은 돈에 인색해요.
  He is tight with his money.
- 대부 연대보증을 누구에게 부탁하지?
  Who should I ask to cosign my loan? 116)

❖ 돈을 빌릴 때 : 부탁 – 돈을 빌릴 때(p. 60)

111) hit the jackpot : ((구어)) 쌓인 돈[상금]을 타다; 땡잡다, 횡재하다
112) broke : ((구어)) 무일푼인; 파산한
113) dough : 가루 반죽; ((속)) 돈, 현금
114) fall on : 책임[부담]이 되다
115) deadbeat : ((속어)) 돈[빚]을 떼먹는 사람; 부랑자; 기식자(寄食者)
116) cosign : 공동[연대]서명하다, 연서(連書)하다

활용 어휘 • 차용증 : I.O.U〔I owe you〕 • 연대 서명인〔보증인〕 : cosigner

돈을 벌다

A: What do I owe you? [117] (내가 당신한테 줄 돈이 얼마죠?)
B : You owe me nothing. (나한테 빚진 것 없어요.)

• 얼마 버셨어요?
How much did you make?
• 저는 정직하게 돈을 벌 거예요.
I'll get the money honestly.
• 그는 큰돈을 벌었어요.
He made a big profit. / He made a killing. [118]
• 그는 갑자기 무일푼에서 일약 백만장자가 되었어요.
From a penniless man he became a millionaire overnight.
• 그래요? 그럼 돈방석에 앉아 있겠네요.〈속어〉
Really? You must be rolling in dough, then. [119]
• 그는 그 사업으로 돈을 많이 벌었어요.〈속어〉
He made a bundle on that business. [120]
• 그는 겨우 먹고 살 만큼의 돈을 벌어요.
He barely earns enough money to live on. [121]
• 저는 돈 버는 재주가 없어요.〈속어〉
I don't have the Midas touch. [122]
• 돈벌이가 잘됩니까?
Do you make good money? / Is the money good?
Do you make a lot of money? [123]
• 다른 사람들이 모두 큰돈을 버는 동안 당신은 뭘 했어요?
What did you do while everybody else made big money?

117) 이 표현은 물건 등을 사고 나서 "얼마입니까?"라는 의미로도 쓰인다.
118) make a killing : 큰돈을 벌다 / killing-quick huge profit : 빨리 많이 번 돈, 횡재
119) roll in dough : 돈방석에 앉다(wallow in dough / make a lot of money) / make good money : 돈을 잘 벌다 / rake the dough in : 돈을 긁어모으다(rake it in)
120) make a bundle = make a pie : ((구어)) 돈을 벌다
121) barely : 간신히, 겨우, 가까스로
122) have the Midas touch : 돈 버는 재주가 있다 / Midas(마이더스) : 손에 닿은 물건을 모두 황금으로 변하게 한 Phrygia(프리지아 : 소아시아의 고대 국가)의 왕; 큰 부자 / the midas touch : 돈 버는 재주, 무엇이든 돈으로 만드는 능력
123) make money = earn money : 돈을 벌다

부유하다

- 그 사람은 빚이 없어요. / 그 사람은 한결 더 잘 살아요.
  He's free of debt. / He is better off. 124)
- 그 사람은 잘 살아요.
  He makes a good living.
  He's got more than enough money.
- 그녀는 돈을 쓰는 데는 손이 큰 여자예요.
  She is liberal with money.
- 그는 돈은 많은데 쓸 줄을 몰라요.
  He has lots of money but he doesn't know how to spend it.
- 그는 돈을 엄청나게 가지고 있어요. / 그는 풍족하게 생활하고 있어요.
  He's made of money. 125) / He lives in plenty.
- 그는 주체를 못 할 만큼 돈이 많아요.
  He has more money than he knows what to do with.
- 돈 있는 사람치고 아끼지 않는 사람이 드물어요.
  Most rich people are careful about spending money.
- 여기에서는 돈이 최고예요.
  Money talks here. 126)
- 그 사람은 부유하게 살아요. / 그 여자는 호화롭게 살고 있어요.
  He's well-heeled. 127) / She's living in clover. 128)
- 그 사람은 안락한 생활을 하고 있어요.〈속어〉
  He is on easy street.
- 그는 별로 하는 일없이 잘 사는 졸부예요.〈속어〉
  He is an upstart who lives off the tit. 129)
- 그는 부자예요.〈속어〉
  He has money all over the place. 130)

가난하다

- 겨우 먹고살아요.〈속어〉
  I'm having trouble just keeping the wolf from the door. 131)
- 그 여자는 비참한 생활을 하고 있어요.
  She leads a dog's life.

---

124) be better off : 한결 더 잘 살다, 형편이 더욱 좋다
125) 직역 : 그는 돈으로 만들어 졌어요.
126) 직역 : 여기에서는 돈이 말한다.
127) well-heeled : 부유한, 넉넉한
128) live〔be〕in clover : 호화롭게〔안락하게〕 살다
129) lives off the tit = live〔eat〕 high on the hog : 잘 살다 / tit : 젖꼭지 / hog : 돼지
130) all over the place : 여기저기에, 도처에, 사방에
131) keep the wolf from the door : 겨우 굶주림을 면하다

- 그는 노름에서 몽땅 털렸어요.
  He was cleaned out in gambling.
- 그는 부잣집에서 태어났어요.
  He was born with a silver spoon in his mouth. [132)]
- 라스베가스에서 큰돈을 잃었어요.
  I lost my shirt in Las Vegas. [133)]
- 요즘 주머니 사정이 좋지 않아요.
  I have a tight pocketbook 〔budget〕 these days.
- 당신도 알다시피, 저는 당신보다 더 빈궁해요.
  You know, I'm more hard up than you are. [134)]
- 이번 달도 적자예요.
  I'm in debt again this month.
- 저는 완전히 빈털터리입니다.
  I'm flat broke. / I got cleaned out.
- 저는 돈에 쪼들리고 있어요.
  I'm distressed for the money. [135)]
- 그는 노름으로 전 재산을 탕진했어요.
  He gambled all his fortune away.
- 그 사람은 무일푼이에요.
  He doesn't have a dime. [136)]
- 그들은 하루 벌어 하루 먹으면서 살아요.
  They live from hand to mouth. [137)]
- 저는 빚을 갚기 위해서 여기저기에서 돈을 빌리고 있어요.
  I've been borrowing from various sources in order to pay my debts.
- 월급 받기 직전이라서, 돈이 다 떨어졌어요.
  It's just a day before payday, and I'm broke.
- 저축해둔 돈이 거의 바닥났어요.
  My savings are almost gone.
  I'm running out of savings.
- 저는 가난해요. / 저는 돈이 별로 없어요.
  I'm bad off. / I'm not loaded. [138)]
- 저는 그날 벌어 그날 쓰기 바쁘게 살아요.
  I live from paycheck to paycheck.

---

132) born with a silver 〔gold〕 spoon in one's mouth : 부유한 집안에서 태어나다
133) 상황에 따라서는 실제로 "셔츠를 잃었다."라는 의미도 될 수 있다.
134) be hard up : 돈에 궁해 있다, 돈에 결핍해 있다
135) distress : 괴롭히다; 곤궁하게 하다; ((법)) 압류하다(distress for)
136) dime : ((美)) 10센트 짜리 경화(硬貨)
137) live from hand to mouth
138) loaded : ((구어)) 돈이 많은; (술에) 취한

낭비하다

- 쉽게 번 돈은 쉽게 나간다〔쓴다〕. / 부정하게 번 돈은 부정하게 쓰인다.
  Easy come, easy go. / Ill gotten〔got〕, ill spent.
- 돈을 낭비하지 마세요!
  Don't throw your money around!
- 우리 돈 씀씀이를 주의해야겠어요.
  We need to watch our spending.
- 그는 돈을 낭비하고 있어요.
  He's wasting his money.
- 그는 돈을 헤프게 써요.
  He is spendthrift. [139)]
- 돈이 다 떨어졌어요. / 돈을 다 써버렸어요.
  All my money is gone. / I used up all my money.
- 당신은 헛돈을 쓰시는군요.〈속어〉
  You pay for a dead horse. [140)]
- 돈이 하늘에서 떨어지는 줄 아세요?
  You think money grows on trees? [141)]

구두쇠

- 그는 구두쇠예요.
  He's stingy. / He's a skinflint.
- 그는 무척 짜요.
  He is so cheap.
- 그런 일에는 한푼도 낼 수 없어요. / 너무 짜게 굴지 마세요.〈속어〉
  I wouldn't give a nickel for that. / Don't be so stingy.
- 검소한 것과 인색한 것과는 다른 거예요.
  Being thrifty is not the same as being a miser.
- 우리는 지출을 줄여야 합니다.
  We have to cut down on our spending.
- 허리띠를 졸라매야 합니다.
  We have to tighten our belt.

뇌 물

- 그 사람이 뇌물을 받았대요.
  I heard that he received money under the table. [142)]

139) spendthrift : 돈을 헤프게 쓰는, 낭비적인(wasteful)
140) pay for a dead horse : 헛돈을 쓰다
141) 직역 : 당신은 돈이 나무에서 생긴다고 생각하느냐?
142) under the table : 몹시 취해서; 남몰래; 뇌물로서

기 타

• 가지고 있을 때 쓰세요.〈속어〉
You can't take it with you. [143)]

• 경비〔비용〕를 분담합시다.
Let's share the expense.

• 그걸 나한테 공짜로 주는 겁니까?
You're giving it to me for nothing?

• 그는 돈에 관한 한 매우 신중해요.
He's very cautious when it comes (down) to money. [144)]

• 기부 좀 해 주시겠어요?
Would you make a donation? [145)]

• 제 아내는 돈 관리를 잘 해요.
My wife is a good manager of money.

• 당신 가정에서는 누가 돈을 관리하세요?
Who manages the money in your family?

• 당신의 회계장부를 누가 기록합니까?
Who keeps your books? [146)]

• 당신이 손해 볼 건 아무 것도 없어요. / 당신이 손해 볼 게 뭐 있어요?
You have nothing to lose. / What have you got to lose?

• 돈이 다예요. / 돈이 전부가 아니에요.
Money is everything. / Money is not everything.

• 돈이 많이 들 겁니다.〈속어〉
It will cost a bundle. [147)] / It will cost pretty penny. [148)]

• 모두에게 도와 달라고 하지 그러세요?
Why don't you ask everybody to pitch in? [149)]

• 비용에 대해서는 신경 쓰지 마세요.
Never mind the expense.

• 은행에 가서 돈 좀 찾아 주겠어요?
Could you go to the bank and get some money?

• 이 여행을 위해서 1년간 저축했어요.
It took me one year to save up for this trip.

• 이것이 이 달 네 용돈이다.

---

143) 직역 : (죽을 때) 그것〔돈〕을 가지고갈 수는 없다.
144) when it comes (down) to ～ : ～에 관한 한
145) donation : 기부(금); 기증 / donation party : ((美)) 손님이 선물을 주는 파티
146) keep the books : 회계장부를 기록하다
147) a bundle(한 다발) 대신에 a fortune(한 재산), a mint(조폐공사 하나)를 쓰거나, "It will cost you an arm and a leg.(팔 다리쯤은 희생될 거다.)"라고 해도 같은 의미가 된다.
148) 직역 : 귀여운 동전 하나 들 겁니다. → 돈이 많이 들 거라는 의미의 역설적 표현
149) pitch in : (도움 지원)을 (해) 주다; (집단의 일원으로서) 열심히 일하기 시작하다

This is your allowance for the month.

- 저한테 돈은 별로 중요하지 않아요.

  Money doesn't count much to me.

- 이 글〔책〕의 저자 드림

  WITH THE COMPLIMENTS OF THE PRESENT WRITER [150)]

- 궂은 날에 대비해서 저축을 하고 있어요.

  I'm saving money for rainy days. [151)]

돈을 분실하다

A: Oh, my God! My money is gone. Honey! Honey!
B : What's up?
A: Yesterday, I put it in my top drawer, and now I can't find it.
B : Try looking one more time.

A : 오, 이런! 돈이 없어졌네. 여보! 여보!
B : 무슨 일이에요?
A : 여보, 돈이 없어졌어요. 어제 맨 윗서랍에 넣어 두었는데, 안 보여요.
B : 한번 더 찾아 보세요.

모 험

- 장래를 거는 무모한 모험을 하지 마세요.

  Don't gamble with your future. [152)]

- 모험을 하세요.

  Take a chance. / Take a risk.

- 그는 적자를 줄이기 위해 일대 모험을 했어요.〈속어〉

  He stuck his neck out for deficit reduction. [153)]

방귀를 뀌다

- 누가 방귀 뀌었죠?〈속어〉

  Who broke wind? [154)] / Who laid a fart? [155)]

150) with the compliments of ＋ (주는 사람 또는 회사 등의 이름) = with one's compliments : 아무〔아무 회사〕 드림 → 돈 물건 저서 작품 등을 선물할 때 인사말로 쓰는 글귀로, 한자로는 '근정(謹呈) 혜존(惠存)'의 의미다.
151) save ~ for rainy day : 만일의 경우에 대비하여 ~을 저축하다〔남겨 두다〕
152) gamble : 도박하다; 장래를 걸고 모험을 하다
153) stick one's neck out for = risk one's neck = go out on limb : 위험을 무릅쓰고 어떤 일을 추진하다
154) break wind : 방귀를 뀌다
155) fart : 방귀(뀌다) / lay a fart : 방귀를 뀌다

법률과 사건

사건 현장

- 꼼짝 마라! / 너는 포위됐다!
  Freeze! / You're surrounded!
- 총을 버려라! / 총을 내려놔!
  Drop the gun! / Put the gun down!
- 아무도 움직이지마!
  Nobody move!
- 총을 버리고 집밖으로 나와라!
  Throw out your gun and come out of the house!

수 사

- 여러 명의 형사가 그 사건을 수사 중이에요.
  Several detectives are working on the case.
- 그의 목에는 상금이 걸려 있어요.〈속어〉
  He has a price on his head.
- 그는 현재 경찰의 감시를 받고 있어요.
  He is now under police surveillance.
- 경찰이 그를 감시하고 있어요.
  The police are keeping an eye on him. [156)]
- 경찰이 당신을 쫓고 있어요.
  The police are after you.
- 그 용의자는 살인 혐의를 받고 있어요.
  The suspect is accused of a murder.
- 완전범죄란 없어요.
  There is no such thing as a perfect crime.
- 그 사건의 주동자가 누구죠?
  Who's the organizer of the accident?
- 경찰은 그 사건의 배후 관계를 캐고 있어요.
  The police are inquiring into the hidden circumstances that led up to the event.
- 경찰이 그 문제를 조사 중에 있어요.
  The police are going into that matter.
- 그 사건은 지금 조사 중입니다.
  The matter is under investigation.

---

156) keep an eye on ～ : ～을 감시하다; ～에 유의하다

입건 · 조사

- 그 사람 입건해!
  Book him! [157)]
- 그 사람 (감옥에) 집어 넣어!
  Turn him in. / Put him in jail.
- 경찰은 그를 강도혐의로 입건했어요.
  The police booked him for robbery.
- 나를 보고 서! / 다 털어놔〔자백해〕!
  Face me! [158)] / Come clean!
- 당신은 묵비권을 행사할 수도 있으며, 변호사와 상의할 권리도 있습니다.
  You have the right to remain silent and the right to consult a lawyer. [159)]
- 묵비권을 행사하겠소.
  I'll take the Fifth〔a five〕. [160)] / I'll plead the Fifth. [161)]
- 그건 제보자의 말과 다르군요.
  That's not what our sources say.
- 그 사람이 먼저 저를 쏘려고 했지만 (맞지 않았어요).
  He shot at me first (but I wasn't hit). [162)]
- 그 사고를 목격한 목격자가 있었습니까?
  Were there any witnesses to the accident?
- 그 사람을 알아볼 수 있겠습니까?
  Can you identify him? [163)]
- 어젯밤에 본 남자가 누군지 분간할 수 있어요?
  Can you spot the man you saw last night? [164)]
- 내가 그걸 했다고 어떻게 증명할 수 있죠?
  How can you prove that I did it?
- 제가 돈을 훔쳤다는 증거가 어디 있습니까?
  Where's the proof that I stole the money?
- 저는 그 사건과는 전혀 무관합니다.

---

157) book : (이름 · 주문 등을) 기입〔기장〕하다
158) 경찰이 비틀거리는 음주운전자나 시선을 피하려는 범인에게 똑바로 보고 서라고 할 때
159) 이것이 그 유명한 미란다(Miranda) 원칙((美 法)) : 1966년 미국 법원이 검찰이 제출한 성폭행 피의자 미란다의 자백을 증거(evidence)로 채택하지 않는 데서 유래함. 그 이유는 바로 피의자의 진술거부권과 변호인 선임권을 알리지 않았기 때문이다.
160) take the Fifth : ((구어)) 묵비권을 행사하다 / 여기서 fifth는 미국 헌법 수정 5조의 진술거부권 조항을 의미한다.
161) plead : 변호〔변론〕하다, 항변하다 / plead the fifth〔a five〕 : 묵비권을 행사하다.
162) shoot at sb : 아무에게 총을 쏘려고 하다(try to shoot someone) / 쏘아서 맞았을 때는 "He shot me first."처럼 전치사 at를 쓰지 않는다.
163) (소매치기 · 폭행 등을 당한 사람이) 경찰에게 신고를 하자, 경찰이 소매치기〔범인〕를 보면 알아볼 수 있겠느냐고 신고자에게 묻는 말
164) spot : 알아채다, 분간〔분별〕하다

I have neither part nor lot in the affair.

- 저는 (그 사건과는) 관련이 없습니다.
  I don't have my finger in the pie. [165)]
- 지난주 토요일 밤에 나와 함께 있었다고 해 줘요.
  Remember you were with me last Saturday night.
- 나는 재판을 받겠어요.
  I want a trial. [166)]
- 폭행을 당하고 금품을 털렸어요.〈속어〉
  I was mugged. [167)]

구속 · 체포

- 그 범인은 현장에서 체포됐어요.
  The criminal was caught in the act.
- 경찰은 폭력배 일당을 일망타진했어요.〈속어〉
  The police busted those gang members. [168)]
- 그 살인자는 경찰에 자수했어요.
  The murderer surrendered to the police.
  The murderer turned himself in to the police.
- 그는 어젯밤 경찰에게 붙잡혔어요.
  He was collared by the police last night. [169)]
- 그는 절도 현장에서 체포되었어요.
  He was caught in the very act of stealing.
- 그는 현행범으로 체포됐어요.〈속어〉
  He was caught red-handed on the spot. [170)]
- 그들은 그를 현장에서 붙잡았어요.〈속어〉
  They caught him with his hand in the cookie jar. [171)]
- 당신을 체포합니다.
  You're under arrest.
- 그는 어제 수감되었어요.〈속어〉
  He got thrown into the cooler yesterday. [172)]
- 그가 어젯밤 탈옥을 했어요.〈속어〉

---

165) have my finger in the pie : (사건 등에) 연루〔관련〕되다, 손을 대다, 간섭하다
166) 교통범칙금 부과 등이 불합리하다고 생각될 때
167) 거리에서 노상강도를 만나 폭행을 당했을 때
168) gang : 폭력배, 깡패, 갱 / bust : 체포하다
169) collar : ((구어)) (사람의) 목덜미를 잡다; 체포하다; (난폭하게) 붙잡다
170) be caught〔taken〕 red-handed : 현행범으로 체포되다
171) caught sb with sb's hand in the cookie jar : 아무가 과자 병에 손을 넣고 있는 순간에 잡다 → 현행범으로 붙잡다(catch sb red-handed / catch sb dead to rights)
172) throw into the cooler : 교도소에 던지다 → 수감하다 / the cooler : ((속어)) 교도소

He flew the coop last night. [173)]

고소 · 고발

- 당신을 고소하겠소.
  I'm gonna take you to court. / I'm gonna sue you.
  You'll be hearing from my lawyer. [174)]
  I'm gonna bring a suit against you. [175)]
- 저는 그 사람을 고소했어요.
  I have filed a complaint against him. [176)]
- 법정에서 싸우는 수밖에 없는 것 같군요.
  I'm afraid we have no choice but to fight it out in court. [177)]
- 그 사건은 기소가 안 됐어요.
  The case was dropped.

A: Do I have〔stand〕 a good chance of winning?
B : You're not likely to succeed if you take him to court.

A : 제가 승소할 가능성이 높은가요?
B : 그를 고소한다 해도 승소할 것 같지 않습니다.

재 판

A: Members of the jury, have you reached a decision?
B : Yes, we have, Judge.
A: How do you find the defendant?
B : We, the jury, find the defendent, Robert Johnson, not guilty.
A: Thank you, members of the jury.
Mr. Johnson, you're free to go now.

A : 배심원 여러분, 결정을 하셨습니까?
B : 네, 재판장님.
A : 피고에 대해서 어떻게 생각합니까?
B : 배심원 일동은 피고 로버트존슨이 무죄임을 확인했습니다.
A : 감사합니다, 배심원 여러분. 존슨씨, 이제 돌아가셔도 됩니다.

---

173) fly the coop : 감옥에서 날아가다〔도망치다〕 → 탈옥하다 / coop : ((속어)) 감옥
174) 직역 : 내 변호사로부터 심문을 받을 것이다.
175) bring a suit against sb : 아무를 고소하다
176) filed a complaint against sb : ~을 고소하다
177) fight it out in court : 법정에서 싸우다, 법정투쟁을 하다

- 그 사건은 재판에 회부되었어요.
  The case was to come to court.
- 그 사건은 아직도 법원에 계류 중이에요.
  The case is still pending in court.
- 그는 법정에서 증언을 거부했어요.
  He refused to give his (verbal) evidence in court. [178)]
- 그는 제가 그의 저작권을 침해하고 있다고 주장하고 있어요.
  He claims I'm infringing on his copyright. [179)]
- 그는 재판을 받기로 되어 있어요.
  He is to be tried later.
- 재판관이 그들을 엄하게 처벌할 겁니다.
  The judge will crack down on them. [180)]
- 그에겐 다음 주 후반에나 판결이 내려질 것 같습니다.
  He's expected to hand down his decision later next week.

> A: When is the next hearing?
> B : It's scheduled for the July 23.
>
> A : 다음 심문은 언제 있죠?
> B : 7월 23일로 예정되어 있어요.

- 그 사건의 담당 판사가 누구죠?
  Who's the judge in the matter〔case〕?
- 심문이 1주일 동안 연기됐어요.
  The hearing put off for a week.
- 법정이 사건의 심리를 연기했어요.
  The court adjourned consideration of the question.
- 판사가 아직 판결을 내리지 않았습니까?
  Hasn't the judge made his decision yet?
- 그 재판이 다시 세인의 관심을 끌고 있어요.〈속어〉
  The trial is back on the front burner. [181)]
- 그의 유죄는 명백해요.〈속어〉
  His guilt is as plain as the nose on his face. [182)]
- 그의 증언이 저의 무죄를 증명할 겁니다.〈속어〉
  His witness will bear out my innocence. [183)]

178) verbal evidence : (법정에서의) 증언
179) infringe on ~ : ~을 침해하다
180) crack down on sb : 아무를 엄하게 처벌하다
181) back on the front burner : 다시 고개를 드는; 세인의 관심을 끄는 / front burner : (가스레인지의) 앞쪽 버너, 최우선 / be on the front burner : 최우선이다
182) as plain as the nose on〔in〕 one's face : 극히 명백한
183) bear out : 확증하다, 증거가 되다; 지탱하다; 지원하다

- 그를 사형시켜라!
  Put him to death!

형 벌

- 그 유괴범에게 사형이 선고됐어요.
  The kidnapper was adjudged to die〔death〕.
- 그는 12년의 금고형을 받았어요.
  He was sentenced to 12 years in jail.
- 그는 폭행죄로 2년형을 살았어요.
  He did two years for assault.
- 그는 결국 감옥신세를 졌어요.
  He ended up in jail.
- 그는 음주운전 유죄판결을 받았어요.
  He was convicted of drunk driving.
- 피고는 유죄선고를 받았어요.
  The accused was declared (to be) guilty.
- 그는 종신형을 받았어요.
  He got life. / He was sentenced to life imprisonment.
- 그는 징역 6월, 집행유예 2년을 선고받았어요.
  He was sentenced to six months in prison and two years probation. [184)]
- 배심원은 유죄 평결을 내렸어요.
  The jury brought in〔announced〕 guilty verdict. [185)]
- 그는 형사재판에서 무죄가 됐어요.〈속어〉
  He beat the rap at the criminal trial. [186)]
- 판사는 그에게 유리한 판결을 내렸어요.
  The judge decided in his favor.
- 그가 유죄라는 증거는 없어요.
  There is no proof that he is guilty.
- 그는 마을 사람들의 탄원으로 석방되었어요.
  He was released on the petition of the villagers. [187)]
- 그는 모든 혐의를 벗어났어요. / 그는 처벌되지 않고 무죄 방면됐어요.
  He was cleared of all charges. / He got off scot-free. [188)]

---

184) probation : 시험; 검정; 견습 기간; ((법)) 집행 유예, (집행 유예 중의) 보호 관찰
185) verdict : ((법)) (배심원이 재판장에게 제출하는) 평결, 답신; ((구어)) 판단, 판정
186) beat the rap : 벌을 면하다, 무죄가 되다 / rap : ((속어)) 징역형, 고소, 고발
187) petition : 청원(서), 탄원(서), 신청; 청원〔탄원〕하다 / petition of appeal : 공소장, 소원(訴願)장 / petition of revision : 상고장
188) scot-free : 처벌을 면한; 무사한; 면세의

• 판사는 피고에게 불리한 판결을 내렸어요.
The judge decided against the defendant. [189)]
• 재판관은 그에게 중벌을 선고했어요.〈속어〉
The judge threw the book at him. [190)]
• 그는 24년 동안 감옥에 갇혀 있었어요.
He's been behind (the) bars for 24 years. [191)]

기 타

• 밤에는 밖에 나가지 마라. 통계숫자가 되서는 안 되니까.〈속어〉
Don't go out at night. Don't be a statistic. [192)]
• 그는 법과대학원을 졸업한 후, 시험에 합격해서 변호사가 되었어요.
After law school, he passed the exam and became a lawyer.
• 살인범이 아직 체포되지 않았어요.
The murderer is still at large. [193)]
• 지문이 범인 체포의 단서가 되었어요.
The fingerprints gave a clue that led to the arrest of the culprit. [194)]
• 흉악범은 사회로부터 완전히 그리고 영원히 격리되어야 해요.
The felon should be separated from society completely and permanently.

보 험

• 그것은 보험으로 처리됩니다.
It's insured.
• 삼성 생명보험에 가입했어요.
I went with the policy from Samsung Life Insurance. [195)]
• 저는 10만불짜리 생명보험에 가입했어요.
I took out a $100,00 life insurance policy. [196)]
• 만약 사고를 내면, 보험료가 올라가게 될 겁니다.
If you have an accident, your insurance premium will go up.

189) decide against ～ : ～에(게) 불리하게 판결을 내리다 / ((반의어)) decide for ～ : ～에(게) 유리한 판결을 내리다
190) throw the book at sb : 아무에게 중벌을 내리다
191) behind the bars : 옥중에서, 투옥되어
192) "Don't be a statistic."을 의역하면, "(살인 · 사건 등을) 집계한 통계치〔숫자〕에 끼지 마라."라는 뜻으로 주의를 주는 표현이다. / statistic : 통계치, 통계량
193) at large : (범인 등이) 잡히지 않은; 도주 중인
194) culprit : 범인, 범죄자
195) go with the policy : 보험에 가입하다
196) take out a policy : 보험에 들다〔가입하다〕

- (보험금) 청구는 60일 이내에 제출돼야 합니다.
  Claims must be submitted within 60 days. [197)]
- 보험회사에 손해액을 지불하도록 했습니다.
  I had the insurance company take care of the damages.
- 보험회사에서 당신의 손해액의 90%를 보상해 줄 겁니다.
  Your insurance company will cover 90% of your loss.
- 손해액 중 얼마가 보험처리 되는가요?
  How much of the loss is covered by insurance?
- 음주사고로 인한 손실은 보험으로 보상받을 수 없습니다.
  Loss due to drunken accident is not covered by the policy.

활용어휘

- 강제 보험 : forced insurance
- 보험 대리점 : insurance agency
- (해상) 보험업자 : underwriter
- 생명 보험 : life insurance
- 손해 보험 : insurance against loss
- 종신 생명보험 : straight life insurance
- 화재 보험 : fire insurance
- 보험 담당 직원 : risk manager
- 보험 수취자 : beneficiary
- 사망 보험금 : death benefit
- 생명보험 회사 : life office
- 신용 보험 : fidelity insurance
- 상해 보험 : accident insurance

부럽다

A: I envy you for finding such a girl.
B : Thank you.

A : 그런 여자를 찾으셨다니 부럽군요.
B : 고맙습니다.

- 당신이 부러워요. / 당신의 재능이 부러워요.
  I envy you. / I envy your talent.

비교하다

- 그것보다 이것이 훨씬 나아요.
  This is much better than that.
- 공평이 제일이죠.
  Fair's fair.
- 그 책은 이 책과 비교가 안 되요.
  That book can't be compared with this one.
- 그것들간에는 비교가 안 되요.
  There is no comparison between them.

197) submit〔file〕 a claim : 보험금 청구를 제출〔신청〕하다

• 그것들을 대조했습니까?
Did you compare them?

활용어휘

• 뚜렷한 대조 : striking contrast
• ~와는 대조적으로 : in contrast to ~
• 비교 연구 : comparative study
• 비교 우위 : comparative(ly) advantages
• 비교도 안될 만큼 : beyond (all) comparison
• 비교 대조표 : comparative table
• 비교 분석 : comparative analysis
• 비교 연구법 : comparative method
• 비교하다 : compare
• 비교급 : comparative degree
• 사본을 원본과 대조하다 : compare the copy with the original
• A와 B를 대조하다 : check A up with B / compare A with B

빠를수록 좋다

A: When do you need it? (그게 언제 필요하세요?)
B : The sooner, the better. (빠를수록 좋아요.)

• 빠를수록 좋아요.
As soon as possible. [198)]

사 고

• 20명이 행방불명이에요.
Twenty people are missing.
• 사고는 부주의에서 일어나는 거예요.
Accidents arise from carelessness.
• 교통 사고로 인한 사망자 수가 해마다 늘어가고 있어요.
The number of deaths by traffic accidents is increasing every year.
• 그 사고는 3시에서 4시 사이에 일어났어요.
The accident happened between 3:00 and 4:00.
• 그 사고로 50명 이상이 중상〔경상〕을 입었어요.
Fifty or more were seriously 〔slightly〕 injured in the accident.
• 그들이 우리 사회를 좀 먹고 있어요.
They're eating away at our society. [199)]
• 배에 탑승한 320명 전원이 사망했어요.
All 320 people on board died 〔were killed〕.
• 어젯밤 화재로 그의 집이 전소됐어요.

198) 각 단어의 첫글자를 따서 속어로 "ASAP[에이쌥]"이라고도 한다.
199) eat away at ~ : ~을 좀먹다〔부식시키다〕

His house was burned down by a fire last night. [200]

상을 받다

- 1등을 했어요.
  I finished first. / I placed first. / I was first.
  I won first prize. / I won〔took〕 first place.
- 이 달 훈련에 대한 공적을 누가 받아야 하죠?
  Who should get credit for this month's training?
- 그는 다대한 공적으로 표창을 받았어요.
  He won commendation for his great services.
- 상을 받아 본 적이 있습니까?
  Have you won any prizes?

활용어휘

- 상벌(賞罰) : reward and punishment
- 상품 수여식 : prize awarding ceremony
- 수상자〔수상작품〕 : prizewinner
- 심사위원회 : screening panel
- 표창장 : citation
- 2등 : the first runner-up
- 상장 : prize citation
- 수상자 명단 : prize winners' list
- 시상식 : award ceremony
- 표창식 : commendation ceremony
- 훈장 : medal / decoration
- 노벨상 수상자 : Nobel-prize winner

성공과 출세

성공하다

- 성공이다〔해 냈어〕! / 드디어 해 내셨군요!
  I made it! [201] / You did it!
- 세상을 얻은 기분이에요.
  I felt on top of the world. [202]
- 그는 장래에 틀림없이 성공할 거예요.〈속어〉
  I'm sure he'll go places in the future. [203]
- 당신은 언젠가는 반드시 대성할 거예요.
  You're surely going to town someday. [204] 〈속어〉
- 그는 대성공을 할 거예요.〈속어〉
  He'll finish with flying colors. [205]

---

200) burn down : 전소(全燒)하다
201) made it : (어떤 일을) 해내다; 제 시간에 도착하다
202) 정말 하고자 하는 일을 성취했을 때 / 직역 : 세상의 꼭대기에 있는 느낌이다.
203) go places : 성공〔출세〕하다; 놀러 다니다
204) go to town : ((구어)) 크게 성공하다
205) with flying colors : 큰 성공을 거두어

- 당신은 틀림없이 성공할 거예요.
  I bet you'll succeed.
- 그는 국제적으로 알려져 있어요.
  He is internationally known.
- 마침내 당신이 큰 성공을 한 걸 보게 돼서 기쁘군요.
  I'm glad to see that you finally amounted to something. [206]
- 그건 목적의 첫단계는 이룬 셈이군요.
  It's a foot in the door. [207]
- 그는 목적을 위해서는 수단 방법을 안 가려요.
  He will stop at nothing to gain his end.
  He will do it by fair means or foul.
- 만사가 제 뜻대로 됐어요.
  Everything went with me.

출세하다

- 그는 자수성가한 백만장자예요. / 그는 자수성가했어요.
  He is a self-made millionaire. / He made it on his own.
- 그는 그 책으로 유명해졌어요.
  The book brought him fame.
- 그는 단번에 성공했어요.
  He succeeded (at) the first go-off. [208]
- 그는 국민적 영웅이 되었어요.
  He became a national hero.
- 그는 이 소설로 일시에 유명해졌어요.
  He made a name all at once with the publication of this novel.
- 그는 출세했어요.〈속어〉
  He had come up in the world. [209]
- 너 드디어 크게 출세했구나! / 너 출세한 모양이구나!〈속어〉
  You made it big at last! [210] / You must be going places! [211]
- 스타는 하루아침에 만들어지는 게 아니에요.
  Stars are not made overnight.
- 자수성가하세요.
  Stand on your own feet.

206) amount to something : 훌륭하게 되다, 대단히 성공하게 되다
207) 직역 : 그건 문 안쪽에 한 발을 들여놓은 상태다
208) go-off : 착수, 개시, 출발
209) come〔go〕 up in the world : 성공〔출세〕하다
210) make it : 해내다, 성공하다
211) 갑자기 고급 승용차를 몰고 다니는 친구를 만났을 때 / go place : 출세하다

• 출세하려면 공부를 더 열심히 해야할 거야.
You'll have to study harder to get ahead. [212)]

활용어휘

• 거물 : big shot〔fish〕 / king pin
• 대성공 : smash hit [213)] / great success
• 출세의 비결 : secrets of social success
• 성공을 거두다 : achieve〔get〕 success
• 성공담 : success story
• 야망 : ambition
• 전성기 : hey day
• 출세욕 : ambition for success

섹스와 불륜

희롱하다

• 그 남자는 장난 삼아 연애를 해요.
He always plays with love.

• 그 녀석이 당신을 희롱했군!
He hit on you! / He made sexual advances to you!

바람을 피우다

• 그 사람 바람을 피우고 있대요. / 그 사람은 아내 몰래 바람을 피웠어요.
I heard that he two-times. [214)] / He cheated on his wife. [215)]

• 그 사람은 어제 외박했어요.
He slept out last night. [216)]

• 그 여자는 바람기가 있는 여자예요.
She's constantly in love.
She's of an amorous disposition. [217)]

• 그가 여자들과 바람을 피우나요? / 그는 여자만 밝히는 사람이에요.
Does he flirt with the girls? [218)] / He's a lady's man.

• 저는 아내 몰래 부정을 한 일이 한번도 없어요.
I never done anything behind my wife's back. [219)]

• 그 여자한테 완전히 물렸어요.
I'm stuck with her.

---

212) get ahead : 출세하다, 성공하다
213) (책 · 배우 · 흥행 등의) 대 히트 / hit the big time : 갑자기 유명해지다〔성공하다 / 부유해지다〕/ hit the bottle : 많은 술을 마시기 시작하다 / hit the sack : 잠자리에 들다
214) two-time : ((구어)) (아내 · 남편 · 애인을 속이고) 바람을 피우다; 배신 행위를 하다
215) cheat on sb : 아무 몰래 바람을 피우다
216) sleep out : 외박하다 / sleep together : 성관계를 갖다(sleep with sb)
217) amorous : 바람기가 있는; 사랑의; 호색적인, 연모하는 / be amorous of sb : 아무를 연모하고 있다(be in love with sb)
218) flirt : 휙휙 움직이다; 장난 삼아 연애하다, 불장난하다; (남녀가) 시시덕거리다
219) do (something · anything) behind sb's back : 아무 몰래 나쁜 짓을 하다

- 부인이 다른 남자와 바람난 걸 언제 알아 차렸죠?
  When did you notice your wife having an affair with another guy?
- 우리 사장과 여비서가 어젯밤에 동침했대요.
  I heard our boss made it with his secretary last night.
- 우린 너무 깊은 사이가 돼 버렸어요.
  We are already too deeply involved.

섹스를 하다

- 당신과 섹스를 하고 싶어요.
  I want to make love to you.
  I want to get you in my bed. [220)]
  I want to have a sexual relationship with you.
- 우리는 술기운에 섹스를 했어요.
  We made drunken love.
- 그 여자는 어젯밤 그이와 오럴 섹스를 했어요.
  She gave him oral sex last night.
- 그는 매일 자위행위를 해요.
  He masturbates every day.
- 너무 지나치게 하지 마세요. 그러다가 곤경에 빠져요.
  Don't go too far, or you'll soon be in a jam.

기 타

- 그 사람은 숫총각이에요.〈속어〉
  He is a cherry boy. [221)]
- 그 여자 단정치 못해요. / 그 여자는 남자한테 접근하는 데는 도사예요.
  She is easy. [222)] / She knows her way around.
- 그 여자가 나를 너무 물고 늘어져요.
  She hangs onto me too much. [223)]
- 그 여자는 행실이 안 좋은 여자예요. / 그녀는 쉽게 몸을 파는 여자예요.
  She is an easy make. / She is a lady of easy virtue. [224)]
- 그 사람은 색골이에요.
  He is an evil-minded fellow. [225)]

---

220) 직역 : 당신을 침대에서 갖고 싶다.
221) cherry boy : ((美 속어)) 숫총각 / a virgin : 숫처녀; 미혼 여성
222) easy : 단정치 못한 / a woman of easy virtue : 여러 남성들과 성관계를 갖는 여자
223) hang onto : 붙잡고 늘어지다
224) a lady of easy virtue : 바람둥이 여자, 매춘부
225) evil-minded : 심사가 나쁜, 심술궂은; 호색의

활용어휘

- 근친 결혼 : consanguineous marriage
- 남성 성기 : penis
- 동성연애 결혼 : gay marriage
- 동성연애 해방운동 : Gay Liberation
- 매춘부 : bimbo / flesh peddler
- 바람둥이 : playboy
- 변태 성욕자 : sexual pervert
- 성 희롱 : sexual harassment
- 생생한 섹스 : graphic sex
- 성기(性器) : sexual〔genital〕 organs
- 성도착자 : freak
- 성불능자 : impotent person
- 성적 충동 : sex urge〔drive〕
- 성전환자 : transsexual
- 스트립쇼 : peep show
- 여성의 벌린 음부 : spread beaver
- 외설물 : porn〔pornography〕
- 은밀한 성관계 : hank(e)y-pank(e)y
- 음모(陰毛) : pubic hair
- 인신 매매 : flesh〔human〕 traffic
- 자위행위 : Jack Off / masturbation
- 재미보고 다니다 : play around
- 정상 체위(성교) : missionary position
- 정액(精液) : spermatic fluid
- 정자 세포 : spermatid
- 정조대 : chastity belt
- 창녀 : painted woman
- 콘돔 : rubber sheath
- 포르노 극장 : stroke house
- 포르노 잡지 : skin magazine
- 혀 키스 : deep〔French〕 kiss
- 난자 : egg cell
- 동성 연애 : homosexual love
- 동성 연애자(남성) : faggot / gay
- 매춘〔매음〕 : prostitution
- 몽정(夢精) : wet dream
- 변태 성욕 : abnormal sexual desire
- 불감증(인 사람) : nonorgasmic
- 사창가 : whorehouse / call house
- 성교 : sexual intercourse
- 성도착(性倒錯) : sexual perversion
- 성병 : venereal disease〔VD〕
- 성욕 : sexual desire
- 성전환 수술 : transsexual operation
- 성폭력 : sexual assault
- 스트립쇼 걸 : stripteaser / stripper
- 여자를 희롱하다 : philander
- 윤락가 : red light district / whoredom
- 음담패설 : foul〔obscene〕 talk
- 음부 : vulva / pubic region
- 인신매매〔매춘업〕 : flesh trade
- 잠자리의 정담 : pillow talk
- 전화 섹스 : dial-a-porn
- 정신대 : comfort women
- 정자 : spermatozoid / sperm cell
- 정자 은행 : sperm bank
- 종군 위안부 : wartime sex slave
- 처녀막 : hymen / maidenhead
- 포르노 가게 : X-rated shop
- 포르노 영화 : blue film
- 혼외 정사 : extramarital intercourse

수고하다

- 수고하세요〔무리하지 마세요〕.
  Don't work too hard. [226)]
- 수고해 주셔서 감사합니다.
  Thank you for your trouble.
- 그런 수고까지 하실 필요 없어요.
  You don't have to go to that trouble.
- 그렇게까지 수고를 해 주셔서 감사합니다.
  Thank you very much for going to that trouble.

226) 우리말의 의미와 같은 "수고하십시오." 직역되는 인사말은 없음

수 면

잘 잤는지 물을 때

A: Did you sleep well last night?
B : I didn't sleep a wink last night.

A : 간밤에 잘 주무셨습니까?
B : 간밤에 한숨도 못 잤습니다.

- 간밤에 편히 주무셨습니까?
  Did you sleep soundly last night?
  Did you get a good night's sleep?
- 잘 주무셨어요?
  Did you have a good sleep?

잘 자다

- 간밤에 아주 잘 잤어요. / 간밤에 충분히 잤어요.
  I slept very well last night. / I got enough sleep last night.
- 아주 푹 잘 잤어요.〈속어〉
  I slept like a log. [227)]

잘못 자다

- 밤새 뒤척거렸어요. / 한숨도 못 잤어요.
  I tossed and turned all night. [228)] / I didn't sleep a wink.
- 잠을 거의 못 잤더니, 비틀거리는 것 같아요.
  I feel groggy because I had little sleep. [229)]
- 간밤에 잠을 잘못 잤어요.
  I didn't sleep very well last night.

잠을 자다

- 일찍 자고 일찍 일어나세요. / 일찍 자거라.
  Keep early hours. / Go to bed early.
- 당신 피곤하실 테니 주무셔야겠어요.
  You must be tired and need to go to bed.
- 여보, 지금 잠자리 준비해 드릴까요?

---

227) 직역 : 통나무처럼 (꼼짝 않고) 정신없이 잤다.
228) toss and turn all night : 밤새 뒤척이다
229) groggy : ((구어)) 비틀거리는; 술취한

Honey, may I make your bed now?

- 오늘밤은 일찍 자야겠어요.
  I'll go to bed early tonight.
- 잘 시간이에요.
  It is time (you went) to go to bed. / It is bedtime.
- 잠깐 눈 좀 붙여야겠어요.
  Let me take forty winks. [230)]

밤을 새다

- 저는 밤을 꼬박 새웠어요.
  I stayed〔was / sat〕 up all night.
  I was awake all night. [231)]
- 밤새도록 얘기를 했어요.
  I talked the entire night through.

졸 다

- 졸려요. / 저는 안 졸려요.
  I'm sleepy. / I'm not sleepy.
- 졸려서 못 견디겠어요.
  I'm just too sleep to hold on. [232)]
- 피곤해서 잠 좀 자야겠어. / 눈 좀 붙이세요.〈속어〉
  I'm bushed. I'll hit the sack. / Get some z's. [233)]
- 그는 회의 내내 졸았어요.
  He kept nodding in the meeting.
- 하품은 옮는 거예요.
  Yawning is catching〔infectious〕.
- 너 또 졸고 있구나. / 졸지 마라!
  You go nodding again. [234)] / Don't doze off!

수면 습관

- 보통 아침 몇 시에 일어나세요?
  What time do you usually get up in the morning?

---

230) forty winks : 낮잠, 잠깐 졸기 / tip sb the wink : 아무에게 비밀정보를 제공하다
231) be awake all night : 밤새 깨어 있다
232) hold on : 버티다, 참다
233) Z : ((美 구어)) 한숨 자기〔쉬기〕; ((의성어)) 쿨쿨, 드르렁 드르렁(zzz) / get〔catch〕 some Z's : 한숨 자다〔쉬다〕; 잠시 자다〔졸다〕/ 복수형은 Z's, z's, Zs, zs로 표기 가능
234) nod off : 꾸벅 꾸벅 졸다(doze off) / nod : (찬성 · 이해 등을 표시하기 위해) 고개를 끄덕이다 / nod one's approval〔agreement〕: 찬성의 표시를 하다 / nod one's head : 고개를 (위아래로) 끄덕이다 → ((반의어)) shake one's head : 고개를 (좌우로) 흔들다

- 몇 시에 주무십니까?
  What time do you go to bed?
- 저는 일찍 자고 일찍 일어나요. / 저는 일찍 자는 사람이에요.
  I keep early hours. [235] / I'm a early-to-bedder.
- 저는 아침 일찍 일어나지 못해요. / 저는 아침 일찍 눈을 떠요.
  I'm not a morning person. / I wake up early in the morning.

기 상

- 일어날 시간이에요.
  It's time for you to get up.
- 내일 아침에 저 좀 일찍 깨워 주세요.
  Please wake me up early tomorrow morning.
- 내일 아침에 일찍 일어나야 해요.
  I've got to get up early tomorrow morning.
- 내일은 보통 때보다 빨리 출근해야 돼요.
  I have to leave earlier than usual tomorrow.

꿈

- 간밤에 악몽을 꾸었어요. / 좋은 꿈꾸세요!
  I had a nightmare. / Have a nice dream!
- 당신은 흑백으로 꿈을 꾸세요, 칼라로 꾸세요?
  Do you dream in black and white or in color?
- 꿈이 어떻게 끝났어요?
  How did the dream end?

잠버릇

- 저는 나쁜 잠버릇이 있어요. / 저는 잠잘 때 이빨을 갈아요.
  I have a bad sleeping habit. / I grind my teeth in bed.
- 당신 간밤에 엄청나게 코를 골았어요.
  You snored like a bulldog last night. [236]
- 저는 종종 잠꼬대를 해요. / 저는 엎드려서 자요.
  I often talk in my sleep. [237] / I sleep on my stomach.

---

235) keep early hours : 일찍 자고 일찍 일어나다 / keep late hours : 늦게 자고 늦게 일어나다 / improve each〔the〕 shining hours : 시간을 최대한 활용하다 / keep regular hours : 규칙적인 생활을 하다 / after hours : 근무 후에; 폐점 후에; 방과후에
236) snore : 코를 골다; 코고는 소리 예 His snoring is driving me nuts.(그의 코고는 소리 때문에 정말 괴롭다.) / driving sb nuts : 아무를 괴롭히다
237) talk in one's sleep : 잠꼬대를 하다

기 타

- 낮잠만큼 좋은 것은 없어요.
  There is nothing like a good nap. [238)]
- 잠이 올 것 같지 않아요.
  I can't seem to get to sleep.
- 잠자는 체하지 마세요.
  Don't pretend to be asleep.

활용어휘

- 간이 침대 : cot
- 등받이 쿠션 : back rest
- 몽유병 : nightwalker / sleepwalking
- 바퀴 달린 침대 : trundle bed / truckle bed
- 침대 시트(아래) : bottom sheet
- 수면 장애 : sleep disorder
- 잠깐 자는 것 : nap / snooze / doze
- 잠옷 : nightclothes / slumberwear [239)]
- 취침 시간 : bedtime
- 침대 커버 : bedspread
- 해몽 : interpretation of dreams
- 낮잠 : midday nap
- 몹시 코고는 사람 : heavy snorer
- 침대 머리쪽 보드 : head board
- 베갯잇 : case
- 침대 시트(위) : top sheet
- 수면제 : sleeping pill
- 잠꾸러기 : sleepyhead
- 수면 : orthodox sleep
- 침대 밑판 : bedsted [240)]
- 판자 침대 : plank bed [241)]
- 해몽가 : dream reader

쉽 다

A: Do you know how to operate this machine?
B : Yes, it's a piece of cake. [242)]

A : 이 기계 조작방법을 아세요?
B : 네, 그건 식은 죽 먹기죠.

- 거참, 쉽군요!
  Why, it's quite easy!
- 그 일은 일단 요령만 알면 어렵지 않아요.
  It's not hard once you get the hang of it. [243)]
- 그런 건 누구라도 할 수 있어요.
  Everyone can do such a thing.
- 그건 보기보다 어렵지 않아요.
  It's not as difficult as it looks.

---

238) 직역 : 좋은 낮잠만한 건 아무것도 없다.
239) 여자 어린이용 잠옷은 nightgown
240) 매트리스와 스프링을 받쳐주는 침대의 골격
241) 교도소 등에서 사용됨
242) a piece of cake : ((구어)) 아주 쉬운 일(a pushover / a breeze / child's play)
243) get〔see〕 the hang of ~ : ~의 요령을 터득하다〔이해하다〕

- 그건 생각보다 어렵지 않아요.
  It's not as hard as you think it is.
- 그건 눈감고도 그것을 할 수 있어요. / 그건 아주 간단해요.
  I can do it with my eyes shut. / That's very simple.

쉽지 않다

- 습관을 버리기란 힘든 일이에요.
  It's tough to kick a habit.
  It's tough to break off a habit. 244)
- 그건 그렇게 간단하지 않아요. / 그건 당신이 생각하는 것만큼 쉽지 않아요.
  It's not that simple. / It isn't as easy as you think.

습 관

- 습관을 들여 보세요.
  I suggest you take up the habit.
- 습관은 제2의 천성이에요.
  Habit is (a) secend nature.

활용 어휘

- ~의 습관을 고치다 : make a person of a habit
- 습관을 깨뜨리다 : break off a habit
- 일찍 자고 일찍 일어나는 습관 : early habits
- ~하는 버릇이 생기다 : form 〔fall into / get into〕 the habit of ~ing

시 도

A: Do you think he might be glad of some support from us?
B : Why don't we give it a try?

A : 우리가 그를 지지하면 그가 기뻐할까요?
B : 한번 시도해 보죠? 245)

- 자! 한번 해 보세요. 인생은 한번뿐이야.
  Come on! Take a chance. You only live once.
- 그냥 (한번) 해 보세요.
  Go for it. / Just do it. / Give it a shot.
- 뭔가 조치를 취해야 해요.
  We should do something.

244) break off a habit : 습관을 깨뜨리다〔없애다〕
245) give it a try : 시도해 보다

- 그렇게 해 봅시다. / 내가 한번 해 보죠.
  Let's just try it that way. / Let me try [have a try].
- 문제를 회피하지 마세요.
  Don't turn a blind eye to the problem. [246)]
- 부딪쳐 보세요.
  Try to confront it.
- 다시 한번 해 보겠습니다.
  I'll have crack at it. / I'll try again.
- 만사가 항상 당신 뜻대로 되는 건 아니에요.
  Things don't always go your way.
- 승낙해 주신다면 다시 해 보겠습니다.
  Subject to your consent, I'll try again. [247)]
- 음, 장담은 못하지만, 한번 해보겠습니다.
  Well, I can't promise it, but I'll have crack at it. [248)]
- 어쨌든 그렇게 하겠습니다.
  I will do so, anyway.
- 일단 시작했으면, 목적을 달성해야 해요.
  Once you start, you must attain your object.
- 중요한 건 반복해서 그걸 해 보는 거예요.
  The thing is to try it over and over. [249)]
- 지금 당장 그 일에 착수하세요.
  Get down to your work right away. [250)]
- 필요하다면 그렇게 하겠습니다.
  I'll do so, if necessary.
- 좀 어려워 보이지만, 하는 데까지 해보겠습니다.
  It looks somewhat difficult, but I'll see what I can do.
- 해 보기 전에는 알 수가 없는 거예요.
  You'll never know until you try.

실패와 포기

실패하다

- 그는 재기하고 있어요.
  He's picking up the pieces. [251)]

246) turn a blind eye ~ : ~에 무관심하다
247) subject to ~ : ~을 가정하여, ~을 조건으로 하여
248) I'll have crack at it. = I'll try.
249) the thing : (주위에서) 가장 좋은 것[일]
250) get down to ~ : ~ (일 등에) (진지하게) 착수하다; ~까지 파고들다
251) pick up the pieces : 조각을 줍다 → 재기하다

- 모든 노력이 허사가 됐어요.
  All the effort is for nothing.
- 저는 그 사람의 실패에서 많은 교훈을 얻었어요.
  I have learned a lot of lesson from his failure.
- 그건 완전히 실패작이었어요.
  It was a big flop. 252)
- 최악의 사태를 각오〔준비〕하고 있습니다.
  I'm prepared for the worst.
- 8시간 동안 일한 것이 허사가 됐어요.
  I worked 8 hours for nothing. 253)
- 우린 계속 허탕만 치는군요.
  We keep drawing a blank. 254)
- 그는 결국 실패했어요.
  He finally withered on the wine. 255)
- 그는 실패했어요.〈속어〉
  He laid an egg. 256)

체념〔포기〕하다

- 이젠 끝났어요〔틀렸어요〕.
  It's all over. / The game is up. / All's lost.
- 3년간 허리 부러지게 일한 것이 헛수고가 됐어요.
  Spending my three years backbreaking work went down the drain. 257)
- 그는 자포자기했어요.
  He abandoned himself to despair.
- 그렇다면 할 수 없지. / 될 대로 돼라.
  So be it. / After me〔us〕 the deluge. 258)

양보하다

- 먼저 하세요. / 어서 하세요〔계속 하세요〕.

252) flop : ((구어)) 실패: (책 · 영화 · 연극 등의) 실패작
253) for nothing : 부질없이, 까닭없이; 무료로, 거저
254) draw a blank : 허탕짚다, 실패하다, 헛수고하다
255) wither on the wine : 열매를 맺지 못하고 시들다 / withered : 시든, 말라빠진
256) lay an egg : (럭비 등에서 공을 떨어뜨리는 것처럼) 알을 품다〔까다〕 → 실패하다
257) 직역 : 내가 3년 동안 허리가 부러질 정도로 일하는 데 보낸 것이 하수구 밑으로 가버렸다. / backbreaking : 몹시 힘드는 / go down the drain : ((구어)) 소실되다; 낭비되다; 수포로 돌아가다 / drain : 배수로, 하수, 수채
258) 직역 : 내가 (떠난) 뒤에 홍수(가 나든지 말든지 알게 뭐냐?) / deluge : 대홍수

After you, please. [259] / Go ahead, please! [260]

- 당신부터 하세요! / 당신 편하신 대로 하세요.
  You go first! / At your convenience.
- 이 애가 앉을 자리 좀 만들어 주시겠어요?
  Could you make room for this boy to sit down, please?
- 사랑이란 서로 주고받는 거예요.
  Love is a two-way street. [261]
- 지나가십시오.
  Pass on, please.

연 설

A: Could you make a speech at the party tonight, please?
B : Well, it's short notice, so I think I'll just wing it. [262]

A : 오늘밤 파티에서 간단한 연설 좀 해 주시겠습니까?
B : 글쎄요, 갑작스럽게 알려 주셨기 때문에, 즉흥적으로 해 볼게요.

- 브라운 박사를 여러분께 소개하게 되어 영광스럽습니다.
  I'm honored to introduce Dr. Brown to you.
- 연사가 누구죠?
  Who's the speaker?
- 연사가 무엇에 대해서 얘기할 거죠?
  What's the speaker going to talk about?
- 짤막한 연설을 준비해 두는 게 좋을 거예요.
  You'd better prepare a short speech.
- 초청 연사를 따뜻하게 환영합시다.
  Let's give a warm welcome to our guest speaker.
- 그 사람의 연설은 정말 지겨웠어요.
  His speech bored me to death.

경청해 주셔서 감사합니다.
Thank you for your kind attention.

- 정말 구구절절 훌륭했어요.
  I enjoyed every minute of it. [263]
- 그 연설은 청중에게 깊은 감명을 주었어요.

259) (문 안팎으로 나오고 들어갈 때) "먼저 나가세요〔들어가세요〕. / (물건 등을 서로 쓰려고 할 때)" "먼저 쓰세요." 등의 의미를 갖는다.
260) 자리에 앉을 때, 차를 탈 때, 문열고 나갈 때 등
261) two-way street : 양방통행; 서로 주고받는 것
262) I'll just wing it. = I'll just play it by ear. / off the cuff = off the top my head = offhand : 준비 없이, 즉흥적으로 말해서, 대충, 생각나는 대로
263) 멋진 연설을 하고 난 사람에 대한 칭찬의 표현

The speech impressed the audience.

• 그의 연설은 사람을 끄는 힘이 있어요.
His speech is really magnetic.

• 당신의 연설을 녹화〔녹음〕해 놓을게요.
I'll make a recording of your speech. [264)]

• 도중에 말이 막히면, 적당히 이어 나가세요.
If you get stuck, just ad lib. [265)]
If you get stuck, just make up something.

• 모두 기지개를 한번 켜세요.
Why don't you stretch out, everybody?

활용어휘

• 격려사 : words of encouragement
• 구태의연한 주제 : age–old topic
• 마이크 공포증 : mike fright
• 메모를 보면서 말하다 : speak from notes
• 연설원고 작성자 : speech writer
• 웅변 대회 : speech〔oratorical〕 contest
• 즉석 연설 : offhand speech
• 지겨운 연설 : boring speech [267)]
• 고별 연설 : farewell speech
• 두서없는 말 : random remark
• 맺음말 : conclusions
• 약식 연단 : soap box [266)]
• 연설하다 : make〔deliver〕 a speech
• 웅변가 : spellbinder
• 취임 연설 : inauguration speech

위 험

• 위험부담이 높아요.
There's a lot at stake. / The stakes are high.

인 생

A: Some people say that life itself is just a game.
B : Well, who besides you believes that?

A : 어떤 사람들은 인생 그 자체가 게임이라고들 해요
B : 글쎄. 당신 말고 누가 그렇다고 생각하겠어요?

• 인생이란 그런 거예요.
Such is life. / That's the way the cookies crumble. [268)]
That's the way the mop flops. [269)]

264) make a recording of ～ : ～을 녹음〔녹화〕하다
265) ad lib : ((구어)) 임으로; 즉흥적으로 / ad libs : (연주 대사 등의) 즉흥적인 것 / ad–lib : 즉석에서 하다; 즉흥적으로 지껄이다; 즉흥적으로 연주하다; 즉석에서 만들다
266) (가두 연설의 연단으로 쓰는) 빈 궤짝, 약식 연단; 비누 궤짝
267) "bored speech"가 아님에 유의한다.
268) 직역 : 과자는 그렇게 부스러지는 거예요.
269) 직역 : 자루걸레는 그렇게 넘어지게 되어 있다. / mop : 자루걸레 / flop : 넘어지다

That's the way the ball bounces. [270)]

- 인생이란 헛된 꿈(뜬구름)이에요.
  Life is an empty dream.
- 나이는 속일 수 없어요. / 인생은 60부터예요.
  Age will tell. / Life begins at 60.
- 이젠 늙었나 봐요.
  I feel like I'm getting old. / I can really feel my age.
  I've aged now.
- 인생이 고달파요. / 요즘은 세상 살 맛이 안 나요.
  It's a hard life. / I have no life these days.
- 인생은 덧없는 것이에요. / 인생은 일장 춘몽이에요.
  All is vanity in life. / Life is but an empty dream.
- 10대는 인생에서 가장 중요한 시기예요.
  The teens are the most important time in life. [271)]
- 그는 덤으로 살고 있어요.
  He lives on borrowed time. [272)]
- 그녀는 행복감에 젖어 있어요.
  She bursts with joy. [273)]
- 우리는 노후에 걱정이 없도록 준비를 해 두었어요.
  We've provided well for our old age.
- 그는 비참한 삶을 살고 있어요.〈속어〉
  He really leads a dog's life. [274)]
- 그는 평생 독신으로 지냈어요.
  He remained single all his life.
- 그는 파란만장한 생애를 보냈어요.
  His life was full of ups and downs. [275)]
- 그의 생애는 다사다난했어요.
  He has had an eventful life.
- 나이를 먹으면 철이 들어요.
  Years bring wisdom.
- 사람 팔자도 끝까지 두고 봐야 아는 거예요.

270) 직역 : 공은 그렇게 튀는 것이다. / bounce : 뛰어 오르다; (공 등이) 튀다 / bounce up and down : 위아래로 뛰다 예 Stop bouncing up and down on the sofa.(소파 위에서 그만 뛰어라.) / bouncing baby(child) : 매우 건강한(very healthy) 갓난아기(아이)
271) teens : 10대(보통 13세에서 19세)
272) borrowed time : 뜻하지 않은 기간(죽음 불가항력적인 사건이 무사히 지나간 시간)
273) burst with ~ : ~으로 충만하다; 터질 듯하다
274) lead a dog's life : 비참한 생활을 하다(삶을 살다)
275) ups and downs : 우여곡절 예 We have our ups and downs like all couples.(우리는 모든 부부들처럼 우여곡절을 경험했다.)

The opera's never over till the fat lady sings. [276)]

- 사람은 살기 위해 먹는 것이지, 먹기 위해 사는 것은 아니에요.
  Man does not live to eat, but eats to live.
- 그는 시류에 편승하면서 살아가요.
  He gets along by jumping on the bandwagon. [277)]
- 이건 나의 생사가 걸린 중대한 문제예요.
  This is a matter of life or death to me.
- 인간은 만물의 영장이에요.
  Man is the lord of (all) creation.
- 저는 항상 원칙대로 살려고 노력합니다.
  I always try to live by the book. [278)]
- 젊음은 인생의 꽃이에요.
  Youth is the essence (flower) of life.

활용어휘

- 10대 후반 : late teens
- 노후 연금자 : old-age pensioner
- 생계 수단 : means of living
- 생활 수준 : the standard of living
- 생활비 : cost of living
- 신분〔지위〕 : station in life
- 의식주 : food, shelter and clothing
- 인생관 : view of life / outlook on life
- 최저 생활수준 : subsistence level
- 노후 연금 : old-age pension
- 미래 세대들 : generations to come
- 생계비 : living cost〔expense〕
- 생활 신조 : principles of life
- 생활 양식 : mode of living
- 양로원 : old peoples home
- 좌우명 : favorite proverb〔motto〕
- 중년 여성 : middle-aged woman

자랑하다

A: How am I doing? [279)] (제가 잘 하고 있나요?)
B : You're doing fine. (잘 하고 있어요.)

- 그건 자랑할 만한 게 못돼요.
  It's nothing to be proud of.
  It's nothing to brag about. [280)]
- 그건 자랑할 만한 충분한 이유가 있어요.
  I have every reason to be proud of it.

---

276) 직역 : 뚱뚱한 여자가 나와 노래를 할 때까지는 오페라는 결코 끝난 게 아니다. → 사람팔자 마지막 순간에 어떻게 될지 모른다.
277) get along : 살아가다 / jump〔climb / get〕 on the bandwagon : 시류에 편승〔동참〕하다, 우세한 쪽에 붙다 / bandwagon : (행렬 선두의) 악대차; (선거 · 운동 등에서) 우세한 쪽
278) the book : ((구어)) 규칙, 규범; 기준
279) 무슨 일을 시도하면서 어떻게 하고 있는지, 잘 하고 있는지를 묻는 표현
280) be nothing to brag about : 자랑할 것이 못된다, 대단한 일이 아니다 / brag : 자랑하다(of, about, that~); ~을 자랑하다; 자랑(거리), 허풍

- 그는 언제나 자기 지식을 과시해요.
  He always prides himself on his knowledge.
- 그는 정말 자기가 잘난 줄 알아요.
  He thinks he's really great.
- 어때요? (해냈잖아요).
  How about that? [281)]
- 잘난 체 하지 마세요.
  Don't pretend you're somebody. [282)]
- 으스대지 마세요.
  Don't show off.

정치와 선거

선거 결과 예측

- 선거 결과가 어떻게 될까요?
  How will the election turn out? / How will it turn out?
  What will be the result? / Where will it lead to?
- 그가 당선될 가능성이 있다고 생각하세요?
  Do you think he has a chance of getting elected?
- 그는 재선을 굳혔어요.
  He locked up his reelection.
  He has his reelection locked up〔sewn up〕. [283)]
  He is a shoo-in for reelection. [284)]
  His reelection is in the bag. [285)]
- 두 김씨 중에 한 사람이 당선될 거예요.
  One of the two Mr. Kims will be elected.
- 대통령으로 출마한 후보가 몇 명이죠?
  How many candidates are running for president?

선거 결과

- 그건 압도적인 승리였어요.
  It was a landslide victory.
- 민주당이 압승했어요.
  The Democrats won by a landslide victory.

---

281) 어떤 어려운 일을 해내고 나서 뽐내듯이 하는 표현
282) somebody : ((구어)) 어엿한 사람; 상당한 사람, 대단한 사람
283) lock up : 자물쇠를 채우다 / sew up : 꿰매 맞추다, 봉합하다
284) shoo-in : ((구어)) 승리가 확실한 후보자〔경기자 말〕; 선거의 낙승
285) in the bag : 가방 안에 있는 → ((구어)) 확실한; 성공이 확실한

- 그는 선거에서 승리했어요. / 그는 1,234표 차이로 이겼어요.
  He won the election. / He won by 1,234 votes.
- 그는 100대 20의 다수로써 당선됐어요.
  He was elected by a majority of 100 against 20.
- 그는 간신히 선거에 이겼어요.
  He won the election by a narrow margin.
- 그는 선거에서 좋은 성적을 보였어요.
  He made a strong showing in the election.
- 그는 선거에서 악전고투했어요.
  He had a close contest in the election.
- 그는 선거에서 낙승했어요.
  He won hands down in the election. [286)]

투표하다

- 꼭 투표하세요.
  Be〔Make〕 sure to vote.
- 기권하지 마세요.
  Don't give up your right.
- 누구에게 투표하셨습니까?
  Who did you cast your ballot for?
- 누구에게 투표하실 건가요?
  Who are you going to vote for?

기 타

- 그 사람은 공화당에 입당했어요.
  He attached himself to the G.O.P. [287)]
- 그는 민주당을 탈당했어요.
  He resigned his membership in the Democratic Party.
- 그 정책들이 효과가 있다고 생각하십니까?
  Do you think the policies work?
- 그는 공천에서 탈락됐어요.
  He was left out of the public nomination.
- 그는 대선에 출마할 것을 발표할 겁니다.〈속어〉
  He's going to throw his hat in the ring for the presidential election. [288)]

---

286) win hands down : 낙승하다
287) G.O.P. = the Grand Old Party : 미 공화당(the Republican Party)의 속칭
288) throw one's hat in the ring for ~ : ~에 출마할 것을 발표하다

• 선거 결과가 오늘 아침 신문에 났어요.
The election results are in the paper this morning.
• 아주 근소한 차이의 선거였어요.
It was a very close election.
• 저는 선거결과에 관심이 없어요.
I'm not interested in the result of the election.
• 오나시스를 내 쫓읍시다!〈속어〉
Boot Onasis! [289)]

조심하다

• 조심하세요!
Be careful! / Look out! / Watch out!
Stay on your guard. / Keep your eyes open.
• 조심해〔비켜라〕! / 피하세요〔조심하세요〕!
Heads up! / Duck! [290)]
• 차 조심하세요! / 조심해서 운전하세요.
Look out for cars! / Drive carefully.
• (물건이) 떨어져요!
Below there! [291)]
• 말조심하세요.
Watch your mouth〔language〕.
• 발〔계단〕 조심하세요!
Watch your step!
• 아무리 조심해도 지나치지 않아요.
You can't be too careful.
• (핸드백) 날치기를 조심하세요.
Beware of purse snatchers.
• 각별히 행동을 조심하세요.
Mind your p's and q's. [292)]
• 그건 위험천만한 일이에요.〈속어〉
That's the blind leading the blind. [293)]
• 다치지 않도록 조심하세요.
Be careful not to get hurt.

---

289) boot : ((구어)) 해고하다; 내쫓다; 발길로 차다
290) 상대가 건물 등에 부딪칠 것 같을 때 / duck : 오리; ((구어)) 피하다
291) 짐 등을 정리하다가 실수하여 물건이 아래로 떨어지려고 할 때
292) mind〔watch〕 one's p's〔P's〕and q's〔Q's〕: 언행을 조심하다 / 인쇄 기계에 p자와 q자가 바로 이웃해 있고 모양도 비슷해서 인쇄할 때 자주 실수를 하는 경우가 있는 데서 유래된 표현으로 매우 주의를 기울이라고 할 때 쓰는 표현이다.
293) the blind leading the blind : 장님을 인도하는 장님 → 위험천만한 일

- 돌다리도 두드려 보고 건너야 해요.
  Look〔Think〕 before you leap. 294)
- 아주 신중하게〔빈틈없이〕 일을 하세요.
  Don't forget to dot your i's and cross your t's. 295)
- 위험을 벗어나기 전까지는 마음을 놓지 마세요.〈속어〉
  Don't whistle until you're out of the woods. 296)
- 이 일을 하면서 준수사항과 금지사항을 말씀해 주십시오.
  Tell me the do's and dont's of this work. 297)

좌 석

A: Did you bring something to sit on?
B : It's right here.

A : 깔고 앉을 것 좀 가져 왔어요?
B : 여기 있어요.

- 자리 좀 양보해 주시겠어요?
  Would you please relinquish your seat? 298)
- 끼어 앉아도 될까요? / 자리 좀 내주시겠어요?
  May I squeeze in? / Could you make a room for me?
- 앉으세요. / 방석에 앉으세요.
  Have a seat, please. / Please have a seat on the cushion.
- 여기 앉아도 될까요? / 저는 어디에 앉으면 되죠?
  May I sit here? / Where am I supposed to sit?
- 좌석을 뒤루 제쳐두 되겠습니까?
  May I recline my seat? 299)
- 먼저 앉은 사람이 임자예요.
  First come, first served. 300)
- 미안하지만, 이 자리는 모두 임자가 있습니다.
  Sorry, all these seats are taken.
- 문제없어요. 바짝 붙여 앉으면 돼요.
  No problem. We can squeeze in. 301)
- 앉으세요. / 앞좌석에 앉겠습니다.

---

294) 직역 : 뛰기 전에 생각하라.
295) dot one's〔the〕 i's and cross one's〔the〕 t's : i자에 점을 찍고 t자에 가로줄 긋다 → 상세히 표시하다; 명확히 설명하다 / dot : 점(을 찍다)
296) 직역 : 숲 밖으로 빠져나오기 전까지는 휘파람을 불지 마라.
297) do's and dont's : 해야할 일과 해서는 안 될 일, 준수사항과 금지사항
298) relinquish : 그만 두다, 버리다, 포기하다; 양도하다
299) recline : 기대다(lean); 눕다; 의지하다
300) 먼저 온 사람이 먼저 서비스를 받는다는 뜻, 선착순(先着順)
301) squeeze in : 비집고 들다

Won't you sit down? / I'll sit in the front seat.

- 이봐! 여기야.
  Psst! Over here. [302)]
- 의자에 기대지 마세요.
  Don't lean back in you chair.
- 이렇게 책상다리를 하고 앉으세요.
  Why don't you sit cross-legged like this?
- 탁자에 둘러앉으세요.
  Please sit around the table.
- 사장님 옆에는 앉고 싶지 않아요.
  I don't want to sit next to my boss.
- 당신은 두 사람 자리를 차지하고 있군요.
  You're taking up enough space for two people.
- 일찍 갑시다, 그래야 좋은 자리를 잡을 수 있어요.
  Let's go early so we can choose the best place to sit.
- 저는 뒷자리에 앉는 걸 좋아합니다.
  I like to sit way in the back.
- 좋은 자리를 잡으려면, 거기에 일찍 가야 해요.
  You have to go early there if you want to get a good seat.

❖ 관련 표현 : 기내에서(p. 905) / 버스 안에서(p. 226)

활용어휘

- (접을 수 있는) 간편 의자 : camp chair
- 벤치 : bench
- 앞〔뒷〕 좌석 : front〔back / rear〕 seat
- 의자를 앞으로 당기다 : pull up a chair
- 조립식 의자 : joint stool
- 좌석 지정권 : reserved-seat ticket
- 침대 겸용 소파 : studio couch / sofa bed
- 회전의자 : swivel chair
- 방석 : cushion
- 소파 : sofa
- 의자 커버 : chair cover
- 접는 의자 : folding chair
- 좌석 배치도 : seating chart
- 지정 좌석 : reserved seat
- 팔걸이 없는 작은 의자 : side chair
- 흔들의자 : rocking chair

죽 다

- 그는 죽었어요. / 그는 몇 년 전에 돌아가셨어요.
  He is dead. / He passed away some years ago. [303)]
- 그는 오늘 아침에 숨을 거두었어요.〈속어〉
  He breathed his last(breath) this morning. [304)]

302) psst[프스트] : 저; 잠깐(조용히 주의를 끌기 위한 소리 → 도서관이나 회의장 등에서 다른 사람을 조용히 부를 때 따위)
303) pass away : 돌아가시다('죽다'의 존칭어)
304) breathe one's last (breath) : 마지막 숨을 쉬다 → 죽다, 숨을 거두다

- 어제 그가 죽었어요.〈속어〉
  He cashed in his chips yesterday. [305)]
- 그는 과로로 죽었어요. / 그는 얼어서 죽었어요.
  He died from working too much.
  He was frozen to death.
- 그가 언제 죽었죠?〈속어〉
  When did he kick the bucket? [306)]
- 그는 일흔 몇 살인가에 죽었어요.
  He died in his seventies. [307)]
- 그분을 지난 일요일에 안장시켜 드렸어요.
  We laid him to rest last Sunday. [308)]

활용어휘

- (자살) 유서 : suicide note
- 관(棺) : coffin / casket
- 매장 : burial
- 묘비명 : epitaph
- 무덤 : narrow house / grave
- 사망 공고 : death notice
- 사망률 : fatality rate
- 상복(喪服) : mourning outfit
- 안락사 : mercy killing / euthanasia
- 영안실 : funeral chapel / mortuary
- 위령제 : memorial service
- 위로 카드 : sympathy card
- 유골 단지 : funeral urn
- 유해〔유골〕 : remains
- 장례식 : funeral (ceremony〔service〕)
- 장의사 : funeral director / mortician
- 조문객 : visitors of condolence
- 진혼 미사 : requiem mass
- 추도사 : memorial address〔tribute〕
- 합동 위령제 : joint memorial service
- 헌화(獻花) : floral tribute
- 희생자 유가족 : the families of victims
- 공동 묘지 : park〔public〕 cemetery
- 국장(國葬) : state funeral
- 묘비〔묘석〕 : tombstone
- 묘소〔묘지〕 : graveyard
- 부고(訃告) : obit(uary) (notice) [309)]
- 사망신고서 : notice of death
- 사망률 통계표 : mortality table
- 십자가 : cross
- 영구차 : hearse / funeral car
- 완장〔상장(喪章)〕 : armband
- 위령탑 : memorial tower
- 위로장 : a letter of condolence
- 유서 : testament
- 장례 : funeral rites
- 장례식장 : funeral home〔parlor〕
- 조기(弔旗) : mourning flag
- 조위금 : condolence money
- 진혼곡 : requiem
- 추도회 : memorial service
- 합동 장례식 : joint funeral
- 화환 : wreath

※ 장례 조문시 위로할 때 : 장례식 조문(p. 130)

305) cash〔pass〕 in one's chips〔checks〕 : ((구어)) 죽다 / chips : ((구어)) 돈
306) kick the bucket : ((속어)) 죽다 → 사람들이 자살할 때 양동이를 밟고 올라가서 목을 맨 후 죽기 위해서 양동이(bucket)를 찬다는 데서 유래된 관용 표현
307) something : 몇째인가의
308) lay sb to rest : 아무를 안장시켜 주다〔매장하다〕
309) 신문지상에 사망자의 약력을 포함하여 사망을 알리는 기사

증권 〔주식〕

관 심

- 주식 (시장)에 관심이 있으세요?
  Are you interested in the stock (market)?
- 현대 자동차 주식을 보유하고 계십니까?
  Do you hold 〔have〕 stock in Hyundai Motors?
- 그게〔주가가〕 2만원이 되면 파시겠습니까?
  Would you like to sell them when they reach 20,000?

주식 시세

A: In your opinion, will stock prices rise or fall after the presidential election?
B : I think they'll be going up.
A : 당신 생각에는 대통령선거 후에 주가가 오를 것 같습니까, 내릴 것 같습니까?
B : 올라갈 거라고 생각합니다.

- 오늘 주식시장이 어떤지 궁금하군요.
  I wonder how the market is doing today? [310)]
- (주식이) 잘 되어가고 있어요. / 형편없이 돌아가고 있어요.
  It's doing well. / It's doing poorly.
- 서울은행 주식이 어떻게 돌아가고 있죠?
  How's Seoul Bank's stock doing?
- 서울은행 주식이 여전히 강세〔약세〕를 보이고 있어요.
  Seoul Bank's stocks remain strong 〔weak〕.

주가가 오르다

- 요즘 주가가 치솟고 있어요.
  Stocks are soaring these days.
- 이번 강〔약〕세장 기간중 시세가 일주일만에 37포인트가 올랐어요.
  During this bull 〔bear〕 market, the market has gained 37 points in a week. [311)]
- 그 회사 주식이 어제 30포인트 급등하여 356포인트가 됐어요.
  The company's shares jumped 30 points to 356 yesterday.

310) market : 시장; 시세; 매매, 거래; (특정 물품 · 지역의) 매매 시장
311) bear = bearish : ((증권)) 약세의 / bull = bullish : 강세의

- 오늘 서울은행 주식이 10포인트 올랐어요.
  Seoul Bank's stock gained ten points today.
- 오늘 종합주가지수가 1,023포인트에 달해서 사상 최고치를 기록했어요.
  The composite price index reached an all time high today, reaching 1,023 (points). [312)]
- 오늘 종합주가지수가 998포인트로 마감되기 전에 (한때) 최고 1,010포인트까지 올라갔었어요.
  The composite price index reached a high of 1,010 (points) today before closing at 998 (points). [313)]
- 오늘 (주식) 시세가 12포인트까지 올라갔어요.
  The market is up today by 12 points.
- (주식) 시세가 어제보다 5포인트 올라서 814포인트로 마감됐어요.
  The market closed at 814, up five points from yesterday.
- 활발한 거래로 그 주식은 20포인트 올랐어요.
  In active trading, the stock gained 20 points.

주가가 내리다

- 주가가 폭락했어요.
  The stocks took a nosedive.
  The stock market plummeted. [314)]
- 주가가 폭락해서 그는 돈을 몽땅 잃었어요.
  He lost all money when the stock market crashed.
- 주가가 내렸어요.
  The stocks are down.
- 서울은행 주식이 대량 거래에서 5포인트가 내렸어요.
  Seoul Bank's stock lost five points in heavy trading.
- 주식시장은 어제보다 5포인트 내려 814포인트로 마감됐어요.
  The market closed at 814, down five points from yesterday.
- 종합 주가지수가 1,023포인트에 달해서 사상 최저치를 기록했어요.
  The composite price index reached an all time low, reaching 1,023 (points). [315)]

환 율

- 1달러가 파운드로 얼마나 됩니까?
  What is a dollar worth in pounds?

---

312) reach an all time high〔low〕 : 사상 최고치〔최저치〕를 기록하다
313) reach a high of ～ : 최고 ～까지 올라가다〔이르다〕
314) nosedive : 급강하; (가격의) 폭락 / plummet : (인기 · 물가 등이) 폭락하다
315) reach an all time high〔low〕 : 사상 최고치〔최저치〕를 기록하다

- 미국 달러에 대한 오늘 환율이 얼마죠?
  What's today's rate for U.S. dollars?
- 뉴스에 의하면 달러당 엔화가 111엔을 돌파했어요.
  The dollar rose above 111 yen on the news.
- 오늘의 환율은 818.50으로 되어 있어요.
  Today's exchange rate is quoted at 818.50.
- 달러당 818원이에요.
  It is ₩818 to the dollar.

기 타

- 현재 한국에는 약 600개의 상장된 회사가 있습니다.
  There are about 600 listed companies in Korea at present.
- 조만 간에 삼성의 주식이 세계 주요 시장에 상장될 거예요.
  Sooner or later Samsung's stock will be listed on a major stock market in the world.
- 어제 그 회사의 주식 10만주가 주인이 바뀌었어요.
  A hundred thousand of the company's stock's changed hands yesterday. [316)]

지적하다

- 제 잘못을 지적해 주셔서 감사합니다.
  Thank you for pointing out my mistakes.

질 서

- 새치기하지 마세요.
  Don't cut in line. / Don't butt in line.
- 열을 따라 서 주세요.
  Follow the line, please.
- 줄을 서세요.
  Get in line, please. / Stand in line, please.
  Please wait in line. / Stand one behind another, please.
- 한 줄로 서세요.
  Stand in a line. / Line up in one file.
- 한꺼번에 오지 말고, 한 사람씩 오세요.
  Don't come all together, but one by one.
- 이게 줄인가요? / 이게 줄의 끝입니까?

316) ~ be changed hands : ~(재산 등)의 주인〔소유주〕가 바뀌다

Is this the line? [317] / Is this the end of the line?

- 줄을 서 계시는 겁니까?
  Are you in line?
- 차례를 기다리세요. / 당신 차례가 올 때까지 기다리세요.
  Please wait your turn. / Wait until it's your turn.
- 당신은 내 뒤〔뒤줄〕예요.
  You're after me!
- 이런 공공장소에서 소란을 피우지 마세요.
  Don't make a scene in such a public place. [318]
- 잠깐! 한번에 한 사람씩 (하세요)!
  Hang on! One at a time. [319]

차 이

- 그것과 이것의 차이가 뭐죠?
  What's the difference between that and this?
- 둘 다 마찬가지예요.
  There is nothing to choose between the two.
  The two are much the same.
- 양자간에 실질적인 차이는 전혀 없어요.
  There is no practical difference between the two.

책 임

책임을 지다

- 그건 제가 비난받아야 해요〔그건 제 잘못이에요〕.
  I'm to blame for it.
- 제가 한 일에는 책임을 집니다.
  I stand behind my job.
- 모든 책임은 궁극적으로 저에게 있습니다.〈속어〉
  The buck stops here. [320] / The buck stops with me.
- 모두 제 잘못인데 누굴 원망하겠어요?
  I have no one to blame but myself. [321]

317) 줄인지 아닌지 애매하게 서 있는 사람에게 줄을 서는 곳인가를 물을 때
318) make a scene : (울고불고하여) 소란을 피우다, 야단법석을 떨다 / make the scene : (특수한 장소에) 나타나다; (참석하여) 존재를 나타내다 / steal the scene : 주의를 딴 데로 돌리다
319) TV 토론 프로그램 등에서 두세 사람이 한꺼번에 서로 자기 주장을 얘기하자 사회자가 이를 제지할 때 하는 말
320) 직역 : 책임은 여기서〔나한테서〕 멈춘다.
321) 직역 : 비난받을 사람은 나 자신 외에는 아무도 없다.

책임을 안 지다

- 나한테 책임을 전가하지 마세요.
  Don't pass the buck to me. 322)
- 저는 책임이 없습니다.
  I'm not responsible for it.
- 그건 내 책임〔잘못〕이 아니라, 당신 책임이에요!
  It's not my fault, it's yours!
- 그건 당신 잘못이에요.
  You are to blame for that. / It's your fault.

기 타

- 그건 두 사람의 책임이에요.
  It takes two to tango. 323)
- 그 일에 대해서 저는 (하등의) 비난받을 일이 없어요.
  I cannot be blamed in the affair.
- 그는 두 가지 일〔역할〕을 해요.
  He wears two hats. 324)
- 그는 책임감이 강해요.
  He has a strong sense of responsibility.
- 그게 누구 잘못이죠?
  Whose fault is it?
- 당신도 그 문제에 일부 책임이 있어요.
  You're partly responsible for the problem.
- 당신이 자진해서 책임을 지세요.
  You'll have to face the music. 325)
- 여러분 모두 각자의 임무를 다해 주기 바랍니다.
  Please do your parts. 326)
- 이 일의 책임자가 누구죠?〈속어〉
  Who's running the show? 327)

❖ 잘못을 사과할 때 : 사과할 때(p. 34)

---

322) pass the buck to sb : 아무에게 책임을 전가하다
323) 직역 : 탱고를 추려면 두 사람이 필요하다. → 우리 속담에 "손바닥이 마주쳐야 소리가 난다."는 말과 같은 의미다.
324) wear : 두 가지 일〔역할〕을 하다 / hat : 모자; 일; 직함; 직업
325) face the music : 자진해서 책임을 지다; 당당히 비판을 받다
326) do one's parts : 자신의 본분〔임무〕를 다하다
327) run : 운영〔관리〕하다 / show : 사업, 기획, 일, 업무; 사건

청소와 정돈

청 소

- 이 난장판 좀 봐요!
  Look at this mess!
- 난장판이군! / 아, 이 먼지!
  What a mess! [328] / What a dust! [329]
- 네 방 좀 치워라. / 방 좀 치워주세요.
  Clean up your room. / Please tidy up the room. [330]
- 물걸레로 바닥 좀 청소해 주세요.
  Please clean the floor with a wet rag.
- 방 먼지 좀 제거해 주시겠어요?
  Could you give the room a quick dust? [331]
- 이곳 환기 좀 시켜야겠어요.
  I think I'll air this place out.
- 바닥에 붙어 있는 이게 뭐죠?
  What's this stuff on the floor?
- 이 쓰레기 좀 버려 주세요. / 쓰레기 좀 치워 주세요.
  Please take out this trash. / Please clean up the rubbish.
- 쓰레기 좀 버려주시겠어요?
  Can you throw away the garbage?
- 쓰레기는 쓰레기통에 버리세요.
  Put the garbage in the trash can.
- 자! 모두들 사무실 청소 좀 합시다.
  Hey! Let's clean up our room, everybody.

정 돈

- 이걸 어디에 놓을까요? / 그건 탁자에 놓으세요.
  Where shall I put this? / Put it on the table.
- 이 책을 제 자리에 갖다 놓으세요.
  Carry this book back to its place.
- 그걸 그냥 그대로 놔두세요. / 그걸 있던 곳에 갖다 두세요.
  Leave it there. / Put it back where you found it.
- 그거 위아래가 뒤바뀌었군요.

328) 무슨 일이 "엉망이로구나!" 라는 뜻으로도 사용됨.
329) 먼지가 아주 많을 때
330) tidy up : 깨끗이 치우다, 정돈하다
331) dust : 먼지(를 제거하다) 예 Could you dust the dining table?(식탁 먼지 좀 제거해 주시겠어요?) / a dust : 먼지 제거 / dust off : (옷 등에 묻어 있는) 먼지를 털다

That's upside down. [332)]

- 그건 버려도 괜찮아요.
  You can throw it away.
- 금방 정돈할게요.
  I'll straighten it up right away. [333)]
- 배치가 아주 잘 되어 있군요!
  What a layout! [334)]
- 그것들 사이를 좀 떼세요.
  Leave a space between them.
- 저 탁자를 사무실 한가운데에 놓으세요.
  Place that table in the center of the room.
- 이 책상을 어디로 옮겨야겠어요.
  We have to move this desk away somewhere.
- 책상과 책꽂이 사이가 너무 좁아요.
  The bookcase and the desk are too close together
- 포개서 쌓지 마세요.
  Don't stack. [335)]
- 필요 없는 것은 빼 놓으세요.
  You should leave out unnecessary details. [336)]
- 우리는 집안일 을 반반씩 분담하기로 했어요.
  We agreed we'd share the housework fifty-fifty.

활용 어휘

- 공기 정화기 : air cleaner
- 가사(家事) : household affairs
- 봄철 대청소 : a spring-cleaning
- 잡동사니 : odds and ends
- 어질러진 방 : cluttered room
- 정리하다 : put in order
- 청소 직원 : cleaning crew
- 꽃꽂이 : flower arrangement
- 꽃병 받침 : doily
- 쓰레기통 : waste〔trash〕 box〔basket〕
- 쓰레받이 : dustpan
- 유리창 청소부 : window cleaner
- 청소 도구 : cleaning equipment
- 청소부(여자) : cleaning woman

최선을 다하다

- 최선을 다하겠습니다.
  I'll do my best. / I'll try as best I can.
- 그 정보를 얻기 위해서 최후의 노력을 했어요.〈속어〉

332) upside down : (물건의 위치가) 위 아래로 뒤바뀐 / inside out : 안과 밖이 뒤바뀐
333) straighten up : 정리〔정돈〕하다
334) 집안에 가구 등이 잘 배치되어 있을 때
335) stack : 쌓다, 쌓아 올리다
336) detail : 지엽적인 것, 사소한 것(청소 등)

I made one last-ditch effort to get the information. 337)

- 기대에 부응하도록 최선을 다하겠습니다.
  I will do my best to perform your expectations.
- 할 수 있는 데까지 해 보세요.
  Do it as best you can. / Try everything you can.
- 무슨 수를 써서라도 (할게요). / 어떤 대가를 치르더라도 (할게요).
  Whatever it takes. / Whatever I pay.
- 네가 아는 대로 해 봐요!
  Do it as the way you know!
- 이게 제가 할 수 있는 최선입니다.
  This is the best I can do.

충고와 조언

경 고

- 경고하는데, 다시는 그런 실수를 하지 마라.
  A word of warning, don't make that mistake again.
- 이건 너에게 하는 세 번째 경고이자 마지막이야!
  This is the third and last time I'll warn you!
- 내 인내력을 시험하지 마세요.〈속어〉
  Don't put my patience to the test. 338)

충 고

- 그긴 사대만 악화시킬 뿐이에요. / 그건 자살행위예요.
  That only makes things worse. / That's the kiss of death. 339)
- 현재 좋은 위치에 있다고 해서 너무 자만해서는 안 되요.
  You must not be too confident, even if you're in a good position.
- 그건 너무 지나친 모험이에요.
  I fear it is too a hazardous step to take.
- 그게 바로 당신의 맹점 중의 하나예요.
  That's one of your blind spots. 340)
- 그는 나에게 많은 충고를 해 주었어요.
  He gave me many pieces of advice.
- 그는 내 충고를 무시했어요.

337) last-ditch effort : 최후의 노력
338) put ~ to the test : ~을 시험하다
339) the kiss of death : 죽음의 키스; (친절해 보이나 사실은) 치명적인〔위험한〕 행위
340) blind spots : (본인이 알아채지 못하는) 약점〔맹점〕

He disregard my advice.

- 그런 계획에는 손대지 마세요.
  Don't lend yourself to such a scheme. [341)]
- 그렇게 해서 얻는 게 뭐가 있죠?
  What does it profit to do that?
- 그렇게 잘난 척 하지 마세요.
  Don't put on airs like that. [342)]
- 내 말대로 하는 것이 좋아요.
  You'd better do just as I told you.
- 내 충고를 받아들이는 게 좋을 거예요. / 내 충고대로 하세요.
  You'd better take my advice. / Follow my advice.
- 내가 한 말을 명심하세요.
  Keep in mind what I told you.
- 제 말을 꼭 마음에 새겨 두세요.
  Fix my words in your mind.
- 당신 한계를 아세요.
  Know your limitations.
- 당신은 지금 위험한 길을 가고 있어요.〈속어〉
  You're walking on a tight rope. [343)]
  You're taking a huge risk.
- 당신은 항상 자신의 기준으로만 사물을 보는군요.
  You always see things just by your own measure.
- 당신의 잘못을 은폐하려고 하지 마세요.
  Don't try to hush up your wrongdoing. [344)]
- 도도하게 굴지 마세요.
  Don't assume a defiant attitude. [345)]
- 무리하지 마세요.〈속어〉
  Don't burn the candle at both ends. [346)]
  Don't overplay your hand. [347)]
- 물건에 욕심을 내지 마세요.
  Don't lust for things. [348)]

---

341) (주로 좋지 않는 일에) 힘쓰다; 가담하다
342) put on airs : 잘난척하다, 으스대다
343) 직역 : 팽팽한 밧줄 위를 걷고 있다. / 'a tight rope' 대신에 'the edge(모서리)', 'thin ice(살얼음)' 등을 써도 같은 의미가 된다
344) hush up : 쉬쉬하다, 은폐하다
345) defiant : 도전적인, 반항적인, 거만한
346) burn [light] the candle at both ends : 양끝에서 초를 태우다 → (정력 · 건강 · 금전 등을) 심하게 낭비하다; 무리를 하다
347) overplay one's hand : 자신의 (카드) 패를 과신하다; 지다; (자기 힘을 과신하여) 지나친 짓을 하다
348) lust for ~ : ~을 절실히 바라다, 갈망하다

- 사태를 피상적으로만 보지 마세요.
  Don't look only at the surface of things.
- 상대방의 입장에서 보면, 그것을 이해할 겁니다.
  If you were on the other side of the face, you'd understand it.
- 양다리 걸치지 마세요.
  You cannot have it both ways.
  Don't sit on the fence. [349)]
- 옳지 않는 일은 하지 마세요.
  Don't do what is wrong.
- 의사 충고대로 하세요.
  Do as your doctor advises.
- 이것도 당신을 위해서 하는 말이에요.
  I say this on your behalf.
- 자만하지 마세요. / 자존심을 버리세요.
  Don't have a swollen head. [350)] / Pocket your pride. [351)]
- 자 어때요, 내가 말한 대로죠.
  There, I told you so.
- 당신한테 충고할 게 하나 있어요.
  I'd like to give you a piece of advice.
- 한꺼번에 너무 많은 일에 손을 대지 마세요.〈속어〉
  Don't have too many irons in the fire. [352)]
- 정신 차리세요!
  Open your eyes! [353)] / Look alive!
- 제발 굽실거리지 마세요.〈속어〉
  Please don't bow and scrape. [354)]
- 체면을 차리세요.〈속어〉
  You must save your face. [355)]

조 언

- 이 상황에서 조언 좀 해 주시겠습니까?
  Could you give some feedback on this situation?
- 크레빌씨에게 조언을 구해 보세요.

---

349) sit〔be / stand〕on the fence : 담 위에 앉아 있다 → 넘어 간 것도 아니고 안 넘어 간 것도 아닌 어중간한 상태다. → 형세를 관망하다; 중립적인 태도를 취하다
350) 직역 : 부풀어진 머리를 갖지 마라.
351) 직역 : 당신의 자존심을 호주머니에 집어넣어라.
352) have too many irons in the fire : 한꺼번에 여러 가지 일에 손을 대다
353) 뭔가에 푹 빠져 있는 친구에게
354) bow and scrape : 굽실거리다; 발을 뒤로 빼며 절을 하다
355) save one's face : 체면을 차리다

Why don't you ask Mr. Krebill for some feedback?

- 당신이 제 경우에 있다면 어떻게 하시겠습니까?
  What would you do in my place? 356)
- 그 사람 신경 쓰지 마세요. 357) 〈속어〉
  Pay him no attention!
- 그 여자의 말을 액면 그대로 받아들이지 마세요.〈속어〉
  You should take what she said with a grain of salt. 358)
- 그 여자에게 말하는 걸 주의하세요.
  Be careful what you say to her.
- 그들이 눈치채기 전에 서두르세요.〈속어〉
  You'd better hurry up before they smell a rat. 359)
- 그것을 그만두는 게 어때요?
  Why don't you put a stop to it?
- 그의 말을 심각하게 받아들이지 마세요.
  Don't take him seriously.
- 당신은 그것을 잘 이용해야 합니다.
  You should take advantage of it.
- 당신은 상사의 말씀을 따라야 해요.
  You have to go by what your boss says.
- 당신이 옳다고 믿는 일을 하세요.
  Do what you believe is right.
- 선수를 치세요.〈속어〉
  Catch the ball before it bounces.
- 스스로 하세요.
  Do it yourself.
- 자신을 주위 사람들과 비교하지 마세요.
  Don't compare yourself with those around you.
- 침착하세요. / 무슨 일이 일어나더라도 침착하세요.
  Please keep your head. / Keep calm, whatever happens.
- 이제 와서 후회해도 소용없어요.〈속어〉
  It is no use crying over spilt milk. 360)
- 하지 않는 편이 좋을 거예요. / 현상에 만족하세요.

---

356) place : 입장, 경우, 처지, 환경
357) (원래 그런 사람이니까.)라는 의미가 내포됨.
358) take ~ with a grain〔pinch〕 of (salt) : ~을 소금 한 알을 쳐서 받아들이다 → ~을 에누리해서 듣다 / grain : (한) 알 / pinch : 한번 집은 양
359) smell a rat : 눈치채다, 알아채다 / rat : 쥐; 배신자, 변절자 / look like a drowned rat : 물에 빠진 쥐처럼 보이다 / like rats deserting the sinking ship : 가라앉고 있는 배를 내버려두는 배신자 같은 → 곤경에 처한 동료〔조직〕을 내버려두는 / desert : 버리다, 유기하다, 내버려 두다; (선원 · 군인 등이) 탈주하다
360) 직역 : 엎질러진 우유를 두고 울어도 소용없다. ((속담)) 엎질러진 물이다.

You (had) better not try. / Take things as they are. [361]

- 그게 당신에게 도움이 될 거예요.
  It will do you good. / It will be beneficial to you.

친 구

- 친구 좋다는 게 뭔가?
  What are friends for?
- 나쁜 친구들을 사귀지 마세요.
  Don't hang around with losers. [362]
- 그 사람과 교제하지 마세요.
  Don't associate with him.
- 그것 때문에 그들의 우정에 금이 갔어요.
  That has caused a crack in their friendship.
- 그는 나의 절친한 친구 중에 하나예요.〈속어〉
  He's one of my palsy-walsy friends. [363]
- 필요할 때의 친구가 진짜 친구예요.
  A friend in need is a friend indeed.
- 사람은 그가 사귀는 친구를 보면 알 수 있어요.
  A man is known by the company he keeps.
- 우리는 둘도 없는 단짝이에요.
  We are buddy-buddy friends. [364]
- 그이와는 친한 사이예요.
  I'm friends with him. [365]
- 우리는 항상 같이 다녀요.
  We always hang around together. [366]
- 자네와 나 사이에 돈 1000달러가 별건가?
  What's 1,000 dollars between you and me? [367]

활용 어휘

- 기회주의적인 친구 : a fair-weather friend [368]
- 긴할 때 도와 주는 친구 : a friend in mind
- 진정한 친구 : a bosom friend [369]
- 단짝〔절친한 친구〕 : buddy
- 친 자매 : sister-german
- 허물없는 친구 : second self

361) 직역 : 사물을 있는 그대로 받아 들여라.
362) loser : 실패자; 전연 쓸모 없는 사람; ((구어)) 전과자(前科者) / good loser : 깨끗이 지는 사람 / bad loser : 지고 군소리 많은 사람
363) palsy-walsy : ((속어)) 친한, 사이가 좋은
364) buddy-buddy : ((구어)) 아주 친한; 친구; ((속어)) 적; 미운 녀석
365) be〔make / keep〕friends with sb : 아무와 친한 사이다
366) hang around : 근방에 있다; 들러붙다
367) what : 별거 아닌 것, 아무것도 아닌 것
368) 평소에 친한 척하다가도 정말로 필요로 할 때는 못 본 체하는 친구
369) 가슴을 터놓고 애기할 수 있는 친구

친 척

A: Are you related to Mr. Miller?
B : I'm not related to him.

A : 밀러씨와 친척 되십니까?
B : 그분과는 아무런 친척관계가 아닙니다.

- 당신 두 분은 친척이십니까? / 두 분이 어떻게 친척이 되십니까?
  Are you two related? / How are you related?
- 그는 제 어머니 쪽으로 친척이 돼요.
  He is related to me on my mother's side.
- 그들은 서로 가까운 친척사이예요.
  They are closely related to each other.
- 그들은 핏줄을 나눈 형제예요.
  They are blood brothers. / They are of the same blood.
- 핏줄은 속일 수 없어요.
  Blood will tell.

하마터면 ~할 뻔하다

A: I was almost late for work.
B : What happened?
A: Well, my alarm clock didn't go off and I got up late.
B : That's a close call.

A : 하마터면 지각할 뻔했어요.
B : 무슨 일이었는데요?
A : 음, 자명종이 울리지 않아서, 늦잠을 잤어요.
B : 그거 아슬아슬했군요.

항복하다

- 내가 졌다(네가 이겼다). / 너에게 항복한다.
  You have me there. [370] / I give in to you.
- 승부는 사실상 끝났어요.
  The game is practically over.

370) have : 패배시키다

행사와 명절

- 시상식이 몇 시에 시작하는지 아세요?
  Do you know what time the awards ceremony starts?
- 그 모임은 외무부 주최로 열렸어요.
  The meeting was held under the auspices of the Ministry of Foreign Affairs.
- 그 행사는 삼성의 후원 하에 개최됐어요.
  The event was held with the support of Samsung.
- 누가 이 행사의 사회를 보죠?
  Who presides over this ceremony?
- 누가 이 행사를 주관하죠?
  Who supervises this ceremony?
- 대통령은 20발의 예포의 환영을 받았어요.
  The President was given a 20-gun salute.
- 의장대는 20발의 예포를 쏘았어요.
  The honor guard fired 〔gave〕 a 20-gun salute.
- 대표들에 의한 케이크 절단이 있겠습니다.
  The representatives will knife a cake.
- 애국가 제창이 있겠습니다.
  We'll sing the national anthem in unison.
- (행사가) 10분 지연될 것 같습니다.
  I'm afraid there'll be a ten minute delay.
- 김 회장님께서 축사를 낭독하시겠습니다.
  President Kim will read the congratulatory address.
- 박 회장님께서 기념비에 화환을 바치겠습니다.
  President Park will lay 〔place〕 a wreath on a monument.
- 축제가 무척 기다려집니다.
  I can hardly wait for the festival.
- 호국 영령들을 위한 묵념이 있겠습니다.
  We'll pay a silent tribute to the fallen patriots.
- 예행 연습을 딱 한번만 하겠습니다.
  We'll have only one rehearsal.
- 예행 연습을 언제 하죠?
  When are we going to have a rehearsal?
- 행사가 취소됐어요.
  The event was cancelled.
- 행사가 다음주까지 연기됐어요.
  The event is postponed until the next week.

A: Look over there! There are the fireworks!
B : The fireworks. Wow, they're wonderful!

A : 저기 보세요, 불꽃놀이예요.
B : 불꽃놀이요. 와, 정말 아름답군요.

활용어휘

- 가족 모임 : family gathering
- 개회사 : opening address〔speech〕
- 경축 행사 : celebration program
- 국경일 : national holiday
- 국기 게양식 : flag hoisting ceremony
- 귀성객 : homegoing〔coming〕 people
- 기념 행사 : commemorative event
- 기념식 : commemorative exercises
- 묵념하다 : pray in silence〔silently〕
- 불꽃놀이 : fireworks
- 성묘객 : tomb visitor(s)
- 애국가 : national song〔anthem〕
- 영령(英靈) : the fallen patriots
- 예행 연습 : rehearsal
- 의장대 : honor guard
- 제삿날 : sacrificial day
- 창립기념일 : anniversary of the founding
- 축사(祝辭) : congratulatory address
- 축제일〔경축일〕 : high day / feast day
- 취임식 : inauguration
- 테이프를 절단하다 : cut the tape〔ribbon〕
- 표어〔유행어〕 : catchword
- 행사 계획표 : the schedule
- 화이트 크리스마스 : white Christmas [371)]
- 강습회 : workshop
- 개회식 : opening ceremony
- 고향 방문단 : home-visiting group
- 국기 : national flag
- 국제적 행사 : international event
- 기념 사진 : commemorative photo
- 기념사 : commemorative address
- 기념회 : commemorative meeting
- 법정 공휴일 : legal holiday
- 섣달 그믐날 : New Year's Eve
- 아버지의 날 : Father's Day
- 어머니의 날 : Mother's Day
- 예복 : dress uniform
- 음력설 : the lunar New Year's Day
- 의전실 : state chamber
- 조기(弔旗) : mourning flag
- 추수감사절 : Thanksgiving Day
- 퍼레이드 : pageant
- 취임사 : inaugural (address)
- 케이크를 절단하다 : knife a cake
- 폐회식 : closing ceremony
- 플래카드 : placard
- 현충일 : Memorial Day
- 화환(花環) : (floral) wreath / lei

행 운

A: I'm on my way to a job interview.
B : Good luck (to you).

A : 취직 면접하러 가는 길입니다.
B : 행운을 빌게요.

다행 · 행운

- 운이〔재수가〕 좋았던 거예요. / 불행 중 다행이었어요.

371) 눈이 오지 않는 크리스마스 : green Christmas

I was lucky. / It could have been much worse. [372)]

- 당신은 운이 좋군요. / 제가 운이 좋았던 거죠.
  You're lucky. / Lucky for me.
- 우산을 가져와서 다행이군.
  It's a good thing I brought my umbrella.
- 그녀는 좋은 팔자를 타고났어요.
  She was born under a lucky star.
  She was born with a silver spoon in her mouth.
- 당신은 운이 좋았군요. / 당신은 정말 운이 좋으시군요.
  You've got it made. / How lucky you are!
- 당신은 참 운수가 좋았군요.
  You can thank your lucky stars. [373)]
- 당신이 무사해서 천만다행이에요.
  Thank God you're safe.
- 운 좋게도, 그는 승진했어요.〈속어〉
  As luck would have it, he got promoted. [374)]
- 제가 행운의 번호를 골랐어요. / 이 무슨 행운이냐!
  I drew a lucky number. / What a stroke of luck!
- 이건 재수 좋으라고 갖고 다녀요.
  I carry this around for luck. [375)]
- 당신의 행운이 참 부럽군요.
  How I envy your luck〔happiness〕!
- 재수 참 좋다!
  What a score! [376)]

불운 · 불행

- 오늘 일진이 안 좋아요.
  This is not my day.
- (더럽게) 재수가 없군!
  Just my luck! / Shit out of luck!
- 끝이 좋으면 다 좋은 거예요.
  All's well that end well. [377)]
- 당신은 복이 없군요.

372) 직역 : 상황이 더 나빠질 수도 있었다.((그나마 다행이다))
373) 직역 : 행운의 별에게 감사해야 해요.
374) as luck would have it : 운 좋게도
375) 행운을 빌기 위해서 가지고 다니는 부적을 가리키면서
376) score : ((구어)) 행운; 성공; 적중
377) 직역 : 끝이 좋으면 다 좋다.

You're star-crossed. [378)]

- 운이 전혀 따르지 않았어요.

I didn't have any luck.

- 저는 오늘 재수가 없었어요.

It's been bad day for me. / I have had an off day today. [379)]

I got out of bed on the wrong side this morning. [380)]

기 타

- 당신 운명은 내 손에 달려 있어요.

Your fate is in my hands.

I hold the key to your hands.

- 저는 점을 봤어요.

I had my fortune told.

- 복권을 한 장 샀어요.

I bought a lottery ticket.

- 복권에 당첨됐어요.

I won the lottery. / The lot fell on me.

- 내 운명을 하늘에 맡겼어요. / 내 운명은 결정돼 있어요.

I've left my fate to Heaven. / My fate is sealed.

- 사람팔자 알 수 없어요. / 이건 나의 숙명이에요.

No one can foretell his destiny. / This is my destiny.

활용어휘

- 백일몽 : daydream
- 복권 당첨번호 : lucky number
- 복권이 당첨되다 : win a prize in a lottery
- 손금쟁이 : palm reader / palmist
- 점쟁이 : fortune teller
- 복권 : lottery ticket
- 복권 추첨 : lottery
- 손금보기 : palmistry
- 운명의 장난 : an irony of life
- 추첨 번호 : lottery number

환 경

- 이 상자가 재생 가능한 것인가요?

Is this box recyclable?

- 쓰레기를 버리지 마시오. / 이곳에 쓰레기를 버리지 마시오.

DON'T LITTER / DON'T THROW TRASH HERE

- 잔디를 밟지 마시오

KEEP OFF THE GRASS

378) star-crossed : 박복한, 불행한

379) have an off day : (하는 일마다 잘 안되서) 재수가 없다; 재수가 없는 날을 맞다

380) 직역 : 나는 오늘 아침 침대의 다른 쪽에서 일어났다. → 비정상적이었다. → 운이 별로 없었다. / get out of bed on the right〔wrong〕side : 기분이 좋다〔나쁘다〕

• 역 구내를 깨끗이 합시다.
HELP KEEP THIS STATION TIDY

희 망

A: What do you hope will happen this year?
B : I hope I (will) get a promotion.
A : 올해 희망이 무엇입니까?
B : 승진을 했으면 해요.

• 올해 희망이 무엇입니까?
What do you hope you'll 〔to〕 do?
• (당신의) 행운을 빌게요.
I'll keep my fingers crossed (for you). [381)]
• 당신은 커서 뭐가 되고 싶으세요?
What do you want to be when you grow up?
• 당신의 모든 희망들이 실현되기를 바랍니다.
I hope all your wishes come true.
• 당신처럼 얼굴이 잘생겼으면 좋겠어요.
I wish I was 〔were〕 handsome like you. [382)]
• 백만 달러만 있었으면 좋으련만.
If only I had a million dollars.
• 제 꿈은 변호사가 되는 거예요.
My dream is to become a lawyer.
• 크게 기대하지 마세요.
Don't get your hopes up.
• 누가 알아요, 내년에 우리 수당을 올려줄지?.
Who knows, I might raise our allowance next year?
• 그게 제가 바라는 바입니다.
That's what I'm hoping.
• 모르겠어요. 잘 돼야 할텐데.
I don't know. I hope it works.

381) cross one's fingers : (액막이로 또는 행운 성공을 빌어) 집게손가락 위에 가운뎃손가락을 포개다 → 행운을 빌다
382) ((참고)) 기원 · 소망을 나타낼 때 'If only〔I wish〕' 의 목적절 안의 동사는 과거형이다.

2 속담과 격언

속담(saying) 이나 격언(golden saying / wise saying / maxim)은 기본적으로 매우 함축적인 뜻을 내포하고 있다. 그러므로 미국인과 대화 중에 속담이나 격언을 활용하면 상대방이 독자의 영어 실력에 깜짝 놀랄 것이다. 대화시 속담을 활용하고자 할 때는 "As the saying goes〔is〕, ～〔속담 내용〕." 또는 "As they say, ～〔속담 내용〕". "(속담에 ～라는 말이 있잖아요.)" 라는 형식의 구문을 쓴다. 아래 대화는 속담을 비유하는 방법의 한 예를 제시하였다.

기 본 대 화

A : What did you discuss with him?
B : I can't tell you. It's a top secret.
A : You can trust me. I'll keep it a secret.
B : I know you won't tell anyone, but
someone might hear us.
A : There is no one here. Tell me, please.
B : I'm sorry. I trust you, but as they say,
the walls have ears.

A : 그 사람하고 무슨 얘기 나누셨어요?
B : 말할 수 없어요. 아주 중요한 비밀이거든요.
A : 저를 믿으세요. 비밀을 지킬게요.
B : 당신이 아무에게도 말하지 않을 거란 건 알지만,
누군가 우리 얘기를 듣고 있을지 모르잖아요.
A : 여기엔 아무도 없잖아요. 어서 말해 주세요.
B : 미안합니다. 당신을 믿지만,
낮말은 새가 듣고 밤말은 쥐가 듣는다는 말이 있잖아요.

속담의 비유 방법

- 똥 묻은 개가 겨 묻은 개 나무라는 격이군요.
  It's like the pot calling the kettle black. [1)]
  The pot often times calls the kettle black.
- 당신은 침소봉대하는 것 같군요.
  You're making a mountain out of a molehill. [2)]

1) pot : 항아리, 단지, 냄비 / kettle : 솥, 주전자
2) molehill : 두더지가 파 놓은 흙두둑

- 원숭이도 나무에서 떨어진다는 말이 있잖아요.
  As they say, Even Homer nods. [3)]
- 아내가 귀여우면 처갓집 말뚝보고 절한다는 옛말이 있잖아요.
  Like the old proverb says; Love me, love my dog.

가나다순 속담 표현

- 가뭄에 콩 나듯.
  Once in a very long while. (매우 오랜만에 한번.)
- 가시 없는 장미 없다.
  Every rose has its thorn. (모든 장미는 가시를 가지고 있다.)
- 가재는 게 편이다.
  Birds of a feather flock together. (깃이 같은 새들끼리 모인다.)
- 각인각색(各人各色).
  So many men, so many opinions.
  (사람이 너무 많으면, 의견이 너무 많다.)
  Tastes differ. (모든 맛은 다르다.)
- 갈수록 태산.
  Out of the frying pan into the fire.
  (후라이팬에서 불 속으로 들어간다.)
  One calamity followed close on the heels of another.
  (하나의 재앙에 뒤를 또 하나의 재앙이 따른다.)
- 감언이설(甘言利說).
  Sweet talk (달콤한 말)
- 같은 값이면 다홍치마.
  Other things being equal, choose the better one.
  (같은 것이라면 더 좋은 것을 골라라.)
- 개구리 올챙이 적 생각 못한다.
  People who gain prosperity are apt to forget their early days. (성공을 얻은 사람들은 그들의 초창기 시절을 잊어버리기 쉽다.)
- 개도 나갈 구멍을 보고 쫓아라.
  Don't back him into a corner. (사람을 구석으로 몰지 마라.)
- 개천에서 용나다.
  From rags to riches story. (누더기 옷에서 부자로 뛰어 오르다.)
- 걱정도 팔자.
  Worry wart. (걱정꾸러기.)
- 걱정은 몸에 해롭다.

3) Homer : 고대 그리스의 시인, Iliad(일리아드) 및 Odyssey(오디세이)의 작자) / nod : 졸다 / (Even) Homer sometimes nods.(호머도 졸 때가 있다.) → ((속담)) 명수도 때로는 실수하는 법

Care killed the cat. (호기심이 고양이를 죽였다.)

- 건강을 잃고서야 건강의 소중함을 안다.
  It is not until we lose health that we realize the value of it.
- 건강한 신체에 건전한 정신이 깃든다.
  A sound mind(dwells) in a sound body.
- 견물생심(見物生心).
  Seeing is wanting. (보는 것이 필요로 하게 만든다.)
  The object gives to the desire. (목적이 욕망을 가져다 준다.)
  Opportunity makes the thief. (기회가 도둑을 만든다.)
- 결과만 좋으면 그만이다.
  All is well that ends well. (잘 끝난 것은 모두가 좋다.)
- 고난 없이 영광 없다.
  No cross, no crown. [4)]
  No gains, without〔no〕 pains. (고통 없이 얻는 것 없다.)
- 고래 싸움에 새우 등 터진다.
  An innocent bystander gets hurt in a fight.
  (싸움 중에 죄없는 구경꾼이 다친다.)
- 고양이한테 생선 가게를 맡기는 꼴이다.
  It's like having the fox guard the henhouse.
  (여우에게 닭장을 지키게 하는 격.)
- 고인 물은 썩기 마련이다.
  Stagnant water is bound to corrupt. [5)]
- 곧은 나무가 먼저 찍힌다.
  The good die young. / Whom the gods love die young.
- 공짜라면 양잿물도 들고 마신다.
  Anything given as a gift is welcome at any time.
  (선물로 주는 것이라면 언제라도 환영이다.)
- 공든 탑이 무너지랴?
  Hard work is never wasted. (열심히 한 일은 결코 헛되지 않는다.)
- 공수래공수거(空手來空手去).
  Naked as came we (into the world) and naked shall we go.
  (맨몸으로 세상에 와서 맨몸으로 간다.)
- 공자 앞에서 문자 쓴다.
  To teach a fish how to swim. (물고기에게 수영하는 법을 가르친다.)
  Teach your grandmother to suck eggs.
  (당신 할머니에게 달걀 빨아먹는 법을 가르쳐라.)
- 과부 설움은 홀아비가 안다.

---

4) cross : 고난, 시련; 십자가 / crown : 영광; 왕관
5) stagnant : 흐르지 않는, 괴어 있는

Misery loves company. (고통이 동료를 사랑한다.)

- 구경꾼이 한 수 더 본다.
  Lookers see most of the game. (구경꾼이 게임의 대부분을 안다.)
- 구관이 명관.
  You don't know what you've got until you've lost it.
  (자기가 가진 것은 잃은 후에 그 소중함을 안다.)
- 구르는 돌에는 이끼가 끼지 않는다.
  A rolling stone gathers no moss. [6]
- 구슬이 서 말이라도 꿰어야 보배다.
  A book that remains shut is but a block.
  (덮여 있는 책은 나무토막에 지나지 않는다.)
- 군계일학(群鷄一鶴).
  Stands out in the crowd. (무리 가운데서 우뚝 솟다.)
- 굼벵이도 뒹구는 재주가 있다.
  Every man for his own trade. (모든 사람은 자신의 전문이 있다.)
- 궁하면 통한다.
  Necessity is the mother of invention. (필요는 발명의 어머니.)
- 귀머거리가 아니니 소리칠 것 없어요.
  I'm not deaf, you needn't shout.
- 귀에 걸면 귀걸이, 코에 걸면 코걸이.
  It differs with the circumstances. (그건 상황에 따라 다르다.)
- 그림의 떡.
  It's (just) a pie in the sky. (하늘 위에 파이.)
- 근묵자흑(近墨者黑).
  He who touches pitch shall be defiled therewith. [7]
  (송진을 만지는 사람은 그것으로 더렵혀진다.)
- 긁어 부스럼 내지 마라.
  Let sleeping dog lie. (잠자는 개를 그대로 놔둬라.)
  Let well (enough) alone. (충분한 대로 놔둬라.)
- 금강산도 식후경(金剛山도 食後景).
  A lot of bread is better than the song of many birds.
  (많은 빵이 많은 새들의 노래보다 낫다.)
- 금상첨화(錦上添花).
  That's icing〔frosting〕 on the cake. [8] (케이크 위에 설탕 입히기.)
- 급하면 돌아가라.
  The longest way around is the shortest way there.

---

6) moss : 이끼
7) pitch : 송진 / defile : 더럽히다 / therewith : 그것으로
8) icing〔frosting〕: (케이크 등에) 설탕〔당분〕을 입히는 것

(가장 먼 거리가 가장 가까운 길이다.)

- 기다리는 자에게 복이 있다.
  Everything comes to those who wait.
  (모든 것은 기다리는 사람에게 온다.)
- 기호〔취미〕는 각양각색.
  There is no accounting for tastes.
- 김칫국부터 마시지 마라.
  Don't count your chickens before they are hatched. [9]
  (부화하기 전에 병아리를 세지 마라.)
- 꼬리가 길면 밟힌다.
  Misbehavior eventually catches up with one.
  (나쁜 행동은 결국 나쁜 행동을 따라 잡는다.)
- 나는 생각한다. 고로 존재한다.
  I think, therefore I am.
- 나쁜 것은 드러나게 마련이다.
  Murder will out. (살인은 드러나게 마련이다.)
- 나쁜 소식은 빨리 퍼진다.
  Bad〔Ill〕 news travels quickly.
- 나이는 속일 수 없다.
  Age will not be defined. (나이는 잘못 정의되지 않는다.)
- 남의 떡이 커 보인다.
  The grass is greener on the other side of the fence.
  (울타리 너머의 풀이 더 푸르다.)
- 낮말은 새가 듣고 밤말은 쥐가 듣는다.
  Pitchers have ears. (물주전자는 귀를 가지고 있다.)
  The walls have ears. (벽들은 귀를 가지고 있다.)
- 내 손에 장을 지지겠다.
  I'll eat my hat. (내 모자를 먹겠다.)
- 농담 속에 진담이 있다.
  Many a true word is spoken in jest. [10]
  (많은 진실이 농담으로 말해진다.)
- 놓친 고기가 더 크게 보인다.
  The fish that got away looks bigger. (도망간 고기가 더 크게 보인다.)
- 누워서 떡 먹기.
  It's as easy as (apple) pie. [11] (그건 지극히 쉽다.)

---

9) hatch : 알을 까다; 알이 깨다; (갑판의) 승강구 뚜껑; 마루 천장에 뚫린 들창문 / hatches, catches, matches, dispatches : ((익살)) (신문의) 출생 · 약혼 · 결혼 · 사망 란
10) jest : 농담(joke), 익살, 장난; 희롱
11) pie : ((속어)) 지극히 쉬운 것

It's as easy as A, B, C. (그건 A B C처럼 쉽다.)
That's a piece of cake. [12] (그건 케이크 한 조각이다.)

- 누워서 침 뱉기.
  Curses come home to roost. [13] (욕설은 제자리로 돌아온다.)
  Cut off your nose to spite your face.
  (당신의 얼굴을 괴롭히기 위해서 코를 잘라라.)
- 눈 가리고 아옹한다.
  The cat that ate the canary. (카나리아를 잡아먹은 고양이.)
- 눈에 가시.
  Thorn in the side. [14] (옆구리에 가시.)
- 눈에는 눈, 이에는 이.
  Like for like. / Eye for an eye.
- 늦더라도 안 하는 것보다는 낫다.
  Better late than never.
- 다 잡으려다가 몽땅 놓친다.
  Grasp all, lose all. [15]
- 다다익선(多多益善).
  The more, the merrier. (많을수록 더 좋다.)
- 달도 차면 기운다〔차면 넘친다〕.
  Every flow has its ebb. [16] (모든 밀물은 썰물을 가지고 있다.)
- 닭 잡아먹고 오리발 내놓기.
  Trying to throw (a person) off the track of one's misdeed.
  (자신의 실수 흔적을 다른 사람에게 던지기.)
- 대기만성(大器晩成).
  Late fruit keeps well. (늦은 과일이 (썩지 않고) 잘 유지된다.)
  Soon ripe, soon rotten. (일찍 익는 과일이 일찍 썩는다.)
- 대탐대실(大貪大失).
  All covet, all lose. [17] (모든 것을 탐내면, 모든 것을 잃는다.)
- 도랑 치고 가제 잡고.
  Kill two birds with one stone. (돌 한 개로 두 마리의 새를 잡다.)
- 독 안에 든 쥐.
  A rat in the trap. (덫에 걸린 쥐.)
- 독은 독으로 다스린다.

---

12) a piece of cake : ((구어)) 쉬운〔즐거운〕일
13) come home to roost : (나쁜 일 등이) 제자리로 돌아오다
14) thorn : (식물의) 가시 / thorn in one's thorn〔flesh〕: 걱정〔고통〕의 원인, 불안의 씨 / be〔sit / stand / walk〕on〔upon〕thorn : 늘 불안해하다, 안절부절못하다
15) grasp : 붙잡다, 움켜잡다
16) flow : 밀물 / ebb : 썰물
17) covet : (남의 물건 등을) 턱없이 탐내다

One nail drives out another. [18] (못을 박아 다른 못을 뺀다.)

- 돈에 궁하면 거지 근성이 나오는 법이다.
  When a man is hard up for money, the beggar will come out.
- 돈에 침 뱉는 사람 없다.
  No one spits on money. [19]
- 돈은 돌고 돈다.
  Money changes hands. (돈은 주인이 바뀐다.)
  Money will come and go. (돈은 왔다갔다한다.)
  Riches have wings. (재물에는 날개가 있다.)
- 돈을 빌려주면 우정에 금이 간다.
  Lending money breaks up friendship.
- 돈이 돈을 번다.
  Money begets money. [20] (돈이 돈을 낳는다.)
  Money makes money. (돈이 돈을 만든다.)
- 돈이 만사를 해결한다.
  Money opens all doors. (돈이 모든 문을 열어 준다.)
- 돈이 모든 것을 굴복시킨다.
  All things yield to money. (모든 것은 돈에게 굴복한다.)
- 돈이 전부다.
  Money is everything.
- 돈이 최고다.
  Money talks. (돈이 말한다.)
- 돌다리도 두드려 보고 건너라.
  Look〔Think〕 before you leap. (뛰기 전에 생각해라/살펴 봐라.)
- 동문서답(東問西答).
  You are barking up the wrong tree. [21]
- 동병상련(同病相憐).
  Misery loves company. (고통이 동료를 사랑한다.)
- 돼지에게 진주.
  Casting pearls before swine. (돼지 앞에 진주 던지기.)
- 될성부른 나무는 떡잎부터 알아본다.
  A fine child becomes a fine man. (훌륭한 아이가 훌륭한 어른이 된다.)
  As the twig is bent, so grows tree.

---

18) nail : 손톱(fingernail), 발톱(toenail); 못, 정 / nails in mourning : 때가 낀 손톱 / on the nail : ((구어)) 즉석에서 (지불되는); 당면의 / drive〔hammer〕a nail into〔in〕a sb's coffin : ((구어)) (사태 등이) 사람의 목숨을 단축시키다〔파멸을 앞당기다〕
19) spit : 침(을 뱉다); ((구어)) 꼭 닮은 것(likeness / spit and image)
20) beget : (부모가 자식을) 낳다, 보다
21) bark up the wrong tree : 엉뚱한 사람을 공격〔추적〕하다; 헛다리짚다

(가지가 구부러지면, 나무도 그렇게 자란다.)

- 두 마리 토끼를 다 잡을 수는 없다.
  You can't have it both ways. (두 가지 방법을 다 취할 수는 없다.)
- 두드려라, 그러면 열릴 것이다.
  Knock at the door and it will be opened.
- 둘러치나 메어치나 매 한가지다.
  Upside down or downside up is all the same.
  (위아래로 바뀌나 아래위로 바뀌나 다 똑같다.)
- 등잔 밑이 어둡다.
  Much water runs by the mill that the miller knows not of.
  (물방앗간 주인도 모르는 물레에 의해서 많은 물이 흐른다.)
  The darkest place is under the candle stick.
  (가장 어두운 곳은 촛불 아래다.)
- 똥 누러 갈 적 마음 다르고 올 적 마음 다르다.
  Once on shore, we pray no more.
  (육지〔해변〕에 다다르면, 더 이상 기도하지 않는다.)
  Danger past, God forgotten. (위험이 지나면, 신도 잊어버린다.)
- 똥 묻은 개가 겨 묻은 개 나무란다.
  The pot calls the kettle black. (냄비가 솥보다 검다고 한다.)
- 뜻이 있는 곳에 길이 있다.
  Where there is a will, there is a way.
- 로마에 가면 로마 법을 따라라.
  When in Rome, do as the Romans do.
  (로마에 있을 때는 로마인들처럼 행동하라.)
- 마음은 콩밭에 있다.
  Here in body, but not in spirit. (몸은 여기에 있어도, 마음은 그렇지 않다.)
- 마이동풍(馬耳東風).
  Beating a drum in cow's ear. (암소 귀에 드럼 치기.)
  None so deaf as those who won't hear.
  (아무것도 들으려고 하지 않는 사람들처럼 귀가 먹었다.)
- 많으면 많을수록 좋아요.
  The more, the better.
- 말 타면 경마 잡히고 싶다.
  Give him an inch and he'll take a mile.
  (그에게 1인치를 주면, 그는 1마일을 받으려고 한다.)
  Greed has no limits. (욕심엔 끝이 없다.)
- 말 한마디에 천금이 오르내린다.
  One should be wary of one's words.
  (사람은 자신의 말에 신중을 기해야 한다.)

- 말보다는 행동이 중요하다.
  Actions speak louder than words. (행동은 말보다 크게 말한다.)
- 말은 행동보다 쉽다.
  That's easier said than done.
- 말을 물가로 끌고 갈 수는 있어도, 먹일 수는 없다.
  You can lead a horse to the water, but you cannot make him drink it.
- 망설이는 자는 기회를 놓친다.
  He who hesitates is lost.
- 매 끝에 정든다.
  Spare the rod and spoil the child. (매를 아끼면 아기를 망친다.)
- 먹을 때는 개도 안 때린다.
  Refrain from beating or scolding a person while he is at his meal. (먹고 있는 개를 때리거나 꾸짖지 마라.)
- 먼 사촌보다 이웃이 낫다.
  A good neighbor is better than a brother far off.
  (좋은 이웃이 먼 형제보다 낫다.)
  Near neighbor is better than distant cousin.
  (가까운 이웃이 먼 사촌보다 낫다.)
- 먼저 오는 사람이 먼저 대접받는다.
  First come, first serve. (선착순)
- 모난 돌이 정 맞는다.
  A tall tree catches much wind. (큰 나무가 많은 바람을 맞는다.)
- 모든 사람에게 생에 세 번의 기회가 온다.
  Fortune knocks three times at everyone's door.
  (행운은 모든 사람의 문을 세 번 두드린다.)
- 모든 이의 친구는 누구의 친구도 아니다.
  A friend to all is a friend to none.
- 모로 가도 서울만 가면 된다.
  All roads leads to Rome. (모든 길은 로마로 통한다.)
  The end justifies the means. (목적은 수단을 정당화시킨다.)
- 모르는 게 약이다.
  Ignorance is bliss. (모르는 게 안심이다.)
  What she doesn't know won't hurt her.
  (모르는 것이 안 다치게 하는 것이다.)
- 목구멍이 포도청이다.
  I must work to keep my head above water. [22)]
  (죽지 않기 위해서 일해야 한다.)

22) keep one's head above water : 죽지 않다; 실패하지 않다; 빚지지 않다

- 못 먹는 감 찔러나 본다.
  Sour grapes.(신 포도.)
- 못 된 송아지 엉덩이에서 뿔 난다.
  A no good person is acting up. (나쁜 사람은 악화된다.)
- 무소식이 희소식.
  No news is good news.
- 무자식(無子息)이 상팔자(上八字).
  Little goods, little care. (재산이 없으면, 근심도 없다.)
- 문(文)은 무(武)보다 강하다.
  The pen is mighter than the sword. [23] (펜은 검보다 강하다.)
- 물방울이 돌을 뚫는다.
  The drop hollows the stone. [24]
- 물에 빠진 사람은 지푸라기라도 잡으려 한다.
  A drowning man will clutch at straw(s). [25]
- 물이 맑으면 고기가 살지 않는다.
  Clear water does not breed fish.
  Strict integrity leaves one isolated.
  (엄격한 결벽은 사람을 외톨이가 되도록 한다.)
- 미꾸라지 한 마리가 온 웅덩이를 흐린다.
  One rotten apple spoils the barrel. [26]
  (썩은 사과 한 개가 상자를 망친다.)
- 미인박명(美人薄命).
  Whom the gods love die young. (신이 사랑하는 사람은 일찍 죽는다.)
- 민심은 천심.
  The voice of the people (is) the voice of God.
  (국민의 목소리는 신의 목소리다.)
- 믿는 도끼에 발등 찍힌다.
  Stabbed in the back. (등에 찔리다.)
- 밑 빠진 독에 물 붓기.
  It's just a hole in the water you throw money into.
- 밑져야 본전이다.
  I have nothing to lose. (잃을 게 없다.)
  Trying wouldn't hurt. (시도해 봐도 다치지 않는다.)
- 바늘 도둑이 소 도둑 된다.
  He that will steal an egg will steal an ox.
  (달걀을 훔치는 사람이 황소를 훔칠 것이다.)

---

23) pen : 펜 / the pen : 문(文) / sword : 검 / the sword : 무(武)
24) hollow : 파내다
25) clutch at ~ : ~을 붙잡으려고 애쓰다
26) barrel : (한) 통, 한 배럴

- 반이라도 없는 것보다는 낫다.
  Half a loaf is better than none.
  (빵이 전혀 없는 것보다는 절반이라도 있는 게 낫다.)
- 배가 고프면 도둑질을 하게 된다.
  Hunger drives one to steal. (배고픔이 사람으로 하여금 훔치게 한다.)
- 배움에는 나이가 없다.
  No one is too old to learn. (아무도 배우는 데는 늙지 않다.)
- 백 마디의 말보다 한 가지의 실천이 낫다.
  An ounce of practice is worth a pound of theory.
  (1온스의 실천은 1파운드의 이론만큼 가치가 있다.)
- 백문이 불여일견(百聞이 不如一見).
  One〔A〕 picture is worth a thousand words.
  (그림 한 장이 천 마디의 말의 가치가 있다.)
  The proof of the pudding is in the eating.
  (푸딩의 맛은 먹어보는 데 있다.)
  Seeing is believing. (보는 것이 믿는 것이다.)
- 백지장도 맞들면 낫다.
  Cooperation makes work easier. (협동이 일을 더 쉽게 만든다.)
  Many hands make slight work. (많은 손이 일을 가볍게 만든다.)
  Two heads are better than one. (두 사람 지혜가 한 사람보다 낫다.)
- 뱁새가 황새를 따라가면 가랑이가 찢어진다.
  You can't keep up with the Joneses. [27)]
  (존스와 보조를 맞출 수는 없다.)
  People ruin themselves by trying to ape their betters.
  (사람들은 보다 좋은 것을 흉내내려다가 자신을 망친다.)
  Tailor your ambitions to the measure of your abilities.
  (당신의 능력의 척도에 맞게 야망을 맞춰라.)
- 버스 지나간 뒤에 손 흔든다.
  You missed the bus〔boat〕. [28)] (당신은 기회를 놓쳤다.)
- 벼는 익을수록 고개를 숙인다.
  The boughs that bear most hang lowest. [29)]
  (가장 많이 지탱하는 가지가 가장 낮게 붙어 있다.)
- 벼룩의 간을 빼먹는다.
  Can't get blood from a stone. (돌에서 피를 짜낼 수는 없다.)
- 부뚜막의 소금도 넣어야 짜다.

---

27) keep up with the Joneses. : 이웃 사람들에게 지지 않으려고 허세를 부리다 / Joneses : Jones(일반 사람들)의 복수형
28) miss the bus〔boat〕: ((구어)) 기회를 놓치다
29) bough : 큰 가지, 특히 주지(主枝) / ((비교)) : branch : (줄기에서 나는) 가지

No mill, no meal. (맷돌로 빻지 않으면 먹을 수 없다.)

- 벼룩의 간을 빼먹는다.

Can't get blood from a stone. (돌에서 피를 짜낼 수는 없다.)

- 부뚜막의 소금도 넣어야 짜다.

No mill, no meal. (맷돌로 빻지 않으면 먹을 수 없다.)

- 부전자전(父傳子傳).

Like father, like son.

- 비온 뒤에 땅이 굳어진다.

After the storm comes the calm. (폭풍 후에 고요가 온다.)

- 빈 수레가 요란하다.

The worst wheel of the cart always creaks most. [30]
(제일 나쁜 수레바퀴가 항상 제일 많이 삐걱거린다.)

- 빌어먹는 놈이 콩밥을 마다고 할까.

Beggars cannot be choosers. (거지가 선택하는 사람이 될 수는 없다.)

- 빙산의 일각.

It's the tip of the〔an〕 iceberg. [31] (그건 얼음 조각의 끝부분이다.)

- 뿌린 대로 거둔다.

As one sows, so shall he reap. (뿌리면 수확한다.)

- 사공이 많으면 배가 산으로 올라간다.

Too many cooks spoil the broth. (너무 많은 요리사가 수프를 망친다.)

- 사귀는 친구를 보면 그 사람을 알 수 있다.

A man is known by the company he keeps.

- 사람마다 마음이 다르다.

No two men are of the same mind. [32]
(어느 두 사람도 마음은 같지 않다.)

- 사람에겐 누구나 결점이 있다.

Every bean has its black. (모든 콩은 검은 부분이 있다.)

- 사람이 한번 죽지 두 번 죽지 않는다.

A man can die but once. (사람은 한번밖에 죽지 않는다.)

- 사랑과 기침은 숨길 수 없다.

Love and a cough cannot be hidden.

- 사랑엔 이유가 없다.

Love and reason don't go together. (사랑과 이유는 함께 하지 않는다.)

- 사랑은 맹목이다.

Love is blind. (사랑하면 눈이 먼다.)

---

30) creak : 삐걱거리다; 삐걱거리는 소리
31) tip : 끝, 첨단 / iceberg : 빙산
32) be of the same mind = be of one〔like〕mind : 생각〔의견〕이 같은 예 We're all of the same mind on this issue.(우리 모두는 이 문제에 대해서 의견〔생각〕이 같다.)

- 사상누각(砂上樓閣).
  Castle in the air. (공중의 성.)
- 사촌이 땅을 사면 배가 아프다.
  Turning green with envy. (몹시 질투가 난다.)
- 사흘 굶어 도둑질 안 할 사람 없다.
  Necessity knows no law. (필요에는 법이 없다.)
- 삼십육계에 줄행랑이 제일이다.
  The wisest thing to do is to beat a retreat. [33)]
  (가장 현명한 방법은 후퇴하는 것이다.)
- 새 발의 피.
  It's a drop in bucket. [34)] (양동이 속의 물 한 방울.)
- 서당개 3년에 풍월을 읊는다.
  The sparrow near a school sings the primer. [35)]
  (학교 근처의 참새는 초등학교 1학년 독본을 따라 한다.)
- 서툰 목수가 연장만 나무란다.
  A bad workman quarrels with his tools.
  (서툰 작업자가 자기 연장가지고 불평한다.)
- 선무당이 사람 잡는다.
  A little knowledge is a dangerous thing.
  (조금 아는 것은 위험한 것이다.)
- 설 아는 것보다 아무것도 모르는 게 낫다.
  Better know nothing than half-know many things.
  (절반쯤 아는 것보다 전혀 모르는 게 낫다.)
- 세살 버릇 여든까지 간다.
  As the boy, so the man. (아이 때 하던 것이 어른 때까지 간다.)
  What's learned in the cradle is carried to the grave.
  (요람에서 배운 것이 무덤까지 간다.)
- 세상에 공짜란 없다.
  There is nothing that can be had free in this world.
  (이 세상에 공짜로 얻어진 것은 아무것도 없다.)
  Everything has a price. (모든 것은 가격이 있다.)
  There's no (such thing as a) free lunch. (공짜 점심은 없다.)
- 세월은 사람을 기다리지 않는다.
  Time and tide waits for no man. [36)]
- 세월은 유수와 같다.

---

33) beat a retreat : 퇴각하다(retreat)
34) a drop in bucket : 큰 바다의 물 한 방울, 아주 적은 양
35) sparrow : 참새 / primer : 초보 독본, 입문서(入門書)
36) time : 시간 / tide : 조수

Time flies like an arrow. (세월은 화살처럼 날아간다.)

• 세월이 약이다.

Time heals all wounds. (세월이 모든 상처를 치료한다.)

• 소 잃고 외양간 고친다.

Lock the barn door after the horse is stolen. [37]
(말 도둑 맞고 마구간 잠근다.)

Mend the barn after the horse is stolen. (말 도둑 맞고 마구간 고친다.)

• 손바닥도 마주쳐야 소리가 난다.

It takes two to tango. (탱고를 추기 위해서는 두 사람이 필요하다.)

• 손 안의 새 한 마리가 숲속의 두 마리보다 낫다.

A bird in the hand worth two in the bush.
(손안에 있는 새가 숲속에 있는 두 마리 새의 가치가 있다.)

• 송충이는 솔잎을 먹어야 한다.

He bit off more than he could chew.
(그는 씹을 수 있는 이상을 물어뜯는다.)

• 쇠귀에 경 읽기.

Talking to the wall. (벽에 얘기하기.)

Water off a duck's back. (오리 등에 물 떨어뜨리기.)

• 쇠뿔은 단김에 빼라.

Strike while iron is hot. (쇠는 뜨거울 때 두들겨라.)

• 수염이 대자라도 먹어야 양반이다.

Fine manners are no cure for an empty stomach.
(훌륭한 예절도 배고픈 배에는 소용이 없다.)

Even a gentleman has to eat. (신사라도 먹어야 한다.)

The belly has no ears. [38] (배는 귀를 가지고 있지 않다.)

• 술과 계집은 남자의 지갑을 텅 비게 한다.

Wine and wenches empty men's purses. [39]

• 술과 여자는 남자를 거지로 만든다.

Wine and women make men beggars.

• 쉬 더워지면 쉬 식는다.

Soon hot, soon cold.

• 쉽게 번 돈은 쉽게 없어진다.

Easy come, easy go.(쉽게 들어오면 쉽게 나간다.)

• 쉽게 생긴 것은 쉽게 없어진다.

Light come, light go.

• 쉽사리 죽지 않는다.

---

37) barn : 헛간, 광; ((美)) 외양간
38) "배가 고프면 바른 말도 들리지 않는다."라는 표현을 비유함
39) wench : 처녀, 촌색시; 하인; 매춘부; 음탕한 여자

A cat has nine lives. (고양이는 아홉 개의 목숨을 가지고 있다.)

• 습관은 제 2의 천성이다.
Habit is a second nature.

• 시간은 금이다.
Time is gold. / Every minute counts. (모든 순간은 중요하다.)

• 시간은 한번 가면 다시 돌아오지 않는다.
Time is flying never to return.

• 시작이 반이다.
Well begun, half done. (잘 시작하면, 반은 끝난 것이다.)

• 시장이 반찬이다.
A good appetite is a good sauce. (좋은 식욕이 좋은 반찬이다.)
Hunger is the best sauce. (배고픔이 최고의 반찬이다.)
Hunger knows no delicacy. (굶주림은 고상함을 모른다.)

• 실패는 성공의 어머니.
Failure is the only highroad to success.
(실패가 성공의 유일한 지름길이다.)

• 십인십색〔각인각색〕.
To each his own.

• 소탐대실.
Penny-wise and pound-foolish. [40] (푼돈을 아끼다가 큰돈을 잃는다.)

• 아내가 귀여우면 처갓집 말뚝 보고 절한다.
Love me, love my dog. (나를 사랑하면, 내 개도 사랑하라.)

• 아는 것이 힘이다.
Knowledge is power.

• 아니 땐 굴뚝에 연기 날까?
No smoke without fire!
Where there's smoke, there's fire. (연기 나는 곳에 불이 있다.)

• 아무리 비천해도 내 집이 최고다.
Be it ever so humble, there's no place like home. [41]
(아무리 비천해도 내 집만한 곳 없다.)

• 아전인수(我田引水).
Every miller draws water to his own mill.
(모든 물방앗간 주인은 자신의 방앗간으로 물을 끌어들인다)

• 아주 없는 것보다는 조금이라도 있는 게 낫다.
Anything is better than nothing. (약간 있는 게 아주 없는 것보다 낫다.)
It's better than nothing. (그건 아주 없는 것보다는 낫다.)

40) penny-wise : 푼돈을 아끼는 / pound-foolish : 천냥을 손해본다
41) humble : 겸손한; 비천한 / in my humble opinion : 내 사견(私見)〔비견〕으로는

- 안 보면 멀어진다.
  Out of sight, out of mind.
- 약속은 약속이다.
  Promise is promise.
- 약육강식(弱肉强食).
  The strong prey upon the weak. [42] (강자는 약자를 먹이로 삼는다.)
- 약한 자여, 그 대의 이름은 여자이니라!
  Frailty, the name is woman!
- 양손의 떡을 다 먹을 생각일랑 마라.
  You can't work both sides of the street.
  (양쪽 도로에서 일할 수는 없다.)
- 양지가 음지 되고, 음지가 양지된다.
  Life is full of ups and downs. [43] (인생은 우여곡절로 가득차 있다.)
- 어려울 때 친구가 진짜 친구다.
  A friend in need is a friend indeed. (필요할 때 친구가 정말로 친구다.)
- 엎드리면 코 닿을 데.
  Within a stone's throw. (돌 던지면 닿을 거리.)
- 업은 아기 삼년 찾는다.
  If it were a snake, it would have bit you. [44]
  (그게 뱀이라면 당신을 물었겠습니다.)
- 없는 것보다는 낫다.
  Better than nothing.
- 엎질러진 물이다.
  It's no use crying over spilt milk.
  (엎질러진 우유로 울어본들 소용이 없다.)
- 엎친 데 덮친 격〔설상가상(雪上加霜)〕.
  Adding insult to injury. (부상당한 상태에서 욕설까지 하다.)
  When it rains, it pours. (비가 왔다 하면 억수 같이 온다.)
  One misfortune rides upon another's back.
  (하나의 불운은 또 하나의 불운을 수반한다.)
- 여자 셋이 모이면 접시가 깨진다.
  Three women make a market. (여자 셋이면 시장을 만든다.)
- 여자와 날씨는 믿을 게 못 된다.
  Women and weather are not to be trusted.
- 역사는 반복한다.

42) prey : 먹이; 먹이로 삼다(upon / on) / animal〔beast〕of prey : 맹수 / become〔fall〕(a) prey to ～ : ～의 희생이 되다 / make a prey of ～ : ～을 먹이로 삼다
43) ups and downs : 우여곡절
44) 뱀에 물릴 수 있을 만큼 가까운 거리에 있다는 의미 / snake : 뱀

History is the record of repetition.
History repeats itself.

- 열 번 찍어 안 넘어가는 나무 없다.
Little strokes fell great oaks.
(조그맣게 여러 번 치면 큰 참나무를 쓰러뜨린다.)
- 열길 물 속은 알아도 한 길 사람 속은 모른다.
Appearances are deceptive. (외모는 속임수다.)
- 예방은 치료보다 낫다.
Prevention is better than cure.
- 예술은 길고 인생은 짧다.
Art is long, life is short.
- 예외 없는 규칙은 없다.
No rule is without exceptions.
There is no rule but has exceptions.
- 오는 말이 고와야 가는 말이 곱다.
You help me, and I'll help you.
(당신이 나를 도와 주면, 나도 당신을 돕겠소.)
You scratch my back and I'll scratch yours.
(당신이 내 등을 긁어 주면, 나도 당신 등을 긁어 주겠소.)
- 오늘 일을 내일로 미루지 마라.
Tomorrow progress, God disposes.
(내일 진행하면 신이 처리할 것이다.)
Tomorrow never comes. (내일은 결코 오지 않는다.)
- 오르막이 있으면 내리막이 있기 마련이다.
What goes up must come down.
- 오십보백보(五十步百步).
A miss is as good as a mile. (조금이라도 빗나간 것은 빗나간 것이다.)
- 옥에 티.
It's a fly in the ointment. (연고 속에 파리 한 마리.)
- 온고지신(溫故之新).
By searching the old, learn the new.
(옛 것을 익혀 새로운 것을 안다.)
History repeats itself. (역사는 반복한다.)
- 옷이 날개다.
Clothes make the men. (옷이 사람을 만든다.)
Fine feathers make fine birds. (좋은 깃털이 좋은 새를 만든다.)
The tailor makes the man. (재단사가 사람을 만든다.)
- 용기 있는 자만이 미인을 차지한다.

None but the brave man deserve the fair.

• 용두사미(龍頭蛇尾).
Starts off with a bang and ends with a whimper.
(총소리와 함께 힘차게 달리다가, 다 죽어가는 신음소리로 끝난다.)

• 우물도 한 우물을 파라.
He who grasps too many hares will catch none.
(너무 많은 토끼를 잡으려는 사람은 하나도 잡지 못할 것이다.)

• 우물안 개구리.
A big fish in a little pond. (작은 연못 안의 큰 고기)

• 운이 좋은 놈은 바다에 던져도 살아난다.
Give a man luck, and throw him into the sea.
(사람에게 행운을 주라, 그리고 바다로 던져라.)

• 울며 겨자 먹기.
Face the music. [45] (자기가 저지른 행동에 책임을 지다.)

• 웃는 얼굴에 침 뱉으랴.
A soft answer turned away wrath.
(부드러운 대답은 분노를 누그러뜨린다.)

• 원수는 외나무다리에서 만난다.
Evildoing always catches up with you.

• 윗물이 맑아야 아랫물이 맑다.
A servant is only as honest as his master.
(하인은 주인만큼만 정직하다.)

• 유유상종(類類相從).
Let beggars match with beggars. (거지는 거지끼리 마음이 통한다.)
Likes attract, dislikes repel. (좋은 것은 끌어당기고, 싫은 것은 쫓아버린다.)

• 은혜를 원수로 갚지 마라.
Don't bite the hand that feeds you.
(너에게 먹이를 주는 손을 물지 마라.)

• 음지가 양지되고, 양지가 음지된다.
Every thing goes by turns. (모든 것은 차례로 돈다.)
The wheel of fortune turns. (운명의 바퀴는 돈다.)

• 의식이 족해야 예의를 안다.
Well fed, well-bred. [46] (잘 먹여야 예절 있게 자란다.)

• 이미 결정된 일을 가지고 왈가왈부하지 마라.
What's done is done.(끝난 것은 끝난 것이다.)

• 이심전심(以心傳心).

45) face the music : 자진하여 책임을 지다, 당당히 비판을 받다
46) well-bred : (예의) 범절 있게 자란, 좋은 가문에서 자란

Telepathy [47)]

- 이열치열(以熱治熱).

  Fight fire with fire. (불은 불로 물리쳐라.)

  Like is cured by like. (유사한 것은 유사한 것에 의해서 치유된다.)
- 인간은 혀 때문에 망한다.

  Man is tied by the tongue. (혀 때문에 꿰인다.)
- 인명재천(人命在天).

  Death keeps no calendar. (죽음은 일정표가 없다.)
- 일각여삼추(一刻如三秋).

  A minute is like three years. (1분이 3년 같다.)

  A minute seems like a lifetime. (1분이 일생 같다.)

  Every minute seems like a thousand. (1분이 천 분 같다.)
- 일석이조(一石二鳥)〔임도 보고 뽕도 따고〕.

  Killing two birds with one stone.

  (돌 한 개로 두 마리의 새를 잡는다.)
- 일장일단이 있다.

  Each advantage has its disadvantage. [48)]

  Each merit has its demerit.
- 일하지 않는 자는 먹지도 마라.

  No song, no supper. (노래하지 않는 자, 저녁밥 없다.)
- 입에 쓴 약이 병에는 좋다.

  A good medicine tastes bitter.(좋은 약이 더 쓰다.)
- 자라 보고 놀란 가슴 솥뚜껑 보고 놀란다.

  Once bitten, twice shy. (한번 물리면 두 번째는 놀란다.)
- 자신이 대접받고자 하는 대로 남을 대접하라.

  Do to others as you would be done by.
- 자업자득(自業自得).

  As you make your bed, so you must lie.

  (당신이 잠자리를 만들면, 당신은 누워야 한다.)

  He got what he bargained for. (자기가 지불한 것만큼 받는다.)

  You brought it on yourself. (당신 스스로 그걸 가지고 왔다.)

  You had it coming to you. (당신은 그것이 자기한테 오도록 했다.)
- 작은 고추가 맵다.

  The smaller, the shrewder. [49)] (작을 수록 빈틈이 없다.)
- 잔디밭에서 바늘 찾기.

47) telepathy : 텔레파시(the communication of thoughts directly from one person's mind to someone else's without speaking, writing, or signs)

48) advantage : 유리한 점 / disadvantage : 불리한 점 / merit : 장점 / demerit : 단점

49) shrewd : 빈틈없는

Searching for a needle in a haystack. (건초더미에서 바늘 찾기.)

- 잔잔한 물이 깊이 흐른다.
  Still〔Smooth〕waters run deep.
- 장님 사이에서는 애꾸가 왕이다.
  Among the blind, the one-eyed is King.
  (맹인 사이에서는 애꾸눈이 왕이다.)
- 재수가 없으면 뒤로 넘어져도 코가 깨진다.
  Misfortunes never come singly. (불행은 좀처럼 홀로 오지 않는다.)
- 재주는 곰이 넘고 돈은 되놈이 번다.
  One (man) sows, and another (man) reaps.
  (씨 뿌리는 사람 따로, 거둬들이는 사람 따로 있다.)
- 저질러진 일을 돌이킬 수 없다.
  What is done cannot be undone. (끝난 일은 돌이켜 질 수 없다.)
- 전봇대로 이빨 쑤시는 격이다.
  You are going to cut blocks with a razor.
  (면도날로 나무토막을 자르려고 한다.)
- 정신일도 하사불성(精神一到 何事不成).
  Where there is a will, there is a way. (뜻이 있는 곳에 길이 있다.)
  Nothing is impossible to a willing mind.
  (의지의 마음에는 아무것도 불가능하지 않다.)
  Nothing is impossible to a determined mind.
  (굳게 결심한 마음에는 아무것도 불가능하지 않다.)
- 정직이 최선의 방책이다.
  Honesty is the best policy.
- 제 눈에 안경.
  Beauty is〔lies〕in the eye of the beholder. [50)]
  (아름다움은 보는 사람의 눈에 달려 있다.)
- 제 버릇 개 못 준다.
  Bad habits are hard to break. (나쁜 버릇은 깨뜨리기 어렵다.)
  Once a use, for ever a custom. (한번 사용하면, 영원히 습관이 된다.)
- 제비 한 마리가 왔다고 해서 봄이 온 건 아니다.
  One swallow does not make a spring.
  (한 마리의 제비가 봄을 만들지 않는다.)
- 종로에서 뺨 맞고 한강 가서 눈 흘긴다.
  Go home and kick the dog. (집에 가서 애꿎은 개를 발로 찬다.)
- 좋은 기회를 놓치지 마라.
  Make hay while the sun shines. (햇빛이 날 때 풀을 말려라.)

---

50) beholder : 보는 사람, 구경꾼

• 죽마고우(竹馬故友).
A buddy from my old stomping grounds. [51)]
(옛날 늘 다니던 길에서 함께 놀던 친구.)

• 죽은 자는 말이 없다.
Dead men tell no tales.

• 줍는 사람이 임자다.
Finders keepers. (찾는 사람이 임자다.)

• 중이 제 머리 못 깎는다.
You cannot scratch your own back.
(당신은 당신 자신의 등을 긁을 수 없다.)

• 쥐구멍에 볕 들 날이 있다.
Every cloud has a silver lining.
(모든 구름은 은빛 반짝임을 가지고 있다.)
Every dog has his days. (모든 개는 자기의 날이 있다.)

• 쥐도 궁지에 몰리면 고양이를 문다.
When held at bay, cowards will often fight. [52)]
(궁지에 몰리면, 겁쟁이도 때로는 반항한다.)

• 지나침은 모자람만 못하다.
Too much water drowned the miller. [53)]
(너무 많은 물은 물방앗간 주인을 익사시켰다.)

• 지난 일을 탓하지 말라〔과거를 묻지 마세요〕.
Let bygones be bygones. (지나간 것은 지나간 것으로 잊어버리자.)

• 지렁이도 밟으면 꿈틀거린다.
Even a worm will turn. (벌레도 꿈틀거린다.)

• 지성이면 감천.
Sincerity moves heaven. (지성이 하늘을 감동시킨다.)

• 진인사 대천명(盡人事 待天命).
Pray and work. (기도하면서 일해라.)

• 진퇴양난(進退兩難).
Between a rock and a hard place. (바위와 굳은 땅 사이.)
He's at the end of the rope. (그는 로프의 끝에 있다.)

• 짖는 개는 물지 않는다.
A barking dog never bites.

• 짚신도 짝이 있다.
Every Jack has his Gill. [54)] (어떤 남자에게도 자기 짝이 있다.)

---

51) stomping ground : 근처(neighborhood); 세력권, 판도; ((속어)) 집(house)
52) bay : 만(灣); 궁지; (헛간의) 건초를 두는 곳 / hold ~ at bay : ~을 궁지에 몰아넣다
53) drown : 익사하다; 익사시키다 / miller : 제분업자; 물방앗간 주인
54) Jack : 남자 / Gill : 여자 / Jack and Gill〔Jill〕: 젊은 남녀

• 찢어지게 가난하다.
As poor as a church mouse. ((먹을 것이 없는) 교회 쥐처럼 가난하다.)

• 천리 길도 한 걸음부터.
A journey of a thousand miles begins with one [a single] step. (천 마일의 여행도 첫 걸음으로 시작된다.)
Slow and steady wins the race. (천천히 꾸준히 하는 것이 이기는 길이다.)

• 천상천하 유아독존(天上天下唯我獨尊).
I am my own Lord throughout heaven and earth.
(나는 하늘과 땅 사이에서 유일한 임금이다.)

• 천생연분(天生緣分).
Match made in heaven.(하늘에서 만들어진 짝)

• 철면피(鐵面皮).
Thick-skinned. (두꺼운 피부.)

• 첫 단추를 잘못 끼우다.
The button widowed. (단추가 미망인이 되었다.)

• 첫술에 배부르랴.
Rome was not built in a day. (로마는 하루아침에 세워지지 않았다.)

• 첫인상이 오래 남는다.
First impressions are lasting.

• 최후에 웃는 자가 진짜 웃는 자다.
He laughs best who laughs last.
(최후에 웃는 자가 가장 멋있게 웃는 자다.)

• 최후의 한 방울이 컵을 넘치게 한다.
The last drop makes the cup run over.

• 칠전팔기(七顚八起).
If at first you don't succeed, try, try again.
(처음에 성공하지 못하더라도 거듭 노력하라.)

• 침소봉대(針小棒大).
Making a mountain out of a molehill.
(두더지가 파놓은 흙무더기를 산이라고 하다.)

• 콩 심은 데 콩 나고, 팥 심은 데 팥 난다.
As you sow, so you reap. (뿌린 대로 거두리라.)
An onion will not produce a rose.
(양파가 장미를 만들어 내지는 않는다.)

• 콩으로 메주를 쑨다 해도 믿지 않는다.
You've cried wolf too many times.
(당신은 너무 여러 번 늑대를 외쳤다.)

• 털어서 먼지 안 나는 사람 없다.

Everyone has a skeleton in his closet. [55)]
(모든 사람은 집안의 비밀을 가지고 있다.)

- 티끌 모아 태산이다.
Every little makes a nickel. (각각의 조그마한 것들이 5센트 동전을 만든다.)
Little drops of water make the mighty ocean.
(작은 물방울들이 대양을 만든다.)
Many a pickle makes a mickle. (많은 소량이 대량을 만든다.)
When dust accumulates, it will make a mountain. [56)]
(먼지가 모여서, 산을 만든다.)
Light gains makes a heavy purse. (작은 수입이 무거운 지갑을 만든다.)
- 팔방미인(八方美人).
A man of many talents. (다재다능한 사람.)
- 팔은 안으로 굽는다.
Charity begins at home. (자선은 가정에서 시작된다.)
- 팔자소관.
It's just one of those things. (그건 흔히 있을 수 있는 일이다.)
- 팥으로 메주를 쑨다 해도 믿는다.
You could sell him the Brooklyn Bridge. [57)]
(당신은 그에게 부루클린 다리를 팔 수 있다.)
- 피는 물보다 진하다.
Blood is thicker than water.
- 필요는 발명의 어머니.
Necessity is the mother of invention.
- 하나만 알고 둘은 모른다.
He looks only on one side of the shield. [58)]
- 하룻강아지 범 무서운 줄 모른다.
An ignorant person doesn't stand in awe of the great. [59)]
(무지한 사람은 위인을 두려워하지 않는다.)
Fools rush in where angels fear to tread. [60)]
(바보는 천사가 걷기를 무서워하는 곳으로 돌진해 들어간다.)
- 한 귀로 듣고 한 귀로 흘린다.
In one ear and out the other.

---

55) a skeleton in the closet〔the cupboard / the house〕: 세상에 알려져서는 곤란한 〔남의 이목을 꺼리는〕 가정 또는 개인의 비밀(family skeleton)
56) accumulate : 모으다, 축적하다; 모이다, 축적되다
57) Brooklyn(브루클린) : 뉴욕시의 한 행정구
58) shield : 방패 / one〔the other〕 side of the shield : 방패의 뒷면; 문제의 일면 / both sides of the shield : 방패의 양면; 사물의 안팎
59) stand〔be〕 in awe of ～ : ～을 두려워〔경외〕하다 / awe : 경외, 두려움
60) rush in ～ : ～에 뛰어 들다; 난입하다 / tread : 걷다, 가다

- 헌 신짝 버리듯.

  Thrown away like an old shoe. (헌 신짝처럼 버려지다.)
- 현자(賢者)는 현자를 알아본다.

  Like knows like. (비슷한 사람은 비슷한 사람을 안다.)
- 호기심이 신세를 망친다.

  Curiosity killed the cat. (호기심이 고양이를 죽였다.)
- 호떡집에 불났다.

  Running around like a chicken with its head cut off.
  (머리 잘린 닭처럼 뛰어 다니기.)
- 호랑이 굴에 들어가야 호랑이를 잡는다.

  Nothing ventured, nothing gained.
  (모험 없이는 아무것도 얻을 수 없다.)
- 호랑이 없는 곳에 토끼가 스승이다.

  When the cat's away, the mice will play.
  (고양이가 없으면 쥐들이 뛰논다.)
- 호랑이도 제 말하면 온다.

  Speak of the devil, and he will appear. (마귀도 제 말하면 나타난다.)
- 호미로 막을 일을 가래로 막는다.

  A stitch in time saves nine. [61]
  (제 때의 한 바늘이 나중에 아홉 바늘을 절약한다.)
- 혹 떼려 갔다 도리어 혹 붙여 온다.

  The biter (is) bitten. (물려는 개가 물리다.)
- 황금만능(黃金萬能).

  Money makes the mare to go. (돈이 암컷 말도 가게 한다.)
- 후회하는 것보다 안전한 게 낫다.

  Better be safe than sorry. [62]
- 훔친 과일이 더 맛있다.

  A stolen fruit is sweet.

61) stitch : 바늘로 한번 꿰매는 것
62) (도중에 괜한 사고라도 나서) 후회하는 것보다 미리 안전한 방법을 택하는 것이 좋다.

3 숫자 영어

영어를 배우면서 숫자에 관련된 표현은 가장 기본이 되면서도 쉽게 마스터 할 수 없는 어려움이 있다. 다른 표현도 마찬가지이지만 숫자에 대한 표현은 감각적으로 이해할 수 있을 정도가 되어야 한다. 따라서 일상생활을 하면서 눈에 보이는 모든 숫자는 영어로 읽어 보고, 숫자를 쓸 때는 항상 영어로 쓰는 습관을 갖는 것이 숫자에 대한 감각을 가장 빨리 익히는 방법이다.

거리(길이)

A: How far is it from here? (여기서 얼마나 멀죠?)
B : It's a good twenty miles. [1] (20마일은 족히 됩니다.)

- 여기서부터 약 한 시간 걸립니다.
  It's about one hour from here.
- 시간을 재 보신 적이 있습니까?
  Did you ever time it?
- 걷기에는 너무 멀지 않습니까?
  Isn't it a little too far to walk?
- 걸어서 10분 정도의 거리입니다.
  It's about a ten-minute walk.
- 걸어서 10분 정도 걸립니다.
  It takes about ten minutes on foot.
- 걸어서 갈 수 있는 거리입니다. / 걸을 만한 거리에 있어요.
  It's walking distance. / It's within walking distance.
- 여기서 걸어서 얼마나 걸립니까?
  How long does it take from here on foot?
- 여기서 약 10분 걸립니다.
  It's about ten minutes from here.
- 서울에서 부산까지 거리가 얼마나 됩니까?
  How far is it from Seoul to Pusan?
- 1마일이 몇 미터죠?
  What's one mile in meters?
- 1인치가 몇 센티미터죠?
  How many centimeters are there in an inch?
- 1피트가 얼마나 길죠?
  How long is one foot?

1) good twenty miles : 에누리없는 20마일

- 1피트는 약 30cm 입니다.
  1ft〔One foot〕is approximately 30cm. [2)]
- 4시간 걸리는 여행이에요.
  It's a 4 hour trip.
- 그곳은 고속도로로 약 1시간 거리에 있습니다.
  It's about one hour-distance on the express.
- 공항은 여기서 상당히 먼 거리에 있어요.
  The airport is (at) some distance from here.
- 그곳까지는 10분쯤 걸리지만, 15분 정도 잡으면 충분할 겁니다.
  It takes about 10 minutes to get there, but I'll give you 15 minutes to be safe. [3)]
- 대전은 차로 약 2시간 정도 걸립니다.
  Taejon is about two hours drive.
- 마라톤 거리가 얼마죠?
  How long is a marathon?
- 멀지 않아서, 거기까지 걸어가실 수 있어요.
  It's not far, you can walk to it.
- 목적지까지는 6시간 걸립니다.
  It's six-hours to your destination.
- 미국은 미터법을 쓰지 않아요.
  The United States doesn't use the metric system.
- 미터로 말씀해 주시겠습니까?
  Could you tell me in meters? [4)]
- 부산까지는 6시간 운전해야 할 거리예요.
  It's a six-hour drive to Pusan.
- 서울에서 부산까지의 거리는 약 400km입니다.
  From Seoul to Pusan is 400kms.
- 여기서 거기까지 가는데는 차로〔걸어서〕 약 30분 정도 걸려요.
  It takes about thirty minutes to go there from here by car〔on foot〕.
- 여기서부터 한 시간 걸려요.
  It takes one hour from here.
- 이 강의 길이는 10km예요.
  This river has a length of 10km.

2) ((주의)) 표기시에는 단수(30cm), 읽을 때는 복수형(thirty centimeters)으로 읽는다.
3) to be safe : 확실〔안전〕하게 하기 위해서
4) 미국의 척도(measurements)법 : 미국에서는 일반적으로 미터법을 사용하지 않지만, 유럽, 캐나다, 멕시코 등에서는 미터법을 사용한다. 영국에서는 척도의 단위인 liter, meter를 litre, metre형태로 표기한다.

- 이 다리의 길이는 얼마나 되죠?
  How long is this bridge?
- 저는 오늘 자그마치 10km나 걸었어요.
  I walked a good 10kms today.
- 그곳은 저의 집에서 조금만 걸으면 되는 거리예요.
  It's only a short walk from my house.
- 한강 다리는 길이가 얼마나 됩니까?
  How long is the Han River bridge?

깊 이

A: How deep is this swimming pool?
B : At the shallow end it's only 50cm deep, but at the deep end it's 3m.

A : 이 수영장의 깊이가 얼마나 되죠?
B : 얕은 곳은 50cm밖에 안되지만, 깊은 곳은 3m나 되요.

- 그들은 지하 80m 지점에 매몰되어 있어요.
  They have been buried 80m under the ground.
- 블랙박스가 수심 30패덤에서 발견되었어요.
  The black box was found at a depth of 30 fathoms. 5)
- 여기 강의 깊이는 3m밖에 안되요.
  The river is just 3m deep here.
- 유전이 해저 1500m에서 발견됐어요.
  An oil field was found〔discovered〕 at 1,500m below sea level.
- 이 바다의 평균 깊이는 1,000피트입니다.
  This sea's average depth is 1,000 feet.
- 이 잠수복을 입으면, 수심 150피트까지 잠수할 수 있어요.
  In this diving suit, you can dive to depths of 150ft. 6)

넓 이

A: How wide is this street? (이 거리의 폭이 얼마나 되죠?)
B : About 8m, I think. (약 8m 정도 될 거예요.)

- 규격 봉투의 최대 폭은 12cm입니다.
  The maximum width for an ordinary envelope is 12cm.

---

5) black box : 비행기록 장치(flight recorder) / fathom : 수심을 잴 때 쓰는 길이의 단위로 6피트〔1.83m〕에 해당한다.
6) diving suit〔dress〕: 잠수복

- 그 도로는 내년에 60피트로 확장될 거예요.
  The road will be widened by 60ft.
- 그건 두께가 얼마나 되죠?
  How thick is it? / What is its thickness?
- 남한은 면적이 99,313km^2입니다.
  South Korea has an area of 99,313 km^2.
- 우리는 25평방미터의 사무실 공간이 필요해요.
  We need 25m^2 of office space.
- 이 강의 평균 폭은 300m입니다.
  The average width of this river is 300m.
- 저 도로의 폭이 얼마죠?
  How wide is that road?
- 이 강의 가장 좁은 곳은 폭이 100피트밖에 안되요.
  At the narrowest point of this river, it's only 100ft.

높 이

A: How high is this building? (이 건물의 높이가 얼마나 되죠?)
B : It's about 300ft high. (약 300피트 정도 되요.)

- 당신은 평균보다 키가 크군요.
  You're taller than average.
- 미국에서 가장 높은 산이 뭐죠?
  What's the highest mountain in the U.S.A.?
- 에베레스트산은 높이가 29,028피트입니다.
  Mount Everest is 29,028 feet high.
- 위험! 높이 제한 4.5미터.
  DANGER! HEIGHT LIMIT 4.5m
- 이 여객기는 15,000ft 고도로 비행하고 있어요.
  This airliner is flying at a height of 15,000 feet.
- 저는 키가 5피트 8인치입니다.
  I'm five feet eight (inches) (tall).
- 해발 5,000미터 이상의 높이에서는, 호흡이 곤란해요.
  At 5,000m above sea level, it's difficult to breathe.

면 적

A: How big is the park?
B : It measures 800m by 400m, which means it's 0.32km^2.

A : 이 공원의 크기가 얼마나 되죠?
B : 가로 400m, 세로 800m로, 면적은 0.32km^2예요.

• 사방 20센티미터 짜리 종이 한 장이 필요해요.
I need a piece of paper 20cm^2.
• 우리는 10평방미터 되는 방에서 살아요.
We live in a room that's ten square meters.
• 한국은 1평방킬로미터당 약 463명의 인구밀도예요.
In Korea, there are about 463 people per square kilometer.

무 게

A: How heavy is this box of books?
B : It seems to weigh 3kg.

A : 이 책상자의 무게가 얼마나 되죠?
B : 3kg 정도 될 것 같아요.

• 1파운드의 무게는 얼마나 무겁죠?
How heavy is one pound?[7)]
• 당신의 수화물은 5kg 중량 초과입니다.
Your baggage is 5kg over.
• 우리는 이사를 할 때 8톤 트럭을 빌렸어요.
We rented an 8 ton truck when we moved.

부피(용량)

A: What's this refrigerator's capacity?
B : About 300ℓ.

A : 이 냉장고의 용량이 얼마나 되죠?
B : 약 300리터 정도예요.

• 그곳까지 운전하고 가려면 휘발유가 10리터 정도 필요할 거예요.
You would need about 10ℓ of gas to drive there.
• 보통급 휘발유로 3갤런 넣어주세요.
Three gallons of regular grade gas, please.[9)]
• 이 상자는 가로 6피트, 세로 6인치, 높이 7인치입니다.
This box is six feet long, six inches wide, and seven inches high.

8) one pound (1 Lb.) ≒ 0.5kg
9) gallon : 용량의 단위(액량(液量)의 경우 1갤런은 4쿼터), 건량(乾量) / 영국 갤런 : imperial gallon / 미국 갤런 : U.S. gallon

- 이 냉장고의 용량은 약 300리터입니다.

This refrigerator's capacity is about 300ℓ.

숫자에 단위를 표기하는 방법

단위는 붙여쓰거나, 띄어 써도 모두 맞는 표기법이다. 10*m* (O) / 5.15*m* (O) / 그러나 혼동의 우려가 있을 경우('5.5l'를 5.51(오점 오일)로 읽을 수 있다.)에는 띄어 쓰거나 대문자 필기체로 쓰는 것이 좋다. 5.5l / 5.5 L / 5.5ℓ

크 기

A: What size is it? (크기가 얼마나 되죠?)
B : It's very big. (무척 커요.)

- 크기는 얼마 정도로 할까요?

What size shall I make it?

활용 어휘

- 작은 : small
- 짧은 : short
- 넓은 : wide
- 긴 : long
- 좁은 : narrow

모 양

A: What shape is it? (모양이 어떻게 생겼죠?)
B : It's round [a circle]. (둥글어요.)

활용 어휘

- 정사각형 : (a) square
- 삼각형 : (a) triangle
- 타원형 : (an) oval
- 직사각형 : (a) rectangular
- 평평한 : flat

숫자 읽기

기수 ······ **서수**

- 1 : one ······ 1st : first
- 2 : two ······ 2nd : second
- 3 : three ······ 3rd : third
- 4 : four ······ 4th : fourth
- 5 : five ······ 5th : fifth

- 6 : six ················ 6th : sixth
- 7 : seven ················ 7th : seventh
- 8 : eight ················ 8th : eighth
- 9 : nine ················ 9th : ninth
- 10 : ten ················ 10th : tenth
- 11 : eleven ················ 11th : eleventh
- 12 : twelve ················ 12th : twelfth
- 13 : thirteen ················ 13th : thirteenth
- 14 : fourteen ················ 14th : fourteenth
- 15 : fifteen ················ 15th : fifteenth
- 16 : sixteen ················ 16th : sixteenth
- 17 : seventeen ················ 17th : seventeenth
- 18 : eighteen ················ 18th : eighteenth
- 19 : nineteen ················ 19th : nineteenth
- 20 : twenty ················ 20th : twentieth
- 21 : twenty-one ················ 21st : twenty-first
- 22 : twenty-two ················ 22nd : twenty-second
- 30 : thirty ················ 30th : thirtieth
- 33 : thirty-three ················ 33rd : thirty-third
- 40 : forty ················ 40th : fortieth
- 44 : forty-four ················ 44th : forty-fourth
- 50 : fifty ················ 50th : fiftieth
- 55 : fifty-five ················ 55th : fifty-fifth
- 60 : sixty ················ 60th : sixtieth
- 66 : sixty-six ················ 66th : sixty-sixth
- 70 : seventy ················ 70th : seventieth
- 77 : seventy-seven ················ 77th : seventy-seventh
- 80 : eighty ················ 80th : eightieth
- 88 : eighty-eight ················ 88th : eighty-eighth
- 90 : ninety ················ 90th : ninetieth
- 99 : ninety-nine ················ 99th : ninety-ninth
- 100 : a〔one〕 hundred ················ 100th : a〔one〕 hundredth
- 1,000 : a〔one〕 thousand ················ 1,000th : a〔one〕 thousandth
- 10,000 : ten thousand ················ 10,000th : ten thousandth
- 100,000 : a hundred thousand(십만) ··· 100,000th : a hundred thousandth
- 1,000,000 : a〔one〕 million(백만) ········ 1,000,000th : a〔one〕 millionth
- 1,000,000,000 : a〔one〕 billion(십억) ····· 1,000,000,000th : a〔one〕 billionth
- 1,000,000,000,000 : a trillion(일조) ········ 1,000,000,000,000th : a trillionth

기타 숫자

- 101 : a〔one〕 hundred (and) one
- 153 : a〔one〕 hundred (and) fifty-three
- 365 : three hundred (and) sixty-five
- 623 : six hundred (and) twenty-three
- 750 : seven hundred (and) fifty
- 2,350 : two thousand (and) three hundred (and) fifty
- 3,800 : three thousand eight hundred [10)]
- 8,012 : eight thousand and twelve [11)]
- 9,542 : nine thousand five hundred and forty-two
- 520,002 : five hundred (and) twenty thousand and two
- 789,567 : seven hundred and eighty-nine thousand, five hundred and sixty-seven
- 2,000,000 : two million
- 130,000,000 : a hundred and thirty million
- 12,345,678 : twelve million, three hundred (and) forty-five thousand, six hundred and seventy-eight

분수와 소수

- 1/2 : a〔one〕half
- 1/4 : a quarter
- 3/4 : three quarters [12)]
- 4/462 : four over four-six-two [13)]
- 27/2 : twenty-seven over two
- 0.5 : (nought) point five
- 3.5 : three point five
- 0.1356 = point one three five six
- 1/3 : a〔one〕 third
- 1/8 : one eighth
- 1/16 : one sixteenth
- 20/83 : twenty over eight-three
- 3 3/10 : three and three over ten
- 0.75 : (nought) point seven five
- 56.7 : fifty-six point seven
- 0.15 = .15 = point one five

퍼센트(percent) 표기법

숫자와 함께 쓸 때는 'percent' 를 쓰고, 그렇지 않을 경우에는 'percentage' 를 쓴다.

예 • 30 percent

* '30 percentage' 라고 하지 않는다.

- small〔high / large〕 percentage : 적은〔높은 / 큰〕 비율로
- what percentage : 몇 퍼센트

---

10) 비교적 단순한 숫자일 경우에는 천단위와 백단위 사이에 and를 생략한다.
11) 백단위에 '0' 이 들어 있을 때는 thousand와 십단위 사이에 and를 붙인다.
12) ((주의)) 분자가 2이상의 숫자일 경우에 분모의 숫자는 복수형을 쓴다.
13) 'four over four hundred sixty-two' 라고도 한다.

4 한국 소개

외국인과 사귀다 보면 한국을 소개할 경우가 있다. 이럴 경우 이에 필요한 자료를 획득해야 한다. 외국인을 위한 영문판 한국 소개 책자들이 많이 있지만, 기본적인 내용을 잠깐 소개하기 위해서 별도의 시간과 노력을 들인다는 것이 그렇게 쉽지 않다. 따라서 이 절에서는 그러한 독자들의 수고를 덜어주기 위해서 한국에 대한 기본적인 소개 자료를 제시하였다.

개 요

기본 정보

- 공식 명칭(official name) : Republic of Korea〔R.O.K.〕
- 위치(location)
  East(동) : 131° 52′ 42″ E / West(서) : 124° 11′ 00″ W
  South(남) : 33° 06′ 40″ S / North(북) : 43° 00′ 39″ N
- 면적(area) : 222,154km^2 (South Korea : 99,313km^2)
- 인구(population) : About 70 million(S.K. : about 45 million as of '96)
- 수도(capital) : Seoul
- 기타 주요 도시(other major cities)
  Pusan, Taegu, Taejon, Kwangju and Inchon
- 화폐 단위(monetary unit) : Won (U.S. $1.0 ≒ ₩1,200)
- 국민 총생산(GNP) : About U.S. $400 billion
- 1인당 국민 소득(Per-Capita Income) : About U.S. $12 thousand
- 한국은 아시아의 동쪽 끝에서 남으로 뻗어 있으며, 한반도와 그에 인접한 3,500여 개의 섬으로 이루어져 있다.
  Korea stretches southward from the eastern end of Asia and consists of Korean Peninsula and about 3,500 islands adjacent to it. 1)
- 한국은 북으로는 중국, 러시아와 접해 있고, 동해를 가로질러 일본이 위치해 있다.
  Korea is bordered on the north by China and Russia and across the East Sea lies Japan.
- 한국 국토의 70%가 산으로 덮여 있다.
  70% of Korean territory is covered with mountains.
- 한국은 4계절이 뚜렷하다.
  Korea has four distinct seasons.

1) adjacent to ～ : ～에 인접한

- 한반도는 현재 북쪽의 '북한'과 남쪽의 '대한민국'으로 분단되어 있다.
 Korean peninsula is currently divided into the North Korea in the north, and the Republic of Korea〔ROK〕 in the south.
- 한국인들은 단일 언어를 사용하는 단일민족이다.
 The Koreans are one ethnic family speaking one language.
- 1994년 한국의 인구는 4,500백만을 넘었다.
 The population of the R.O.K. topped 45 million in 1994.
- 최근에는 전통적인 대가족 제도가 핵가족에 밀려나고 있다.
 Recently the traditional extended family system is giving way to the nuclear family.
- 대한민국은 공식적으로 1948년 8월 15일에 건국되었다.
 The Republic of Korea was officially established on August 15, 1948.

관광과 쇼핑

- 제주도는 신혼여행객에게 가장 인기 있는 곳이다.
 Cheju-do is the most popular destination for honeymooners.
- 서울의 남대문시장은 한국에서 가장 유명한 쇼핑 장소다.
 Namdaemun Market in Seoul is Korea's most popular〔renowned〕 place to shop.
- 남대문은 서울에서 외국인들이 관광하는 데 있어서 필수 코스다.
 Namdaemun is a must for foreigners'sightseeing in Seoul. [2)]
- 한국의 재래 시장에서 값을 깎는 것은 관례적이다.
 It is customary to bargain in Korean traditional markets.
- 남대문 시장에서는 수입품을 포함하여 상상할 수 있는 모든 상품을 구할 수 있다.
 Every conceivable item can be found in Namdaemun Market, including imported goods. [3)]
- 경복궁은 조선왕조 때 건립된 5개의 왕궁 중에서 가장 오래된 것이다.
 Kyongbok Palace is the oldest of five palaces which were built during the Yi Dynasty.
- 신라 왕국의 수도이며, 그 후 통일 신라국의 수도인 경주는 세계에서 가장 위대한 도시들 중에 하나였다.
 Kyongju, the capital of the Shilla Kingdom and of the United Shilla state thereafter, was one of the world's greatest cities.

2) a must : 절대로 필요한 것; 꼭 가봐야 할 곳; 꼭 들어야 할 것
3) conceivable : 생각할 수 있는; 상상할 수 있는

- 남산은 서울 시내 중심에 자리잡고 있어서, 시민들에게 좋은 휴식처를 제공해 준다.
  Namsan is located in the center of Seoul city and offers good resting place for citizens.
- 한국 민속촌은 조선 왕조시대 선조들의 생활상을 보여 준다.
  Korean Folk Village shows our ancestors' way of life during the Yi Dynasty.
- 설악산은 계절마다 독특한 경관을 자랑한다.
  Seoraksan boasts a unique natural setting each season.
- 제주도는 '동양의 하와이' 라는 별명을 연상케 한다.
  Cheju Island inspires the nickname "Hawaii of the Orient".
- 제주도는 거의 1년 내내 작물이 번창하는 아열대에 위치하고 있다.
  Cheju-do is located in a semi-tropical belt where crops flourish nearly year round.
- 제주도는 돌, 바람, 여자로 유명하다.
  Cheju-do is famous for rocks, wind and women.
- 제주도는 오렌지와 바나나의 주요 산지이기도 하다.
  Cheju-do is even a major producer of oranges and bananas.
- 창덕궁은 궁 중에서 가장 잘 보존되어 있다.
  Changdok Palace is the best preserved of the palaces.
- 왕족들은 비원에서 휴식하고 파티를 열었다.
  Members of royal family relaxed and held parties in Piwon.
- 황학동은 외국 및 한국의 골동품을 구입할 수 있는 시장이다.
  Hwanghak-dong is a market where ancient Korean goods as well as those of foreign countries can be found.

교 육

- 한국인들의 자녀에 대한 교육열은 지나치다 생각될 정도로 대단하다.
  Korean's passion for their children's education is so great that is thought to be excessive.
- 대부분의 학생들은 방과후에 사설학원에서 또는 개인교사와 함께 공부를 한다.
  Most students study after school at private institutions or with private tutors.
- 개인 교습을 받는데 투자되는 액수가 정규 교육비를 훨씬 초과한다.
  The amount of money invested in private tutoring far exceeds the amount spent for formal schooling.
- 중학교 학생들은 많은 추가적인 과목을 배우도록 요구된다.
  Students in middle school are required to take a number of additional subjects.

- 한국의 정규교육은 6년 기간의 초등학교, 각 3년 기간의 중학교와 고등학교, 4년 기간의 대학교 과정으로 이루어져 있다.
  Korean standard education consists of six years of elementary school, three years of junior and high school respectively, and four years of university. [4)]
- 일반적으로 초등학교의 교육 과목은 영어를 포함하여 9개 과목으로 구분된다.
  The elementary school curriculum is generally divided into nine subjects including English.
- 그 후 학생들은 인문 고등학교와 실업 고등학교 중에서 선택할 수 있다.
  Afterwards, students can choose between general education and vocational high schools.
- 대학입학시험 경쟁은 엄청나게 치열하다.
  The competition for college admission is notoriously stiff. [5)]

교 통

- 세계의 다른 주요 도시들처럼 서울도 심각한 교통 문제를 겪고 있다.
  Seoul suffers from severe traffic problems like other major cities around the world.
- 한국의 차량 사고율은 많은 선진국들에 비해 훨씬 높고, 사망률도 높다.
  The ratio of car accidents is very high in comparison to that of many advanced countries. The death rate is very high also.
- 교통 체증에 걸리는 걸 피하기 위해서는 러시아워에 차를 안 가지고 나가는게 현명하다.
  In order to avoid being trapped in traffic jam, it is wise not to take the car out during rush hours.
- 한국에서는 택시 잡기가 힘들기 때문에, 대부분의 사람들은 다른 승객과 자주 택시 합승을 해야 한다.
  Catching a taxi in Korea is difficult, so most people often have to share a cab with other passengers.
- 고급 택시는 요금이 상당히 더 비싸긴 하지만, 일반 택시보다 훨씬 더 좋은 서비스를 제공한다.
  Although the fares of deluxe taxies are considerably more expensive, they provide much better service than other taxies do. [6)]

---

4) 2년의 전문대학 : two years of special colleges
5) stiff : ((구어)) (물가가) 극도로 비싼; 엄청난; 단호한
6) deluxe : 호화로운, 사치스런, 고급스런 / articles deluxe : 사치품

기후〔날씨〕

봄

- 얼었던 겨울 땅이 녹고 새 생명이 싹튼다.
  The frozen ground thaws and new life sprouts. [7)]
- 산 정상의 눈이 녹기 시작하고 들판에 아침 안개가 낀다.
  Snow on the mountaintops begins to melt and the morning haze rolls across the fields. [8)]
- 3월초에는 전국에 걸쳐 입학식과 함께 새 학기가 시작된다.
  The new school year begins all across the country with matriculation at the start of March. [9)]

여 름

- 여름에는 비를 동반하여 매우 덥고 습하다.
  Summer is very hot and humid mixed with rain.
- 3~4주의 우기가 끝나면, 날씨는 맑지만 더 더워진다.
  After three or four weeks of rain, the weather clears but turns hotter.
- 해변과 휴양지는 피서를 하려는 휴가객들로 붐빈다.
  Beach and resort areas are crowded with vacationers trying to beat the heat.

가 을

- 날씨가 조금 서늘해지기 시작한다.
  The weather begins to cool a little.
- 맑은 하늘과 울긋불긋한 잎들이 아름답다.
  The clear sky and multicolored leaves are beautiful. [10)]
- 한국인들은 가을을 "천고마비(天高馬肥)의 계절"이라고 한다.
  Koreans say "The sky is high and the horse is fat." in the Fall.

겨 울

- 낙엽이 다 떨어져 없어지고 서리가 내린다.
  The leaves have fallen and it frosts.

---

7) thaw : 녹다 / sprout : (새) 싹; 싹이 트다〔트게 하다〕
8) haze : 아지랑이
9) matriculation : 입학식
10) multicolored : 다색의

- 때때로 폭설 때문에 산악지대의 교통이 차단된다.
Sometimes a heavy snow blocks traffic in the mountain regions.

명 절

설 날

- 1월말이나 2월초쯤에 있는 음력 설날에 대부분의 한국 가족들은 고향으로 내려간다.
Most families make a cross-country voyage to their hometowns for the Lunar New Year, which falls on late January or early February. [11)]
- 가족들은 차례를 지내면서 그들의 조상에게 음식과 술을 올린다.
Families offer food and drink to ancestors in a memorial ceremony. [12)]
- 떡국을 먹는 것은 한 살을 더 "먹는 것"을 의미한다고 한다.
We say that eating ttok-kuk〔rice cake soup〕 means "eating" another year.
- 설날에 다양한 음식을 먹지만, 모든 사람의 식탁에 오르는 공통적인 메뉴는 떡국이다.
The menu for this day varies, but common to every table is ttok-kuk.
- 설날은 여자들이 바깥 세상을 볼 수 있는 유일한 날이었다.
New Year's Day used to be the only time of the year that girls could see over the courtyard walls.
- 설날은 한국에서 두 개의 가장 큰 휴일 중의 하나다.
This is one of the two biggest holidays in Korea.
- 이날 특별하게 만드는 놀이는 줄다리기, 연날리기, 널뛰기 등이다.
Some of the games that make this day special are a tug of war, kite-flying, and see-sawing. [13)]
- 설날이 있는 주에는 사람들은 지난해의 일에 감사를 표시하고 새해에 행복하 기를 바라는 연하장을 서로 교환한다.
In the weeks preceding this day, people exchange cards to thank each other for deeds of the past and to wish each other a happy new year.

11) falls on ~ : ~(축제일 · 명절 · 일요일 등에) 해당하다
12) ancestor : 선조, 조상; ((법)) 피상속인; 원형 ((반의어)) descendant : 자손, 후예 / one's spiritual ancestor : 스승
13) tug of war : 줄다리기 / tug : 힘껏 끌어당기다, 끌다; 힘껏 당기기

- 아이들은 부모님과 가족들에게 덕담을 듣고, 그들의 나이와 서열에 따라 세뱃돈을 받는다.

  Children are rewarded with golden words of advice and pocket money, the amount depending on their age and position in the family.
- 어린이들의 경우, 이 날 가장 보편적인 관습은 색동한복을 입고 가족들 앞에 서 새해에 가족들이 행운이 있기를 기원하는 세배를 하는 것이다.

  For children, the most popular custom is dressing up in rainbow-colored silk Hanbok, performing the New Year's bow before all the elders of the family and wishing them fortune for the coming year.
- 어린이들은 어른들에게 절을 한 뒤에 세뱃돈을 받는다.

  Children receive cash gifts from their elders after bowing to them.
- 여자아이들에게 있어서, 널뛰기는 바깥 세상을 보는 창문이었다.

  For girls, the seesaw was their window to the world.
- 연날리기는 지난해의 불운과 질병을 하늘로 날려보내게 하는 매개체 역할을 하는 놀이다.

  Kite-flying is the medium by which the past year's bad luck and illnesses are released to the heavens.
- 우리는 음력 설날에는 떡국을 끓여 먹는다.

  We feast on rice cake soup on the lunar New Year's Day. [14)]
- 음력 설날에 우리는 어른들에게 세배함으로써 존경을 표시한다.

  On the lunar New Year's Day we pay respect to our elders by bowing to them.
- 이날은 지난해를 보내고 새해를 맞이하는 날이다. [15)]

  This day sends off the past year and ushers in the new year.
- 한국인은 실제로 새해를 두 번 쉰다.

  Koreans actually celebrates the New Year twice.
- 한국인들은 양력과 음력 양쪽으로 설을 쉰다.

  Koreans observe New Year's Day by both the solar and lunar calendar. [16)]

추 석

- 가족들은 전통적으로 이 날 새 옷을 받는다.

  Families traditionally receive new clothes on this day.

---

14) feast on ~ : ~을 많이〔흡족하게〕 먹고 즐기다
15) usher in : 알리다, 예고하다; 안내하다
16) observe : 관찰하다; (명절 등을) 쇠다 / solar : 태양의; 양력의 / lunar : 달의; 음력의

- '한가위' 라고도 알려진 추석은 풍작에 대한 추수감사절이다.
  Also known as Hangawi, it is a day of thanksgiving for a good harvest. [17)]
- 가족들은 조상들에게 술, 떡, 햇과일과 햇곡식으로 차례를 지낸다.
  Families pay their respects to their ancestors with wine, ricecakes, and newly-harvested fruits and grains.
- 가족들은 그날을 함께 쇠기 위해 각지에서 고향으로 간다.
  Families come home from all across the country to celebrate that day together.
- 추석에서 빼놓을 수 없는 것은 반달 모양으로 생긴 송편이다.
  The day is not complete without the half-moon shaped rice-cakes called songpyon.

기 타

- 가족들은 제사를 지내면서 조상들에게 음식을 바친다.
  Families offer food and drink to ancestors in a memorial ceremony. [18)]
- 한국에서는 2개의 달력 체제가 사용되고 있다.
  Two calendars are in use in Korea.

무궁화 · 태극기 · 한글

무궁화

- 한국의 국화는 "샤론 장미" 한국말로는 "무궁화"다.
  The Korean national flower is the rose of Sharon, or *Mugunghwa*. [19)]
- 이 이름에서 '무궁' 은 '영원한' 을, '화' 는 '꽃' 을 의미한다.
  The '*mugung*' part of the word '*mugunghwa*' means 'never-ending' and the word '*hwa*' means 'flower'.
- 무궁화는 꽁꽁 얼어붙는 겨울뿐만 아니라 악조건에서도 살아 남는다.
  Mugunghwa survives harsh conditions including freezing winter. [20)]
- 무궁화는 한국인의 정신과 끈기를 상징하는 꽃이다.
  Mugunghwa is the flower of the spirit and the will of Koreans.

---

17) harvest : 수확(기), 추수(기) / make a long harvest for [about] a little corn : 작은 일을 하여 큰 결과를 얻다 / an abundant [a bad] harvest : 풍작[흉작]
18) food and drink : 먹을 것과 마실 것, 음식물
19) rose of Sharon : 샤론의 장미; 무궁화(althea); 고추나물
20) harsh : 거친; (특히 감각에) 거슬리는; 불쾌한; 잔인한; 엄한; 심한

태극기

• 한국의 국기는 태극기다.
The national flag of Korea is called the Taegeukgi.
• 위의 적색 부분은 양(陽)을 나타내고, 아래의 청색 부분은 음(陰)을 나타낸다.
The red portion represents the yang and the blue portion the yin. [21)]
• 태극기는 평화, 조화 및 인류애를 상징한다.
The Taegeukgi symbolize peace, harmony and humanism.
• 태극기는 1882년에 최초로 고안되었다.
The Taegeukgi was first devised in 1882.
• 태극기는 1883년에 국기로서 정식 채택되었다.
The Taegeukgi was formally adopted as the national flag in 1883.
• 중앙의 빨강과 파란색 원은 우주를 상징한다.
The red and blue circle in the center represents the cosmos.
• 각 모서리의 막대들은 상충과 균형의 사상을 의미하며, 건, 이, 감, 곤이라고 한다.
The combination of bars suggests the ideas of opposites and balance, and called Keon, Yi, Gam, Gon. [22)]

한 글

• 한글은 14개의 자음과 10개의 모음으로 구성되어 있다.
Hangul consists of 14 consonants and 10 vowels.
• 매년 10월 9일을 한글날로 경축하고 있다.
Hangul Day is celebrated every October 9th.
• 최초에 훈민정음으로 불렸던 한글은 1446년에 발명되었다.
Hangul, the Korean alphabet(originally called Hunminchong-m) was invented in 1446.
• 한글은 배우고 쓰기가 매우 쉽다.
Hang l is very easy to learn and write.

스포츠

• 1984년 L.A. 올림픽에서 한국은 금메달 6개로 10위를 차지했다.
At the 1984 Los Angeles Olympics, Korea ranked tenth with six gold medals.

---

21) yang : ((동양 철학)) 양(陽)〔the positive / the male〕/ yin : ((동양 철학)) 음(陰)〔the negative / the female〕

22) 건(乾) = heaven : 막대 3개 / 이(離) = water : 막대 4개 / 감(坎) = fire : 막대 5개 / 곤(坤) = earth : 막대 6개

- 스포츠는 많은 한국사람들에게 일상생활에서 중요한 역할을 해왔다.
  Sports have come to play an important part in everyday life for many Koreans.
- 요즘 한국에서는 농구가 젊은이들 사이에서 가장 인기 있는 스포츠다.
  Basketball is the most popular sport among the younger generation in Korea these days.
- 최근에 한국 성인들에게 가장 인기 있는 스포츠는 골프와 테니스인 것 같다.
  Lately, the most popular sports for Korean adults seem to be golf and tennis.
- 태권도는 2000년 시드니에서 개최될 하계올림픽에서 정식 종목이 될 것이다.
  T'aekwondo will be a regular event at the Summer 2000 Olympics to be held in Sidney.
- 태권도는 모든 한국군들의 의무적인 군사훈련으로 편입되어 있다.
  T'aekwondo is incorporated into the compulsory military training of all Korean soldiers. [23)]
- 태권도는 제 10회 아시안 게임에서 경기 종목으로 채택되었다.
  T'aekwondo was adopted as a competitive sport in the 10th Asian Games.
- 태권도는 한국에서 2,000년 이상 발전되어 온 자기방어무술〔호신술〕이다.
  T'aekwondo is a self-defense martial art that has developed in Korea for over 2,000 years.
- 태권도는 한국의 국가적 스포츠가 되었다.
  T'aekwondo has become a Korean national sport.
- 프로 야구는 1982년에 창설되었다.
  A professional baseball was inaugurated in 1982.
- 한국 축구팀은 아시안 게임에서 3번이나 금메달을 획득한 적이 있다.
  A Korean soccer team has won the gold medal at the Asian Games three times.
- 한국에는 현재 8개의 프로야구 팀이 있다.
  There are eight professional baseball teams in Korea now.
- 한국에서 야구는 가장 인기있는 스포츠 중에 하나다.
  Baseball is one of the most popular sports in Korea.
- 한국은 1988년에 서울에서 하계 올림픽을 개최했다.
  Korea hosted the 1988 Summer Olympic Games in Seoul.
- 한국은 88올림픽에서 최종 금메달 수 12개로 4위를 차지했다.
  At the 1988 Seoul Olympics Korea ranked fourth in the final gold medal count with 12.

23) incorporate into ～ : ～으로 편입하다

- 한국은 아시아에서 프로 축구팀을 만든 최초의 국가였다.
  Korea was the first country in Asia to organize a professional soccer team.
- 한국인들은 전통적으로 축구를 좋아한다.
  The Korean people traditionally love soccer.

식생활

- 한국의 대표적인 고기 요리는 불고기다.
  Korea's representative meat dish is Bulgogi.
- 불고기는 소고기를 잘게 썰어서 여러 가지 양념과 버무려진 고기다.
  Bulgogi is dish finely sliced beef mixed with various spices. [24)]
- 대개 불고기는 외국인들이 가장 좋아하는 한국 요리다.
  Bulgogi is usually a favorite Korean dish for foreigners.
- 한국인의 가장 유명한 야채요리는 김치다.
  The best-known vegetable dish is Kimchi.
- 한국에서는 식사하러 가자고 제안한 사람이 그것에 대한 계산을 하는 것으로 여긴다.
  In Korea the one who suggested going out for a meal is expected to foot the bill for it. [25)]

식사 예절

- 참석 중인 최고 연장자가 식사를 시작하기 전까지 다른 사람들은 수저나 젓가락을 들면 안 된다.
  The others must not take up their spoons and chopsticks until the eldest person present begins eating.
- 식사가 끝날 때까지 숟가락을 식탁에 뒤집어 놔서는 안 된다.
  The spoon must not be placed back on the table until one finishes eating.
- 젓가락을 사용하지 않을 때는 식탁 위에 가지런히 놓아두어야 한다.
  The chopsticks must be placed in order on the table when not in use.
- 최고 연장자가 식사를 마치기 전까지는 아무도 식탁을 떠나서는 안 된다.
  No one may be excused from the table before the eldest finishes eating. [26)]
- 허락을 받지 않았을 때는 연장자 앞에서 담배를 피우지 마라.
  Don't smoke in front of elders unless invited to do so.

---

24) finely : 잘게
25) bill : ((구어)) 비용을 부담하다, 돈을 치르다
26) excuse : 용서하다, 참아주다; 변명하다; (사람을) 면제하다; ((구어)) 떠나게 하다

- 수저나 젓가락을 밥그릇에 수직으로 꽂아 놓아서는 안 된다. 그건 죽은 사람에 대한 제사를 지낼 때에만 하는 행위다.
  You must not stick your spoon or chopsticks straighten up and down in your rice bowl. That is done only at memorial rites for the dead.
- 식사 도중에 밥그릇은 들지 말고, 테이블 위에 놓아라.
  Don't pick up your rice bowl, and leave it on the table during the entire meal.
- 한국에서 밥은 보통 숟가락으로 먹는다.
  Rice is generally eaten with the spoon in Korea.
- 밥 한가운데에 구멍을 파는 것은 예의에 매우 어긋나는 것으로 여긴다.
  To dig a "crater" right in the middle of your rice bowl is considered very poor manners. [27)]
- 다른 사람이 식사하고 있는 중에 코를 푸는 것은 불손하다.
  It is impolite to blow your nose when anyone is eating.

역 사

- 한국은 수천 년의 역사를 지닌 독립국가다.
  Korea is an independent country with several millennia history.
- 한국은 나라의 전략적 위치 때문에, 주변 강대국들로부터 계속해서 침략을 받아왔다.
  Because of the country's strategic location, Korea has been invaded over and over by powerful neighboring countries.
- 기원전 2,333년 10월 3일에 조선이라는 한 나라가 한반도에 세워졌다.
  A nation called Dangun was established on the Korean Peninsula October 3, 2,333 B.C.
- 고조선 이후로 한반도는 고구려, 백제, 신라 등 3개 왕국에 의해 통치되었다.
  After ancient Joseon, the Korean Peninsula was ruled by the three kingdoms of Goguryeo , Baekje, Shilla.
- 7세기에 3개 왕국은 신라에 의해서 통일되었다.
  Three Kingdoms were unified by Shilla in the 7th century.
- 10세기초에 신라는 고려 왕조에 무너졌다.
  In the early part of the 10th century Shilla fell to the Goryeo Dynasty.
- 1392년에 고려 왕조는 조선 왕조에게 항복했다.
  The Goryeo Dynasty gave way to Yi Dynasty in 1392.

27) crater : 분화구, (폭탄 등의 폭발로 생긴) 구멍

- 일반적으로 세종대왕은 한국 역사에서 가장 현명하고 능력 있는 통치자로 여겨진다.
  King Sejong is regarded as the wisest and most gifted ruler in Korean history.
- 이순신은 전 시대를 통해서 가장 위대한 지휘관 중의 한 사람으로 위치하고 있다.
  Yi Sun-shin stands out as one of the greatest commanders of all time. [28)]
- 1910년에 조선 왕조는 일본에 합병되었다.
  Joseon Dynasty was annexed by Japan in 1910.
- 한국은 36년 동안 일본의 지배하에 있었다.
  Korea was under Japanese rule for 36 years.
- 1945년 8.15일에 한국은 일본으로부터 해방되었다.
  Korea was liberated from Japan on August 15, 1945.
- 한국은 해방 직후 제 2차 세계대전 종반에 분단되었다.
  Korea was divided shortly after being liberated at the end of World War Ⅱ.
- 1948년 8월 15일에 대한민국 정부가 수립되었다.
  The government of the Republic of Korea was established on August 15, 1948.
- 한국 전쟁은 한국을 황폐화시켰다.
  The Korean War left Korea devastated.
- 1970년대와 1980년대에 한국은 경제개발에 성공했다.
  During the 1970s and 1980s Korea succeeded in developing its economy.
- 오늘날 한국은 지방자치제와 3권 분립제를 실시하는 민주주의 선진국이다.
  Today Korea is an advanced country of democracy with a local self-government system and separation of the three powers of the government.
- 한국의 미래 최대의 정치적 목표는 평화적 통일을 달성하는 것이다.
  Korea's utmost political goal for the future is to achieve peaceful reunification.

가족 제도

- 한국의 대가족 제도는 오랜 전통이다.
  The Korea's extended-family structure has a long tradition.
- 부모에 대한 효도는 사람됨됨이의 척도로 여겨지고 있다.
  Filial piety has been considered a measure of character. [29)]

28) stand out : 돌출하다, 튀어나다; 눈에 띄다, 두드러지다
29) filial : 자식(으로서)의 / piety : 경건, 신앙심; 효심

- 가장이 모든 가족 일을 돌보고, 아랫사람은 윗사람의 가르침을 따르는 것이 관례다.
  It is customary that the head of the family oversee all family matters and the younger generations follow the teaching of the elders.
- 한국에서는 혈연이 매우 중요시된다.
  Blood ties are deemed extremely important.
- 요즘은 핵가족이 훨씬 더 보편화되어 있다.
  Nowadays, nuclear families are much more common.
- 요즘에는 도시화로 전통적인 가부장 체제가 약화되고 있다.
  The traditional patriarchal system has been weakening with the urbanization process.
- 3 세대가 함께 살고 있는 가족이 많이 있다.
  There are many families in which three generations live together.
- 대부분의 한국인들은 아직도 나이 드신 부모님을 부양하는 것은 장남의 의무로 여긴다.
  Most Koreans still considers it the eldest son's duty to support his parents in their old age.
- 한국 여성은 결혼 후에도 성을 그대로 유지한다.
  Korean women always keep their maiden name even after they are married.

음주 문화

- 술을 함께 마실 때, 한국인들은 다른 사람에게 술을 따라 준다.
  When drinking together, Koreans pour for one another.
- 술을 함께 마실 때, 파티의 최고 연장자에게 가장 먼저 술을 권한다.
  When drinking together, Koreans offer a drink to the eldest in the party first.
- 상대에게 존경을 표시하는 뜻에서 술을 따르거나 받을 때는 두 손을 사용한다.
  To show respect to others, both hands are used when pouring and accepting a drink.
- 보통 한 사람이 같은 자리에서 마신 술값을 모두 지불한다.
  Usually one person pays the entire tab for drinking at one place.[30)]
- 훨씬 연장자인 사람들과 함께 술을 마시는 경우, 술을 마시는 순간에 얼굴을 돌려라.
  While you are drinking in front of some very senior persons, turn your head away as you drink.

30) tab : ((구어)) 계산서, 전표

- 다른 사람의 잔이 비어 있는 걸 봤을 때는, 잔을 채워 줘라.
  Pour for others when you see that their glass is empty.

인사 문화

- 어떤 사람이 당신에게 어떤 일을 해 줬다면, "수고하셨습니다." 또는 "감사합니다."라고 말한다.
  If someone has done some work for you, you say, "수고하셨습니다." 31) or "감사합니다." 32)
- 어떤 사람이 당신에게 좋은 식사를 대접해 줬을 때는, "잘 먹었습니다."라고 말한다.
  When someone has treated you to a (good) deal, you say, "잘 먹었습니다." 33)

종 교

- 가톨릭은 조선 왕조 후반기에 들어왔다.
  Catholicism arrived in the second half of the *Choson* Dynasty.
- 유교는 조선 왕조시대에 국교로서 절대적으로 군림했다.
  Confucianism reigned supremely as the state religion during the Choson Dynasty.
- 유교는 중국으로부터 들어와서 국가, 사회 및 가족생활의 근본이 되었다.
  Confucianism arrived from China and became the philosophical basis of government, society, and family life.
- 불교는 삼국시대인 7세기에 중국으로부터 한국에 도입되었다.
  Buddhism was introduced to Korea from China in the 7th century, Three Kingdoms Period.
- 한국의 불교에는 세 개의 종파가 있다.
  There are three Buddhist orders in Korea.
- 한국인의 60% 정도가 종교를 가지고 있다.
  Some 60 percent of Koreans holds religious beliefs.
- 한국의 주요 종교는 기독교, 불교, 가톨릭교 등이다.
  The major religions in Korea include Protestant Christianity, Buddhism, and Catholicism.

❖ 관련 표현 : 종교(p. 1006)

31) "Thanks for your trouble." / "I appreciate what you have done."
32) "Thank you."
33) "I enjoyed the meal (so much)." / "Thanks for the meal."

주 거

- 자기 집을 갖는 것이 대다수 한국인들에게는 최대의 목표다.
  Owning homes is the most important objective of Koreans.
- 집값이 계속 오르기 때문에, 내 집 마련은 많은 사람들에게 먼 꿈으로 여겨진다.
  With the ever-rising cost of housing, owning houses remains a distant dream for many people.

활용어휘

- 가야금 : twelve stringed zither
- 궁궐 : royal residence
- 귀족 (사회) : the nobility
- 대금 : transverse bamboo flute
- 문화재 : cultural treasure
- 붓글씨 : brush-writing
- 비취색 장식 : jade pendant
- 수공예 : handicrafts
- 애국가 : national song〔anthem〕
- 연적(硯滴) : water-dropper
- 왕족 : royal family
- 장고(杖鼓) : Changgo / hourglass drum
- 전통 한국 의상 : traditional Korean dress
- 피리 : cylindrical oboe
- 국가 유산 : national heritage
- 궁중 음악 : court music
- 목공예품 : wooden article
- 문화 유산 : cultural heritage
- 백자(白磁) : white porcelain
- 붓꽂이 : brush-stand
- 사당〔성당(聖堂)〕 : shrine
- 식민 통치 : colonial rule
- 애국심 : patriotism
- 왕조 : Dynasty
- 제사〔차례〕 : ancestral ritual
- 청자 : blue porcelain
- 칠기(漆器) 작품 : lacquer work
- 한글 자모 : the Korean alphabet

부 록

5 발음과 한글의 영어 표기법

여기에 제시된 발음(pronunciation)은 한글로 표기를 했기 때문에 영어의 '원래 발음' 그대로를 표기할 수는 없는 한계가 있다. 따라서 말을 할 때는 사전에 제시된 정상적인 발음에 준하여 하되, 영어에 어느 정도 숙달이 되면 이와 같은 발음 현상을 실제로 적용해서 말을 해 보는 것이 좋을 것이다. 여기에 제시된 발음들을 참고하면 영어를 듣고 말하는 데 많은 도움이 될 것이다.

영어 발음

발음 기호(phonetic symbol)

모 음			자 음		
구 분	기 호	보기 단어	구 분	기 호	보기 단어
단모음	[iː]	see	파열음(破裂音)	[b]	job
	[i]	think		[d]	dead
	[e]	head		[g]	dog
	[æ]	gas		[k]	kick
	[aː]	calm		[p]	camp
	[ɔː]	talk		[t]	student
	[ɛ]	dairy	비음(鼻音)	[m]	madam
	[u]	foot		[n]	button
	[uː]	cool		[ŋ]	sing
	[ʌ]	sun	측음(側音)	[l]	look
	[ə]	bird			
	[əʳ]	doctor			
	[ə]	about			

모 음			자 음		
구 분	기 호	보기 단어	구 분	기 호	보기 단어
2중 모음	[ei]	tale	마찰음(摩擦音)	[f]	fire
	[ou]	low		[v]	view
	[ai]	strike		[θ]	think
	[au]	foul		[ð]	this
	[ɔi]	toy		[s]	seven
	[iəʳ]	hear		[z]	zoo
	[ɛəʳ]	care		[ʒ]	treasure
	[ɔəʳ]	door		[h]	house
	[aəʳ]	star		[r]	try
	[uəʳ]	sure		[j]	yellow
				[w]	window
			파찰음(破擦音)	[tʃ]	church
				[dʒ]	judge

연음 현상

- [r]의 연음 : 앞단어의 끝에 [r]이 올 경우 전치사(of, in, up), 관사(a, an) 또는 접속사(and)는 [r]과 연음되어 한 단어처럼 발음된다.
  here in[히어린] / here and there[히어랜데어ㄹ] / stir up[스터랍]
  some of the[써머브더] / never again[네버러갠] /
  for instance[포린스턴스] / bread and butter[브레든버러] /
  finger on it[핑거로닛]
- [t], [d]와 모음의 연음 : 앞단어의 끝소리 [t], [d]가 뒷단어의 첫소리 모음 또는 자신의 선행음이 "모음 + [r]"인 상태에서 뒷단어의 모음과 만날 경우 [t], [d]는 [r]로 발음된다.
  not at all[나 래 롤] / sort out[쏘 라웃] / Beat it[삐 릿]
  I bought it[아이 보– 릿] / I thought of it[아이 또 로브 잇]
  automatic[오러 매딕] / but I[버 라이] [1] / charity[채뤄리]

1) [벋 아이]의 [t]가 [r]로 1차로 약화된 후, 다시 [r]이 "I[아이]"와 연음되어 [버라이]라고 발음됨

designated[데지그네이릿] / go to work[고우 루 웍]
great idea[그뤠이 라이디어] / had a chance[해 러 챈스]
Is that a ~? [이스 대 러]

- [n]의 연음 : 앞단어 끝 [n]이 뒷단어 모음과 결합되면 한 단어처럼 발음한다.
  - [n]으로 끝나는 단어 다음에 약음절의 부사나 전치사가 올 경우
    open up[오프 넙] / turn off[터ㄹ-노프]
  - [n]으로 끝나는 단어 다음에 대명사가 올 경우
    turn it[터ㄹ- 닛] / clean it[클리- 닛]
  - 한 묶음으로 말하는 관용어구일 경우
    an apple[어 내플] / pen and ink[페 낸 잉크] / gone out[고우 나웃]
- 자음과 모음의 연음 : 앞단어의 끝 자음과 뒷단어의 첫 모음의 연음
  good at[그 댓 / 그 랫] / stand up[스탠 답] / knock out[낙 카웃]
  fill up[필 랍] / come in[커 민] / check in[체 킨] / worst at[워ㄹ스 탯]
  up and down[어 팬 다운] / out of[아우 로브] take it[테이 낏] /
  train or truck[츠레이 너ㄹ 츠럭] / would end up[우 덴 답] /
  back up[빽 갑] / Eiffel Tower[아이플 타워ㄹ] [2)]
  dog it[도- 깃] / gets again[게써 게인] / take a walk[테이- 꺼 웍]
- [d]와 [t]의 연음 : 앞단어의 끝소리 [d]와 뒷단어 첫소리 [t]가 마주칠 때, [d]는 [t]를 닮아 무성음 [t]로 발음되는 것이 일반적이지만, 앞단어의 끝소리 [t]와 뒷단의 첫소리 [d]가 마주치는 경우에는 [d]가 [t]에 동화되지 않고, 다만 앞단어의 끝소리 [t]는 매우 약화되어 발음된다.
  bad tapes[배- 테입즈] / sit down[씨(ㅌ) 따운]
- [d], [t]는 뒷단어 첫소리에 동화된다.
  good guy[국 가이] / that boy[댑 보이] / I'd better[아입 베러]
  It comes[익 컴즈] / get paid[갭 페이드] / good cook[국 쿡]
  got busy[갑 비지] / tell me[테엄 미] / that building[댑 빌딩]
- [n]과 [ð]의 연음 : [n]이 뒷단어의 첫소리 [ð]와 만나면 [ð]가 [n]처럼 들린다.
  in there[인 네어ㄹ] / been there[빈 네어ㄹ]
  on the table[온 너 테이블] / in this chapter[인 니즈 챕터ㄹ]
  and then[앤 넨] / and there's[앤 네어ㄹ 스]
- [d] 또는 [t]와 [θ] 또는 [ð]와의 연음
  - [-t]와 [θ-]가 합쳐져서 [θ]로 들린다.
    would think[우-씽ㅋ] / Pat throw[패 쓰로우]
  - [-t]와 [ð-]가 합쳐져서 약한 "ㄸ"로 들린다.
    get there[게 떼어ㄹ] / meet them[미 듬(뜸)]
  - [-d]와 [ð-]가 합쳐져서 매우 약한 "ㄸ" 또는 [ð]처럼 들림
    would they[우- 데이] / hide them[하이 듬] / about them[어바우 듬]

2) (프랑스 파리에 있는) 에펠탑

- [d], [t]와 [j]와의 연음 : 앞단어의 끝소리 [d], [t]가 뒷단어의 첫소리 [j]와 만나면 각각 [dʒ], [tʃ]로 발음한다
  would you[우 쥬] / could you[쿠 쥬] / meet you[미 츄]
  why don't you[와이 돈 츄] / brought you[브로- 츄]
  What held you up? → held you up[헬 쥬 업] /
  I thought you[아이 또 츄]
  Did you[뒤 쥬] / Mind your[마인 쥬어]
- [ð]와 [j]와의 연음 : [ð]가 뒷단어 [j]와 만나면 [ð]가 [dʒ]처럼 발음된다.
  with you : [wi] + [ju] → [wid ju] → [위 쥬]

중음 탈락

- 두 개의 자음 [s]와 [s] 또는 [t]와 [d]가 중복될 경우 앞 자음은 탈락되고, 뒷자음만 발음되어 단음화된다.
  gas station[깨스테이션] / must do[머쓰 두] / newsstand[뉴스탠ㄷ]
  book case[브케이스] / last time[을래스 타임] / support to[써포ㄹ- 투]
  forced to[포ㄹ스투] / soft drink[쏘-옵 즈륑ㅋ] 3) / just fine[저스 파인]
  next Monday[넥스(ㅌ) 먼데이] / for the next show[넥스(ㅌ) 쇼]
  had to[해터] / missed the bus[미쓰 더 버스] / round trip[라운츠륍]
  cost them[커스 듬]

파열음 탈락

- [b], [d], [g], [k], [p], [t] 탈락 : 파열음 [b], [d], [g], [k], [p], [t] 등이 다른 자음과 연결되면 거의 들리지 않고 음이 소멸된다.
  - 자음과 모음 사이에 있는 [d], [t]의 탈락
    kind of[카인 옵(돕)] / last week[을래쓰 위-ㅋ] / should have[슈러브]
  - [l], [m], [n] 다음에 [d], [t]음이 올 때 [d], [t]음의 탈락
    belt[벨ㅌ] / second[쎄컨ㄷ] / wouldn't[우든] / front desk[프런 데스크]
- [b], [d], [g], [k], [p], [t]의 탈락 : 뒷단어의 끝소리 [b, d, g, k, p, t]는 뒷단어의 첫소리가 자음일 때, 파열시켜 발음하지 않는다.
  big top[빅 탑] / pop song[팝 쏭]
- 3중 자음 가운데 위치한 [d], [t], [p]의 탈락
  secondly[쎄컨리] / grandfather[그랜파더ㄹ] / endless[엔리스] /
  recently[뤼쓴리] / softly[쏩-리] / empty[엠프티] / rest stop[뤠스탑] /
  Christmas[크리스마스] / perfectly[퍼퀙리] / sixths[씩스스] /
  tests[테스스] / last night[을래스 나잇] / gift-wrap[깁 랩] /
  coast line[코우슬 라인] / soft ball[쏩- 볼] /
  against the plan[어갠스 더 플랜]

---

3) [소프트 드링크]가 아니다.

부록

- 음절 자음의 [d], [t]의 탈락 : 강세가 없는 음절내의 [d], [t] 다음에 [n]이 왔을 때, 혀끝을 잇몸에 붙여 [d], [t]의 발음을 순간적으로 멈춘 후, 혀끝을 그대로 붙인 상태에서 비음(鼻音)으로만 [n]을 발음한다.

  button[벗,은] [4] / beaten[빗,은] / forbidden[포ㄹ빗,은] / fountain[파운,은]

  ((참고)) patterned interview[패런드 이너ㄹ뷰] : [드] 발음은 [런] 발음 다음에 바로 이어서 밖으로는 소리나지 않을 만큼 약하게 그리고 빠르게 갖다 붙여서 발음한다.

기 타

- [t], [d]가 [r]로 발음되는 경우
  - 앞선 모음에 강세가 있고 뒤따르는 모음에는 강세가 없는 경우

    w**a**ter[워러] / comp**u**ter[컴퓨러] / l**e**tter[레러] / l**a**dder[래러]
    compl**e**te it[컴플리릿] / acc**o**rding[어코링] / d**u**ty[듀리 / 듀디]
    sec**u**rity[씨큐어러리] / b**i**ttersweet[비러쓰윗] / that we're[더 뤄어]
    sh**o**rter[쇼-러] / v**i**sitor[뷔지러] / alr**e**ady[얼뢰리] / c**i**ty[씨리 / 씨디]
    should I[슈다이] → [슈라이] → [쉬라이] → [롸이]처럼 들림
    give it up[기브 잇 압] → [기브 이 랍] → [기비랍]
  - 앞선 모음에 강세가 있고 뒤에 [l], [m]이 올 때

    m**i**ddle[미를] / b**o**ttle[바를] / b**o**ttom[바름] / m**o**dem[모우름]

    * bottom, modem의 경우, 제 2음절의 모음 o, e가 탈락되어 발음된다.
  - 위의 두 조건을 만족하고 동시에 [t], [d] 앞에 [r]이 오는 경우

    p**o**rter[포러] / m**o**rtor pool[모러풀] / h**u**rdle[허를] / st**a**rtle[스타를]
- [-nt]에서 [t]의 탈락 : 앞에 있는 모음에 강세가 있고, 뒤에 오는 모음은 강세가 없을 때 [-nt]에서의 [t]가 탈락된다.

  adv**a**ntage[어드봬니쥐] / entert**a**iner[에너ㄹ테이너ㄹ]
  sentence[쎄넌스] / Atl**a**nta[애틀래나] [5]
  w**a**nted[워니드] / pr**i**nter[프리너] / id**e**ntify[아이데너퐈이]
  p**a**inter[패이너ㄹ] / p**o**inting[포이닝] / intern**a**tional[이너내셔널]

  * 기타 : front gate[프런 게잇] / when to[웨너]

  ((비교)) [-nt]에서 [t] 다음 모음에 강세가 있으면 [t]는 탈락되지 않는다.

  advant**a**geous[어드밴테이져스] / spont**a**neous[스판테이니어스]
- [d, l, n, r, s, t, z, θ, ð] 뒤에서의 [j]의 탈락

  news[누-스] / super[쑤-퍼ㄹ] / tune[투-운]
- [w] 뒤에서의 [h]의 탈락

  what[워ㄷ] / when[웬] / where[웨어ㄹ] / wheel[위-일] / whale[웨일]

  ((예외)) : who 계열의 의문사 : who[후], whose[후-즈], whom[훔]

---

4) [버튼]이 아니다.
5) 96년 올림픽을 개최한 미국의 도시명 '애틀랜타'

- [d], [t]와 [r]의 연음 : [d]나 [t] 뒤에 [r]이 오면 [d], [t]가 [r] 앞에서 마찰을 받아 각각 우리말의 "ㅈ", "ㅊ"과 유사하게 발음한다.
  hundred[헌즈뤳] / drink[즈륑ㅋ] / control[컨츠로울] / try[츠롸이]
- 단어 중간에서, 강세가 있는 모음의 바로 다음에 오는 강세 없는 모음은 대부분 탈락된다.
  chocolate[촤클릿] : o 탈락 / battery[배르리] : e 탈락
- 2음절의 단어의 대부분은 첫 음절에 강세가 있다.
  after / dollar / income / habit / tactics / ugly / vacant / weather
- 강세가 없는 음절의 모음은 대부분 발음이 약해서 들리지 않거나, 애매한 약모음 [어]로 발음되는 경우가 많다.
  American[(어)메리칸] / analysis[(어)낼러씨스] / delicious[덜리셔스] select[썰렉트] / Iraqui[쾌 퀴][6] / aspirin[애스프른] / medicine[메더쓴] direction[더렉션]
  * 위 단어의 밑줄친 모음은 거의 들리지 않을 정도로 약하게 발음된다.
- 앞단어의 끝소리[p, b, v], [t, d], [k, g]가 뒷단어의 첫소리 [m], [n]과 만나면 비음(鼻音)으로 발음된다.
  - [p, b, v]는 [m]으로 들림 : keep nothing[킴 나띵] / That means[댐 미인스]
  - [t, d]는 [n]으로 들림 : let me[을렌 미]
  - [k, g]는 [ŋ]으로 들림 : Big Mac[빙 맥]

  ((참고)) 이 경우 [m], [n], [ŋ]으로 들릴 뿐이지, 엄밀히 말하자면 앞단어와 뒷단어 사이를 극히 짧게 하고 그대로 발음하는 것이 가장 정확하다. 즉, let me[let mi] → [을렌미]로 들리고, 이렇게 발음해도 문제가 없지만, 엄격히 말하면 [을ㄹ미]가 정확한 발음이다.
- [l]이 단어 끝에 오거나 자음 앞에 놓이면 [o]와 [ə]의 중간소리로 발음한다.
  tell[테어][7] / called[코어드] / kill[키어] / help[헤업][8] / pal[파어] film[피음][9] / milk[미역][10]
- 앞단어의 끝소리 "유성음"이 뒷단어 첫소리 "무성음"과 만나면 "무성음"으로 발음된다.
  Is she ~ [이 쉬] / Why is he leaving soon?[와이 쉴 리빙 쑤-운][11] What's she like? [웟 쉴 라이크]
- "-ing[잉]" 발음의 약화 : [잉] → [인] → [은]으로 약화된다.

---

6) 이라크의
7) tear[테어ㄹ]라고 발음하면 안 된다. / tell의 발음에서 [어]는 혀를 위로 구부리는 것이 아니라, [어머니] 할 때의 [어] 발음이다. 즉 혀를 아래로 내려 깔아서 하는 발음이다.
8) [헬프]가 아니다.
9) [필름]이 아니다.
10) milk[미역] → [미어크] → [미억]에 가까운 발음이 된다. * [밀크]가 아니다.
11) why is he[와이 이스 히] → [히]를 일부러 강하게 발음하지 않는 이상 [이]로 발음됨 → [와이 이스 이] → [와이] + [이스]가 [와이스 → [와이스] + [이] → [와이시]로 발음된다. 이와 유사하게, [h]가 약화되는 경우의 Let her go.[레 러 고우] / Get him go right away.[게림 고우 롸이러 웨이]

coming up[커밍 압] → [커민 압]
talking about[토킹 어바웃] → [토킨 어바웃] → [토큰 어바웃]
What's going on?[12] [고잉 안] → [고인 안] → [고은 안]

- [-ts]는 [츠] 또는 [스]로 발음한다.
  artists[아르티스츠] / lights[을라이츠] / parents[패어런스]
- 정관사 the의 발음
  - 'the' 다음에 오는 단어의 첫음이 모음일 경우 [i : 디]로 발음한다.
    in the Olympic[인 **디** 올림픽]
  - 그 외에는 [ð : 더]로 발음한다. to the hospital[투 더 하스피를]
- [-ds]는 [즈]로 발음한다.
  foods[푸-즈] / sides[싸이즈] / kids[키즈]
- can과 can't의 발음 차이
  - can : [컨] 또는 [큰]으로 약화시켜 발음한다.
  - can't : [캐앤]처럼 can보다 강하고 약간 길게 발음한다. [캔트]라고 발음 하지는 않는다.

((참고)) 미국인과 중요한 업무 관계로 상대방의 가부 결정을 하는 데 있어서 발음상으로 can인지 can't인지 분간하기 어려울 때는 "You mean, cannot?(안 된다는 말씀이신가요?)"라고 묻는 것이 차후에 문제의 발생 소지를 없애는 가장 좋은 방법이다.

사용 빈도가 높은 표현들의 발음

- Have you been to the Folk Village in Yong-in? [비-누 더]
- He went out.[웬 아웃] → [웬트 아웃]이라고 발음하면 잘 알아듣지 못한다.
- Hop in![하 핀] : (차에) 타!
- How do you do?[하우 루 유 두]
- How're you doing?[하우 유 두잉]
- I don't mind that.[아(이) 론 마인 댓]
- I mean that[아(이) 민 댓]
- I think I can pay.[아이 띵카이 컨 페이]
- I think it's a great idea?[띵 키스 어]
- I think you've answered everything.[띵 큐브]
- I'll be back.[아일 비 백] → [아어 비 백] [13]
- What I mean[워 라이 미인]
- What do I owe you?[워루 아이 오우 유]
- What do you mean?[워루 유 미인]
- What do you think?[워루 유 띵ㅋ]

12) What's going on?[윗 쓰 고은 안] : 어떻게 지내세요[무슨 일이에요]?
13) [아이]가 [아]로 약화되고 [l]은 다음 단어가 자음이므로 모음처럼 소리난다.

- What does she do?[워ㅅ 더 쉬 두]
- Where's your family?[웨어ㄹ 쥬어ㄹ 페밀리]
- You and I[유 언 아이]

틀리기 쉬운 단어의 발음

- Asia[에이시어] : 아시아
- Martian[마-ㄹ션] : 화성인
- neon sign[니안싸인] : 네온사인
- among them[어멍듬]
- calendar[캘린더ㄹ] : 달력
- barbecue[바ㄹ비큐] : 바비큐
- buffet[버푸ㅔ이] : 뷔페
- orange[아륀쥐] : 오렌지
- curtain[커-ㄹ튼] : 커텐
- jacket[좨킷] : 재킷
- margarine[마ㄹ저린] : 마가린
- sofa[쏘우풔] : 소파
- peninsula[피닌슐러] : 반도
- banana[버내-너] : 바나나
- refrigerator[뤼프리줘레이러] : 냉장고
- robot[로우밧] : 로봇
- vitamin[봐이러민] : 비타민
- Santa Claus[쌔니클로-즈] : 산타클로스
- All right![오롸잇] : 좋아!
- Hong Kong[항캉] : 홍콩
- zero[지-어로우] : 제로, 영(0)
- cassette[커쎄ㅅ] : 카세트
- NATO[네이도우/네이로우] : 나토
- Panama[패너마] : '파나마' 국가
- label[을래이블] : 라벨
- bonus[보우너스] : 상여금
- because[비커어즈] : ~ 때문에
- clothes[클로우즈] : 옷, 의복
- curry rice[커뤼롸이스] : 카레라이스
- orchestra[아키스트러] : 오케스트라
- judge[젓쮜]
- model[마들] : 모델
- opera[아퍼라] : 오페라
- chocolate[좌컬릿] : 초콜릿
- pizza[핏저] : 피자
- plastic[플래스틱] : 플라스틱
- valentine[벨런타인] : 발렌타인
- mascara[매스커러] : 마스카라
- radio[뤠이디오우] : 라디오
- all of[오랍] : ~중에 모든 것(사람)
- pop song[팝쌍] : 팝송
- have to[해앱터] : ~해야 한다

줄임말 표현

주어(인칭 비인칭 대명사) + be 동사

- I'm[아임 / 암] = I am
- they're[데이어] = they are
- he's = he is 또는 he has [14)]
- you're [유어ㄹ] = you are
- we're[워어ㄹ] = we are
- she's = she is 또는 she has

주어(인칭) + 동사

- I'll[아일 / 알 / 아어] = I will
- he'll[히일] = he will
- you'll[유얼 / 유일] = you will
- she'll[쉬일] = she will

14) ((주의)) 'he[she] was' 는 he's[she's]로 단축해서 쓰지 않는다.

- we'll[위일] = we will
- I'd[앗] = I would
- that'll[대를] = that will
- they'll[데일] = they will
- I've[압] = I have
- it'll[이를] = it will

기 타

- gotta[가라] = got to = have to
- gonna[고나] = going to
- should'a[슈다] = should have
- shouldn'a[슈드나] = shouldn't have
- kinda[카인다] = kind of
- on'em[오늠] = on them
- must've[머스타] = must have
- might've[마이타] = might have
- wanna[워너] = want to
- won't[원-] : will not
- got'em[가듬 / 가름] = got them
- a lotta[얼라러] = a lot of
- of 'em[오븜] = of them
- C'mon[크몬] = Come on [15]
- could've[쿠다] = could have
- would've[우다] = would have

abbreviation과 acronym의 차이

'약어 줄임말' 이라는 뜻으로 abbreviation과 acronym이 있는데, abbreviation이란 머리 글자(initial)만으로 이루어진 단어를 말한다. 예를 들면 "ATM[Automated Teller Machine] : 현금자동지급기"에서 ATM을 abbreviation이라고 하고, acronym이란 abbreviation 중에서 USSR, USA처럼 한자 한자 따로 따로 읽지 않고, 약자 자체를 하나의 단어처럼 읽는 단어를 가리킨다. 예를 들면 'UNESCO[유네스코], NATO[나토]' 등과 같은 단어들을 일컫는다. 그리고 단축 표현은 회화체에서만 사용하고 문어체에서는 사용하지 않는다.

국어의 로마자 표기법 [16]

제1장 표기의 기본원칙

제1항 국어의 로마자 표기는 국어의 표준 발음법에 따라 적는 것을 원칙으로 한다.

제2항 로마자 이외의 부호는 되도록 사용하지 않는다.

제2장 표기 일람

제1항 모음은 다음과 같이 적는다.

단 모 음										이중 모음										
ㅏ	ㅓ	ㅗ	ㅜ	ㅡ	ㅣ	ㅐ	ㅔ	ㅚ	ㅟ	ㅑ	ㅕ	ㅛ	ㅠ	ㅒ	ㅖ	ㅘ	ㅙ	ㅝ	ㅞ	ㅢ
a	eo	o	ue	u	i	ae	e	oe	wi	ya	yeo	yo	yu	yae	ye	wa	wae	wo	we	ui

15) "Come on."의 여러 가지 의미 : ① Come on in.(어서 들어오세요.) / ② Come on, you guys!(자 너희들 덤빌 테면 덤벼봐!) / ③ Come on everybody!(자 여러분 함께 불러요.) → 공연장 등에서 / ④ Come on, let's start!(야, 빨리 출발하자) / ⑤ Come on, that's awful!(맙소사, 끔찍하군!) / ⑥ It just takes longer. Come on!(시간이 더 필요해. 서두르지 말고 진정해.)

16) 문화관광부 고시 제2000-8호(2000.7.7)

(붙임 1) ‘ㅢ’는 ‘l’로 소리 나더라도 ‘ui’로 적는다.
((보기)) 광희문 Gwanghuimun
(붙임 2) 장모음의 표기는 따로 하지 않는다.

제2항 자음은 다음과 같이 적는다.

파열음									파찰음			마찰음			비음			유음
ㄱ	ㄲ	ㅋ	ㄷ	ㄸ	ㅌ	ㅂ	ㅃ	ㅍ	ㅈ	ㅉ	ㅊ	ㅅ	ㅆ	ㅎ	ㄴ	ㅁ	ㅇ	ㄹ
g,k	kk	k	d,t	tt	t	b,p	pp	p	j	jj	ch	s	ss	h	n	m	ng	r,l

(붙임 1) ‘ㄱ, ㄷ, ㅂ’은 모음 앞에서는 ‘g, d, b’로, 자음 앞이나 어말에서는 ‘k, t, p’로 적는다.([ ]의 발음에 따라 표기함.)
((보기)) 구미 Gumi / 영동 Yeongdong / 백암 Baegam / 옥천 Okcheon / 합덕 Hapdeok / 벚꽃[번꼳] Beotkkot / 월곶[월곧] Wolgot / 한밭[한받] Hanbat
(붙임 2) ‘ㄹ’은 모음 앞에서는 ‘r’로, 자음 앞이나 어말에서는 ‘l’로 적는다. 단, ‘ㄹㄹ’은 ‘ll’로 적는다.
((보기)) 구리 Guri / 설악 Seorak / 칠곡 Chilgok / 임실 Imsil / 울릉 Ulleung / 대관령[대괄령] Daewallyeong

제3장 표기상의 유의점

제1항 음운변화가 일어날 때에는 변화의 결과에 따라 다음 각 호와 같이 적는다.

1. 자음 사이에서 동화 작용이 일어나는 경우
((보기)) 백마[뱅마] Baengma / 종로[종노] Jongno / 왕십리[왕심니] Wangsimni / 별내[별래] Byeollae / 신문로[신문노] Sinmunno / 신라[실라] Silla

2. ‘ㄴ, ㄹ’이 덧나는 경우
((보기)) 학여울[항녀울] Hangnyeoul / 알약[알략] allyak

3. 구개음화가 되는 경우
((보기)) 해돋이[해도지] haedoji / 같이[가치] gachi / 맞히다[마치다] machida

4. ‘ㄱ, ㄷ, ㅂ, ㅈ’이 ‘ㅎ’과 합하여 거센소리로 소리 나는 경우
((보기)) 좋고[조코] joko / 놓다[노타] nota / 잡혀[자펴] japyeo / 낳지[나치] nachi

* 다만 체언에서 ‘ㄱ, ㄷ, ㅂ’ 뒤에 ‘ㅎ’이 따를 때는 ‘ㅎ’을 밝혀 적는다.
((보기)) 묵호 Mukho / 집현전 Jiphyeonjeon
(붙임) 된소리되기는 표기에 반영하지 않는다.
((보기)) 압구정 Apgujeong / 낙동강 Nakdonggang / 죽변 Jukbyeon / 낙성대 / Nakseongdae / 합정 Hapjeong / 팔당 Paldang / 샛별 saetbyeol / 울산 Ulsan

제2항 발음상 혼동의 우려가 있을 때는 음절 사이에 붙임표(-)를 쓸 수 있다.
((보기)) 중앙 Jung-ang / 반구대 Ban-gudae / 세운 Se-un / 해운대 Hae-undae

제3항 고유명사는 첫글자를 대문자로 적는다. ((보기)) 부산 Busan / 세종 Sejong

제4항 인명과 성과 이름의 순서로 띄어 쓴다. 이름은 붙여 쓰는 것을 원칙으로 하되 음절 사이에 붙임표(-)를 쓰는 것을 허용한다.(( )안의 표기를 허용함.)
((보기)) 민용하 Min Yongha (Min Yong-ha) / 송나리 Song Nari (Song Na-ri)
(1) 이름에서 일어나는 음운변화는 표기에 반영하지 않는다.
((보기)) 한복남 Han Boknam (Han Bok-Nam) / 홍빛나 Hong Bitna (Hong Bit-na)
(2) 성의 표기는 따로 정한다. [17)]

제5항 '도, 시, 군, 구, 읍, 면, 리' 등의 행정 구역 단위와 '가'는 각각 'do, si, gun, gu, eup, myeon, ri, dong, ga'로 적고, 그 앞에는 붙임표(-)를 넣는다. 붙임표(-) 앞뒤에서 일어나는 음운변화는 표기에 반영하지 않는다.
((보기)) 충청북도 Chungcheongbuk-do / 제주도 Jeju-do / 의정부시 Uijeongbu-si / 양주군 Yangju-gun / 도봉구 Dobong-gu / 신창읍 Sinchang-eup / 삼죽면 Samjuk-myeon / 인왕리 Inwang-ri / 당산동 Dangsan-dong / 봉천1동 Bongcheon 1(il)-dong / 종로2가 Jongno 2(i)-ga / 퇴계로3가 Toegyero 3(sam)-ga
(붙임) '시, 군, 읍'의 행정구역 단위는 생략할 수 있다.
((보기)) 청주시 Cheongju / 함평군 Hampyeong / 순창읍Sunchang

제6항 자연지물명, 문화재명, 인공축조물명은 붙임표(-) 없이 붙여 쓴다.
((보기)) 남산 Namsan / 속리산 Songnisan / 금강 Keumgang / 독도 Dokdo / 경복궁 Gyeongbokgung / 무량수전 Muryangsujeon / 연화교 Yeonhwagyo / 극락전 Geugnakjeon / 안압지 Anapji / 남한산성 Namhansanseong / 화랑대 Hwarangdae / 불국사 Bulguksa / 현충사 Hyeonchungsa / 독립문 Deongnipmun / 오죽헌 Ojukheon / 촉석루 Cheokseongnu / 종묘 Jongmyo / 다보탑 Dabotap

제7항 인명, 회사명, 단체명 등은 그동안 써 온 표기를 쓸 수 있다.

제8항 학술연구 논문 등 특수분야에서 한글 복원을 전제로 표기할 경우에는 한글 표기를 대상으로 적는다. 이때 글자 대응은 'ㄱ, ㄷ, ㅂ, ㄹ'은 'g, d, b, l'로만

17) ((참고)) 미국인의 인명 표기법 : full〔complete〕name = first name[given name, christian name : 名] + (middle name) + last name[surname, family name : 性] ((보기)) John Fitzgerald Kennedy = Kennedy = John Fitzgerald = Kennedy Fitzgerald F.

적는다. 음가 없는 'ㅇ'은 붙임표(-)로 표기하되 어두에서는 생략하는 것을 원칙으로 한다. 기타 분절의 필요가 있을 때에도 붙임표(-)를 쓴다.
((보기)) 집 jib / 짚 jip / 밖 bakk / 값 gabs / 붓꽃 buskkoch / 먹는 meongneun / 독립 doglib / 문리 munli / 물엿 mul-yeos / 굳이 gud-i / 좋다 johda / 가곡 gagog / 조랑말 jolangmal 없었습니다 eobs-eoss-seubnida

부 칙

① (시행일) 이규정은 고시한 날부터 시행한다.
② (표지판 등에 대한 경과조치) 이 표기법 시행 당시 종전의 표기법에 의하여 설치된 표지판(도로, 광고물, 문화재 등의 안내판)은 2005년 12월 31일까지 이 표기법을 따라야 한다.
③ (출판물 등에 대한 경과조치) 이 표기법 시행 당시 종전의 표기법에 의하여 발간된 교과서 등 출판물은 2002년 2월 28일까지 이 표기법을 따라야 한다.

6 군사 영어

군사분야는 매우 광범위하고 특수한 분야로서, 그 내용을 전부 다루자면 책 한 권으로 정리하더라도 부족할 것이며, 또한 깊이 있는 부분까지 다루게 되면 생소한 표현들이 많을 것이다. 따라서 여기에서는 기본적인 회화표현과 자주 사용하게 되는 군사용어 중심으로 정리하였다.

기본 표현

계 급

A: What's your rank? (계급이 무엇입니까?)
B : Major.(소령입니다.)

• 저는 현재 소령인데, 중령으로 진급할 예정자입니다.
I'm promotable Major. 1)
• 김 장군님의 진급일자를 알고 싶습니다.
I'd like to know the DOR〔date of rank〕of General Kim.

근무지

A: Which unit do you work in? (어느 부대에서 근무하십니까?)
B : I work in the 501st MI Brigade. (501정보여단에서 근무합니다.)

• 언제 인사과로 전입왔습니까?
When did you come to the Personnel Management Branch?
• 한국에서의 근무경력이 있습니까?
Do you have any experience serving in Korea?
• 당신의 주요 근무경력에 대해서 말씀해 주십시요.
Please tell me about your significant duties and assignments.

직 책

A: What's your job title〔position〕?(직책이 무엇입니까?)
B : G1, the First Corps. (제1군단의 인사참모입니다.)

• 당신의 전 보직은 무엇입니까?
What is your previous assignment?

1) 현재 계급은 소령이나 진급심사에서 중령 진급예정자로 선발되어 실제 중령 계급장을 달기 전까지 부르는 명칭으로 군에서는 "진급예정자"〔진예자〕라고 하며, 문서에 표기할 때는 한글로는 "중령(진)", 영어로는 "Major(P)"라고 쓴다.

병 과

A: What's your branch?(당신의 병과는 무엇입니까?)
B : Military intelligence. (정보병과 입니다.)

참모 기능

- 인사참모는 인적자원과 관련된 제반 업무에 대해 지휘관을 보좌하는 주무참모 입니다.
  The G1 is the principal staff officer for the commander on all matters concerning human resources.
- 정보참모는 모든 군사정보 업무에 대해 지휘관을 보좌하는 주무참모입니다.
  The G2 is the principal staff officer for the commander on all military intelligence matters.
- 작전참모는 작전, 계획, 편성 및 훈련과 관련된 업무에서 지휘관을 보좌하는 주무 참모입니다.
  The G3 is the principal staff officer for the commander in matters concerning operations, plans, organization, and training.
- 군수참모는 보급, 정비, 수송, 근무 업무에서 지휘관을 보좌하는 주무참모입니다.
  The G4 is the principal staff officer for the commander in matters of supply, maintenance, transportation, and services.
- 민사참모는 군사작전에 영향을 미치는 민간요소, 군사작전이 민간인에세 미치는 정치 · 경제 · 사회적 효과〔영향〕와 관련된 모든 업무에서 지휘관을 보좌하는 주무 참모입니다.
  The G5 is the principal staff officer for the commander in all matters concerning the civilian impact on military operations and the political, economic, and social effects of military operations on civilian personnel. [2)]
- 공보장교는 언론매체와 관련된 업무를 합니다.
  The public affairs officer deal with media.

2) the effect of A upon〔on〕 B : A가 B에 미치는 효과〔영향〕

병과 종류(미군 기준)

구 분	한 글	영 어
전 투 병 과	보병	Infantry
	포병	Field Artillery
	기갑	Armor
	공병	Corps of Engineers
	항공	Aviation
	특수전	Special Forces
전 투 지 원 병 과	정보	Military Intelligence Corps
	통신	Signal Corps
	헌병	Military Police Corps
	화학	Chemical Corps
전투근무 지 원 병 과	부관	Adjutant General Corps
	군종(목사)	Chaplain Corps
	경리	Finance Corps
	법무	Judge Advocate General's Corps
	병기	Ordnance Corps
	병참	Quartermaster Corps
	수송	Transportation Corps
	의무	Medical Corps
	치의	Dental Corps
	수의	Veterinary Corps
	의무지원	Medical Service Corps
	간호	Army Nurse Corps
	전문의	Army Medical Specialist Corps

미군 병과 휘장

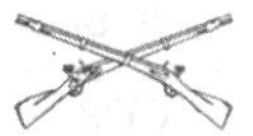
Infantry

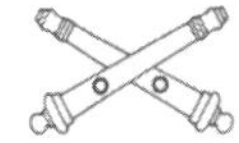
Field Artillery

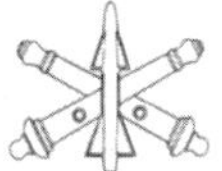
Air Defense Artillery

Armor

Corps of Engineers

Ordnance Corps

Aviation

Chemical Corps

Signal Corps

Adjutant General's Corps

Judge Advocate General's Corps

Chaplain (Buddhist)

Chaplain (Jewish)

Chaplain (Christian)

Chaplain (Muslim)

Military Police Corps

Military Intelligence

Transportation Corps

Quartermaster Corps

Finance Corps

Medical Corps

Dental Corps

Army Nurse Corps

Veterinary Corps

Medical Service Corps

Army Medical Specialist Corps

Special Forces

Warrant Officers

Officer's Insignia of Branch.

지휘관 및 참모 명칭

한 글	영 어	약 어
지휘관	Commander	CDR
부지휘관	Deputy Commander	Dep. CDR
참모장	Chief of Staff	CofS 또는 C/S
인사참모	Assistance Chief of Staff, G1 (personnel)	G1
정보참모	Assistance Chief of Staff, G2 (intelligence)	G2
작전참모	Assistance Chief of Staff, G3 (operations)	G3
군수참모	Assistance Chief of Staff, G4 (logistics)	G4
민사참모	Assistance Chief of Staff, G5 (civilian military operations)	G5
감찰참모	Inspector General	IG
정훈공보장교	Public Affairs Officer	PAO
부관참모	Adjutant General	AG
법무참모	Staff Judge Advocate	SJA
전속부관	Aides / Aide-de-Camp	
주임원사	Command Sergeant Major	CSM
본부사령	Headquarters Commandant	HQ CMDT
화력지원협조관	Fire Support Coordinator	FSCORD
헌병참모	Provost Marshal	PM

한 · 미군 계급

계 급	육 군	공 군	해 병 대	해 군
대장(O-10)	General [GEN]	General [GEN]	General [GEN]	Admiral [ADM]
중장(O-9)	Lieutenant General [LTG]	Lieutenant General [LtGen]	Lieutenant General [LtGen]	Vice Admiral [VADM]
소장(O-8)	Major General [MG]	Major General [MajGen]	Major General [MajGen]	Real Admiral (Upper Hall) [RADM(U)]
준장(O-7)	Brigadier General [BG]	Brigadier General [BGen]	Brigadier General [BGen]	Real Admiral (Lower Hall) [RADM(L)]
대령(O-6)	Colonel [COL]	Colonel [Col]	Colonel [Col]	Captain [CAPT]
중령(O-5)	Lieutenant Colonel [LTC]	Lieutenant Colonel [LtCol]	Lieutenant Colonel [LtCol]	Commander [CDR]
소령(O-4)	Major [MAJ]	Major [Maj]	Major [Maj]	Lieutenant Commander [LCDR]
대위(O-3)	Captain [CPT]	Captain [Capt]	Captain [Capt]	Lieutenant [LT]
중위(O-2)	First Lieutenant [1LT]	First Lieutenant [1stLt]	First Lieutenant [1stLt]	Lieutenant Junior Grade [LTJG]
소위(O-1)	Second Lieutenant [2LT]	Second Lieutenant [2ndLt]	Second Lieutenant [2ndLt]	Ensign [ENS]
준위(W)	Warrant Officer [WO]		Warrant Officer [WO]	Warrant Officer [WO]
원사(E-9)	Sergeant Major [SGM]	Chief Master Sergeant [CMSgt]	Master Gunnery Sergeant [MgySgt]	Master Chief Petty Officer [MCPO]
상사(E-8)	Master Sergeant [MSG]	Senior Master Sergeant [SMSgt]	Master Sergeant [MSgt]	Senior Chief Petty Officer [SCPO]
중사(E-7)	Sergeant First Class [SFC]	Master Sergeant [MSgt]	Gunnery Sergeant [GySgt]	Chief Petty Officer [CPO]
하사(E-6)	Staff Sergeant [SSG]	Technical Sergeant [TSgt]	Staff Sergeant [SSgt]	Petty Officer First Class [PO1]

병장(E-5)	Sergeant〔SGT〕	Staff Sergeant〔SSgt〕	Sergeant〔Sgt〕	Petty Officer Second Class〔PO2〕
상병(E-4)	Corporal, Specialist〔CPL〕	Senior Airman〔SrA〕	Corporal〔CPL〕	Petty Officer Third Class〔PO3〕
일병(E-3)	Private First Class〔PFC〕	Airman First Class〔A1C〕	Lance Corporal〔LCPL〕	Seaman〔SEAMAN〕
이병(E-2)	Private〔PV2〕	Airman〔Amn〕	Private First Class〔PFC〕	Seaman Apprentice〔SA〕
이병(E-1)	Private〔PV1〕	Airman Basic〔AB〕	Private〔PVT〕	Seaman Recruit〔SR〕

군 및 제대 명칭

구 분	한 글	영 어	약 어
각 군	육군	Army	
	해군	Navy	
	공군	Air Force	
	해병대	Marine Corps	
제 대	분대	Squad	
	소대	Platoon	PLT
	중대	Company	CO
	포대	Battery	BTRY
	대대	Battalion	BN
	연대	Regiment	RGT
	여단	Brigade	BDE
	사단	Division	DIV
	군단	Corps	
	야전군	(Field) Army	
	집단군	Group, Army	
	육본	Army Headquarters	
	합참	Joint Chief of Staff	JCS
	연합사	Combined Forces Command	CFC
	* 전구군	Theater Army	
	국방부	Ministry of National Defense	MND

* 전구군 : 주한 미8군, 주유럽 미군 등과 같은 규모의 제대를 가리킴

훈 장

미국 훈장

훈 장 명 칭	한 글	순 위
Air Medal	항공 훈장	18
Air Force Cross	공군 십자 훈장	4
Airman's Medal	공군 훈장	13
American Campaign Medal	미국 종군 훈장	35
American Defense Service Medal	미국 방위근무 훈장	33
Antarctica Service Medal	남극 근무 훈장	45
Armed Forces Expeditionary Medal	원정 훈장	46
Army Achievement Medal	육군 유공 훈장	21
Army Commendation Medal	육군 표창 훈장	20
Army of Occupation Medal	점령군 근무훈장(육군, 공군)	39
Bronze Star Medal	동성 훈장	15
China Service Medal	중국 근무훈장(해군, 해병)	42
Coast Guard Commendation Medal	해안경비대 표창 훈장	22
Coast Guard Medal	해안경비대 훈장	14
Combat Readiness Medal	전투준비 공로 훈장(공군)	25
Defense Meritorious Service Medal	방위 공로 훈장	16
Defense Superior Service Medal	방위 우수공로 훈장	8
Distinguished Flying Cross	수훈 비행십자 훈장	10
Distinguished Service Cross	수훈 십자 훈장(육군)	2
Distinguished Service Medal	수훈 훈장	6
European African Middle Eastern Campaign Medal	유럽 아프리카 중동지구 종군 훈장	37
Gold Lifesaving Medal	구명 훈장(금)	26
Good Conduct Medal	선행 포장	28
Joint Service Commendation Medal	합동근무 표창 훈장	19
Korean Service Medal	한국 근무 훈장	44
Legion of Merit	공로 훈장	9
Marine〔Navy〕 Corps Expeditionary Medal	해병〔해군〕원정 훈장	32
Medal for Human Action	구조작전 유공 훈장	40
Medal of Honor	명예 대훈장	1
Meritorious Service Medal	근무 공로 훈장	17

National Defense Service Medal	방위 근무 훈장	43
Naval Reserve Medal	해군 예비군 훈장	29
Naval Reserve Meritorious Service Medal	해군 예비군 근무유공 훈장	30
Navy & Marine Corps Medal	해군 해병대 훈장	12
Navy Achievement Medal	해군 유공 훈장	23
Navy Cross	해군 십자 훈장	3
Navy Occupation Service Medal	해군 점령군 근무 훈장	41
Organized Marine Corps Reserve Medal	해병대 예비군 훈장	31
Purple Heart	상이 기장〔상이 훈장〕	24
Silver Lifesaving Medal	구명 훈장(은)	27
Silver Star	은성 훈장	7
Soldier's Medal	용사 훈장(육군)	11
Vietnam Service Medal	월남근무 훈장	47
Women's Army Corps Service Medal	여군 근무 훈장	34
World War Ⅱ Victory Medal	2차대전 승전 훈장	38

Medal of Honor (Army)

대한민국 훈장

순위	훈장 명칭		영　어
1	무궁화 대훈장		Grand Order of Mugunghwa
2	건국 훈장 Order of Merit for National Foundation	① 대한민국장	Republic of Korea Medal
		② 대통령장	Presidential Medal
		③ 국민장	National Medal
3	국민 훈장 Order of Civil Merit	① 무궁화장	Mugunghwa Medal
		② 모란장	Moran Medal
		③ 동백장	Dongbaeg Medal
		④ 목련장	Mongnyon Medal
		⑤ 석류장	Songnyu Medal
4	무공 훈장 Order of Military Merit	① 태극	Taeguk Medal
		② 을지	Ulji Medal
		③ 충무	Chungmu Medal
		④ 화랑	Hwarang Medal
		⑤ 인헌	Inhon Medal
5	근정 훈장 Order of Service Merit	① 청조	Blue Stripes
		② 황조	Yellow Stripes
		③ 홍조	Red Stripes
		④ 녹조	Green Stripes
		⑤ 옥조	Aquamarine Stripes
6	보국 훈장 Order of National Security Merit	① 통일장	Tong-il Medal
		② 국선장	Gukson Medal
		③ 천수장	Chonsu Medal
		④ 삼일장	Samil Medal
		⑤ 광복장	Kwangbok Medal
7	수교 훈장		Order of Diplomatic Service Medal
8	산업 훈장		Order of Industrial Service Medal
9	새마을 훈장		Order of Saemaul Service Medal
10	문화 훈장		Order of Culture Merit
11	체육 훈장		Order of Sports Merit
12	포　　장		Medal of Honor

계급장(미군)

장교 계급장 (대장~준위)

AIR FORCE	ARMY	MARINES	NAVY
 General	 General	 General	 Admiral
 Lieutenant General	 Lieutenant General	 Lieutenant General	 Vice Admiral
 Major General	 Major General	 Major General	 Rear Admiral (Upper Half)
Brigadier General	Brigadier General	Brigadier General	 Rear Admiral (Lower Half)
 Colonel	 Colonel	 Colonel	 Captain
 Lieutenant Colonel (silver)	 Lieutenant Colonel (silver)	 Lieutenant Colonel (silver)	 Commander
 Major(gold)	 Major(gold)	 Major(gold)	 Lieutenant Commander
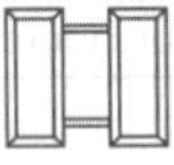 Captain(silver)	 Captain(silver)	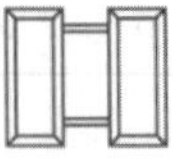 Captain(silver)	 Lieutenant

AIR FORCE	ARMY	MARINES	NAVY
First Lieutenant (silver)	First Lieutenant (silver)	First Lieutenant (silver)	Lieutenant Junior Grade
Second Lieutenant(gold)	Second Lieutenant (gold)	Second Lieutenant (gold)	Ensign
	SILVER BLACK SILVER BLACK W-4 Chief Warrant Officer W-3 Chief Warrant Officer	SILVER SCARLET SILVER SCARLET W-4 Chief Warrant Officer W-3 Chief Warrant Officer	W-4 Chief Warrant Officer W-3 Chief Warrant Officer
(None)	BLACK SILVER SILVER BLACK W-2 Warrant Officer W-1 Warrant Officer	GOLD SCARLET GOLD SCARLET W-2 Warrant Officer W-1 Warrant Officer	W-2 Chief Warrant Officer W-1 Warramt Officer

Note : Grade insignia of 2d lieutenant and major are gold; of other grades in Army, Air Force, and Marine Corps, silver. Naval insignia are gold. The Navy pin-on (collar) insignia are the same as for the other services except that the devices are smaller, and the enamel bands on the warrant officers' bars are navy blue.

부사관 · 병 계급장

AIR FORCE Current	AIR FORCE New	ARMY	MARINES	NAVY
	 Chief Master Sergeant of the Air Force (CMSAF)	 Sergeant Maior of the Amy (SMA)	 Sergeant Makpr pf tje Marine Corps (SgtMajMC)	 Master Chief Petty Officer of the Navy (MCPON)
 Chief Master Sergeant (CMSgt) First Sergeant (E-9)	Chief Master Sergeant (CMSgt) First Sergeant (E-9)	 Command Sergeant Major (CSM) Sergeant Major (SGM)	 Sergeant Major (SgtMaj) Master Gunnery Sergeant (MGySgt)	 Master Chief Petty Officer (MCPO) ★★ ★★★ Fleet Command Master Chief Petty Officer ★★ ★★★
 Senior Master Sergeant (SMSgt) First Sergeant	Senior Master Sergeant (SMSgt) First Sergeant (E-8)	 First Sergeant (1SG) Master Sergeant (MSG)	 First Sergeant (1stSgt) Master Sergeant (MSgt)	 ★★ Senior Chief Petty Officer (SCPO)
 Master Sergeant (MSgt) First Sergeant (E-7)	Master Sergeant (MSgt) First Sergeant (E-7)	 Platoon Sergeant (PSG) or Sergeant First Class (SFC)	 Gunnery Sergeant (GySgt)	 ★★ Chief Petty Officer (CPO)
Technical Sergeant (TSgt)		 Staff Sergeant (SSG)	 Staff Sergeant (SSG)	 ★★ Petty Officer First Class (PO1)
Staff Sergeant (SSgr)		 Sergeant (SGT)	 Staff Sergeant (SSgt)	 ★★ Petty Officer Second Class (PO2)
 Senior aiman (Sr Amn) Sergeant (Sgt)	Senior Aiman/ Sergeant	 Corporal (CPL) Specialist 4 (SP4)	 Corporal (Cpl)	 ★★ Petty Officer Third Class (PO3)
Aiman First Class (A1C)		Private First Class (PFC)	LanceCorporal (LCpt)	 Seaman (Seaman)
Aiman (Amn)		Private E-2 (PV2)	Private First Class (PFC)	Seaman Apprentice (SA)
Aiman Basic (AB) (no insignia)		Private E-1 (PV1)(no insignia)	Private (Pvt)(no insignia)	Seaman Recruit (SR)

7 시사용어

이 절에서는 영자 신문이나 영어 방송 청취 및 일상생활에서 빈번히 사용되는 시사 용어를 정리하였다. 영자 신문을 읽는데 있어서 신문 표제(headline)를 한 눈에 이해하기는 쉽지 않다. 신문 표제는 일반 영어 문법을 그대로 적용하지 않기 때문이다. 신문표제의 일반적인 특징은 다음과 같다. ① 'be 동사'가 생략된다. ② '현재형 동사'는 '과거'를 나타내며, 'to + 동사원형'은 '미래'를 나타낸다. ③ '콜론(:)'은 'said(말했다)'를 의미하고, '콤마(,)'는 'and'를 의미한다. 그리고 표제 용어는 제한된 지면과 함축적인 의미를 나타내기 위해서 글자 수가 적은 단어를 주로 사용한다.

신문 표제용어

- accord : 협정
- aid : 원조하다
- aim : 목표로 삼다
- air : 공표하다
- assail : 공격하다
- axe : 해고하다
- back : 지지하다
- bag : 획득하다
- balk : 방해하다
- ban : 금지하다
- bar : 금하다
- bare : 밝히다, 폭로하다
- bid : 제안, 기도, 시도
- bilk : (채권자 등을) 속이다
- blast : 폭발하다, 힐난하다
- blaze : 화재, 화염
- blow up : 과장하다
- body : 조직, 기관, 단체
- boost : 후원하다
- charge : 고소하다
- cite : 인용하다
- clash : 충돌하다, 대립하다
- clout : 영향력
- confab : 회의
- confer : 회담하다
- cop : 경찰관
- coup : 쿠데타
- crash : 충돌하다
- crush : 진압하다
- cut : 삭감하다
- deal : 협정, 거래
- demo : 시위
- dip : 허락하다
- down : 이기다, 격추하다
- drive : 운동
- drop : 철회하다
- due : ~할 예정인
- edge : 근소한 차이로 이기다
- envoy : 사절(단)
- ex : 전 (직) [1]
- eye : 주목하다
- face : 직면하다
- fake : 거짓의, 가짜의
- fete : 축하하다
- feud : 분쟁
- fire : 해고하다
- firm : 회사
- flay : 혹평하다
- foil : 무산[좌절] 시키다
- gain : 향상되다, 증가하다

1) ex-president : 전직 대통령

- grill : 엄하게 심문하다
- grip : 장악하다
- hail : 극찬하다
- halt : 정지하다
- heist : 강도
- hike : 인상하다, 끌어올리다
- hunt : 추적하다
- info : 정보(information)
- ink : 서명하다, 조인하다
- ire : 노하게 하다
- irk : 괴롭히다
- kick off : 시작(개시)하다
- lash : 공격하다
- laud : 칭찬하다
- lead : 선두에 서다
- map : 계획하다
- mar : 망쳐놓다
- mart : 시장
- meet : 대회
- mishap : 사고
- moot : 토의하다
- mull : 침묵하다
- nab : 체포하다
- name : 지명하다
- nip : 저지하다
- nod : 승인하다
- nuke : 핵무기
- OK : 승인하다
- opt : 선택하다
- oust : 추방하다
- pact : 협정
- parley : 회담, 교섭
- pay : 임금
- pick : 선택하다, 고르다
- plan : 계획하다
- plea : 탄원
- pledge : 서약하다, 약속하다
- plot : 음모를 꾸미다
- poll : 여론조사
- post : 직위, 지위에 오르다
- probe : 조사하다
- pry : 조사(하다)
- push : 추진하다
- quest : 찾다
- quit : 그만두다, 사직하다
- quiz : 질문하다
- rally : 대회, 집회
- rap : 비난하다
- re : ~에 관하여(regarding)
- rift : 불화
- rite : 의식, 예식
- rout : 참패시키다
- row : 불화, 다툼
- rue : 유감을 표시하다
- rule : 지배하다
- rush : 서두르다
- see : 조사하다, 예측하다
- set : 결정하다; 시작하다
- set : 시작하다
- shun : 피하다
- slap : 비난하다
- slay : 죽이다
- snag : 난관, (예기치 않은) 장애
- spur : 자극하다
- stage : 시행하다
- stall : 꼼짝못하게 하다
- stem : 저지하다
- stress : 강조하다
- sue : 고소하다
- suit : 소송
- swap : 교환(하다)
- sway : 영향을 주다
- talk : 회담
- term : 부르다, 칭하다
- ties : 관계
- tiff : 분쟁, 다툼

- tilt : 공격하다
- toll : 사망자 수
- top : 능가하다
- tot : 어린아이
- trim : 삭감하다
- up : 상승하다, 올라가다
- urge : 촉구하다, 요망하다
- veep : 부통령
- vex : 괴롭히다
- vie : 경쟁을 벌이다
- voice : 발언하다
- vow : 확언하다
- warn : 경고하다
- wed : 결혼하다

경제 · 무역

- (경기) 회복 : recovery
- (기업체) 노조 간부 : shop steward
- (미) 회계 감사원 : General Accounting Office
- (수출) 최저가격 : floor price
- 가격 안정 : price stability
- 가격 협정 : price cartel
- 감가삼각비 : depreciation cost
- 감독기관 : competent institutions
- 개발 차관 기금 : development loan fund
- 개발도상국 : undeveloped nation
- 개방 경제 : open economy
- 건설 용지 : construction lot〔plot〕
- 건설공사 : construction works
- 건축 자재 : construction materials
- 건축법 : Architect Act
- 견적 가격 : estimated value
- 경기 동향 : economic performance
- 경기 변동 : economic fluctuation
- 경기 부양책 : steps to spur the economy
- 경기 전망 : economic outlook
- 경기 후퇴 : economic recession
- 경기 활성화 정책 : economy-invigorating policy
- 경비 절감 : reduction of expenditure
- 경상수지 (흑자) : current account (surplus) / external plus
- 경상수지 적자 : current account gap〔shortfall〕
- 경영진 : the management
- 경영합리화 : rationalization of management
- 경쟁 가격 : competitive price
- 경쟁 입찰 : competitive bidding
- 경쟁력 : competing power
- 경제 기자 : financial editor
- 경제 단교 : rupture of economic relations
- 경제 봉쇄 : economic blockade
- 경제 성장률 : economic growth rate
- 경제 지표 : economic indicator
- 경제 침체 : economic slowdown
- 경제계 : economic world〔circle〕
- 경제공항 : economic crisis
- 경제란 : financial column
- 경제성장 : economic growth
- 경제적 난국 : economic hard time
- 경제적 제재 : economic sanctions

- 고도 경제 성장 : high-degree economic growth
- 고비용, 저효율 : high-cost, low-efficiency
- 고용률 : hiring rate
- 고정 수입 : fixed income
- 고정 자산 : fixed assets
- 공개 입찰 : open bidding
- 공기업 : public enterprise
- 공동 설립자 : co-founder
- 공산품 : manufactured goods
- 공업 단지 : industrial complex
- 공인회계사 : C.P.A. [2)]
- 공장 : industrial plants
- 공장 지대 : factory district
- 공장 폐쇄 : lockout
- 공정 거래 : fair deal / fair trade
- 공정 거래 위원회 : Fair Trade Commission
- 공제 조합 : mutual (aid) society
- 과소비 : excessive consumption
- 과잉 고용 : over-employment
- 관세 : tariff / custom duty
- 관세 장벽 : tariff wall 〔barrier〕
- 관세 협정 : customs agreement
- 교역량 : trade volume
- 구매력 : purchasing power
- 국가 기간사업체 : state utilities
- 국가 재정 : national finance
- 국고 세입 : public revenue
- 국민 소득 : national income
- 국민 총생산 : GNP [3)]
- 국산품 : home(-made) products
- 국영 기업 : state-managed company
- 국제 수지 : international balance of payment
- 규격 미달품 : article below standards
- 규격품 : standardized articles
- 균형 발전 : balanced development
- 근로 소득 : earned income
- 금융가 : Wall Street [4)]
- 기간 산업 : key 〔basic〕 industry
- 기술 격차 : disparity in technique
- 기업 윤리 : business ethics
- 긴축 정책 : retrenchment policy
- 낙찰가 : bid 〔contract〕 price
- 내정 가격 : reserve price
- 노동 인구 : labor force / working population
- 다국적 기업 : multinational enterprise
- 단체 교섭 : collective bargaining
- 대체 에너지 : alternative sources of energy
- 독과점 품목 : monopoly-oligopoly items
- 독점 판매점 : sole agency 〔agent〕
- 독점권 : exclusive privileges
- 만국 박람회 : international exhibition / world's fair
- 매상 장부 : sales book
- 매상 전표 : sales slip 〔check〕
- 면허세〔영업세〕 : franchise tax
- 무기한 파업 : indefinite strike
- 무기한 협약 : open-end agreement
- 무노동 무임금 : no work no pay principle

---
2) certified public accountant
3) GNP : gross national product
4) 뉴욕 증건거래소를 포함하여 금융기관이 밀집된 지역 / Wall(벽)은 인디언의 침입을 막기 위하여 만든 벽이 있었기 때문에 붙여진 이름이다.

- 무역 경쟁국 : trade rival
- 무역 마찰 : trade dispute 〔friction〕
- 무역 불균형 : trade imbalance
- 무역 상대국 : trade partner
- 무역 수지 : balance of trade
- 무역외 수입 : earnings on invisibles / invisible trade
- 무역외 수지 : invisible balance
- 무역량 : trade charge
- 무역수지 적자 : trade deficit
- 무연탄 : stone coal
- 물가 안정 : price stability
- 물가 지수 : price index
- 물가〔가격〕 동결 : price freeze
- 미국국산품 애용 : Buy American Move(ment)
- 미국의 재계 : Wall Street
- 밀수업자 : contraband trader
- 반기 결산 : half-yearly settlement
- 발전소 : generating station 〔plant〕
- 배타적 경제 수역 : EEZ [5)]
- 법인 단체 : body corporate
- 법정 관리 : legal management
- 변동 환율제 : floating exchange rate system
- 보복 관세 : retaliative tariff
- 보호 무역 : protective trade
- 보호 무역 제도 : protective system
- 보호 무역주의 : (trade) protectionism
- 부채 대 자기 자본비 : debt-equity ratio
- 불경기 : sluggish economy
- 불량품 : defective product
- 불합격품 : rejected article
- 비관세 장벽 : non-tariff barrier
- 사단 법인 : corporation aggregate
- 사양 산업 : fading industry / eclipsed 〔declining〕 industry
- 사업〔경영〕 정지권 : right to stop operation
- 사회 간접 자본 : SOC 〔social overhead capital〕
- 산업 공단 : industrial park
- 산유국 : oil producing country
- 산지 직결 유통체제 : direct distribution system
- 상〔하〕한선 : upper 〔lower〕 limit
- 상표권 : trademark right
- 상호 무역 : two-way trade
- 생산성 향상 : productivity improvement
- 생활비 지수 : cost-of-living index
- 석유 : rock oil / petroleum
- 석유 매장량 : oil reserves
- 석유 액화가스 : LPG [6)]
- 선적 송장 : shipping bill
- 선적 화물 목록 : shipping manifest
- 설비 투자 : plant investment
- 소비자 물가지수 : consumer price index
- 소비재 산업 : consumer goods industry
- 수력 발전소 : hydraulic power plant

---

5) EEZ : exclusive economic zone
6) LPG : liquefied petroleum gas

- 수산품 : marine products
- 수의 계약 : private〔free〕 contract
- 수입 관세 : import duties
- 수입 규제 : import regulations
- 수입 자유화 : import decontrol
- 수입품 : imports / imported articles
- 수출 불합격품 : export reject
- 수출 실적 : export performance
- 수출 총액 : export aggregate
- 수출 금지 품목 : embargoed articles
- 수출입업 : export-import trade
- 수출입 은행 : Export-Import Bank
- 순 이익 : net profit〔proceeds〕
- 시장 개방 : market opening
- 시장 점유율 : market share
- 시장 조사 : market research
- 시험 판매기간 : test time
- 실물 거래 : spot transaction
- 실물 경제 : object economy
- 실업률 : unemployment rate
- 심각한 경제난 : severe economic difficulty
- 액면가 : face value
- 어음 : bank paper
- 엄청난 경비 삭감 : deep cuts
- 예산 규모 : budget scale
- 예산 편성 : compilation of the budget
- 외채 : foreign debt
- 외환 보유고 : foreign exchange reserve
- 외환 시세〔환율〕 : foreign exchange rate
- 원유 : crude (oil)
- 원유 가격 : crude price
- 원유가 상승 : a rally in crude oil
- 원자 폭탄 : fission bomb
- 원자력 발전소 : nuclear plant
- 원자로 : nuclear actor
- 유령 회사 : phantom company
- 유지비 : running cost
- 유통구조 : distribution structure
- 유통 어음 : accommodation bill
- 유통업 : distribution industry
- 음성〔불법〕 거래 : unlawful deal〔transaction〕
- 인건비 : labor〔payroll〕 cost
- 일괄거래 : package deal〔offer〕
- 일괄 계약 : blanket contract
- 임금 분쟁 : dispute over pay
- 임금동결 : wage freeze
- 입찰 : public bidding
- 입찰 공고 : notice of tender
- 자립경제 : viable〔self-support〕 economy
- 자본 자유화 : capital decontrol
- 자본 제휴 : capital tied-up
- 자본증가〔증자〕 : capital increase
- 자본 집약 산업 : capital intensive industry
- 자회사 : subsidiary company
- 재고 조사 : stocktaking / inventory
- 재고량〔재고액〕 : floating supply
- 재고율 : inventory-to-sales ratio
- 재단법인 : (judiciary) foundation
- 재무재표 : financial statements
- 재정 적자 : deficit
- 저당 중개인 : mortgage broker
- 저임금 노동력 : low-wage manpower
- 적정 가격 : just price

- 적정 고용 : optimum employment
- 전경련 : F.K.I.[7]
- 전면 금지 : sweeping ban
- 정밀 상품〔기계〕 : precision goods
- 정부 보호사업 : featherbed industry
- 정부 용어 : Federal prose
- 정부 투자 기업 : government-invested co.
- 정유 공장 : oil refinery
- 제 3차 산업 : tertiary industry
- 제조업자 : manufacturer
- 조업 단축 : reduction of working hours / short-time operation
- 종신 고용제 : life-long employment system
- 주식〔합작〕회사 : joint-stock company
- 중공업 : heavy industry
- 중소기업 : medium and small industry
- 지불 매표 : payment slip 〔voucher〕
- 지불 외채 : foreign obligation payable
- 지출 삭감 : spending cut
- 차별 관세 : differential duties
- 착수금 : retaining fee
- 채권자 : creditor
- 총투자 : gross investment
- 최고 입찰자 : highest bidder
- 최대 전력 수요 : peak power demand
- 최종〔실〕 수요자 : end user
- 출금 전표 : paying-out slip
- 침체기 : slow period
- 투자 수익 : return on investment
- 특허권 : patent right
- 특허권 침해 : patent infringement
- 판촉 활동 : promotion campaign
- 한국 무역협회 : The Korea International Trade Association
- 한국 종합전시장 : KOEX[8]
- 합작사업 : joint venture 〔project〕
- 해외 무역수지 : foreign trade bal.
- 해외 투자 : foreign investment
- 현금 유통 : cash flow
- 현물 거래 : spot transaction
- 협정 관세율 : conventional tariff
- 호경기 : flush times
- 회계 연도 : fiscal year 〔FY〕

과학 · 우주

과 학

- 돌연변이 : mutation
- 반도체 : semiconductor
- 발견 : discovery
- 방사(선) : radiation
- 분자 : molecule
- 생명과학 : life science

7) F.K.I. : Federation of the Korean Industries
8) KOEX : Korea Exhibition Center

- 생물공학 : biological engineering
- 생물지리학 : biogeography
- 생체공학 : bioengineering / bionics
- 생태학 : ecology
- 생화학 : biochemistry
- 액정 : liquid crystal
- 연쇄 반응 : chain action
- 원자로 : reactor
- 유전학 : genetics
- 인공두뇌학 : cybernetics
- 인공지능 : artificial intelligence
- 전리층 : ionosphere
- 중성자 : neutron
- 지구물리학 : geophysics
- 진화 : evolution
- 초음속 비행기 : hypersonic plane
- 초음파 : ultrasound
- 해양공학 : oceanics
- 핵분열 : nuclear fission
- 핵융합 : nuclear fusion
- 화석 : fossil
- 화학 에너지 : chemical energy
- 화학 요법 : chemotherapy

우 주

- 궤도 비행 : orbital flight
- 달 탐사 : moon exploration
- 발사 : launch / lift-off
- 발사대 : launchpad / launching pad
- 발사기 : launcher
- 방송 위성 : broadcasting satellite
- 비행접시 : flying saucer
- 상용 위성 : commercial satellite
- 역 추진 로켓트 : retrorocket
- 연결 : linkup
- 우주 공간 : outer space
- 우주 시대 : space age
- 우주 여행 : space traveling
- 우주 왕복선 : space shuttle
- 우주 전쟁 : space war
- 우주 정류장 : space station
- 우주 탐험 : space exploration
- 우주과학 : space science
- 우주 비행사 : astronaut
- 우주선 : spaceship / spacecraft
- 우주인 : space alien
- 인공위성 : artificial satellite
- 정지 위성 : (geo)stationary satellite
- 정지 궤도 : geostationary orbit
- 제트 추진 : jet propulsion
- 첨단 산업 : pioneering industry
- 첨단과학 단지 : Science Park
- 태양 에너지 : solar energy
- 혹성 : planet [9)]

교 육

- 고등교육 : higher education
- 공립 국민학교 : common school
- 교육제도 : education system
- 교장 : headmaster / principal
- 교직원 : teaching staff
- 교직자 : school teacher

9) 9대 혹성 : 지구(earth), 수성(Mercury), 금성(Venus), 화성(Mars), 목성(Jupiter), 토성(Saturn), 천왕성(Uranus), 해왕성(Neptune), 명왕성(Pluto)

- 맹아 학교 : a blind and dumb school
- 모교(母校) : alma mater
- 모범〔시범〕학교 : model school
- 무료 교육 : free education
- 사립학교 : independent school
- 의무 교육 : compulsory education
- 인문 고등학교 : liberal high school
- 입시 학원 : cram school〈속어〉
- 주입식 교육 : cramming education
- 중등학교 : secondary school
- 청소년 선도 위원회 : juvenile guidance committee
- 초등학교 : elementary school
- 취학 연령 : school age
- 특수학교 : special school
- 평생 교육 : lifelong 〔continuing〕 education
- 학계(學界) : academic arena
- 학원 사찰 : inspection on campus activities

교 통

2륜 교통

- 1륜 자전거 : unicycle
- 2인용 자전거 : tandem
- 4륜 자전거 : four-wheeler
- 개조한 오토바이 : chopper
- 달구지 : oxcart
- 바퀴의 중심부 : hub
- 발판 : footrest
- (자선서의) 변속기 : derailleur
  * 자동차는 gearshift / gear-box((英))
- (자전거의) 보조 바퀴 : training wheel
- 세발자전거 : tricycle
- 소형 오토바이 : minibike
- 인력거 : rickshaw
- 자전거 도로 : bike route / cycle-track
- 좌석 버팀대 : seat stay
- 짐받이 : baggage carrier
- 체인 버팀대 : chain stay
- 체인 케이스 : chain guard
- 튜부 : inner tube
- 핸들 : handle bar
- 핸들 손잡이 : grip

도 로

- 4차선 도로 : four-lane way
- 간선도로 대피소 : pull-off
- 감속 차선 : deceleration lane
- 감속용 둔덕 : speed bump [10)]
- 갓길 : shoulder
- 거리 표지판 : milestone
- 거리표 : distance post
- 고속도로 : expressway / highway / freeway [11)]
- 고속도로 공포증 : freeway phobia

---

10) 주택지구, 학교 주변, 부대 앞 등의 도로에 평면보다 조금 높게 하여 자동차의 속도를 줄이도록 되어 있는 둔덕

11) highway와 freeway의 차이 : highway는 연방 정부에서 카운티(county)까지를 포함하여 공공조직이 관리하고 있는 모든 도로, 시의 도로 및 개인도로는 제외된다. freeway는 신호등이 없고 입체 교차로로 되어 있으며, 일정구간에 출입구가 있어서 이곳만을 통하여 진출입이 가능하다. 비즈니스 노선을 제외한 주간(州間) highway는 모두 freeway 시스템으로 되어 있다.

- 고속도로 교차로 : highway intersection
- 고속도로 진입 표시 : freeway on-ramp sign
- 고속도로 진입차선 : on-ramp
- 고속도로망 : expressway system
- 교차로 : intersection / rotary
- 구름다리(육교) : overpass
- 긴급 피난도로 : escape road
- 도로 보수반 : road gang
- 도로 안내서 : roadbook
- 도로 지도 : road map
- 도로 표지(판) : road sign
- 보도(步道) : sidewalk
- 보행자 전용 구역 : pedestrian precinct
- 중앙이 분리된 고속도로 : divided highway [12)]
- 비포장 도로 : dirt road
- 사설 전용도로 : occupation road
- 순환도로 : belt highway
- 아스팔트 포장도로 : blacktop
- 안전 지대 : safety island [zone] [13)]
- 완전히 뚫린 길 : clear shot
- 우회로 : relief road / bypass
- 유료 도로 : toll road
- 이정표 : milepost
- 인도 경계선 : curb
- 인도교(육교) : footbridge
- 일반 도로 : surface street
- 입체 교차 : grade separation
- 자동차로 안내도 : blue book
- 전방 일차선 : single lane ahead
- 주요 도로 : thoroughfare
- 주요 도로(수로) : artery
- 중앙 분리대 : median strip
- 지선 도로 : frontage road [14)]
- 지하도 : underpass
- 차선 분리대 : divisional strip
- 차선 분리선 : lane-dividing line
- 추월 차선 : fast lane
- 콜 박스 : call box [15)]
- 포장도로 : metallic [paved] road
- 횡단보도 : pedestrian crossing

기 타

- 가로등 : street lamp [light]
- 공공 교통수단 : public transportation
- 교통 마비 : traffic paralysis
- 교통 법원 : traffic court [16)]
- 교통 순경 : point constable
- 교통 신호등 : traffic light
- 교통 위반딱지 : (traffic) ticket
- 교통 정리 : traffic control
- 교통 정체 : snail-paced traffic [17)]
- 교통 체증 : traffic jam
- 교통 표지판 : traffic sign
- 교통 혼잡 : traffic disruption
- 교통의 중심지 : transportation hub
- 교통편 : transportation
- 규정(법정) 속도 : regulation speed
- 균일 요금 : uniform fare [rate]
- 난폭한 운전자 : road hog

12) 도로 중앙에 분리대가 있는 고속도로
13) 특히 차도 내에 표시된 안전지대
14) 고속도로와 평행으로 만든 연락 도로
15) 고속도로 등에 일정한 간격으로 설치되어 있는 전화 박스로 수화기만 들면 자동으로 연결된다.
16) ((美)) 교통법규를 위반한 운전자들을 처리하기 위해 도심지(town)나 시(city)에 설치된 법원
17) 달팽이 걸음만큼 느린 교통 체증

- 도로 상태 : road condition
- 땅 고르는 차 : road grader
- 많은 교통량 : heavy traffic
- 무개 화차 : flatcar / platform car
- 무단횡단자 : jay-walker
- 무단횡단 : jaywalking
- 무료 승차권 : (free) pass
- 무임 승차 : free ride
- 바리케이드 : road-block / barricade
- 버스 (전용) 차선 : bus lane
- 보행자 : pedestrian
- 불도저 : bulldoze
- 선도차 : pilot car
- 성능 : performance
- 소형 오픈 트럭 : pickup truck
- 속도 위반 : speeding
- 수송료〔선적료〕 : shipping rate
- 승객 명단 : passenger list
- 승차권 : passenger ticket
- 오프로드 카 : off-road car[18)]
- 자동 도로 조절장치 : automatic roadway system
- 전화호출 버스 : dial-a-bus
- 정기 승차권 : commutation ticket
- 정면 충돌 : head-on collision
- 제설 트럭 : snowplow
- 제한 속도 : speed limit
- 좌석 수 : seating capacity
- 차량 통근자 : commuter
- 차표 판매소 : ticket office
- 철야 운행 : all-night service
- 카풀 : car pool[19)]
- 콜 박스 : call box[20)]
- 통행 금지 구역 : no passing zone
- 통행 금지 시간 : curfew hour
- 통행 요금 : toll
- 통행료 징수소 : tollgate

군 사

계급(rank : 육군)

- 훈련소 신병(E-1) : Recruit / PV1
- 이병(E-2) : Private / PV2
- 일병(E-3) : Private first class〔PFC〕
- 상병(E-4) : Corporal〔CPL〕
  * 선임 상병(E-4) : Specialist〔SPC〕
- 병장(E-5) : Sergeant〔SGT〕
- 하사(E-6) : Staff Sergeant〔SSG〕
- 중사(E-7) : Sergeant First Class〔SFC〕
- 상사(E-8) : Master Sergeant〔MSG〕
- 일등상사〔원사〕(E-9) : Sergeant Major〔SGM〕
- 주임상사〔주임원사〕(E-9) : Command Sergeant Major〔CSM〕
- 준위 : Warrant Officer〔WO〕
  - 4등 : Chief Warrant Officer 1〔CW2〕
  - 3등 : Chief Warrant Officer 2〔CW2〕
  - 2등 : Chief Warrant Officer 3

18) 포장도로 외에서 사용되는 차
19) 여러 사람이 함께 차를 타는 것(rideshare)
20) 고속도로 노견상에서 사고 발생 신고를 할 수 있도록 설치된 전화 박스, 설치 간격 400m, 수화기만 들면 자동적으로 교환이 응답한다.

〔CW3〕
- 1등 : Chief Warrant Officer 4 〔CW4〕
- 소위(O-1) : Second Lieutenant 〔2LT〕
- 중위(O-2) : First Lieutenant 〔1LT〕
- 대위(O-3) : Captain 〔CPT〕
- 소령(O-4) : Major 〔MAJ〕
- 중령(O-5) : Lieutenant Colonel 〔LTC〕
- 대령(O-6) : Colonel 〔COL〕
- 준장(O-7) : Brigadier General 〔BG〕
- 소장(O-8) : Major General 〔MG〕
- 중장(O-9) : Lieutenant General 〔LTG〕
- 대장(O-10) : General 〔GEN〕

※위에서 괄호 안의 'E(E-1, O-10 따위)'는 'enlisted man(사병)'을 의미하고, 'O'는 'officer(장교)'를 의미한다.

제대(echelon)

- 분대 : squadron
- 소대 : platoon
- 중대 : company
- 대대 : battalion
- 연대 : regiment
- 여단 : brigade
- 사단 : division
- 군단 : corps
- 군사령부 : army
- 육군본부 : Army headquarters
- 연합사 : CFC [21]
- 미 8군 : EUSA 〔Eighth U.S. Army〕
- 주한 미군 : USFK [22]

병과(branch)

- 보병 : infantry
- 포병 : artillery
- 기갑 : armor
- 공병 : engineer
- 통신 : signal (corps)
- 헌병 : military police (corps)
- 화학 : chemical (corps)
- 의무 : medical (corps)
- 정보 : military intelligence
- 병기 : ordnance (corps)
- 병참 : quarter master (corps)
- 부관 : adjutant general's (corps)
- 경리 : finance (corps)
- 항공 : aviation (corps)
- 법무 : judge advocate general's (corps)
- 감찰 : inspector general
- 공보 : public information

전쟁과 전투

- 총력전 : all-out war
- 대리 전쟁 : proxy war
- 전면전 : total war
- 냉전 : cold war
- 전격전 : blitzkrieg
- 우발 전쟁 : accidental war
- 작전 개시일 : D-day
- 교전 : engagement

21) CFC : Combined Forces Command
22) USFK : United States Forces in Korea

- 사격(하다) : fire
- 동원 : mobilization
- 평화유지군 : peace-keeping forces
- 전쟁 : warfare
- 전투 : combat
- 재래식 전쟁 : conventional war
- 내전〔내란〕 : civil war
- 제한 전쟁 : limited war

장비와 무기

- 항공모함 : aircraft carrier
- 구축함 : destroyer
- 전투기 : fighter
- 수류탄 : hand grenade
- 미사일 : missile
- 지뢰 : mine
- 박격포 : mortar
- 핵 폭탄 : nuclear bomb
- 어뢰 : torpedo
- 항공기 : aircraft
- 기관총 : machine gun
- 소총 : rifle

금 융

- 가계수표 : household check
- 개인수표 : person check
- 개인연금 계좌 : Individual Access Number
- 계약 기한 : the term of contract
- 계약 불이행 : nonperformance of contract
- 계약 조항 : contract clauses
- 계약 총액 : total contract amount
- 계약 해제 : cancellation of contract
- 계좌 주인 : account holder
- 공동 보증인 : cosurety / joint surety
- 공인회계사 : CPA [23)]
- 국영〔주립〕 은행 : state bank
- 국책 은행 : government-run bank
- 금리 인하 : interest rate cut
- 금리 재조정 : readjustment of interest rate
- 금본위제 : gold standard system
- 금융 기관 : financial agency
- 금융 부조리 : malpractices at banks
- 금융 시장 : money market
- 금융 완화 : easing of monetary conditions
- 금융 지원 : financial favors
- 금융가 : financial district
- 금융단 : syndicate
- 금융 실명제 : real-name accounting system
- 금융회사 : finance company
- 금의 이중 가격제 : two-tiered gold market
- 기관 투자가 : institutional investor
- 대금청구서〔송장〕 : invoice
- 만기 어음 : matured bill
- 만기일 : due date
- 무담보 채권 : plain bond
- 무효 계약 : void contract
- ((美)) 준비은행 : reserve bank
- 백지 수표〔어음〕 : blank check

23) CPA : Certified Public Accountant

- 법정 준비금 : (legal) reserve fund
- 보증 수표 : certified check
- 보증금 : the security deposit
- 보증인 : guarantor
- 부가세 : supertax
- 부도 수표 : bounced book
- 비밀 번호 : PIN [24)]
- 사채 시장 : private money market
- 상환 조건 : credit terms
- 시중 금리 : open market interest rate
- 신용 거래 : dealing on credit
- 신용 대부 : signature loan
- 신용 조사 : credit research
- 신용도 : credit rating
- 신용카드 : check〔credit〕 card
- 신용카드 신청서 : credit card application
- 신탁 계좌 : trust account
- 신탁 은행 : trust bank
- 약속 어음 : advance〔promissory〕 note
- 양도성 예금증서 : NCOD [25)]
- 어음 유통기간 : currency of a bill
- 에스크로우 : escrow
- 여행자 수표 : traveler's check
- 연리 : APR〔Annual Percentage Rate〕
- 외환 보유고 : foreign exchange reserves
- 우편 예금 : mail-in deposit
- 원화 결제 : won settlement
- 원화 절상 : upvaluation of the won
- 원화 차관 : won credit
- 원화의 환율 변동 : won floating
- 월부 : monthly installment
- 위조 화폐 : counterfeit money
- 은행 보증수표 : cashier's check
- 은행 비밀 계좌 : secret bank accounts
- 은행 (지불) 준비금 : bank reserve
- 은행권〔지폐〕 : bank note [26)]
- 은행업 : banking
- 이월 잔액 : balance carried forward
- 자기앞 수표 : cashiers check
- 장기 금리 : long-term interest rate
- 장기 저리 차관 : long-term easy credits
- 장기 저리 융자 : long-term low-interest loan
- 재무재표 : financial statement
- 전국 통용 신용카드 : major credit card
- 정식 계약 : formal contract
- 조회기 : proof machine
- 중도해약 반환금 : surrender value
- 증명서 교부 : Certification
- 지불정지 지시 : stop payment
- 채권 : bond
- 채권국 : creditor nation〔power〕
- 채무 불이행 : non-fulfillment of a obligation
- 채무 상환 : redemption of a debt
- 채무 이행 : fulfillment of an obligation
- 채무국 : debtor nation〔power〕
- 통화 팽창 정책 : expansionary monetary policy
- 특혜 금융 : preferential financing

24) personal identification number(통장이나 카드로 예금 인출시 기재 또는 입력하는 비밀 번호)
25) NCOD : Negotiable Certificate of Deposit
26) 발권〔한국은행 총재 직인 필〕 이전의 조폐국에서 찍은 지폐

- 특혜 대우 : preferential treatment
- 평가 절상 : raise in parity
- 할인 어음 : discounted bill
- 환시장 : exchange market
- 환율 : foreign exchange rate
- 환전대 : money changer
- 회수 불능 융자 : uncollectible loan

노동 · 고용

- 1인 1일 노동량 : man-day
- 감원 : work force reduction
- 고객서비스 : customer service
- 고급 인력 : high-quality human resources
- 공정 고용 : equal-opportunity employment
- 근무 조건 : working conditions
- 근무 평정 : efficiency rating
- 기회 균등 : equal opportunity
- 노동 쟁의 : labor dispute
- 노동권법 : right-to-work law
- 노동집약적 : labor-intensive
- 노동 착취 공장 : sweat shop
- 노사관계 : labor relations / management-labor relations
- 노조 : trade union
- 노조 간부 : union leader
- 노조 대표 : shop steward
- 단체 교섭 : collective bargaining
- 대규모 직원 : large staff
- 두뇌 노동 : brain [mental] work
- 복직 : reinstatement of a worker
- 봉급생활자 : wage earner
- 부당 해고 : unfair dismissal
- 사직 권고 : advice to resign
- 성차별 : sex discrimination
- 성차별주의자 : sexist
- 실업 수당 : employment compensation
- 실직[실업] : unemployment
- 이직률 : turnover rate
- 임금 격차 : wage differential
- 임금 동결 : wage freeze
- 임금 사정위원회 : Pay Board
- 임금 인상 : pay raise
- 임금 인상 요구 : pay claim
- 임금 인상 투쟁 : fight for higher wages
- 저임금 근로자 : low-wage earner
- 저임금 노동 : cheap labor
- 전문 용어 : terminology
- 정년[퇴직 연령] : retirement age
- 정년 퇴직제 : mandatory retirement system
- 조건부 임용 : conditional appointment
- 종신 연금 : life pension [annuity]
- 주 5일 근무제 : five-day week
- 주당 근로시간 : work week
- 직업 재해 : occupational hazards
- 직업병 : industrial disease
- 직제 개편안 : restructure plan of office
- 처우 개선 : betterment of condition
- 체불 임금 : overdue wage / wage unpaid
- 총파업 : general strike
- 최저 임금 : minimum wage
- 충원[징병] 계획 : levy plan
- 취업 연령 : working age
- 취업난 : job scarcity
- 취업률 : percentage of employment
- 파업권 : right to strike

- 파업을 하다 : take strike action
- 한 자리수 인상 : single-digit raise
- 해고 수당 : discharge allowance / dismissal pay
- 해고율(퇴직율) : quit rate
- 현장 연수 : OJT (On the Job Training)

도서 · 출판

- 3회 연재물 : serial in three installment
- 가십 신문 : scandal sheet
- 감수자 : chief editor / supervisor
- 개정판 : revised edition
- 공포 만화 : horror comic
- 구독료 : subscription fees (rates)
- 국회 도서관 : National Assembly Library
- 권두사 : foreword / preface
- 기간호 : back numbers
- 기고가 : contributor
- 단편 소설 : short story
- 도서 인수실 : delivery room
- 만화책 : comic-book
- 문학작품 : literary work
- 별책 부록 : separate-volume supplement
- 보급(염가)판 : popular edition
- 산문 : prose
- 서고(書庫) : stack room
- 서류꽂이 : paper-file
- 서사시 : epic
- 서정시 : lyric
- 속독 : speed-reading
- 시사 잡지 : current magazines
- 시집(詩集) : poetical works
- 연재 소설 : serialized novel
- 예약 구독자 명부 : subscription book
- 외국어 관용구집 : phrase book
- 우주 (여행)소설 : space fiction
- 운문 : verse
- 원고 : manuscript (M.S.)
- 원고 편집(교열)원 : copy editor
- 원고료 : contribution fee
- 원고지 : manuscript paper
- 월간 잡지 : monthly journal
- 이솝 이야기 : Aesop's Fables
- 인쇄술 : the art of printing
- 일반 대중 잡지 : mass circulation
- 일반 잡지 : horizontal publication
- 일요 특집판 : Sunday features
- 일화 : anecdote
- 자유 계약 작가 : freelance writer
- 저술가의 조수 : hack
- 저작권(판권) : copyright
- 전문 잡지 : class magazine / vertical publication
- 전문 지식 : specialist knowledge
- 접어 넣은 페이지 : foldout
- 정기간행물 : periodicals
- 정부 기관지 : government organ
- 제 1 권 : the first volume
- 제작 후기 : production note
- 주간(월간)지 : weekly (monthly) (magazine)
- 주석자 : commentator
- 주인공 : protagonist
- 증보판 : enlarged edition
- 짝수 페이지 : even page
- 책갈피 : book mark(er)
- 책꽂이 : book shelf
- 초고(草稿) : (rough) draft (copy)
- 총 발행 부수 : total circulation

책과 관련된 용어

책등 : spine / 귀 : joint / 밑홈 : groove / 속표지 : title page / 윗 여백 : head / 아랫 여백 : tail〔edge〕 / 옆여백 : inside margin / 테두리 : edge / 색인 홈 : thumb index / 서문(序文) : preface / 목차 : contents / 본문 : text / 감사말 : acknowledgements / 바치는 글 : dedication / 범례 : explanatory notes / 각주 : footnote / 색인 : index / 표지 : first cover

- 추천 도서 : reading list
- 출판 대행사 : literary agent
- 출판〔발행〕부수 : number of issues
- 출판 기념회 : celebration of the publication
- 출판비 : publishing costs
- 출판사 : publishing house
- 타블로이드 : tabloid [27)]
- 통속 소설 : French〔dime〕 novel
- 특별판 : special edition [28)]
- 특집호 : special number〔issue〕
- 판권 소유자 : copyrighter
- 편집 후기 : editor's comments
- 풍자 : satire
- 풍자 소설 : satirical novel〔story〕
- 해적판〔표절판〕 : pirated edition
- 화보 : pictorial magazine

돈 · 재산

돈 · 재산

- (교회) 헌금함 : poor box
- 5만 달러 정 : $50,000 Only
- 가계부 : housekeeping book
- 가처분 소득 : disposable income
- 거지 : panhandler
- 거지 근성 : the beggar
- 검소한 생활 : plain living
- 경화(硬貨) : coin
- 고리 대금업자 : juice dealer〈속어〉
- 고리(高利) : usurious rate
- 고리대금 : loan at high interest
- 공과금 : public utility bills
- 공금 : public money
- 공제조합 : benevolent society
- 공제 후 봉급 : take home pay [29)]
- 공짜를 좋아하는 사람 : free loader
- 공채 : public debt
- 구두쇠 : skinflints
- 구입 대금 : purchase money
- 국채 : the national debt
- 균형 예산 : balanced budget
- 근로 소득 : earned income
- 금고 : cashbox
- 금전출납부 : journal book
- 길에서 주운 돈 : fairy money
- 깍쟁이〔구두쇠〕 : penny pincher
- 내화(耐火) 금고 : salamander
- 돈 많은 전문 직업인들 : loaded professionals
- 동전교환기 : coin changer

27) 타블로이드 판 신문 : 많은 그림, 연재 만화 따위가 있고 뉴스를 알기 쉽게 기재한 보통 신문의 절반 크기의 신문
28) 마감 후의 뉴스를 넣은 내용
29) 공제액을 제외하고 실제 집에 가지고 가는 급여

- 돼지 저금통 : piggy bank
- 모금 운동 : fund-raising campaign
- 모금함 : collection〔collecting〕 box
- 미국 달러지폐 : green back
- 미수 총액 : uncollected amount
- 백만 달러(거금) : megabuck〈속어〉
- 벌금(배상금) : smart money
- 법정 상속인 : heir-at-law
- 벼락부자 : overnight millionaire / upstart / nouveauriche
- 복권 : lottery
- 부당 이득 : profiteering
- 부정 거래 : shady traction
- 부정 축재 : tainted fund
- 부정 축재자 : illicit fortune maker
- 부활절의 헌금 : Easter offerings
- 분담액 : allotment / alloted amount
- 비상금 : emergency money / case-dough〈속어〉
- 사채 시장 : curb loan market
- 사채업자 : private money lender
- 상당한 금액 : considerable sums
- 상속권 : inheritance / heirship
- 상속세 : inheritance〔succession〕 tax
- 생계비 : living cost
- 세무사 : licensed tax accountant
- 억만장자 : multimillionaire
- 여자 휴대 비상금 : mad money
- 용돈(아내에게 주는) : pin money
- 월급쟁이 : salaried worker
- 위조 지폐 : counterfeit〔fake〕 note
- 자산 동결 : freezing of assets
- 잔여 재산 : residual property
- 잡비 : petty expense [30)]
- 재산 공개 : asset disclosure
- 재산 목록 : list of property
- 재산 압류 : seizure of property
- 재산 해외 도피 : property flight overseas
- 재산권 : property right
- 재산세 : property tax
- 저금통 : saving box / still bank
- 전당포 : hock shop
- 제일 큰 몫(알짜) : the lion's share [31)]
- 중상류층 : upper middle class
- 증여 재산 : settlement
- 지갑 : wallet / pocketbook
- 지폐 : paper currency / bill
- 차용증서 : due bill
- 찬조금 : contribution / donation
- 채무 한계 : debt limit
- 촌지 : little token of appreciation
- 촌지 : small present
- 크레디트 카드 : plastic money
- 퇴직 후 대비 적금 : retirement kitty
- 특별 예산 : extraordinary budget
- 특별 장려금 : push money [32)]
- 푼돈(껌값) : chicken feed
- 항목별 청구서 : itemized bill
- 핸드백(돈지갑) : pocket book
- 헌금접시 : offering plate
- 현금 : ready cash〔money〕
- 화폐 제도 : monetary system

30) petty : 작은, 사소한, 시시한
31) 이솝 우화에 나오는 '단물', '노른자위'
32) 외판원 등에게 지불하는 판매 촉진 장려금

세 금

- 갑근세 : the Grade A income tax
- 고액 납세자 : high tax payer
- 고액 소득자 : large-income earner
- 고지서 : (written) notice
- 공공 요금 : public utility fares
- 공제액 : deducted amount
- 과세 소득 : taxable income
- 과세대상 품목 : taxable product
- 과세율 : tax rate
- 납세 고지서 : tax paper 〔notice〕
- 납세 기일 : tax day
- 납세 의무 : liability to taxation
- 납세필증 : tax clearance
- 누진과세 : progressive taxation
- 면세 : tax exemption
- 부당 과세 : unreasonable taxation
- 부당 이득 : undue 〔excessive〕 profit
- 부당 이득세 : excess profits tax
- 비과세 : tax exemption
- 비과세 소득 : non-taxable income
- 비과세품(목) : tax-free articles
- 상속세 : inheritance tax
- 세관 절차 : customs formalities
- 세금 공제 : tax relief
- 세금 삭감 : tax cutting
- 세금 포탈 : tax evasion
- 세금 포탈자 : tax evader
- 세금 혜택 : tax favor
- 세무 공무원 : revenue official
- 세무 사찰 : tax investigation
- 세입 세출 : revenue and expenditure
- 세제 특혜 : tax favor 〔privileges〕
- 소득세 신고 : income tax return
- 수입 관세 : revenue tariff 〔tax〕
- 연방 부가세 : federal sales tax(ation)
- 원천 징수 : collection at the source
- 이중 과세 : double taxation
- 일률 과세〔소득세〕 : flat tax
- 자진 신고 납세 : self assessment
- 재산세 : property tax
- 조세 징수 : tax collection
- 종합 소득세 : composite income tax [33]
- 증여세 : gift tax
- 집세 지불 거부 : rent strike
- 체납금 : arrears / arrearage
- 체납자 명부 : delinquent list
- 초과 소득세 : excess income tax / excess profits duty
- 추징금 : additional imposition
- 탈세 : tax evasion
- 특별 과세 : special assessment [34]
- 특별 소비세 : special exercise tax
- 특혜 관세 : preferential tariff

33) 소득세 종합 신고서 : joint return
34) 공공사업의 이익을 받는 시설 · 재산에 대해서 세금을 부과하는 것

동물〔생물〕

곤충 · 미생물

- 개미탑 : anthill
- 거머리 : leech
- 거미 : spider [35)]
- 곰팡이 : mold
- 귀뚜라미 : cricket
- 균류 : fungi
- 기생충 : tapeworm
- 꿀벌 : honeybee
- 꿀 벌집 : honeycomb
- 나방 : imago
- 날개 : wing
- 노랑나비 : pale clouded yellow
- 누에 : silkworm
- 단세포 동물 : one-celled animal
- 딱정벌레 : beetle
- 메뚜기 : locust
- 모기 : mosquito
- 무당벌레 : ladybird
- 미생물 : microscopic organism
- 바퀴벌레 : cockroach / roach
- 배추흰나비 : cabbage butterfly
- 번데기 : chrysalis / pupa
- 벌 : bee [36)]
- 벼룩 : flea
- 빈대 : bedbug
- 성충(成蟲) : adult
- 세균류 : bacteria
- 아메바 : ameba
- 애벌레 : caterpillar
- 야광충 : noctiluca
- 원생동물 : protozoa
- 유충 : larvae
- 이 : louse [37)] / pants rabbits
- 자벌레 : measuring worm
- 잠자리 : dragonfly
- 장구벌레 : wiggler
- 전갈 : scorpion
- 조류 : algae
- 지네 : centipede
- 지렁이 : earthworm
- 진드기 : mite
- 짚신벌레 : paramecium
- 촉각 : antenna
- 파리 : fly
- 플랑크톤 : plankton
- 하늘 가재 : stag beetle
- 하루살이 : mayfly

수중 생물

- 가재 : crayfish
- 갈치 : scabbard fish / cutlass fish
- 개구리 : frog
- 거머리 : leech
- 게 : crab [38)]
- 고등어 : mackerel
- 고래 : whale
- 공기주머니 : bladder
- 굴 : oyster
- 금붕어 : goldfish
- 꽁치 : saury pike

35) 거미줄 : web
36) 꿀벌 : honeybee / 땅벌 : bumblebee / 숫벌 : drone / 여왕벌 : queen bee / 일벌 : worker(bee) 호박벌 : hornet / 벌집 : hive
37) 복수형은 lice
38) 참게 : horseshoe crab / helmet crab

- 날치 : flying fish
- 넙치 : flatfish [39)]
- 다시마 : tangle
- 달팽이 : snail
- 대구 : cod
- 도마뱀 : lizard
- 도미 : porgy
- 돌고래 : dolphin / sea hog
- 말미잘 : seaflower
- 맛조개 : razor clam
- 망둥이 : goby
- 문어 : octopus
- 물개 : fur seal
- 물소 : water-buffalo
- 미꾸라지 : loach
- 바다사자 : sea lion
- 바다표범 : seal
- 바닷조개 : seashell
- 방울뱀 : rattlesnake
- 배스 : bass [40)]
- 뱀장어 : eel
- 복어 : puffer
- 불가사리 : starfish
- 붕어 : crucian carp
- 비늘 : scale
- 빙어 : pond smelt
- 새우(작은 것) : shrimp [41)]
- 소라 : top shell / turbo
- 소라게 : hermit crab
- 송어 : trout
- 식인상어 : man-eating shark
- 아가미 : gills
- 연어 : salmon
- 오징어 : cuttlefish / squid
- 우렁이 : mud snail
- 우뭇가사리 : agar-agar
- 유영 동물 : nekton
- 은어 : sweet smelt
- 인어 : merman / mermaid
- 잉어 : carp
- 전복 : abalone
- 정어리 : sardine / pilchard
- 조개 : clam
- 지느러미 : fin [42)]
- 진주조개 : pearl oyster
- 참치 : tuna
- 청개구리 : hyla / tree toad
- 청어 : herring
- 칠성장어 : lamprey
- 톱상어 : saw shark
- 파래 : laver
- 하마 : river horse / hippo
- 해마 : sea horse
- 해면 : sponge
- 해초 : seaweed
- 홍합 : mussel

육상 생물

- (가금의) 부리 : bill
- (말 등의) 발굽 : hoof
- 갈기(사자, 말 등) : mane
- 고라니 : elk
- 고슴도치 : porcupine
- 고양이 : cat [43)]
- 곰 : bear
- 기린 : giraffe

39) 큰 넙치는 halibut
40) 붕어처럼 생긴 농어의 일종
41) lobster : 왕새우 / prawn : 보리새우, 참새우(shrimp와 lobster의 중간 크기)
42) dorsal fin : 등 지느러미 / tail fin : 꼬리 지느러미
43) 수코양이는 tomcat, 암코양이는 she-cat, 얼룩고양이는 tabby, 새끼 고양이는 kitten / 고양이의 울음소리는 'mew〔meow〕' 라고 한다.

- 낙타 : camel
- 너구리 : raccoon dog
- 노루 : roe deer
- 노른자 : yolk
- 다람쥐 : squirrel
- 닭 : chicken [44)]
- 담비 : marten
- 돼지 : pig [45)]
- 두더지 : mole / mole shrew
- 뒷다리 : hind leg
- 들개 : wild dog
- 들쥐 : vole
- 말 : horse [46)]
- 맹견 : fierce dog
- 물갈퀴 : web
- 발톱 : claw
- 볏 : comb
- 부채꼴 꼬리 : fantail
- 비비(개코 원숭이) : baboon
- 사냥개 : field dog
- 사슴 : deer [47)]
- 사자 : lion
- 살무사 : viper
- 살쾡이 : wildcat
- 생쥐 : mouse
- 소(수컷) : ox [48)]
- 수달 : otter
- 순록 : reindeer
- 스컹크 : skunk
- 승자견 : top dog [49)]
- 실험용 쥐 : laboratory rat
- 싸움닭 : fighting cock
- 앞다리 : foreleg
- 애완견 : pet dog
- 애완용 개 : lap dog
- 양 : sheep
- 엉덩이 : haunch
- 옆구리 : flank
- 오랑우탄 : orangoutan
- 오리 : duck [50)]
- 오소리 : badger
- 올챙이 : tadpole
- 유인원 : anthropoid ape
- 작업복 바지 : overalls
- 잡종견 : mongrel (dog)
- 재롱둥이 개 : frisky dog
- 젖을 짜는 곳 : dairy barn
- 족제비 : weasel
- 쥐 : rat
- 차우차우(개) : chow chow
- 척추동물 : vertebrate (animal)
- 청개구리 : tree frog
- 치타 : cheetah
- 카멜레온 : chameleon
- 코끼리 : elephant
- 코뿔소 : rhinoceros
- 코알라 : koala
- 콧등 : muzzle
- 토끼 : rabbit [51)]
- 투계(鬪鷄) : gamecock
- 표범 : leopard / panther
- 헛간 : barn

44) 암탉은 hen, 수탉은 cock, 병아리는 chicken
45) hog : 사육 돼지, 수퇘지 / swine : ((문어)) 돼지 / wild boar : 멧돼지
46) foal : 망아지 / colt : 수컷 망아지 / filly : 암컷 망아지 / mare : 암말 / stallion : 종마 / bit : 말 재갈 / rein : 말고삐
47) buck : 수사슴 / doe : 암사슴 / fawn : 새끼 사슴 / moose : 미국에서 제일 큰 사슴 (수컷은 bull, 암컷은 cow, 새끼는 calf)
48) 암소 : cow / 황소 : bull / 들소 : wild ox, bison
49) under dog : 싸움에서 진 개 ; 패배자
50) 수컷은 drake, 집오리는 domestic duck, 물오리는 wild duck
51) 산토끼는 hare

- 호랑이 : tiger
- 혹산돼지 : wart hog
- 흉부고기 : brisket
(소등의) 가슴고기, 양지머리

조류(鳥類)

- 갈매기 : sea gull / sea mew [52)]
- 공작 : peacock / peafowl [53)]
- 굴뚝새 : wren
- 극락조(極樂鳥) : bird of paradise
- 기르는 새 : cage bird [54)]
- 까마귀 : crow
- 까치 : magpie
- 꿩 : pheasant
- 날짐승 : winged animals
- 도요새 : snipe
- 독수리 : vulture / eagle [55)]
- 두루미 : crane
- 따오기 : (crested) ibis
- 딱따구리 : woodpecker
- 딱새 : redstart
- 매 : falcon
- 물새 : diving bird
- 물오리 : mallard
- 물총새 : kingfisher
- 바다새 : sea bird
- 박쥐 : bat
- 벌새 : hummingbird
- 비둘기 : pigeon / dove
- 뻐꾸기 : cuckoo
- 솔개 : kite
- 앵무새 : parrot / parakeet
- 원앙새 : mandarin duck
- 잉꼬 : parakeet
- 종달새 : skylark
- 참새 : sparrow
- 철새 : migrator / migratory bird
- 큰부리새 : toucans
- 타조 : ostrich
- 황새 : stork
- 휘파람새 : bush warbler

기 타

- (꿀)벌집 : honeycomb
- 2족 동물 : biped [56)]
- 가축 사료 : foodstuff
- 가축 사육장 : feedlot
- 개패 : dog collar〔tag〕[57)]
- 개집 : kennel
- 거미줄 : spider web
- 고기떼 : schools of fish
- 교미기 : pairing〔mating〕season
- 굴 양식 : oyster culture [58)]
- 길들인 짐승 : property animal [59)]
- 낙농 제품〔유제품〕: dairy products
- 동 식물 : animal and plant life
- 동물 애호 단체 : animal rights group

52) 괭이 갈매기 : black-tailed gull
53) 암컷은 peahen, 수컷은 peacock
54) cage : 새장
55) vulture : 대머리 수리 / eagle : 독수리
56) 3족 동물 : quadruped
57) dog tag : ((軍속어)) : 군번줄, 인식표(identification tag)
58) 굴 양식장 : oyster farm〔field / park〕
59) 영화 등에 출연시키기 위해서 길들인 짐승

- 말채찍 : horsewhip / riding crop
- 모기장 : mosquito net
- 배합 사료 : assorted feed
- 번식기 : breeding season [60)]
- 병아리 감별기 : chick tester [61)]
- 사료 가게 : feedstore
- 사료 곡물 : feed grain
- 산란기 : breeding season [62)]
- 소몰이 : herding cattle
- 수의사 : veterinarian
- 순종 : purebred / pedigreed
- 신경 구조 : nerval structure
- 애견가 협회 : kennel club
- 애완동물 가게 : pet shop
- 야행성 동물 : nocturnal animal
- 양계장 : chicken farm
- 양봉업 : bee-farming
- 양서류 동물 : amphibians
- 양어장 : fish farm
- 어망 : fishing net / fishnet
- 어장 : fishing ground
- 어항 : goldfish bowl / fish bowl
- 염색체 : chromosome
- 엽록체 : chloroplast
- 육식 동물 : carnivorous animal
- 잡종 : mutt / mongrel
- 종속과목강문계(種屬科目綱門界) : species, genus, family, order, class, phylum, kingdom [63)]
- 쥐 덫 : rattrap
- 쥐약 : raticide / rat poison
- 지렁이 : rainworm
- 천적 : natural enemy
- 파리 잡는 끈끈이 : flypaper [64)]
- 파충류 : reptiles
- 포유류 : mammals
- 하루살이 : green drake / mayfly
- 흡혈귀 : vampire
- 희귀종 : rare specimen

미 술

- 개인전 : private exhibition
- 그림 도구 : color box
- 나체 흉상 : torso
- 담채화 : washes
- 동판화 : copperplate print
- 목각 : wood carving
- 묵화 : Oriental ink drawing / Indian ink drawing
- 미술 : fine arts
- 미술 교사 : drawing master
- 미술 전람회 : art show 〔exhibition〕
- 벼루 : inkstone / ink slab
- 벽화 : mural 〔wall〕 painting
- 불후의 작품 : monumental work
- 붓끝 : brush washer
- 색깔 : color
- 서예 : calligraphy
- 석고상 : plaster cast
- 석판화 : lithograph
- 수묵화(水墨畵) : black and brown ink
- 수채화 : water-color
- 에칭 : etching

60) 번식력 : procreative power
61) 병아리 감별사 : chick sexer
62) 산란장 : spawning ground
63) 동물의 분류 계통
64) 파리 잡는 물약 : fly water / 파리채 : flyflap

색깔의 종류

갈색 : brown / 감색 : dark blue / 자주색 : purple / 녹색 : green / 백색 : white / 분홍색 : pink / 청색 : blue / 흑색 : black / 연두색 : fresh green / 연보라색 : lavender / 오렌지색 : orange / 적색 : red / 주홍색 : vermilion / 회색 : grey / 짙은 보라색 : pansy / 청자색 : celadon / 포도색 : grape / 하늘색 : sky blue / 상록색 : evergreen / 황색 : yellow

- 연필화 : pencil sketch
- 유화(油畵) : oil painting
- 일요 화가 : Sunday painter [65)]
- 작품 : piece
- 정물화 : still picture
- 정착제 : fixative
- 제도판〔화판〕 : drawing board
- 조형 미술 : formative arts
- 초상화(肖像畵) : portrait
- 추상화 : abstract painting
- 춘화(春花) : French postcard
- 칠기 : lacquer ware
- 페인트 통〔그릇〕 : paintpot
- 펜화 : pen-and-ink sketch
- 표구사 : paperhanger
- 풍경화가 : landscape painter
- 화가(畵架) : easel
- 화랑(畵廊) : art gallery
- 화실(畵室) : studio
- 화풍〔화법〕 : brushwork
- 화필〔그림붓〕 : paintbrush

법 률

- (가택)수색 영장 : search warrant
- 가석방 : parole
- 가정 법원 : domestic relations court
- 가중 처벌법 : Additional Punishment Law
- 가출소녀 : runaway girl
- 가택 수색 : domiciliary search
- 가택 침입 : housebreaking
- 강간범 : rapist / raper
- 강간하다 : rape
- 강제 수용소 : concentration camp [66)]
- 개정안 : revised bill〔plan〕
- 개정안 : revision bill
- 거짓말 탐지기 : polygraph
- 검거 선풍 : wholesale arrest
- 검시관 : coroner
- 검찰관 : prosecuting attorney
- 결정적 증거 : decisive evidence
- 경감 사유 : mitigating circumstances
- 경범죄 : minor〔light〕 crime
- 경보 접수실 : receiving board
- 경절도죄 : petty larceny
- 경찰 기장 : patch
- 경찰 배지 : shield
- 고발장 : bill of indictment
- 고소인 : accuser / complainant
- 고소장 : letter〔bill〕 of complaint
- 공갈죄 : (the crime of) blackmail
- 공개 법정 : open court

65) 아마추어 화가
66) 특히 나치 통치하에서 반 나치분자 · 유대인을 강제 수용하여 노동을 강요하고 학살했음.

- 공금 횡령 : embezzlement of public money
- 공모자 : conspirator
- 공범자 : partner in crime
- 공범자의 증언 : states evidence
- 공소권 : the right of arraignment
- 공소장 : written arraignment
- 공판 기록 : (public) trial record
- 공판 절차 : trial procedure
- 과실 치사(죄) : accidental homicide
- 과실범 : (criminal) negligence
- 과실치사 : misadventure
- 과태료 : fine for default
- 교도관 : jailer / keeper
- 교도소 : correctional institution 〔center〕
- 교도소 방문자 : prison visitor
- 교도소 출입 변호사 : jailhouse lawyer
- 교사 방조죄 : instigation
- 교정 센터(죄수 등) : adjustment center
- 구두 계약 : oral contract
- 구제 불능 범죄 : out-and-out criminal
- 기소〔고소〕 : prosecution
- 국선 변호인 : poverty lawyer
- 군법무관 : judge advocate
- 금고(禁錮) : imprisonment
- 금전〔현금〕 배상 : reparation in cash
- 금지 조항 : forbidden clause
- 기강 해이 : relaxation of discipline
- 기결수 : convict / convicted prisoner
- 기밀 누설죄 : divulgence of a secret
- 기소 유예 : suspension of indictment
- 납치범 : kidnap(p)er / hijacker
- 단독범 : sole offender
- 단서(但書) : provisory clause
- 담당 검사 : the prosecutor in charge
- 대 검찰청 : Supreme Prosecutor's Office
- 대 배심원 : grand jury
- 대량 검거 : mass arrest
- 대리 소송 : attorney
- 대배심원 : grand juror
- 대법원 : Supreme Court
- 대사면 : general pardon
- 대한 변호사 협회 : Korea Bar Association
- 도굴범 : tomb robber
- 도박죄 : gambling offense
- 도청기 : concealed microphone
- 독방 : solitary cell
- 독점 계약 : exclusive contract
- 독점 금지법 : Anti-Monopoly Act
- 동일 유형의 범죄 : the same type of crime
- 등록 번호 : registered number
- 등록 상표 : registered trade mark
- 등록제 : registration system
- 면죄 특권 : sanctuary privilege
- 면책〔제외〕 조항 : escape clause
- 면회일 : reception day
- 명의 도용 : illegal use of other's name
- 명의 변경 : title transfer
- 모범수 : model prisoner
- 모의 법정 : moot court

- 모의 재판 : mock trial
- 몸수색 : pat-down search [67)]
- 몽타주 : montage
- 무고자(誣告者) : false accuser
- 무기 대여법 : Lend-Lease Act
- 무죄 : innocence
- 물증(物證) : material evidence
- 미결수 : prisoner under trial
- 미성년 범죄 : juvenile offense
- 미성년자 보호법 : Minor Protection Law [68)]
- 민사 법원 : civil court
- 민사 소송 : civil suit
- 민사소송법 : Civil Proceedings Act
- 반대 성명 : counterdeclaration
- 반대 소송 : cross action
- 반대 심문 : cross-examination
- 반대 진술 : counterstatement
- 배상 책임 : liability for reparation
- 배상 청구권 : right to demand compensation
- 배상금 : compensation/ indemnity
- 배심원 : juror(대개 12명)
- 배심원 재판 : jury trial
- 배심원단 : jury(대표 : foreman)
- 배심원석 : jury box
- 벌금 : fine
- 범죄 혐의자 : criminal suspect
- 범죄자 사진 대장 : rogues' gallery
- 범행 현장 : the scene of a crime
- 법령집 : statute book
- 법률 고문 : office lawyer
- 법률 담당 부서 : legal department
- 법률 무시자 : scofflaw
- 법률 사무소 : law 〔lawyer's〕 office
- 법률 상담 : legal advice
- 법률 상담소 : legal advice office
- 법무 법인 : law firm
- 법무차관 : solicitor general [69)]
- 법원 : court (house)
- 법원 기록 : court roll
- 법원 속기사 : court reporter
- 법원의 영장 : bench warrant
- 법원의 판결 : court ruling
- 법인 : the artificial 〔juristic〕 person
- 법인세 : corporation tax
- 법인체 : corporate body
- 법적 하자 : legal flaw
- 법정 공휴일 : legal holiday
- 법정 대리인 : legal representative
- 법정 연령〔성년〕 : lawful age
- 법정 증언 : court testimony
- 법정 출두일 : day in court
- 법정〔재판소〕 : court of justice [70)]
- 법조계 : the Bar
- 변호료 : lawyer's fee
- 변호사 시험 : Bar Examination
- 병역 기피 : evasion of military service
- 보결 배심원 : talesman
- 복무 규정 : office regulations
- 불법 감금 : false imprisonment
- 불법 입국자 : illegal alien
- 불법 체포 : false arrest
- 불법행위 혐의 : alleged misdeeds

---

67) 옷을 입은 채로 실시하는 몸수색
68) 미성년자 성추행 혐의 : child molestation allegation / molestation : 방해, 훼방, 괴롭힘
69) 미 연방최고법원에서 연방정부의 대리인으로서 법무부 차관; 'attorney general' 을 두지 않은 주(state)의 법무장관
70) 국제 사법 재판소 : the International Court of Justice

- 비상 계단 : fire escape
- 사법 살인 : judicial murder[71)]
- 사법 연수생 : judicial apprentice
- 사법고시 : state law examination
- 사법권 : judicial power
- 사법부 : judicature
- 사복 경찰 : marshal
- 사직 당국 : law enforcement authorities
- 사형 폐지 : abolition of capital punishment
- 사형장 : execution ground
- 사회 정의 : social justice
- 사후 검열 : post censorship
- 산업 스파이 활동 : industrial espionage
- 살인 미수범 : attempted murder
- 상급 법원 : superior court
- 상습범 : habitual criminal
- 석방〔방면〕 : acquittal
- 선고 : sentence
- 선고 유예 : deferred sentence
- 소 배심원 : petty jury
- 소급법 : retroactive law
- 소년원 : detention home
- 소액청구 법원 : small claim's court[72)]
- 소환 영장 : writ of summons
- 소환〔호출〕 : summons
- 손해 배상 : compensation
- 수갑 : handcuffs
- 악질 범죄 : flagrant offense
- 압류 영장 : distress warrant
- 약식 군법회의 : field court
- 약식 기소 : summary indictment
- 약식 재판 : summary trial
- 약식기소 범죄 : summary offense
- 약식재판 법원 : summary court
- 엄격한 규칙 : hard-and-fast rule
- 여자 간수 : police matron
- 연방 법원 : federal court
- 우범 소년 : status offender
- 원고〔고소인〕 : plaintiff
- 위증 : false testimony
- 위증(죄) : perjury
- 유도 신문 : leading question
- 유치장 : slams / jail
- 음주운전 유죄판결 : DUI conviction[73)]
- 일사부재리 원칙 : prohibition against double jeopardy
- 자택 감금 : house arrest
- 장물은닉죄 : secretion of stolen goods
- 재심 법원 : court of review
- 재판장 : chief judge
- 적법 절차 : due process of law
- 전과 기록 : rap sheet〈속어〉
- 전과(前過) : previous conviction
- 전과자 : ex-convict
- 전면적 금지 : total ban
- 정당 방위 : (legitimate) self-defense
- 정황 증거 : circumstantial evidence
- 종신형 : perpetual punishment[74)] / life imprisonment〔sentence〕
- 죄수〔상습범〕 : prison bird
- 중대 범죄 : index crime[75)]
- 중요 증인 : material witness
- 즉결 재판소 : police court

71) 부당한 사형 판결
72) 소액 민사 분쟁을 신속히 해결하는 제도
73) DUI = Driving Under the Influence
74) perpetual : 영속적인, 끊임없는
75) FBI 연차 보고에 포함되는 중대 범죄

- 즉결 재판 : summary justice [76)]
- 증거 보전 : perpetuation of evidence
- 증거 인멸 : destruction of evidence
- 증거불충분(판결) : Scotch verdict
- 증인 심문 : the examination of a witness
- 지문 : fingerprint
- 지문 감식 : fingerprint identification
- 지방 검사 : district attorney 〔D.A.〕
- 지방법원 : district court
- 지방법원 판사 : district judge
- 직권 남용 : malfeasance
- 직권 남용죄 : oppression
- 직접 심문 : examination in chief
- 집단 소송 : class action 〔suit〕
- 집행 유예 : reprieve
- 집행유예 판결 : suspended sentence
- 징계 : disciplinary punishment
- 징역 2년 6개월 : 2-and-a half years in prison
- 징역형 : personal servitude
- 징집 연령 : military age
- 참회 순간 : short shrift [77)]
- 처형대 : scaffold / gallow
- 청구 재판소 : the court of claims
- 청소년 범죄 : juvenile delinquency
- 청소년 범죄자 : juvenile delinquent
- 초범자 : first offender
- 총칙 : general provisions 〔rule〕
- 최종 판결 : final ruling
- 추징금 : additional assessment
- 출원 번호 : application number
- 치안판사 : justice of the peace 〔J.P.〕
- 탈옥 : prison break
- 탐문 : preliminary investigation
- 특별 가석방 : special parole
- 특별 배심 : special jury [78)]
- 특별 배심원 : blue ribbon jury [79)]
- 특별 사면 : special pardon
- 특별법 : special act [80)]
- 특정 범죄 : Law on Specific Crimes
- 특허권 침해 : patent infringement
- 판사 : the judge
- 평결 : verdict
- 피고 : the defendant
- 피고측 변호인 : defense attorney
- 피고측 증인 : defense witness
- 필적 감정 : handwriting identification
- 행정 지도 : administrative guidance
- 허위 진술 : misrepresentation
- 헌법 : constitutional law [81)]
- 현행 규정 : standing rules
- 현행 법규 : the law in force
- 형사 법원 : criminal court

---

76) 즉결 재판권 : summary jurisdiction / 즉결 재판소 : summary court〔S.C〕 / 즉결 재판소 판사 : police magistrate / 즉결 판사 : vigilante justice / vigilante : (미국의) 자경단원(自警團員)
77) 사형집행 직전의 참회와 사죄를 위한 짧은 시간
78) 쌍방의 변호사가 특별 협정에 따라 48명의 배심원 중에서 뽑은 12명
79) 특히 학식 있는 자 중에서 뽑음
80) 특정한 사람 또는 지역에 적용되는 법률
81) 헌법 개정 : constitutional reform 〔change〕

- 형사소송절차 : criminal proceedings
- 형사소송법 : Criminal Procedure Code
- 확정 재판 : final trial
- 회사 고문변호사 : corporation attorney

사건 · 사고

사 건

- 6연발 권총 : six-shooter
- 가게 물건 슬쩍 훔치기 : shoplifting
- 가정 폭력 : domestic violence
- 감전사 : electrocution
- 강도 용의자 : robber-suspect
- 강력범 : felonious criminal
- 강력범죄 : violent crime
- 경사(警査) : sergeant
- 경찰 기동대 : riot police
- 경찰 순찰차 : patrol car
- 경찰 순찰차 : squad 〔police〕 car
- 경찰서 출입 기자 : police (beat) reporter
- 경찰관 : policeman
- 경찰 단속반 : police squad
- 경찰봉 : policeman's billy 〔club〕
- 경찰서 : police station
- 경호원 : security guard
- 금고 털이 : safebreaker
- 기동 경찰대 : the mobile police
- 기동대 : riot task force
- 기동대원 : riot trooper
- 노상 강도 : hold-up gang
- 대마초 : grass 〈속어〉
- 도난 경보기 : burglar alarm
- 도난 사건 : case of robbery
- 도난 차량 : missing vehicle
- 도난 피해자 : victim of theft
- 도벽(좀도둑질) : sticky fingers
- 독극물 검출 : detection of poisonous matter
- 독침 : poisoned needle
- 동반 자살 : joint suicide
- 마약 거래인 : drug trafficker
- 마약 밀매소 : dopehouse
- 마약 밀매자 : dope pusher 〔peddler〕
- 마약 상용자 : doper
- 무장강도 : armed robber
- 방범 주간 : Crime Prevention Week
- 방범대원 : security 〔night〕 guard
- 방탄 조끼 : protective vest
- 배후인물 : wirepuller
- 범인 얼굴 사진 : mug shot [82)]
- 범죄 현장 : the scene of the crime
- 보안관 : sheriff
- 보안관(경찰관) : peace officer
- 복면 강도 : masked robber
- 부검(剖檢) : a postmortem exam [83)]
- 불량배 : punk
- 불시 점검 : spot check 〔test〕
- 불심 검문 : police questioning
- 비행기 납치범 : sky jacker
- 사기꾼 : swindler [84)]
- 사망 진단(서) : certificate of death

82) 경찰이 수배용으로 촬영한 사진
83) postmortem : 사후의, 검시(용)의; 부검, 검시
84) 우편이나 전화를 통해 순진한 사람들을 속여 돈을 긁어내는 사기꾼

- 사망 추정 시각 : estimated time of death
- 사복 경찰관(형사) : plainclothesman
- 사설 탐정 : private eye
- 사인(死因) : the cause of death
- 사제 폭탄 : crude bomb
- 살해 현장 : murder scene
- 삼인조 강도 : trio of burglars
- 속도 위반 : speed offense
- 속도 위반 단속 : speed trap [85)]
- 속도 제한 : speed limit
- 속도 위반 단속 경찰 : speed-cop
- 수사관 : investigator
- 순찰 경찰 : patrol police
- 식인종 : cannibal
- 신원 조사 : security clearance [86)]
- 유서 : suicide note
- 은행강도 : bank robbers
- 음주 측정기 : drunkometer
- 인질 몸값 : ransom
- 일가 동반 자살 : collective family suicide
- 임검(臨檢) : surprise visit
- 자수 기간 : surrender period
- 자신 신고 : voluntary reporting
- 장물 : stolen goods
- 조사 결과 : findings
- 좀 도둑 : sneak thief
- 주모자 : ringleader
- 지명 수배자 : most wanted criminal
- 질식사 : death from suffocation
- 집단 자살 : mass suicide
- 집중 단속 : intensive control
- 천재지변 : natural disaster
- 청부 살인자 : hired killer
- 청원 경찰 : private police [87)]
- 총경 : police superintendent
- 최루 가스 : tear gas
- 최루탄 : lachrymatory shell
- 추락사 : death from a fall
- 치정 살인사건 : sex〔scandalous〕murder case
- 코카인 : cocaine / coke
- 투신 자살 : suicide by drowning / death-leap
- 파문을 일으키다 : ripple
- 폭동진압 경찰대 : riot squad
- 폭동 진압용 방패 : riot shield
- 폭행 : assault
- 함정 수사 : sting (operation) [88)]
- 현상금 : bounty
- 현행범 : flagrant offender
- 형사 : detective
- 휴대 무기 : small arms [89)]
- 흉기 : murderous weapon

사 고

- 교통사고 : traffic accident
- 구난선 : salvage boat
- 구명 그물 : life net
- 구조대 : rescue party〔team〕
- 군중심리 : group mind
- 긴급 피난 : emergency evacuation

85) 경찰이 숨어서 속도위반을 단속하는 것
86) 국가 기밀 등을 다룰 직책에 사람을 채용하기 전에 그 사람에 대한 신원 확인 작업
87) 국가의 경찰과 구별되는 사적인 경비 용역 산업
88) sting : ((구어)) 함정 수사〔수사관이 신분을 감추고 벌이는 수사〕
89) 소총, 권총 등

- 긴급 사태 : emergency
- 대형 참사 : calamity
- 대형 화재 : conflagration
- 방호복 : protective cloth[90)]
- 방화 기구 : fire-fighting equipment
- 방화대 : fire belt
- 방화대 : fire belt, firebreak
- 방화범 : fire-raiser
- 방화사 : fire prevention sand
- 방화시설 : anti-fire facilities
- 보석금 : bail amount[91)]
- 부표등 : floating light
- 불길을 잡다 : contain the fire
- 불시착 : crash landing
  * 긴급 착륙 : emergency landing
- 비상 버튼 : panic button
- 사고 현장 : the scene of the accident
- 사망 명부 : death roll 〔list〕
- 사망자 수 : death toll
- 사상자 (수) : losses / casualties
- 사상자 명단 : casualty list
- 산불 : forest fire
- 산사태 : landslide
- 생존자 : survivor
- 소방 (활동) : fire fighting
- 소방 훈련 : fire practice 〔drill〕
- 소방서 : fire department 〔station〕
- 소방수 : fireman
- 소방차 : fire truck
- 소화기 : (fire) extinguisher
- 시한폭탄 : time-bomb
- 안전 교육 : safety education[92)]
- 안전모〔헬멧〕 : safety hat
- 안전수칙 : safety regulations
- 암살단 : hit squad 〔team〕
- 암초 : sunken rock 〔reef〕
- 열차 사고 : train accident
- 익사 : drowning
- 인재(人災) : manmade calamity
- 잔해 : debris / wreckage
- 재해 지역 : stricken district 〔area〕
- 전단 : flyer[93)]
- 조난 신호 : signal of distress
- 좌초하다 : go 〔run〕 aground
- 중상 : serious injury
  * 경상 : slight injury
- 중장비 : heavy machinery
- 지진 : earthquake[94)]
- 천재(天災) : natural disaster
- 천재지변 : earthshock
- 추적 조사 : follow-up inspection
- 침몰선 : sunken ship
- 침몰선 인양 (작업) : salvage
- 폭발 : blast
- 피난 : evacuation
- 허위 화재 신고 : false alarm
- 현장 시찰 : spot inspection
- 현장 조사 : on-the-spot probe 〔survey〕
- 화산 : volcano
- 화산 폭발 : volcanic eruption
- 화염 : heat of the flames
- 화염병 : fire bottle / bottle grenade
- 화재 경보 : still alarm[95)]

---

90) 화염, 방사선으로부터 몸을 보호하기 위한 복장
91) 일정한 보증금을 내고 석방하는 제도
92) 사고 발생의 원인과 그 방지책을 가르침
93) 게시판 등에 부착하는 종이도 flyer라고 한다.
94) 지진계 : seismograph / 진원 : seismic center
95) 전화 등에 의한 화재 경보

- 화재 경보기 : fire alarm
- 화재 경보기 : smoke detector
- 화재 경보 장치 : fire-warning facilities
- 후유증〔여파〕 : aftermath
- 희생자 : victim

스포츠

경기 종목

- 2단 평행봉 : uneven parallel bars
- 경기 종목 : sport entries
- 경보(競步) : race walking
- 곤봉 체조 : Indian club exercise
- 규정 종목 : compulsory exercises
- 단거리 경주 : sprint race
- 단체 경기〔종목〕 : team event
- 도마〔뜀틀〕 : (long horse) vault
- 마루 운동 : floor (exercise)
- 맨손 체조 : free gymnastics
- 멀리 뛰기 : long jump
- 보트 경기 : rowing race
- 수중 발레 : synchronized swimming
- 실내 게임 : parlor game
- 안마 : side horse vault
- 양궁 선수 : archer
- 역도 : weight-lifting [96)]
- 요트 경기 : sailboat racing
- 운동 종목 : athletics event
- 원반던지기 : discus throw
- 장대높이뛰기 : pole vault
- 장애물 경주 : steeplechase
- 제자리멀리뛰기 : standing broad jump
- 주요 경기 종목 : main events
- 줄넘기〔줄넘기 줄〕 : jump rope
- 줄다리기 : tug of war
- 철봉 : high bar / horizontal bar
- 체조 : gymnastics
- 체조 대회 : gymnastics competition
- 카누 경기 : canoeing race
- 탁구 경기 : table tennis
- 턱걸이 : chin-up
- 투창(投槍) : javelin throw
- 평균대 : balance beam
- 평행봉 : parallel bars
- 하키 : field hockey
- 해머던지기 : hammer throw

권 투

- 최강타〔넉아웃〕 : Sunday punch
- 같은 체육관 선수 : stable-companion
- 권투 시합장 : squared ring
- 단독 권투 연습 : shadow boxing
- 대전료 : fighting money
- 뒤통수치기 : rabbit punch
- 마지막 회 : last round
- 복싱계 : boxing〔fistic〕 circle
- 프로복서 : prize fighter

96) 용상 : clean and jerk(clean : 어깨선에서 한번 정지하는 동작) / 인상 : snatch

경 마

- 경마 신문 : racing form
- 경마장(경주장) : race ground
- 내기 경마 출장마 : stake horse
- 마권(馬券) : poll-ticket
- 예상 밖의 우승마 : long shot
- 우승 후보 말 : favorite
- 장외 마권 : off-track betting ticket

미식 축구

- 가드(2명) : guard
- 라인배커 : linebacker
- 런인 : run-in [97)]
- 미들 가드 : middle guard
- 미식축구 경기장 : gridiron [98)]
- 센터 : center
- 쎄이프티 : safety
- 엔드 : end
- 코너백 : cornerback
- 쿼터백 : quarter back
- 태클 : tackle
- 타임아웃! : no side!
- 풀백 : full back
- 하프백 : half back

볼 링

- 1번 핀 : headpin
- 도랑 : gutter [99)]
- 마커 : marker / (aim) spot [100)]
- 볼링 핀 : bowling pins
- 볼링 핀을 고정하는 기계 : pinsetter
- 레인 : lane [101)]
- 파울 라인 : foul line
- 리턴 랙 : return rack [102)]
- 어프로취 스팟 : approach spot [103)]
- 스페어 : spare [104)]
- 스플릿 : split [105)]

축 구

- 골든 골 : sudden-death goal [106)]
- 휘어 차기 : deflected shot
- 선심 : lineman
- 휘어 찬 프리킥 : curling freekick
- 멋진 헤딩슛 : glancing header
- 자살골 : own goal
- 페널티 킥 : penalty shootout

---

97) 럭비에서 골라인 안에 들어가 공을 땅에 댐
98) 원래 gridiron은 '(고기 굽는) 석쇠'를 뜻한다. 미식축구장은 일정한 간격으로 선이 그어져 있기 때문에 이와 비슷해서 붙여진 이름이다.
99) 레인의 좌우에 있는 도랑
100) 볼을 던지는 방향의 감을 잡기 위해서 파울라인 약 2m 지점 레인에 표시된 조그마한 삼각점
101) lanes : 볼링장
102) 던진 볼이 되돌아 와서 정지해 있는 곳
103) 볼을 치기 위해서 처음 서는 지점(라인)
104) 볼링에서 쓰러지지 않고 남은 핀
105) 볼링에서 스트라이크가 되지 않고 핀이 흐트러지는 것 / 남은 볼이 좌우로 크게 흐트러진 것을 'big split'이라고 한다.
106) 규정된 시간(전 · 후반)에 무승부가 되어 연장전에 들어간 후 시간에 관계 없이 먼저 골을 넣은 팀이 승리하게 되는데 이때 넣은 결정골을 말한다.

기 타

- 개최 도시 : host city
- 경기 규칙 : playing rule
- 굉장한 선수 : big-time player
- 기록 보유자 : record holder
- 기록을 깨뜨린 사람 : record breaker
- 기수 : flag bearer
- 깃대 : flagpole
- 남은 다섯 경기 : five games to go
- 노천 관람석 : bleachers
- 대표팀 : varsity (team)
- 대회 신기록 : new meet record
- 땀복 : sweat suit
- 마지막 코너 : stretch turn 107)
- 만능 선수 : all-(a)round player
- 매일 하는 체조 : daily dozen 108)
- 명사수 : crack shot
- 무술 : martial art
- 물구나무서기 : headstand
- 미리 짜고 하는 시합 : fixed game
- 바톤 : baton
- 복식호흡 : abdominal breathing
- 선두차 : pace car
- 선수 선서 : sportsman's oath
- 선수권대회 : championship
- 세계 기록 보유자 : world-record holder
- 속공(速攻) : fast break (특히 농구)
- 스포츠 종합정보 : sports roundup
- 스포츠 해설자 : sports-caster
- 스포츠계 : the sport world
- 스포츠면 : sports page
- 스피드웨이 : speedway 109)
- 시범 경기 : exhibition match
- 신기록을 수립하다 : set a new record
- 실내 경기장 : field house
- 약물 사용 (여부) 검사 : doping test / dope check
- 연습 경기 : practice game
- 연장 시간 : extra time 110)
- 오늘의 경기 : play of the day
- 올림픽 성화 : Olympic flame 〔fire〕
- 운동 기구 : sporting goods
- 운동장 : playfield / playing field
- 운동화 : athletic shoes 111)
- 운동회 : athletic meet
- 원정 경기 : out match / road game
- 육상 스타 : track-and-field star
- 이적료 : waiver
- 자유계약 선수 : free agent
- 장애자 올림픽 : Special Olympics
- 조깅화 : walking shoes
- 참가자 : entry
- 참가팀 : participating team
- 체력 검사 : exam of physical strength
- 체육 : physical education 〔culture〕
- 체육 대회 : athletic meeting
- 체육관 : gym / gymnasium
- 체육복 : gym suit
- 체육회의 날 : sports day
- 체중 감량 체조 : slimnastics
- 총 입장 수입 : gate money
- 최고 수훈 선수 : MVP 112)
- 최종 주자 : anchor

107) 달리기 경주에서 홈 스트레칭으로 들어서는 트랙의 마지막 코너
108) 원래 12종류로 이루어져 있던 데서 유래
109) 자동차, 오토바이 경주장 / 고속도로
110) lost time을 보충하기 위한 연장 시간
111) 일상생활에서 신는 운동화는 sneakers
112) MVP : Most Valuable Player

- 출발 신호 : starter
- 출발대 : starting block [113)]
- 출발선 : scratch line
- 출발신호용 권총 : starting pistol
- 출발점 : starting post
- 출전 선수 : entrant
- 특별 출입구 : early door [114)]
- 팀을 편성하다 : make up the team
- 합숙 훈련 : camp training
- 홈그라운드 이점 : home-turf advantage
- 홈팀 : home team [115)]
- 후보 선수 : bench warmer / substitute

식 물

과 일

- 대추 : jujube
- 딱딱한 껍질 : rind
- 딸기 : strawberry
- 레몬 : lemon
- 망고 : mango
- 모과 : quince
- 무화과 : fig
- 바나나 : banana
- 밤 : chestnut
- 복숭아 : peach
- 뽕(나무) : mulberry
- 사과 : apple
- 살구 : apricot
- 서양 배 : pear
- 서양 자두 : plum
- 석류 : pomegranate
- 수박 : watermelon
- 아몬드 : almond
- 앵두 : cherry
- 오렌지 : orange
- 올리브 : olive
- 파인애플 : pineapple
- 파파야 : papaya
- 포도 : grape [116)]
- 호도 : walnut
- 농산물 : agricultural products
- 농수산물 : agricultural and marine products
- (농사) 시험장 : experiment station
- 가지 : eggplant
- 감자 : potato
- 감초 : licorice
- 겨자 : mustard
- 계피 : cinnamon
- 고구마 : sweet potato
- 고추 : capsicum / red pepper
- 곡류 : cereals
- 곡물 창고 : granary
- 곡창지대 : farm belt
- 근채류 : root crops
- 기장 : millet
- 논 : paddy field [117)] / rice(-)field
- 농기구 : farm equipment
- 농번기 : busy season for farmers
- 농부 : farmer
- 농산물 : farm products
- 농약 : agricultural medicines
- 농약 살포 비행기 : crop duster / spray plane
- 농업 중심지 : agricultural heart

113) 달리기 경주 등에서 출발하는 지역
114) 특별 요금을 낸 관객에 한해서 정해진 입장 시간보다 빨리 입장시키는 문
115) 원정팀은 visiting team
116) 포도나무 : grapevine / 건포도 : raisin
117) paddy : 벼, 쌀

- 농업협동조합 : farmers cooperative
- 농지 : farming land / farmland
- 다년생 식물 : perennial(plant)
- 다수확 품종 : high-yield varieties
- 당근 : carrot
- 땅콩 : peanut
- 모내기 : rice-planting
- 목초지(들판) : field
- 못자리 : seed bed
- 묘목 : seedling
- 무 : radish
- 바닐라 : vanilla
- 밭 : field
- 배 : pear
- 배(싹) : embryo
- 배추 : Chinese cabbage
- 버섯 : mushroom
- 벼 : rice plant / paddy
- 벼농사 : rice farming
- 복숭아 : peach
- 비닐 하우스 : greenhouse
- 비료 : fertilizer / plant food
- 생강 : ginger
- 소작농 : cottage farmer
- 수로 시설 : water system
- 수수 : sorghum
- 식용버섯 : mushroom 118)
- 쌀겨 : rice bran
- 아편 : opium poppy
- 야채 재배 농가 : kitchen gardener
- 야채밭 : kitchen garden
- 얌 감자 : yam
- 양상추 : lettuce
- 양파 : onion
- 엿기름 : malt
- 오이 : cucumber
- 옥수수 : corn 119)
- 왕겨 : chaff
- 이삭 : ear
- 이앙기 : rice-planting season
- 인삼 : ginseng
- 자동 수확 기계 : reaping machine
- 정부 보유미 : state-owned rice
- 참깨 : sesame
- 카카오 : cacao
- 콩 : soybean 120)
- 토란 : taro
- 토마토 : tomato
- 파종기 : seedtime
- 푸성귀 : greens
- 풍년 : bountiful year
- 허수아비 : scarecrow
- 현미(玄米) : brown rice
- 후추 : pepper

수목(樹木)

- 가문비나무 : spruce
- 가지 : branch 121)
- 가지를 쳐낸 수목 : pollard
- 관목 : shrub / bush
- 관목림 : bush
- 광엽수 : broadleaf tree
- 그루터기 : stump
- 나무 : tree
- 나무 몸통(줄기) : tree trunk
- 나무꾼 : firewood gatherer
- 나뭇가지 끝 : treetop
- 나이테 : ring

118) 어린 버섯 : button / 독버섯 : toadstool
119) 옥수수의 털 : floss(corn silk) / 옥수수의 심 : cob / 옥수수의 껍질 : husk
120) 강낭콩 : kidney bean / 완두콩 : pea / 땅콩 : peanut / 콩깍지 : pod(seedcase)
121) twig : 작은 가지 / bough : 큰 가지

- 낙엽송 : larch
- 낙엽수 : deciduous trees
- 너도밤나무 : beech
- 녹나무 : camphor tree
- 느릅나무 : elm
- 단풍나무 잎 : maple leaf
- 대 : bamboo
- 도토리 : acorn
- 등나무 : rattan
- 마디 : knot
- 말라죽은 나무 : blighted tree
- 목재용 나무 : timber
- 목초지 : pasture land
- 목초지(방목장) : pastureland
- 묘목 : sapling
- 밀림 : jungle
- 방설림 : snowbreak
- 방풍림 : windbreak
- 버드나무 : willow
- 벌목공 : lumberjack
- 벌채 : lumbering
- 분재 : dwarf tree
- 뿌리 : root [122)]
- 뿌리털 : root hair
- 삼림 : forest
- 삼림지역 : timberland [123)]
- 소나무 : pine tree
- 소철 : cycad
- 솔잎 : pine needle
- 송진 : pine resin
- 수피(樹皮) : bark
- 식목일 : Arbor Day
- 식물원 : botanical garden [124)]
- 아카시아나무 : locust
- 야자수 : palm
- 오리나무 : alder
- 은행나무 : ginkgo
- 잎 : leaf [125)]
- 잎사귀 : blade
- 잎이 다 떨어진 나무 : bare tree
- 자생 식물 : native plant
- 자작나무 : birch
- 잡목림 : copse
- 잡목 숲 : copsewood [126)]
- 잡초:undergrowth / underbrush
- 전나무 : fir
- 전정 가위 : pruning shears
- 정원사 : landscape gardener
- 제재 공장 : lumbermill
- 제재된 목재 : lumber
- 제지 공장 : pulp mill
- 조림 : afforestation
- 조림지 : plantation
- 종려나무 : palm tree
- 주목나무 : yew
- 참나무 : oak
- 침엽수 : conifer
- 통나무 : log
- 포플러(미루나무) : poplar
- 향나무 : juniper
- 홍수림 : mangrove
- 회양목 : box

화초(花草)

- 가시 : thorn / prickle
- 갈대 : reed
- 개나리 : forsythia
- 괭이밥 : sorrel

122) 곧은 뿌리 : taproot / 수염뿌리 : fibrous root
123) 목재용 수목이 무성한 지역
124) botanical : 식물의
125) 한 그루의 나뭇잎 전체를 가리킬 때는 foliage, 침엽수 잎은 needle이라고 한다.
126) 숲 아래의 잔 나무

- 꽃꽂이 : flower arrangement
- 꽃꽂이용 꽃 : cut flower
- 꽃밥 : anther
- 꽃밭 : flower bed
- 꽃병 : flower vase
- 꽃잎 : petal
- 나팔꽃 : morning glory
- 난초 : orchid
- 덩굴 : vine
- 덩굴손 : tendril
- 덩굴 옻 : poison ivy
- 동백나무 : camellia
- 라일락 : lilac
- 말린 꽃 : dried flower
- 목련 : hibiscus
- 목에 거는 화환 : lei
- 목초 : herbage
- 무화과나무 : fig tree
- 물망초 : forget-me-not
- 물 뿌리는 장치 : sprinkler
- 민들레 : dandelion
- 백일초 : zinnia
- 별꽃 : chickweed
- 봉선화 : balsam
- 봉오리 : bud
- 분꽃 : four-o'clock [127)]
- 분재 : potted plant(ing)
- 붓꽃 : flag
- 붓꽃 : iris
- 사무실용 화초 : office plant
- 사초 : sedge
- 살수 장치 : sprinkler system
- 새싹 : sprout
- 속도조절 살수기 : timed sprinkler
- 수술 : stamen
- 수초 : water plant
- 스프링클러 장치 : sprinkler system [128)]
- 쐐기풀 : nettle
- 씨방 : ovary
- 암술 : pistil
- 야생란 : (wild) orchid
- 야생화 : wild flower
- 양귀비 : (opium) poppy
- 엉겅퀴 : thistle
- 에델바이스 : edelweiss
- 온실의 꽃 : hothouse flower
- 유아 : germ
- 잎양버들 : cottonwood
- 작약 : peony
- 잔디 깎는 기계 : mowing machine
- 잔디밭 : grassplot
- 잔디에 물 뿌리다 : hose the grass
- 잡초 : weed
- 잡초 제거기 : weeder
- 장미 : rose
- 제비꽃 : violet
- 제초기 : grass cutter
- 제초제 : weed killer / weedicide
- 줄기 : stalk
- 진달래 : azalea
- 채송화 : rose moss
- 칸나 : canna
- 클로버 : clover
- 패랭이꽃 : pink
- 평원 : plain
- 풀 : grass / wort
- 풀잎 : grass-blade
- 할미꽃 : pasqueflower
- 해바라기 : sunflower
- 화분 : flowerpot / plant pot
- 화분에 심은 꽃 : potted flower
- 화초 전시회 : flower show

127) 오후 4시경에 피는 데서 생긴 이름
128) 잔디밭 또는 화재방지용

식생활

음식류

- 가공 식품 : processed food
- 가공육 : cold cuts
- 가자미 : flounder
- 가지 : eggplant
- 각얼음 : ice cube
- 각설탕 : cube sugar
- 간장 : soy sauce
- 갈비탕 : beef-rib soup
- 갈치 : scabbard fish
- 감자 으깬 것 : mashed potato
- 겨자 : mustard
- 계피 : cinnamon
- 고급 캔디 : sugar candy
- 고기 국물 : gravy
- 고기 만두 : meat-bun
- 고깃국 : broth / meat juice
- 고등어 : mackerel
- 고추 (가루) : hot〔red〕 pepper
- 과실주 : fruit wine(포도주 제외)
- 기계로 저민 고기 : ground meat
- 김 : dried seaweed
- 김치 찌개 : Kimchi stew
- 꼬리 곰탕 : oxtail soup
- 납작한 빵 : pita
- 냉동 식품 : frozen food
- 냉동 요리〔식사〕 : frozen dinner
- 냉커피 : iced coffee
- 녹차 : green tea
- 다랑어〔참치〕: tuna
- 달걀 흰자위 : egg white
- 도시락 : lunch box
- 두부 : bean curd
- 등심 스테이크 : sirloin steak
- 떡 : rice cake
- 떡국 : rice-cake soup
- 만두(국) : dumpling (soup)
- 매운 음식 : spicy food
- 먹다 남은 음식 : leftover
- 무가당 청량음료 : sugar-free soft drink
- 무공해 야채 : organic vegetables / chemical-free vegetables
- 묽은 죽 : diluted porridge
- 미음 : rice water
- 박하 사탕 : peppermint (candy)
- 밥 : steamed rice
- 배추 : chinese cabbage
- 백미(白米) : polished rice
- 불고기 : roast meat
- 붉은 색 육류 : red meat [129)]
- 뷔페 : buffet
- 브로일러 : broiler [130)]
- 빵가루 : bread crumbs
- 사과 식초 : apple cider vinegar
- 사슴고기 : venison
- 삶은 달걀 : boiled egg
- 상추 : lettuce
- 새우 볶음 : braised shrimp
- 생강 : ginger
- 생맥주 : draft beer
- 생선 구이 : broiled〔roast〕 fish
- 생선 매운탕 : hot fish stew
- 생선회 : sliced raw fish
- 솜사탕:cotton candy / spun sugar
- 쇠고기 : beef [131)]
- 수입 쇠고기 : imported beef

---

129) 소고기, 양고기 등

130) 고기나 생선을 굽는 기구로 오븐의 일종

131) rib(갈비), loin(허리살), chuck(목살), round(허벅지살)

- 시금치 : spinach
- 식염수 : saline solution
- 식전에 마시는 술 : aperitif
- 식초 : vinegar / white vinegar
- 식품 첨가물 : food additive
- 씨 없는 작은 과일 : small fruit
- 야채 : green meat
- 야채 썰은 것 : coleslaw
- 야채류〔청과물〕 : garden stuff
- 양고기 찹 : lamb chop
- 양배추 : cabbage
- 얼음 사탕 : rock candy
- 여러 가지 갑각류 : assortment of shellfish
- 오징어 : squid
- 와플 : waffles [132)]
- 완숙 계란 : hard-boiled egg [133)]
- 육식 동물 : flesh-eater
- 음료수〔식수〕 : drinking water
- 음식과 음료수 : food and drinks
- 자연 식품 : organic food
- 작은 새우 : shrimp
- 지 지방 식품 : lower-fat food
- 전복 : seaear / abalone
- 조기 : croaker
- 죽 : porridge
- 즉석 불고기 : barbecued beef
- 즉석 요리 : pick up dish〔meal〕
- 질긴 고기 : strong meat
- 질긴 닭고기 : rubber chicken
- 자장면 : chinese noodle
- 찐 달걀 : scrambled egg
- 참기름 : sesame seed oil
- 참새우 : prawn
- 천일염 : bat〔sun-dried〕 salt
- 청량 음료 : cooling drinks
- 추어탕 : loach soup
- 칠면조 : turkey
- 튀김 : deep-fry
- 케첩 : ketchup
- 통밀빵 : whole wheat bread
- 투명한 수프 : clear soup [134)]
- 파 : scallion
- 해삼 : sea cucumber
- 해파리 : sea blubber
- 현미 : uncleaned〔unmilled〕 rice
- 현미빵 : whole-rice bread
- 호두 (껍질) : walnut (shell)
- 호박 : pumpkin
- 흑설탕 : brown sugar
- 흑인 특유의 음식물 : soul food
- 흰색 육류 : white meat [135)]
- 흰자위 : albumen / glair(e)

식기류

- 1인용 커피봉지 : tea bag
- 각설탕 집게 : sugar tongs
- 감자 분쇄기 : potato masher
- 거품 내는 도구 : whisk [136)]
- 계량 컵 : measuring cup [137)]
- 과도(果刀) : fruit〔paring〕knife
- 국자 : ladle
- 급속 냉동고〔실〕 : quick-freezer
- 김장독 : pickle jar
- 냅킨 꽂이 : napkin ring

132) 밀가루, 우유, 계란 등을 섞어서 waffle iron(와플 구이판)으로 구운 둥근 빵
133) 반숙 계란은 soft-boiled egg
134) 진한 수프는 thick soup
135) 닭고기 등
136) 계란, 크림 등을 거품낼 때 사용하는 도구
137) 눈금이 새겨진 수저〔컵〕

- 뒤집기 : turner
- 디너 왜건 : dinner wagon [138)]
- 물병 : water bottle
- 버터 그릇 : butter container
- 보온병 : vacuum-bottle / thermos
- 부엌의 조리대 : kitchen table
- 빨대 : sipper
- 사기 그릇 : china
- 사기 접시 : porcelain dishes
- 석쇠 : grill [139)]
- 수세미 : scouring pad
- 식기류 : table-ware
- 식기세척기 : dishwasher
- 식기 장식장 : sideboard
- 식당차 : refreshment car [140)]
- 식료품 저장실 : pantry
- 식용 분수 : drinking fountain
- 식탁보 : table-cloth
- 식탁용 매트 : place mat [141)]
- 식탁용 소금그릇 : saltshaker
- 식탁용 접시류 : flatware
- 식후 소형 커피잔 : demitasse
- 쓰레기 압축기 : trash compactor [142)]
- 아이스크림 제조기 : ice cream freezer
- 압력솥 : pressure cooker
- 양념 그릇 : caster
- 얼음 깨는 기구 : ice crusher
- 여과기 달린 포트 : percolator
- 은박지 : silver paper
- 은식기류 : silverware
- 이쑤시개 : tooth-pick
- 전기 밥솥 : electric rice cooker
- 전자레인지 : microwave (oven)
- 접시받침 : table-mat
- 종이컵 : paper cup
- 주걱 : spatula
- 차 받침대 : strainer
- 찬장 : cupboard / china deck
- 취사 도구 : cooking utensils
- 커피 여과지 : filter paper
- 커피 원두 : coffee beans
- 커피포트 : coffee pot
- 커피분쇄기 : coffee mill
- 커피 자동판매기 : coffee vending machine
- 코르크 마개 뽑이 : corkscrew
- 토스터 : toaster
- 토스트 랙 : toast rack [143)]
- 통조림 따개 : can opener
- 프림통 : milk jug
- 핑거 볼 : finger bowl [144)]
- 하니 서버 : honey server [145)]
- 행주 : dish towel / dishcloth
- 혼합기 : mixer [146)]
- 후라이팬 : frying pan
- 휴대용 식기 : canteen

---

138) 식기, 요리 등을 위에 싣고 손으로 밀고 다니는 식당용 테이블(이동 식기대)
139) 고기 굽는 철판
140) 'dining car' 또는 dinner보다 간단한 뷔페식의 간이 식당차
141) 식탁에서 1인분의 식기 밑에 깔아 놓는 천
142) 쓰레기(특히 캔류)를 뭉개어 작게 하는 기계
143) 토스트를 세워 두는 곳
144) (디저트 후에 내 놓는) 손가락을 씻는 그릇
145) 꿀과 시럽 등을 부을 때 흘리지 않도록 부을 수 있도록 해주는 도구
146) 한국에서 말하는 믹서기(과일 등을 갈아서 즙을 내는 도구)는 blender이며, mixer는 여러 가지 재료를 함께 넣어서 혼합하는 도구다.

기 타

- 가정식 : family style[147)]
- 간이 식사 : quick lunch
- 냄새 제거제 : deodorant[148)]
- 단식 투쟁가 : hunger striker
- 단식일 : fast day / fasting day
- 뜨거운 물에 삶다 : poach
- 메뉴 : menu / bill of fare
- 메뉴 내용 : what's on the menu
- 무료 식당 : soup kitchen[149)]
- 사과를 깎다 : pare an apple
- 서비스 값 : cover charge
- 설거지를 하다 : do the dishes
- 시식회 : sampling party
- 식기 세척제 : dishwashing liquid
- 식도락가(미식가) : freeliver
- 식량 배급 : food rationing
- 식탁을 차리다 : set the table
- 식품 의약국(美) : FDA[150)]
- 식품권 : food stamp
- 식히다 : cool off
- 싸구려 치즈 : rat cheese
- 어린이용 메뉴 : kids' menu
- 얼음 같이 찬 : iced cold
- 영양 실조 : unbalanced nutrition
- 옥상 레스토랑 : roof garden
- 웨이터의 조수 : busboy[151)]
- 음식을 싸는 종이상자 : doggy bag
- 정육업자 : meat-packer
- 정육점 : meat〔butcher〕 shop
- 주부 : homemaker
- 집단 식중독 : mass food poisoning
- 추가 요금 : surcharge
- 풀 서비스 : full-service[152)]
- 해물 시장 : seafood market

신문 · 잡지

- (사건) 기사〔보고〕 : write-up
- 경제면 : financial section
- 교정 담당자 : proofreader
- 국내 정세면 : national (section)
- 독자란 : reader's column
- 반면 광고 : half page ad
- 발행 부수 : circulation
- 사회 기사 : human interest story
- 선정적 저널리즘 : yellow journalism
- 시험 구독료 : introductory price[153)]
- 식자실(植字室) : composing room
- 신문 검열 : press censorship
- 신문 기사 : article for the press
- 신문 기자 : newspaperman / reporter
- 신문 기자단 : press corps
- 신문 기자석 : press box
- 신문 만화부록 : funny paper
- 신문 매점 : newsstand
- 신문 발표 : press remarks[154)]
- 신문 스크랩 : newspaper clipping
- 신문 톱기사 제목 : bannerline

---

147) 담아 놓은 음식을 각자가 덜어 먹는 스타일
148) deodorize : 나쁜 냄새를 제거하다
149) 빈민을 위한 무료 식당, 이에 필요한 티켓을 soup ticket라고 함
150) FDA : Food and Drug Administration
151) 식당에서 접시를 닦는 등의 잡일을 하는 사람
152) 포괄적인 편의를 제공하는
153) 새로운 구독자를 개척하기 위한 할인 구독료
154) 정부기관, 기업 등이 기자에게 행하는 발표

- 신문 판매기 : newspaper vendor
- 신문 판매인 : news dealer
- 신문 배달 소년 : delivery boy
- 신문사 : newspaper office
- 심야 근무 : lobster shift 〔trick〕
- 어용 신문 : ministerial paper
- 원고계원 : copyboy
- 원고 작성 기자 : rewrite man [155)]
- 윤전기(輪轉機) : rotary press
- 일면 인쇄 신문 : patent insides 〔outsides〕 [156)]
- 잡지 낱권 판매 : single-copy sales
- 전단 표제 : headline / banner
- 전면 광고 : full page ad
- 정기 간행물 : periodical
- 제 1면 : front page
- 조간〔석간〕 : morning 〔evening〕 edition
- 주요〔톱〕 기사 : leading article
- 지방기사 편집부 : city desk [157)]
- 집중 취재 : saturation coverage
- 추측 기사 : speculative news story
- 특약 기고가 : columnist
- 특약 기고란 : columns
- 특종〔독점〕 기사 : exclusive news
- 특집 기사 : feature articles
- 특집호 : special issue
- 편집국장 : managing editor
- 표제지〔제1면〕 : front page

신체 외부 명칭

머리(head)

- 곱슬머리 : kinky hair / curly hair
- 관자놀이 : temporalis
- 광대뼈 : cheekbone
- 구렛나루 : whiskers
- 귀 : ear
- 귓불 : earlobe
- 금발 : blond hair
- 뇌 : brain
- 눈 : eye
- 눈구멍 : eye socket
- 눈까풀 : eyelid
- 눈동자 : pupil
- 눈썹 : eyebrow
- 대머리 : bald head
- 두 개골 : skull
- 두발 : hair
- 두피 : scalp
- 모근 : hair line
- 보조개 : dimple
- 뺨 : cheek
- 속눈썹(전체) : eyelash
- 얼굴 : face
- 이마 : forehead
- 입 : mouth
- 입술 : lips
- 입천장 : palate
- 정수리 : top of the head / crown
- 직모 : straight hair
- 코 : nose [158)]
- 콧구멍 : nostrils

---

155) 취재 원고를 기사용 원고로 재 작성하는 기자
156) 작은 신문사는 이것을 사서 뒷면에 자사(自社)의 기사를 인쇄함
157) 지방기사 편집장 : city editor
158) 매부리코는 aquiline nose / 들창코는 snub nose 〔pug nose〕 / 주먹코는 bulbous nose / 코끼리의 코는 trunk, 말 · 개 등의 코는 muzzle, 돼지 등의 코는 snout

- 콧대 : bridge
- 콧수염 : mustache
- 턱 : jaw [159)]
- 턱 끝 : chin
- 턱수염 : beard
- 혀 : tongue
- 홍채 : iris [160)]
- 후두부 : back of the head

목(neck)

- 목구멍(후두) : throat
- 목덜미 : nape
- 골수 : marrow

몸통(torso)

- 가랑이 : groin / crotch
- 가슴 : chest
- 갈비뼈 : rib
- 겨드랑이 털 : armpit hair
- 골반 : pelvis
- 등 : back
- 명치 : pit
- 배 : abdomen / tummy
- 배꼽 : navel
- 쇄골 : collarbone
- 어깨 : shoulder
- 엉덩이 : buttocks / butt
- 옆구리 : side
- 유두 : nipple
- 유방 : breast / bosom / bust
- 음모 : pubic hair
- 음부 : private parts
- 척추 : backbone / spine
- 항문 : anus
- 허리 : waist
- 횡경막 : midriff / dia-phragm
- 흉골 : breastbone
- 히프 : hip

다리(leg)

- 넓적다리 : thigh
- 무릎 : knee
- 무릎 안쪽 : back of the knee
- 발 : foot
- 발가락 : toe
- 발가락 봉우리 : ball (of the foot)
- 발뒤꿈치 : heel
- 발등 : instep
- 발목 : ankle
- 발바닥 : sole (of the foot)
- 발바닥의 중심 : arch (of the foot) [161)]
- 발톱 : toenail
- 슬개골(膝蓋骨) : kneecap
- 아킬레스건 : achilles tendon
- 정강이 : shank shin [162)]
- 종아리 : calf

팔(arm)

- 겨드랑이 : armpit
- 무릎 관절 : knee joint

---

159) 위턱(upper jaw)과 아래턱(lower jaw)을 총칭
160) 눈동자 주위에 있는 황갈색의 막 / 그리스 신화의 '무지개의 여신' 이란 뜻도 있다.
161) 아치 모양으로 움푹 들어간 부분
162) knee(무릎)과 ankle(발목) 사이 부분을 말한다. 특히 정강이의 앞부분은 shin이라고 한다.

- 상박(上膊) : upper arm
- 손 : hand
- 손가락 : finger [163)]
- 손가락 관절 : knuckle
- 손거스러미 : hangnail / agnail
- 손등 : back (of the hand)
- 손목 : wrist
- 손바닥 : palm
- 손톱 : fingernail
- 팔꿈치 : elbow
- 팔뚝 : forearm

생식기(genitalia)

- 고환 : testicles / balls
- 음경(남근) : penis
- 음낭 : scrotum
- 음순 : labia [164)]
- 질 : vagina

언론 · 방송

- 24시간 밀착 취재 : close round the clock coverage
- NBC제공 : COURTESY NBC
- TV시청료 : TV subscription fee
- TV 재방송 프로 : rerun
- TV의 브라운관 : cathode-ray tube
- 가장 인기있는 쇼 : star turn
- 가족 시청 시간대 : family hour [165)]
- 각본 : playbook
- 각본 감수자 : play doctor
- 고시청률 전후 시간대 : fringe time [166)]
- 공갈 취재 : extortion by threats
- 공개 방송 : open broadcasting
- 공식 통계 : official reports
- 공용 안테나 : community antenna
- 국영 방송 : state-run network
- 기록 담당자 : script girl
- 기자 초청 연회 : press party [167)]
- 기자(보도원) : newshound
- 기자단 : death-watch [168)]
- 기자증 : press card
- 기자회견 자료집 : press kit [169)]
- 날조 기사 : fabrication
- 녹화방송 : filmed TV broadcasting
- 뉴스 방송 : news bulletin
- 뉴스 보도 : news coverage
- 뉴스 속보 : (news) flash / breaking news
- 뉴스 특집 : special news program
- 단독 회견 : exclusive interview
- 담당 기자 : assignment man
- 대본 : script
- 동시 방송 : simulcast [170)]
- 디지털 무선 송신 : digital readout [171)]

---

163) 손가락(finger)의 명칭 : 엄지(thumb), 검지(index finger / forefinger / first finger), 중지(middle finger / long finger / second finger), 약지(third finger / ring finger), 새끼손가락(little finger / pinky / fourth finger)
164) labium의 복수형
165) 보통 섹스, 폭력 등을 다룬 프로그램을 방송하지 않는 시간 : 오후 7~9시
166) 황금시간대(prime time) 전후의 시간대로서, 미국에서는 오후 5~7시, 오후 11~오전 1시
167) 선전, 보도를 의뢰하기 위한 연회
168) 중대 발표를 대기하는 기자단
169) 기자 회견 전에 기자에게 배부하는 자료
170) 라디오, TV 동시 방송
171) 인공위성으로부터 데이터나 화상을 디지털 형식으로 무선 송신하는 것

- 라디오 방송국 : radio station
- 라디오 청취자 : listener-in
- 무대 감독 : floor manager
- 민간 방송 : commercial broadcast
- 방송 개시(신호) : sign-on
- 방송 방청객 : studio audience
- 방송 수신지역 : broadcast radius
- 방송 종료(신호) : sign-off
- 방송국 구내 : network compound
- 방청권:admission ticket gallery [172)]
- 보도 기사 : news story
- 보도자료:press [news] release [173)]
- 분장사 : makeup man
- 분장실 : dressroom
- 보도진 : news front
- 사전 보도자료 : release copy [174)]
- 사전 검열제 : pre-censorship [175)]
- 사회부장 : city editor
- 사회자 : MC [Master of Ceremonies]
- 생방송 : live broadcast
- 세상사는 이야기 : sob stuff [176)]
- 소품(도구) : properties
- 수습 기자 : cub [junior] reporter
- 시사 잡지 : newsmagazine
- 시사 주간지 : newsweekly
- 시청률 조사 : audience rating survey
- 시청자 여론조사 : audience response rating
- 시청자가 참가하는 프로 : participation show [177)]
- 실내 소형 안테나 : rabbit antenna
- 실황 방송 : on-the-spot broadcasting
- 심야 쇼(프로) : late-night show
- 심야 여론 조사 : overnight poll
- 심층 취재 : in-depth news coverage
- 애청자 : devoted listener
- 언론이 주도하는 세계 : media-driven world
- 언론 플레이 : press campaign [178)]
- 언론계 판도 : media landscape
- 여기자 : newshen
- 여론 : popular opinion
- 여론 조사 : (public) opinion poll
- 여론 조사원 : poller / pollster
- 연속 멜로 드라마 : soap opera
- 연출자 : director
- 오락 프로 : entertainment program
- 웃음을 녹음한 테이프 : laugh track
- 원고 : MS [manuscript]
- 원고에 의한 토론 : scripted discussion
- 음성 다중 방식 : sound-multiplex system
- 음향 조정기사 : sound engineer
- 음향 효과 : sound effects
- 음향효과 담당자 : sound man [mixer]
- 이동식 마이크 : movable microphone
- 이동식 촬영대 : dolly
- 인기 가수 : popular singer

---

172) 의회, 법정 등의 방청석은 order, gallery
173) 미리 나누어주는 성명서 등
174) 공식 발표 등에 앞서 사전에 배포하는 자료
175) 방송 심의 위원회 : Deliberative Committee on Broadcasting
176) 소설, 연극 등
177) phone-in : 시청자가 전화로 방송에 참여하는 프로그램
178) 신문을 통한 여론 환기

- 인기 연예인 : drawing card [179)]
- 인기 프로 : hit program
- 인기 프로 조사 : listener research
- 자막(字幕) : subtitle
- 자체 프로그램 : sustaining program [180)]
- 저 시청률 프로 : minority program
- 적격 심사 : screening test
- 종군 기자 : war correspondent
- 중계방송 : relay broadcast
- 중계차 : relay mobile
- 지방 기사 : city news
- 짧은 뉴스 : spot announcement [181)]
- 찬조 출연 : guest appearance
- 최근 발생한 뉴스 : late-breaking news
- 최루물 담당 여기자 : sob sister [182)]
- 최신 뉴스 : hot news [183)]
- 출연료 : guarantee
- 출연자 : performer
- 취재 : covering
- 취재 경쟁 : competing in coverage
- 취재 기자 : assignment man
- 취재 활동 : coverage activities
- 취재원 보호법 : shield law
- 퀴즈 프로 : quiz show
- 퀴즈프로 사회자 : quizmaster
- 토크쇼 진행자 : talk-show-host
- 통신사 : news service〔agency〕
- 특종(독점 기사) : scoop
- 특집 기사 : feature story / special article / feature
- 피디 : PD〔program director〕
- 해외 특파원 : foreign correspondent
- 현장 인터뷰 : field interview
- 현장 취재 : on-the-spot coverage
- 현지 고용 통신원 : string correspondent
- 황금시간대(골든 아워) : prime-time [184)]
- 후편(속편) : sequel
- 흉내 잘 내는 사람 : impressionist

영화 · 연극

- (무대의) 현수막 : drop curtain scene
- 고전 무용 : classical ballet
- 극작가 : playwright
- 노천 극장 : open-air theater
- 대 히트작 : smash hit
- 대단원 : grand finale
- 대상(그랑프리) : grand prix
- 더블 테이크 : double take [185)]
- 무대 감독 : stage manager
- 무대 공포증 : stage fright
- 무대 연출가 : stage director
- 무대 장치 : stage set
- 무대 효과 : stage effect
- 무언극 : pantomime
- 배우 겸 극작가 : actor-playwriter
- 분장실 : dressing room
- 사교춤 : ballroom dancing
- 사인회 : autograph session

179) 인기 강사, 인기 프로그램을 칭하기도 한다.
180) 방송국 자체의 비사업성 프로그램
181) TV, 라디오 프로그램 사이에 끼어 넣는 짧은 뉴스나 광고
182) 최루물을 주로 쓰는 여기자
183) 특히 민감한 뉴스
184) ((주의)) 'golden time' 이라고 하지 않는다.
185) (희극 배우가) 처음엔 웃음으로 받아 넘겼다가 다음에 깜짝 놀란 채 하는 짓; 다시 보기(second look)

- 서커스 단원 : circus performer
- 소장품 : collection
- 순회 공연 : road show
- 신 작품 (발표회) : collection
- 연극 프로그램 : playbill
- 연예업〔연예계〕 : show business
- 연예인 : entertainer
- 연출용 대본 : prompt copy
- 열렬한 팬 : ardent fan
- 예명(藝名) : stage name
- 예행 연습 : runthrough / rehearsal
- 이중 촬영 : overlap
- 인형극 : puppet show〔play〕
- 임시 극장 : fit-up
- 입선작 : winning piece of work
- 조명기구 : lighting instrument
- 줄거리 : plot line
- 줄타기 곡예사 : ropewalker
- 지방 순회극단 : road company
- 지방 순회공연 : local performance
- 최우수 작품상 : best motion picture award
- 침흘리는 소녀팬 : drooling-fangirl
- 톱 바나나 : top-banana [186)]
- 휴게실(극장) : crush-room

음 악

- 4분 음표 : fourth note
- 8분 쉼표 : eighth rest
- C 장조〔단조〕 : C major〔minor〕
- '다' 음자리표 : C clef
- 가곡집 : collection of songs
- 가극 : musical (story)
- 가사 내용 : lyric content
- 가수 겸 작곡자 : singer-songwriter
- 곡조 : tune / melody
- 금관 악기 : brass
- 금속 악기 : brass instrument
- 노래책 : songbook
- 녹음된 음악 : canned music
- 대중 음악회 : popular concert
- 대중가요계 : pop music industry
- 도레미파 : sol-fa
- 독주 : solo [187)]
- 동시 녹음 촬영기 : sound camera
- 되돌이표 : repeat mark
- 립싱크 : lip-synch(ronization) [188)]
- 목관 악기 : woodwind
- 무드 음악 : atmospheric(al) music
- 민요 : folk song
- 민요 가수 : folksinger
- 박자 부호 : time signature
- 반음 : semitone
- 북소리 : drumbeat
- 사분음표 : quarter note / crotchet
- 성가대 : choir
- 성대 : vocal cords
- 성대 묘사 : vocal mimicry
- 소절 : measure
- 실내악 : chamber music
- 실로폰 : xylophone
- 악기 : musical instrument
- 악보 : score
- 악보의 세로선 : bar (line) [189)]
- 야외 음악당 : outdoor music hall

---

186) 연기력이 뛰어난 주역 배우

187) 2중주 : duo, duet / 3중주 : trio / 4중주 : quartet(te) / 5중주 : quintet / 6중주 : sextet(te) / 7중주 : septet(te) / 8중주 : octet(te)

188) 녹음된 음악에 입을 맞추어 노래하는 것

189) 2줄 세로선 : double bar

- 약음기(弱音器) : mute
- 예약제 음악회 : subscription concert
- 외설적인 춤 : risque dance
- 음반 제작사 : music publishing company
- 음악 감상실 : music hall
- 음악 작곡가 : musical composer
- 음악 지휘자 : musical director
- 음정 : tone
- 이분 음표 : half-note
- 인기 가수 : pop star
- 일류 가수 : top class singer
- 자동 연주 피아노 : player piano [190)]
- 자선 음악회 : charity concert
- 작은북 : snare drum
- 장(長) 3도 : major third
- 접속곡 : medley
- 종지 부호 : ending
- 중창 : part singing
- 지휘자 : conductor
- 차임벨 : tubular bell
- 차트 정상에 오른 곡 : chart topper
- 첫 소절 : first verse
- 큰북 : bass drum
- 타악기 : percussion instrument
- 턱 받치는 곳 : chin rest
- 특수 효과 : special effects
- 플랜테이션 송 : plantation song [191)]
- 풀피리 : reed
- 피아노 독주회 : piano recital 〔solo〕
- 현악기 : stringed instrument
- 확성기 : loudspeaker
- 회전반 : turntable [192)]
- 효과음 : sound effects
- 흑인 영가 : the Black song

의 학

진료 과목

- 기생충학 : parasitology
- 내과 : internal medicine
- 내분비 및 신진대사 : endocrinology & metabolism
- 노인병학 : geriatrics
- 마취학 : anesthesiology
- 면역학 : immunology
- 물리의학 : physical medicine
- 미생물학 : microbiology
- 바이러스학 : virology
- 방사선치료 : radiotherapy plastic
- 법의학 : forensic medicine
- 병리학 : pathology
- 부인학 : gynecology
- 비뇨기과 : urology
- 산부인과 : obstetrics & gynecology
- 생화학 : biochemistry
- 성병학 : venereology
- 성형외과 : plastic surgery
- 소아과 : pediatrics (surgery)
- 순환기과 : cardiovascular / heart
- 신경외과 : neurosurgery
- 신경학 : neurology
- 심리학 : psychology
- 심장혈관 외과 : cardiovascular surgery
- 안과 : ophthalmology

190) 호텔 로비(lobby) 등에서 사람이 없이 자동으로 피아노가 연주되는 것을 볼 수 있다.
191) 미국의 대 농장에서 흑인들이 부르던 노래
192) 레코드플레이어의 둥그런 회전반

- 암 전문과 : oncology / cancer
- 약학 : pharmacology
- 예방학 : preventive medicine
- 외과 : surgery
- 위장병학 : gastroenterology
- 이(비)인후학 : otolaryngology
- 일반 내과 : general medicine
- 일반 외과 : general surgery
- 임상병리학 : clinical pathology
- 전염병학 : communicable disease
- 정골과〔지압과〕 : chiropractor
- 정골요법과 : osteopathy
- 정신과 : psychiatry
- 정형외과 : orthop(a)edics
- 조직학 : histology
- 족병학 : podiatry
- 중환자 치료 : intensive care
- 진단 방사선학 : diagnostic radiology
- 폐 전문과 : thoracic / chest
- 피부병학 : dermatology
- 해부학 : anatomy
- 혈액학 : hematology / blood
- 흉부외과 : thoracic surgery

기 타

- 1인〔개인〕 병실 : private room
- 디프테리아, 백일해, 파상풍 : DPT [193)]
- X레이 사진 : X ray photograph 〔picture〕
- 가습기 : vaporizer / humidifier
- 가족 주치의 : family doctor
- 간호사 : sick nurse
- 간호학교 : nursing school
- 갑상선 : thyroid gland
- 개업 의사 : medical practitioner
- 갱년기 장애 : menopausal disorder
- 건강 검진 : health screening
- 건강 관리 : health management
- 건강 식품 : health food
- 건강 진단 : medical 〔physical〕 checkup
- 건강증명서 : clean bill of health 〔BH〕
- 격리 병동 : isolation ward
- 격리 병원 : detention hospital
- 격리 환자 : isolated patient
- 결핵 : TB 〔tuberculosis〕
- 골절 : bone fracture
- 공인 간호사 : registered nurse
- 공중 위생 : public health 〔hygiene〕
- 광견병 예방 접종 : Pasteur treatment
- 구강대 구강 호흡법 : mouth-to-mouth respiration
- 구급 붕대 : emergency dressing
- 구급상자 : first-aid kit
- 구급약 : first-aid medicine
- 구충제 : parasiticide
- 구토성 두통 : sick headache
- 구호소 : first-aid station
- 급성 맹장염 : acute attack of appendicitis
- 기왕증 : medical 〔case〕 history
- 나병 환자 병원 : leper house
- 내〔외〕분비선 : endocrine 〔exocrine〕 gland
- 내과 병동 : medical ward
- 노인성 치매증 : senile dementia
- 뇌 세포 : brain tissues
- 다리 교정 기구 : leg brace

193) DPT : Diphtherial, Pertussis, Tetanus

- 단식 요법 : starvation cure
- 당사자 : the said person
- 대동맥 : the main artery
- 독실 : private room
- 돌연 변이 : mutation
- 돌팔이 의사 : quack doctor 〈속어〉
- 들 것 : stretcher
- 딸꾹질 : singultus / hiccup
- 레이저 수술 : laser surgery
- 링게르 : Ringer's solution
- 마취 전문의 : anesthesiologist
- 마취제 : opiate
- 만병통치약 : cure-all
- 말기 환자 : terminally-ill patient
- 말라리아 : swamp fever
- 면역 기간 : the period of immunity
- 면역체 : immune body [194)]
- 무료 진료소 : free clinic
- 문병 카드 : get well card
- 민간 요법 : folk medicine
- 반창고 : Band-Aid / adhesive tape
- 방사선과 의사 : radiologist
- 법정 전염병 : legal epidemic
- 병력(病歷) : medical history
- 병문안용 꽃 : flowers for illness
- 병실〔병동〕 : ward
- 보건소 : (public) health center
- 보조 간호사 : candy striper
- 부검 : autopsy [195)]
- 부작용 : side effect
- 불결한 위생 : poor sanitation
- 불구로 만들다 : cripple
- 불구자 : a basket case
- 비만 성인 : obese adult
- 빈혈 : anemia
- 사망진단서 : death certificate
- 살균소독기 : sterilizer
- 새살 : proud flesh [196)]
- 수두 : chicken pox
- 수술실 : operation room
- 수은 중독 : mercury poisoning
- 순회 진료반 : traveling clinic
- 신원 미상〈男〉 : John Doe [197)]
- 신체 검사 : physical examination
- 신체 장애 : physical disabilities
- 악성 종양 : malignant tumor
- 안락사 : euthanasia
- 안락사시키다 : euthanize
- 안마 시술소 : massage parlor
- 알레르기 반응 : allergic reaction
- 알레르기 전문의 : allergy specialist
- 암세포 : cancer cell
- 약물 치료 : medication
- 예방 주사 : preventive injection
- 예방접종 증명서 : immunization history
- 올챙이 배 : pot belly [198)]
- 외래 환자 : outpatient
- 위생용품 : personal hygiene product
- 유방암 : cancer of the breast
- 응급 구조단 의사 : flying doctor
- 응급실〔진료소〕 : emergicenter
- 응급 처치 : first aid
- 응급처치 함〔상자〕 : first aid kit
- 응급치료 : emergency cure

194) 인체 면역 결핍 바이러스 양성 반응 : HIV〔Human Immunodeficient Virus〕 - positive
195) autopsy : 검시, 검증, 검시 해부, 부검
196) 상처가 나을 때 그 주위에 생기는 새살
197) 병원의 응급실 환자 명단 또는 소송 등에서 신원이 밝혀지지 않은 남자의 '이름란'에 기록하는 표현(= Richard Doe) / 여자일 경우에는 Jane Doe
198) pot : 항아리 / belly : 배 / pot belly : 술 등을 많이 마셔서 툭 튀어나온 배

- 응급환자 : emergency case
- 의료 기구 : medical appliance
- 의료 면허증 : medical qualification
- 의료보험 : medical insurance
- 의료비 : medical cost
- 의무실 : infirmary [199)]
- 이질 : dysentery
- 인체 실험 : living-body test
- 일본 뇌염 : Japanese encephalitis
- 일사병 : heat apoplexy
- 일상적인 검사 : routine check up
- 입원 환자 : inpatient [200)]
- 입원비 : hospital charge
- 자택 요양〔치료〕 : home care
- 잠복기 : incubation〔latent〕period
- 장티푸스 : typhoid
- 전문의 : specialist
- 전신 마취 : general anesthes
- 전신 마취약 : general anesthetic
- 전염 경로 : the trace of an epidemic
- 전원 접종 : ring vaccination [201)]
- 정맥 주사 : intravenous drop〔injection〕
- 정밀 검사 : close examination
- 종합 진단 : comprehensive medical testing
- 종합병원 : general hospital
- 주사 : injection
- 주사기 : syringe
- 주치의 : medical attendant
- 줄자 : tape measure
- 중상 : heavy wound〔injury〕
- 중풍 : paralysis
- 중환자 : serious case
- 중환자실 : intensive care unit〔ICU〕
- 지혈(법) : stanching
- 진단서 : diagnosis / medical certificate
- 진료소 : clinic
- 진찰대 : examination table
- 진찰실 : outpatient clinic
- 처방전 : prescription
- 청진기 : stethoscope
- 체온계 : clinical thermo
- 체중 조절 : weight control
- 초진 (初診) : first medical exam
- 초진 환자 : new patient〔client〕
- 치료〔치유〕 과정 : healing process
- 침술 : acupuncture
- 탈수증 : dehydration
- 투병 : struggle with disease
- 풍진 : German measles / rubella
- 한의사 : herbal doctor
- 허위 진단서 : false diagnosis / wrongful medical certificate
- 혈액형 : blood type
- 홍역 : morbilli / measles
- 환자 명부 : sick list
- 황달 : yellow gum
- 회복실 : recovery room
- 회충 : roundworm

199) 진료소, 병원, (학교, 공장 등의) 의무실, 치료소
200) 외래 환자는 outpatient라고 한다.
201) 전염병 환자와 관계되는 모든 사람에게 접종

정치 · 외교

국가와 민족

- 공공심〔애국심〕: public spirit
- 공직자 비밀 엄수법 : Official Secret Act
- 괴뢰 정권 : puppet regime
- 국가 경쟁력 : national competitiveness
- 국가 원수 : head of state
- 국가(國歌) : national anthem 〔song〕
  * 미국 국기 : the Star-Spangled Banner / the stars and stripes
- 국교(國教) : state religion
- 국기 게양식 : flag hoisting ceremony
- 국립 공원 : national park
- 국립묘지 : national cemetery
- 국빈 초대 만찬회 : state dinner
- 대통령 경호실 : Presidential Security Service
- 대통령 내외분 : the First Couple
- 대통령 당선자 : the President-elect
- 대통령 측근 : Oval Officer
- 대통령 부인 : first lady
- 대통령 전용기 : Air Force One
- 대통령 집무실 : Oval Office [202)]
- 대통령 관저 : Executive Mansion
- 독립기념관 : Independence Hall
- 독립선언서 : Declaration of Independence
- 동족상잔 : fratricidal war
- 망명 정부 : government in exile
- 모국 : one's native 〔parent〕 soil
- 모방 문화 : copycat culture
- 성조기 : the Star-Spangled Banner / the Stars and Stripes
- 소수 민족 : ethnic minority
- 순국 선열 : (patriotic) martyr
- 여론 조사원 : poll-taker
- 유구한 전통 : time-honored tradition
- 유색 인종 : colored people
- 이중 국적자 : dual nationals
- 인종 분열 : racial division
- 인종 차별 : racial segregation / racism
- 인종분리 정책 : apartheid
- 인종차별 폐지 : racial integration
- 전몰 장병 : the war dead
- 직할 식민지 : crown colony
- 차별 대우 : discriminative treatment
- 추방령 : purge directive
- 충혼비 : monument to the war dead
- 취임식일 : Inauguration Day [203)]
- 친일파 : pro-Japanese (group)
- 한국 재향군인회 : Korean Veterans Association
- 한국 정부 : the Seoul government / the South Korean government
- 해외 거주 한국인 : ethnic Korean
- 혼혈아 : mixed race / mixed heritage
- 흑인 : black people
- 흑인 여성 : soul sister〈속어〉

202) 집무실이 계란 모양〔oval : 달걀모양의, 타원형의〕이라서 붙은 명칭
203) 당선된 다음 해의 1월 20일

정 치

- (선서) 취임(식) : swearing-in
- (의회의) 방청석 : public gallery
- 3권 분립 : division of powers
- 가두 연설 : stump speech〈속어〉
- 각료 : cabinet minister
- 간첩 활동 : espionage activities
- 감사원장 : Controller General
- 개각(改閣) : cabinet reshuffle
- 개원(開院) : the opening of the House
- 개혁안 : reform bill
- 개혁파 : crusader
- 거국 내각 : all-nation Cabinet / national government
- 거부권 : veto right / veto
- 격동기 : tumultuous era
- 경고 백서 : white paper warning
- 계엄령 : martial law
- 고위 관리 : ranking government official
- 고위층 : high ranking officials
- 고충 처리 위원회 : grievance committee
- 공보처 장관 : press secretary
- 공탁금 : deposit money
- 과격 단체 : militant party
- 과격 분자 : radical elements / radicals
- 과격파 학생 : student extremist
- 관계 부처 : ministries concerned
- 국민의 이름으로 : in the name of a nation
- 국회 본회의 : Assembly plenary session
- 국회 의사당 : National Assembly Building
- 국회 청문회 : Congressional hearing
- 국회〔정부〕보고서 : blue book
- 국회법 : parliamentary law
- 국회의원 : lawmaker [204)]
- 국회의장 : the speaker of parliament
- 권력 투쟁 : struggle for power
- 궐기 집회 : rally
- 극우 단체 : ultra-rightist group
- 금권 정치 : plutocracy
- 기조 연설 : keynote address
- 긴급 사태 : state of emergency
- 내각 : the Cabinet [205)]
- 내란 : civil war
- 내란 음모 : rebellion conspiracy
- 내정 간섭 : interference in internal affairs
- 다수당 : major party
- 단식 투쟁 : hunger struggle
- 단일 후보 : single〔sole〕candidate
- 단일 지도체제 : one-man leadership system [206)]
- 당국자 : the authorities [207)]
- 당권 싸움 : strife for party hegemony
- 당론 : party opinion
- 당선 무효 소송 : election petition
- 대규모 집회 : mass rally

---

204) 초선 의원 : a newly-elected member of the National Assembly / 전국구 의원 : a member of the Assembly elected from the national constituency
205) 내각 총 사퇴 : general resignation of the Cabinet / 당직 개편 : reorganization of a party's hierarchy
206) 집단 지도체제 : collective leadership system
207) 고위 당직자 : high-ranking〔senior〕party members / 당정 협의 : government-ruling party session

- 대중 집회 : mass meeting
- 대통령 관저 : Presidential Residence
- 대표자(대리인) : delegate / representative
- 독재 정치 : dictatorship
- 막후 협상실 : smoke-filled room
- 무기명 투표 : secret vote
- 무력 진압 : military crackdown
- 무상 원조 : grant aid
- 무장 폭동 : armed revolt
- 민주당 : Democratic Party [208)]
- 민주주의자 : democrat
- 밀월 기간 : honeymoon period [209)]
- 반대 의견 : dissenting opinion
- 반민주 세력 : antidemocratic forces
- 반체제 운동 : anti-Establishment movement
- 방해 정당 : spoiler party [210)]
- 법사위원회 : judiciary committee
- 보궐 선거 : special election
- 보복 정치 : retaliatory politics
- 보완 조치 : complementary measures
- 보이지 않는 정부 : invisible government [211)]
- 부정부패 : irregularities and corruption
- 분과(소) 위원회 : subcommittee
- 불신임안 : non-confidence vote
- 비례대표제 : proportional representation
- 빈민가 철거 : slum clearance
- 사회봉(司會棒) : gavel
- 사회불안 : social disorders
- 상임위원회 : standing committee
- 서명 운동 : signature-collecting drive
- 소수당 : minority party
- 소수당 원내총무 : minority leader
- 소수당 정부 : minority government
- 시의원 : city council member
- 시의회 : city assembly (council)
- 실험 단계 : mock-up stage
- 압력 단체 : pressure group
- 야당 : out-party
- 여당 : government (ruling) party
- 역효과 : reverse effect
- 연두 교서 : the State of the Union Address
- 연립 내각 : coalition cabinet
- 열강 : Great Powers
- 엽관제 : spoils system [212)]
- 예산 결산 위원회 : Budget Settlement Committee
- 예산 편성 : compilation of budget
- 오차율 : margin of error
- 옥외 집회 : open-air meeting
- 외부 감사 : outside audit(ing)
- 요시찰인 : black list / surveillance list
- 요직 : key post
- 운동권 학생 : student-activist
- 원내 총무 : floor leader
- 원내 교섭 단체 : parliamentary

208) 민주당 공천 후보자 : a candidate nominated by the Democrats / 민주당원 : Democrat
209) 미 대통령 취임 후 약 3개월간 야당이나 언론이 대통령을 비판하지 않고 호의적으로 대하는 기간
210) 2개 정당의 한 쪽을 선거에서 방해를 하기 위해서 결성된 당
211) 미 CIA의 별칭
212) 정권을 잡은 정당이 승리의 대가(보수)로서 관직 또는 그 밖의 이권을 당원에게 배분하는 일

negotiation group
- 의사당(회의장) : council house
- 의안 거부권 : pocket veto [213)]
- 의회를 해산하다 : dissolve parliament
- 인권 유린 : infringement of human rights
- 일괄 법안 : omnibus bill
- 일당 독재 : one-party rule
- 임기응변적 정책 (결정) : adhoc(k)ery
- 임시 정부 : provisional government
- 장외 투쟁 : out-of-parliament struggle
- 재야 인사 : opposition personage
- 전당 대회 : national convention
- 전반적인 규제 : sweeping curb
- 정계 : political establishment
- 정당 강령 : party platform
- 정당 정치 : party politics
- 정당원 : party man
- 정부 고위층 : high ranking officials
- 정책위원장 : policy(-making) committee chairperson
- 정치 공작 : political maneuvering
- 정치 헌금 : political payoffs〈속어〉
- 정치범 수용소 : concentration camp
- 정치적 불안 : political uncertainty
- 제도적 안전장치 : institutional safeguard
- 중도파 : middle-of-the-roader
- 지도자 (비밀) 회의 : executive session
- 지방 유지 : favorite son [214)]
- 지역 평의회 : community council [215)]
- 진상 조사원 : fact finder
- 집단 항의 : group protest
- 집단 행동 : collective behavior
- 차점자 : the runner-up
- 철권 통치 : iron-fisted rule
- 청렴 정치 : clean politics
- 총 사퇴 : general resignations
- 최대 현안 : the most important problem pending
- 추가 경정 예산 : supplementary budget
- 특별 조사위원회 : select committee
- 표어(슬로건) : rallying cry
- 학원의 자유 : campus freedom / academic freedom
- 항의(궐기) 집회 : indignation meeting
- 핵심 인물 : core member
- 행정(대통령) 명령 : Executive Order
- 후속 조치 : follow-up measures

선 거

- 결선 투표 : final vote (ballot) / decisive vote
- 국민투표 : (national) referendum
- 기권 방지 운동 : get-out-the-vote campaign
- 기표소 : polling booth
- 낙선자 : defeated candidate
- 농촌표 : farm vote(s)
- 당선이 확실한 후보 : shoo-in

213) 대통령 · 주지사 등의 의안 묵살(거부권)
214) (대통령 후보자로서 출신지의 추천을 받은) 인기 후보자
215) 지역 사회 이익을 위한 일반인의 자문기관

- 대선거구 : major constituency
- 대통령 당선자 : president-elect
- 대통령 예비선거 : presidential primary
- 대통령 선거 운동 : campaign for the White House
- 대통령 후보 : Presidential (candidate)
- 득표 전략 : vote-getting tactics
- 무투표 당선 : return without voting
- 부동표 : floating〔shifting〕 votes / undecided 〔uncommitted〕 vote
- 부재자 투표 : absentee ballot 〔voting〕 / advance poll / voting by mail
- 부정 선거 : rigged election〈속어〉
- 비공식 여론조사 : straw poll 〔vote〕
- 사전 선거운동 : pre-electioneering
- 선거 개표보고(서) : election returns
- 선거 공약 : election pledges
- 선거 사범 : election crimes
- 선거 연설 : campaign speech
- 선거 운동원 : election campaigner / electioneering agent
- 선거 유세 : campaign trail
- 선거 자금 : election campaign fund
- 선거 관리 위원회 : election administration committee
- 선거구 : election district
- 선거법 위반 : election law violation
- 선거 운동 : election campaign
- 선거인 명부 : electoral roll / pollbook / votor's list
- 선거인단 : electoral college
- 세대 교체 : shift in generation
- 여성 유권자 : electress
- 유권자 : electorate / elector
- 입후보 공탁금 : deposit for filing candidate
- 전략적 (대)성공 : strategic masterstroke
- 접전지 : closely contested constituency
- 지방 선거 : local election〔poll〕
- 지방 유세 : campaign swing
- 총 유권자 : entire electorate
- 총선 : general election
- 최고 득표 : the highest poll
- 출구조사 : exit poll [216)]
- 투표 계표원 : tally clerk
- 투표 용지 : ballot〔voting〕 paper
- 투표 참관인 : poll watcher / voting witness
- 투표 참여율 : voter participation rate
- 투표 용지 : ballot paper
- 투표율 : electorate turnout
- 투표일 : polling day
- 투표장(소) : polling place
- 투표함 : ballot box
- 합동 선거 연설회 : joint stumping rally
- 호별 방문 선거운동 : door-to-door canvassing
- 후보자 경력 : candidate biography

216) 투표결과를 예측하기 위해서 투표소 출구에서 하는 여론 조사

외교(국제정치)

- 가 조인 : initialing
- 가 서명 : initial signing
- 강경 수단 : drastic measure
- 강경론자〔매파〕 : hawk
- 강경파 : tough-line〔hard-line〕 faction
- 강대국 : powerful country / Big Power
- 강온양면 정책 : carrot-and-stick policy
- 강제 송환 : enforced repatriation
- 강화 사절 : peace envoy 〔delegate〕
- 거부권 : veto
- 공동 선언 : joint declaration
- 공동 성명 : joint communique
- 공동 성명 : joint statement
- 공식 방문 : state visit
- 공화당원 : Republican
- 관련 국가들 : countries concerned
- 교섭 단체 : negotiating body
- 교섭〔타협〕 : negotiation
- 교착상태 : deadlock / stalemate
- 국빈(國賓) : state guest
- 국외 추방 : deportation
- 국제 사회 : international community
- 국제 의회연맹 : IPU [217)]
- 국제 조약 : international treaty
- 근거리 외교 : proximity talks [218)]
- 금력 외교 : dollar diplomacy
- 난민 : refugee
- 난민 수용소 : refugee camp
- 남북 협상 : South-North negotiation / South-North talks
- 남북 통일 : reunification of North and South (Korea)
- 남북한 교류 : exchange between south and north Korea
- 냉전 : cold war
- 다각 외교 : multilateral diplomacy
- 대사관 : embassy
- 대사관 공보담당관 : press attache
- 대일 감정 : the feeling toward Japan
- 동맹국 : ally
- 등거리 외교 : equidistant diplomacy
- 무력 외교 : power diplomacy
- 문호개방 정책 : open door policy
- 미 공화당 : G.O.P. [219)]
- 미 대통령 선거일 : Election Day [220)]
- 미 독립 전쟁 : Revolutionary War
- 미 양원 합동회의 : joint convention / joint session [221)]
- 민간 외교 : nongovernmental diplomacy
- 보복 : reprisal / retaliation
- 보유국, 미 보유국 : haves and have-nots [222)]

217) IPU : International Parliamentary Union
218) 양방간의 근접한 장소에 위치한 제 3자〔중재자〕가 당사자 사이를 오가며 추진하는 외교 교섭
219) Grand Old Party : 미 공화당(Republican Party)의 속칭
220) 11월의 첫 월요일 다음의 화요일
221) 미 상 하원 합동 위원회 : Joint Panel

- 분쟁 조정자 : troubleshooter
- 불가침 조약 : nonaggression pact
- 비공식 외교 : shirt-sleeve-diplomacy [223)]
- 비동맹 정책 : nonalignment policy
- 비밀 조약 : secret agreement
- 비준 : ratification
- 사전 통고 : advance notice
- 사전 협의 : prior consultation
- 상원 : Senate
- 상원 의원 : Senator [224)]
- 상원 의원 선출구 : senatorial district
- 상하 양원 : separate houses
- 새로운 협력시대 : new era of cooperation
- 선진국 : advanced country
- 세력 균형 : balance of power
- 소환 : recall
- 승인 : recognition
- 신임장 : credentials
- 안전보장이사회 : Security Council
- 양국 공동 관심사 : matters of mutual concern for the two countries
- 영빈관 : state guesthouse
- 영사 : consul
  * 총영사 : consul general
- 영토 문제 : territorial issue
- 왕복 외교 : shuttle diplomatic [225)]
- 외교 관계 : diplomatic relations
- 외교 사절단 : diplomatic mission
- 외교 소식통 : diplomatic source
- 외교 정책〔방침〕 : foreign policy
- 외교관 면책 특권 : diplomatic immunity
- 외교 통신 문서낭 : diplomatic pouch
- 우호 관계 : friendly relations
- 우호 조약 : friendship treaty
- 유화 정책 : appeasement policy
- 의정서 : act
- 일본 국회의사당 : Diet Building
- 전방위 외교 : omnidirectional diplomacy
- 정상 회담 : summit talk
- 정치 망명 : political asylum
- 조약 개정 : treaty revision
- 조약국 : treaty power
- 주의 당대회 : state convention
- 주지사 : Governor
- 중간 선거의 해 : off year election [226)]
- 직접 예비선거 : direct primary [227)]
- 참의원〈일본〉 : upper house
- 초당적 외교 : nonpartisan diplomacy
- 초안 : draft
- 최후 통첩 : ultimatum
- 취소 : abrogation
- 친서 : personal message
- 특사 : special envoy
- 평화 공세 : peace offensive
- 평화 공존 : peaceful coexistence
- 포괄적 교섭 : umbrella talks

---

222) (핵 등의) 보유국 및 미보유국 / '유산자와 무산자' 라는 의미도 있음
223) 규칙에 얽매이지 않고 외교정책을 펴 나가는 것
224) 하원은 Congressman
225) 분쟁중인 두 나라 사이를 제 3국의 중재자가 오가며 하는 외교
226) 대통령 선거는 없고 상 · 하의원 및 주지사 선거만 있는 연도
227) 당원의 직접 투표에 의해서 후보자 지명

- 하원 : the House of Representative
- 하원 의원 : Congressman
- 현안 문제 : pending issue
- 협정 : accord
- 화해 : reconciliation

주택 · 건설

- (대) 도시권 : metropolitan area
- (도시) 강변지대 : riverfront
- 가옥대장 : house register 〔ledger〕
- 거주 지역 : residential district
- 건물 관리 기사 : building engineer
- 건물 철거 명령 : clearance order
- 건축 기사 : architect
- 건축 면적 : building site
- 건평 : floor space / living space
- 경기장 부속건물 : field house
- 고층 건물 : high-rise building / skyscraper
- 고층 아파트 단지 : high-rise apartment complex
- 관사 : official residence
- 교외 : suburb
- 국제 도시 : cosmopolitan city
- 군청 소재지 : county seat 〔site〕
- 기둥 : pillar
- 기와 : tile
- 기와 지붕 : tiled roof
- 기초 공사 : foundation work
- 단면도 : cross sectional view
- 대도시 : cosmopolitan city
- 대지 : lot size
- 대지 면적〔부지〕 : plottage
- 도시 계획 : urban planning
- 도심지 공동주택 : town house
- 독립 건물 : free-standing building
- 모래 채취장 : sandpit
- 미장이 : plasterer
- 벽돌집 : brick building 〔house〕
- 보강 공사 : reinforcement work
- 복구 공사 : restoration work
- 부동산 등기 : real-estate registration
- 부동산 양도세 : real estate transfer tax
- 부동산 취득세 : property transaction tax
- 부동산 투자 : investment in real estate
- 비상구 : emergency door 〔exit〕
- 사무실 밀집 지역 : office complex
- 사옥 : company housing
- 소유권 : proprietary rights
- 수도권 : capital territory
- 양도 가격 : transfer price
- 양도소득세 : transfer income tax
- 외딴 동네 : outlying village
- 용마루 : ridge
- 이동 주택 : house trailer
- 임시 가옥 : temporary housing
- 자가 소유자 : homeowner
- 전용(專用) : exclusive use
- 조감도 : bird's eye view
- 조건부 매입 : contingency purchase
- 주택 건설 : homebuilding
- 주택난〔부족〕 : housing shortage

- 집세가 싼 주택 : low-rent home
- 집주인(남자) : landlord[228]
- 처마 : eave(s)
- 초가(草家) : thatch-roofed cottage / grass-roofed house
- 판잣집 : shanty house
- 현물 매매 : spot sale
- 주택 청약 예금 : apartment-application deposit

증권〔주식〕

- 거래 건수 : markings
- 기관 투자가 : institutional investor
- 내린 종목(수) : declined
- 대 주주 : majority shareholder
- 매각 선택권 : put option
- 매출 가격(증권) : offering price
- 배당금 : dividend / share
- 보유 증권 : security holdings
- 보합 종목(수) : unchanged
- 비공개 주식 : letter stock
- 상종가 : daily permissible ceiling
- 성장주 : glamour issue
- 액면가 : face value / par
- 오른 종목(수) : advanced
- 우량 주식 : blue-chip stock
- 우선 배당 : preferred dividend
- 우선주 : preferred stock 〔share〕
- 유망주 : glamour stock[229]
- 유망주〔인기주〕 : active stock
- 이익 배당 우선주 : participating preferred
- 자회사 주식 배분 : spin-off
- 주가 지수 : stock price index
- 주식 거래 : stock exchange
- 주식 공개 : going public
- 주식 매입 : buy-in
- 주식 배당 : stock dividend
- 주식 시세표 : stock list
- 주식 신청서 : application for shares
- 주식 중개인 : stock broker
- 주식 중매회사 : commission house
- 주식 투자 : investment in stock
- 주식회사 : stock company
- 주주 총회 : general meeting of shareholders
- 중계 수수료 : brokerage
- 증권 감독원 : the Security Supervisory Board
- 증권 거래소 : stock exchange
- 증권 파동 : stock market crisis
- 증권 회사 : security company / stockbrokerage firm
- 증권거래위원회 : S.E.C. 〔Securities and Exchange Commission〕
- 증권거래소 : stock exchange
- 총 거래량 : volume
- 총 거래액 : turnover
- 최하〔최고〕 기록 : all-time low 〔high〕
- 특별 배당 : extra dividend
- 특별 배당금 : plum / extra dividend

228) 여자 집주인 : landlady
229) 값이 오를 것으로 예상되는 주식

환 경

- (공원) 휴지통 : litterbin
- (내뱉은) 침 : spittle
- 감시 측정소 : monitoring station
- 개발 제한지역 : restricted development district
- 거리 청소부 : street cleaner
- 계곡〔골짜기〕 : ravine
- 고체 : solid body〔matter〕
- 공기총 : air gun〔rifle〕
- 공장 폐수 : industrial effluent
- 공해 : environment pollution
- 공해 방지 시설 : pollution control facilities
- 공해 추방 운동 : antipollution campaign
- 과밀 도시 : overpopulated city
- 금렵 지구 : preserve
- 기름 유출 : oil-spill [230)]
- 낙진(落塵) : fallout
- 녹화 운동 : tree-planting campaign
- 대기 오염 : air pollution / pollution of the atmosphere
- 대기 오염 방지법 : Federal Air Quality Act [231)]
- 대청소 : general cleaning
- 돌연변이 : mutation
- 매립지 : made ground
- 멸종 위기에 처한 종(種) : endangered species
- 미생물 : microorganism
- 방사성 폐기물 : radioactive waste
- 배기 가스 : exhaust
- 부식 : corrosion
- 분뇨 수거차 : dung cart
- 불모지 : marginal land
- 불법 폐기 : illegal dumping
- 사냥터 : hunting ground
- 산성비 : acid rain
- 산업 폐기물 : industrial waste
- 생태학 : ecology
- 석회암 : limestone
- 소음 공해 : noise〔sound〕 pollution
- 수렵 금지 지역 : game preserve
- 수렵기 : open season [232)]
- 수성 페인트 : color wash
- 수역 : the body of water
- 수질 오염 : water contamination
- 썩는 쓰레기 : biodegradable trash [233)]
- 쓰레기 분리 수거 : separate garbage collection
- 쓰레기 소각로 : refuse consumer
- 쓰레기 수거 : trash pick up
- 쓰레기 종량제 : trash volume-rate disposal system
- 쓰레기 처리장 : dumping ground [234)]
- 쓰레기차 : garbage truck〔wagon〕

230) 기름 유출 제거 작업 : oil-spill cleanup
231) 제안자인 'Edmund S. Muskie' 상원 의원의 이름을 따서 '머스키법'이라고도 한다.
232) 어렵, 수렵 허가기간
233) biodegradable : 분해성이 있는 / 썩지 않는 쓰레기 : nonbiodegradable trash
234) 유독성 쓰레기 처리 : toxic wastes disposal / 유독성 처리장 : toxic wastes dumps

- 쓰레기통 : garbage can
- 아황산 가스 : sulfur 〔sulphur〕 dioxide
- 암초 : reef
- 엽총 : sporting gun
- 오염 방지법 : anti-pollution law
- 오물 수거인 : garbage man 〔collector〕
- 오염 정도 : degree of contamination
- 오염원 : polluter / sources of pollution
- 오존층 : ozone layer
- 오존층의 감소 : depletion of the ozone layer
- 온실 효과 : greenhouse effect
- 유독 가스 : poisonous gas
- 유전 : oil field
- 유출된 기름 제거 : skimming
- 융기 : bulge
- 일조권 : right to sunshine
- 자연 보전구역 : nature-preservation district
- 자연보호 구역 : nature reserve
- 자연 제방 : natural levee [235)]
- 자원 재활용 : resource recycling
- 적자생존 : survival of the fittest
- 적조 : red tide / red water
- 정화 노력 : clean up efforts
- 조약돌 : pebblestone
- 중력 : gravitational attraction
- 지구 온난화 : global warming
- 진도(震度) : seismic intensity [236)]
- 천연 기념물 : natural monument
- 청소부 : cleaner
- 청소차 : dirt wagon
- 침식 : erosion
- 토질 조사 : soil survey
- 폐휴지 수거 운동 : paper drive
- 하수오물 : sewage
- 핵 폐기물 : nuclear waste
- 협곡 : canyon
- 화산 폭발 : eruption of volcano [237)]
- 화석(化石) : fossilized remains
- 화성암 : granite
- 환경 영향 보고서 : environmental impact statement
- 환경 오염 : environmental pollution / environmental contamination
- 환경 보호 단체 : green lobby
- 환경 보호 주의자 : environmentalist
- 환경 평가 : environmental assessment
- 환경 피해 : environmental damage building

235) levee : 제방, 둑; 부두(quay)
236) seismic : 지진의 / 진원 : epicenter
237) active volcano : 활화산 / dormant volcano : 휴화산 / extinct volcano : 사화산

E N G L I S H
C O N V E R S A T I O N
D I C T I O N A R Y

INDEX

찾아보기

index

숫자 · 문자

가

나

다

라

마

바

사

아

자

차

카

타

파

하

PROFILE

저자 박 양 우(朴良雨)

저자는 1986년 육군사관학교를 졸업(42기), 소위로 임관 이후 주한 미8군 등 각급 제대 및 다양한 부서에서 정보전문가로 근무하면서 일찍이 영어공부에 정진해 온 미국통 정보 장교이다. 1989년 정보고등군사교육과정(OAC)을 1등으로 수료, 참모총장상을 수상한 바 있으며, 1992년에 국방대학원 석사과정을 졸업하고 1993년에는 주한 미8군에서 한미합동실무교육(OJT)을 통하여 실무경험을 쌓았다. 1994년부터 1995년까지 미 ○○정보부대에서 정보분석 장교로 재직하는 동안 근무공적을 인정받아 미 국방성으로부터 훈장(U.S. Army Commendation Medal)을 수상한 바 있다. 특히 이 기간에 저자는 미군 장병들과 생활하면서 이 책의 특징이기도 한 살아있는 미국 영어에 관한 자료들을 수집하고 정리하는데 심혈을 기울였다. 또 1998년 연합훈련 목적으로 미 본토에 파견, 한미 연합작전 수행능력 배양과 현장체험의 기회를 갖게 되었으며, 2001년 「미국 합동전략 정보 과정」(Joint Strategic Intelligence Course, Washington, D.C.) 선발시험에 합격, 2002년 미국 Washington, D.C.에서 교육과정을 수료하였다.

E-mail : skspyw68@hanmir.com

감수자

Mrs. Suzanna Oh

- Georgetown University 졸업(American Studies 전공)
- 서울대학교 대학원 박사 과정 수료(국어국문학)
- 현재 중앙일보 Newsweek-Korea 편집위원

Mrs. Anna V. Bittrick

- Washington State University 졸업(영어학 전공)
- 현재 Washington, D.C. 고등학교 영어교사

THE UNITED KINGDOM

SHETLA
ORKNEY ISLANDS
LEWIS
HARRIS
HIGHLANDS
SKYE
Inverness
Loch Ness
Aberdeen
Atlantic Ocean
Dundee
Glasgow
Edinburgh
SCOTLAND
Londonderry
NORTHERN IRELAND
Belfast
Newcastle upon Tyn
LAKE DISTRICT
ISLE OF MAN
IRELAND
MOORS
Bradford
Leeds
Liverpool
Manchester
Sheffield
Dublin
Irish sea
Chester
Nottingha
Birmingham
WALES
ENGLAN
Cork
St. George's Channel
Avon
Oxford
Cardiff
Bristol
Thames
THE DOWNS
MOORS
Southampton
ISLE OF WIGHT
Plymouth
English Channel

◉ --- 수도
● --- 주도
○ --- 주요 도시

0 100 200 km